Les Morts de la Saint-Jean

La Muraille invisible

L'Homme inquiet

Henning Mankell

Les Morts de la Saint-Jean
La Muraille invisible
L'Homme inquiet

Intégrale Wallander

III

TRADUIT DU SUÉDOIS PAR ANNA GIBSON

ÉDITIONS DU SEUIL
25, bd Romain-Rolland, Paris XIVe

Ce livre est édité par Anne Freyer-Mauthner

Ce volume est publié en accord avec l'agence littéraire
Leonhardt & Høier, Copenhague

ISBN 978-2-02-103936-8

www.seuil.com

Les Morts de la Saint-Jean

roman traduit du suédois
par Anna Gibson

Prologue

La pluie cessa peu après dix-sept heures. L'homme accroupi au pied de l'arbre commença lentement à retirer sa veste. L'averse n'avait pas duré plus de trente minutes, mais il était trempé. La rage le submergea un court instant. Il ne voulait pas s'enrhumer. Pas maintenant, alors que l'été commençait.

Il déposa sa veste et se mit debout. Ses jambes étaient ankylosées. Il se balança légèrement d'avant en arrière pour relancer la circulation. Ceux qu'il attendait ne viendraient pas avant vingt heures. Ils en avaient décidé ainsi et ils ne changeraient pas d'avis. Mais il existait un risque infime que quelqu'un d'autre s'aventure sur l'un des sentiers qui s'enfonçaient dans la réserve.

C'était le seul détail imprévisible dans son plan minutieusement élaboré. Le seul dont il ne puisse être sûr.

Pourtant, il ne se sentait pas inquiet. Aucune festivité n'était prévue dans la réserve pour cette nuit de la Saint-Jean. Il n'y avait pas de camping à proximité. De plus, ceux qu'il attendait avaient choisi leur endroit avec le plus grand soin. Ils voulaient être tranquilles.

Le lieu du rendez-vous avait été fixé quinze jours plus tôt – à ce moment-là, ça faisait déjà plusieurs mois qu'il les suivait à la trace. Dès le lendemain, il s'était rendu dans la partie sauvage de la réserve, veillant à ne pas être vu. Soudain, un couple âgé avait surgi sur un sentier. Il s'était dissimulé derrière un bouquet d'arbres ; le couple avait disparu.

En découvrant le lieu qu'ils avaient retenu pour la fête, il avait tout de suite constaté qu'il était idéal à tout point de vue : situé dans un repli de terrain au bas d'un talus, entouré d'épaisses broussailles avec, derrière, quelques groupes d'arbres.

Ils n'auraient pas pu choisir un meilleur endroit.

Ni pour eux. Ni pour lui.

Les nuages chargés de pluie s'étaient dispersés. Lorsque le soleil parut, l'air se réchauffa aussitôt.

Le mois de juin avait été frais. Les gens se plaignaient de ce début d'été pourri en Scanie. Il leur donnait raison.

Il était toujours d'accord.

C'est le seul moyen d'échapper, pensait-il souvent, *à tout ce qui peut arriver.*

Il avait appris cet art. Celui de toujours être d'accord.

Il leva la tête. Il n'y aurait pas de nouvelle averse. Le printemps avait vraiment été très frais. Mais là, la nuit de la Saint-Jean était imminente, et le soleil se montrait enfin.

La soirée sera belle, pensa-t-il. Belle et mémorable.

L'herbe mouillée embaumait. Il entendit un battement d'ailes tout proche. Sur sa gauche, le talus descendait en pente douce ; tout au bout, on entrevoyait la mer.

Il écarta les jambes et cracha le tabac qui commençait à se liquéfier dans sa bouche. Il piétina le sable pour le faire disparaître.

Il ne laissait jamais de traces. Jamais. Mais il pensait souvent qu'il devrait arrêter de chiquer. C'était une mauvaise habitude. Ça ne lui convenait pas.

*

Ils avaient décidé de se retrouver à Hammar.

C'était le plus commode, puisque les uns venaient de Simrishamn et les autres d'Ystad. Ensemble, ils prendraient la route, laisseraient les voitures à l'entrée de la réserve et se rendraient à pied à l'endroit convenu.

Ce lieu n'avait pas fait l'objet d'un véritable choix. Longtemps, ils avaient envisagé différentes possibilités. Puis quelqu'un avait proposé la réserve, et les autres avaient accepté sans réfléchir, peut-être parce qu'il ne leur restait plus beaucoup de temps, compte tenu des préparatifs nécessaires. Ils s'étaient réparti les tâches – préparer la nourriture, prendre le bateau jusqu'à Copenhague pour louer les costumes et les perruques. Rien ne devait être laissé au hasard.

Ils avaient aussi envisagé qu'il puisse pleuvoir.

Le jour de la fête, en début d'après-midi, le responsable météo avait rangé dans un sac de sport rouge la grande bâche plastique, le rouleau de ruban adhésif et les vieilles armatures de tente en métal léger. La pluie ne les empêcherait pas de passer la nuit dehors. Ils seraient protégés.

Tout avait été prévu. Sauf un incident qui les prit complètement au dépourvu.

L'une des participantes tomba malade – celle qui se réjouissait peut-être le plus à l'idée de cette fête. Elle connaissait les autres depuis moins d'un an.

Elle s'était réveillée très tôt avec une vague nausée, qu'elle mit sur le compte du trac. Mais, vers midi, elle commença à vomir et à avoir de la fièvre. Elle espérait encore que ça passerait. Cependant, lorsque celui qui devait venir la chercher sonna à sa porte, elle tenait à peine sur ses jambes.

Ils ne furent donc que trois à se retrouver au rendez-vous de Hammar, peu avant dix-neuf heures trente. Il en aurait fallu davantage pour les décourager. Ils avaient de l'expérience ; il existait toujours certains risques, et personne n'était à l'abri d'un accident.

Ils laissèrent les voitures à l'entrée de la réserve, prirent leurs paniers et disparurent le long du sentier. À part un accordéon quelque part, très loin, on n'entendait que les oiseaux, et le bruit du ressac à l'arrière-plan.

En arrivant sur les lieux, ils sentirent instinctivement qu'ils avaient fait le bon choix. Personne ne viendrait les déranger. Ils pourraient attendre l'aube en toute sérénité.

Le ciel était complètement dégagé.

La nuit de la Saint-Jean serait lumineuse.

Tous les détails de la fête avaient été mis au point à la première réunion du mois de février. Ils avaient évoqué la nuit d'été, sa clarté particulière, le désir qu'elle leur inspirait. Ils avaient bu beaucoup de vin et discuté longuement de ce qu'on entendait au juste par « pénombre ».

À quel moment survenait cet état, ou ce passage, qui n'était ni ombre, ni lumière ? Comment décrire cet état crépusculaire ? Que distinguait-on exactement dans cette obscurité pâle, ce vague entre-deux, flottant, fuyant, se confondant peu à peu avec la nuit ?

Ils n'avaient pas réussi à se mettre d'accord ; l'énigme de la pénombre resta sans réponse. Mais ce fut ce soir-là que le projet de la fête prit corps pour la première fois.

Arrivés au bas du talus, ils déposèrent leurs paniers. Puis ils se retirèrent séparément à l'abri des broussailles et commencèrent à se déshabiller. Les miroirs de poche coincés entre les branches leur permettaient de vérifier la position correcte des perruques.

Aucun d'entre eux ne se doutait qu'un homme observait à distance ces préparatifs compliqués. Les perruques, c'était encore le moins difficile. Après, il fallait lacer les corsets, attacher les coussins, enfiler les jupons, placer les rubans, les fichus, les jabots, les couches de poudre successives. Chaque détail comptait. C'était un jeu. Mais ils jouaient sérieusement.

À vingt heures précises, comme convenu, ils sortirent des taillis pour contempler la métamorphose. L'émotion les submergea. Une fois de plus, ils avaient réussi à quitter leur époque et à entrer dans une autre.

L'époque de Bellman[1].

Ils se rapprochèrent jusqu'à se toucher et se mirent à rire. L'instant d'après, ils avaient retrouvé leur sérieux. Sur une grande nappe étalée au pied d'un arbre, ils disposèrent le contenu des paniers. Ils avaient aussi apporté un magnétophone et des cassettes : les *Épîtres de Fredman*, dans plusieurs interprétations différentes.

La fête commença. Au retour de l'hiver, ils évoqueraient cette nuit. Cette création, ce nouveau secret partagé par eux seuls.

*

À minuit, il n'avait toujours pas pris sa décision.

Ils n'étaient pas pressés, il le savait. Ils resteraient jusqu'à l'aube, peut-être même jusqu'à la fin de la matinée, pour se reposer.

Il connaissait leur projet dans ses moindres détails. Cela lui donnait un sentiment de supériorité illimitée.

Seul celui qui est en position de force a la possibilité de se retirer à temps.

1. Carl Michael Bellman (1740-1795), poète, auteur de chansons dont la popularité ne s'est jamais démentie en Suède (en particulier les *Épîtres de Fredman* évoquées au paragraphe suivant). *[Toutes les notes sont de la traductrice.]*

À un moment donné, il perçut à leurs voix qu'ils commençaient à être ivres. Alors, très lentement, il changea de position. Dès sa première visite, il avait repéré l'endroit qui lui servirait de tremplin : un épais fourré surplombant le lieu de la fête. De là, il avait une vue parfaite sur la nappe bleu ciel et ses alentours. Il pouvait s'approcher de très près sans être vu, même lorsqu'ils quittaient les abords de la nappe pour accomplir leurs besoins. De l'endroit où il se trouvait, il contrôlait leurs moindres mouvements.

À minuit passé, il attendait encore. Un détail le faisait hésiter.

Un détail n'était pas conforme à ses prévisions.

Ils auraient dû être quatre. Mais la quatrième personne n'était pas venue. Il avait envisagé différentes hypothèses, qui le ramenaient toujours au même point. *Il n'y avait pas d'explication certaine.* Un imprévu avait surgi. La fille avait peut-être changé d'avis ? Peut-être était-elle tombée malade ?

Il écoutait la musique. Les rires. Par moments, il s'imaginait à la place de l'un ou de l'autre, assis sur la nappe bleue, un verre à la main. Après, il essaierait l'une des perruques. Peut-être aussi un costume ? Il y avait tant de choses à faire, et aucune limite à ses actions. Sa supériorité n'aurait pu être plus grande, même s'il avait eu les moyens de se rendre invisible.

Il attendait toujours. Les rires montaient et refluaient. Un oiseau de nuit passa à tire-d'aile au-dessus de sa tête.

Trois heures dix. L'attente avait assez duré. Le temps était venu. Celui dont il décidait seul, de manière souveraine.

Quand avait-il porté une montre pour la dernière fois ? Il ne s'en souvenait pas. Les heures et les minutes s'égrenaient à l'intérieur de lui. Il savait toujours quelle heure il était. Horloge intérieure infaillible.

Tout était calme autour de la nappe bleue. Ils s'étaient rapprochés les uns des autres et écoutaient la musique, enlacés. Ils n'étaient pas endormis, non. Mais plongés dans leur rêverie, sans se douter un seul instant de sa présence.

Il ramassa l'objet posé à côté de lui, sur sa veste repliée : un pistolet avec un silencieux. Il prêta l'oreille.

Puis il s'accroupit et se faufila jusqu'au grand arbre, juste derrière le groupe. Il s'immobilisa. Aucun d'eux n'avait flairé le danger. Il jeta un dernier regard autour de lui. Il n'y avait personne.

Ils étaient seuls.

Alors il s'avança, arme brandie, et il tira. Une balle dans chaque front. Il ne put empêcher le sang de gicler sur les perruques blanches. Tout se passa si vite qu'il eut à peine le temps de comprendre ce qu'il faisait.

Mais, l'instant d'après, ils étaient morts. Enlacés, dans la même attitude qu'auparavant.

Il éteignit le magnétophone. Écouta. Les oiseaux chantaient. Il scruta l'ombre des taillis. Il n'y avait personne évidemment.

Il posa le pistolet sur la nappe. Mais, avant, il avait pris soin de déplier une serviette. Il ne laissait jamais de traces.

Puis il s'assit. Contempla ceux qui l'instant d'avant riaient et qui étaient morts.

La scène est toujours aussi idyllique, pensa-t-il. La seule différence, c'est que maintenant on est quatre. Comme prévu.

Il se versa un verre de vin. D'habitude il ne buvait pas. Mais là, la tentation était trop forte.

Il essaya l'une des perruques. Se servit de la nourriture. Il n'avait pas spécialement faim.

À trois heures et demie, il se releva.

Il avait encore beaucoup à faire. La réserve attirait les matinaux, ceux qui aimaient bien se promener dès l'aube. À supposer, contre toute attente, que quelqu'un quitte le sentier et trouve le chemin du talus, il n'y aurait rien à voir.

Du moins pas encore.

Son dernier geste, avant de partir, fut de fouiller les sacs et les vêtements. Il découvrit rapidement ce qu'il cherchait : les trois passeports. Il les rangea dans la poche de sa veste ; il les brûlerait plus tard dans la journée.

Il regarda autour de lui une dernière fois. Puis il tira de sa poche un appareil compact et prit une photo. Une seule.

Ce qu'il voyait dans le cadre du viseur ressemblait à un tableau. *Pique-nique champêtre au temps de Bellman.* À ceci près que quelqu'un avait barbouillé le tableau de sang.

Matin de la Saint-Jean, samedi 22 juin 1996. La journée serait belle. L'été était enfin arrivé en Scanie.

Première partie

1

Le mercredi 7 août 1996, Kurt Wallander faillit être tué dans un accident de la route, à l'est d'Ystad.

Il était tôt, à peine six heures du matin. Il venait de traverser Nybrostrand en direction de l'Österlen. Soudain, un poids lourd surgit devant sa Peugeot. Il perçut l'avertisseur du camion à l'instant même où il donnait un brusque coup de volant.

Il s'immobilisa au bord de la route. La peur le rattrapa seulement alors. Cœur cognant à se rompre, nausée, vertige. Il crut qu'il allait s'évanouir. Il serra le volant de toutes ses forces.

Quand il fut un peu calmé, il commença très lentement à comprendre ce qui s'était passé.

Il s'était endormi au volant. Une fraction de seconde avait suffi pour que sa vieille voiture franchisse la ligne blanche.

Une seconde de plus et il aurait été écrasé par le poids lourd.

L'espace d'un instant, cette certitude le laissa complètement démuni. Il ne pouvait penser qu'à une chose : l'épisode, quelques années plus tôt, au cours duquel il avait failli heurter un élan près de Tingsryd.

Mais, à l'époque, c'était la nuit et il y avait du brouillard. Cette fois-ci, il s'était endormi au volant.

La fatigue.

Il n'y comprenait rien. Elle lui était tombée dessus sans prévenir, peu avant son départ en vacances au début du mois de juin. Cette année, exceptionnellement, il avait voulu prendre ses vacances très tôt, avant l'été. Elles avaient été gâchées par la pluie. Le beau temps était arrivé en Scanie juste au moment où il reprenait le travail, peu après la Saint-Jean.

La fatigue ne le quittait pas. Il était capable de s'assoupir sur une chaise. Même après une longue nuit d'un sommeil ininterrompu, il devait faire un effort pour se lever. Souvent, en voiture, il était obligé de s'arrêter et de dormir un peu.

C'était inexplicable. Sa fille Linda l'avait interrogé, à la fin de la semaine de vacances qu'ils avaient partagée sur l'île de Gotland. Ils se trouvaient à Burgsvik, ils avaient passé la journée à visiter la pointe sud de l'île. Puis ils avaient dîné dans une pizzeria avant de retourner à la pension de famille.

Elle l'avait interrogé sur sa fatigue. Une lampe à pétrole éclairait son visage de l'autre côté de la table et, à son expression, il comprit qu'elle attendait une réponse. Mais il ne répondit pas. Tout allait bien, il consacrait une partie de ses vacances à rattraper le sommeil perdu – quoi de plus naturel ? Linda n'insista pas. Mais il vit bien qu'elle n'en croyait pas un mot.

Là, il ne pouvait plus faire semblant. Cette fatigue n'était pas naturelle. Quelque chose clochait, à l'évidence. Il se creusa la tête. Y avait-il d'autres symptômes ? En dehors des crampes aux mollets qui le réveillaient parfois la nuit, il ne trouva rien.

Il venait de frôler la mort. Il ne pouvait plus repousser l'échéance. Il téléphonerait à un médecin le jour même.

Il remit le contact et baissa sa vitre. La chaleur estivale persistait, alors qu'on était déjà en août.

Wallander se rendait chez Gertrud, à Löderup. Il connaissait la route par cœur, mais il avait encore du mal à admettre qu'il ne trouverait pas son père à l'atelier, dans l'odeur de térébenthine, devant le chevalet où il peignait ses éternels paysages avec coq de bruyère. Ou parfois sans coq de bruyère. Mais toujours avec un soleil suspendu par des fils invisibles au-dessus des arbres.

Cela ferait bientôt deux ans. L'appel de Gertrud lui apprenant que son père était étendu mort dans l'atelier. Il pouvait encore – comme une image aiguë qui s'attarde indéfiniment – se rappeler la manière dont il avait continué à nier l'évidence tout au long du trajet jusqu'à Löderup ce jour-là. Mais, en arrivant à la maison et en apercevant Gertrud dans la cour, il n'avait rien pu faire pour se protéger.

Ces deux années étaient passées vite. Aussi souvent qu'il le pouvait – trop rarement en réalité –, il rendait visite à Gertrud, qui continuait d'habiter la maison. Plus d'un an s'était écoulé avant qu'ils se décident à faire le ménage dans l'atelier, où ils avaient trouvé en tout trente-deux tableaux achevés et signés. Un soir de décembre 1995, ils s'étaient assis dans la cuisine de Gertrud et ils avaient dressé une liste de bénéficiaires. Wallander en garderait deux pour lui : un paysage avec coq de bruyère et un sans. Sa fille Linda en recevrait un, ainsi que Mona, son ex-femme. Sa sœur Kristina, à sa grande surprise et peut-être aussi à son grand chagrin, n'en voulait aucun. Gertrud elle-même en possédait déjà plusieurs. Restaient vingt-huit toiles. Après une certaine hésitation, Wallander décida d'en envoyer une à un inspecteur de police de Kristianstad avec lequel il était parfois en relation. À la fin – après que tous les cousins de Gertrud eurent été pourvus – il restait encore cinq toiles. Qu'allait-il en faire ? Il ne pourrait jamais se résoudre à les brûler.

Légalement, elles appartenaient à Gertrud. Mais celle-ci avait dit qu'elles leur revenaient, à lui et à sa sœur Kristina. Pas à elle, qui était arrivée si tard dans la vie de leur père.

Wallander dépassa la sortie de Kåseberga. Il était bientôt arrivé. Il pensa à ce qui l'attendait. Un soir, en mai, au cours d'une visite à Gertrud, ils avaient fait une longue promenade le long des chemins de tracteur séparant les champs de colza. Elle lui avait confié qu'elle ne voulait plus habiter là. La solitude lui pesait.

– Je dois partir avant qu'il ne commence à me hanter, avait-elle dit.

Il comprit confusément ce qu'elle entendait par là. Il aurait sans doute réagi de la même façon.

Ils se promenaient le long des champs, et elle lui demanda de l'aider à vendre la maison. Elle n'était pas pressée, ça pouvait attendre la fin de l'été. Mais elle voulait déménager avant l'automne. Sa sœur, qui habitait près de Rynge, venait de perdre son mari. Gertrud comptait s'installer là-bas.

Le moment du déménagement était venu. On était mercredi. Wallander avait pris sa journée. Un agent immobilier d'Ystad devait arriver à Löderup à neuf heures. Ensemble, ils conviendraient d'un prix raisonnable. Avant cela, Wallander et Gertrud devaient trier les derniers cartons de son père. Tout le reste, ils s'en étaient occupés une semaine plus tôt. Martinsson, un collègue du commissariat, était venu avec sa remorque et ils avaient fait plusieurs allers et retours jusqu'à la décharge de Hedeskoga. Wallander avait pensé avec un malaise croissant que tout ce qui subsistait d'un être se retrouvait en définitive à la décharge la plus proche.

De son père il restait maintenant, en dehors des souvenirs, un certain nombre de photographies, cinq tableaux et quelques cartons de lettres et de documents. Rien de plus. Compte soldé, vie clôturée.

Wallander s'engagea sur le chemin qui conduisait à la maison de son père.

Il aperçut Gertrud dans la cour. Elle avait toujours été matinale.

Ils burent un café dans la cuisine, où les portes des placards s'ouvraient sur des étagères vides. La sœur de Gertrud devait passer la chercher dans l'après-midi. Wallander garderait une clé pour lui et donnerait la deuxième à l'agent immobilier.

Un peu plus tôt, quand elle était venue à sa rencontre dans la cour, il avait constaté avec surprise qu'elle portait la même robe que le jour où elle avait épousé son père. Il sentit aussitôt sa gorge se nouer. Pour Gertrud, c'était une journée solennelle. Elle allait quitter sa maison.

Ils avaient examiné le contenu des deux cartons. Au milieu des lettres anciennes, Wallander découvrit une paire de chaussures d'enfant. Il crut même les reconnaître. Son père les avait-il conservées exprès pendant toutes ces années ?

Il porta les cartons dans la cour et les chargea à l'arrière de sa voiture. En refermant la portière, il vit que Gertrud était sortie sur le perron. Elle souriait.

– Il reste cinq tableaux, tu les as oubliés ?

Wallander fit non de la tête. Il se dirigea vers la grange, qui était autrefois l'atelier de son père. La porte était ouverte. Ils avaient fait le ménage à fond ; pourtant, l'odeur de térébenthine persistait. Il aperçut le vieux réchaud et la casserole dans laquelle son père avait réchauffé un nombre infini de tasses de café.

C'est peut-être la dernière fois que je viens ici, pensa-t-il. Mais, contrairement à Gertrud, je ne me suis pas habillé pour l'occasion. Comme toujours, je suis sapé n'importe comment. Et si la chance n'avait pas été de mon côté, je serais mort. Comme mon père. Linda ferait des allers et retours jusqu'à la décharge avec mes affaires. Parmi lesquelles deux tableaux, dont un avec coq de bruyère.

Il se sentait oppressé. Son père était encore là, dans la pénombre de l'atelier. Les toiles étaient appuyées contre un mur. Il les porta jusqu'à la voiture, les rangea dans le coffre, les recouvrit d'une couverture. Gertrud était toujours sur le perron.

– C'est tout, je crois.

Wallander hocha la tête.

– Oui, dit-il. C'est tout.

À neuf heures précises, la voiture de l'agent immobilier freina dans la cour. À sa grande surprise, Wallander reconnut l'homme qui en descendit. Il s'appelait Robert Åkerblom. Quelques années plus tôt, on avait retrouvé le corps de sa femme Louise au fond d'un puits désaffecté. Wallander s'en souvenait comme de l'une des enquêtes les plus pénibles de sa carrière. Mais que faisait-il chez Gertrud ? Robert Åkerblom travaillait bien dans l'immobilier, mais Wallander avait choisi de s'adresser à une grande boîte qui possédait des agences partout en Suède. Celle d'Åkerblom n'en faisait pas partie – à supposer qu'elle existe encore. Wallander croyait se souvenir d'une rumeur de fermeture, peu de temps après l'assassinat de sa femme.

Il sortit et alla à sa rencontre. Robert Åkerblom était exactement pareil à l'image qu'il avait gardée de lui. Lors de leur première rencontre, il s'était effondré en larmes dans le bureau de Wallander. J'aurai bientôt oublié le visage de cet homme, avait-il pensé sur le moment. Il croyait se souvenir que sa femme et lui étaient membres d'une Église évangélique. Méthodiste, plus précisément.

Ils se serrèrent la main.

– Je ne pensais pas qu'on se reverrait, dit Robert Åkerblom.

La voix aussi lui parut familière. L'espace d'un instant, il se sentit gêné. Que devait-il dire ? Mais l'autre prit les devants :

– J'ai toujours autant de chagrin, dit-il lentement. Mais c'est encore pire pour les filles.

Wallander se souvint alors que le couple avait deux filles, très jeunes à l'époque du drame. Elles avaient compris sans comprendre.

– Ce doit être très difficile.

Il crut un instant que ça allait recommencer. Mais Robert Åkerblom ne fondit pas en larmes.

– J'ai essayé de garder l'agence, dit-il simplement. Mais je n'en avais plus la force. Un concurrent a proposé de me racheter, j'ai accepté. Je ne m'en suis jamais repenti. Surtout, je suis délivré de la comptabilité, qui me prenait toutes mes soirées. Je peux me consacrer davantage aux filles.

Gertrud les rejoignit. Ensemble, ils firent le tour de la maison. Robert Åkerblom nota quelques renseignements et prit quelques photos. Ensuite ils burent du café à la cuisine. Le prix suggéré par Åkerblom était inférieur aux prévisions de Wallander. Mais c'était le triple de ce qu'avait payé son père autrefois.

Robert Åkerblom repartit vers dix heures et demie. Wallander se dit qu'il devait peut-être rester jusqu'à l'arrivée de la sœur. Gertrud devina sa pensée.

– Ça ne me dérange pas d'être seule. Il fait un soleil magnifique. On a eu un bel été, après tout, alors qu'on le croyait presque fini. Je vais me mettre au jardin.

– Si tu veux, je reste. J'ai pris ma journée.

Gertrud secoua la tête.

– Viens plutôt me rendre visite à Rynge. Mais attends quelques semaines, le temps que je m'organise.

Wallander reprit la direction d'Ystad. Il comptait rentrer directement chez lui, prendre rendez-vous chez le médecin, réserver une heure de lessive à la buanderie de l'immeuble et faire le ménage dans l'appartement.

Comme rien ne pressait, il choisit de passer par les petites routes. Il aimait conduire. Regarder le paysage, laisser vagabonder ses pensées.

Il venait de dépasser Valleberga lorsque son portable bourdonna. C'était Martinsson. Wallander freina.

– Je t'ai cherché partout ; évidemment, personne n'a pensé à me dire que tu avais pris ta journée. Ton répondeur est en panne, tu es au courant ?

Wallander savait que son répondeur n'était pas tout à fait fiable ; mais il comprit surtout qu'il s'était passé quelque chose. Il avait beau être policier depuis très longtemps, la sensation était toujours la même. Le ventre qui se nouait. Il retint son souffle.

– Je suis dans le bureau de Hansson. J'ai en face de moi la maman d'Astrid Hillström.

– Qui ?

– Astrid Hillström. L'une des trois jeunes qui ont disparu. Sa maman.

Wallander fit le rapprochement.

– Qu'est-ce qu'elle veut ?

– Elle est très choquée. Elle vient de recevoir une carte postale de sa fille. De Vienne.

Wallander fronça les sourcils.

– C'est une bonne nouvelle, non ? Que sa fille lui écrive ?

– Elle dit que sa fille n'a pas écrit cette carte. D'après elle, quelqu'un a imité son écriture. Et elle est choquée parce qu'on ne fait rien.

– Qu'est-ce qu'on devrait faire ? Alors qu'on n'a aucune raison de soupçonner qui que ce soit, et qu'on a même des preuves qu'ils sont partis de leur plein gré ?

Il dut attendre un instant avant d'entendre de nouveau la voix de Martinsson :

– Je ne sais pas. Mais j'ai le sentiment qu'elle n'a pas tout à fait tort. Peut-être.

L'attention de Wallander s'aiguisa immédiatement. Au fil des ans, il avait appris à prendre au sérieux les intuitions de Martinsson.

– Tu veux que je vienne ?

– Non. Mais je trouve qu'on devrait en discuter demain. Toi, Svedberg et moi.

– Quand ?

– Huit heures, ça te va ? Je vais prévenir Svedberg.

Wallander attendit un instant avant de redémarrer. Un tracteur traversait un champ. Il le suivit du regard en pensant à ce qu'avait dit Martinsson.

Wallander avait lui aussi rencontré plusieurs fois la mère d'Astrid Hillström.

Que s'était-il passé ? Il fit un effort pour se remémorer l'affaire. Trois jeunes portés disparus, deux jours après la Saint-Jean, au moment où lui-même revenait de ses vacances pluvieuses. Il s'en était occupé avec quelques collègues. Dès le début, il lui avait semblé qu'il n'y avait aucune raison de s'alarmer. Trois jours plus tard, une carte postale était arrivée de Hambourg. Au recto, une photographie de la gare de la ville et, au dos, un message dont Wallander se souvenait encore mot pour mot. *On fait un tour en Europe. On sera peut-être partis jusqu'à la mi-août.*

On était aujourd'hui le 7 août ; ils n'allaient sans doute pas tarder à rentrer. Entre-temps, une nouvelle carte venait donc d'arriver – cette fois postée à Vienne et signée Astrid Hillström.

La première, il s'en souvenait, portait la signature des trois jeunes. Les parents avaient reconnu leur écriture ; seule la maman d'Astrid Hillström avait hésité. Mais elle s'était laissé convaincre par les autres.

Wallander jeta un regard au rétroviseur avant de s'engager sur la route. Les pressentiments de Martinsson se révélaient souvent fondés.

Il gara sa voiture devant son immeuble et monta l'escalier avec les cartons et les cinq tableaux dans les bras. Puis il s'assit près du téléphone et appela son médecin habituel. Un répondeur lui apprit que celui-ci reviendrait de vacances le 12 août. Il pouvait bien attendre jusque-là. Mais la pensée de la mort qui l'avait frôlé le matin même le fit changer d'avis. Il appela un autre docteur et obtint un rendez-vous pour le lendemain matin. Il réserva aussi une heure à la buanderie, le lendemain soir. Puis il commença à faire le ménage. À peine fini la chambre à coucher, il en eut assez. Il passa vaguement l'aspirateur dans le séjour. Puis il rangea l'aspirateur. Les cartons et les tableaux avaient trouvé place dans la chambre où dormait Linda – les rares fois où elle lui rendait visite.

Ensuite il but trois verres d'eau dans la cuisine.

Cette soif aussi était bizarre.

La fatigue. Et la soif. Pourquoi avait-il tellement soif ?

Il était déjà midi. Il avait faim. Mais le réfrigérateur était presque vide. Il enfila sa veste et sortit. Il faisait chaud. Sans se presser, il prit la direction du centre, en s'arrêtant devant trois agences immobilières pour examiner les maisons à vendre. Le prix qu'avait proposé Robert Åkerblom était raisonnable. Ils ne tireraient pas plus de trois cent mille couronnes de la maison de Löderup.

Il s'arrêta devant un kiosque et commanda un hamburger. Et deux bouteilles d'eau minérale. Puis il entra dans un magasin de chaussures dont il connaissait le propriétaire et demanda s'il pouvait utiliser les toilettes. Une fois dehors, dans la rue, il se sentit désemparé. Il devait faire des courses. Son garde-manger était aussi vide que son frigo. Mais il ne se sentait pas la force de retourner chercher la voiture et d'aller dans l'un des hypermarchés des environs. Il descendit Hamngatan, traversa la voie de chemin de fer et tourna dans Spanienfararegatan. Arrivé au port de plaisance, il se mit à longer les pontons, sans hâte, en regardant les bateaux et en essayant d'imaginer ce que ce serait de savoir naviguer. Il n'en avait aucune expérience. Puis il sentit qu'il avait de nouveau besoin d'aller aux toilettes. Il entra dans le café du port, se rendit aux WC, but encore une bouteille d'eau minérale. Ensuite il alla s'asseoir sur le banc, à côté du bâtiment rouge de la Marine.

La dernière fois qu'il était venu là, c'était l'hiver. Le soir où Baiba était repartie.

Il l'avait conduite à l'aéroport de Sturup. La nuit était déjà tombée, les rafales de vent chargées de neige tourbillonnaient dans la lumière des phares. Ils ne disaient rien. Après l'avoir vue disparaître par la porte du contrôle des passeports, il était retourné à Ystad et il s'était assis sur ce banc. Le vent était glacial. Il avait froid. Mais il n'avait pas bougé. Et il avait pensé que tout était fini. Il ne reverrait pas Baiba. Leur rupture était définitive.

Ils s'étaient revus, avant cela, en décembre 1994. Le père de Wallander venait de mourir et Wallander lui-même sortait d'une enquête épuisante. Mais cet automne-là, pour la première fois depuis bien des années peut-être, il avait fait des projets d'avenir. Il avait décidé de quitter Mariagatan, de s'installer à la campagne, d'acheter un chien. Il avait même rendu visite à un élevage de labradors. Il allait changer de vie. Et le plus important de tout : il désirait que Baiba vienne vivre avec lui. Elle avait passé Noël à Ystad. Linda et elle s'étaient bien entendues. Après le Nouvel An, juste avant qu'elle ne retourne à Riga, ils avaient parlé sérieusement de l'avenir. Elle viendrait peut-être en Suède dès l'été. Ils avaient visité des maisons ensemble. En particulier une petite ferme démembrée près de Svenstorp, où ils étaient retournés plusieurs fois. Puis un jour, au mois de mars, un soir plutôt, alors que Wallander dormait déjà, elle l'avait appelé de Riga et lui avait fait part de ses hésitations. Elle ne voulait plus se marier et s'installer en Suède, du moins pas dans l'immédiat. Plein d'appréhension, Wallander avait pris l'avion pour Riga quelques jours plus tard, avec l'idée de la convaincre. Ça s'était terminé en dispute. Pour la première fois, ils s'étaient disputés, longuement, durement. Après ils ne s'étaient pas parlé pendant plus d'un mois. Puis Wallander l'avait rappelée, et ils avaient convenu qu'il viendrait en Lettonie à l'été. Ils avaient passé deux semaines de vacances dans la baie de Riga, dans une maison délabrée prêtée par un collègue de Baiba à l'université. Ils avaient beaucoup marché le long des plages et Wallander s'était bien gardé de parler d'avenir. Lorsque, enfin, Baiba en prit l'initiative, ce fut de façon vague et fuyante. Pas maintenant, pas encore. Pourquoi ne pas continuer comme avant ? Wallander était revenu en Suède découragé, dans une complète incertitude. Tout l'automne s'était écoulé sans qu'ils se revoient. Ils avaient parlé, échafaudé des projets, envisagé différentes possibilités. Mais rien ne se concrétisait. Wallander commençait à nourrir des soupçons. Y avait-il un autre homme à Riga ? Plusieurs fois, poussé par la jalousie, il l'avait appelée en pleine nuit et, deux fois au moins, il eut le sentiment qu'elle n'était pas seule, même si elle lui affirmait le contraire.

À Noël, cette année encore, elle était venue à Ystad. Cette fois, Linda n'avait participé qu'au réveillon du 24, avant de partir avec des amis en Écosse. Ce fut alors, quelques jours après le Nouvel An, que Baiba lui expliqua qu'elle n'envisageait plus de venir en Suède. Elle avait beaucoup hésité. Maintenant elle était sûre de sa décision. Elle ne voulait pas perdre son travail à l'université. Que ferait-elle en Suède ? À Ystad ? Elle pourrait peut-être devenir interprète. Mais à part cela ? Wallander avait tenté de la convaincre. Il n'y était pas parvenu, et il avait renoncé. Sans se l'avouer, ils savaient que leur histoire approchait de sa fin. Au bout de quatre ans, il n'y avait plus guère de chemin ouvert, praticable. Wallander l'avait raccompagnée à Sturup, il l'avait vue disparaître entre les portes du contrôle des passeports, et il était resté longtemps assis sur le banc gelé du bâtiment de la Marine, très abattu. Son sentiment d'abandon était plus fort que jamais. Il s'y mêlait aussi autre chose, en filigrane. Du soulagement. Malgré tout, l'incertitude avait pris fin.

Un bateau à moteur quitta le port. Wallander se leva. Il avait besoin de retourner aux toilettes.

Ils avaient continué à se parler au téléphone, par intermittence. Puis ces conversations aussi avaient pris fin. Cela faisait plus de six mois maintenant qu'il n'avait plus entendu sa voix. Un jour, au mois de juin, sur l'île de Gotland, alors qu'il se promenait dans Visby avec Linda, celle-ci avait demandé si c'était vraiment fini, avec Baiba.

– Oui, avait-il répondu. C'est fini.

Linda attendait visiblement une suite.

– On ne voulait pas que ça se termine, je crois, ni l'un ni l'autre. Mais c'était sans doute inévitable.

Il entra de nouveau dans le café, adressa un signe de tête à la serveuse et disparut aux toilettes.

Puis il retourna chercher sa voiture dans Mariagatan et prit la direction de l'hypermarché où il se ravitaillait en général, à l'ouest de la ville, sur la route de Malmö. Sur le parking, il fit une liste de ce dont il avait besoin. Mais lorsque enfin il se retrouva à pousser son chariot dans les rayons, impossible de la retrouver. Il ne prit pas la peine de retourner à la voiture. Le temps de rentrer chez lui et de tout ranger dans le réfrigérateur et le garde-manger, il était presque seize heures. Il s'allongea sur le canapé pour lire le journal mais s'endormit très vite. Une heure plus tard, il se réveilla en sursaut. Il avait rêvé.

Il se trouvait à Rome avec son père. Rydberg aussi était là. Et de petits êtres semblables à des nains, qui leur pinçaient les mollets avec insistance.

Wallander se redressa dans le canapé. Je rêve des morts, pensa-t-il. Qu'est-ce que cela signifie ? Je rêve de mon père presque chaque nuit. Et maintenant de Rydberg, mon vieux collègue et ami, le policier qui m'a appris tout ce que je sais. Et ça fait plus de cinq ans qu'il est décédé.

Il sortit sur le balcon. Pas un souffle de vent. Un banc de nuages commençait à se former à l'horizon.

Soudain il vit avec une netteté effarante à quel point il était seul. En dehors de Linda, qui vivait à Stockholm et qu'il rencontrait rarement, il n'avait pour ainsi dire aucun ami. Les seules personnes qu'il fréquentait étaient ses collègues. Et il ne les voyait jamais en dehors du travail.

Il alla à la salle de bains et se rinça le visage à l'eau froide. Se regarda dans le miroir. Il avait pris des couleurs. Mais la fatigue était visible sous le bronzage. L'œil gauche injecté de sang. La ligne des cheveux avait encore reculé d'un millimètre.

Il monta sur le pèse-personne. Quelques kilos de moins qu'avant l'été. Mais encore beaucoup trop.

Le téléphone sonna. C'était Gertrud.

– Je voulais juste te dire que je suis arrivée à Rynge. Et que le voyage s'est bien passé.

– J'ai pensé à toi. J'aurais peut-être dû rester, ce matin.

– Je crois que j'avais besoin d'être seule. Mais je serai bien ici. Nous nous sommes toujours bien entendues, ma sœur et moi.

– Je viendrai te voir dans une semaine ou deux.

Il avait à peine raccroché que le téléphone sonna de nouveau. Cette fois, c'était sa collègue Ann-Britt Höglund.

– Je voulais juste savoir comment ça s'était passé.

– Quoi donc ?

– Tu ne devais pas voir un agent immobilier, aujourd'hui ?

Wallander se souvint qu'il lui en avait vaguement parlé en quittant le commissariat la veille au soir.

– Ça s'est bien passé, je crois. Tu peux l'acheter pour trois cent mille, si tu veux.

– Je n'ai jamais eu l'occasion de la voir, cette maison.

– Ça fait bizarre de la voir toute vide. Gertrud est partie et maintenant, ça deviendra sans doute une maison de vacances. Pour des gens qui ignorent tout de mon père.

– Il y a des fantômes partout. Sauf peut-être dans les maisons neuves.

– L'odeur de térébenthine va persister un moment. Quand elle aura disparu à son tour, il n'y aura plus rien.

– Tu es bien mélancolique.

– C'est comme ça. On se voit demain. Merci pour ton coup de fil.

Wallander alla à la cuisine et but un verre d'eau.

Ann-Britt était attentionnée. Lui-même n'aurait évidemment jamais songé à appeler un collègue dans une situation semblable.

Bientôt dix-neuf heures. Il fit frire des saucisses et des pommes de terre, qu'il mangea devant la télévision, l'assiette sur ses genoux, tout en zappant sans rien trouver d'intéressant à regarder. Puis il se fit un café et sortit sur le balcon. Dès que le soleil disparut, la température chuta brutalement. Il retourna à l'intérieur et consacra le reste de la soirée à parcourir les papiers rapportés de Löderup.

Au fond de l'un des cartons, il trouva une enveloppe de papier kraft contenant quelques vieilles photos. Il ne se souvenait pas de les avoir vues auparavant. Soudain il se reconnut : un petit garçon de quatre ou cinq ans assis sur le capot d'une grosse voiture américaine. Son père debout près de lui, le tenant pour qu'il ne tombe pas.

Wallander emporta la photographie dans la cuisine et fouilla les tiroirs à la recherche d'une loupe.

Je souris en fixant l'objectif, pensa-t-il. Je resplendis de fierté. On m'a donné la permission de grimper sur la voiture du marchand d'art. L'un ou l'autre de ceux qui venaient à Löderup et qui lui achetaient ses tableaux pour une bouchée de pain, ils l'escroquaient sans vergogne. Mon père sourit aussi. Mais il me regarde.

Wallander resta longtemps à contempler la photo. Une réalité depuis longtemps scellée, inaccessible. Autrefois, à une époque très lointaine, il y avait eu une complicité entre son père et lui. Tout avait changé du jour où il avait choisi d'entrer dans la police. Au cours des dernières années de la vie de son père, ils avaient peu à peu tenté de retrouver quelque chose de cette intimité perdue.

Mais on n'y est jamais vraiment arrivés, pensa-t-il. Rien en tout cas qui puisse se comparer à ce sourire-ci, sur le capot de la Buick étincelante. À Rome, nous nous sommes rapprochés – mais pas retrouvés.

Wallander punaisa la photo sur la porte de la cuisine. Puis il ressortit sur le balcon. L'écran nuageux s'était rapproché. Il retourna devant la télévision et regarda la fin d'un vieux film.

Vers minuit, il alla se coucher.

Le lendemain, il avait une réunion avec Svedberg et Martinsson. Ensuite, il devait aller chez le médecin.

Il garda longtemps les yeux ouverts dans le noir.

Deux ans plus tôt, il avait rêvé de quitter Mariagatan. S'acheter un chien. Vivre avec Baiba.

Rien de tout cela n'était advenu. Ni Baiba. Ni maison. Ni chien. Tout était resté comme avant.

Ça ne peut pas durer, pensa-t-il. J'ai besoin qu'il se passe quelque chose. Qui me donne la force d'envisager à nouveau l'avenir.

Il était plus de trois heures lorsqu'il s'endormit enfin.

2

Les nuages s'éloignèrent progressivement, peu avant l'aube.

Wallander se réveilla à six heures. Il avait de nouveau rêvé de son père. Au réveil, images fragmentaires et incohérentes, où il était à la fois enfant et adulte. Pas de scènes compréhensibles cependant ; le rêve était comme un navire disparaissant dans un banc de brouillard.

Il se leva, prit une douche et prépara du café. Dans la rue, il constata que la chaleur estivale s'attardait. En plus, pour une fois, il n'y avait absolument pas de vent. Il alla en voiture jusqu'au commissariat désert ; il n'était pas encore sept heures. Wallander but un café au passage et se rendit dans son bureau. En jetant un regard à sa table vierge de tout dossier, il se demanda depuis combien de temps il n'avait pas eu aussi peu d'affaires à traiter. Ces dernières années, il avait pu constater que sa charge de travail augmentait constamment en proportion des réductions budgétaires. Plusieurs enquêtes étaient restées en suspens, d'autres avaient été bâclées. Dans bien des cas où l'enquête préliminaire aboutissait à un classement sans suite, Wallander savait qu'il aurait pu en être tout autrement. S'ils avaient disposé de plus de temps. S'ils avaient été plus nombreux.

On pouvait toujours se demander si le crime était une affaire rentable et, dans ce cas, depuis quand ? Impossible de répondre avec certitude. Mais, pour Wallander, il ne faisait aucun doute que le crime fleurissait littéralement en Suède. En particulier pour les professionnels du crime économique, la Suède était devenue une quasi zone franche. L'État de droit semblait avoir abdiqué dans ce domaine.

Wallander discutait souvent avec ses collègues de cette évolution. Il constatait aussi l'inquiétude croissante de ses concitoyens. Gertrud en parlait. Les voisins qu'il croisait à la buanderie en parlaient.

Il savait leur inquiétude justifiée. Mais rien n'indiquait que des mesures énergiques soient envisagées. Dans le même temps, la police et la justice poursuivaient leur politique de désarmement unilatéral.

Il enleva sa veste et ouvrit la fenêtre. Son regard s'attarda un instant sur le vieux château d'eau.

Au cours des dernières années, on avait vu surgir en Suède différents « groupes de sécurité » ou « milices de citoyens ». Wallander redoutait depuis longtemps cette éventualité. Lorsque la justice ne fonctionnait plus, les lynchages n'étaient jamais très loin. Les gens commençaient à trouver normal de faire justice eux-mêmes.

Combien d'armes circulaient illégalement en Suède aujourd'hui ? Et où en serait-on d'ici quelques années ?

Il quitta la fenêtre et s'assit à son bureau. Parcourut les mémos déposés sur sa table pendant son absence. L'un concernait les actions envisagées au niveau national pour enrayer le nombre grandissant de fausses cartes de crédit. Il lut distraitement quelques paragraphes à propos des usines de contrefaçons découvertes dans certains pays asiatiques.

Un autre mémo rendait compte d'une expérience récente conduite sur deux ans, entre 1994 et 1996, où des femmes menacées avaient pu, dans certaines circonstances, se procurer des bombes au poivre auprès de la police locale. Wallander relut le texte deux fois, sans comprendre quelle conclusion il fallait en tirer. Il haussa les épaules et laissa les deux mémos disparaître dans la corbeille à papier. Par la porte entrouverte, il entendit des voix dans le couloir. Une femme riait. Wallander sourit. C'était leur chef, Lisa Holgersson. Elle avait pris la suite de Björk quand celui-ci avait été muté à Malmö, deux ans plus tôt. Certains collègues n'avaient pas apprécié l'arrivée d'une femme au sommet de la hiérarchie. Mais Wallander avait rapidement appris à la respecter. Ce respect ne s'était pas démenti.

À sept heures et demie, le téléphone sonna sur son bureau. C'était Ebba, de la réception.

– Ça s'est bien passé ? demanda-t-elle.

Wallander comprit qu'elle faisait allusion à son absence de la veille.

– La maison n'est pas encore vendue. Mais j'ai bon espoir.

– Je t'appelle pour savoir si tu peux accueillir un groupe d'étude à dix heures et demie.

– Un groupe d'étude en plein été ?

– Des capitaines à la retraite qui se retrouvent chaque année en août en Scanie. Ils ont fondé une association, les « Ours de mer », ou quelque chose comme ça.

Wallander pensa à sa visite chez le médecin.

– Mille regrets, je dois sortir entre onze heures et midi.

– Je vais demander à Ann-Britt. Les vieux capitaines trouveront peut-être agréable d'être reçus par une femme.

– À moins que ça ne leur plaise pas du tout...

À huit heures, il en était encore à se balancer sur sa chaise et à regarder par la fenêtre. La fatigue lui vrillait le corps. Il s'inquiétait de ce que dirait le médecin. La fatigue et les crampes étaient-elles les symptômes d'une maladie grave ?

Il se leva et longea le couloir jusqu'à l'une des salles de réunion. Martinsson était déjà là, bronzé et les cheveux coupés court. Wallander pensa au jour, deux ans plus tôt, où Martinsson avait failli démissionner de la police. Sa fille avait été agressée à l'école, pour la seule raison que son père était policier. Pour finir, il était resté. Aux yeux de Wallander, Martinsson était encore le petit jeune qui avait fait ses débuts chez eux. Pourtant, il faisait aujourd'hui partie de ceux qui avaient le plus d'ancienneté à Ystad.

Ils s'assirent et commentèrent la météo. Il était huit heures cinq.

– Qu'est-ce qu'il fout ? marmonna Martinsson.

La question était justifiée. Svedberg était connu pour sa ponctualité.

– Tu lui as parlé ce matin ?

– Il était déjà sorti. J'ai laissé un message sur son répondeur.

Wallander désigna le téléphone d'un geste.

– Tu ferais peut-être mieux de le rappeler.

Martinsson composa le numéro de Svedberg et attendit.

– Qu'est-ce que tu fais ? On t'attend.

Il raccrocha.

– Encore le répondeur.

– Il va sûrement arriver. Je propose qu'on commence sans lui.

Martinsson feuilleta une liasse de documents. Puis il tendit une carte postale à Wallander. Une photo aérienne du centre historique de Vienne.

– Cette carte est arrivée dans la boîte aux lettres de la famille Hillström mardi dernier, 6 août. Comme tu peux le voir, Astrid Hillström explique qu'elle compte rester absente un peu plus longtemps que prévu. Mais tout va bien. Les autres envoient leur bonjour. Elle demande à sa mère de téléphoner aux autres parents pour leur dire que tout va bien.

Wallander lut le texte. L'écriture arrondie rappelait celle de Linda. Il reposa la carte sur la table.

– Eva Hillström est donc venue au commissariat…

– Elle a surgi dans mon bureau comme une tornade. Qu'elle soit nerveuse, on le savait déjà. Mais là, c'était nettement pire. Elle a peur, c'est évident. Et elle est sûre de son coup.

– De quoi ?

– Qu'il est arrivé quelque chose. Que cette carte n'a pas été écrite par sa fille.

– Qu'est-ce qui lui fait croire ça ? L'écriture ? La signature ?

– Non. Mais elle dit que l'écriture d'Astrid est facile à imiter, et sa signature aussi. On ne peut pas la contredire là-dessus.

Wallander attira à lui un bloc-notes et un crayon. Il lui fallut moins d'une minute pour copier l'écriture et la signature d'Astrid Hillström. Il repoussa le bloc.

– Eva Hillström vient ici, résuma-t-il. Elle est inquiète. Si ce n'est pas l'écriture de la carte qui l'a alertée, c'est quoi ?

– Elle n'a pas pu me le dire.

– Tu le lui as demandé ?

– Je l'ai interrogée sur tout. Le choix des mots ? La tournure des phrases ? La manière de s'exprimer ? Elle n'a rien pu me dire. Mais elle était certaine que cette carte n'avait pas été écrite par sa fille.

Wallander fit une grimace.

– Il devait forcément y avoir quelque chose.

Ils se regardèrent.

– Tu te rappelles ce que tu m'as dit, hier ? Que tu commençais toi aussi à être inquiet ?

Martinsson hocha la tête.

– Il y a un truc qui ne colle pas, dit-il. Mais je ne sais pas ce que c'est.

– Pose la question autrement. À supposer que ces jeunes ne soient pas partis en voyage : que s'est-il passé ? Et qui a envoyé ces cartes ? Leurs passeports ont disparu, leurs voitures aussi. Ça, on en est sûrs.

– Je dois me tromper. Je me suis sans doute laissé influencer par l'inquiétude d'Eva Hillström.

– C'est naturel que des parents s'inquiètent pour leurs enfants, dit Wallander. Si tu savais combien de fois je me suis demandé ce que fabriquait Linda. Quand je recevais des cartes postales d'endroits complètement invraisemblables…

– Qu'est-ce qu'on fait ?

– On reste vigilants. Pour commencer, on reprend tout depuis le début. Juste pour vérifier qu'on n'a pas négligé quelque chose en cours de route.

Martinsson résuma ce qu'ils savaient, avec clarté et précision comme d'habitude. Ann-Britt Höglund avait dit un jour que c'était lui, Wallander, qui avait appris cela à Martinsson. Il avait rejeté cette idée, mais Ann-Britt avait insisté. Il ne savait toujours pas si elle avait raison.

L'affaire était simple. Trois jeunes – un garçon et deux filles âgés de vingt à vingt-trois ans – avaient décidé de fêter ensemble la nuit de la Saint-Jean. Le garçon s'appelait Martin Boge et habitait à Simrishamn, les deux filles, Lena Norman et Astrid Hillström, habitaient dans le quartier ouest d'Ystad. Ils se connaissaient depuis longtemps et passaient beaucoup de temps ensemble. Tous trois venaient de familles aisées. Lena Norman étudiait à l'université de Lund, les deux autres vivaient de petits boulots. Jamais ils n'avaient eu de problème de drogue ni affaire à la justice. Astrid Hillström et Martin Boge vivaient encore chez leurs parents ; Lena Norman louait une chambre d'étudiant à Lund. Ils n'avaient dit à personne où ils comptaient célébrer leur fête. Les parents avaient interrogé d'autres copains, mais personne n'était au courant. Ça n'avait rien d'étonnant en soi, vu que les trois amis étaient assez secrets et peu communicatifs, surtout par rapport à leurs projets communs. Au moment de leur disparition, ils disposaient de deux voitures – une Volvo et une Toyota. Les voitures avaient disparu en même temps que les trois jeunes. Ceux-ci avaient quitté leur domicile dans l'après-midi du 21 juin. Personne ne les avait revus. La première carte postale portait le cachet de la poste de Hambourg, en date du 26 juin. Ils y expliquaient qu'ils partaient faire un tour en Europe. Quelques semaines plus tard, Astrid Hillström expédiait une carte postale de Paris. Ils étaient en route vers le sud, écrivait-elle. À présent, elle venait donc d'envoyer une nouvelle carte.

Martinsson se tut. Wallander réfléchit.

– Y a-t-il la moindre raison de penser que cette disparition est anormale ?

– Non.

Wallander se carra dans son fauteuil.

– En somme, nous n'avons rien du tout, à part le pressentiment d'Eva Hillström. Une maman inquiète.

– Qui prétend que cette carte n'a pas été écrite par sa fille.

Wallander hocha la tête.

– Elle veut qu'on lance un avis de recherche ?

– Non. Elle veut qu'on fasse quelque chose. Ce sont ses propres termes : « La police doit *faire* quelque chose. »

– Que pouvons-nous faire, sinon lancer un avis de recherche ? Leurs noms sont déjà dans tous nos registres.

Il se tut. Neuf heures moins le quart. Il jeta un regard interrogateur à Martinsson.

– Svedberg ?

Martinsson reprit le combiné et composa le numéro de son domicile. Puis il raccrocha.

– Toujours le répondeur.

Wallander lui rendit la carte postale.

– Je propose qu'on en reste là pour l'instant. Mais je vais parler moi aussi à Eva Hillström. Ensuite on avisera. Il n'y a pas de raison de lancer un avis de recherche, du moins pas encore.

Martinsson nota le numéro de téléphone d'Eva Hillström sur un bout de papier.

– Elle est expert-comptable.

– Et où pouvons-nous joindre son mari ? Le père d'Astrid Hillström ?

– Ils sont divorcés. Je crois qu'il a appelé une fois, juste après la Saint-Jean.

Wallander se leva, Martinsson rassembla ses papiers. Ils quittèrent la salle de réunion.

– Svedberg a peut-être fait comme moi, dit Wallander. Pris un jour de congé sans que nous soyons au courant.

– C'est impossible, répondit Martinsson, catégorique. Il a déjà pris tous ses jours de congé.

Wallander lui lança un regard surpris.

– Comment le sais-tu ? Svedberg n'est pas très causant.

– Je lui ai proposé d'échanger une semaine de vacances avec moi, mais il a dit qu'il ne pouvait pas, parce qu'il voulait prendre tous ses jours d'une traite.

– Ah bon ? Ce serait bien la première fois.

Ils se quittèrent devant le bureau de Martinsson. Wallander alla jusqu'à son propre bureau, s'assit et appela le numéro qui figurait sur le bout de papier. Il reconnut aussitôt la voix d'Eva Hillström. Il lui demanda si elle pouvait passer au commissariat dans l'après-midi.

– Il y a du nouveau ?

– Non, rien. Je voudrais juste te parler, moi aussi.[1]

Il s'apprêtait à aller chercher un café lorsque Ann-Britt apparut dans l'encadrement de la porte. Elle revenait de vacances, mais elle était aussi pâle que d'habitude.

Il pensa que la pâleur d'Ann-Britt venait de l'intérieur. Elle ne s'était jamais vraiment remise de sa blessure par balle, deux ans plus tôt. Elle avait retrouvé sa santé physique. Mais comment se sentait-elle en réalité ? Parfois il avait l'impression qu'elle souffrait d'une peur chronique. Cela ne le surprenait pas. Il ne se passait pas un jour sans que lui-même repense au coup de couteau qu'il avait reçu – plus de vingt ans auparavant.

– Je te dérange ?

Wallander indiqua d'un geste le fauteuil des visiteurs. Elle s'assit.

– Tu as vu Svedberg ?

Elle secoua la tête.

– Nous avions une réunion à huit heures, Martinsson, lui et moi. Mais il n'est pas venu.

1. Le tutoiement est généralisé en Suède depuis les années 1970 – même si le « vous » de politesse existe et continue d'être employé dans certains cas (de plus en plus rarement il est vrai). Chez Wallander, l'usage peut fluctuer en fonction des interlocuteurs.

– Ça ne lui arrive jamais de manquer une réunion.

– Non. Pourtant il n'est pas venu.

– Vous avez appelé chez lui ? Il est peut-être malade ?

– Martinsson a laissé plusieurs messages sur son répondeur. Et d'ailleurs, Svedberg n'est jamais malade.

Ils restèrent un instant silencieux, à se demander où il pouvait bien être. Wallander reprit la parole :

– Alors ? Qu'est-ce que tu me voulais ?

– Tu te souviens de la filière des voitures volées vers les pays de l'Est ?

– Comment pourrais-je l'oublier ? Je m'en suis quand même occupé pendant deux ans, le temps qu'on arrive à arrêter les responsables. En Suède du moins.

– On dirait que ça recommence.

– Ils sont en prison pourtant ?

– Apparemment, le vide a été vite comblé. Cette fois, ils ne sont plus basés à Göteborg. Les pistes remonteraient entre autres vers Lycksele.

Wallander écarquilla les yeux.

– Lycksele ? Mais c'est en Laponie !

– Avec les moyens de communication actuels, où que tu sois, tu es au cœur de la Suède.

Wallander secoua la tête, incrédule ; en même temps, il savait qu'Ann-Britt avait raison. Le crime organisé était toujours en avance quand il s'agissait d'exploiter les nouvelles techniques.

– Je n'ai pas la force de recommencer à zéro, dit-il. Je ne veux plus entendre parler de voitures volées.

– Je m'en charge. Lisa me l'a demandé, elle se doute que tu en as marre. Mais j'aimerais que tu me résumes la situation. Et que tu me donnes quelques conseils.

Wallander acquiesça. Ils convinrent d'un rendez-vous le lendemain. Ils allèrent à la cafétéria et s'installèrent avec leur café à une table près de la fenêtre ouverte.

– Comment se sont passées tes vacances ? demanda-t-il.

Elle ne répondit pas. En levant la tête, il vit qu'elle avait les larmes aux yeux. Il voulut ajouter quelques mots, mais elle leva la main pour l'en empêcher.

– Plutôt mal, dit-elle lorsqu'elle eut retrouvé le contrôle d'elle-même. Mais je ne veux pas en parler.

Elle prit sa tasse et se leva vivement. Wallander la regarda disparaître. Il resta pensif.

Nous ne savons pas grand-chose, pensa-t-il. Ni eux sur moi, ni moi sur eux. Nous travaillons ensemble. Nous nous côtoyons parfois toute notre vie, et que savons-nous les uns des autres ? Rien.

Il regarda sa montre. Il avait tout son temps mais décida malgré tout de sortir tout de suite et de descendre à pied jusqu'à Kapellgatan, où se trouvait le cabinet du médecin.

Il se sentait inquiet. Plein d'appréhension.

Le médecin était un homme jeune. Wallander ne l'avait jamais rencontré. Il s'appelait Göransson et son accent indiquait clairement qu'il venait du nord du pays. Wallander lui exposa ses ennuis. La fatigue, la soif, les fréquentes visites aux toilettes. Il mentionna aussi les crampes récurrentes. La réponse du médecin ne se fit pas attendre et le prit complètement au dépourvu :

– Tu fais probablement de l'hyperglycémie.

– Quoi ?

– Du diabète, si tu préfères.

Wallander en resta médusé. Cette pensée ne lui avait jamais effleuré l'esprit.

– On dirait que tu as un problème de surpoids, poursuivit le médecin. On sera bientôt fixés, mais je veux d'abord t'ausculter. Sais-tu si tu souffres d'hypertension ?

Wallander secoua la tête. Puis il ôta sa chemise et s'allongea.

Le cœur battait normalement. Mais la tension était trop élevée, 17/10. Il monta sur le pèse-personne. Quatre-vingt-douze kilos. Puis le médecin l'envoya chez l'infirmière pour un échantillon d'urine et une analyse de sang. L'infirmière sourit en lui piquant le bout du doigt. Wallander pensa qu'elle ressemblait à sa sœur, Kristina. Puis il retourna dans le bureau du médecin.

– Normalement, dit Göransson, le taux de sucre dans le sang doit être compris entre 0,6 gramme et 1 gramme. Tu as 1,5. C'est beaucoup trop, évidemment.

Wallander sentit qu'il avait la nausée.

– Cela explique ta fatigue, poursuivit Göransson. Cela explique la soif et les crampes dans les mollets. Cela explique le besoin de courir sans arrêt aux toilettes.

– Il y a des médicaments ?

– On va commencer par modifier tes habitudes alimentaires. Il faut aussi faire baisser la tension. Est-ce que tu pratiques un sport ?

– Non.

– Tu devrais. Régime et exercice. Si ça ne suffit pas, il faudra envisager d'autres mesures. Avec un taux de sucre pareil, tu épuises ton organisme.

Diabétique, pensa Wallander. Sur le moment, cette pensée lui sembla terrifiante. Göransson perçut son malaise.

– Ça se soigne, fit-il sur un ton encourageant. Tu n'en mourras pas. Du moins pas tout de suite.

Il dut subir des prises de sang supplémentaires. Puis on lui remit des listes de menus diététiques. Il devait revenir le lundi suivant. Il était onze heures et demie lorsqu'il ressortit dans la rue. Il alla jusqu'à l'ancien cimetière et s'assit sur un banc. Il ne parvenait pas encore à prendre la mesure de ce que lui avait dit Göransson. Il chercha ses lunettes et commença à feuilleter les listes.

À midi trente, il était de retour au commissariat. Quelques messages téléphoniques l'attendaient à la réception. Rien d'urgent au point de ne pouvoir attendre. Il croisa Hansson dans le couloir.

– Svedberg s'est montré ? demanda-t-il.

– Il n'est pas censé être là ?

Wallander ne prit pas la peine de répondre. Eva Hillström devait arriver vers treize heures. Il frappa à la porte entrebâillée de Martinsson : il n'y avait personne. Sur la table, il aperçut le mince dossier de leur réunion du matin. Il l'emporta dans son propre bureau, le feuilleta rapidement, examina les trois cartes postales. Il avait du mal à se concentrer. Il repensait sans cesse aux paroles du médecin.

Lorsque Ebba l'appela pour lui dire qu'Eva Hillström était arrivée, il se leva pour aller à sa rencontre. En chemin, il croisa un groupe d'hommes âgés qui quittaient le commissariat, d'excellente humeur. Les capitaines, sans doute.

Eva Hillström était grande et maigre. Tout son maintien dénotait une personne aux aguets. Dès leur première rencontre, Wallander avait senti que cette femme s'attendait toujours au pire.

Il lui serra la main et l'invita à le suivre jusqu'à son bureau. Dans le couloir, il lui demanda si elle voulait un café.

– Je n'en bois pas. Mon estomac ne tolère pas le café.

Elle s'assit dans le fauteuil des visiteurs sans le quitter du regard.

Elle croit que j'ai du nouveau, pensa Wallander en s'asseyant à son tour. Et que les nouvelles sont mauvaises.

– Tu as vu mon collègue hier, commença-t-il. Tu lui as apporté une carte postale que tu as reçue il y a quelques jours. Une carte postée à Vienne et signée par ta fille Astrid. Mais, d'après toi, ce n'est pas elle qui l'aurait écrite. C'est bien cela ?

– Oui.

Aucune hésitation.

– Selon Martinsson, reprit Wallander, tu ne pouvais pas expliquer cette conviction.

– C'est vrai. Je ne l'explique pas.

Wallander prit la carte et la poussa vers Eva Hillström.

– Tu lui as dit que l'écriture et la signature de ta fille étaient faciles à imiter ?

– Tu peux essayer toi-même.

– Je l'ai fait. Et je suis d'accord avec toi. Son écriture n'est pas très difficile à imiter.

– Pourquoi me demandes-tu ce que tu sais déjà ?

Wallander la dévisagea un instant. Elle était aussi tendue et inquiète que l'avait dit Martinsson.

– Je pose des questions pour obtenir confirmation de certaines choses, dit-il. C'est parfois nécessaire.

Elle hocha la tête avec impatience.

– Pourtant, poursuivit-il, nous n'avons pas de sérieuses raisons de croire qu'Astrid n'est pas l'auteur de cette carte. Y a-t-il autre chose qui motive ton soupçon ?

– Non. Mais je sais que j'ai raison.

– Raison à quel sujet ?

– Ce n'est pas elle qui a écrit cette carte. Ni celle-ci, ni les précédentes.

Elle se leva brusquement, avec un cri. Wallander en fut complètement désarçonné. Elle se pencha par-dessus le bureau, l'empoigna et se mit à le secouer sans cesser de crier.

– Pourquoi la police ne fait-elle rien ? Il leur est arrivé quelque chose, c'est évident !

Wallander se dégagea tant bien que mal et se leva à son tour.

– Je pense que tu devrais essayer de te calmer, dit-il.

Mais Eva Hillström continua de crier. Que devaient penser les gens qui passaient à ce moment-là dans le couloir ? Wallander contourna son bureau et la saisit fermement par les épaules. Puis il la força à se rasseoir et la maintint assise.

La crise cessa aussi brusquement qu'elle avait commencé. Wallander relâcha peu à peu son étreinte. Puis il retourna à sa place, derrière le bureau, et se rassit. Eva Hillström contemplait fixement le sol à ses pieds. Wallander attendit. Il se sentait ébranlé. Quelque chose dans cette réaction violente et la conviction qu'elle exprimait commençait à déteindre sur lui.

– Qu'est-il arrivé, à ton avis ? demanda-t-il après un silence.

Elle secoua la tête.

– Je ne sais pas.

– Il n'y a rien qui suggère un accident. Ou autre chose.

Elle leva la tête et le considéra sans rien dire.

– Astrid et ses amis sont déjà partis en voyage, poursuivit-il. Peut-être pas aussi longtemps que cette fois. Nous savons qu'ils disposaient de voitures, d'argent, de passeports. De plus, ils ont l'âge où l'on s'autorise à suivre ses impulsions. À improviser. J'ai moi-même une fille, qui a quelques années de plus qu'Astrid. Je connais.

– Je suis sûre de ce que je dis. C'est vrai, je m'inquiète souvent pour rien. Mais, cette fois, c'est autre chose.

– Les parents des deux autres jeunes ne semblent pas partager ton inquiétude. Les parents de Martin Boge et de Lena Norman.

– Je ne les comprends pas.

– Nous prenons ton sentiment au sérieux. C'est notre devoir. Nous allons à nouveau envisager la possibilité de lancer un avis de recherche. Je te le promets.

Ces paroles semblèrent la soulager l'espace d'un instant. Mais l'expression soucieuse revint presque aussitôt. Le visage de cette femme était extrêmement ouvert. Wallander eut pitié d'elle.

L'entretien était terminé. Elle se leva. Il la raccompagna jusqu'à la réception.

– Je regrette d'avoir perdu mon sang-froid, dit-elle.

– Ton inquiétude est naturelle.

Elle lui serra la main très vite et disparut par les portes vitrées. Wallander reprit le couloir en sens inverse. Martinsson passa la tête par la porte de son bureau.

– Vous faisiez quoi, tout à l'heure ? demanda-t-il avec curiosité.

– Tu avais raison, elle a vraiment peur. Son inquiétude est sincère. Nous devons prendre position par rapport à ça. Mais comment ?

Il considéra Martinsson d'un air pensif.

– Je voudrais que nous fassions le point demain. Avec tous ceux qui ont le temps. Il faut prendre une décision. Est-ce qu'on lance un avis de recherche, oui ou non ? Je ne sais pas, quelque chose me tracasse dans cette histoire.

Martinsson hocha la tête.

– Tu as vu Svedberg ?

– Quoi, il ne s'est pas encore manifesté ?

– Non. Toujours le même répondeur.

Wallander fit la grimace.

– Ça ne lui ressemble pas.

– Je vais essayer encore une fois.

Wallander retourna dans son bureau, ferma la porte et appela Ebba à la réception.

– Pas de communications pendant une demi-heure. Tu as des nouvelles de Svedberg ?

– Je devrais en avoir ?

– Je m'interrogeais, c'est tout.

Wallander posa les pieds sur son bureau. Il se sentait fatigué, la bouche sèche. Puis il prit une décision. Il ramassa sa veste et sortit.

– Je sors, dit-il à Ebba. Je serai de retour dans une heure ou deux.

Dehors, il faisait toujours aussi chaud. Pas un souffle de vent. Wallander se rendit à pied à la bibliothèque municipale de Surbrunnsvägen et s'orienta tant bien que mal parmi les rayonnages. Une fois parvenu aux livres de médecine, il ne mit pas longtemps à trouver ce qu'il cherchait : un bouquin sur le diabète. Il s'assit à une table, prit ses lunettes dans sa poche et commença à lire.

Une heure et demie plus tard, il lui sembla avoir une meilleure idée de ce qu'impliquait la maladie. Il comprit aussi qu'il ne pouvait s'en prendre qu'à lui-même. Ses mauvaises habitudes alimentaires, le manque d'exercice, les tentatives de régime qui finissaient toujours par le ramener à son embonpoint habituel.

Il rangea le livre à sa place, avec un profond sentiment d'échec et de mépris pour lui-même. En même temps, il savait qu'il n'avait plus le choix. Il devait changer de mode de vie.

Il était déjà seize heures trente lorsqu'il revint au commissariat. Martinsson avait laissé un mot sur son bureau précisant qu'il était toujours sans nouvelles de Svedberg.

Wallander relut encore une fois le résumé de la disparition des trois jeunes et examina les trois cartes postales. Il eut de nouveau la sensation qu'il négligeait quelque chose.

Son inquiétude augmentait. Il lui sembla voir Eva Hillström en face de lui, dans le fauteuil des visiteurs.

Soudain, il comprit la gravité de la situation. C'était extrêmement simple.

Elle savait que sa fille n'avait pas écrit cette carte. Comment ? Cela n'avait aucune importance.

Elle savait. C'était assez.

Wallander se leva et s'approcha de la fenêtre.

Il était arrivé quelque chose à ces trois jeunes. Mais quoi ?

3

Ce soir-là, Wallander fit un effort limité pour entamer une nouvelle vie. À dîner, il se prépara un bouillon, une salade, et rien d'autre. Il était si déterminé à s'empêcher de manger ce qui était interdit qu'il en oublia complètement qu'il avait réservé un créneau à la buanderie. Quand il s'en souvint, il était trop tard.

Il essaya de voir le bon côté des choses. Trop de sucre dans le sang, ce n'était pas une sentence de mort. Par contre, c'était un avertissement. S'il voulait continuer à vivre normalement, il devait changer deux ou trois éléments fondamentaux dans ses habitudes. Rien de spectaculaire, mais un changement durable, en profondeur. Après son dîner, il avait encore faim. Il mangea une tomate supplémentaire. Puis il s'attarda à la table de la cuisine et tenta, à l'aide des listes diététiques, de composer des menus pour les jours à venir. Il prit aussi la décision de toujours se rendre au commissariat à pied. Le week-end, il ferait de longues promenades sur la plage. Il se rappela que Hansson et lui avaient envisagé de jouer au badminton. Le moment était peut-être venu de passer à l'acte ?

À neuf heures, il sortit sur le balcon. Une petite brise s'était levée, au sud. Mais il faisait encore chaud.

L'été indien s'installait.

Quelques jeunes passèrent en bas, dans la rue. Wallander les suivit du regard. Un peu plus tôt, quand il méditait sur ses listes et ses courbes de poids, il n'avait pas été tout à fait concentré. Il pensait à Eva Hillström. À l'inquiétude d'Eva Hillström. Elle avait perdu son sang-froid, l'avait violemment empoigné. La peur de ce qui avait pu arriver à sa fille se lisait dans son regard. Cette peur était sincère.

Certains parents ne connaissent pas du tout leurs enfants, pensa-t-il. Mais parfois c'est le contraire, un parent connaît son enfant mieux que quiconque. Quelque chose me dit que c'est le cas d'Eva Hillström.

Il retourna à l'intérieur, en laissant la porte du balcon ouverte.

La sensation d'avoir négligé quelque chose ne le quittait pas. Un détail qui aurait pu lui indiquer d'un coup la marche à suivre, le conduire à une conclusion policière fondée. L'inquiétude d'Eva Hillström était-elle justifiée, oui ou non ?

Il alla à la cuisine pour préparer un café. Il essuya la table en attendant que l'eau chauffe. Le téléphone sonna. C'était Linda, qui l'appelait de Stockholm, du restaurant du quartier de Kungsholmen où elle travaillait. Wallander fut pris au dépourvu, il pensait que le restaurant n'était ouvert qu'à l'heure du déjeuner.

– Le propriétaire a tout changé, dit-elle. Et je gagne plus en travaillant le soir. La vie est chère.

Le fond sonore était assourdissant. Il songea qu'il ne savait pas du tout, à l'instant, quels étaient les projets d'avenir de Linda. À une époque, elle voulait travailler dans la décoration, devenir tapissière. Ensuite, elle avait tâtonné dans le monde du théâtre. Puis elle avait changé d'avis et renoncé aussi au métier de comédienne.

Elle semblait avoir suivi ses pensées.

– Je n'ai pas l'intention de travailler comme serveuse toute ma vie. Le bon côté, c'est que j'arrive à économiser. Cet hiver, je pars en voyage.

– Où ?

– Je ne sais pas encore.

Wallander comprit que l'occasion n'était pas propice à une conversation prolongée. Il se contenta de dire que Gertrud avait déménagé. Et qu'un agent immobilier s'occupait de la maison de son grand-père.

– J'aurais aimé garder la maison, dit-elle. Je regrette de ne pas avoir de quoi l'acheter.

Wallander comprenait. Linda et son grand-père avaient toujours été proches. Parfois, il avait même éprouvé un pincement d'envie en les voyant ensemble.

– Je dois te quitter, dit Linda. Je voulais juste savoir comment tu allais.

– Bien. Je suis allé voir le médecin aujourd'hui, il ne m'a rien trouvé.

– Il ne t'a même pas dit que tu devrais maigrir ?

– À part ça, tout allait bien.

– Ça devait être un gentil docteur. Et ta fatigue ? Ça va mieux ?

Je suis transparent pour elle, pensa Wallander avec résignation. Et puisqu'elle sait que je mens, pourquoi est-ce que je ne lui dis pas la vérité ? Que je suis en train de devenir diabétique ? Que je le suis peut-être déjà ? Pourquoi cette impression d'avoir attrapé une maladie honteuse ?

– Je ne suis pas fatigué. C'était formidable, à Gotland.

– Oui. Je dois y aller maintenant. Si tu veux me joindre au restaurant, ce n'est pas le même numéro qu'à midi.

Il mémorisa le nouveau numéro. La conversation prit fin.

Il emporta sa tasse de café dans le séjour. Il alluma la télévision, baissa le volume et nota le numéro de téléphone qu'elle venait de lui donner sur un coin de journal.

Il écrivait mal. Personne, à part lui, n'aurait pu lire les chiffres qu'il venait de griffonner.

Au même instant, il comprit : la pensée qui l'avait hanté tout au long de la journée.

Il repoussa sa tasse de café, jeta un coup d'œil à sa montre. Vingt et une heures quinze. Il se demanda s'il devait appeler Martinsson. Ou attendre jusqu'au lendemain. Puis il retourna à la cuisine et s'assit, l'annuaire ouvert devant lui. Quatre familles portaient le nom de Norman dans le district d'Ystad. Mais il se souvenait d'avoir vu l'adresse dans le dossier de Martinsson. Lena Norman et ses parents habitaient dans Käringgatan, au nord de l'hôpital. Son père, Bertil Norman, portait le titre de « directeur ». Wallander savait qu'il dirigeait une entreprise d'exportation de maisons en kit.

Il composa le numéro. Une femme répondit. Wallander se présenta en essayant de rendre sa voix aussi aimable que possible. Il savait l'effet que ça faisait de recevoir un coup de fil de la police. Surtout le soir.

– Je suppose que je parle à la maman de Lena Norman ?

– Je m'appelle Lillemor Norman.

Wallander se rappela ce prénom.

– Cet appel aurait pu attendre jusqu'à demain, poursuivit-il. Je voulais juste te poser une question. Les policiers travaillent malheureusement selon des horaires bizarres.

Elle ne semblait toujours pas inquiète.

– De quoi s'agit-il ? Veux-tu parler à mon mari ? Je peux l'appeler, il aide le frère de Lena à faire un devoir de mathématiques.

Wallander fut surpris. Il pensait que les devoirs n'existaient plus.

– En fait, je voulais simplement un échantillon de l'écriture de Lena. Par exemple, une lettre qu'elle aurait écrite.

– En dehors des cartes postales, nous n'avons rien reçu. Je pensais que la police le savait.

– Une autre lettre. D'avant.

– Pour quoi faire ?

– Simple mesure de routine. Nous comparons différentes écritures. Ce n'est d'ailleurs pas très important.

– La police prend-elle vraiment la peine de téléphoner aux gens le soir ? Pour des choses sans importance ?

Eva Hillström a peur, pensa Wallander. Lillemor Norman, en revanche, est méfiante.

– Peux-tu m'aider ? demanda-t-il.

– J'ai beaucoup de lettres de Lena à la maison.

– Une me suffit. Une demi-page, pas plus.

– D'accord. Quelqu'un passera la prendre ?

– Je pensais venir moi-même. Je peux être là dans vingt minutes.

Wallander continua de chercher dans l'annuaire. À Simrishamn, il n'y avait qu'un seul abonné du nom de Boge. Wallander composa le numéro et attendit avec impatience. Il s'apprêtait à raccrocher lorsque quelqu'un répondit :

– Klas Boge.

La voix était jeune. Sans doute un frère de Martin. Il se présenta.

– Tes parents sont là ?

– Non, ils sont à un dîner de golf.

Wallander hésita. Mais le garçon paraissait intelligent.

– Est-ce que ton frère Martin t'a écrit une lettre que tu aurais conservée ?

– Pas cet été. Je n'ai rien reçu de Hambourg, si c'est ça que tu veux savoir.

– Mais avant peut-être ?

Le garçon réfléchit.

– J'ai une lettre qu'il m'avait envoyée des États-Unis l'année dernière.

– Écrite à la main ?

– Oui.

Wallander hésita. Allait-il prendre sa voiture jusqu'à Simrishamn ou attendre jusqu'au lendemain ?

– Pourquoi veux-tu une lettre de mon frère ?

– Juste pour regarder son écriture.

– Alors je peux la faxer. Si c'est urgent.

Ce garçon réfléchissait vite. Wallander lui donna l'un des numéros de fax du commissariat.

– J'aimerais que tu dises à tes parents que j'ai appelé, dit-il ensuite.

– Quand ils rentreront, j'espère bien que je dormirai.

– Tu pourras peut-être leur en parler demain ?

– La lettre de Martin était pour moi.

– Il vaut quand même mieux leur dire, répéta Wallander patiemment.

– Martin et les autres vont bientôt rentrer, à mon avis. Je ne comprends pas pourquoi la mère Hillström s'inquiète comme ça. Elle nous téléphone tous les jours.

– Mais tes parents ne sont pas inquiets ?

– Eux, ils seraient plutôt soulagés. Mon père, en tout cas. De ne pas voir Martin pendant un moment.

Surpris, Wallander attendit une suite qui ne vint pas.

– Merci pour ton aide, dit-il.

– C'est comme un jeu.

– Pardon ?

– Ils s'amusent à passer d'une époque à l'autre. Ils se déguisent. Comme quand on est gosse. Sauf qu'on est adulte.

– Je ne comprends pas bien.

– Ils jouent des rôles. Mais pas dans des pièces de théâtre. Dans la réalité. Ils sont peut-être partis en Europe pour chercher un truc qui n'existe pas.

– C'est donc une habitude chez eux ? De jouer ? Mais la Saint-Jean n'est pas un jeu. C'est une fête. Une occasion de manger et de danser.

– Et de boire, dit le garçon. Mais si on se déguise, ça devient autre chose, n'est-ce pas ?

– Ils avaient l'habitude de se déguiser ?

– Oui. Mais, en fait, je ne suis pas au courant. C'était secret. Martin ne m'en parlait pas beaucoup.

Wallander devinait plus qu'il ne comprenait le sens de ces paroles. Il consulta sa montre. Lillemor Norman allait bientôt commencer à l'attendre.

– Merci pour ton aide, répéta-t-il. N'oublie pas de dire à tes parents que j'ai appelé. Et n'oublie pas ce que je t'ai demandé.

– Peut-être, répondit le garçon.

Trois réactions différentes, songea Wallander. Eva Hillström a peur. Lillemor Norman est méfiante. Les parents de Martin Boge sont soulagés par l'absence de leur fils. Quant au frère, il n'a pas l'air très impatient de revoir ses parents.

Il enfila sa veste et sortit. À la buanderie, il réserva une nouvelle heure de lessive, le vendredi. Käringgatan n'était pas loin, mais il prit sa voiture. L'exercice attendrait jusqu'à demain.

Il tourna au coin de Bellevuevägen et freina devant une villa blanche à deux étages. La porte d'entrée s'ouvrit au moment où il franchissait le portail. Il reconnut Lillemor Norman. Contrairement à Eva Hillström, c'était une femme corpulente. Il se rappela les photographies dans le dossier de Martinsson. Lena Norman ressemblait à sa maman.

Elle tenait une enveloppe blanche à la main.

– Désolé pour le dérangement, dit Wallander.

– Mon mari aura deux mots à dire à Lena à son retour. C'est impardonnable de partir comme ça sans prévenir.

– Ils sont majeurs, dit Wallander. Mais c'est normal qu'on s'inquiète.

Il prit la lettre, en promettant qu'elle lui serait rendue.

Puis il se rendit directement au commissariat et se dirigea vers le central. Le policier de garde parlait au téléphone ; en apercevant Wallander, il lui indiqua l'un des télécopieurs. Klas Boge avait faxé la lettre de son frère. Wallander alla dans son bureau et alluma la lampe. Puis il posa les deux lettres et les cartes postales côte à côte, orienta le faisceau de la lampe et mit ses lunettes.

Martin Boge décrivait à son frère un match de rugby auquel il avait assisté. Lena Norman parlait d'une pension de famille dans le sud de l'Angleterre, où l'eau chaude ne fonctionnait plus.

Il recula dans son fauteuil. Il ne s'était pas trompé.

Les deux écritures, celle de Martin Boge et celle de Lena Norman, étaient très irrégulières. Leurs signatures aussi. Si quelqu'un avait voulu imiter une calligraphie, le choix se serait imposé de lui-même : celle d'Astrid Hillström.

Wallander sentait croître son malaise. En même temps, il réfléchissait de façon méthodique. Qu'est-ce que cela signifiait ? Rien du tout. Cela ne répondait pas à la vraie question : pourquoi quelqu'un aurait-il rédigé de fausses cartes postales ? Quelqu'un qui aurait en plus eu accès à leurs trois écritures ?

Pourtant, son inquiétude était bien réelle.

Nous devons nous occuper sérieusement de cette histoire, pensa-t-il. S'il leur est arrivé quelque chose, nous avons déjà perdu deux mois ou presque.

Il alla se chercher un café. Il était vingt-deux heures quinze. Une fois de plus, il parcourut le résumé des événements. Mais rien ne retint son attention.

Trois jeunes avaient décidé de fêter la Saint-Jean entre amis. Puis ils étaient partis en voyage. Ils avaient envoyé des cartes postales à leurs familles. C'était tout.

Wallander rassembla les lettres et les rangea dans le dossier avec les cartes postales. Il ne pouvait rien faire de plus dans l'immédiat. Le lendemain, il en discuterait avec Martinsson et les autres. Ils feraient un retour sur la nuit de la Saint-Jean et, ensuite, ils décideraient s'il fallait ou non lancer un avis de recherche.

Wallander éteignit sa lampe et sortit. En longeant le couloir, il constata que le bureau d'Ann-Britt Höglund était éclairé et la porte entrebâillée. Il la poussa doucement. Ann-Britt était assise à son bureau, les yeux baissés. Mais il n'y avait aucun papier sur sa table.

Wallander hésita. Ann-Britt n'avait pas l'habitude de s'attarder le soir au commissariat. Elle avait deux enfants ; son mari, accompagnateur de voyages, était rarement à la maison. Au même moment, il se rappela sa réaction le matin même, à la cafétéria. Et maintenant elle regardait fixement la surface vide de son bureau.

Elle voulait sûrement qu'on la laisse tranquille. Ann-Britt était fort discrète. D'un autre côté, elle avait peut-être envie de parler à quelqu'un, pour une fois ?

Si je la dérange, pensa Wallander, elle me le dira. Qu'est-ce que je risque ?

Il frappa à la porte, attendit la réponse et entra dans le bureau.

– J'ai vu de la lumière. Ça ne te ressemble pas de rester tard, sauf s'il est arrivé quelque chose…

Elle le dévisagea sans répondre.

– Si tu veux que je m'en aille, fit-il, tu n'as qu'à le dire.

– Non. Je ne crois pas. Qu'est-ce que tu fais là toi-même ? Il s'est passé quelque chose ?

Wallander se laissa tomber dans le fauteuil des visiteurs. Il se faisait l'effet d'un animal lourd et informe.

– Les jeunes. Ceux qui ont disparu la nuit de la Saint-Jean.

– Il y a du nouveau ?

– Pas vraiment. Juste une idée que je voulais vérifier. Mais je crois que nous devons faire un point sur cette affaire, sérieusement. Eva Hillström est très inquiète.

– Qu'aurait-il pu se passer ?

– C'est bien la question.

– On va lancer un avis de recherche ?

Wallander écarta les bras.

– Je n'en sais rien. On décidera demain.

La pièce était plongée dans l'ombre. Ann-Britt avait orienté le faisceau de sa lampe vers le sol.

– Depuis combien de temps es-tu dans la police ? demanda-t-elle soudain.

– Longtemps. Trop longtemps, si ça se trouve. Mais c'est ce que je suis, je crois. Policier. Jusqu'à la retraite.

Elle le dévisagea longtemps avant de poser la question suivante :

– Où trouves-tu la force ?

– Je ne sais pas.

– Mais tu la trouves ?

– Pas toujours. Pourquoi ?

– J'ai réagi de manière brusque à la cafétéria, ce matin. C'est vrai que les vacances se sont mal passées. Il y a des problèmes entre mon mari et moi. Il n'est jamais à la maison. Quand il revient de voyage, il nous faut parfois une semaine entière pour nous retrouver. À ce moment-là, il est déjà prêt à repartir. Cet été, nous avons envisagé pour la première fois de nous séparer. Ce n'est pas facile. Surtout quand on a des enfants.

– Je sais.

– En même temps, je commence à me demander ce que c'est que ce métier, au juste. J'ouvre le journal, et voilà que des collègues de Malmö ont été inculpés pour recel. J'allume la télévision et j'apprends que des policiers haut placés nagent dans les eaux du crime organisé. Qu'ils se pavanent aux noces des gangsters, en tant qu'invités d'honneur, sur les plages ensoleillées du monde. Je vois tout cela et je constate que ça ne fait qu'augmenter. À la fin, je me demande ce que je fabrique. Plus exactement : comment j'aurai la force de rester dans la police trente ans encore.

– Ça craque de partout. Depuis longtemps déjà ; la gangrène de l'État de droit n'a rien de neuf, et il y a toujours eu des policiers malhonnêtes. Mais c'est pire maintenant. C'est ça qui rend indispensable la présence de gens comme toi.

– Et toi ?

– Moi aussi.

– Mais où trouves-tu la force ?

Les questions d'Ann-Britt étaient agressives. Wallander la comprenait parfaitement. Combien de temps n'était-il pas resté assis à contempler fixement son bureau, lui aussi, incapable de trouver la moindre circonstance atténuante à son métier ?

– J'essaie de me dire que ce serait pire sans moi. Ça me console parfois. Pas beaucoup. Mais je me raccroche à cette idée, faute de mieux.

Elle secoua la tête.

– Qu'est-il en train d'arriver à ce pays ?

Wallander attendait une suite. Rien ne vint. Un camion passa avec fracas dans la rue.

– Tu te souviens de l'agression qui a eu lieu au printemps ? À Svarte ?

Elle hocha la tête.

– Deux garçons de quatorze ans en frappent un troisième, de douze ans. Sans raison. Et une fois qu'il est à terre, déjà inconscient, ils se mettent à lui défoncer le thorax à coups de pied. Au bout d'un moment, il n'est plus inconscient : il est mort. Avant cette histoire, je n'avais pas bien compris le changement radical qui a eu lieu dans ce pays. Les bagarres ont toujours existé mais, avant, le combat cessait quand l'adversaire se retrouvait au sol. Vaincu. On appelle ça comme on veut. Fair-play, franc-jeu. Ou pourquoi pas l'évidence ? Mais ça ne se passe plus ainsi. Ces garçons-ci n'ont aucune notion de l'évidence. Comme si les jeunes de cette génération avaient été abandonnés par leurs parents. Ou comme si nous avions érigé l'indifférence en norme de conduite absolue. Soudain, en tant que policier, on doit tout reprendre à zéro. Les règles du jeu sont complètement modifiées. L'expérience qu'on a accumulée au fil des ans n'est plus valable.

Wallander se tut.

– Je ne sais pas à quoi je m'attendais quand je suis entrée à l'école de police, dit Ann-Britt. En tout cas, pas à ça.

– Pourtant, il faut trouver la force. Je suppose que tu n'imaginais pas non plus que quelqu'un pourrait te tirer dessus et te blesser.

– J'ai essayé. Quand on s'entraînait au tir, j'imaginais toujours que la balle que je tirais m'atteignait, moi. Mais on ne peut pas se représenter la douleur. Et, c'est vrai, on ne croit pas que ça arrivera pour de vrai.

Un bruit de voix s'éleva dans le couloir. L'un des policiers de garde parlait d'un type arrêté pour ivresse au volant. Puis le silence retomba.

– Comment tu te sens, au fait ? demanda-t-il.

– Par rapport à cette histoire de blessure, tu veux dire ?

Il hocha la tête.

– J'en rêve la nuit. Je rêve que je meurs. Ou que la balle m'atteint en pleine tête. C'est presque pire.

– Oui, dit Wallander. On a peur, c'est inévitable.

Elle se leva.

– Le jour où j'aurai vraiment peur, je démissionnerai. Je n'en suis pas tout à fait là. Merci d'être passé me voir. J'ai l'habitude de régler mes problèmes seule. Mais, ce soir, je ne savais plus quoi faire.

– C'est une force de l'admettre.

Elle sourit, de son pâle sourire. Puis elle se leva et enfila sa veste. Dormait-elle suffisamment ? pensa-t-il. Mais il ne dit rien.

– On parlera des voitures volées demain ? demanda Ann-Britt.

– L'après-midi de préférence. N'oublie pas que nous devons nous occuper de ces jeunes demain matin.

Elle le dévisagea.

– Tu sembles préoccupé ?

– Eva Hillström est inquiète. C'est impossible de ne pas en tenir compte.

Ils sortirent ensemble du commissariat. Sur le parking, comme il ne voyait nulle part la voiture d'Ann-Britt, il lui proposa de la raccompagner.

– Non merci, j'ai besoin de marcher. Il fait bon, en plus. Quel mois d'août !

– L'été indien. Je me demande pourquoi ça s'appelle comme ça.

Ils se séparèrent. Wallander prit sa voiture, rentra chez lui et but une tasse de thé en feuilletant le journal, *Ystads Allehanda*. Puis il alla se coucher, la fenêtre entrouverte à cause de la chaleur.

Le sommeil le gagna très vite.

Il se réveilla en sursaut. La douleur était intense.

Une crampe au mollet gauche. Il posa le pied par terre et s'appuya dessus de tout son poids. La douleur disparut. Il se recoucha avec précaution. Il avait peur que ça recommence. Le réveille-matin indiquait une heure trente.

Il avait rêvé de son père une fois de plus, un rêve décousu et agité. Ils marchaient dans une ville que Wallander ne reconnaissait pas. Ils cherchaient quelqu'un, le rêve ne précisait pas qui.

La brise soulevait légèrement le rideau. Il pensa à la mère de Linda, Mona, avec qui il avait vécu pendant tant d'années. Et qui menait maintenant une vie complètement différente avec un nouveau mari, amateur de golf. Il n'avait sûrement pas de diabète, lui.

Ses pensées vagabondaient. Soudain, il se vit marchant le long des plages interminables de Skagen en compagnie de Baiba.

Puis Baiba disparut.

Il se redressa d'un bond, dans le lit. D'où lui était venue cette pensée ? Impossible à dire. Elle avait surgi, simplement. *Svedberg.*

S'il était malade, ce n'était pas normal qu'il ne les ait pas prévenus. D'ailleurs, Svedberg n'était jamais malade. S'il était arrivé quoi que ce soit, il l'aurait signalé. Wallander aurait dû y penser plus tôt.

Si Svedberg ne donnait pas signe de vie, ça ne pouvait signifier qu'une seule chose.

Qu'il n'était pas en mesure de le faire.

Wallander constata qu'il avait peur. Effet de son imagination, bien sûr – qu'aurait-il pu arriver à Svedberg ?

Mais le pressentiment refusait de lâcher prise. Wallander jeta un nouveau coup d'œil aux aiguilles du réveille-matin. Puis il alla à la cuisine, chercha le numéro de téléphone de Svedberg et composa les chiffres. Le répondeur se déclencha au bout de quelques sonneries. Wallander raccrocha, certain à présent qu'il était arrivé quelque chose. Il s'habilla et sortit. Le vent s'était levé, mais il faisait encore chaud. Il ne lui fallut que quelques minutes pour se rendre jusqu'à la place centrale. Il gara la voiture et continua à pied jusqu'à Lilla Norregatan, où habitait Svedberg. Les fenêtres de son appartement étaient éclairées. Le soulagement de Wallander ne dura que quelques secondes – le temps que l'inquiétude le reprenne, avec une force décuplée. Pourquoi Svedberg ne décrochait-il pas s'il était chez lui ? Le portail était fermé. Wallander ne connaissait pas le code, mais il y avait une fente entre les battants. Wallander sortit son couteau suisse. Jeta un regard à gauche et à droite. Puis il enfonça la lame la plus épaisse entre les battants et appuya. La porte s'ouvrit.

Svedberg habitait au troisième et dernier étage de l'immeuble. Wallander arriva en haut hors d'haleine. Il colla son oreille contre la porte. Tout était silencieux. Il souleva le battant de la boîte aux lettres. Rien. Il sonna. Le bruit métallique résonna dans l'appartement.

Il sonna trois fois. Puis il se mit à tambouriner.

Que faire ? Il ne voulait pas rester seul. Il chercha dans ses poches. Évidemment, son portable était resté sur la table de la cuisine. Il redescendit l'escalier, glissa un caillou entre les battants du portail, retourna vers la place, entra dans une cabine et composa le numéro de Martinsson. Ce fut Martinsson lui-même qui décrocha.

– Désolé de te réveiller. J'ai besoin de toi.

– Qu'est-ce qui se passe ?

– Tu as réussi à joindre Svedberg ?

– Non.

– Alors il a dû se passer quelque chose.

Martinsson ne dit rien. Wallander devina qu'il était tout à fait réveillé.

– Je t'attends devant l'immeuble de Lilla Norregatan.

– Je serai là dans dix minutes.

Wallander retourna à sa voiture et ouvrit le coffre, où traînait toujours un sac en plastique sale contenant quelques outils. Il choisit un solide pied-de-biche. Puis il retourna devant l'immeuble de Svedberg.

Neuf minutes plus tard, Martinsson freinait devant l'immeuble. Wallander constata qu'il portait encore sa veste de pyjama.

– Que s'est-il passé, à ton avis ?

– Je ne sais pas.

Ils montèrent l'escalier. Wallander fit signe à Martinsson de sonner. Aucune réaction. Ils se regardèrent.

– Il garde peut-être un double des clés au bureau ?

– Ça prendrait trop de temps.

Martinsson recula d'un pas. Il connaissait la suite.

Wallander inséra le pied-de-biche.

Puis il força la porte de l'appartement.

4

La nuit du 8 au 9 août 1996 fut l'une des plus longues de la vie de Kurt Wallander. Au petit matin, lorsqu'il sortit de l'immeuble de Lilla Norregatan d'un pas mal assuré, il croyait encore avoir été plongé par erreur dans un cauchemar incompréhensible.

Pourtant, tout ce qu'il avait été contraint de voir au cours de cette nuit interminable était réel. Et cette réalité était terrifiante. Au cours de sa carrière, il avait souvent eu l'occasion de contempler les vestiges d'un drame sanglant. Jamais encore il n'en avait été affecté si profondément. En forçant la porte de l'appartement de Svedberg, il n'avait aucune idée de ce qui l'attendait. Il redoutait le pire. Mais c'était encore pire que ça.

Il était entré sans bruit dans l'entrée, comme s'il pénétrait en territoire hostile, Martinsson sur ses talons. Le vestibule était plongé dans le noir, mais la lumière brillait dans le séjour. Ils étaient restés un instant immobiles. Wallander perçut le souffle inquiet de Martinsson dans son dos. Puis il avança jusqu'à la porte du salon et recula si brusquement qu'il se cogna à Martinsson ; celui-ci dut se pencher pour regarder à son tour.

Un long gémissement lui échappa. Wallander ne l'oublierait jamais. Martinsson gémissant comme un enfant devant la chose incompréhensible qui gisait devant eux.

C'était Svedberg. Une jambe reposait sur les débris du dossier d'un fauteuil renversé. Son corps était bizarrement tordu, comme s'il n'avait jamais eu de colonne vertébrale.

Wallander resta pétrifié sur le seuil, figé dans sa propre épouvante. Sur le moment, tout avait été parfaitement clair. C'était Svedberg. Et il était mort. L'homme avec lequel il travaillait depuis tant d'années gisait par terre devant lui, complètement tordu, et il n'existait plus. Il n'occuperait plus jamais sa place habituelle autour de la table dans l'une ou l'autre des salles de réunion, à se gratter le crâne avec la pointe d'un crayon.

Svedberg n'avait plus de crâne. La moitié de la tête était arrachée.

À côté de lui, un fusil de chasse à double canon. Il y avait des éclaboussures de sang jusque sur le mur, à plus de deux mètres du fauteuil renversé.

Wallander contemplait la scène sans bouger, le cœur battant. L'image ne le quitterait plus jamais. Svedberg mort, la tête déchiquetée, un fauteuil renversé et un fusil sur un tapis à rayures rouges et bleu pâle.

Une pensée confuse lui traversa l'esprit. Svedberg était enfin délivré de sa peur panique des guêpes.

– Qu'est-ce qui s'est passé ?

La voix de Martinsson tremblait ; Wallander comprit qu'il était sur le point de fondre en larmes. Pour sa part, il était encore loin d'une telle réaction. Il ne pouvait pleurer devant ce qu'il ne comprenait pas. Et ce qu'il avait devant lui était incompréhensible. Svedberg mort ? Impensable. Svedberg était un policier de quarante ans qui devait siéger le lendemain à sa place habituelle dans la prochaine réunion du groupe d'enquête. Svedberg avec sa calvitie, sa peur des guêpes, et son sauna rituel en solitaire au sous-sol du commissariat tous les vendredis soir.

L'homme étendu là ne pouvait pas être Svedberg. C'était un autre, qui lui ressemblait.

Wallander jeta instinctivement un regard à sa montre. Deux heures et neuf minutes. Ils s'attardèrent quelques instants sur le seuil du séjour. Puis ils retournèrent dans le vestibule. Wallander alluma le plafonnier. Martinsson tremblait. Il pensa que lui-même devait faire une tête affreuse.

– C'est l'alerte maximale, dit-il.

Il y avait un téléphone sur la table de l'entrée. Mais pas de répondeur. Martinsson s'apprêtait à soulever le combiné lorsque Wallander le retint.

– Attends. On doit réfléchir.

Réfléchir à quoi ? Peut-être attendait-il un miracle, que Svedberg surgisse derrière eux, prouvant que ce qu'ils venaient de voir n'avait aucun rapport avec la réalité.

– Tu connais le numéro de Lisa Holgersson ?

Martinsson était célèbre pour sa mémoire incroyable des adresses et des numéros de téléphone.

Ils étaient deux, dans l'équipe, à posséder une mémoire exceptionnelle. Martinsson et Svedberg. Maintenant, il n'y avait plus que Martinsson.

Il récita le numéro. Il bégayait. Wallander composa les chiffres sur le cadran. Lisa Holgersson décrocha à la deuxième sonnerie. Elle devait avoir un téléphone à côté de son lit.

– C'est Wallander. Désolé de te réveiller.

– Qu'y a-t-il ?

Elle ne dormait plus du tout.

– Je crois que tu dois venir. Je suis à l'appartement de Svedberg avec Martinsson. Svedberg est mort.

Il entendit un bruit étouffé à l'autre bout du fil. Puis un silence.

– Que s'est-il passé ?

– Je n'en sais rien. En tout cas, il a été abattu.

– Tu veux dire que ce serait un meurtre ?

Wallander pensa au fusil.

– Je ne sais pas. Meurtre ou suicide, je ne sais pas.

– Tu as parlé à Nyberg ?

– Je voulais t'appeler d'abord.

– Je m'habille et j'arrive.

– On appelle Nyberg en attendant.

Wallander raccrocha avec le doigt et tendit le combiné à Martinsson.

– Nyberg, dit-il. Commence par lui.

La salle de séjour avait deux portes. Pendant que Martinsson parlait au téléphone, Wallander fit le détour par la cuisine. Un tiroir par terre, un placard ouvert, le sol jonché de papiers et de factures.

Wallander enregistrait tout ce qu'il voyait. À l'arrière-plan, il entendit Martinsson expliquer la situation à Nyberg, le technicien de l'équipe. Wallander continua vers la chambre à coucher, en faisant attention aux endroits où il posait les pieds. Les trois tiroirs de la commode étaient ouverts, le lit défait, la couverture tombée par terre. Avec un chagrin infini, il constata que Svedberg avait dormi dans des draps à fleurs. Le lit ressemblait à une prairie d'été. Il continua. Entre la chambre et le séjour, il y avait un petit bureau. Des rayonnages, une table de travail. Svedberg était un homme ordonné, son bureau au commissariat était toujours impeccable, jamais un papier superflu. Mais là, tous ses livres avaient été arrachés des étagères, les tiroirs vidés. Il y avait des papiers partout.

Wallander se tenait de nouveau à l'entrée de la salle de séjour, mais de l'autre côté. Cette fois, le fusil était au premier plan et le corps tordu de Svedberg à l'arrière-plan. Parfaitement immobile, il contemplait la scène – tous les détails, tous les restes figés du drame qui s'était joué là, dans cette pièce. Ses pensées tourbillonnaient. Quelqu'un avait dû entendre le coup de feu – ou les coups de feu. Tout indiquait un cambriolage. À quel moment ? Que s'était-il passé en réalité ?

Martinsson apparut dans l'encadrement de l'autre porte.

– Ils arrivent, dit-il simplement.

Wallander refit lentement son parcours en sens inverse. De la cuisine, il entendit un chien aboyer, puis la voix indignée de Martinsson. Il se dépêcha de regagner l'entrée et aperçut un maître-chien dans l'escalier ; derrière lui, quelques personnes en peignoir. Le policier au chien s'appelait Edmundsson. Il travaillait à Ystad depuis peu de temps.

– On a été prévenus d'un cambriolage, dit Edmundsson sur un ton hésitant. Dans un appartement appartenant à un certain Svedberg.

Il n'avait visiblement pas compris de quel Svedberg il s'agissait.

– C'est bon, dit Wallander. Il y a eu un accident. C'est l'inspecteur Svedberg qui habite là.

Edmundsson pâlit.

– Je ne savais pas...

– Comment aurais-tu pu le savoir ? Tu peux retourner au commissariat. On a déclenché l'alerte maximale.

Edmundsson le dévisagea.

– Qu'est-ce qui s'est passé ?

– Svedberg est mort. C'est tout ce que nous savons pour l'instant.

Il regretta aussitôt de l'avoir dit. Les voisins suivaient attentivement leur échange, sur le palier, et quelqu'un pourrait avoir l'idée de prévenir la presse. Des journalistes dans l'immeuble en ce moment, c'était bien la dernière chose dont ils avaient besoin.

Edmundsson disparut dans l'escalier. Wallander pensa confusément qu'il ne connaissait pas le nom de son chien. Il se tourna vers Martinsson.

– Tu peux t'occuper des voisins ? Quelqu'un a dû entendre les coups de feu, on saura peut-être tout de suite quand ça s'est passé.

– Il y a eu plus d'un coup de feu ?

– Je ne sais pas. Mais quelqu'un a dû entendre quelque chose.

La porte de l'appartement d'en face était ouverte.

– Demande à ce voisin de te recevoir, ajouta-t-il. Je ne veux personne chez Svedberg, et dans l'escalier, ça va être la bousculade, tu ne pourras pas interroger qui que ce soit.

Martinsson acquiesça. Il avait les yeux rouges et il tremblait encore.

– Qu'est-ce qui a bien pu se passer ?

– Je ne sais pas, répéta Wallander.

– On dirait un cambriolage. Tout est sens dessus dessous.

Le portail de l'immeuble claqua. Bruits de pas dans l'escalier. Martinsson commença à diriger les locataires ensommeillés et inquiets vers l'appartement du voisin.

Lisa Holgersson apparut.

– Je voudrais t'avertir de ce qui t'attend, dit Wallander.

– C'est à ce point ?

– Svedberg s'est pris une balle dans la tête. Avec un fusil de chasse, peut-être à bout portant.

Elle fit une grimace. Puis il la vit se raidir, se durcir intérieurement. Il la suivit dans l'entrée et indiqua le séjour d'un geste. Elle avança jusqu'à la porte et se détourna brusquement. Vacilla, comme si elle allait s'évanouir. Wallander la rattrapa par le bras et la conduisit jusqu'à la cuisine. Elle se laissa tomber sur une chaise. Une chaise à barreaux peinte en bleu. Puis elle leva la tête. Elle avait les yeux écarquillés.

– Qui a fait ça ?

– Je ne sais pas.

Wallander prit un verre sur l'égouttoir et lui donna de l'eau.

– Svedberg n'est pas venu au commissariat hier, dit-il. Il n'a prévenu personne de son absence.

– Ça ne lui ressemble pas.

– Non, pas du tout. Cette nuit, je me suis réveillé avec le sentiment que quelque chose clochait. J'ai pris ma voiture et je suis venu jusqu'ici.

– Ça ne s'est donc pas nécessairement passé hier soir ?

– Non. Martinsson est en train de demander aux voisins s'ils ont entendu quelque chose. Ça devrait donner des résultats, un coup de feu ne passe pas inaperçu. Sinon, il faudra attendre la réponse des légistes de Lund.

Au moment même où il prononçait ce commentaire neutre, Wallander le sentit résonner à l'intérieur de lui et constata qu'il avait la nausée.

– Il était célibataire, dit Lisa Holgersson. Mais avait-il de la famille ?

Wallander réfléchit. La mère de Svedberg était morte quelques années plus tôt. De son père, il ne savait rien. La seule parente qu'il lui connaissait avec certitude, il l'avait rencontrée un an plus tôt, au cours d'une enquête.

– Une cousine. Ylva Brink, sage-femme. Il y en a peut-être d'autres, mais je ne les connais pas.

La voix de Nyberg s'éleva dans l'entrée.

– Je reste ici quelques minutes, dit Lisa Holgersson.

Wallander rejoignit Nyberg, qui retirait ses bottes en caoutchouc.

– C'est quoi cette histoire, bordel ?

Nyberg était un technicien respecté. Mais il pouvait se montrer désagréable, voire hargneux. Il ne semblait pas avoir compris de quoi il retournait. Martinsson n'avait peut-être pas réussi à le lui dire ?

– Tu sais qui c'est ? demanda Wallander prudemment.

Nyberg lui jeta un regard furieux.

– Je sais qu'on m'a demandé de venir dans un appartement de Lilla Norregatan. Mais Martinsson était si bizarre au téléphone que je n'ai pas saisi les détails.

Wallander le considéra avec gravité. Nyberg, saisissant son regard, se calma tout de suite.

– C'est qui ? demanda-t-il.

– Svedberg. Il est mort. Quelqu'un l'a tué, on dirait.

– Kalle ? fit Nyberg, incrédule.

Wallander acquiesça en sentant grossir la boule dans sa gorge. Nyberg était l'un des rares collègues à appeler Svedberg ainsi. Son vrai prénom était Karl Evert. Mais Nyberg l'appelait par son diminutif : Kalle.

– Il est là-bas, poursuivit Wallander. Tué par un fusil de chasse. En plein visage.

Nyberg grimaça.

– Je n'ai pas besoin de te faire un dessin.

– Non. Ce n'est pas la peine.

Nyberg se dirigea vers la porte du séjour. Lui aussi eut un mouvement de recul. Wallander attendit un instant, comme pour lui laisser la possibilité de comprendre ce qu'il avait sous les yeux. Puis il le rejoignit.

– J'ai une question d'emblée. Décisive. Tu vois que le fusil est à plus de deux mètres du corps. Est-ce qu'il aurait pu se retrouver là si Svedberg s'était suicidé ?

Nyberg réfléchit. Puis il secoua la tête.

– Non, c'est impossible. Un fusil qu'on dirige contre soi ne peut pas être rejeté si loin. C'est absolument impossible.

L'espace d'un instant, Wallander éprouva un soulagement confus. Svedberg ne s'était donc pas tiré une balle dans la tête.

Il commençait à y avoir du monde dans l'entrée. Le médecin était arrivé, ainsi que Hansson. L'un des techniciens déballait déjà le contenu de sa mallette. Wallander se tourna vers eux.

– Écoutez-moi tous un instant. C'est l'inspecteur Svedberg qui se trouve dans cette pièce. Il est mort. Il a été assassiné. Je vous préviens, c'est terrible. Nous le connaissions tous. Nous le regrettons tous. C'était notre collègue et notre ami. Ça rend les choses beaucoup plus difficiles.

Il se tut, avec le sentiment intense qu'il devait ajouter quelque chose. Mais il avait épuisé sa réserve de mots. Il retourna à la cuisine tandis que Nyberg et ses collègues se mettaient au travail. Lisa Holgersson était toujours assise au même endroit.

– Je dois appeler sa cousine, dit-elle. Si c'est bien sa parente la plus proche.

– Je peux le faire. Je la connais.

– Résume-moi la situation. Que s'est-il passé ?

– Alors il faut que Martinsson soit là. Je vais le chercher.

Wallander sortit sur le palier. La porte de l'appartement d'en face était entrouverte. Il frappa et entra sans attendre de réponse. Martinsson se trouvait dans le séjour avec quatre personnes, dont trois en peignoir. Deux hommes et deux femmes. Il fit signe à Martinsson de le suivre.

– Nous vous demandons d'attendre ici, précisa-t-il à l'intention des voisins.

Ils retournèrent dans la cuisine de Svedberg. Martinsson était très pâle.

– Reprenons depuis le début, dit Wallander. Quand quelqu'un a-t-il vu Svedberg pour la dernière fois ?

– Je ne sais pas si j'étais le dernier, dit Martinsson, mais je l'ai aperçu à la cafétéria mercredi matin. Il devait être à peu près onze heures.

– Comment était-il alors ?

– Comme d'habitude, puisque rien n'a attiré mon attention.

– Ensuite tu m'as téléphoné, dans l'après-midi, et nous avons convenu d'une réunion jeudi matin.

– Après cette conversation, je suis allé directement dans le bureau de Svedberg. Il n'y était pas. À la réception, Ebba m'a dit qu'il était parti pour la journée.

– Quand était-il parti ?

– Je ne lui ai pas posé la question.

– Qu'as-tu fait ensuite ?

– Je l'ai appelé chez lui. Je suis tombé sur le répondeur et j'ai laissé un message pour lui signaler la réunion du lendemain. J'ai rappelé plusieurs fois. Mais je n'ai jamais eu de réponse.

Wallander réfléchit.

– Avant-hier, au cours de la journée de mercredi, Svedberg quitte le commissariat. Tout semble normal. Jeudi il ne vient pas, ce qui est très inhabituel pour lui, qu'il ait ou non entendu ton message sur son répondeur. Svedberg ne s'absentait jamais sans prévenir.

– Autrement dit, intervint Lisa Holgersson, ça a pu se produire dès mercredi.

Wallander acquiesça.

À quel moment le normal devient-il anormal ? pensa-t-il. C'est ce moment que nous devons chercher.

Une autre pensée venait de le frapper : un commentaire qu'avait fait Martinsson à propos de son répondeur à lui, qui ne fonctionnait pas.

– Un instant, dit-il.

Il se rendit dans le bureau de Svedberg. Le répondeur était sur la table de travail. Il trouva Nyberg dans le séjour, agenouillé près du fusil. Wallander lui fit signe de le suivre dans le bureau.

– Je voudrais écouter le répondeur, mais sans saboter ton travail.

– Il n'y a pas de problème, dit Nyberg.

Il portait déjà des gants en plastique. Wallander hocha la tête et Nyberg enfonça la touche d'écoute.

Il y avait trois messages de Martinsson, précisant à chaque fois l'heure de son appel. Rien d'autre.

– Je voudrais entendre le message d'annonce, dit Wallander.

Nyberg enfonça une autre touche. Wallander sursauta en reconnaissant la voix de Svedberg. Nyberg avait réagi, lui aussi.

Je ne suis pas là. Mais laissez-moi un message.

C'était tout. Wallander retourna dans la cuisine.

– Tes appels ont été enregistrés, dit-il. Mais nous ne pouvons évidemment pas savoir s'il les a écoutés.

Le silence se fit. Tous trois pesaient les paroles de Wallander.

– Que racontent les voisins ? demanda-t-il.

– Rien. C'est très étrange. Personne n'a entendu de coup de feu. Pourtant, ils étaient chez eux presque tout le temps.

Wallander fronça les sourcils.

– C'est invraisemblable.

– Je vais continuer à les interroger.

Martinsson se leva. Un policier apparut à la porte de la cuisine.

– Il y a un journaliste dehors.

Et merde, pensa Wallander. Quelqu'un avait eu le temps et l'envie de téléphoner aux journaux. Il consulta Lisa Holgersson du regard.

– Nous devons d'abord prévenir la famille, dit-elle.

– On peut protéger l'information jusqu'à midi. Pas davantage.

Il se tourna vers le policier qui attendait des instructions.

– Pas de commentaire pour l'instant. Mais il y aura une conférence de presse tout à l'heure au commissariat.

– À onze heures, précisa Lisa Holgersson.

Le policier disparut. Ils entendirent Nyberg rugir dans la salle de séjour. Puis le silence retomba. Nyberg était colérique. Mais ses crises ne duraient pas longtemps. Wallander alla dans le bureau et ramassa un annuaire qui gisait au milieu du désordre. Il s'assit à la table de la cuisine et finit par trouver le numéro d'Ylva Brink. Il interrogea Lisa Holgersson du regard.

– Appelle-la, dit-elle.

Il n'y avait rien de plus difficile pour lui que d'annoncer aux gens la mort d'un proche. En général, il se faisait accompagner par un prêtre. Plusieurs fois, il avait dû se débrouiller seul, mais il ne s'y était jamais habitué. Ylva Brink avait beau n'être que la cousine de Svedberg, ce serait dur. La première sonnerie résonna. Il remarqua que sa main se crispait d'appréhension.

Puis un répondeur se mit en marche. Ylva Brink était de garde à la maternité jusqu'au matin.

Wallander raccrocha. Il se rappela soudain la nuit où il lui avait rendu visite, à l'hôpital, avec Svedberg. Cela ferait bientôt deux ans.

Mais Svedberg était mort. Il n'arrivait pas encore à le comprendre.

– Elle travaille, dit-il à Lisa Holgersson. Je vais aller la voir à l'hôpital.

– Oui, on ne peut pas attendre. Si ça se trouve, Svedberg a d'autres parents plus proches, que nous ne connaissons pas.

Wallander hocha la tête. Elle avait raison.

– Tu veux que je t'accompagne ? demanda-t-elle.

– Ce n'est pas nécessaire.

S'il avait pu choisir, Wallander aurait emmené Ann-Britt. Au même instant, il s'aperçut que personne ne l'avait prévenue. Elle aurait dû être là avec eux, présente dès le début de l'enquête.

Lisa Holgersson se leva et sortit. Wallander s'assit sur la chaise qu'elle venait de quitter et composa le numéro d'Ann-Britt. Une voix d'homme ensommeillée lui répondit.

– J'ai besoin de parler à Ann-Britt. C'est Wallander.

– Qui ?

– Kurt. De la police.

L'homme n'était pas bien réveillé, mais il paraissait furieux.

– Qu'est-ce que tu veux ?

– Je ne suis pas chez Ann-Britt Höglund ?

– La seule bonne femme qu'il y a dans cette maison s'appelle Alma Lundin et elle dort, merde.

Il avait fait un mauvais numéro. Il le refit, lentement cette fois. Ann-Britt décrocha à la deuxième sonnerie. Aussi vite que Lisa Holgersson.

– C'est Kurt.

Elle était tout à fait réveillée. Ses soucis l'empêchaient peut-être de dormir ? Dans ce cas, pensa Wallander, elle allait avoir un souci de plus.

– Qu'y a-t-il ?

– Svedberg est mort. Apparemment, il a été assassiné.

– Ce n'est pas vrai !

– Malheureusement si. Chez lui. Lilla Norregatan.

– Je connais l'adresse.

– Tu viens ?

– Tout de suite.

Wallander resta assis à la table de la cuisine après avoir raccroché. L'un des techniciens apparut dans l'encadrement de la porte et Kurt leva la main. Il voulait réfléchir. Pas longtemps, il avait juste besoin d'être seul pendant une minute. Il ne lui en fallut pas davantage pour comprendre que quelque chose clochait complètement. Mais quoi ? Le technicien reparut.

– Nyberg veut te parler.

Wallander se leva et alla dans le séjour. Les opérations qui s'y déroulaient dégageaient un fort sentiment de malaise, voire de souffrance. Svedberg avait toujours été présent parmi eux, dans ce genre de situation. Ce n'était pas un collègue haut en couleur. Mais tout le monde l'appréciait. Et maintenant il était mort.

Il vit le médecin agenouillé à côté du corps. De temps à autre, l'éclair d'un flash zébrait la pièce. Nyberg prenait des notes. Il rejoignit Wallander, resté sur le seuil.

– Svedberg possédait-il des armes ? demanda-t-il.

– Tu penses au fusil ?

– Oui.

– Je ne sais pas. En tout cas, il ne chassait pas, à ma connaissance.

– C'est curieux que le tueur ait laissé son arme.

Wallander acquiesça. Il avait eu la même idée.

– D'autres bizarreries ?

Nyberg plissa les yeux.

– Tout est bizarre quand un collègue se fait arracher la moitié du visage.

– Tu vois ce que je veux dire.

Wallander n'attendit pas la réponse. Dans l'entrée, il tomba nez à nez avec Martinsson, qui revenait de chez le voisin.

– Alors ? On a une heure ?

– Personne n'a rien entendu. Or, sauf erreur de ma part, il y a toujours eu au moins un locataire présent dans l'immeuble depuis lundi. De jour comme de nuit, soit à cet étage, soit à l'étage du dessous.

– Et personne n'a entendu de coup de feu ? C'est impossible !

– Le retraité au deuxième, un ancien professeur de lycée, me semble un peu sourd. Mais les autres n'ont aucun problème d'ouïe.

Wallander n'y comprenait rien. Quelqu'un avait forcément entendu le ou les coups de feu.

– Continue de les interroger, dit-il. Je dois aller à l'hôpital. Tu te souviens de la cousine de Svedberg, Ylva Brink, la sage-femme ?

Martinsson s'en souvenait.

– C'est probablement sa plus proche parente.

– Il n'avait pas une tante quelque part dans le Västergötland ?

– Je vais poser la question à Ylva.

Wallander descendit l'escalier. Il avait besoin de prendre l'air. Un journaliste attendait devant le portail. Wallander le connaissait. Il travaillait pour le quotidien de la ville, *Ystads Allehanda*.

– Que se passe-t-il ? Une grosse intervention en pleine nuit, dans un immeuble où réside un inspecteur du nom de Karl Evert Svedberg…

– Je ne peux rien te dire. Conférence de presse au commissariat à onze heures.

– Tu ne peux pas ou tu ne veux pas ?

– Je ne peux pas.

Le journaliste, qui s'appelait Wickberg, hocha la tête.

– Ça veut dire que quelqu'un est mort, pas vrai ? Tu ne peux rien me dire parce que tu dois informer la famille. J'ai raison ?

– Si c'était le cas, j'aurais pu me servir du téléphone.

Wickberg sourit. Sans agressivité. Mais avec assurance.

– Ce n'est pas comme ça qu'on fait. On contacte un prêtre de la police. S'il y en a un. Alors Svedberg est bien mort ?

Wallander était trop fatigué pour se mettre en colère.

– Ce que tu penses ou ce que tu crois deviner n'a aucune espèce d'importance. Il y aura un point d'information à onze heures. D'ici là, tu n'obtiendras pas un mot, ni de moi ni de quiconque.

– Où vas-tu ?

– Me promener et m'aérer la tête.

Il s'éloigna. Deux croisements plus loin, il se retourna. Wickberg ne l'avait pas suivi. Wallander tourna à droite dans Sladdergatan puis à gauche dans Stora Norregatan. Il constata qu'il avait soif. Et envie d'uriner. Aucune voiture en vue. Il soulagea sa vessie contre une façade. Puis il continua.

Quelque chose cloche, pensa-t-il. Quelque chose cloche complètement.

Sa conviction était de plus en plus forte. Elle lui vrillait le ventre. *Pourquoi avait-on tué Svedberg ? Qu'était-ce donc, dans cette image terrifiante du mort au visage arraché, qui clochait à ce point ?*

Wallander était parvenu à l'hôpital. Il contourna le bâtiment, sonna à la porte des urgences et prit l'ascenseur jusqu'au service Maternité. Des images l'assaillirent. De nouveau, Svedberg et lui allaient parler à Ylva Brink. Mais il n'y avait plus de Svedberg.

Comme s'il n'avait jamais existé.

Soudain il aperçut la sage-femme de l'autre côté des portes vitrées. Ylva Brink découvrit sa présence au même instant, mais sans le reconnaître. Puis son expression changea, et elle vint lui ouvrir.

Elle comprit aussitôt qu'il était arrivé quelque chose.

5

Ils avaient pris place dans le bureau des infirmières. Il était trois heures et neuf minutes. Wallander lui communiqua la nouvelle sans détour. Svedberg était mort, tué par un ou plusieurs coups de fusil de chasse. Qui avait tiré, pour quelle raison, à quel moment, ils n'en savaient encore rien. Il lui épargna les détails. Il avait à peine fini que l'une des infirmières de garde entra et posa une question à Ylva Brink.

– Est-ce que cela peut attendre ? intervint Wallander. Je suis venu annoncer le décès d'un proche.

L'infirmière allait ressortir quand Wallander lui demanda si elle pouvait lui apporter un verre d'eau. Il avait la bouche tellement sèche que sa langue collait au palais.

– On est tous sous le choc, poursuivit-il après son départ. C'est incompréhensible.

Ylva Brink ne répondit pas. Elle était très pâle mais apparemment calme. L'infirmière revint avec le verre d'eau.

– Je peux faire quelque chose ? demanda-t-elle.

– Pas pour l'instant, merci.

Il vida le verre d'un trait. Il avait encore aussi soif qu'avant.

– Je n'arrive pas à y croire, dit Ylva Brink. Je ne comprends pas.

– Moi non plus. Il va pourtant falloir essayer. Même si ça doit me prendre toute la vie – et encore, je ne suis pas sûr d'y parvenir.

Il fouilla les poches de sa veste et trouva un crayon. Comme d'habitude, il n'avait pas de carnet. Il jeta un coup d'œil dans la corbeille à papier et ramassa une feuille où quelqu'un avait dessiné des pendus. Il la défroissa. Il y avait un journal sur la table ; il s'en servit comme support.

– Je dois te poser quelques questions. Avait-il de la famille ? Je dois avouer que je ne lui en connaissais pas, en dehors de toi.

– Ses parents sont décédés. Il n'avait ni frère ni sœur. Moi, je suis sa cousine du côté de son père. Il existe un autre cousin, du côté maternel. Il s'appelle Sture Björklund.

Wallander prit note.

– Où habite-t-il ? À Ystad ?

– Une ferme dans les environs de Hedeskoga.

– Il est agriculteur ?

– Professeur à l'université de Copenhague.

Wallander leva la tête, surpris.

– Je ne me souviens pas que Svedberg ait parlé de lui.

– Ils ne se voyaient pour ainsi dire jamais. Si tu veux connaître les membres de la famille avec lesquels il était en relation, la réponse est simple : il n'y avait que moi.

– Il faut pourtant le prévenir. Je n'ai pas besoin de te dire que ça va faire sensation dans la presse. Un policier tué dans des circonstances violentes...

Elle le dévisagea avec attention.

– Des circonstances violentes ? Que veux-tu dire ?

– Qu'il a très vraisemblablement été assassiné.

– Qu'est-ce que cela pourrait être d'autre ?

– C'était ma deuxième question. Crois-tu qu'il ait pu se suicider ?

– Tout le monde le peut, je pense, dans certaines situations.

– C'est possible.

– La police doit être capable de déterminer s'il s'agit d'un meurtre ou d'un suicide, non ?

– Oui. Mais je dois quand même te poser la question.

Elle réfléchit avant de répondre :

– Il m'est arrivé personnellement d'envisager la possibilité du suicide. Dans les périodes difficiles, et Dieu sait que j'en ai connu. Mais je n'ai jamais pensé que Karl pourrait le faire.

– Pourquoi ? Il n'aurait eu aucune raison de le faire ?

– Ce n'était pas quelqu'un de malheureux, loin de là.

– Quand as-tu été en contact avec lui pour la dernière fois ?

– Il m'a téléphoné dimanche dernier.

– Comment était-il ?

– Comme d'habitude.

– Pourquoi t'a-t-il téléphoné ?

– Nous avions l'habitude de nous parler une fois par semaine. Soit il m'appelait, soit c'était moi. Tantôt il venait dîner à la maison, tantôt je dînais chez lui. Mon mari est rarement là, tu t'en souviens peut-être, il travaille comme chef machiniste sur un pétrolier. Et nos enfants sont grands.

– Svedberg te recevait donc à dîner ?

– Pourquoi pas ?

– Je ne l'ai jamais imaginé en train de faire la cuisine.

– Il cuisinait bien. Surtout le poisson.

Wallander choisit de revenir en arrière.

– Il t'a donc appelée dimanche dernier. Le 4 août. Et tout était normal.

– Oui.

– De quoi avez-vous parlé ?

– De tout et de rien. Mais je me rappelle qu'il s'est plaint de la fatigue. Il a dit qu'il avait été débordé de travail.

– Il t'a vraiment dit cela ? Qu'il avait été « débordé de travail » ?

– Oui.

– Il revenait de vacances, pourtant.

– Je m'en souviens très nettement.

Wallander réfléchit avant de poursuivre :

– As-tu une idée de ce qu'il a fait pendant ses vacances ?

– Comme tu le sais peut-être, il n'aimait pas quitter la ville. En général, il restait chez lui. À l'exception peut-être d'un court voyage en Pologne.

– Chez lui, c'est-à-dire dans son appartement ?

– Il avait ses passe-temps.

– Lesquels ?

– Tu n'étais pas au courant ? Kalle avait deux grandes passions dans la vie : les étoiles et l'histoire des Indiens d'Amérique.

– J'ai entendu parler des Indiens. Et aussi du fait qu'il allait parfois à Falsterbo pour observer les oiseaux. Mais les étoiles, non, c'est nouveau.

– Il avait un très beau télescope.

Wallander ne se souvenait pas d'en avoir vu à l'appartement.

– Où se trouvait-il ?

– Dans son bureau.

– C'était donc à cela qu'il consacrait son temps libre ? Regarder les étoiles et lire des livres sur les Indiens ?

– Je crois. Mais cet été-ci était un peu inhabituel.

– De quelle manière ?

– En général, nous nous fréquentions beaucoup pendant l'été, plus que le reste de l'année. Mais là, il n'avait pas le temps. Il a refusé plusieurs invitations à dîner.

– Pourquoi ?

Elle hésita avant de répondre :

– Comme s'il n'avait pas le temps.

D'instinct, Wallander devina qu'ils abordaient un point important.

– Il n'a pas dit pourquoi ?

– Non.

– Mais tu as dû t'interroger.

– Pas spécialement.

– As-tu remarqué un changement chez lui ? Paraissait-il soucieux ?

– Il était pareil à lui-même. Mais il n'avait pas beaucoup de temps.

– Quand l'as-tu remarqué ? Ou quand te l'a-t-il dit pour la première fois ?

Elle réfléchit.

– Peu après la Saint-Jean. Tout au début de ses vacances, autrement dit.

L'infirmière reparut. Ylva Brink se leva.

– Je reviens, dit-elle.

Wallander sortit à son tour. Il trouva les toilettes, urina, but encore deux verres d'eau. Lorsqu'il revint dans le bureau, Ylva l'attendait.

– Je m'en vais, dit-il. Les autres questions peuvent attendre.

– Si tu veux, je peux prendre contact avec Sture. Nous devons organiser l'enterrement.

– Si tu pouvais le faire très vite, ce serait bien. Nous devons informer la presse dans la matinée, à onze heures.

– C'est complètement irréel.

Elle avait soudain les larmes aux yeux. Wallander sentit qu'il était sur le point de craquer, lui aussi. Ils restèrent quelques secondes face à face, en silence, chacun aux prises avec sa propre émotion.

Wallander essaya de fixer du regard le déplacement de l'aiguille des secondes sur le cadran de l'horloge du bureau.

– J'ai encore une question, dit-il enfin. Svedberg était célibataire. Je n'ai jamais entendu dire qu'il y ait eu une femme dans sa vie.

– Il n'y en avait sans doute pas.

– Tu ne penses pas que c'est ça qui a pu se produire cet été ?

– Quoi ? Qu'il aurait rencontré une femme ?

– Oui.

– Et c'est pour cela qu'il aurait été « débordé de travail » ?

Wallander se rendit compte que c'était absurde.

– Je dois poser certaines questions, répéta-t-il. Sinon on tourne en rond.

Elle le raccompagna dans le couloir. Devant la porte vitrée, elle lui empoigna le bras.

– Vous devez arrêter celui qui a fait ça, dit-elle.

– Tuer un policier est une des pires choses qu'on puisse faire. Autant dire que nous ferons tout, absolument *tout*, pour retrouver le coupable.

Ils se serrèrent la main.

– Je vais appeler Sture, dit-elle. À six heures au plus tard.

Au moment de partir, Wallander pensa à une autre question. Fondamentale.

– Avait-il l'habitude de garder de fortes sommes d'argent à son domicile ?

Elle écarquilla les yeux.

– Quel argent ? Il se plaignait toujours de son salaire de misère.

– On se plaint tous, dans la police.

– Sais-tu combien gagne une sage-femme ?

– Non.

– Tant mieux pour toi. La question n'est pas qui gagne le plus, mais qui gagne le moins.

En ressortant de l'hôpital, Wallander prit une profonde inspiration. Les oiseaux chantaient, il était à peine quatre heures du matin, une brise légère soufflait. Il faisait encore chaud. Il revint lentement vers Lilla Norregatan.

Une question se détachait plus nettement que les autres.

Pourquoi Svedberg s'était-il déclaré « débordé de travail » ? Alors qu'il venait de prendre ses vacances...

Cela pouvait-il avoir un lien avec le meurtre ?

Wallander s'immobilisa sur l'étroit trottoir. Il revint en pensée à l'instant où il avait découvert la scène sinistre, à la porte du séjour. Lui sur le seuil, Martinsson juste derrière lui. Il avait vu un mort et un fusil. Mais, presque aussitôt, il avait eu le sentiment que quelque chose clochait.

Quoi ? Il se concentra de toutes ses forces pour saisir ce qui lui avait échappé sur le moment. En vain.

Patience, pensa-t-il. Je suis fatigué. La nuit a été longue, et elle n'est pas finie.

Il se remit en marche. Se demanda quand il aurait l'occasion de dormir. Et d'étudier ses listes diététiques. Il s'immobilisa de nouveau. Une question venait de prendre forme dans son esprit.

Qu'arrivera-t-il si je meurs subitement comme Svedberg ? Qui aura du chagrin ? Que dira-t-on de moi ? Que j'étais un bon policier, qui laisse une place vide à la table de réunion ? Mais qui me regrettera vraiment ? Moi, en tant qu'être humain ? Peut-être Ann-Britt Höglund. Peut-être aussi Martinsson.

Un pigeon passa à tire-d'aile tout près de lui.

Nous ne savons rien les uns des autres, pensa-t-il. Qu'est-ce que j'en pensais, moi, au fond, de Svedberg ? Si j'essaie d'être honnête. Est-ce qu'il me manque vraiment ? Peut-on pleurer quelqu'un qu'on ne connaissait pas ?

Il se remit en mouvement. Mais il savait que ces questions ne le quitteraient pas.

En revenant à l'appartement de Svedberg, il eut la sensation de retourner à l'intérieur d'un cauchemar. Fini la nuit d'été, les oiseaux. Ici la mort régnait seule, éclairée par des projecteurs puissants. Lisa Holgersson était repartie au commissariat. Wallander fit signe à Ann-Britt Höglund et à Martinsson de le suivre. Il faillit demander si l'un ou l'autre avait aperçu Svedberg mais se retint juste à temps. Ils s'installèrent à la table de la cuisine. Ann-Britt et Martinsson étaient aussi gris l'un que l'autre. Wallander se demanda de quoi lui-même avait l'air.

– Alors, dit-il. Du nouveau ?

– Est-ce que cela peut être autre chose qu'un cambriolage ? répliqua Ann-Britt.

– Ça peut être beaucoup de choses. Une vengeance. Un forcené. Deux forcenés. Trois forcenés. Nous ne savons pas. Tant que nous ne savons pas, nous devons partir de ce que nous voyons.

– Et aussi d'un certain détail, dit Martinsson. Le fait que Svedberg était policier.

Wallander acquiesça.

– Des indices ? Comment ça se passe du côté de Nyberg ? Que dit le médecin ?

Tous deux feuilletèrent leurs notes. Ce fut Ann-Britt qui commença.

– Les deux canons du fusil ont servi. Le médecin est presque sûr que les coups ont été tirés très vite, l'un après l'autre. Nyberg aussi en est certain – comment il peut le savoir, ça me dépasse. En tout cas, le meurtrier a visé la tête.

Sa voix tremblait. Elle inspira à fond avant de poursuivre :

– Ils ne savent pas si Svedberg était assis à ce moment-là, ni à quelle distance de lui se trouvait le meurtrier. Compte tenu de la taille de la pièce et de la disposition des meubles, il ne pouvait pas être à plus de quatre mètres. Mais il a aussi pu tirer à bout portant.

Martinsson se leva vivement et marmonna quelques mots avant de disparaître aux toilettes. Ils attendirent. Martinsson revint après quelques minutes.

– J'aurais dû donner ma démission il y a deux ans, dit-il. J'aurais dû arrêter au moment où j'avais pris la décision de le faire.

– Notre présence est plus nécessaire que jamais, répliqua sèchement Wallander.

Cependant il comprenait parfaitement le sentiment de Martinsson.

– Svedberg était tout habillé, poursuivit Ann-Britt. Ça donne à penser qu'il n'a pas été surpris au lit. Mais nous ne savons toujours pas à quelle heure…

Wallander se tourna vers Martinsson.

– J'ai interrogé tous les voisins plusieurs fois. Personne n'a rien entendu.

– Trop de circulation dans la rue ?

– J'ai du mal à croire que le bruit de la circulation puisse couvrir deux détonations.

– Nous ne savons donc pas quand cela s'est passé. Nous savons que Svedberg était habillé. Cela semble exclure la pleine nuit. Personnellement, j'ai toujours eu l'impression que Svedberg se couchait de bonne heure.

Martinsson tomba d'accord là-dessus. Ann-Britt n'avait pas d'opinion.

– Comment le meurtrier s'est-il introduit dans l'appartement ? Le savons-nous ?

– La serrure ne semble pas avoir été forcée, sauf par nous.

– D'un autre côté, objecta Wallander, on n'a eu aucun mal à la forcer.

– Pourquoi a-t-il abandonné l'arme sur place ? Un accès de panique ? Quoi ?

Personne n'avait de réponse aux questions de Martinsson. Wallander regarda ses collègues épuisés et abattus.

– Je vais vous donner mon avis personnel, dit-il. Il est trop tôt pour savoir ce qu'il vaut. Mais dès que je suis entré dans cet appartement et que j'ai vu la scène dans le séjour, j'ai eu le sentiment que ça clochait. Je ne sais pas. C'est un meurtre, ça ressemble à un cambriolage. Et si ce n'est pas un cambriolage, qu'est-ce que c'est ? Une vengeance ? Ou peut-on imaginer que quelqu'un est venu, non pour voler, mais pour chercher quelque chose ?

Il se leva, prit un verre à côté de l'évier et le remplit au robinet.

– J'ai parlé à Ylva Brink à l'hôpital, poursuivit-il. Svedberg n'avait pas beaucoup de famille. Deux cousins, dont elle. Elle le voyait régulièrement, m'a-t-elle dit. Elle a mentionné un détail qui m'a fait réagir. Elle avait parlé à Svedberg au téléphone dimanche, et il s'était plaint d'être débordé de travail. Comment est-ce possible ? Alors qu'il venait de prendre ses vacances ?

Ann-Britt et Martinsson attendaient la suite.

– Je ne sais pas si c'est important, reprit Wallander. Nous devons comprendre ce que ça cache.

– De quoi s'occupait-il, à l'époque ? demanda Ann-Britt. Quelle enquête ?

– Les jeunes disparus, dit Martinsson.

– Il devait aussi avoir autre chose, objecta Wallander. Il n'y avait pas d'enquête officielle sur ces jeunes à l'époque, on suivait simplement l'affaire. De plus, Svedberg est parti en congé quelques jours seulement après que les parents nous ont fait part de leur inquiétude.

Ann-Britt et Martinsson n'avaient rien à ajouter à ce sujet.

– Il faudra s'en occuper, dit-il.

– Tu penses qu'il avait peut-être un secret ? demanda Martinsson prudemment.

– Tout le monde en a, non ?

– C'est ça que nous devons chercher, alors ? Le secret de Svedberg ?

– Nous devons retrouver son meurtrier. C'est tout.

Ils décidèrent de se voir au commissariat à huit heures pour faire le point. Martinsson retourna chez le voisin pour continuer d'interroger les occupants de l'immeuble. Ann-Britt s'attarda dans la cuisine. Wallander considéra son visage creusé par la fatigue et les soucis.

– Tu étais réveillée quand je t'ai appelée ?

Il regretta aussitôt sa question. Ça ne le regardait pas. Mais elle ne parut pas se formaliser de son indiscrétion.

– C'est vrai, je ne dormais pas.

– Tu es venue très vite. J'en conclus que ton mari est à la maison et qu'il s'occupe des enfants ?

– Quand tu as appelé, nous étions en pleine dispute. Une petite dispute idiote. Comme on en invente lorsqu'on n'a pas la force d'affronter les grandes disputes importantes.

Wallander ne répondit pas. On n'entendait plus que la voix de Nyberg qui s'élevait par intermittence dans le séjour.

– Je ne comprends pas, dit-elle. Qui pouvait vouloir du mal à Svedberg ?

– Qui le connaissait le mieux ?

Elle le considéra avec surprise.

– Je croyais que c'était toi.

– Non. Je ne le connaissais pas très bien.

– Mais il t'admirait beaucoup.

– Je ne pense pas.

– Tu ne t'en rendais pas compte, mais moi oui, et les autres aussi, je crois. Il prenait toujours ton parti. Même quand tu avais tort.

– Ça ne répond pas à la question. Qui le connaissait le mieux ?

– Personne.

– Alors c'est maintenant que nous devons faire connaissance avec lui.

Nyberg entra dans la cuisine, un gobelet de café à la main. Nyberg avait toujours une Thermos prête, au cas où il serait appelé quelque part en pleine nuit.

– Comment ça se passe ? demanda Wallander.

– Ça ressemble à un cambriolage. On se demande juste pourquoi le meurtrier a abandonné son fusil.

– Nous voulons connaître l'heure de la mort.

– C'est aux médecins de l'établir.

– Ton opinion ?

– Je n'aime pas les devinettes.

– Je sais. Mais tu as de l'expérience. Je te promets que si tu te trompes, ça ne se retournera pas contre toi.

Nyberg effleura sa barbe naissante. Il avait les yeux injectés de sang.

– Vingt-quatre heures peut-être. Pas moins, en tout cas.

Ils enregistrèrent cette information en silence. Au moins vingt-quatre heures, pensa Wallander. Mercredi soir. Ou alors dans la matinée de jeudi.

Nyberg bâilla et quitta la cuisine.

– Je pense que tu devrais rentrer chez toi, dit Wallander à Ann-Britt. À huit heures, il faudra qu'on trouve la force d'organiser cette enquête.

L'horloge indiquait cinq heures quinze.

Ann-Britt prit sa veste et sortit. Wallander s'attarda à la table de la cuisine. Plusieurs factures étaient empilées sur l'appui de la fenêtre. Il les feuilleta distraitement. Il faut commencer par quelque chose, pensa-t-il. Pourquoi pas par des factures posées sur un appui de fenêtre ? Une facture d'électricité, un ticket de retrait d'espèces à un guichet automatique et un reçu d'un magasin de vêtements pour hommes. Wallander mit ses lunettes. Svedberg avait effectué son retrait le 3 août : deux mille couronnes. Le solde de son compte, après le retrait, s'élevait à dix-neuf mille trois cent quatorze couronnes. La note d'électricité était payable à la fin du mois d'août. D'après l'autre reçu, Svedberg avait acheté une chemise le 3 août – le même jour que le retrait d'argent. La chemise coûtait six cent quatre-vingt-quinze couronnes. Étonnamment chère, pensa Wallander. Il reposa les papiers sur l'appui de la fenêtre. Puis il rejoignit Nyberg, lui demanda une paire de gants en plastique et retourna à la cuisine. Lentement, il regarda autour de lui. Puis il ouvrit méthodiquement les placards et les tiroirs, l'un après l'autre. La cuisine de Svedberg était aussi bien rangée que son bureau au commissariat. Rien ne semblait manquer ; rien n'attira son attention. Il retourna dans le séjour, demanda une lampe électrique avec laquelle il éclaira la bonde de l'évier. Il ignorait ce qu'il espérait trouver. Il se rendit dans le bureau. Il devrait y avoir un télescope quelque part, pensa-t-il. Il s'assit dans le fauteuil et regarda autour de lui. Nyberg entra pour l'informer qu'ils s'apprêtaient à emporter le corps de Svedberg. Voulait-il le revoir une dernière fois ? Wallander secoua la tête. La vision de Svedberg à la tête à moitié arrachée était fixée dans sa mémoire comme un cliché photographique. Qui ne lui épargnait aucun détail. Il continua d'inspecter la pièce du regard : les rayonnages, les livres arrachés, jonchant le sol ; la table avec le répondeur, un porte-crayon, quelques vieux soldats de plomb, un agenda. Wallander prit l'agenda et le feuilleta, mois par mois. Le 11 janvier à neuf heures trente, Svedberg a rendez-vous chez le dentiste. Le 7 mars, c'est l'anniversaire d'Ylva Brink. Le 18 avril, Svedberg a noté un nom : Adamsson. Ce nom revient le 5 et le 12 mai. Aucune note en juin ni en juillet. *Svedberg est en congé. Il se plaint d'avoir été débordé de travail.*

Wallander continua de feuilleter l'agenda, plus lentement. Aucune annotation. Les derniers jours de la vie de Svedberg sont vierges. Le 18 octobre, c'est l'anniversaire de Sture Björklund. Le 14 décembre, le nom d'Adamsson reparaît. Ensuite plus rien. Wallander reposa l'agenda à sa place. Si on voulait, on pouvait en conclure que Svedberg avait été un homme très seul. Mais que signifie en réalité un agenda ? Wallander pensa au sien, qui ne contenait pas grand-chose, lui non plus. Il ferma les yeux. Confortable, ce fauteuil. Il constata qu'il était très fatigué. Et assoiffé. Qui était Adamsson ? Il se pencha en avant et souleva le sous-main, révélant quelques Post-it et des cartes de visite. Un antiquaire du nom de Boman, à Göteborg. Le numéro de téléphone du concessionnaire Audi de Malmö. Svedberg était fidèle aux Audi comme Wallander l'était aux Peugeot. Une carte au nom d'Indian Heritage, entreprise située à Minneapolis. Il y avait aussi une publicité découpée dans un magazine – *Örtagården, la santé par les plantes* – avec une adresse à Karlshamn. Wallander reposa le sous-main à sa place. Deux des tiroirs du bureau avaient été arrachés et gisaient par terre. Les deux autres étaient entrouverts. Le premier contenait quelques copies de déclarations d'impôts ; le second, des lettres et des cartes postales. Wallander feuilleta le paquet de lettres. La plupart remontaient à plus de dix ans. Presque toutes étaient de sa mère. Il les rangea. En examinant les cartes postales, il fut surpris d'en trouver une qu'il avait lui-même envoyée, de Skagen au Danemark. *Les plages ici sont fantastiques*, avait-il écrit. Wallander resta assis, la carte à la main.

Trois ans déjà. À l'époque, il était en congé maladie et n'était pas du tout certain de reprendre son travail un jour. Il passait ses journées tout seul à marcher sur les plages d'automne abandonnées de Skagen. Il ne se souvenait pas d'avoir écrit cette carte. Il lui restait peu de souvenirs de cette période. Mais il avait apparemment écrit à Svedberg. Finalement, il était retourné à Ystad et il avait repris le boulot. Tout à coup, il se rappela ce matin-là. Réunion du lundi matin, premier jour de son retour au commissariat, Björk lui avait souhaité la bienvenue au milieu d'un grand silence – aucun de ses collègues n'avait cru qu'il reviendrait un jour. Svedberg avait pris la parole. Wallander s'en souvenait mot pour mot : *C'est bien que tu sois là, on s'en serait pas sortis un jour de plus sans toi, c'est la vérité.*

Wallander s'attarda sur ce souvenir. Tenta d'apercevoir Svedberg tel qu'il avait été. Taciturne. Et capable aussi, mieux qu'un autre, de rompre un silence embarrassant, de trouver la réplique salvatrice permettant de dénouer une situation difficile. C'était un policier compétent. Pas exceptionnel. *Compétent.* Obstiné, consciencieux. Pas très imaginatif. Pas très doué pour l'écriture. Ses rapports mal rédigés irritaient parfois les procureurs. Mais il remplissait sa fonction au sein de l'équipe, il avait une bonne mémoire et une conscience aiguë de l'importance de son travail.

Une autre image lui vint à l'esprit. Quelques années plus tôt, ils avaient enquêté sur une affaire de meurtre compliquée où le propriétaire du château de Farnholm avait joué un rôle central et effrayant. Svedberg avait dit un jour : *Un homme aussi riche ne peut pas être honnête.* Au cours de la même enquête, Svedberg lui avait révélé un rêve personnel. Il espérait, disait-il, *faire tomber un jour l'un de ces grands seigneurs qui se croient au-dessus des lois dans ce pays.*

Wallander se leva et retourna dans la chambre à coucher. Aucune trace d'un télescope. Il s'agenouilla et jeta un coup d'œil sous le lit. Svedberg faisait bien le ménage. Pas de poussière. Et pas de télescope. Il souleva les oreillers, l'un après l'autre. Il ouvrit la penderie. Les pantalons et les chemises de Svedberg s'alignaient sur les cintres. Il y avait aussi une étagère à chaussures. Wallander éclaira le fond de la penderie. Quelques valises. Il les tira à la lumière et les ouvrit. Rien. Il tourna son attention vers la commode. Elle contenait des sous-vêtements et des draps. Il tâta le fond des tiroirs. S'assit sur le bord du lit. Un livre ouvert sur la table de chevet : une histoire des Sioux. En anglais. Svedberg n'était pas très fort en anglais, songea Wallander. Mais il le lisait peut-être mieux qu'il ne le parlait.

En feuilletant distraitement le livre, il tomba sur un portrait beau et fier de Sitting Bull. Il le contempla quelques instants. Puis il alla à la salle de bains et ouvrit l'armoire à pharmacie qui faisait aussi office de miroir. Rien à signaler, ç'aurait pu être la sienne. Il quitta la salle de bains. Restaient l'entrée et le séjour. Il commença par l'entrée. S'assit sur un tabouret et ouvrit le tiroir de la petite commode placée sous le miroir. Il trouva des gants et quelques bonnets, dont un faisait de la publicité pour une chaîne de vendeurs de radios représentée dans toute la Scanie.

Wallander se leva. Il ne restait plus que le séjour. Il ne voulait pas y aller ; mais il n'avait pas le choix. Il se rendit d'abord à la cuisine et but un verre d'eau. Presque six heures du matin. Il était très fatigué. Puis il entra dans la salle de séjour. Nyberg avait enfilé des protège-genoux et se tenait à quatre pattes près du canapé en cuir noir placé contre le mur. Le fauteuil était toujours renversé au même endroit. Personne n'avait déplacé le fusil. Seul le corps de Svedberg avait disparu. Wallander jeta un regard circulaire. Tenta de se représenter la scène qui s'était déroulée là. *Que s'est-il passé juste avant la fin ? Avant les coups de feu ?* Mais il ne vit rien. La sensation d'étrangeté lui revint. Il resta parfaitement immobile, retenant son souffle, essayant de capter l'intuition qui se dérobait. Nyberg se releva. Ils se regardèrent.

– Tu y comprends quelque chose ?

– Non. C'est comme un tableau étrange.

Wallander lui jeta un regard scrutateur.

– Un tableau ?

Nyberg se moucha et replia soigneusement son mouchoir.

– C'est le chaos, dit-il. Des chaises renversées, des tiroirs arrachés, des papiers et des bibelots jetés n'importe où. Mais il y a pour ainsi dire trop de désordre.

Wallander comprit, même s'il n'avait pas pensé à ça.

– Ce serait une mise en scène ?

– Je n'ai aucune preuve, bien sûr.

– Qu'est-ce qui t'y a fait penser ?

Nyberg indiqua un petit coq en porcelaine, par terre.

– Je devine que la place de ce coq était là, dit-il en montrant une étagère. Je ne vois pas d'autre endroit. Mais s'il est tombé parce que quelqu'un a arraché un tiroir sans ménagement, comment peut-il se retrouver à l'autre bout de la pièce ?

Wallander hocha la tête. Il comprenait.

– Il y a certainement une explication cohérente, poursuivit Nyberg. À toi de la trouver.

Wallander ne répondit pas. Il s'attarda encore quelques minutes dans le séjour. Puis il quitta l'appartement. Dans la rue, il faisait grand jour. Une voiture de police stationnait devant l'immeuble, mais il n'y avait pas d'attroupement. Les policiers avaient dû recevoir l'ordre de ne rien divulguer pour l'instant ; il ne se sentit pas la force d'aller le vérifier.

Il s'immobilisa et inspira plusieurs fois, à fond. La journée serait belle.

En même temps, il sentit pour la première fois que la mort de Svedberg lui causait en réalité un immense chagrin. Il comprit aussi que cette douleur – qu'elle soit sincère ou liée au rappel de sa propre mortalité – ne le lâcherait pas de sitôt. Il ressentit aussi de la peur. La mort était passée très près de lui. Pas comme à la mort de son père. Différemment.

Cela l'effrayait.

Il était six heures vingt-cinq, vendredi 9 août. Wallander regagna lentement sa voiture. Une bétonnière commença son raffut dans la rue déserte.

Dix minutes plus tard, Wallander entrait au commissariat.

6

Peu après huit heures, ils se rassemblèrent dans la salle de réunion et improvisèrent une cérémonie à la mémoire de Svedberg. Lisa Holgersson avait placé une bougie allumée à la place qu'il avait toujours occupée. Le choc et le chagrin alourdissaient l'atmosphère autour de la table. Lisa Holgersson prononça peu de mots. Elle était très émue ; les personnes présentes firent une prière muette pour qu'elle arrive au bout de ce qu'elle avait prévu de dire. Si elle s'était effondrée, cela aurait rendu la situation intolérable pour tous. Puis ils observèrent une minute de silence. Des images inquiètes défilaient dans l'esprit de Wallander. Il lui semblait déjà difficile de se rappeler avec précision le visage de Svedberg. Il repensa à ce qu'il avait éprouvé au moment de la mort de son père et, avant cela, lors de la mort de Rydberg. *On garde le souvenir des morts. Pourtant, c'est comme s'ils n'avaient jamais existé.*

Les collègues se dispersèrent peu à peu. Bientôt, il ne resta plus que le groupe d'enquête et Lisa Holgersson, qui s'était attardée. Ils s'assirent autour de la table. La flamme de la bougie vacilla lorsque Martinsson ferma une fenêtre. Wallander interrogea Lisa Holgersson du regard, mais elle fit non de la tête. C'était à lui de parler.

– Nous sommes tous fatigués, commença-t-il. Nous sommes choqués, désorientés, désemparés. Ce que nous redoutions sans doute le plus a fini par arriver. En général, les crimes violents que nous tentons d'élucider ne nous touchent pas de façon personnelle. Cette fois, nous sommes frappés directement. Pourtant, nous devons essayer de réfléchir et d'agir comme d'habitude, sans égard pour le fait que nous connaissions la victime.

Il marqua une pause et jeta un regard à la ronde. Silence.

– Je propose que nous fassions le point, poursuivit-il, avant d'organiser le travail proprement dit. Nous savons peu de chose. Svedberg a été abattu à un moment que nous ignorons, entre mercredi après-midi et jeudi soir. Chez lui. Par quelqu'un qui est entré dans son appartement sans effraction apparente. Nous supposons que le fusil retrouvé par terre est l'arme du crime. L'appartement donne l'impression d'avoir été cambriolé. Cela suggère éventuellement que Svedberg s'est trouvé confronté à un voleur armé. C'est une possibilité. Mais il peut y avoir d'autres explications. Nous devons ratisser large, sans négliger le fait que Svedberg était policier. Cela peut avoir une signification – pas nécessairement, mais peut-être. Comme je le disais, nous ne connaissons pas encore l'heure exacte du crime. Détail surprenant, aucun des voisins n'a entendu de coup de feu. Nous allons donc attendre le rapport des légistes de Lund.

Il se versa un verre d'eau qu'il vida d'un trait avant de poursuivre :

– Voilà tout ce que nous savons. Nous pouvons juste ajouter que Svedberg n'est pas venu travailler jeudi. Le connaissant, nous savons que c'est étrange, d'autant plus qu'il n'a prévenu personne de son absence. La seule explication plausible est qu'il n'était pas en mesure de le faire. Ce que cela signifie, nous le comprenons tous.

Nyberg fit un signe de la main.

– Je ne suis pas médecin légiste, dit-il. Mais je doute qu'il ait été tué dès mercredi.

– Raison de plus pour nous interroger : qu'est-ce qui l'a empêché de se rendre au travail hier ? Pourquoi ne nous a-t-il pas prévenus ? Quand a-t-il été tué ?

Wallander enchaîna sur sa conversation avec Ylva Brink.

– Elle m'a appris l'existence d'un autre cousin. À part ça, j'ai noté un détail. D'après elle, Svedberg se plaignait d'avoir été débordé de travail. Pourtant, il était en congé à ce moment-là. Cela me paraît étrange, surtout dans la mesure où il ne consacrait pas ses vacances à des voyages fatigants ou mouvementés.

– Est-ce qu'il lui est même jamais arrivé de quitter Ystad ? demanda Martinsson.

– Très rarement. Une excursion à Bornholm dans la journée, ou un aller-retour jusqu'en Pologne avec le ferry. Cela m'a été confirmé par

Ylva Brink. Pour le reste, Svedberg consacrait ses loisirs à étudier les Indiens d'Amérique et à observer les étoiles. Selon sa cousine, il aurait eu un télescope sophistiqué dans son appartement. Mais je ne l'ai pas trouvé.

– Je croyais qu'il observait les oiseaux ? intervint Hansson.

– Un peu. Mon impression est qu'Ylva Brink le connaissait assez bien. Récemment, c'étaient les Indiens et les étoiles qui l'intéressaient.

Son regard fit le tour de la table.

– Pourquoi se sentait-il surmené ? Qu'est-ce que cela signifie ? Ce n'est peut-être pas important, mais on n'en sait rien encore.

– Je me suis renseignée avant la réunion pour savoir de quoi il s'occupait à l'époque, intervint Ann-Britt. Juste avant de partir en congé, il interrogeait les parents des jeunes disparus.

– Quels jeunes disparus ? demanda Lisa Holgersson.

Wallander lui fit un bref compte rendu de la situation. Ann-Britt poursuivit :

– Les deux derniers jours, il a rendu visite successivement aux familles Norman, Boge et Hillström. Mais je n'ai retrouvé aucune note relative à ces visites. J'ai même fouillé les tiroirs de son bureau.

Wallander et Martinsson échangèrent un regard.

– C'est impossible, dit Wallander. Nous avons interrogé les familles ensemble, de manière approfondie. Il n'a jamais été question d'entretiens supplémentaires. Puisqu'on n'avait pas de raison de soupçonner quoi que ce soit…

– Je n'ai pas rêvé, insista Ann-Britt. Il a noté l'heure des visites dans son agenda.

Wallander réfléchit.

– Svedberg aurait donc pris cette initiative seul, sans nous en informer.

– Ça ne lui ressemble pas, dit Martinsson.

– Non. Pas plus que de s'absenter sans prévenir.

– Pour les entretiens, reprit Ann-Britt, on peut vérifier. Rien de plus facile.

– Fais-le. Essaie de découvrir par la même occasion ce qu'il leur a demandé.

– C'est absurde quand on y réfléchit, reprit Martinsson. Nous essayons de joindre Svedberg depuis mercredi pour parler des jeunes disparus. Maintenant il n'est plus là, et nous parlons encore d'eux.

– Il y a du nouveau, au fait ? demanda Lisa Holgersson.

– Rien, sinon que l'une des mères est de plus en plus inquiète. Elle a reçu une nouvelle carte postale de sa fille.

– C'est plutôt bon signe, non ?

– Oui, sauf qu'elle prétend que la carte est fausse.

– Quoi ? fit Hansson. Personne n'écrit de fausses cartes postales. Des chèques d'accord, mais des cartes postales ?

– Je crois que nous devons séparer les deux affaires, conclut Wallander. Commençons par organiser la première enquête : découvrir celui ou ceux qui ont tué Svedberg.

– Rien n'indique qu'il y ait plus d'une personne impliquée, dit Nyberg.

– Pouvons-nous en être sûrs ?

– Non.

Wallander laissa ses mains retomber sur la table.

– Nous ne pouvons être sûrs de rien. Nous devons ratisser large, sans a priori. La mort de Svedberg sera divulguée officiellement dans quelques heures. Nous devrons déjà être au travail à ce moment-là.

– Il va de soi que cette enquête est prioritaire, dit Lisa Holgersson. Tout ce qui peut attendre attendra.

– La conférence de presse. Commençons par nous débarrasser de ça.

– Nous allons dire la stricte vérité. Un policier a été assassiné. Avons-nous des indices ?

– Non.

– C'est ce que nous allons dire, dans ce cas.

– Et dans le détail ?

– Il a été abattu. De près. Nous avons l'arme du crime. Y a-t-il des raisons techniques de ne pas divulguer cette information ?

– Je ne pense pas.

Wallander jeta un regard circulaire. Personne ne formula d'objection.

Lisa Holgersson se leva.

– J'aimerais que tu sois présent à la conférence de presse, lui dit-elle. Nous devrions peut-être tous y aller, d'ailleurs. La personne qui a été tuée était malgré tout un collègue et un ami.

Ils décidèrent de se retrouver un quart d'heure avant le début de la rencontre avec les journalistes. Lisa Holgersson sortit, et la bougie s'éteignit dans le courant d'air. Ann-Britt la ralluma.

Une fois de plus, ils firent le point sur ce qu'ils savaient et se répartirent différentes tâches. La roue de l'enquête s'était lentement mise à tourner. Ils s'apprêtaient à achever la réunion lorsque Martinsson les retint.

– Il faut peut-être prendre une décision par rapport aux trois jeunes disparus. Est-ce qu'ils font partie de ce qui peut attendre, ou pas ?

Wallander ne savait pas. Mais il fallait en effet prendre une décision.

– On attend, dit-il. Au moins quelques jours, ensuite on verra. À moins qu'on ne découvre d'ici là que Svedberg a posé des questions inédites aux familles.

Il était neuf heures et quart. Wallander alla chercher un café. Puis il se rendit dans son bureau, ferma la porte et fouilla ses tiroirs à la recherche d'un bloc vierge. Il l'ouvrit et écrivit un seul mot tout en haut de la première page.

Svedberg.

Dessous, il dessina une croix qu'il ratura aussitôt.

Comment poursuivre ? Il avait eu l'intention de noter ses réflexions de la nuit. Mais il reposa son stylo-bille. Il se leva et alla à la fenêtre. La matinée était belle. Son pressentiment revint. Quelque chose clochait. Nyberg avait évoqué la possibilité d'une mise en scène – mais pourquoi ? Par qui ? De toutes ses forces, Wallander espérait découvrir un banal cambriolage qui aurait tourné à la tragédie, éliminer le plus vite possible toutes les autres hypothèses. Quelqu'un qui tire sur un policier et abandonne son arme – cela dénotait un manque de sang-froid. Wallander savait par expérience qu'un tel meurtrier se laissait prendre plus facilement que d'autres. Dans le meilleur des cas, ils découvriraient des empreintes qui les conduiraient directement au but, dans l'un ou l'autre de leurs registres informatisés.

Il revint à son bureau et nota sur son bloc l'absence d'un télescope qui valait probablement beaucoup d'argent. Puis il prit deux décisions. Aussitôt après la conférence de presse, il rendrait visite au cousin de Svedberg, celui qui habitait à Hedeskoga. Et il retournerait à l'appartement pour une fouille approfondie. En plus, il devait exister un grenier ou une cave, ou les deux.

Il chercha le numéro de Sture Björklund dans l'annuaire. L'homme décrocha après quelques sonneries.

– Toutes mes condoléances, commença Wallander.

La voix de Sture Björklund semblait tendue et lointaine.

– Ce serait plutôt à moi de le faire. Je suppose que tu connaissais mon cousin mieux que moi. Ylva m'a appelé ce matin à six heures pour m'apprendre la nouvelle.

– Les médias vont s'en emparer.

– Je m'en doute. D'ailleurs, c'est la deuxième fois que quelqu'un est assassiné, dans cette famille.

– Ah ?

– En 1847, le 12 avril exactement, le frère de l'arrière-arrière-grand-père de Karl Evert a été tué à coups de hache à Eslöv. Le meurtrier était un ancien garde à cheval, un certain Brun, qui s'était fait renvoyer sans gloire pour différents délits. Notre ancêtre avait vendu pas mal de bétail et il avait de l'argent. Brun voulait le dépouiller.

– Que s'est-il passé ? demanda Wallander en dissimulant son impatience.

– La police, qui devait en fait se limiter au shérif local et à ses aides, fit preuve d'une diligence exemplaire. Brun fut arrêté quelques jours plus tard, alors qu'il essayait de se rendre au Danemark. Il fut condamné à mort et exécuté. Oscar Ier venait d'accéder au trône, et il a commencé par se débarrasser d'un certain nombre de condamnations que Charles XV n'avait pas voulu signer. Quatorze sentences, qu'Oscar a fait exécuter pour fêter son arrivée au pouvoir. Brun eut donc la tête tranchée. À Malmö précisément.

– Drôle d'histoire.

– Je me suis consacré à quelques petites recherches généalogiques, il y a deux ou trois ans. Mais l'histoire du garde à cheval Brun et du meurtre d'Eslöv était déjà largement connue auparavant.

– Si tu n'y vois pas d'inconvénient, j'aimerais te rendre visite dès aujourd'hui.

Wallander le sentit aussitôt se raidir.

– À quel sujet ?

– Nous essayons de nous faire une image aussi complète que possible de Karl Evert.

Il n'avait jamais appelé Svedberg par son prénom ; cela lui fit un effet très étrange.

– Je le connaissais très mal, objecta Björklund. De plus, je dois prendre le bateau pour Copenhague cet après-midi.

– C'est urgent et ça ne prendra pas beaucoup de temps.

Il y eut un silence. Wallander attendit.

– À quelle heure ?

– Vers quatorze heures ?

– Je vais décommander mon rendez-vous à Copenhague.

Ensuite il lui donna quelques indications ; l'adresse ne devait pas être difficile à trouver.

Après avoir raccroché, Wallander consacra une demi-heure à rédiger, à sa propre intention, un résumé de l'état de l'enquête. Il cherchait sans cesse l'origine de son intuition immédiate, en voyant le corps de Svedberg, que quelque chose clochait. Nyberg avait eu la même impression. Bien entendu, c'était peut-être tout simplement le fait incompréhensible et insupportable de trouver un collègue assassiné. Mais l'hésitation subsistait.

Peu après dix heures, il alla chercher un autre café. Il y avait beaucoup de monde à la cafétéria, et le choc, l'incrédulité générale, était tout à fait perceptible. Wallander s'attarda pour échanger deux mots avec quelques agents de la circulation, certaines secrétaires. Puis il retourna dans son bureau et composa le numéro de portable de Nyberg.

– Où es-tu ? demanda Wallander.

– Dans l'appartement de Svedberg, pardi. Qu'est-ce que tu crois ?

– Tu n'aurais pas trouvé un télescope ?

– Non.

– À part ça ?

– Pas mal d'empreintes sur le fusil. Au moins deux ou trois qu'on devrait pouvoir relever sans problème.

– Alors il ne reste plus qu'à espérer qu'on a les mêmes dans nos registres. Sinon ?

– Rien de remarquable.

– Après le déjeuner, je vais rendre visite au cousin de Svedberg, à Hedeskoga. Mais ensuite j'aimerais visiter de nouveau l'appartement. En détail.

– On aura terminé. Au fait, j'ai l'intention d'assister à la conférence de presse.

Wallander ne se rappelait pas que Nyberg eût été présent lors d'une seule rencontre avec des journalistes. Il n'y avait qu'une seule explication : Nyberg voulait marquer le coup, personnellement. L'espace d'un instant, Wallander en fut touché.

– Tu as trouvé des clés ? demanda-t-il.

– Voiture et cave.

– Pas de grenier ?

– J'ai vérifié. Il n'y a pas de grenier aménagé dans l'immeuble. Seulement le sous-sol. Je t'apporterai les clés à onze heures.

Wallander raccrocha et se rendit dans le bureau de Martinsson.

– La voiture de Svedberg. L'Audi. Où est-elle ?

Martinsson l'ignorait. Ensemble, ils allèrent interroger Hansson, qui l'ignorait aussi. Ann-Britt Höglund n'était pas dans son bureau. Martinsson consulta sa montre.

– La voiture ne doit pas être loin. Je m'en occupe d'ici onze heures.

Wallander retourna à son bureau. À la réception, il vit que des fleurs avaient commencé à arriver. Ebba avait les yeux rouges. Wallander ne dit rien. Il passa devant elle le plus vite possible.

La conférence de presse débuta à onze heures précises. Après coup, Wallander pensa que Lisa Holgersson s'en était acquittée avec dignité et détermination. Il le lui dit d'ailleurs, personne n'aurait pu mieux faire.

Elle avait revêtu son uniforme. Deux grands bouquets de roses étaient posés sur la table devant elle. Elle était allée droit au but, en s'exprimant de façon claire et directe, et cette fois sa voix n'avait pas tremblé. Un collègue respecté, l'inspecteur Karl Evert Svedberg, avait été tué à son domicile. L'heure du crime et le mobile n'étaient pas connus pour l'instant, mais il semblait que Svedberg avait surpris un cambrioleur armé. La police ne disposait pas encore de piste sérieuse. Elle avait ensuite longuement évoqué la carrière et la personnalité de Svedberg. Wallander l'écouta en songeant qu'elle donnait de lui une image belle et fidèle, sans pour autant faire de grandes phrases.

Les questions furent peu nombreuses. Wallander se chargea de répondre à la plupart d'entre elles. Nyberg décrivit l'arme du crime, un fusil de chasse de la marque Lambert-Baron. L'ensemble de la conférence n'avait pas duré plus d'une demi-heure. Lisa Holgersson accepta une interview de la télévision locale tandis que Wallander s'entretenait poliment avec quelques représentants des tabloïds. Mais il eut du mal à réprimer un rugissement lorsqu'on lui demanda de poser devant l'immeuble de Lilla Norregatan. Il se contenta d'un refus catégorique.

Il était midi lorsque Lisa Holgersson proposa aux plus proches collaborateurs du défunt de l'accompagner chez elle, à son domicile, pour un déjeuner improvisé. Wallander et Martinsson racontèrent des anecdotes, des histoires qui leur étaient arrivées en compagnie de Svedberg. Wallander était aussi le seul à connaître la raison pour laquelle Svedberg était devenu policier – du moins la raison qu'il invoquait lui-même :

– Il avait peur du noir. Ça le hantait depuis l'enfance, cette peur qu'il ne pouvait ni comprendre ni surmonter. Il est devenu policier en croyant que ça lui apprendrait à la combattre. Mais sa peur du noir n'a jamais disparu.

Peu avant quatorze heures, ils reprirent la route du commissariat. Wallander était monté dans la voiture de Martinsson.

– Elle a bien parlé, commenta celui-ci.

– Lisa est un bon chef. Mais tu le savais déjà, non ?

Martinsson ne répondit pas. Wallander pensa soudain à quelque chose.

– Tu as retrouvé l'Audi ?

– Il y a un parking privé pour les résidents, derrière l'immeuble. La voiture y était. Je l'ai examinée.

– Tu n'as pas trouvé par hasard un télescope dans le coffre ?

– Non, juste une roue de secours et une paire de bottes. Et une bombe insecticide dans la boîte à gants.

– Oui, dit Wallander avec tristesse. Août, c'est le mois des guêpes.

Ils se séparèrent devant le commissariat. Wallander vérifia qu'il avait bien les clés que Nyberg lui avait remises pendant le déjeuner chez Lisa Holgersson. Mais d'abord, la visite à Hedeskoga. Il prit la sortie vers Sjöbo. Les indications de Sture Björklund étaient extrêmement précises, et il trouva sans difficulté la petite ferme située à l'extérieur de l'agglomération. La façade donnait sur une grande pelouse où des statues de plâtre entouraient une fontaine. Wallander constata avec surprise qu'elles représentaient toutes sortes de diables, la gueule plus ou moins ouverte et effrayante. Il se demanda de façon fugitive ce qu'il pensait trouver dans le jardin d'un professeur de sociologie. Au même moment, un homme apparut sur le seuil. Il portait une veste en cuir, des bottes et un chapeau de paille troué. Il était très grand et maigre. Wallander constata tout de suite une ressemblance avec Svedberg : cet homme était presque chauve. Mais c'était peut-être une coïncidence, rien à voir avec les gènes. Wallander se sentait vaguement contrarié. Il n'avait pas du tout imaginé le professeur Björklund ainsi. Visage bronzé, une barbe de deux ou trois jours au moins. Pouvait-on enseigner à l'université de Copenhague en étant mal rasé ? D'un autre côté, on n'était qu'au début du mois d'août, la rentrée était encore loin, il avait peut-être d'autres raisons de se rendre à Copenhague en ce moment.

– J'espère que ma visite ne tombe pas trop mal.

À la surprise de Wallander, Sture Björklund rejeta la tête en arrière et partit d'un grand rire – pas entièrement dénué de sarcasme, lui sembla-t-il.

– Le vendredi, j'ai l'habitude de rendre visite à une dame à Copenhague. On appelle ça une maîtresse, je crois. Les inspecteurs de police en poste à la campagne ont-ils des maîtresses ?

– Pas vraiment, dit Wallander.

– C'est une excellente solution aux problèmes de la vie commune. Chaque rencontre est peut-être la dernière. Finies les contraintes, la dépendance, les discussions nocturnes qui dégénèrent si facilement en acquisitions de meubles, en illusions matrimoniales et en esprit de sérieux.

Wallander remarqua que l'homme au chapeau de paille et au rire strident commençait à l'agacer.

– Un meurtre, en tout cas, c'est une affaire sérieuse.

Sture Björklund hocha la tête. Il enleva son chapeau troué comme s'il éprouvait un besoin d'exprimer quelque chose, du chagrin peut-être.

– Viens, dit-il.

La maison dans laquelle pénétra Wallander ne ressemblait à rien qu'il eût déjà vu. De l'extérieur, c'était une longère de Scanie traditionnelle. Mais l'univers qui se révélait une fois le seuil franchi était complètement inattendu et déconcertant. Toutes les cloisons avaient été supprimées. La maison entière n'était qu'une immense pièce ouverte jusqu'à la charpente, où s'élevaient à différents endroits des loggias en forme de tours, auxquelles on accédait par des escaliers en spirale, mélange de fer forgé et de bois brut. Il n'y avait presque pas de meubles ; les murs étaient nus, sauf un, qui avait été transformé en aquarium géant. Sture Björklund se dirigea vers une table massive flanquée d'un banc d'église et d'un tabouret.

– J'ai toujours eu une préférence pour les sièges durs, déclara-t-il. L'inconfort fait qu'on s'arrange pour expédier le plus vite possible ce qu'on a à faire – qu'il s'agisse de manger, de réfléchir, ou de faire la conversation à un policier.

Wallander prit place sur le banc d'église. Très inconfortable en effet.

– Si j'ai bien compris, commença-t-il, tu es professeur à l'université de Copenhague.

– J'enseigne la sociologie. Et j'essaie de réduire mes heures de cours au strict minimum. Mes propres recherches m'intéressent davantage. En plus, je peux m'y consacrer chez moi.

– C'est hors sujet, mais je te pose néanmoins la question : quelle sorte de recherches ?

– La relation des êtres humains aux monstres.

Wallander se demanda s'il plaisantait et attendit la suite, qui ne tarda pas.

– La représentation des monstres au Moyen Âge n'était pas la même qu'au dix-huitième siècle. Ma représentation à moi n'est pas celle de la génération qui me suit. Il s'agit d'un univers complexe et fascinant. L'enfer, domicile des épouvantes, est en perpétuelle mutation. De plus, ça me permet d'arrondir joliment mes fins de mois.

– De quelle manière ?

– Je travaille comme consultant pour des boîtes américaines qui produisent des films d'horreur mettant en scène des monstres. Sans me vanter, je suis l'un des spécialistes les plus recherchés au monde lorsqu'il s'agit de la commercialisation de l'épouvante. Il y a aussi un Japonais, qui vit à Hawaï. Mais, à part lui, il n'y a que moi.

Wallander commençait à se demander si l'homme assis en face de lui sur le tabouret était fêlé. Björklund indiqua un dessin posé sur la table.

– J'ai interrogé des gamins de sept ans, ici à Ystad, sur leur représentation des monstres. J'ai dessiné ce personnage en m'inspirant de leurs réponses. Les Américains sont emballés. Il aura le rôle principal dans une nouvelle série de dessins animés monstrueux qui vise à faire peur précisément aux gamins de sept à huit ans.

Wallander considéra le dessin. Très désagréable. Il le reposa sur la table.

– Qu'en pense le commissaire ? demanda Björklund.

– Je m'appelle Kurt.

– Qu'en penses-tu ?

– Il est désagréable.

– Nous vivons dans un monde désagréable. Est-ce que tu vas au théâtre ?

– Pas très souvent.

– L'une de mes étudiantes, une fille douée qui nous vient de Gentofte, a fouillé le répertoire de plusieurs théâtres à travers le monde au cours des vingt dernières années. Le résultat est intéressant. Mais pas du tout surprenant. Dans un monde de plus en plus marqué par la ruine, la misère, le pillage, le théâtre se consacre toujours davantage aux problèmes de la vie de couple. Shakespeare se trompait ; du moins, sa vérité ne vaut pas pour notre terrifiante époque. Le théâtre n'est plus un miroir du monde.

Il se tut et posa le chapeau de paille sur la table. Wallander remarqua que ce Björklund sentait la sueur.

– Je viens de prendre la décision de résilier mon abonnement téléphonique, reprit-il. Il y a cinq ans, j'ai jeté ma télé. Maintenant c'est au tour du téléphone de sortir de ma vie.

– Ça ne va pas te poser un problème pratique ?

Björklund le dévisagea d'un air grave.

– Je revendique le droit de décider moi-même du moment que je choisis pour entrer en contact avec mon entourage. L'ordinateur, bien sûr, je le garde. Mais le téléphone, je n'en veux plus.

Wallander hocha la tête et passa à l'offensive.

– Ton cousin Karl Evert Svedberg a été assassiné. En dehors d'Ylva Brink, tu es son seul parent. Quand l'as-tu rencontré pour la dernière fois ?

– Il y a environ trois semaines.

– Pourrais-tu être plus précis ?

– Le vendredi 19 juillet à seize heures trente.

Il avait répondu étonnamment vite, sans hésiter.

– Comment peux-tu te souvenir de l'heure exacte ?

– Nous étions convenus de nous retrouver à cette heure-là. Je devais rendre visite à des amis en Écosse et Kalle allait garder la maison en mon absence, comme d'habitude. C'était d'ailleurs les seuls moments où on se voyait. À mon départ, et puis à mon retour.

– Qu'entends-tu par « garder la maison » ?

– Il habitait ici.

Wallander fut pris au dépourvu. Mais il n'avait aucune raison de soupçonner Björklund de mentir.

– C'est donc arrivé plusieurs fois ?

– Oui. Régulièrement, depuis une dizaine d'années. Ça nous arrangeait l'un et l'autre.

Wallander réfléchit.

– Quand es-tu revenu ?

– Le 27 juillet. Kalle est passé me chercher à l'aéroport, il m'a raccompagné ici en voiture. On s'est dit au revoir et il est retourné à Ystad.

– As-tu eu l'impression qu'il était surmené ?

De nouveau, Björklund rejeta la tête en arrière et éclata de son rire strident.

– C'est une plaisanterie, j'imagine. Mais d'un goût un peu douteux, non ? Maintenant qu'il est mort.

– Ce n'est pas une plaisanterie.

Björklund sourit.

– Ça peut arriver à tout le monde d'être surmené, non ? Quand on a des relations torrides avec une femme…

Wallander n'en croyait pas ses oreilles.

– Que veux-tu dire ?

– Kalle recevait sa maîtresse ici en mon absence. C'était convenu entre nous. Ils habitaient ici pendant que moi j'étais en Écosse. Ou ailleurs.

Wallander ne dit rien. Il retenait son souffle.

– Tu parais surpris, constata Björklund.

– C'était toujours la même femme ? Comment s'appelait-elle ?

– Louise.

– Et à part ça ?

– Je ne sais pas. Je ne l'ai jamais rencontrée. Kalle était quelqu'un de très secret. Ou faut-il dire discret ?

Pour Wallander, la surprise était totale. Personne n'avait jamais entendu parler d'une femme dans la vie de Svedberg, encore moins d'une relation prolongée.

– Que sais-tu d'autre sur elle ?

– Rien.

– Karl a bien dû te dire quelque chose ?

– Jamais. Et je ne l'ai jamais interrogé. Nous ne sommes pas inutilement curieux, dans la famille.

Wallander n'avait pas d'autres questions. Il éprouvait surtout le besoin de réfléchir à tout ce qu'il venait d'apprendre. Il se leva.

– C'est tout ? demanda Björklund, surpris.

– Pour le moment. Mais tu auras bientôt de mes nouvelles.

Björklund le raccompagna dans la cour. Il faisait chaud ; il n'y avait presque pas de vent.

– As-tu une idée de qui a pu le tuer ? demanda Wallander lorsqu'ils furent arrivés à sa voiture.

– Je pensais que c'était un cambriolage. Qui connaît le voleur armé qui guette au coin de la rue ?

Ils se serrèrent la main. Wallander venait de mettre le contact quand Björklund se pencha vers la vitre baissée.

– Il y a peut-être autre chose, dit-il. Louise se teignait les cheveux. Et elle changeait souvent de couleur.

– Comment le sais-tu ?

– J'en trouvais dans ma salle de bains, après leur passage. Tantôt roux, tantôt noirs. Ou blonds. Ça changeait tout le temps.

– Mais c'était la même femme ?

– Sincèrement, je crois que Kalle était très amoureux d'elle.

Wallander hocha la tête. Il démarra et reprit la direction d'Ystad. Il était quinze heures.

Une chose est sûre, pensa-t-il. Svedberg, notre ami et collègue, est mort depuis deux jours à peine, mais nous en savons déjà plus sur lui que de son vivant.

À quinze heures dix, Wallander se garait sur la place centrale. Il fit à pied le court trajet jusqu'à Lilla Norregatan.

Sans qu'il sache pourquoi, l'appréhension lui nouait le ventre.

Il fallait faire vite. Mais quoi ?

7

Wallander commença par descendre à la cave.

Les marches raides semblaient conduire jusqu'aux entrailles de la terre, et non à un sous-sol ordinaire. Il parvint à une porte métallique peinte en bleu, trouva la bonne clé parmi celles que lui avait remises Nyberg et ouvrit. Une odeur de moisi flottait dans la pénombre. Il alluma la lampe de poche qu'il gardait toujours dans sa voiture et finit par découvrir le commutateur. Il était placé étrangement bas, comme s'il devait servir à de très petites personnes. Il se trouvait à l'entrée d'un étroit couloir bordé des deux côtés par des cages grillagées. L'idée lui avait déjà traversé l'esprit que ces caves typiquement suédoises pouvaient évoquer des geôles primitives. Au lieu de prisonniers, elles recelaient des canapés défoncés, des équipements de ski et des montagnes de valises. Le mur d'origine affleurait par endroits. La brique était très ancienne, plusieurs siècles probablement. Au cours du printemps, Linda lui avait parlé d'un client bizarre du restaurant où elle travaillait. Ce client portait un monocle, on aurait dit un visiteur surgi d'une autre époque. Il lui avait demandé d'où elle venait. D'après son accent, dit-il, il devinait qu'elle était de Sjöbo. Elle répondit qu'elle était bien de Scanie, mais née à Malmö et élevée à Ystad ; le client lui avait alors rapporté ces paroles du grand Strindberg décrivant la ville d'Ystad à la fin du siècle précédent. « Un repaire de pirates », aurait déclaré Strindberg. Linda avait aussitôt appelé son père pour le lui répéter, non sans jubilation.

La cave de Svedberg se trouvait au bout du couloir. Wallander constata que le grillage était renforcé par deux barres de fer croisées, réunies par un solide cadenas. Svedberg n'avait pas fait les choses à moitié. Pourquoi ? Wallander avait pensé à prendre une paire de gants en plastique. Il les enfila, tâtonna avant de trouver la bonne clé, ouvrit le cadenas et l'examina attentivement ; il paraissait neuf. Puis il alluma et regarda autour de lui. Rien que de très banal, du moins en apparence. Il y avait même une paire de skis de slalom, un modèle ancien, appuyée contre un mur. Wallander se demanda ce qu'ils faisaient là ; impossible d'imaginer Svedberg s'élançant du haut d'une piste. Cependant, la visite chez Sture Björklund avait révélé que la vie de Svedberg divergeait fondamentalement de l'image qu'en avaient ceux qui croyaient le connaître. Je m'achemine vers un secret, pensa Wallander. Et je n'ai aucune idée de ce que je risque de découvrir. Il regarda autour de lui. Tout paraissait bien rangé. Rien n'avait été jeté ou arraché comme dans l'appartement. Il commença à examiner le contenu des valises et de quelques cartons. Il ne lui fallut pas longtemps pour comprendre que Svedberg était un collectionneur. Ces chaussures et ces vestes usées jusqu'à la corde devaient avoir au moins vingt ans. Il continua son exploration, méthodiquement. Dans l'une des valises, il trouva quelques vieux albums de photos. Il s'assit sur un coffre et feuilleta le premier. Images jaunies ; personnages posant dans des paysages de Scanie ; jours de fête dans des jardins d'été, attitudes empesées, visages lointains dont on ne distinguait pas les détails ; personnes courbées en train de ramasser des betteraves dans un champ, des charrettes et des chevaux au second plan ; cochers au garde-à-vous avec leurs fouets, des bancs de nuages à l'arrière-plan, terre mouillée et lourde. Aucune annotation, aucun nom, aucun lieu. Les trois albums étaient identiques. Wallander devina que les photos les plus récentes dataient des années 1930. Ensuite, rien. Il les rangea à leur place avec précaution et continua. L'espace d'un instant, toutes ces personnes mortes depuis longtemps étaient redevenues visibles. Une valise remplie de nappes. Une autre contenant des hebdomadaires vieux de soixante ans. Tout au fond, derrière les restes d'une vieille table de jeu recouverte de feutre gris, il découvrit un carton contenant un socle arrondi en bois clair. Il se demanda ce que c'était. Puis il devina que ce devait être un porte-perruque.

Il lui fallut plus d'une heure pour passer en revue le contenu de la cave. Rien n'avait attiré son attention. Il se redressa et jeta un dernier coup d'œil autour de lui. Depuis le début, il cherchait ce qui pouvait manquer. Une absence suspecte. Ou un télescope sophistiqué. Il sortit et referma le cadenas.

En remontant vers la lumière, il constata qu'il avait soif. Il traversa la place, entra dans le salon de thé et commanda un café et une bouteille d'eau minérale, en se demandant s'il avait droit à une viennoiserie. Mieux valait sans doute s'abstenir. Il en prit une quand même. Vingt minutes plus tard, il était de retour à Lilla Norregatan. Un silence de mort régnait dans l'immeuble. Wallander reprit son souffle devant la porte de l'appartement. Elle était couverte de mises en garde de la police interdisant l'accès au lieu du crime. Il décolla un bout de ruban adhésif, fit jouer la clé dans la serrure et entra. Aussitôt, il entendit la bétonnière, dans la rue. Le bruit était assourdissant. Il alla dans le séjour, jeta malgré lui un regard vers l'endroit où il avait découvert le corps de Svedberg et s'avança jusqu'à la fenêtre. Le vacarme de la bétonnière résonnait entre les immeubles. À côté, un poids lourd déchargeait des matériaux de construction.

Soudain, une idée lui traversa l'esprit. Il ressortit de l'appartement et descendit dans la rue. Un homme assez âgé, torse nu, dirigeait un jet d'eau vers l'intérieur de la machine. Il hocha la tête en apercevant Wallander. Il semblait l'avoir immédiatement identifié comme étant de la police.

– C'est terrible, ce qui s'est passé ! cria-t-il pour se faire entendre.

– J'ai besoin de te parler.

L'homme au tuyau appela un ouvrier plus jeune qui fumait une cigarette à l'ombre et lui passa le tuyau.

Ils contournèrent l'immeuble ; le bruit de la bétonnière disparut presque.

– Tu es donc au courant, commença Wallander.

– Un policier qui s'appelle Svedberg a été tué.

– C'est exact. Je voudrais savoir depuis combien de temps vous êtes là. Les travaux viennent juste de commencer, on dirait.

– On est arrivés lundi. On refait la cage d'escalier.

– Quand avez-vous commencé à utiliser la bétonnière ?

L'homme réfléchit.

– Ça devait être mardi. Vers onze heures.

– Et ensuite elle a fonctionné sans interruption ?

– Pour ainsi dire, oui. De sept heures du matin à cinq heures de l'après-midi. Parfois un peu plus tard.

– Elle est au même endroit depuis le début des travaux ?

– Oui.

– Ça veut dire que tu as eu une bonne vue sur les allées et venues dans l'immeuble.

Soudain, l'homme parut comprendre où il voulait en venir et son expression se fit grave.

– Tu ne sais évidemment pas qui habite l'immeuble, poursuivit Wallander. Mais tu as peut-être remarqué des gens qui sont passés plusieurs fois.

– Je ne sais pas à quoi ressemblait ce policier. Si c'est ce que tu veux savoir.

Wallander n'avait pas envisagé cette possibilité.

– Je vais demander à quelqu'un de te montrer une photo, dit-il. Comment t'appelles-tu ?

– Nils Linnman. Comme le type de l'émission sur les animaux.

Wallander se rappela vaguement un visage qui avait figuré à la télévision pendant de longues années.

– As-tu remarqué quelque chose d'inhabituel depuis que tu es là ? demanda-t-il en cherchant désespérément dans ses poches un papier et un crayon.

– Quoi par exemple ?

– Quelqu'un de nerveux. Quelqu'un de pressé. En général, on remarque tout ce qui sort de l'ordinaire.

Linnman réfléchit. Wallander attendait. Il faisait encore chaud ; et il avait besoin d'aller aux toilettes.

– Non, dit enfin Linnman. Je ne me souviens de rien. Mais Robban a peut-être vu quelque chose.

– Robban ?

– Le gars à qui j'ai passé le tuyau. Mais ça m'étonnerait, il ne pense qu'à sa moto.

– On va lui poser la question. Et si quelque chose te revient, je te demande de prendre tout de suite contact avec moi.

Pour une fois, Wallander avait des cartes de visite sur lui. Linnman prit celle qu'il lui tendait et la rangea dans une poche de son bleu de travail.

– Je reviens, je vais chercher Robban.

La conversation avec l'ouvrier le plus jeune – de son vrai nom Robert Tärnberg – tourna court. Il était tout juste au courant qu'un policier avait été assassiné dans l'immeuble. Et il n'avait rien remarqué. Wallander pensa qu'un éléphant aurait sans doute pu passer dans la rue sans que Tärnberg le remarque. Inutile de lui donner une carte de visite. Il remonta à l'appartement. Maintenant, il tenait du moins une explication possible au fait que les voisins n'aient rien entendu. Il se rendit dans la cuisine et appela le commissariat. La seule personne disponible était Ann-Britt. Il lui demanda de venir avec une photo de Svedberg et de la montrer aux ouvriers.

– Des policiers interrogent en ce moment même les habitants des immeubles voisins, dit Ann-Britt. Mais les ouvriers, on les a apparemment oubliés.

Wallander retourna dans l'entrée. Il s'immobilisa et essaya d'écarter toute pensée parasite. Tout au début de sa carrière, alors qu'il venait de débarquer à Ystad, Rydberg avait employé précisément ces mots-là : *Écarte tout ce qui est parasite – comme les pelures d'un oignon. Le lieu d'un crime garde toujours l'ombre, la trace, même fragmentaire, d'un enchaînement de faits. Ce sont ces traces que tu dois déceler.*

Wallander ouvrit la porte de l'appartement. Déjà, un détail clochait. Dans l'entrée, à côté du miroir, il y avait une corbeille contenant plusieurs numéros du quotidien de la ville, *Ystads Allehanda.* Svedberg était abonné. Mais il n'y avait pas de journal sous la fente de la boîte aux lettres. Wallander réfléchit. Il aurait dû y en avoir au moins un. Peut-être deux. Voire, à la rigueur, trois. Quelqu'un avait donc déplacé ces journaux. Il alla à la cuisine. Ceux du mercredi et du jeudi se trouvaient sur le plan de travail, celui du vendredi sur la table de la cuisine. Wallander composa le numéro de portable de Nyberg, qui répondit aussitôt.

Il commença par lui parler de la bétonnière. Nyberg était dubitatif.

– Si la machine était en marche, dit-il, on n'a certainement pas entendu les coups de feu de la rue. Mais les sons se propagent différemment en vase clos. J'ai lu un article là-dessus.

– On devrait peut-être faire un essai, dit Wallander. Tirer des coups de feu avec et sans bétonnière. Sans prévenir les voisins.

Nyberg tomba d'accord là-dessus.

– En fait, je t'appelais à propos des journaux, poursuivit Wallander. *Ystads Allehanda.*

– J'en ai trouvé un, que j'ai posé sur la table de la cuisine. Ceux qui sont sur le plan de travail ont été mis là par quelqu'un d'autre.

– On devrait relever les empreintes. On ne sait pas qui les a mis là, après tout.

Nyberg ne répondit pas.

– Tu as raison, dit-il enfin. Comment ai-je pu passer à côté de ça ?

– Je n'y touche pas.

– Tu comptes rester combien de temps à l'appartement ?

– Plusieurs heures.

– J'arrive.

Wallander ouvrit un tiroir. Sa mémoire ne l'avait pas trahi : il contenait des stylos-bille et un bloc-notes. Wallander griffonna quelques mots. Nils Linnman et Robert Tärnberg. Puis il nota que quelqu'un devait parler au livreur de journaux. Il retourna dans l'entrée. *Ombres. Traces.* Il s'immobilisa tout à fait et retint son souffle. Son regard se déplaçait très lentement. La veste en cuir que Svedberg portait presque toujours, hiver comme été, était suspendue à un cintre. Wallander chercha dans les poches et trouva un portefeuille. Nyberg n'a pas fait les choses à fond, pensa-t-il. Il retourna à la cuisine. Le portefeuille était vieux et élimé, comme la veste. Il contenait huit cent quarante-sept couronnes. Une carte bancaire, une carte de station-service et quelques cartes de visite. Permis de conduire et carte professionnelle. La photo du permis était la plus ancienne. Svedberg fixait l'objectif d'un œil sévère. L'image avait dû être prise pendant l'été, à en juger par la marque d'un coup de soleil sur sa calvitie. Louise aurait dû te dire de mettre un chapeau, songea Wallander. Il s'attarda sur cette pensée. Svedberg avait presque toujours des coups de soleil sur le crâne en été. Comme s'il n'avait eu personne pour lui dire de se protéger. Il y a une Louise et il n'y en a pas, pensa-t-il. Qui a affirmé son existence ? Björklund, le cousin faiseur de monstres. Et il ne l'a jamais vue. Il n'a vu que ses cheveux. Wallander grimaça. Ça ne tenait pas debout. Il souleva le combiné et appela l'hôpital. Ylva Brink devait revenir en début de soirée. Wallander chercha dans l'annuaire le numéro de son domicile. Occupé. Il attendit, refit le numéro. Encore occupé. Il revint au portefeuille. La photographie de la carte professionnelle était récente ; un Svedberg aux joues un peu plus rondes, mais le regard toujours aussi sombre. En cherchant bien, il trouva aussi quelques timbres. Il rangea le portefeuille et son contenu dans un sac en plastique. Puis il retourna pour la troisième fois dans l'entrée. *Écarter les parasites, déceler les traces.* Wallander alla aux toilettes. Il pensait à ce qu'avait dit Sture Björklund. Les cheveux de différentes couleurs. Voilà tout ce qu'il savait de cette femme, en dehors de son prénom. Elle se teignait les cheveux. Il retourna à la salle de séjour et se plaça à côté du fauteuil renversé. Puis il se ravisa. *Tu vas trop vite*, aurait dit Rydberg. *Ta précipitation rend les traces invisibles.* Il alla à la cuisine et rappela Ylva Brink. Cette fois, elle répondit.

– J'espère que je ne te dérange pas, dit-il. Je sais que tu as travaillé toute la nuit.

– Je n'arrive pas à dormir, de toute façon.

– J'ai déjà plusieurs questions à te poser. Je commence par la plus importante.

Wallander lui raconta sa visite chez Sture Björklund et lui communiqua la nouvelle de l'existence d'une femme prénommée Louise.

– Il ne m'en a jamais parlé.

Il la sentait ébranlée par cette information.

– Qui ne t'en a pas parlé ? Kalle ou Sture ?

– Les deux.

– Commençons par Sture. Quelles sont vos relations ? Es-tu surprise qu'il ne t'ait rien dit à ce propos ?

– Je n'arrive tout simplement pas à y croire.

– Mais pourquoi aurait-il menti ?

– Je ne sais pas.

Wallander songea soudain que cette conversation ne devait pas avoir lieu au téléphone. Il consulta sa montre. Dix-sept heures quarante. Il avait besoin de passer au moins une heure encore à l'appartement.

– Il vaudrait peut-être mieux qu'on en parle de vive voix. Je suis libre ce soir, après sept heures.

– Je peux passer au commissariat, si tu veux. C'est à côté de l'hôpital, et je suis de garde cette nuit.

Après avoir raccroché, Wallander retourna dans le séjour. Il se plaça à côté du fauteuil renversé. Regarda autour de lui. Tenta d'imaginer le drame qui s'était déroulé là. Svedberg avait été abattu de face. D'après Nyberg, selon une trajectoire légèrement ascendante. Comme si le meurtrier avait tenu le fusil à hauteur de hanche ou de poitrine. D'ailleurs, c'était la partie supérieure du mur qui avait été éclaboussée de sang. Svedberg était tombé vers la gauche, entraînant vraisemblablement le fauteuil dans sa chute. Cela expliquerait le dossier cassé. Mais juste avant ? Était-il assis ? En train de se lever ? Ou déjà debout ? Wallander considéra aussitôt cette question comme décisive. Si Svedberg était assis, cela impliquait qu'il connaissait le tueur. S'il avait surpris un voleur armé, il ne se serait jamais assis. Et s'il était déjà assis, il se serait levé à son approche. Wallander se plaça à l'endroit où avait été retrouvé le fusil. Puis il se retourna et considéra la pièce sous cet angle. Ce n'était pas nécessairement l'endroit précis d'où les coups de feu avaient été tirés. Mais ça ne pouvait pas être loin. Il s'immobilisa complètement et tenta de faire apparaître les ombres. Les traces. Son impression que quelque chose clochait devenait de plus en plus forte. Dans l'hypothèse du cambrioleur – si celui-ci venait de l'entrée –, Svedberg ne pouvait pas se trouver là où on avait découvert son corps. Même chose si l'agresseur était apparu de l'autre côté, du côté de la chambre. Ou alors il fallait supposer qu'il n'était pas armé. Sinon, Svedberg se serait sans doute jeté sur lui. Il avait peut-être peur du noir, mais il n'hésitait pas à intervenir physiquement en cas de besoin.

Wallander n'avait toujours pas bougé. Soudain la bétonnière se tut. Il prêta l'oreille. On entendait à peine le bruit de la circulation dans la rue. Envisageons l'autre possibilité, pensa-t-il. Svedberg connaît la personne qui entre dans l'appartement. Il la connaît tellement bien que même la présence du fusil ne l'inquiète pas. Ensuite il se passe quelque chose. Svedberg est abattu et le tueur met l'appartement sens dessus dessous. Pourquoi ? Il cherche quelque chose. Ou alors il veut donner l'impression d'un cambriolage. Wallander repensa au télescope disparu. Qui pourrait leur dire s'il manquait autre chose dans l'appartement ? Peut-être Ylva Brink ?

Wallander retourna à la fenêtre et jeta un coup d'œil en bas. Nils Linnman fermait les battants de la camionnette. Robert Tärnberg avait déjà disparu. Il se rappelait d'ailleurs avoir entendu une moto démarrer quelques minutes plus tôt. On sonna à la porte. Wallander tressaillit et alla ouvrir. C'était Ann-Britt.

– Les ouvriers sont partis, dit-il. Tu arrives trop tard.

– Je leur ai déjà montré une photo de Svedberg. Mais aucun des deux ne se souvient de l'avoir vu.

Ils s'assirent à la table de la cuisine et Wallander lui raconta sa visite chez Sture Björklund. Elle l'écoutait attentivement.

– Si c'est exact, dit-elle lorsqu'il eut fini, l'image que nous avons de Svedberg change du tout au tout.

– Il aurait caché l'existence de cette femme pendant très longtemps. Pourquoi ?

– Elle est peut-être mariée.

– Une liaison secrète ? Et seulement quelques semaines par an, quand ils avaient accès à la maison de Björklund ? Il me paraît invraisemblable qu'elle ait pu venir ici à l'appartement sans être vue.

– Vraisemblable ou pas, il faut la retrouver.

– Je pense à autre chose, reprit Wallander lentement. Si Svedberg nous a caché l'existence de cette femme, se peut-il qu'il ait eu d'autres secrets ?

Ann-Britt avait suivi sa pensée.

– Tu ne crois pas à un cambriolage ?

– J'hésite. Un télescope a disparu. Ylva Brink pourra peut-être nous dire s'il manque autre chose. Mais tout se dérobe sur le lieu de ce crime. Il n'y a aucune *évidence*.

– On a épluché ses comptes bancaires – ceux qu'on connaît, du moins. Aucune trace de fortune cachée ou de dettes considérables. Un prêt de vingt-cinq mille pour l'Audi, c'est tout. Selon les gens de la banque, Svedberg a toujours géré ses affaires de façon irréprochable.

– Il ne faut pas dire du mal des morts. Mais il m'est arrivé de penser que Svedberg pouvait être avare.

– Comment ça ?

– Quand il nous arrivait de manger ensemble au restaurant, on partageait bien entendu l'addition. Mais le service était toujours pour moi.

Ann-Britt hocha pensivement la tête.

– C'est drôle comme on voit les gens de façon différente. Pour moi, Svedberg n'a jamais été quelqu'un d'avare.

Wallander lui fit un compte rendu de sa découverte de la bétonnière. Il venait de finir lorsqu'ils entendirent une clé tourner dans la serrure. Ils tournèrent la tête avec le même sentiment de malaise. Puis ils entendirent un raclement de gorge familier.

– Saloperie de journaux, marmonna la voix de Nyberg. Comment j'ai pu les oublier ?

Il les rangea dans un sac en plastique et scella le tout.

– Pour quand, les empreintes ? demanda Wallander.

– Lundi. Au plus tôt.

– Et les légistes ?

– Hansson s'en occupe, dit Ann-Britt. Ils vont faire vite.

Wallander demanda à Nyberg de s'asseoir et raconta une nouvelle fois sa découverte : qu'il y avait une femme dans la vie de Svedberg. Nyberg réagit avec méfiance.

– Ça paraît complètement incroyable, dit-il. Je n'ai jamais vu un vieux garçon plus encroûté que Svedberg. Rien que ses saunas tout seul le vendredi soir…

– Ce serait encore plus invraisemblable qu'un professeur à l'université de Copenhague nous raconte des salades.

– Svedberg l'a peut-être inventée, cette femme ? Si j'ai bien compris, personne ne l'a jamais vue.

Wallander réfléchit à ce que venait de dire Ann-Britt. Louise n'aurait-elle existé que dans l'imagination de Svedberg ?

– Pourquoi irait-on s'inventer une femme qui n'existe pas ? objecta Nyberg.

– Les gens seuls, répondit Ann-Britt, sont capables d'aller très loin pour créer une intimité qui leur manque.

– Oui, dit Wallander. Mais Björklund a retrouvé des cheveux dans sa salle de bains. Ça, du moins, ce n'est pas un fantasme.

Il se tourna vers Nyberg.

– Est-ce que tu as trouvé des cheveux dans la salle de bains d'ici ?

– Non. Mais je vais chercher encore.

Wallander se leva, leur demanda de le suivre dans le séjour et leur résuma les pensées qui lui étaient venues un peu plus tôt.

– J'essaie de parvenir à une conclusion provisoire, dit-il. Ou plutôt à un point de départ provisoire. Si nous avons affaire à un cambriolage, il reste beaucoup de détails obscurs. Comment le tueur est-il entré ? Pourquoi avait-il un fusil ? À quel moment Svedberg l'a-t-il surpris ? Qu'est-ce qui a été volé, en dehors du télescope ? Pourquoi Svedberg a-t-il été abattu ? Rien ne semble indiquer une bagarre. Le chaos est identique dans toutes les pièces. On a du mal à croire qu'ils se soient poursuivis d'une pièce à l'autre. D'après moi, ça ne tient pas debout. Je me demande donc ce qui se passe si nous oublions un instant l'hypothèse du cambriolage. Que voyons-nous alors ? Une vengeance ? Un acte de démence ? L'existence d'une femme peut laisser imaginer la jalousie. Mais une femme aurait-elle tiré sur Svedberg avec un fusil ? En plein visage ? J'ai du mal à le croire. Que nous reste-t-il alors ?

Il n'obtint aucune réponse. Ce silence était en lui-même éloquent. Ils n'avaient pas de point de départ évident : ni cambriolage, ni drame de la jalousie, rien. Svedberg avait été tué selon un scénario dont l'intrigue leur échappait du tout au tout. Le fameux point de départ, en d'autres termes, était un no man's land où régnait la plus totale confusion.

– Je peux partir ? dit Nyberg. J'ai de la paperasserie à faire, j'aimerais bien l'expédier dès ce soir.

– On se réunit demain matin pour faire le point.

– À quelle heure ?

Wallander l'ignorait. Puis il se dit que c'était à lui de décider, après tout, puisqu'il dirigeait le groupe d'enquête.

– À neuf heures. Si possible.

Nyberg disparut. Ann-Britt et Wallander restèrent debout dans le séjour.

– J'ai essayé de me représenter un enchaînement de faits, dit Wallander. Et toi ? Que vois-tu ?

Il savait qu'Ann-Britt possédait un sens de l'observation aigu. Son esprit de méthode et sa capacité d'analyse n'étaient pas en reste.

– Que se passe-t-il, par exemple, si on part des affaires éparpillées dans l'appartement…

– Oui. Que se passe-t-il alors ?

– Je vois trois explications possibles. Un cambrioleur nerveux, pressé. Ou alors, quelqu'un qui cherche quelque chose. C'est évidemment le cas aussi d'un cambrioleur, mais celui-ci ne sait en général pas d'emblée ce qu'il cherche. La troisième explication serait un acte de vandalisme. Un désir de destruction.

Wallander l'écoutait attentivement.

– Il y a une quatrième possibilité, dit-il. Une explosion de colère incontrôlée.

Ils se regardèrent. Ils pensaient à la même chose. Deux ou trois fois, il était arrivé que Svedberg perde son sang-froid. La rage qui s'était exprimée alors semblait surgir de nulle part. Une fois, au commissariat, il avait presque démoli son propre bureau.

– Il est possible que Svedberg ait provoqué ce désordre lui-même, poursuivit Wallander. Ce n'est pas invraisemblable. Ça s'est déjà produit – et ça nous conduit à une question très importante.

– « Pourquoi » ?

– C'est ça. Pourquoi ?

– La dernière fois, quand Svedberg a saccagé son bureau, j'étais présente. Hansson et Peters ont réussi à le maîtriser. Mais je crois n'avoir jamais vraiment compris ce qui s'était passé.

– Björk l'avait convoqué dans son bureau et accusé d'avoir fait disparaître certaines preuves.

– Quelles preuves ?

– Des icônes lettones de grand prix, entre autres choses. C'était une grosse affaire de recel.

– Svedberg a donc été accusé de vol ?

– De négligence. Mais quand quelque chose disparaît, le soupçon de vol existe, naturellement.

– Qu'est-il arrivé ?

– Svedberg s'est senti humilié et il a cassé son bureau.

– Et les icônes ? On les a retrouvées ?

– Jamais. On n'a rien pu prouver, bien sûr. Le receleur a été condamné quand même.

– Svedberg s'est donc senti humilié ?

– Oui.

– Ça ne rime à rien. Svedberg mettant son appartement sens dessus dessous avant d'être tué.

– Il nous manque un maillon.

– Peut-on imaginer qu'il y ait eu une troisième personne ? dit-elle soudain.

– On peut imaginer n'importe quoi. C'est un de nos problèmes. Nous ne savons pas si le tueur était seul ou non. Nous n'avons aucun indice dans l'un ou l'autre sens.

Ils quittèrent le séjour.

– À ta connaissance, Svedberg aurait-il reçu des menaces ? demanda Wallander dans l'entrée.

– Non.

– Quelqu'un d'autre aurait-il été menacé ?

– On reçoit toujours des lettres et des coups de fil bizarres. Mais tout ça se trouve dans les registres.

– Regarde ce qu'il y a eu ces derniers temps, dit Wallander. Je voudrais aussi que tu parles à la personne qui livre les journaux. Il ou elle a peut-être observé quelque chose.

Ann-Britt prit note dans un carnet.

– Où est ce foutu télescope ? répéta Wallander.

– Comment allons-nous retrouver Louise ? répliqua Ann-Britt.

– Je dois parler à Ylva Brink tout à l'heure. Cette fois, je vais le faire à fond.

Il ouvrit la porte d'entrée. Elle se retourna sur le seuil.

– Au fait, dit-elle, nous savons que le fusil n'appartenait pas à Svedberg. Il n'avait aucune arme enregistrée à son nom.

– Ça fait une incertitude en moins.

Elle disparut dans l'escalier. Wallander ferma la porte, retourna à la cuisine. But un verre d'eau en pensant qu'il devait manger quelque chose.

Il se sentait fatigué. Il s'assit, appuya la tête contre le mur et s'endormit.

Il se trouvait dans un paysage de montagne scintillant au soleil, et il skiait. Ses skis ressemblaient à ceux qu'il avait trouvés dans la cave de Svedberg. Il fonçait de plus en plus vite vers un banc de brouillard. Soudain un gouffre s'ouvrait à ses pieds.

Il se réveilla en sursaut. D'après l'horloge de la cuisine, il avait dormi onze minutes. Il resta tout à fait immobile, écoutant le silence. Puis la sonnerie du téléphone retentit. Il décrocha.

– Je pensais bien te trouver là, dit la voix de Martinsson.

– Il s'est passé quelque chose ?

– Eva Hillström est revenue nous voir.

– Que voulait-elle ?

– Si nous ne faisons rien, elle va s'adresser aux journaux. Elle paraissait très déterminée.

Wallander réfléchit avant de répondre :

– Je crois que j'ai pris une mauvaise décision ce matin. Je pensais profiter de la réunion de demain pour modifier le cap.

– Quoi ?

– Svedberg reste bien sûr notre priorité. Mais nous ne pouvons pas laisser tomber les trois jeunes. Nous devons trouver du temps pour eux.

– Et on va le trouver où, ce temps ?

– Je n'en sais rien. Mais ce ne sera pas la première fois qu'on sera surchargés de travail.

– J'ai promis à Hillström de la rappeler après avoir parlé avec toi.

– Appelle-la. Essaie de la calmer. On va s'occuper de cette affaire.

– Tu repasses au commissariat ?

– Oui. Je dois voir Ylva Brink.

– Tu crois qu'on va y arriver, pour Svedberg ?

Wallander perçut l'inquiétude dans la voix de Martinsson.

– Oui. Mais ça risque d'être difficile.

La conversation prit fin. Quelques pigeons passèrent devant la fenêtre. Soudain, une pensée lui traversa l'esprit.

Ann-Britt avait dit qu'aucune arme n'était enregistrée au nom de Svedberg. Conclusion logique : Svedberg n'avait pas d'arme. Mais la réalité était rarement logique. Combien d'armes circulaient illégalement dans la société suédoise ? C'était un sujet de préoccupation constant pour la police. Mais, au fond, qu'est-ce qui empêchait un policier de détenir une arme illégale ?

Et qu'est-ce que cela signifiait ? Si le fusil avait malgré tout appartenu à Svedberg ?

Wallander se tenait parfaitement immobile. Il eut de nouveau la sensation très forte qu'il fallait faire vite.

Il se leva vivement et quitta l'appartement.

8

István Kecskeméti était arrivé en Suède quarante ans plus tôt exactement, avec le flot des réfugiés hongrois contraints de quitter leur pays après l'écrasement de l'insurrection. Il avait débarqué à Trelleborg à quatorze ans, avec ses parents et ses trois frères et sœurs plus jeunes que lui. Le père, ingénieur en Hongrie, avait eu l'occasion de visiter les usines Separator de Stockholm à la fin des années 1920, et il espérait y trouver du travail. Mais il ne débarqua même pas à Trelleborg. En descendant l'escalier du terminal des ferries, il fut foudroyé par une attaque. Sa deuxième rencontre avec le sol suédois fut celle de son corps heurtant l'asphalte mouillé. On l'enterra au cimetière de Trelleborg, et la famille resta en Scanie. István avait maintenant cinquante-quatre ans. Il était depuis longtemps propriétaire d'une des pizzerias de Hamngatan, à Ystad.

Wallander avait entendu le récit de sa vie bien des années auparavant. Il dînait chez lui de temps en temps et, si la soirée était calme, István s'asseyait volontiers à sa table pour lui raconter des anecdotes tirées de son passé.

Il était dix-huit heures trente quand Wallander poussa la porte du restaurant. Il avait une demi-heure pour manger avant son rendez-vous avec Ylva Brink. Comme prévu, la salle était vide. On entendait juste une radio et un son rythmé venant de la cuisine. István finissait une conversation téléphonique derrière le comptoir ; il fit un signe de la main à Wallander, qui prit place à une table. István raccrocha et vint vers lui, l'air grave.

– Qu'est-ce que j'apprends ? Un policier serait mort ?

– Malheureusement oui. Karl Evert Svedberg. Tu vois qui c'est ?

– Je ne pense pas qu'il soit jamais venu ici. Tu veux une bière ? C'est moi qui offre.

Wallander fit non de la tête.

– Je veux manger quelque chose en vitesse. Qui convient à quelqu'un qui a trop de sucre dans le sang.

István prit un air pensif.

– Tu es devenu diabétique ?

– Non. Mais j'ai trop de sucre dans le sang.

– Alors tu es diabétique.

– C'est peut-être passager. Mais je suis pressé.

– Une viande grillée à l'huile et une salade, ça te va ?

– Parfait.

István disparut. Wallander s'interrogea sur sa propre réaction. Le diabète n'était pas une maladie honteuse. Mais il connaissait la réponse : son excès de poids le gênait. Il aurait préféré l'ignorer, fermer les yeux, faire comme si ça n'existait pas.

Il mangea – beaucoup trop vite comme d'habitude – et commanda un café. István était accaparé par un groupe de touristes polonais. Tant mieux. Wallander n'avait pas envie de répondre à des questions sur le meurtre. Il paya et ressortit. Il faisait encore chaud. Plus de monde que d'habitude dans les rues. Il retourna au commissariat à pied, en adressant de temps à autre un signe de tête à des gens qu'il connaissait. Il réfléchissait à la manière dont il questionnerait Ylva Brink. Sa sincérité et sa bonne volonté n'étaient pas en cause, mais là il fallait lui faire dire ce qu'elle savait éventuellement sans le savoir. L'une des questions clés concernait la femme prénommée Louise. Ylva détenait peut-être des informations à son insu, sans en avoir conscience ?

Wallander arriva au commissariat peu après dix-neuf heures. Ylva Brink n'était pas là. Il se rendit directement dans le bureau de Martinsson. Hansson s'y trouvait.

– Du nouveau ? demanda Wallander.

– L'appel à témoins n'a presque rien donné. C'est surprenant.

– Pas de rapport préliminaire de Lund ?

– Pas encore, dit Hansson. On ne peut rien espérer avant lundi.

– L'heure du crime. C'est important. Avec ça, on aura un point de départ.

– J'ai cherché dans les registres, dit Martinsson. Ce meurtre et ce cambriolage n'évoquent rien, à première vue en tout cas.

– Nous ne savons pas si c'est un cambriolage, objecta Wallander.

– Qu'est-ce que ça pourrait être d'autre ?

– Nous n'en savons rien. Je dois y aller, j'ai rendez-vous avec Ylva Brink. Je propose qu'on se retrouve à neuf heures demain matin.

Il se rendit dans son bureau. Plusieurs messages l'attendaient sur sa table, dont un de Lisa Holgersson, précisant qu'elle voulait lui parler le plus vite possible. Wallander composa le numéro de son poste mais n'obtint aucune réponse. Après quelques difficultés, il réussit à joindre la réception. Ebba était apparemment partie pour la journée. Wallander raccrocha et se rendit au central.

– Lisa est rentrée chez elle, lui répondit le policier de garde.

Wallander décida de la rappeler chez elle plus tard dans la soirée. Il alla se poster dans l'entrée pour attendre Ylva Brink. Elle apparut après quelques minutes. Dans le couloir, Wallander lui demanda si elle voulait un café. Elle n'en voulait pas.

Pour une fois, il avait décidé d'enregistrer la conversation. En général, le magnétophone lui faisait l'effet d'un auditeur malvenu. En plus, sa concentration s'en ressentait. Mais là, il voulait avoir accès à chaque parole d'Ylva Brink. Il voulait une transcription complète, restituant les moindres détails de ses réponses, en direct. Il lui demanda si le magnétophone la gênait. Elle répondit que non.

– Ce n'est pas un interrogatoire, précisa-t-il. C'est juste pour mémoriser la conversation. Le magnétophone a meilleure mémoire que moi.

La bande commença à défiler. Il était dix-neuf heures et dix-neuf minutes. Wallander s'éclaircit la voix.

– Vendredi 9 août 1996. Entretien avec Ylva Brink. Objet : décès de l'inspecteur Karl Evert Svedberg, avec soupçon d'homicide volontaire ou involontaire.

– Qu'est-ce que ça pourrait être d'autre qu'un meurtre ? demanda-t-elle aussitôt.

– La police s'exprime parfois de façon un peu formelle, répliqua Wallander, embarrassé par sa propre raideur. Quelques heures se sont écoulées, enchaîna-t-il. Tu as eu le temps de réfléchir. Tu t'es interrogée sur les éventuelles raisons de ce meurtre…

– Je n'arrive pas encore à croire que ça s'est réellement passé. J'ai parlé à mon mari il y a quelques heures – on peut joindre le bateau par satellite. Il a cru que je délirais. Mais c'est à ce moment-là, en lui racontant toute l'histoire, que j'ai compris que c'était arrivé pour de vrai.

– J'aurais préféré remettre cet entretien à plus tard, mais c'est malheureusement impossible. Nous devons arrêter le meurtrier. Il a une avance sur nous, qui ne cesse d'augmenter.

Elle ne répondit pas ; elle attendait la première question.

– Une femme prénommée Louise, que Karl Evert aurait fréquentée régulièrement pendant de nombreuses années. Tu ne l'as jamais rencontrée ?

– Non.

– Tu n'en as jamais entendu parler ?

– Non.

– Quelle a été ta réaction quand j'ai mentionné pour la première fois l'existence de cette femme ?

– Que ce n'était pas vrai.

– Que penses-tu maintenant ?

– Que c'est sans doute vrai. Mais incompréhensible.

– Karl Evert et toi, vous avez bien dû parler des femmes, au fil des ans. Pourquoi il ne s'était pas marié, etc. Que disait-il ?

– Qu'il était un vieux garçon invétéré. Et que ça lui convenait.

– Tu n'as rien remarqué quand vous abordiez ce sujet ?

– Quoi, par exemple ?

– Qu'il manquait d'assurance. Qu'il ne disait pas la vérité.

– Il était toujours très convaincant.

L'espace d'un instant, Wallander crut déceler une hésitation.

– Tu penses à quelque chose ?

Elle ne répondit pas tout de suite. La bande défilait.

– Bien sûr, il m'est quelquefois arrivé de me demander s'il était différent…

– Tu veux dire homosexuel ?

– Oui.

– Pourquoi ?

– N'est-ce pas logique ?

Cette pensée avait aussi parfois effleuré Wallander.

– Si, naturellement.

– On en a parlé une fois, il y a plusieurs années. C'était à la maison, un repas de Noël, si je me souviens bien. Il ne s'agissait pas de lui, mais d'une relation commune. Sa condamnation a été sans appel. Ça m'a étonnée.

– Il a condamné l'ami homosexuel ?

– Tous les homosexuels. C'était désagréable. J'avais toujours cru que c'était quelqu'un d'ouvert.

– Que s'est-il passé ensuite ?

– Rien. On n'en a jamais reparlé.

Wallander réfléchit.

– As-tu une idée de la manière dont nous pourrions retrouver cette femme ?

– Non.

– Puisqu'il ne quittait pratiquement jamais Ystad, elle devait habiter en ville. Ou dans les environs.

– Je ne sais pas.

Elle regarda sa montre.

– À quelle heure dois-tu reprendre le travail ?

– Dans une demi-heure. Je n'aime pas être en retard.

– Karl Evert non plus. C'était un policier très ponctuel.

– Oui. Comment dit-on déjà ? On aurait pu régler sa montre sur lui.

– Comment était-il, en réalité ?

– Tu m'as déjà posé cette question.

– Je la pose de nouveau. Comment était-il en tant qu'homme ?

– Gentil.

– De quelle manière ?

– Gentil. Un homme gentil. Je ne sais pas comment le dire mieux que ça. Un homme gentil qui pouvait se mettre en colère. Mais ça lui arrivait rarement. Il était timide. Consciencieux. Beaucoup de gens l'auraient sans doute trouvé ennuyeux. Anonyme. Un peu lent, peut-être. Mais pas bête.

Wallander pensa que ce portrait de Svedberg était très précis. Si les rôles avaient été inversés, il l'aurait probablement décrit de la même manière.

– Qui était son meilleur ami ?

Cette fois, la réponse le prit complètement au dépourvu :

– Je croyais que c'était toi.

– Moi ?

– Il le disait. « Kurt Wallander est mon meilleur ami. »

Wallander n'en croyait pas ses oreilles. Il avait toujours considéré Svedberg comme un collègue parmi les autres. Ils ne se fréquentaient pas en dehors du travail, n'échangeaient aucune confidence. Rydberg avait été son ami, Ann-Britt Höglund était en train de le devenir. Mais pas Svedberg. Jamais de la vie.

– Tu me l'apprends, dit-il enfin. Pour ma part, je n'ai jamais eu ce sentiment.

– Ça n'empêche pas que lui ait pu le ressentir.

– Bien entendu.

Wallander eut la sensation de *voir* pour la première fois l'ampleur réelle de la solitude de Svedberg. Où l'amitié se fondait sur le plus petit dénominateur commun : l'absence d'inimitié.

Il s'aperçut qu'il contemplait fixement le magnétophone. Il leva la tête et s'obligea à poursuivre :

– Avait-il d'autres amis ? Des gens qu'ils fréquentaient régulièrement ?

– Il était en contact avec une association qui se consacrait aux Indiens d'Amérique. Mais je crois que ça se passait surtout par correspondance. L'association s'appelait *Indian Science*, un nom comme ça. Mais je n'en suis pas sûre.

– On va s'en assurer. Personne d'autre ?

Elle réfléchit.

– Il parlait parfois d'un banquier à la retraite. Ils regardaient les étoiles ensemble.

– Comment s'appelle-t-il ?

Elle réfléchit de nouveau.

– Sundelius. Bror Sundelius. Je sais qu'il habite en ville. Mais je ne l'ai jamais rencontré.

Wallander nota le nom sur son bloc-notes.

– Quelqu'un d'autre ?

– Mon mari et moi.

Wallander changea de piste :

– As-tu remarqué une transformation chez lui ces derniers temps ? Semblait-il inquiet ? Préoccupé ?

– Non. À part ce que je t'ai déjà dit. Qu'il avait été surchargé de travail.

– Il ne s'est pas expliqué plus en détail ?

– Non.

Wallander pensa soudain à la suite logique de cette question.

– Cela t'étonne ? Qu'il t'ait confié cela ?

– Pas du tout.

– Il te parlait donc assez librement ?

– J'aurais dû y penser plus tôt. Quand tu m'as demandé de le décrire, j'ai oublié une chose. Il était un peu hypocondriaque, je crois. Le moindre bobo lui faisait souci. S'il lui arrivait de prendre froid, il pensait tout de suite qu'un dangereux virus l'avait attaqué. Je crois qu'il avait la terreur des microbes.

Wallander le revoyait très nettement. Svedberg courant aux toilettes pour se laver les mains vingt fois par jour. Svedberg évitant comme la peste toute personne enrhumée au commissariat.

Elle consulta de nouveau sa montre. Il ne restait plus beaucoup de temps.

– Possédait-il une arme ?

– Pas à ma connaissance.

– Vois-tu autre chose qui pourrait être important ?

– J'ai du chagrin. Ce n'était peut-être pas quelqu'un d'extraordinaire. Mais il va me manquer. Je n'ai jamais connu quelqu'un d'aussi foncièrement honnête.

Wallander arrêta le magnétophone et raccompagna Ylva Brink jusqu'à la réception. L'espace d'un instant, elle parut désorientée.

– Comment vais-je faire pour l'enterrement ? Sture dit qu'il faut éparpiller les cendres sans prêtre ni cérémonie. Mais je ne sais pas ce que lui-même aurait souhaité.

– Il n'a pas laissé de testament ?

– Je ne pense pas, sinon il me l'aurait dit.

– Possédait-il un coffre à la banque ?

– Non.

– Ça aussi, il te l'aurait dit ?

– Oui.

– Nous, ses collègues, nous voulons bien entendu contribuer aux obsèques. Je vais en parler à Lisa Holgersson et lui demander de prendre contact avec toi.

Ylva Brink disparut entre les portes vitrées du commissariat. Wallander retourna dans son bureau. Un nouveau nom avait surgi. Bror Sundelius, banquier à la retraite. Wallander ouvrit l'annuaire.

Il habitait en plein centre, dans la petite rue de Vädergränd. Wallander nota le numéro de téléphone. Puis il repensa à sa conversation avec Ylva Brink. Que lui avait-elle appris ? La femme prénommée Louise était un secret bien gardé. Bien *gardé*, songea-t-il. C'était le mot exact. Il prit note. Quelles raisons pouvait-on avoir de garder le secret sur une femme pendant des années ? Ylva Brink avait évoqué une réaction de rejet brutal par rapport aux homosexuels. Il avait aussi peur des microbes. Et il lui arrivait de contempler les étoiles en compagnie d'un banquier retraité. Wallander posa son stylo-bille et se carra dans son fauteuil. Rien de neuf, pensa-t-il. En gros, Svedberg reste celui que nous connaissions. À une exception près : cette femme, Louise. Rien ne nous conduit vers un noyau, un centre susceptible d'éclairer sa mort.

Il lui sembla soudain voir l'enchaînement des faits avec une clarté effarante. Svedberg n'est pas venu travailler. Pourquoi ? Parce qu'il était déjà mort. Il a surpris un cambrioleur qui l'a abattu de deux coups de fusil avant de s'enfuir, un télescope dans les bras. Drame fortuit, banal et absolument terrifiant.

Il n'y avait tout simplement pas d'autre explication possible.

Vingt heures dix. Wallander appela Lisa Holgersson à son domicile. Elle voulait évoquer avec lui la question de l'enterrement ; de quelle manière devaient-ils y participer ? Wallander l'orienta vers Ylva Brink. Puis il lui résuma les découvertes de l'après-midi, en ajoutant qu'il penchait de plus en plus vers l'hypothèse d'un cambrioleur violent, peut-être drogué.

– Le chef de la direction centrale a téléphoné, dit-elle. Il s'est déclaré désolé et préoccupé.

– Dans cet ordre ?

– Heureusement, oui.

Wallander l'informa qu'il y aurait une réunion le lendemain matin à neuf heures et promit de la tenir au courant si un événement décisif se produisait d'ici là.

Il raccrocha du bout de l'index et composa aussitôt le numéro du banquier Sundelius. Aucune réponse, pas même un message enregistré.

Ensuite, il y eut un moment de flottement. Comment devait-il poursuivre ? L'impatience le taraudait. Il fallait attendre, il le savait. Le rapport des légistes, le résultat des analyses techniques.

Il se rassit à son bureau. Rembobina la bande et réécouta l'entretien. Les dernières paroles d'Ylva Brink s'attardèrent dans son esprit. Un homme foncièrement honnête, avait-elle dit à propos de Svedberg.

– Je cherche des anguilles sous des roches imaginaires, dit-il à haute voix. Nous avons affaire à un cambrioleur dangereux. Rien d'autre.

On frappa à la porte. Martinsson apparut.

– Il y a des journalistes impatients à la réception, malgré l'heure tardive...

Wallander grimaça.

– On n'a rien de nouveau pour eux.

– Je crois qu'ils se contenteront de réchauffé. Du moment qu'on leur donne quelque chose.

– Tu ne peux pas les renvoyer ? Promets-leur une conférence de presse dès qu'on aura quelques éléments.

– Tu oublies que nos plus hautes instances dirigeantes nous demandent expressément de rester en bons termes avec les médias.

Wallander n'avait rien oublié. La direction centrale ne cessait d'émettre des circulaires enjoignant les différents districts de police d'intensifier la collaboration avec les journalistes. Il ne fallait surtout pas les repousser, mais au contraire leur ménager du temps et les recevoir le mieux possible.

Wallander se leva lourdement.

– Je vais leur parler.

Il lui fallut vingt minutes pour convaincre les deux reporters qu'il n'avait aucune nouvelle à leur communiquer. Vers la fin, il faillit perdre son sang-froid en constatant qu'ils doutaient ouvertement de sa parole. Pire : ils semblaient partir du principe qu'il ne disait pas la vérité. Il conserva son calme de justesse. Les journalistes repartirent. Il alla chercher un café et retourna à son bureau. De nouveau, il tenta de joindre Sundelius, sans succès.

Vingt et une heures quarante-cinq. Le thermomètre que Wallander avait lui-même suspendu de l'autre côté de la fenêtre indiquait quinze degrés. Une voiture passa dans la rue, la stéréo à plein volume. Il se sentait agité et inquiet. Sa conclusion – un cambriolage banal – ne suffisait pas à l'apaiser. Il y avait autre chose.

Et qui était cette Louise ?

Le téléphone sonna. D'autres journalistes, pensa-t-il avec désespoir. Mais c'était Sten Widén.

– Qu'est-ce que tu fous ? Je t'attends. Pardon, je sais que tu es débordé. Désolé pour ce qui s'est passé, au fait.

Wallander jura en silence. Il avait complètement oublié qu'il devait passer la soirée chez lui. Sten et lui se connaissaient depuis l'adolescence et partageaient une passion pour l'opéra. Par la suite, ils s'étaient éloignés l'un de l'autre. Wallander était entré dans la police et Sten Widén avait repris la ferme de son père, où il entraînait des chevaux de course. Ils avaient renoué le contact quelques années plus tôt et, depuis, ils se voyaient assez régulièrement.

– Excuse-moi. J'aurais dû t'appeler. Mais j'avais complètement oublié.

– J'ai entendu à la radio que ton collègue avait été tué. Une agression ou un meurtre, si j'ai bien compris.

– On ne sait pas encore. Mais on a passé une nuit et une journée terribles.

– On peut se voir une autre fois si tu préfères.

Wallander se décida aussitôt.

– J'arrive, dit-il. Je serai là dans une demi-heure.

– Ne te sens pas obligé.

– J'ai besoin de m'éloigner un peu d'ici.

Wallander sortit du commissariat sans dire où il allait. Mais, avant de quitter Ystad, il passa quand même chez lui pour prendre son portable. Il prit la E 65, dépassa Rydsgård et Skurup, prit la sortie du château de Stjärnsund et, laissant les ruines derrière lui, tourna dans la cour carrée de Sten Widén. Un étalon esseulé hennit dans un enclos. Pour le reste, le silence était total.

Sten Widén vint à sa rencontre. Wallander avait l'habitude de le voir en vêtements de travail boueux. Là, il portait une chemise blanche et il avait les cheveux mouillés. En lui serrant la main, Wallander perçut l'odeur de l'alcool. Sten Widén buvait trop, Wallander le savait, mais il n'avait jamais fait de commentaire à ce sujet, ça ne le regardait pas.

– La soirée est si belle, dit Widén. L'été est arrivé avec le mois d'août. Ou faut-il dire le contraire ? Que le mois d'août est venu avec l'été ?

Une pointe d'envie transperça Wallander. C'était ainsi qu'il avait rêvé de vivre, à la campagne, avec un chien, peut-être aussi avec Baiba. Mais le rêve n'avait pas abouti.

– Comment vont les affaires ? demanda-t-il.

– Pas très fort. On a battu un record dans les années 80, tout le monde avait les moyens de se payer un cheval à cette époque. Maintenant, les gens comptent leurs sous en priant Dieu chaque soir de ne pas rejoindre la prochaine vague de licenciements.

– Moi je croyais que c'étaient les riches qui avaient des chevaux de course ! Et les riches ne sont pas menacés par le chômage, si ?

– Des riches, on en a, bien sûr, mais moins qu'avant. Les gens ordinaires escaladent leurs clôtures et envahissent leurs pelouses. Pareil pour le golf.

Ils étaient arrivés aux écuries. Une fille en tenue d'équitation apparut, tenant un cheval par la bride.

– C'est la seule employée qui me reste, dit Widén. Elle s'appelle Sofia. J'ai été obligé de licencier les autres.

Wallander se souvint d'une fille qui travaillait à la ferme quelques années auparavant. Widén avait une liaison avec elle. Il ne se souvenait plus de son nom, Jenny peut-être.

Widén échangea quelques mots avec Sofia. Wallander crut comprendre que le cheval s'appelait Black Triangle. La bizarrerie de ces noms de chevaux ne cessait jamais de le surprendre.

Ils entrèrent dans les écuries. Widén s'arrêta devant un box.

– Je te présente Dreamgirl Express. Pour l'instant, elle est pour ainsi dire mon unique gagne-pain. Pour le reste, je rame. Les autres propriétaires se plaignent que tout est trop cher. Mon comptable m'appelle de plus en plus souvent et de plus en plus tôt. À vrai dire, je ne sais pas combien de temps je pourrai tenir.

Wallander caressa prudemment les naseaux de la jument.

– Ce n'est pas la première fois, dit-il. Et tu t'en es toujours sorti.

Widén hocha la tête.

– Je ne sais pas. Mais je pense pouvoir tirer un bon prix de la ferme. Et alors, je partirai.

– Où ?

– Je ferai mes valises. Je me paierai une bonne nuit de sommeil et au réveil je me déciderai.

Ils quittèrent les écuries et se dirigèrent vers la maison qui servait à la fois de lieu d'habitation et de bureau. D'habitude, il y régnait un désordre chaotique. Là, Wallander constata avec surprise que le ménage avait été fait. Widén répondit à sa question muette :

– Il y a quelques mois, j'ai découvert les vertus thérapeutiques du ménage.

– Ça ne marche pas pour moi. J'ai essayé pourtant.

Sten Widén indiqua une table chargée de bouteilles. Wallander hésita. Puis il hocha la tête. Le docteur Göransson n'aurait pas été d'accord. Mais, dans l'immédiat, il n'avait pas la force de résister.

Vers minuit, Wallander sentit qu'il commençait à être ivre. Ils étaient sortis au jardin, derrière la maison, et la musique se déversait par les fenêtres ouvertes. Sten Widén avait fermé les yeux et dirigeait d'une main le finale de *Dom Juan*. Wallander pensait à Baiba. L'étalon les contemplait en silence depuis son enclos.

Le silence se fit.

– Les rêves de jeunesse s'envolent mais la musique reste, conclut Widén. Je n'aimerais pas être jeune aujourd'hui. Je vois les filles qui travaillent pour moi aux écuries. Quels espoirs ou quels rêves leur reste-t-il ? Elles n'ont pas de réelle formation, aucune confiance en elles. Qui aura besoin d'elles, si je suis obligé de fermer boutique ?

– La Suède est devenue un pays dur. Dur et brutal.

– Comment peux-tu encore supporter d'être flic ?

– Je ne sais pas. Mais je n'aime pas l'idée d'une société dominée par les milices privées. Cette idée me fait peur. Et pour ce qui est des flics, je ne pense pas être le pire.

– Ce n'était pas le sens de ma question.

– Je sais. Mais c'est le sens de ma réponse.

Ils retournèrent à l'intérieur. La nuit devenait humide. Ils avaient convenu que Sten Widén ramènerait la voiture de Wallander en ville le lendemain. Wallander lui-même rentrerait en taxi. Il ne voulait pas dormir chez Widén.

– Tu te souviens de la fois où on est partis en Allemagne pour entendre jouer du Wagner ? Ça fait vingt-cinq ans. J'ai retrouvé des photos. Ça te dit de les regarder ?

– D'accord.

– Pour moi, elles sont très précieuses. C'est pourquoi je les ai rangées dans ma cachette.

Wallander le vit desceller une lame de lambris à côté d'une des fenêtres, révélant une cavité d'où il tira une boîte en fer. Il tendit une photo à Wallander, qui écarquilla les yeux en se reconnaissant. La photo avait été prise sur une aire de repos dans les environs de Lübeck. Wallander brandissait une bouteille de bière, on aurait dit qu'il hurlait quelque chose au photographe. Les autres photos étaient du même acabit. Il les rendit à Widén, qui soupira.

– On s'amusait bien. Je ne sais pas si on s'est jamais autant amusés depuis.

Wallander se resservit un whisky. Widén avait raison. Ils ne s'étaient jamais autant amusés par la suite.

Il était près d'une heure du matin lorsqu'ils appelèrent l'aéroport de Skurup pour commander un taxi. Wallander avait mal à la tête. En plus, il avait la nausée. Et il était très, très fatigué.

– On devrait retourner en Allemagne un jour, dit Sten Widén pendant qu'ils attendaient le taxi dans la cour.

– Non. On devrait faire un nouveau voyage, ailleurs. Mais je n'ai pas de ferme à vendre.

La voiture arriva. Wallander donna des indications au chauffeur, le taxi démarra. Sten Widén les suivit du regard. Wallander, qui était monté à l'arrière, se recroquevilla dans un coin et ferma les yeux. Il s'endormit et commença aussitôt à rêver.

Juste après la sortie vers Rydsgård, quelque chose le ramena à la surface. Il ne comprit pas tout d'abord ce que c'était. Une image fugitive dans le rêve. Puis ça lui revint : *Sten Widén avait descellé une lame de lambris près de la fenêtre.* Il était parfaitement réveillé tout à coup. Pendant des années et des années, Svedberg avait gardé un secret : une femme prénommée Louise. Mais, dans ses tiroirs, Wallander n'avait trouvé que quelques vieilles lettres de ses parents.

Svedberg a une cachette, pensa-t-il.

Il se pencha pour dire au chauffeur de se rendre non plus à Mariagatan, mais à Lilla Norregatan. Il était un peu plus de deux heures lorsqu'il descendit du taxi. Les clés de Svedberg se trouvaient dans sa poche. Il se souvenait vaguement d'avoir vu une boîte d'aspirine dans l'armoire à pharmacie.

Il ouvrit la porte de l'appartement et retint son souffle. Puis il alla à la salle de bains, trouva deux comprimés qu'il avala avec un verre d'eau, à la cuisine. Des jeunes s'interpellèrent dans la rue ; puis le silence retomba. Il posa le verre sur le plan de travail et commença à chercher la cachette de Svedberg. Il était trois heures moins le quart du matin lorsqu'il la découvrit : un carreau de linoléum disjoint sous la commode de la chambre à coucher. Wallander orienta le faisceau de la lampe de chevet vers la cavité. Il y avait en tout et pour tout une enveloppe en papier kraft. Il la prit et retourna à la cuisine. Le rabat n'était pas collé. Il l'ouvrit.

Comme Sten Widén, Svedberg devait considérer les photographies comme des objets précieux.

Il y en avait deux. L'une représentait un visage de femme. Un portrait, vraisemblablement réalisé en atelier.

Sur la deuxième, quelques jeunes assis sous un arbre levaient leur verre en direction du photographe.

La scène était idyllique. Mais un détail attira son attention.

Ils paraissaient déguisés. Comme si leur fête se déroulait dans un autre temps.

Wallander mit ses lunettes.

Un pressentiment lui vrillait les entrailles.

Il se rappela avoir vu une loupe dans l'un des tiroirs du bureau de Svedberg. Il alla la chercher. Puis il examina attentivement la photographie.

Ces jeunes lui semblaient vaguement familiers. En particulier la dernière fille à droite.

Puis il la reconnut. Il avait récemment vu une photo d'elle – mais sans déguisement.

C'était Astrid Hillström.

Wallander reposa doucement la photographie.

Une horloge sonna trois heures.

9

Au lever du jour, samedi 10 août, Wallander sentit que sa patience était à bout. Il venait de passer trois heures à marcher de long en large dans son appartement, trop inquiet pour réfléchir, trop agité pour dormir. Les deux photographies se trouvaient sur la table de la cuisine. Trois heures plus tôt, il avait traversé la ville déserte pour rentrer chez lui, les photos dans sa poche, avec la sensation de transporter des bombes. Arrivé à destination, en enlevant sa veste, il constata qu'il avait dû pleuvoir sans qu'il s'en aperçoive.

Les photos retrouvées dans la cachette de Svedberg étaient capitales. Pourquoi ? Il n'en savait rien. Mais l'inquiétude et la peur, qui n'étaient jusque-là qu'un pressentiment informe, se déchaînaient à présent. Une affaire qui n'en était pas une – trois jeunes voyageant en Europe – resurgissait soudain dans le cadre d'une très lourde enquête pour meurtre. Au cours des heures écoulées depuis sa découverte, Wallander avait eu le temps de formuler de nombreuses hypothèses, plus confuses, contradictoires et déstabilisantes les unes que les autres. Il venait de faire une percée décisive, dont le sens lui échappait complètement.

Que racontaient au juste ces photos ? Le portrait de Louise était en noir et blanc, l'autre en couleurs. Pas de date imprimée au verso. Avaient-elles été tirées dans un laboratoire privé ? Ou bien existait-il des labos qui travaillaient sans machines ? Le format était ordinaire. Tirage professionnel ou amateur ? Wallander savait par expérience que des photos tirées à la maison avaient tendance à gondoler. Déjà les questions se multipliaient et il ne pouvait répondre avec certitude à aucune d'entre elles.

Il se demanda alors quelle ambiance évoquaient ces images. Que lui apprenaient-elles sur le photographe ? Ou plutôt sur les photographes, car il avait la quasi-certitude qu'elles n'avaient pas été prises par la même personne. Était-ce Svedberg qui avait photographié Louise ? Sa vision de cette femme ne dévoilait rien. L'image des jeunes était, elle aussi, difficile à cerner. Il ne lui semblait pas déceler d'effort de composition conscient. Tout le monde devait y figurer ; tel semblait avoir été le principal souci du photographe. Quelqu'un avait sorti un appareil, réclamé l'attention et appuyé sur le déclencheur. La pensée l'effleura qu'il y en avait peut-être d'autres – celle qu'il avait sous les yeux faisait peut-être partie d'une série de scènes de fête exaltées. Où étaient-elles, dans ce cas ?

Mais ce qui l'inquiétait le plus, c'était le lien proprement dit. Ils avaient déjà appris par des chemins détournés que Svedberg enquêtait sur la disparition des trois jeunes juste avant son départ en vacances. Pourquoi ? Et pourquoi en secret ?

D'où venait cette photo des jeunes levant leur verre ? Où avait-elle été prise ?

Et puis ce visage de femme. Il ne voyait pas qui ce pouvait être, sinon Louise. Il l'avait longuement examiné à la lumière de la lampe, dans sa cuisine. Une femme d'une quarantaine d'années. Un peu plus jeune que Svedberg, autrement dit. S'ils s'étaient rencontrés dix ans plus tôt, elle avait environ trente ans et Svedberg trente-cinq. Cela paraissait plausible. Cheveux foncés, raides, coupe au carré, avec une frange droite. La photographie était en noir et blanc. La couleur des yeux n'apparaissait pas. Le nez était étroit, le visage entier était étroit, les lèvres serrées esquissaient un sourire.

Un sourire à la Mona Lisa. Mais le regard, lui, ne souriait pas. Difficile de dire si l'image avait été retouchée en atelier ou si le modèle était très maquillé.

Il y avait aussi autre chose. Un aspect fuyant. Le visage de cette femme se dérobait. La pellicule l'avait fixé, pourtant il n'était pas là.

Aucune annotation au verso des deux photos. Aucun signe qu'elles aient été manipulées.

J'ai trouvé deux images vierges, pensa Wallander. Deux images sans empreintes, deux images comme des livres jamais ouverts.

À six heures, il sentit que sa patience était à bout. Il appela Martinsson, qu'il savait très matinal. Ce fut Martinsson lui-même qui décrocha.

– J'espère que je ne te réveille pas.

– Si tu m'appelles à dix heures du soir, tu risques de me réveiller, mais pas à six heures du matin. J'allais désherber un peu dans le jardin.

Wallander lui raconta sans préambule la découverte des deux photos. Martinsson l'écouta sans poser de questions.

– Je veux qu'on se réunisse le plus vite possible, conclut Wallander. Pas à neuf heures. Maintenant. Disons dans une heure.

– Tu as parlé aux autres ?

– Tu es le premier.

– Qui doit assister à la réunion ?

– Tout le monde, y compris Nyberg.

– Lui, je te le laisse. Je n'ai pas la force de parler aux enragés avant mon premier café.

Il s'engagea à prévenir Hansson et Ann-Britt Höglund ; Wallander se chargerait des autres.

Il commença par Nyberg, qui était en effet mal réveillé et mal luné.

– Réunion à sept heures, dit Wallander.

– Il s'est passé quelque chose ? Ou c'est juste pour faire suer ?

– Sept heures, répéta Wallander. S'il t'arrive jamais de penser qu'on organise une réunion du groupe d'enquête pour faire suer, je trouve que tu devrais prendre contact avec le syndicat.

Il mit de l'eau à bouillir, regretta ce qu'il venait de dire à Nyberg, appela Lisa Holgersson qui promit d'être là.

Quand le café fut prêt, Wallander emporta sa tasse sur le balcon. La couche nuageuse se dissipait et le thermomètre laissait présager une nouvelle journée de chaleur.

La fatigue lui pesait. Il imagina soudain avec dégoût des petits îlots de sucre blanc flottant à la dérive dans ses artères.

À six heures trente, il quitta l'appartement. Dans l'escalier, il croisa un type d'un certain âge nommé Stefansson qui portait des pinces à vélo aux chevilles.

– Je suis en retard, s'excusa Stefansson. Mais il y a eu un problème à l'imprimerie, la presse est tombée en panne.

– C'est toi qui distribues les journaux dans Lilla Norregatan ?

– Chez le policier qui a été tué ?

Il comprenait vite.

– Oui.

– Non, ce n'est pas moi, mais Selma – la plus ancienne dans le métier, de toute la ville. Elle a commencé en 1947. Ça lui fait combien d'années de service ? Quarante-neuf ?

– Tu connais son nom de famille ?

– Nylander.

Stefansson tendit le journal à Wallander.

– On parle de toi, dit-il.

– Pose-le là-haut. Je n'aurai pas le temps de le lire avant ce soir, de toute manière.

Il aurait pu aller au commissariat à pied, mais il prit sa voiture. La nouvelle vie attendrait un jour de plus.

Il croisa Ann-Britt Höglund sur le parking.

– La personne qui distribue les journaux chez Svedberg s'appelle Selma Nylander, dit-il. Mais tu lui as peut-être déjà parlé ?

– Figure-toi qu'elle n'a pas le téléphone.

Wallander pensa à Sture Björklund, qui avait décidé de jeter le sien. Le phénomène commençait peut-être à se répandre ?

Ils entrèrent dans la salle où devait se dérouler la réunion. Wallander se ravisa à la dernière minute et alla chercher un café. Au retour, il s'immobilisa dans le couloir. Comment allait-il l'organiser ? D'habitude, il se préparait soigneusement. Là, il ne voyait pas quoi faire, à part poser les photos sur la table et déclarer le débat ouvert.

Il referma la porte et s'assit à sa place habituelle. La chaise de Svedberg restait vide. Wallander tira l'enveloppe de la poche intérieure de sa veste et raconta brièvement sa découverte, sans préciser comment lui était venue l'impulsion de retourner chez Svedberg en pleine nuit – depuis le jour où des collègues l'avaient surpris en train de conduire en état d'ivresse, il évitait complètement le sujet de l'alcool.

Les photographies étaient posées sur la table. Hansson brancha l'épiscope.

– Je voudrais d'emblée préciser quelque chose, dit Wallander. La fille à droite sur la grande photo est Astrid Hillström, l'une des jeunes qui ont disparu depuis la Saint-Jean.

Il mit les photos dans le projecteur. Silence autour de la table. Wallander attendit, tout en examinant lui aussi les images. Il ne voyait pas de nouveau détail qui lui aurait échappé. Il avait fait bon usage de la loupe au cours des heures inquiètes de la nuit. Enfin Martinsson prit la parole :

– Il faut reconnaître que Svedberg avait bon goût. Elle est belle. Quelqu'un l'a-t-il déjà vue ? Ystad est une petite ville.

Personne ne l'avait vue. Et personne ne put identifier les trois autres jeunes. Mais il ne faisait aucun doute que la fille à droite était bien Astrid Hillström. La photo du dossier était très ressemblante, déguisement en moins.

– On dirait une fête costumée, fit remarquer Lisa Holgersson. Quelle époque ?

– Dix-septième.

Hansson avait répondu sans hésiter. Wallander le considéra avec surprise.

– Qu'est-ce qui te fait dire ça ?

– Ou peut-être dix-huitième, ajouta-t-il sans conviction.

– Moi je pencherais plutôt pour le seizième, dit Ann-Britt Höglund, à cause des manches ballon et des justaucorps. C'est ce qu'on portait à l'époque de Gustav Vasa.

– Tu en es sûre ?

– Bien sûr que non. Je donne juste mon avis.

– Laissons de côté les devinettes pour l'instant. L'important n'est pas de savoir *en quoi* ils sont déguisés mais *pourquoi*. On est encore loin de pouvoir répondre à cette question.

Il jeta un regard circulaire avant de poursuivre :

– Un portrait de femme d'une quarantaine d'années. Et une photo de groupe de jeunes déguisés. Parmi lesquels Astrid Hillström, disparue depuis la nuit de la Saint-Jean, même si elle est probablement en voyage en Europe avec les deux autres. Voilà notre point de départ. J'ai trouvé ces photos chez Svedberg. Il les avait cachées. Et il a été assassiné. Mais nous devons commencer par les événements de la Saint-Jean ; ça, c'est une certitude.

Il leur fallut plus de trois heures pour passer en revue les éléments du dossier. L'essentiel de ce temps fut consacré à formuler les nouvelles questions prioritaires et à désigner les personnes chargées d'y répondre dans les plus brefs délais. Au bout de deux heures, Wallander proposa une courte pause. Tous allèrent chercher un café, sauf Lisa Holgersson. Puis la réunion reprit. Le groupe d'enquête avait commencé à fonctionner. Vers dix heures et quart, Wallander estima qu'ils n'iraient pas plus loin pour l'instant.

Lisa Holgersson n'était pas beaucoup intervenue dans la discussion, comme d'habitude lorsqu'elle participait à une réunion d'enquête. Wallander savait qu'elle respectait leurs compétences conjuguées. Là, elle leva la main pour demander la parole :

– Qu'a-t-il pu leur arriver au juste, à ces jeunes ? S'ils avaient eu un accident, on le saurait à l'heure qu'il est, non ?

– L'idée qu'il ait pu leur arriver quelque chose se fonde sur une hypothèse très spéciale : que les cartes postales portant leur signature seraient des faux. Ce soupçon paraît encore complètement injustifié. Pourquoi écrirait-on de fausses cartes postales ?

– Pour masquer un crime, dit Nyberg.

Le silence se fit. Wallander se tourna vers Nyberg et hocha lentement la tête.

– Et pas n'importe lequel, dit-il. Les gens qui disparaissent disparaissent pour de bon. Ou alors ils resurgissent. Si les cartes sont effectivement des faux, il n'y a qu'une seule explication possible : la personne qui les a écrites cherche à dissimuler le plus longtemps possible que ces trois jeunes, Boge, Norman et Hillström, sont morts.

– Pas seulement cela, intervint Ann-Britt. L'auteur des cartes sait ce qu'il leur est arrivé.

– Plus précisément encore : c'est lui qui les a tués. Quelqu'un qui est capable d'imiter leur signature, qui connaît leur nom et leur adresse.

Wallander eut l'impression de devoir prendre son élan pour formuler la conclusion inévitable.

– Dans le prolongement des fausses cartes postales, on ne peut qu'envisager un assassinat avec préméditation. Si c'est le cas, nous devons admettre que ces trois jeunes ont été victimes d'un meurtrier calculateur et parfaitement organisé.

Un long silence s'abattit sur la salle de réunion. Wallander savait déjà ce qu'il voulait ajouter. Mais il attendit, au cas où quelqu'un le devancerait.

Un rire fusa dans le couloir. Nyberg se moucha. Hansson scrutait ses mains, Martinsson tambourinait sur la table. Ann-Britt Höglund regardait Wallander, tout comme Lisa Holgersson. Mes deux alliées, pensa-t-il.

– Nous en sommes réduits à des hypothèses, reprit-il enfin. L'une d'elles est forcément très désagréable et difficile à envisager. Mais nous ne pouvons éviter de faire le rapprochement avec Svedberg. Nous savons qu'il dissimulait chez lui une photographie d'Astrid Hillström et de ses amis. Nous savons qu'il a enquêté dans le plus grand secret. Les jeunes n'ont pas reparu. Et Svedberg a été tué. Ce peut être un cambriolage. Ou quelqu'un qui cherchait quelque chose – cette photographie par exemple. Mais nous ne pouvons malheureusement pas exclure une autre possibilité. Qui impliquerait Svedberg lui-même.

Hansson laissa tomber son stylo-bille.

– Ce n'est pas possible ! s'exclama-t-il. Un collègue a été assassiné, nous sommes ici pour organiser l'enquête et retrouver le coupable. Et maintenant nous insinuons que Svedberg lui-même aurait pu être impliqué dans un crime encore pire !

– C'est exactement ainsi que nous devons raisonner. Une hypothèse parmi d'autres.

– Tu as raison bien sûr, dit Nyberg. Même si c'est très désagréable. Depuis ce qui s'est passé en Belgique, j'ai l'impression que n'importe quoi peut arriver, même en Suède.

Wallander lui donna raison intérieurement. En Belgique, des meurtres d'enfants avaient mis au jour des complicités policières et politiques au plus haut niveau. Tout n'avait pas été tiré au clair. On savait qu'il fallait s'attendre à de nouvelles révélations terribles.

Il fit signe à Nyberg de poursuivre.

– La question que je me pose, c'est le rôle que joue cette femme, Louise.

– Nous n'en savons rien. Il faut ratisser large pour l'instant. Question prioritaire : qui est cette femme ?

Le malaise flottait comme une nappe de brouillard dans la salle. Ils se répartirent les tâches les plus urgentes. Il était clair pour chacun qu'ils allaient désormais travailler vingt-quatre heures sur vingt-quatre. Lisa Holgersson allait s'occuper de la question des renforts.

Ils se séparèrent à dix heures trente-cinq. La prochaine réunion aurait lieu dans la soirée. Martinsson était déjà au téléphone pour prévenir sa femme qu'il ne pourrait pas assister à un dîner ce soir-là. Wallander était resté à sa place en bout de table. Il avait besoin de se rendre aux toilettes, mais il se sentait trop fatigué même pour cela. Ça y est, pensa-t-il. Ça commence à bouger. À chaque enquête, on a l'impression d'organiser une battue. Pas pour chercher quelqu'un qui aurait disparu dans la forêt. Mais pour *comprendre*.

Il fit signe à Ann-Britt Höglund de rester. Après le départ des autres, il lui demanda de refermer la porte.

– Dis-moi ce que tu penses, dit-il lorsqu'elle se fut rassise.

– Certaines pensées sont tellement désagréables que j'arrive à peine à les formuler.

– C'est la même chose pour nous tous. Il y a quelques heures, Svedberg était un collègue victime d'un meurtre brutal. Soudain tout change. Nous devinons que Svedberg a pu être lui-même impliqué dans une affaire encore plus terrible.

– Tu crois que c'est le cas ?

– Non. Mais je dois penser à tout, même ce qui me paraît a priori impensable. C'est moins paradoxal que ça n'en a l'air.

– Qu'a-t-il pu se passer au juste ?

– C'est ce que je voudrais que tu me dises.

– Un lien est avéré. Entre Svedberg et les jeunes disparus.

– Non. Entre Svedberg et Astrid Hillström. Rien d'autre pour l'instant.

Elle acquiesça.

– Tu as raison. Svedberg et Astrid Hillström. Celle dont la mère est la plus inquiète.

– Que vois-tu d'autre ?

– Svedberg était différent de ce que nous pensions.

– Que pensions-nous ?

Elle réfléchit avant de répondre :

– Qu'il était ce qu'il paraissait être.

– C'est-à-dire ?

– Accessible, ouvert. Fiable.

– En réalité, il aurait donc été inaccessible, fermé et pas fiable ? C'est ça ?

– Pas complètement. Mais en partie.

– Il avait une maîtresse cachée, qui s'appelle peut-être Louise. Nous avons son portrait.

Wallander se leva, ralluma l'épiscope et redressa le portrait.

– Cette photo a quelque chose d'étrange, dit-il. Le visage... Mais je ne sais pas ce que c'est.

Ann-Britt Höglund ne réagit pas tout de suite. Wallander eut l'impression que sa remarque ne la prenait pas complètement au dépourvu.

– Les cheveux, dit-elle lentement. Mais quoi, précisément ?

– Nous devons trouver cette femme. Nous la trouverons.

Il ajusta la deuxième photo dans l'appareil et se tourna vers Ann-Britt. Elle reprit, après un silence :

– Je suis assez convaincue que les costumes renvoient au seizième siècle. J'ai chez moi un livre sur la mode à travers les âges. Mais je peux me tromper.

– Que vois-tu d'autre ?

– Des jeunes qui paraissent de bonne humeur, pour ne pas dire exaltés et ivres.

Wallander pensa soudain aux images que lui avait montrées Sten Widén. Le jeune Wallander à la bouteille de bière était à l'évidence très saoul. Son expression sur la photo rappelait celle de ces jeunes.

– Quoi d'autre ?

– Le deuxième garçon à partir de la gauche a l'air de crier quelque chose au photographe.

– Où se trouvent-ils ?

– La photo a été prise dehors. Il y a des arbustes à l'arrière-plan, peut-être aussi quelques arbres.

– Ils sont assis sur une grande nappe. La nourriture, les déguisements... Qu'est-ce que ça t'évoque ?

– Un pique-nique. Un bal masqué. Une fête.

– Admettons que ce soit une fête d'été. L'ensemble dégage une sensation de chaleur. Ce pourrait être une nuit de la Saint-Jean. Pas cette année, pourtant, puisqu'on ne reconnaît qu'Astrid Hillström.

– Oui, et en plus elle paraît un peu plus jeune.

– C'est aussi mon avis. La photo a pu être prise il y a un an ou deux.

– Rien n'évoque la présence d'une menace. Je me souviens de cet âge, de l'insouciance qu'on avait ; la vie paraissait infinie, les chagrins limités.

– À vrai dire, dit Wallander, j'ai l'impression de ne m'être jamais trouvé devant une enquête comme celle-ci. Svedberg est au centre, bien sûr. Mais je ne sais pas quelle direction nous devons prendre. L'aiguille de la boussole n'arrête pas de tourner.

– Il y a aussi une part de peur. À l'idée de découvrir que Svedberg ait pu être impliqué dans une histoire que nous osons à peine nous représenter.

– Ylva Brink a dit une chose étrange quand je lui ai parlé hier. Elle a affirmé que Svedberg me considérait comme son meilleur ami.

– Ça t'étonne ?

– Bien sûr.

– En plus, il t'admirait. Ce n'était un secret pour personne.

Wallander éteignit le projecteur et rangea les photos dans l'enveloppe.

– Si Svedberg était complètement différent de ce que nous pensions, ça vaut aussi pour la façon dont il nous voyait, tu ne crois pas ?

– Tu veux dire qu'il te haïssait peut-être en réalité ?

Wallander fit la grimace.

– Je ne le pense pas. Mais comment savoir ?

Ils sortirent. Ann-Britt Höglund prit l'enveloppe pour la donner à Nyberg, au cas où on découvrirait des empreintes. Auparavant, elle allait faire plusieurs copies des photos.

Wallander se rendit aux toilettes ; un long jet incolore. Puis il but presque un litre d'eau à la cafétéria.

Selon la répartition des tâches, Wallander devait commencer par parler à Eva Hillström et rendre une nouvelle visite à Sture Björklund. Il s'assit à son bureau, posa la main sur le téléphone. Puis il décida de commencer par Eva Hillström – mais sans la prévenir. Ann-Britt Höglund frappa à la porte et lui laissa un jeu de photocopies. La photo des jeunes avait été agrandie pour rendre leurs traits aussi nets que possible.

Il était midi lorsque Wallander quitta le commissariat. En passant devant la réception, il entendit quelqu'un dire qu'il faisait vingt-trois degrés dehors. Il enleva sa veste avant de monter en voiture.

Eva Hillström habitait à l'est de la ville. Il se gara devant le portail. Une vaste maison du début du siècle, entourée d'un jardin imposant. Il sonna. Ce fut Eva Hillström elle-même qui vint ouvrir. Elle sursauta en le reconnaissant, comme si sa simple présence confirmait ses pires craintes.

– Il ne s'est rien passé, dit Wallander pour la calmer. J'ai juste quelques questions supplémentaires à te poser.

Elle le fit entrer dans un grand hall où flottait une puissante odeur de produit d'entretien. Eva Hillström était pieds nus. Elle portait un survêtement. Elle le dévisageait d'un regard plein d'inquiétude.

– J'espère que je n'arrive pas à un mauvais moment.

Elle marmonna quelques mots qu'il ne comprit pas et le précéda dans un vaste séjour. Les meubles et les tableaux paraissaient coûteux. La famille Hillström n'avait pas de soucis financiers, apparemment. Il s'assit docilement dans le canapé qu'elle lui indiquait.

– Veux-tu boire quelque chose ?

Wallander secoua la tête. Il avait soif. Mais pour une raison ou pour une autre, l'idée de demander un verre d'eau lui déplaisait.

Elle s'assit au bord d'une chaise. Il eut l'impression saugrenue de se trouver devant une athlète dans les starting-blocks, prête à bondir. Il tira les photocopies de sa poche et commença par lui tendre le portrait. Elle y jeta un rapide coup d'œil avant de relever la tête.

– Qui est-ce ?

– Tu ne l'as jamais vue ?

– Qu'a-t-elle à voir avec Astrid ?

Son ton était agressif. Wallander comprit qu'il devait se montrer très ferme.

– Nous avons parfois besoin de poser un certain nombre de questions de routine. Je te montre une photo. Et je te demande si tu as déjà vu cette femme.

– Qui est-elle ?

– Réponds-moi.

– Je ne l'ai jamais vue.

– Alors nous pouvons passer à autre chose.

Elle s'apprêtait à enchaîner sur une autre question lorsque Wallander lui tendit la deuxième photocopie. Elle la regarda. Puis elle se leva très vite, comme si le coup de feu du départ avait enfin été donné, et quitta la pièce. Après une minute elle revint et lui tendit une autre photographie.

– Voilà l'original.

Wallander l'examina. C'était, à l'identique, celle qu'il avait trouvée chez Svedberg. Il eut immédiatement la sensation d'avoir touché un point décisif.

– Parle-moi de cette photo, dit-il. Où a-t-elle été prise ? Qui sont les autres jeunes ?

– Je ne sais pas très bien, on dirait les hauteurs d'Österlen, peut-être vers les collines de Brösarp. C'est Astrid qui me l'a donnée.

– Quand a-t-elle été prise ?

– L'été dernier. En juillet. C'était l'anniversaire de Magnus.

– Magnus ?

Elle indiqua du doigt le garçon qui semblait crier quelque chose au photographe. Pour une fois, Wallander avait pensé à emporter un bloc-notes.

– Son nom de famille ?

– Holmgren. Il habite à Trelleborg.

– Qui sont les autres ?

Wallander nota les noms et les adresses. Soudain une pensée lui traversa l'esprit.

– Qui a pris la photo ?

– Astrid a un appareil à déclencheur automatique.

– C'est donc elle qui l'a prise ?

– Je viens de te dire que l'appareil avait un déclencheur automatique !

Wallander choisit de passer outre.

– Ils fêtent donc l'anniversaire de Magnus. Mais ils sont aussi déguisés.

– C'était une habitude. Je ne vois pas ce qu'il y a de mal…

– Moi non plus. Mais je dois te poser ces questions.

Elle alluma une cigarette. Wallander avait sans cesse l'impression qu'elle était à deux doigts de craquer.

– Astrid a donc beaucoup d'amis ?

– Pas beaucoup. Quelques-uns. Mais des vrais.

Il indiqua la deuxième fille sur la photo. Elle hocha la tête.

– Isa aurait dû participer à la fête de la Saint-Jean de cette année, mais elle est tombée malade.

Wallander mit quelques secondes à comprendre. Il la montra de nouveau du doigt.

– Cette fille-là aurait donc dû être de la fête cette fois-ci ?

– Elle est tombée malade.

– C'est pour cela qu'ils n'ont été que trois à partir en voyage ?

– Oui.

Il consulta ses notes.

– Isa Edengren habite à Skårby ?

– Son père est un homme d'affaires.

– Qu'a-t-elle dit à propos de ce voyage ?

– Que rien n'était convenu à l'avance. Mais elle est persuadée qu'ils sont effectivement partis. Ils avaient toujours leurs passeports sur eux quand ils se retrouvaient.

– A-t-elle reçu des cartes postales ?

– Non.

– Trouve-t-elle cela bizarre ?

– Oui.

Eva Hillström éteignit sa cigarette.

– Il s'est passé quelque chose, dit-elle. Je ne sais pas quoi. Mais il s'est passé quelque chose de grave. Isa se trompe. Ils ne sont pas partis. Ils sont restés ici. Pourquoi refuse-t-on de me croire ? Une seule personne m'a écoutée jusqu'ici, mais à quoi bon, maintenant ?

Elle avait les larmes aux yeux. Wallander retint son souffle.

– Une seule personne, fit-il lentement. C'est ce que tu as dit ?

– Oui.

– Tu penses au policier qui est venu te voir fin juin ?

Elle leva la tête, surprise.

– Oui. Il est revenu plusieurs fois. Pas seulement en juin. En juillet aussi, toutes les semaines. Et récemment encore, au mois d'août.

– Tu veux dire le policier qui s'appelait Svedberg ?

– Pourquoi a-t-il fallu qu'il meure ? C'est le seul qui m'écoutait. Il était aussi inquiet que moi.

Wallander resta silencieux.

Il n'avait plus rien à dire.

10

Le vent était faible. Par moments, on ne le sentait presque plus.

Pour passer le temps, il avait compté le nombre de fois où la brise avait effleuré son visage. Il pensa à noter le résultat sur la liste où il consignait tous les plaisirs de la vie. La vie des gens heureux.

Il était caché sous un grand arbre depuis plusieurs heures. Le fait d'être en avance lui donnait un sentiment de satisfaction.

Mois d'août. Samedi soir. Il faisait encore chaud.

En se réveillant ce matin-là, il avait senti qu'il ne devait plus attendre. Comme d'habitude, il avait dormi huit heures, ni plus ni moins. Sa décision avait pris forme dans le rêve. Aujourd'hui, il recréerait la réalité exactement telle qu'elle s'était offerte à lui cinquante et un jours plus tôt. Le moment était venu de l'exhiber aux regards.

Il s'était levé à cinq heures. Il ne changeait pas ses habitudes sous prétexte que c'était son jour de congé. Il but une tasse du thé spécial qu'il faisait venir directement de Shanghai, replia le tapis rouge du séjour et fit ses mouvements de gymnastique. Après vingt minutes, il tâta son pouls, nota le résultat dans son carnet d'entraînement et prit une douche. À six heures et quart, il était à sa table. Ce jour-là, il devait étudier un rapport exhaustif qu'il avait commandé au département du Travail, où l'on discutait des différentes mesures envisagées pour combattre le chômage. Il souligna des phrases au crayon, ajouta une ou deux notes dans la marge. Mais il ne trouva rien de neuf ou d'inattendu. Toutes les conclusions de statistiques et d'analyses rassemblées par ce fonctionnaire, il les connaissait par cœur.

Il posa son crayon et pensa aux anonymes qui avaient élaboré les éléments de ce rapport dénué de sens. Eux ne couraient aucun risque de perdre leur emploi, pensa-t-il. Ils n'auraient jamais la chance de percer à jour le sens de l'existence, de discerner ce qui importait réellement. Ce qui donnait à un être humain sa véritable valeur.

Il continua de lire jusqu'à dix heures. Puis il s'habilla et sortit faire des courses. Au retour, il déjeuna et se reposa jusqu'à quatorze heures.

Sa chambre à coucher était parfaitement insonorisée. L'installation lui avait coûté une fortune, mais ça valait le coup. Aucun bruit de la rue ne parvenait jusqu'à lui. Les fenêtres avaient été murées. Un système d'air conditionné silencieux lui fournissait de l'air à la bonne température. Sur le mur, un planisphère lumineux lui permettait de suivre la trajectoire du soleil. Cette chambre était son centre. Ici, il pouvait réfléchir en toute sérénité. À ce qui s'était déjà produit, et à ce qui allait encore se produire.

La chambre insonorisée était un absolu. Il y régnait une clarté, une évidence qu'il ne trouvait nulle part ailleurs.

Ici, nul besoin de se demander qui il était. Ni s'il avait raison.

De penser qu'il n'y avait pas de justice.

La conférence devait avoir lieu dans un hôtel au nord du pays, à la montagne. Le chef du bureau d'ingénieurs où il travaillait à l'époque lui avait demandé sans préambule de remplacer celui qui devait s'y rendre, et qui était tombé malade. Il avait évidemment accepté, bien qu'il eût déjà des projets pour le week-end. Il avait accepté puisqu'il voulait être du même avis que son chef : sur l'intérêt de sa présence à cette conférence consacrée aux nouvelles technologies digitales. La conférence était dirigée par un vieux monsieur – l'un des inventeurs des caisses enregistreuses mécaniques d'Åtvidaberg. Il parlait de l'avenir et tous les participants prenaient des notes.

Un sauna collectif était prévu le dernier soir. Or il n'aimait pas le sauna, se montrer nu devant d'autres hommes. Ne sachant pas quoi faire, il avait finalement attendu au bar pendant que les autres transpiraient sur les bancs en bois. Après, ils avaient bu. Quelqu'un avait raconté une histoire sur la meilleure manière de licencier les gens. Tous les hommes présents occupaient des postes de direction – sauf lui, qui n'était encore qu'un simple ingénieur. Chacun y était allé de son anecdote, et de fil en aiguille ils avaient fini par se tourner vers lui, attendant qu'il apporte sa contribution. Il ne savait pas quoi dire. Il n'avait jamais licencié quelqu'un. Jamais non plus il n'avait imaginé qu'il puisse se retrouver au chômage. Il avait fait ses études. Il connaissait son métier. Et il était toujours d'accord.

Après, au moment du désastre, il s'était souvenu de l'une de ces histoires. Un petit homme grassouillet, répugnant, entrepreneur à Torshälla, racontait comment il avait convoqué l'un de ses anciens collaborateurs dans son bureau. « Je lui ai tapé sur l'épaule et je lui ai dit : "Je me demande vraiment comment nous aurions fait sans toi pendant toutes ces années." C'était excellent. Le vieux était fier, content, plus du tout sur la défensive. Il ne restait plus qu'à enfoncer le clou. J'ai juste dit : "Mais on va tout de même essayer à partir de demain." Et voilà. »

Il repensait souvent à cette histoire. S'il l'avait pu, il aurait volontiers fait le voyage jusqu'à Torshälla pour tuer celui qui s'était vanté ainsi d'avoir renvoyé le vieil homme.

Il quitta son appartement à quinze heures et prit sa voiture. Il sortit de la ville en direction de l'est, s'arrêta sur un parking de Nybrostrand et attendit. Quand il fut certain d'être seul, il se dirigea rapidement vers une autre voiture garée un peu plus loin, mit le contact et démarra. Avant de s'engager sur la route principale, il s'équipa de lunettes et d'une casquette à visière qu'il enfonça sur son front. Il faisait chaud. Mais il n'avait pas baissé sa vitre. Avec ses sinus fragiles, il ne voulait pas prendre le risque de s'enrhumer dans le courant d'air.

Parvenu à la réserve, il constata qu'il avait de la chance. Aucune voiture en vue. Il était seul. Inutile donc de poser les fausses plaques d'immatriculation. Samedi, seize heures passées – il n'y aurait probablement plus de visiteurs. Trois semaines de suite, il avait surveillé l'entrée de la réserve le samedi soir. Les rares visiteurs tardifs étaient repartis avant vingt heures. Il ouvrit le coffre, prit la mallette en plastique contenant ses outils. Il avait aussi préparé des tartines et du thé dans une Thermos. Il regarda autour de lui, prêta l'oreille. Puis il disparut le long d'un sentier.

Le petit coup de vent était imperceptible, mais il l'avait senti. Il regarda sa montre. Vingt heures moins trois minutes. Depuis son arrivée, personne n'était passé sur le sentier. Seul un chien avait aboyé, peu après dix-neuf heures. Il savait ce que cela signifiait. La réserve était déserte. Il aurait la paix.

Comme il l'avait prévu et programmé, exactement.

Il jeta un nouveau regard à sa montre. Vingt heures et une minute. Il décida d'attendre jusqu'au quart.

Au moment venu, il se laissa glisser avec précaution au bas du talus et fut englouti par les broussailles. Quelques minutes plus tard, il arrivait à destination. Il constata immédiatement que personne n'était venu. Il avait tendu un fil entre deux arbres à l'entrée de la petite clairière. Le fil était intact. Il prit la bêche pliante qu'il avait emportée et se mit au travail. Il creusait méthodiquement, sans se presser. Il ne voulait surtout pas transpirer car, alors, le risque de s'enrhumer était beaucoup trop grand. Toutes les huit pelletées, il s'immobilisait et prêtait l'oreille. Il mit vingt minutes à déblayer les mottes dures, bien tassées, et à dégager la bâche. Avant de la replier, il enduisit ses narines de pommade mentholée et mit un masque de chirurgien. Puis il rangea la bâche dans sa mallette. Les trois sacs en plastique étaient là, côte à côte. Aucune odeur ne s'en échappait. Bonne étanchéité. Il se pencha, souleva le premier et s'éloigna, le sac dans les bras. Il était devenu fort, à force de s'entraîner sans arrêt. Il lui fallut à peine dix minutes pour transporter les trois sacs jusqu'à leur lieu d'origine. Puis il revint à la clairière, remit les mottes de terre à leur place et piétina le sol de manière à l'égaliser, s'arrêtant régulièrement pour tendre l'oreille.

Il retourna auprès de l'arbre au pied duquel il avait posé les sacs. Dans sa mallette, il prit la nappe, les verres et quelques poches en plastique contenant les restes moisis de nourriture qu'il avait conservés dans son garde-manger.

Puis il ouvrit les sacs et en tira les cadavres. Les perruques avaient perdu de leur blancheur, les taches de sang étaient devenues grises. Il dut tordre et casser les corps en plusieurs endroits pour recréer la disposition de la photo prise lors de la fête.

Pour finir, il versa un peu de vin dans l'un des verres.

De nouveau, il prêta l'oreille. Tout était silencieux.

Il ramassa les sacs en plastique, les fourra dans sa mallette et quitta les lieux après avoir enlevé son masque et essuyé la pommade de ses narines. Il ne croisa personne sur le chemin du retour jusqu'à l'entrée de la réserve. Le parking était désert. Il prit la direction de Nybrostrand, changea de voiture. Peu avant vingt-deux heures, il était de retour à Ystad. Au lieu de rentrer chez lui, il poursuivit en direction de Trelleborg. Parvenu à un sentier où la voiture pouvait s'approcher de la mer, loin des regards, il s'arrêta, fourra deux des sacs en plastique dans le troisième, ajouta quelques morceaux de ferraille qu'il gardait dans le coffre et jeta le tout à l'eau. Le sac coula instantanément.

Lorsqu'il fut chez lui, il commença par brûler son masque dans la cheminée. Puis il rangea dans un sac-poubelle les chaussures dont il s'était servi au cours de la soirée. La pommade rejoignit l'armoire à pharmacie. Il prit une douche brûlante et passa tout son corps au désinfectant.

Puis il se fit du thé. La boîte était presque vide, il faudrait passer une nouvelle commande dès lundi. Il le nota sur son tableau, dans la cuisine. Puis il regarda la télévision, un débat sur les personnes sans domicile fixe. Comme d'habitude, il n'apprit rien qu'il ne savait déjà.

Vers minuit, il s'assit à la table de la cuisine devant une pile de lettres.

Il était temps d'envisager l'avenir.

Avec précaution, il ouvrit la première enveloppe et se mit à lire.

*

À treize heures trente, ce même samedi 10 août, Wallander quitta la villa des Hillström avec l'intention de se rendre directement à Skårby, au domicile d'Isa Edengren – la fille qui, selon Eva Hillström, aurait dû participer à la fête mais en avait été empêchée au dernier moment. Wallander lui reprocha de ne pas leur avoir communiqué cette information plus tôt. Mais il éprouvait aussi une culpabilité lancinante. Pourquoi n'avait-il pas envisagé plus tôt qu'il ait pu arriver malheur aux trois jeunes ?

Il s'arrêta sur la place de la ville d'où partaient les bus, entra dans le salon de thé, commanda un sandwich et une bouteille d'eau, se rappela – trop tard – qu'il aurait dû demander un sandwich sans beurre et tenta de gratter le beurre avec son couteau. Un homme assis un peu plus loin l'observait – sans doute parce qu'il l'avait reconnu, pensa Wallander. Maintenant, la rumeur allait se répandre que la police passait son temps à gratter le beurre de ses tartines dans les salons de thé au lieu de chercher le meurtrier d'un collègue. Wallander soupira intérieurement. Il n'avait jamais pu s'habituer aux rumeurs.

Il but un café et se rendit aux toilettes avant de repartir. Une fois sorti de la ville, il choisit la route de l'intérieur, celle qui passait par Bjäresjö. Il venait de quitter la route principale lorsque son portable bourdonna. Il s'arrêta sur le bas-côté. C'était Ann-Britt Höglund.

– Je viens de rendre visite aux parents de Lena Norman, dit-elle. Je crois que j'ai découvert quelque chose.

Wallander serra l'écouteur contre son oreille.

– Apparemment, une quatrième personne aurait dû participer à cette fête.

– Je sais. Je vais chez elle.

– Isa Edengren ?

– Oui. Eva Hillström m'a montré l'original de la photo de Svedberg. C'est sa fille qui l'a prise l'année dernière, avec un déclencheur automatique.

– On dirait que Svedberg a toujours un temps d'avance sur nous.

– On le rattrape. À part ça ?

– Des gens ont téléphoné. Mais aucune information décisive.

– Rends-moi service, dit Wallander. Appelle Ylva Brink et demande-lui quelle était la taille du télescope de Svedberg. Est-ce qu'il était très lourd ? Je ne comprends pas où il est passé.

– On a déjà écarté l'hypothèse du cambriolage ?

– On n'a rien écarté du tout. Mais si quelqu'un s'est promené avec un télescope, une autre personne l'a peut-être vu.

– C'est très urgent, ou ça peut attendre ? Je dois aller à Trelleborg pour parler à l'un des garçons de la photo.

– Dans ce cas, ça peut attendre. Qui s'occupe de l'autre garçon ?

– Martinsson et Hansson, ensemble. Ils sont en ce moment à Simrishamn, chez la famille Boge.

Wallander hocha la tête. C'est bien, pensa-t-il.

– C'était important de les rencontrer tous dès aujourd'hui, dit-il. Je crois que nous saurons nettement plus de choses d'ici ce soir.

Wallander reprit la route. Arrivé à Skårby, il suivit les indications d'Eva Hillström. Il avait cru comprendre que le père d'Isa Edengren possédait une très grande ferme, et plusieurs engins de terrassement.

Il remonta une allée et s'arrêta. La maison s'élevait sur deux étages. Une BMW était garée dans la cour. Il descendit de voiture et sonna. Pas de réponse. Il cogna à la porte. Sonna de nouveau. Il était quatorze heures. Il constata qu'il transpirait. Sonna encore une fois, sans résultat. En contournant la maison, il découvrit un grand jardin à l'ancienne avec des arbres fruitiers bien entretenus. Il y avait une piscine et des fauteuils qui paraissaient coûteux. Tout au fond du jardin, il aperçut un pavillon à moitié enseveli sous les branchages. Après un regard circulaire, il se dirigea vers le pavillon. La porte peinte en vert était entrebâillée. Il frappa. Pas de réponse. Il poussa la porte. Les rideaux étaient tirés, masquant les petites fenêtres. Après quelques instants, son regard s'accoutuma à l'obscurité.

Soudain, il s'aperçut qu'il n'était pas seul. Quelqu'un dormait sur le divan. Des cheveux noirs dépassaient d'une couverture. La personne lui tournait le dos. Wallander ressortit, referma doucement la porte et frappa. Aucune réaction.

Alors il ouvrit la porte en grand, trouva un interrupteur, alluma et s'avança jusqu'à la forme endormie. Il lui toucha l'épaule. Rien. Il comprit alors que quelque chose clochait et retourna la dormeuse. C'était Isa Edengren. Il essaya de lui parler, la secoua. Sa respiration était lourde, lente. Il la secoua de nouveau, durement, essaya de la faire asseoir, en vain. Il la recoucha, chercha son portable. Il l'avait oublié sur le siège du passager après sa conversation avec Ann-Britt. Il remonta jusqu'à la voiture en courant, composa le numéro des urgences et expliqua le chemin de la ferme.

– À mon avis, c'est soit une maladie, soit une tentative de suicide. Qu'est-ce que je fais en attendant ?

– Veille à ce qu'elle ne s'arrête pas de respirer. Tu es de la police, tu sais comment faire.

L'ambulance arriva seize minutes plus tard. À ce moment-là, Wallander avait déjà contacté Ann-Britt Höglund – qui n'était pas encore partie pour Trelleborg. Il lui demanda de se rendre à l'hôpital pour accueillir l'ambulance, car il voulait rester encore un peu à

Skårby. Il regarda l'ambulance disparaître dans l'allée. Puis il essaya d'ouvrir la porte d'entrée. Fermée à clé. Il fit le tour de la maison, mais la porte de la cuisine était fermée aussi. Au même instant, il entendit une voiture freiner dans la cour et rebroussa chemin. Un homme en bleu de travail et bottes de caoutchouc descendait d'une petite Fiat.

– J'ai aperçu l'ambulance, dit-il.

Son regard était très inquiet. Wallander se présenta et ajouta qu'Isa Edengren était probablement malade. Il ne voulait pas en dire plus.

– Où sont ses parents ? demanda-t-il.

– En voyage.

– Pourrais-tu me dire où ils sont ? Il faut les prévenir.

– En Espagne. Ou peut-être en France. Ils ont une maison dans chaque pays.

Wallander réfléchit, en pensant aux portes fermées à clé.

– Je suppose qu'Isa habite ici en leur absence ?

L'homme fit non de la tête.

– Comment dois-je interpréter cela ?

– Je ne me mêle pas de ce qui ne me regarde pas, dit l'homme en se détournant pour regagner sa voiture.

– Trop tard, dit Wallander sans hésiter. Tu l'as déjà fait. Comment t'appelles-tu ?

– Erik Lundberg.

– Et tu habites près d'ici ?

Lundberg indiqua une ferme visible de l'endroit où ils se trouvaient.

– Maintenant, je voudrais que tu répondes à ma question : Isa habitait-elle ici en l'absence de ses parents ?

– Elle n'avait pas la permission.

– Que veux-tu dire ?

– Elle dormait dans le pavillon.

– Pourquoi pas dans la maison ?

– Il y a eu des histoires. Quand les parents étaient absents. Des fêtes, des choses qui ont disparu.

– Comment sais-tu tout cela ?

La réponse de Lundberg le prit au dépourvu :

– Ils ne la traitent pas bien. L'hiver dernier, alors qu'il faisait moins dix, ils sont partis en fermant la maison à clé. Le pavillon n'est pas chauffé. Isa est arrivée chez nous à moitié morte de froid, on l'a hébergée et elle a raconté des choses. Pas à moi. À ma femme.

– Alors on va chez toi. Je veux savoir ce qu'elle a raconté à ta femme. Vas-y, je te rejoins dans quelques minutes.

Auparavant, il voulait examiner le pavillon. Il ne trouva aucune trace de somnifères, aucune lettre. Il jeta un dernier regard autour de lui avant de retourner à la voiture. Son portable bourdonna.

– Elle est arrivée, dit Ann-Britt Höglund.

– Que disent les médecins ?

– Pas grand-chose pour l'instant.

Elle promit de le rappeler dès qu'elle aurait du nouveau. Wallander urina à côté de sa voiture avant de se rendre chez les Lundberg. Un chien méfiant barrait l'accès au perron. Lundberg apparut sur le seuil et chassa l'animal. Wallander entra dans une cuisine chaleureuse. La femme de Lundberg avait préparé du café. Elle s'appelait Barbro et s'exprimait avec un fort accent de Göteborg.

– Comment va Isa ? demanda-t-elle aussitôt.

– J'attends un appel de ma collègue, qui se trouve près d'elle à l'hôpital.

– Elle a essayé de se suicider ?

– Je ne sais pas encore. Mais je n'ai pas réussi à la réveiller.

Il s'assit à la table de la cuisine, le portable à côté de lui.

– Je suppose que ce n'est pas la première fois, si tu as tout de suite pensé à une tentative de suicide.

– C'est une famille de suicidés, coupa Lundberg.

Son malaise était palpable ; il se tut, comme s'il regrettait déjà d'en avoir trop dit.

Barbro Lundberg posa la cafetière sur la table.

– Le frère d'Isa est mort il y a deux ans, dit-elle. Jörgen avait dix-neuf ans. Il n'y avait qu'un an de différence entre Isa et lui.

– Que s'est-il passé ?

– Il s'est allongé dans la baignoire, dit Lundberg. Mais, avant, il avait écrit une lettre à ses parents, où il leur disait d'aller se faire foutre. Puis il a branché un grille-pain sur la prise du rasoir et il l'a lâché dans l'eau.

Wallander écoutait sans rien dire ; il lui semblait vaguement se rappeler cet événement.

Soudain il se rappela que c'était Svedberg qui avait suivi cette affaire et établi qu'il s'agissait sans doute d'un suicide. Ou d'un accident – souvent, l'incertitude subsistait.

En entrant, Wallander avait aperçu un journal sur la banquette ancienne placée sous la fenêtre, avec une photo de Svedberg en première page. À présent, il avait besoin d'une réponse immédiate à une question ; il déplia le journal et leur montra la photographie.

– Vous avez peut-être entendu parler de la mort de ce policier…

La réponse fusa avant même que Wallander ait pu poser sa question :

– Il est venu il y a un mois.

– Chez vous ou chez les Edengren ?

– D'abord chez eux. Puis chez nous. Comme toi aujourd'hui.

– Les parents étaient déjà partis ?

– Non.

– Il a donc rencontré les parents d'Isa ?

– Je n'en sais rien. En tout cas, les parents n'étaient pas encore partis.

– Pourquoi est-il venu ? Chez vous, je veux dire ? Que vous a-t-il demandé ?

– Il nous a interrogés sur les fêtes, dit Barbro Lundberg. Celles qu'organisait Isa quand ses parents étaient absents. Avant qu'ils ne l'enferment dehors, si je puis dire.

– C'était la seule chose qui l'intéressait, ajouta son mari.

L'attention de Wallander s'aiguisa. Il tenait enfin une possibilité de comprendre les agissements de Svedberg au cours de l'été.

– Je voudrais que tu me répètes ce qu'il vous a demandé exactement.

– Un mois, c'est long.

– Mais vous étiez ici, à cette table ?

– Oui.

– Je suppose que vous avez pris le café ?

La femme sourit.

– Il a goûté mon quatre-quarts et l'a trouvé bon.

– Ce devait être peu après la Saint-Jean ?

L'homme et la femme échangèrent un regard. Wallander vit qu'ils faisaient un effort de mémoire.

– Je crois que c'était l'un des premiers jours de juillet, dit la femme. En réalité, j'en suis sûre.

– Très bien. D'abord, il a donc rendu visite à la famille Edengren. Puis il est venu chez vous.

– Isa était avec lui. Mais elle était malade.

– Malade ?

– Quelque chose à l'estomac. Ça faisait une semaine qu'elle était au lit. Je l'ai trouvée très pâle.

– Isa a donc assisté à la conversation ?

– Elle lui a juste montré le chemin, et elle est retournée chez elle.

– Il vous a interrogés sur les fêtes ?

– Oui.

– Que voulait-il savoir ?

– Si nous connaissions les gens qui étaient invités d'habitude. Mais on ne les connaissait pas, bien sûr.

– Pourquoi est-ce si évident ?

– C'étaient des jeunes, pardi. Ils venaient en voiture, ils repartaient comme ils étaient venus.

– Que vous a-t-il demandé d'autre ?

– Si c'était des fêtes costumées.

– C'était son expression ?

– Oui.

– Pas du tout, intervint sa femme. Il a demandé si les gens qui venaient à ces fêtes étaient déguisés.

– Et alors ? Ils l'étaient ?

Le couple dévisagea Wallander avec surprise.

– Comment veux-tu qu'on le sache ? On n'y était pas. On n'est pas du genre à espionner derrière nos rideaux. Si on a vu quelque chose, c'est pur hasard.

– Alors vous avez bien vu quelque chose ?

– Ces fêtes pouvaient se passer à l'automne. Il faisait nuit. Comment savoir si les gens étaient déguisés ?

Wallander réfléchit.

– Que vous a-t-il demandé d'autre ?

– Rien. Il a surtout passé son temps à se gratter la tête avec un Bic. Il est peut-être resté une demi-heure. Puis il s'est excusé et il est parti.

Le portable bourdonna. C'était Ann-Britt.

– Ils lui font un lavage d'estomac.

– Tentative de suicide, autrement dit ?

– Il est rare que les gens avalent autant de somnifères par erreur.

– Le médecin peut-il l'affirmer ?

– Le fait qu'elle ait perdu connaissance indique un empoisonnement. Ça confirme.

– Elle va s'en sortir ?

– Oui, d'après ce qu'on m'a dit.

– Dans ce cas, il vaut peut-être mieux que tu ailles à Trelleborg.

– Je crois aussi. À tout à l'heure.

Wallander raccrocha. Le mari et la femme le dévisageaient avec inquiétude.

– Apparemment, elle est hors de danger. Mais je dois parler à ses parents.

– Nous avons quelques numéros de téléphone, dit Lundberg en se levant.

– Ils voulaient qu'on les appelle au cas où il arriverait quelque chose à la maison. Mais pas autrement.

– Pas si Isa tombait malade, par exemple ?

Elle acquiesça en silence. L'homme revint avec un bout de papier. Wallander recopia les deux numéros.

– Pouvons-nous lui rendre visite à l'hôpital ? demanda la femme.

– Sûrement. Mais attendez jusqu'à demain, ça vaut mieux.

Lundberg le raccompagna jusqu'à sa voiture.

– Avez-vous les clés de la maison ?

– Ils ne nous les auraient jamais confiées.

Wallander prit congé et refit le chemin en sens inverse jusqu'à la ferme des Edengren. Au cours de la demi-heure qui suivit, il fouilla méthodiquement le pavillon, sans savoir du tout ce qu'il cherchait. Puis il s'assit sur le divan où il avait trouvé Isa Edengren.

Quelque chose se reproduit, pensa-t-il. Svedberg rend visite à la fille qui n'a pas participé à la fête de la Saint-Jean. Et qui, pour cette raison, n'a pas disparu. Svedberg pose des questions à propos de fêtes et de gens déguisés.

Maintenant Isa Edengren tente de se suicider et Svedberg a été assassiné.

Wallander se leva et ressortit du pavillon.

Il était inquiet. Il ne semblait déceler aucune cohérence. Vers où devait-il se tourner ? Toutes les directions étaient possibles, aucune ne s'imposait.

Il remonta en voiture et retourna à Ystad. Avant toute chose, il voulait rendre une deuxième visite à Sture Björklund.

Il était presque seize heures lorsqu'il freina dans la cour de la ferme de Hedeskoga. Il frappa à la porte et attendit. Sture Björklund était sans doute à Copenhague. Ou alors aux États-Unis, en train de proposer ses dernières idées de monstres à des producteurs. Wallander frappa un grand coup sur la porte. Puis il contourna la maison sans attendre de réponse. Le jardin était à l'abandon, quelques meubles en bois à moitié pourris gisaient éparpillés dans l'herbe haute. Wallander s'approcha d'une fenêtre et jeta un coup d'œil à l'intérieur. Puis il continua vers l'autre aile, qui servait visiblement de remise. Il tourna la poignée ; la porte n'était pas fermée à clé. Il entra. Pas d'interrupteur visible. Il ouvrit la porte en grand et la coinça avec un bout de planche. Un grand désordre régnait à l'intérieur. Il s'apprêtait à ressortir lorsque son attention fut attirée par un objet caché sous une bâche, dans un coin. Il s'agenouilla et souleva la bâche avec précaution. Une sorte de machine. Il souleva un peu plus. C'était vraiment une machine. Plus exactement un instrument.

Il ne se souvenait pas d'en avoir jamais vu de semblable.

Pourtant, il comprit tout de suite ce que c'était.

Un télescope.

11

En ressortant dans la cour, Wallander constata que le vent s'était levé. Il lui tourna le dos et s'immobilisa pour réfléchir. Qui possède un télescope chez soi ? Pas grand monde. De plus, si les deux cousins avaient partagé un intérêt pour le ciel nocturne, Ylva Brink l'aurait su. La conclusion s'imposait d'elle-même. Le télescope qu'il venait de découvrir dans la remise était celui de Svedberg. Il n'y avait pas d'autre explication possible.

Cela suscitait une tout autre question : Pourquoi Sture Björklund n'en avait-il rien dit ? Avait-il quelque chose à cacher, ou ignorait-il simplement la présence de ce télescope chez lui ?

Wallander consulta sa montre. Seize heures quarante-cinq. Samedi 10 août. Le vent dans son dos était chaud. L'automne se tenait encore à distance.

Il se dirigea vers sa voiture. L'inquiétude était toujours présente. Sture Björklund aurait-il malgré tout pu tuer son propre cousin ? Il avait du mal à le croire.

Il devenait urgent de découvrir ce que savait ou dissimulait ce Björklund. Il prit son portable et appela le commissariat. Ni Martinsson ni Hansson n'étaient encore rentrés. Il demanda au policier de garde d'envoyer une voiture à Hedeskoga.

– Que se passe-t-il ? demanda le policier.

– C'est pour une surveillance. Tu peux noter que c'est lié à Svedberg.

– On sait qui l'a tué ?

– Non. Simple routine. Je veux une voiture banalisée, au fait.

Il expliqua à quel carrefour il l'attendrait.

Lorsqu'il arriva au lieu convenu, la voiture d'Ystad était déjà là.

Il désigna aux policiers l'endroit où ils devaient stationner et leur demanda de le prévenir dès que Björklund se montrerait.

Puis il prit la direction d'Ystad. Il était affamé et il avait la bouche sèche. Il s'arrêta à un kiosque sur la route de Malmö et commanda un hamburger. En attendant, il but une canette d'eau pétillante. Après avoir mangé, beaucoup trop vite comme d'habitude, il acheta une grande bouteille d'eau minérale.

Il avait avant tout besoin de réfléchir. Au commissariat, il risquait d'être dérangé. C'est pourquoi il quitta de nouveau la ville et laissa sa voiture devant l'hôtel de Saltsjöbaden. Le vent avait durci, mais il trouva un coin abrité avec, curieusement, un vieux traîneau de course. Il s'assit dessus et ferma les yeux.

Il doit y avoir un accès possible, pensa-t-il. Un point de contact que je ne vois pas. Il essaya de récapituler en détail les événements et aussi toutes les pensées qui lui étaient venues jusque-là. Malgré ses efforts, tout demeurait confus. Il se demanda ce qu'aurait fait Rydberg. De son vivant, Wallander avait toujours eu quelqu'un vers qui se tourner quand il avait besoin d'un conseil. Ils allaient sur la plage ou s'installaient dans un bureau désert du commissariat, la nuit, et raisonnaient ensemble jusqu'à trouver un point d'ancrage. Mais Rydberg n'était plus là. Wallander ne percevait même plus sa voix. Il n'y avait plus que le silence.

Parfois, il lui semblait qu'Ann-Britt pourrait devenir sa nouvelle interlocutrice. Elle savait écouter aussi bien que Rydberg et n'hésitait pas à passer par des détours inattendus pour trouver la brèche.

C'est possible, pensa-t-il. Ann-Britt est un bon policier. Mais ces choses-là prennent du temps.

Il se leva lourdement et retourna à sa voiture.

Un seul point récurrent dans cette affaire, pensa-t-il. Des gens travestis qui surgissent partout.

Svedberg conduit des interrogatoires secrets à propos de fêtes costumées. On retrouve chez lui une photo de jeunes portant eux aussi des déguisements.

Partout ces gens déguisés.

Vers dix-huit heures, il était de retour au commissariat. Ann-Britt ne tarderait sans doute pas à rentrer de Trelleborg. Hansson et Martinsson venaient de partir dîner, lui dit-on. Ils étaient probablement chez Martinsson ; quand ils travaillaient ensemble, Martinsson invitait souvent son collègue à manger chez lui.

La soirée serait longue. Dès que tous seraient présents, ils refermeraient les portes de la salle de réunion. Il ôta sa veste et appela l'hôpital. Après quelques efforts, il réussit à parler à un médecin qu'il connaissait. Celui-ci lui assura que l'état d'Isa Edengren était stable et qu'elle s'en sortirait.

– Dis-moi ce que tu n'as pas le droit de me dire. Était-ce un appel au secours ou une tentative sérieuse ?

– Si je comprends bien, c'est toi qui l'as trouvée inconsciente.

– Oui.

– Dans ce cas, laisse-moi recourir au langage diplomatique. C'est une chance que tu l'aies trouvée à ce moment-là, et pas plus tard.

Wallander hocha la tête. Il s'apprêtait à raccrocher lorsqu'une autre question lui traversa l'esprit.

– Sais-tu si quelqu'un lui a rendu visite à l'hôpital ?

– Elle ne peut recevoir personne.

– Je comprends. Mais je me demandais si quelqu'un s'était manifesté ou avait témoigné de l'intérêt pour elle depuis son arrivée ?

– Je vais me renseigner.

Wallander attendit, tout en cherchant dans sa poche le bout de papier où il avait noté les numéros des parents en France et en Espagne. Le médecin revint.

– Personne n'est venu, dit-il. Personne n'a téléphoné. Au fait, qui s'occupe de prévenir ses parents ?

– C'est nous.

Wallander raccrocha du bout de l'index. Puis il composa le premier numéro, sans savoir si l'indicatif était celui de la France ou de l'Espagne. Il compta quinze sonneries. Il raccrocha et composa l'autre numéro. Une femme répondit aussitôt. Wallander se présenta.

– Je suis Berit Edengren.

Wallander, qui pensait au frère d'Isa, essaya de lui donner une version des faits aussi peu brutale que possible. Mais c'était bel et bien une tentative de suicide, on ne pouvait pas le nier. On ne *devait* pas le nier.

Lorsque la mère d'Isa prit enfin la parole, ce fut d'une voix calme.

– Je vais parler à mon mari, dit-elle. Nous devrons peut-être envisager de rentrer en Suède.

Wallander sentit monter l'indignation.

– J'espère que j'ai été clair. Ça aurait pu très mal se terminer.

– Mais ce n'est pas le cas. Heureusement.

Wallander lui communiqua le numéro de l'hôpital et le nom du médecin. Il décida de ne pas l'interroger sur Svedberg dans l'immédiat. En revanche, il ne pouvait éviter d'aborder la question de la fête à laquelle elle aurait dû participer.

– Isa n'est pas très communicative, répondit-elle. Je n'étais pas au courant d'un projet de fête pour la Saint-Jean.

– Elle en a peut-être parlé à son père ?

– J'en doute.

– Martin Boge, Lena Norman et Astrid Hillström, poursuivit Wallander. Je suppose que ces noms te sont familiers ?

– Ce sont les amis d'Isa.

– Isa ne t'a donc rien dit de l'endroit où ils comptaient passer la nuit de la Saint-Jean ?

– Non.

– C'est une question très importante. Réfléchis bien. Se peut-il qu'elle ait malgré tout mentionné un lieu ?

– Ma mémoire est bonne. Isa n'a rien dit.

– Sais-tu si elle possède des déguisements ?

– Est-ce vraiment important ?

– Oui. Réponds à ma question.

– Je ne fouille pas dans son armoire.

– Y a-t-il quelque part un double des clés de la maison ?

– Dans la gouttière, à droite, à l'angle de la maison. Mais Isa ne le sait pas.

– Elle n'en aura pas l'usage pendant les jours à venir de toute façon, répliqua Wallander sèchement.

Il avait encore une question :

– Isa a-t-elle parlé d'un voyage qu'elle comptait entreprendre après la Saint-Jean ?

– Non.

– T'en aurait-elle parlé si cela avait été le cas ?

– Seulement si elle avait eu besoin d'argent. Ce qui était toujours le cas.

Wallander sentit son sang-froid l'abandonner tout à fait.

– Nous reprendrons très certainement contact avec toi, dit-il.

Et il raccrocha brutalement.

Au même instant, il constata qu'il ignorait encore s'il venait de téléphoner en France ou en Espagne.

Il alla chercher un café à la cafétéria. En revenant vers son bureau, il se rappela qu'il lui restait encore quelqu'un à appeler. Il trouva le numéro. Cette fois, on lui répondit.

– Bror Sundelius ?

– C'est moi.

La voix était celle d'un homme âgé, qui s'exprimait avec fermeté. Wallander se présenta. Il s'apprêtait à parler de Svedberg lorsqu'il fut interrompu :

– J'attendais votre appel. Je m'étonne que la police ait attendu si longtemps avant de me contacter.

– J'ai essayé plusieurs fois. Pourquoi attendiez-vous notre appel ?

La réponse fusa sans hésitation :

– Karl Evert n'avait pas beaucoup d'amis proches. J'en faisais partie. Il me semblait donc évident que vous chercheriez à m'interroger.

– À quel sujet ?

– Vous devriez le savoir mieux que moi.

Tout juste, pensa Wallander. Ce monsieur n'est pas menacé par la sénilité.

– Je voudrais vous rencontrer. Soit ici, soit chez vous. Demain matin de préférence.

– Avant, le matin, j'allais à mon travail. Maintenant, je tourne en rond. J'ai du temps à ne savoir qu'en faire. Je vous attends quand vous voulez, demain matin à partir de quatre heures et demie. Ici, à Vädergränd, mes jambes ne sont pas en très bon état. Quel âge a le commissaire ?

– J'aurai bientôt cinquante ans.

– Dans ce cas, vos jambes sont sans doute plus agiles que les miennes. En plus, à votre âge, il faut penser à bouger. Sinon on risque le pépin cardiaque, ou le diabète.

Wallander en resta médusé.

– Le commissaire est toujours là ?

– Oui. Demain matin à neuf heures, ça vous convient ?

À dix-neuf heures trente, ils se rassemblèrent dans la salle de réunion. Lisa Holgersson était arrivée quelques minutes plus tôt en compagnie du procureur qui devait prendre la relève de Per Åkeson. Après beaucoup d'années d'hésitation, celui-ci s'était mis en disponibilité et œuvrait désormais en Ouganda pour le compte du Haut-Commissariat aux réfugiés de l'ONU. Il était parti depuis bientôt huit mois et écrivait de temps à autre à Wallander pour lui raconter sa nouvelle vie et l'effet que lui faisait ce changement spectaculaire de travail et d'environnement.

Per Åkeson lui manquait, même s'ils n'avaient jamais été intimes. Il lui arrivait aussi d'éprouver une pointe de jalousie. Aurait-il un jour le courage de faire comme Åkeson : tenter autre chose ? Il aurait bientôt cinquante ans. Sa marge de manœuvre rétrécissait. De plus en plus vite.

Le procureur remplaçant s'appelait Thurnberg et venait d'Örebro. Wallander n'avait pas eu beaucoup affaire à lui puisqu'il n'était à Ystad que depuis la mi-mai. Plus jeune que lui de quelques années, c'était un homme physiquement bien entraîné et intellectuellement rapide. Wallander ne savait qu'en penser. Par moments, il lui faisait l'effet d'un type très arrogant.

Wallander martela la table du bout de son crayon et regarda autour de lui. La chaise de Svedberg était toujours vide. Il se demanda si quelqu'un s'en servirait un jour.

Il prévoyait que Björklund rentrerait de Copenhague dans la soirée ; c'est pourquoi il commença par informer les autres de la découverte du télescope et des pensées qui lui étaient venues à ce sujet. Puis il laissa la parole à Martinsson.

– Nous avons eu une petite conversation juste avant la réunion. J'ai été frappé par un détail : il n'y a pas de journaux intimes. J'ai interrogé les autres. Idem. Aucun de ces jeunes ne tenait de journal. Nous n'avons pas non plus retrouvé d'agendas.

– Ni de lettres, ajouta Hansson.

– C'est étrange, confirma Ann-Britt. On dirait qu'ils ont effacé délibérément leurs traces.

– Et les autres ? Ceux que vous avez vus aujourd'hui, ceux qui figuraient sur l'autre photo ?

– Même chose, dit Martinsson. On devrait peut-être les presser davantage sur ce point.

– Il faut commencer par le commencement. Isa Edengren est en train de revenir à la vie ; nous irons la voir dans un jour ou deux, à l'hôpital. D'ici là, nous devons garder deux choses présentes à l'esprit. Elle a fait une tentative de suicide sérieuse. Et son frère Jörgen s'est suicidé il y a un an environ, après avoir écrit un message d'adieu où il demandait à ses parents d'aller se faire foutre – je cite le témoignage du voisin.

Martinsson feuilletait ses notes. Il venait de reprendre la parole lorsqu'on frappa à la porte. Un policier apparut et fit un signe de tête à Wallander.

– Björklund est rentré, dit-il.

Wallander se leva.

– J'y vais. Pas la peine de m'accompagner, il ne s'agit pas d'une arrestation. On continue à mon retour.

Nyberg se leva aussi.

– Il vaut mieux que je jette un coup d'œil à ce télescope dès maintenant.

Ils prirent la voiture de Nyberg jusqu'à Hedeskoga. La voiture de police attendait au carrefour. Wallander descendit et interrogea le policier assis derrière le volant.

– Il est arrivé il y a vingt minutes. Il conduit une Mazda.

– C'est bon, tu peux retourner à Ystad.

– On ne vous attend pas ?

– Ce n'est pas nécessaire.

Wallander remonta en voiture.

– C'est bon, dit-il. On y va.

Ils se garèrent à l'entrée de la cour. De la musique se déversait par une fenêtre ouverte. Rythmes latino-américains. Wallander sonna. Le volume de la musique décrut. Björklund ouvrit. Il ne portait qu'un short.

– J'ai quelques questions à te poser qui ne peuvent pas attendre.

Björklund parut réfléchir. Puis il sourit.

– Alors je comprends mieux, dit-il.

– Quoi ?

– La voiture au carrefour.

Wallander acquiesça.

– Je suis passé chez toi cet après-midi. Comme je viens de le dire, ce sont des questions urgentes.

Il les fit entrer. Wallander lui expliqua qui était Nyberg.

– Dans ma lointaine jeunesse, j'ai envisagé un moment de faire ce métier-là. C'est tentant de consacrer sa vie à déchiffrer des indices.

– C'est moins aventureux qu'on ne le pense, dit Nyberg.

Björklund haussa les sourcils.

– Je ne parle pas d'aventure. Je parle d'ouvrir des pistes.

Ils venaient d'entrer dans l'immense pièce. Wallander jeta un regard curieux à Nyberg ; celui-ci paraissait fort surpris par l'intérieur de Björklund.

– Je ne vais pas y aller par quatre chemins, dit Wallander. Dans ta remise, sous une bâche, il y a un instrument que je crois être un télescope. Je veux savoir si c'est celui qui a disparu de l'appartement de Svedberg.

Björklund prit un air perplexe.

– Un télescope ? Dans ma remise ?

– Oui.

Björklund recula d'un pas, comme s'il voulait prendre ses distances par rapport aux policiers.

– Qui est venu fouiller chez moi ?

– Comme je l'ai déjà dit, je suis passé chez toi cet après-midi. La porte de la remise était ouverte. Je suis entré et j'ai vu le télescope.

– La police a-t-elle le droit d'entrer comme ça chez les gens ?

– Tu peux tenter de porter plainte, si tu veux.

Björklund le considéra longuement, d'un regard hostile.

– Je crois que c'est ce que je vais faire.

– Et puis quoi encore, coupa Nyberg. On ne va pas y passer la soirée, merde.

– Tu n'es donc pas au courant de la présence d'un télescope dans ta remise ? reprit Wallander.

– Non.

– Tu te rends compte que ce n'est pas très crédible ?

– Crédible ou pas, il n'y a pas, à ma connaissance, de télescope dans ma remise.

– On va y jeter un coup d'œil ensemble, dit Wallander. Si tu refuses, Nyberg restera ici pendant que je ferai la demande d'un mandat de perquisition. Tu peux être certain que je l'obtiendrai.

– Suis-je soupçonné de quelque chose ?

Le ton était agressif.

– Pour l'instant, je veux juste que tu répondes à ma question.

– Je l'ai déjà fait.

– Tu affirmes donc ne pas savoir pour le télescope. Est-ce que Svedberg aurait pu le ranger là à ton insu ?

– Pourquoi aurait-il fait ça ?

– Je te demande simplement s'il a *pu* le faire. Rien d'autre.

– Bien sûr que oui. Je ne passe pas mon temps à contrôler ce qu'il y a dans ma remise.

Wallander était maintenant convaincu que Björklund disait la vérité. Il remarqua que cela le soulageait.

– On va jeter un coup d'œil ?

Björklund hocha la tête. Il glissa ses pieds dans des sabots mais ne prit pas la peine d'enfiler une chemise.

Dans la remise, une fois que Björklund eut allumé, Wallander se tourna vers lui.

– Peux-tu nous dire si quelque chose a changé ici ?

– Quoi donc ?

– Tu es chez toi. Tu devrais le savoir mieux que moi.

Il regarda autour de lui, puis il haussa les épaules. Wallander les conduisit à l'endroit de sa découverte et souleva la bâche. Björklund parut très surpris.

– Comment s'est-il retrouvé là ?

Nyberg s'était agenouillé pour examiner l'instrument à la lumière d'une torche électrique puissante.

– Tiens donc !

Wallander se pencha. Nyberg lui montra une petite plaque en métal où était gravé le nom de Svedberg.

La colère de Björklund était complètement retombée.

– Je ne comprends pas, dit-il. Pourquoi Svedberg aurait-il caché son télescope chez moi ?

– Allons-nous-en, répliqua Wallander. Nyberg va rester encore un peu.

Ils retournèrent dans l'immense pièce. Björklund lui demanda s'il voulait du café. Il refusa. Pour la deuxième fois, il se laissa glisser sur le banc d'église inconfortable.

– Depuis combien de temps est-il là ? Tu as une idée ?

Björklund parut faire un effort de réflexion.

– Ma mémoire des lieux est très vague, dit-il enfin. Ma mémoire des objets est encore pire.

Wallander pensa qu'il devait poser la question autrement. Mais, pour cela, il avait besoin d'Ylva Brink. Elle se rappellerait peut-être à quel moment elle avait vu le télescope chez Svedberg pour la dernière fois.

– J'y reviendrai plus tard, dit-il. Nyberg va examiner le télescope dès ce soir. Ensuite, nous l'emporterons au commissariat.

Björklund n'écoutait plus. Il pensait visiblement à quelque chose. Wallander attendit.

– Ne pourrait-on pas imaginer que quelqu'un d'autre l'a apporté ici ?

– Dans ce cas, ce quelqu'un connaissait votre lien de parenté.

Björklund paraissait soucieux.

– Tu penses à quelque chose, dit Wallander. Quoi ?

– Je ne sais pas si ça a la moindre importance. Mais, une fois, j'ai eu l'impression que quelqu'un était venu.

– À quoi l'as-tu vu ?

– À rien. C'était juste une intuition.

– Quelque chose a dû la provoquer ?

– C'est ce que j'essaie de retrouver.

Wallander attendit.

– C'était il y a quelques semaines. Je venais de rentrer de Copenhague, un matin. Il avait plu. En traversant la cour, je me suis arrêté sans savoir pourquoi. Puis j'ai pensé que quelqu'un avait touché à l'une des sculptures.

– Tu veux dire les monstres ?

– Ce sont des copies de gargouilles de la cathédrale de Rouen.

– Tout à l'heure, tu as dit que tu avais une très mauvaise mémoire des objets.

– Sauf pour mes sculptures. Quelqu'un avait changé l'orientation de l'une d'entre elles. J'en suis certain. Quelqu'un était entré dans la cour en mon absence.

– Et ce n'était pas Svedberg ?

– Non. Il ne venait jamais en dehors des rendez-vous convenus.

– Tu ne peux pas en être certain.

– Bien sûr que non. Mais ça me paraît inimaginable. Je le connaissais. Il me connaissait.

Wallander lui fit signe de poursuivre.

– Quelqu'un était venu chez moi. Un intrus.

– Qui passe à la ferme quand tu t'absentes pour un jour ou deux ?

– Personne, en dehors du facteur.

Wallander n'avait aucune raison de douter de sa sincérité.

– Un visiteur indésirable, autrement dit. Et tu penses qu'il a pu mettre le télescope dans ta remise ?

– C'est absurde.

– Quand était-ce ?

– Il y a quelques semaines.

– Quand exactement ?

Björklund se leva et revint en feuilletant un agenda de poche.

– Je me suis absenté du 14 au 15 juillet.

Wallander prit note intérieurement. Au même instant, Nyberg apparut, son portable à la main.

– J'ai appelé Ystad pour demander une mallette. Je veux examiner cet instrument tout de suite. Tu peux prendre ma voiture. Une patrouille de nuit me récupérera quand j'aurai fini.

Nyberg disparut. Wallander se leva et Björklund le raccompagna jusqu'à la porte.

– Tu as eu le temps de réfléchir à ce qui s'est passé…

– Je ne comprends pas. Comment quelqu'un a-t-il pu tuer mon cousin ? C'est absurde.

– Oui. C'est justement la question. Qui a pu le tuer ? Et pourquoi ?

Ils se séparèrent dans la cour. Les gargouilles brillaient d'un éclat inquiétant dans la lumière de la maison. Wallander retourna à Ystad avec la voiture de Nyberg. Il n'avait fait aucun progrès.

La réunion reprit vers vingt et une heures. Ils passèrent en revue ce que leur avaient appris les autres jeunes. Martinsson prit la parole le premier, avec des interventions ponctuelles de Hansson. Wallander écoutait attentivement. Plusieurs fois, il lui demanda de préciser son propos ou de reprendre un point depuis le début. Ensuite, ce fut au tour d'Ann-Britt Höglund. Wallander avait dressé une liste de tous les jeunes qui figuraient désormais dans le cadre de l'enquête. Vers vingt-trois heures, ils firent une pause de quinze minutes. Wallander alla aux toilettes et but deux verres d'eau. La réunion reprit.

– Il n'y a qu'une chose à faire pour l'instant, commença Wallander. Lancer un avis de recherche pour Boge, Norman et Hillström.

Personne n'avait d'objection à formuler. Lisa Holgersson s'en occuperait dès le lendemain avec l'aide de Martinsson.

Wallander voyait bien que ses collaborateurs étaient épuisés. Mais il voulait aborder une dernière question :

– Il semblerait que ces jeunes fabriquaient quelque chose ensemble. Ils n'ont rien dit, sinon qu'ils se connaissaient et se fréquentaient en tant qu'amis. Pourtant, vous avez tous eu l'impression qu'ils taisaient certaines informations. Qu'ils étaient liés par une forme de secret. Est-ce bien cela ?

– Oui, dit Ann-Britt. Ils cachent quelque chose.

– D'un autre côté, dit Martinsson, ils ne paraissent pas inquiets. Ils sont persuadés que Boge, Norman et Hillström sont bien partis en voyage.

– Espérons-le, dit Hansson. Je trouve que cette histoire commence à devenir désagréable.

– Moi aussi.

Wallander jeta son crayon sur la table.

– De quoi s'occupait Svedberg, nom de Dieu ? Il faut le découvrir. Tout de suite. Et qui est cette femme ?

– On est en train de passer sa photo dans tous nos registres, dit Martinsson.

– Ça ne suffit pas. Je veux que la photo de cette femme soit publiée dans les journaux. En précisant bien sûr qu'elle n'est soupçonnée de rien. Du moins pas pour l'instant.

– C'est extrêmement rare qu'une femme tire sur quelqu'un avec un fusil, dit Ann-Britt. Surtout en plein visage.

Personne ne fit de commentaire.

Ils se séparèrent peu avant minuit. La journée du lendemain serait chargée – dimanche ou pas. Pour Wallander, elle débuterait par une visite chez le banquier Sundelius.

Il s'attarda un instant sur le parking avec Martinsson.

– Nous devons faire rentrer ces jeunes. Nous devons parler à Isa Edengren. Et nous devons faire venir au commissariat ceux à qui vous avez parlé aujourd'hui. Il faut qu'ils nous racontent leurs secrets.

Ils se séparèrent. Wallander rejoignit sa voiture. Il était très fatigué. Sa dernière pensée avant de s'endormir fut pour Nyberg. Était-il encore dans la remise de Björklund ?

Peu avant l'aube, une courte averse tomba sur Ystad. Puis les nuages se dispersèrent.

La journée de dimanche serait chaude et ensoleillée.

12

Chaque dimanche matin, Rosemarie Leman et son mari Mats choisissaient un nouveau but d'excursion en fonction de la saison et du temps qu'il faisait. En ce dimanche 11 août, ils avaient tout d'abord envisagé de prendre la voiture jusqu'à la vallée de Fyledalen. Mais, en définitive, ils optèrent pour la réserve de Hagestad, où ils n'étaient pas retournés depuis la mi-juin. Dès sept heures, ils prirent la route, en emportant tout ce dont ils auraient besoin pour la journée dans deux sacs à dos. Ils avaient même prévu des vêtements de pluie. Tous deux menaient une vie tranquille et bien organisée, elle dans l'enseignement, lui en tant qu'ingénieur. Ils ne laissaient rien au hasard.

Ils s'arrêtèrent à l'entrée de la réserve et prirent un café, debout à côté de la voiture. Puis ils endossèrent les sacs et se mirent en marche. À huit heures et quart, ils décidèrent de chercher un endroit où prendre leur petit déjeuner. Ils n'avaient encore croisé personne ; seulement entendu quelques aboiements au loin. Il faisait chaud. Presque pas de vent. C'était vraiment une fin d'été exceptionnelle. Dès qu'ils eurent trouvé un endroit agréable, ils s'arrêtèrent, étalèrent une couverture et s'installèrent pour déjeuner. Le dimanche, ils aimaient bien parler de tout ce qu'ils n'avaient jamais le temps d'évoquer en semaine. Ce jour-là, il fut question de la voiture qui se faisait vieille. Mais avaient-ils les moyens d'en changer ? Ils parvinrent à la conclusion qu'il valait mieux attendre encore un mois ou deux. Elle s'étendit sur la couverture et ferma les yeux ; il l'imiterait dès qu'il aurait fait ses besoins. Il prit du papier et remonta vers le sentier par lequel ils étaient arrivés. De l'autre côté, le terrain descendait vers d'épais taillis. Il fit quelques pas dans leur direction.

Avant de s'accroupir, il jeta un regard circulaire. Il n'y avait personne, bien sûr. Lorsqu'il eut fini, il pensa à ce qui l'attendait maintenant : le meilleur moment du dimanche, s'allonger sur la couverture près de Rosemarie et dormir une demi-heure. Au même instant, il lui sembla entrevoir quelque chose entre les broussailles. Quoi ? Presque rien, une couleur qui ne cadrait pas avec le vert du paysage. D'habitude, il n'était pas curieux. Mais là, il ne put s'empêcher d'écarter les branchages.

Jamais de toute sa vie il n'oublierait cette vision.

Rosemarie, qui dormait déjà, fut réveillée par un hurlement.

Elle se redressa, désorientée. Comprit soudain avec épouvante que c'était son mari qui appelait au secours. Elle se leva et l'aperçut au même instant qui courait vers elle, blanc comme un linge ; il trébucha, essaya de prononcer quelques mots.

Puis il s'évanouit.

L'alerte parvint au commissariat d'Ystad à neuf heures cinq. Le policier qui prit l'appel eut tout d'abord du mal à saisir de quoi il s'agissait, tant homme à l'autre bout du fil était bouleversé. Enfin, il réussit à lui faire répéter plus calmement ce qu'il avait à dire. Peu à peu, il reconstitua l'affaire : un certain Mats Leman affirmait avoir trouvé des cadavres dans la réserve de Hagestad. Trois, pensait-il, sans en être tout à fait sûr. Lui-même se trouvait à l'entrée de la réserve avec sa femme et il appelait de son portable. Malgré l'incohérence des propos, le policier comprit que c'était sérieux. Il nota le numéro du portable et dit à l'homme d'attendre sur place. Puis il se rendit dans le bureau de Martinsson, qu'il avait vu passer un peu plus tôt dans le couloir. Martinsson était devant son ordinateur. Le policier rendit compte de la conversation depuis le seuil. Martinsson comprit tout de suite que ce n'était pas une plaisanterie, mais ce fut un détail qui lui noua le ventre.

– Il a parlé de trois personnes ? Trois morts ?

– C'est ce qu'il lui a semblé.

Martinsson se leva.

– J'y vais. Tu as vu Wallander ?

– Non.

Martinsson se rappela soudain que Wallander devait rendre visite à quelqu'un ce matin-là. Un banquier du nom de Sundberg. Ou peut-être Sundelius ? Il composa le numéro de son portable.

Wallander s'était rendu à pied de Mariagatan à l'adresse de Vädergränd. C'était une belle maison, qu'il avait souvent remarquée en passant. Sundelius l'accueillit, vêtu d'un costume impeccable. Ils venaient de s'installer au salon lorsque le portable bourdonna. Wallander s'excusa en remarquant le regard réprobateur de Sundelius. Il écouta attentivement. Puis il posa la question qu'avait posée Martinsson lui-même quelques instants plus tôt.

– Il a parlé de trois personnes ?

– L'information n'est pas confirmée. Mais il semblerait que oui.

Wallander eut aussitôt la sensation qu'un étau lui comprimait les tempes.

– Tu comprends ce que ça peut signifier ?

– Oui. Espérons que le type a eu des visions.

– C'est l'impression qu'il donnait ?

– D'après le policier de garde, non.

Wallander consulta la pendule au mur. Neuf heures dix.

– Passe me prendre à Vädergränd. Je suis au 7.

– Alerte maximale ?

– Il faut d'abord aller voir.

Martinsson dit qu'il arrivait tout de suite. Wallander se leva.

– Notre conversation devra malheureusement attendre.

Sundelius hocha la tête.

– Je suppose qu'il est arrivé un accident ?

– Un accident de la route. C'est difficile à prévoir lorsqu'on a rendez-vous avec quelqu'un le dimanche matin de bonne heure. Je vous rappellerai.

Sundelius le raccompagna jusqu'à la porte. Martinsson arriva presque aussitôt. Wallander monta à côté de lui et mit le gyrophare.

– J'ai réussi à joindre Hansson, dit Martinsson. Il est prêt à partir dès qu'on lui fera signe.

Il indiqua un bout de papier fixé par une pince à la boîte à gants.

– Le numéro du type qui a appelé.

– Il a un nom ?

– Leman. Max ou Mats.

Wallander composa le numéro. Martinsson conduisait vite. Une voix de femme répondit dans un grésillement. Wallander se demanda s'il avait fait le bon numéro.

– Qui est en ligne ?

– Rosemarie Leman.

– Police. On arrive.

– Dépêchez-vous. Le plus vite possible.

– Il s'est passé autre chose ? Où est ton mari ?

– En train de vomir. Dépêchez-vous.

Wallander lui demanda de décrire avec précision l'endroit où ils se trouvaient.

– Ne passe pas d'autre coup de fil. Nous aurons peut-être besoin de te rappeler.

Il raccrocha.

– Il s'est passé quelque chose. Ça au moins, on peut en être sûrs.

Martinsson accéléra encore. Ils étaient déjà à Nybrostrand.

– Tu connais le chemin ?

Martinsson hocha la tête.

– On y allait en famille quand les enfants étaient petits.

Il se tut, comme s'il avait fait une réflexion déplacée. Wallander regarda par la vitre sans rien dire. Il ne savait pas ce qui l'attendait. Mais il redoutait le pire.

Martinsson freina à l'entrée de la réserve ; une femme courut à leur rencontre. À l'arrière-plan, un homme était assis sur une pierre, la tête entre les mains. Wallander descendit de voiture. La femme, visiblement bouleversée, criait en indiquant la réserve. Il la prit par les épaules et lui ordonna de se calmer. L'homme n'avait pas bougé. À leur approche, il leva la tête. Wallander s'accroupit devant lui.

– Que s'est-il passé ?

L'homme montra la réserve. Il avait du mal à parler.

– Ils sont couchés là-bas. Ils sont morts. Ils sont morts depuis longtemps.

Wallander jeta un regard à Martinsson. Puis il se tourna de nouveau vers l'homme.

– Tu as dit qu'ils étaient trois ?

– Je crois.

Il restait une question. La pire.

– As-tu vu si c'étaient des jeunes ?

L'homme secoua la tête.

– Je ne sais pas.

– Je comprends que tu sois bouleversé. Mais tu dois nous montrer l'endroit.

– Je n'y remettrai pas les pieds. Jamais de la vie.

– Je sais où c'est, intervint la femme.

Elle s'était placée derrière son mari et le tenait par les épaules.

– Mais tu ne les as pas vus ?

– Nos sacs à dos sont encore là-bas. Et la couverture. Je sais où c'est.

Wallander se leva.

– Alors on y va.

Elle les précéda sur le sentier. Dans le silence, Wallander crut entendre au loin le bruit de la mer. Mais ce pouvait aussi bien être l'écho de ses propres pensées inquiètes. Ils marchaient vite. Wallander nota qu'il avait du mal à suivre. La sueur coulait sous sa chemise. De plus, il avait un besoin urgent d'uriner. Un lièvre bondit sur le sentier. Des images désordonnées se bousculaient dans sa tête. Il ne savait rien de ce qui l'attendait – sinon que ce serait un spectacle qu'il n'avait encore jamais vu. Les morts ne se ressemblaient pas plus que les vivants. Chaque individu était unique, comme dans la vie. Rien ne se répétait, rien n'était jamais pareil. Comme son inquiétude : il reconnaissait cette sensation de nœud dans l'estomac. Mais c'était toujours la première fois.

La femme ralentit. Wallander comprit qu'ils approchaient. Puis ils aperçurent la couverture et les deux sacs. Elle se retourna vers eux et indiqua le talus de l'autre côté du sentier. Sa main tremblait. Wallander passa devant Martinsson et le précéda dans la pente. Rosemarie Leman les attendait près des sacs. Wallander jeta un coup d'œil en bas. On ne voyait rien, à part d'épaisses broussailles. Il continua, Martinsson sur ses talons. Arrivés au bas du talus ils jetèrent un regard autour d'eux.

– Elle s'est peut-être trompée ? hasarda Martinsson.

Il parlait à voix basse, comme s'il craignait d'être entendu. Wallander ne répondit pas. Quelque chose avait capté son attention, mais quoi ? Soudain il comprit.

L'odeur. Il jeta un regard à Martinsson, qui n'avait pas encore réagi. Wallander commença à se frayer un chemin entre les broussailles. Il ne voyait toujours rien. Quelques grands arbres se dressaient un peu plus loin devant lui. Un court instant, l'odeur disparut. Puis elle revint, plus forte qu'avant.

– Qu'est-ce qu'on sent ?

Martinsson s'interrompit de lui-même. Wallander ne répondit pas. Il avançait très lentement.

Soudain il s'immobilisa. Martinsson sursauta. Quelque chose brillait entre les fourrés, sur sa gauche. L'odeur était à présent très forte. Martinsson et Wallander échangèrent un regard. Puis ils se couvrirent le nez et la bouche avec la main.

Wallander sentit la nausée le submerger. Il essaya de se boucher le nez et d'inspirer profondément par la bouche.

– Attends-moi, dit-il à Martinsson.

Sa voix tremblait. Puis il s'obligea à écarter les branches.

Trois jeunes gens gisaient enchevêtrés sur une grande nappe bleue. Ils étaient costumés et portaient des perruques. Tous trois avaient le front troué. Et tous trois se trouvaient dans un état de décomposition avancée.

Wallander ferma les yeux et s'agenouilla.

Après un instant, il se releva et revint vers Martinsson, les jambes flageolantes. Sans rien dire, il se mit à le pousser devant lui comme si on les poursuivait et ne s'arrêta que lorsqu'ils furent de nouveau sur le sentier.

– J'ai... jamais vu ça, bégaya-t-il. C'est ignoble.

– Ce sont eux ?

– Sûrement.

Ils se turent. Wallander se rappela par la suite qu'un oiseau chantait dans un arbre proche. Il avait à la fois la sensation d'un cauchemar invraisemblable et d'une réalité terrifiante.

Par un suprême effort de volonté, il s'obligea à redevenir flic. Il trouva son portable, appela le commissariat et attendit. Enfin la voix d'Ann-Britt Höglund lui parvint.

– C'est Kurt.

– Tu ne devais pas rendre visite à un banquier ?

– On les a retrouvés. Tous les trois. Ils sont morts.

Il entendit comme un halètement à l'autre bout du fil.

– Boge et les autres ?

– Oui.

– Morts ?

– Une balle dans la tête.

– Mon Dieu.

– Écoute-moi ! Tu dois ordonner l'alerte maximale. On est dans la réserve de Hagestad. Martinsson vous attendra à la sortie de la route. Il faut que Lisa vienne. Et aussi beaucoup de monde pour dresser le périmètre de sécurité.

– Qui prévient les parents ?

Wallander fut envahi par une angoisse qu'il n'avait encore jamais éprouvée. Bien entendu, il fallait immédiatement prévenir les parents. Il fallait leur demander d'identifier leurs enfants.

Mais c'était au-dessus de ses forces.

– Ils sont morts depuis longtemps, dit-il. Tu comprends ce que ça veut dire ? Ça fait peut-être plus d'un mois…

Elle comprenait.

– Il faut que j'en parle à Lisa, dit-il. Mais nous ne pouvons pas demander aux parents de venir ici.

Elle n'ajouta rien. La conversation était terminée. Wallander resta debout, le téléphone à la main.

– Il faut que tu retournes à l'entrée de la réserve, dit-il à Martinsson, qui indiqua Rosemarie Leman.

– Et elle ?

– Note le plus important, l'heure, l'adresse, etc., et dis-leur de rentrer chez eux. Avec interdiction de parler à quiconque.

– On ne peut pas faire ça !

Wallander le dévisagea.

– Là, tout de suite, on peut faire absolument n'importe quoi.

Martinsson disparut avec Rosemarie Leman. Wallander se retrouva seul. L'oiseau chantait toujours. À quelques mètres de lui à peine, cachés par les broussailles, les cadavres de trois jeunes gens. Wallander ne s'était jamais senti aussi seul. Il s'assit sur une pierre au bord du sentier. L'oiseau s'était envolé et chantait maintenant dans un autre arbre, un peu plus loin.

On n'a pas réussi à les faire rentrer, pensa-t-il. Ils ne sont jamais partis en voyage. Ils étaient ici. Ils étaient déjà morts. Peut-être dès la nuit de la Saint-Jean. Eva Hillström avait raison depuis le début. C'est un autre qui a envoyé les cartes postales. Ils n'ont pas bougé d'ici – c'était ici, le lieu de la fête.

Il pensa à Isa Edengren. Avait-elle compris ? Était-ce pour cela qu'elle avait voulu se suicider ? Parce que ses amis étaient morts, comme elle-même l'aurait été si elle n'avait pas été malade, par hasard, ce jour-là ?

Mais, déjà, quelque chose clochait. Comment se faisait-il que personne n'eût découvert les corps ? En période de vacances, et alors qu'il s'était écoulé tant de temps ? Même dans ce coin écarté, quelqu'un aurait dû les voir. Ou sentir l'odeur.

Wallander n'y comprenait rien. Mais il n'avait plus la force de réfléchir. L'événement le paralysait. Que quelqu'un fût capable de tuer trois jeunes qui avaient décidé de se retrouver pour fêter la Saint-Jean. C'était un acte de démence atroce. Et au cœur de cette démence, ou à sa périphérie, un autre était mort, lui aussi.

Svedberg. Quel était son lien avec cette histoire ? De quelle manière était-il impliqué ?

Wallander sentait croître son impuissance et son total désarroi. Il n'avait regardé ces jeunes que quelques secondes ; mais il n'avait pu s'empêcher de voir leur front transpercé. Le meurtrier savait ce qu'il faisait, et il visait bien.

Svedberg avait été le meilleur tireur de toute l'équipe d'Ystad.

L'oiseau avait disparu. De temps à autre, le vent remuait les feuilles des arbres. Puis le silence revenait.

Un excellent tireur. Wallander s'obligea à aller au bout de sa pensée. Svedberg pouvait-il être l'auteur de ce massacre ? Qu'est-ce qui l'empêchait d'envisager cette hypothèse au même titre que les autres ?

Y avait-il même une autre hypothèse possible ?

Wallander se leva et se mit à faire les cent pas. Il aurait tout donné pour parler à Rydberg, même au téléphone. Mais Rydberg était mort. Aussi mort que les trois jeunes gens.

C'est quoi, ce monde ? Où on est capable de tuer trois jeunes qui ont à peine commencé à vivre ?

Wallander s'immobilisa sur le sentier. Combien de temps aurait-il la force de continuer ? Ça ferait bientôt trente ans qu'il était dans la police. À ses débuts, à l'époque où il patrouillait dans sa ville natale de Malmö, un homme ivre lui avait donné un coup de couteau, juste à côté du cœur. Pour lui, tout avait changé du jour au lendemain. *Il y a un temps pour vivre et un temps pour mourir*, pensait-il souvent. La cicatrice était toujours là. Et il était vivant. Mais combien de temps encore supporterait-il son métier ? Il pensa à Per Åkeson, parti en Ouganda. Åkeson reviendrait-il un jour ?

L'espace d'un instant, Wallander éprouva une gigantesque amertume. Il avait été policier toute sa vie. Il pensait avoir contribué à protéger ses concitoyens. Mais tout avait empiré autour de lui. La violence avait augmenté, durci. La Suède était devenue un pays où les portes fermées se faisaient de plus en plus nombreuses.

Parfois, il pensait à son trousseau de clés. D'année en année, le nombre de clés augmentait. De plus en plus de serrures, de plus en plus de codes d'accès. Et au milieu de toutes ces clés, une nouvelle société émergeait, à laquelle il se sentait de plus en plus étranger.

Il se sentait lourd, fatigué, abattu. La part de colère et la part de tristesse étaient difficiles à démêler. Mais, au premier plan de sa conscience, il y avait une autre sensation : la peur à l'état pur.

Quelqu'un avait délibérément piétiné une scène idyllique et abattu ces trois jeunes. Quelques jours auparavant, il avait trouvé Svedberg assassiné. D'une manière ou d'une autre, ces événements étaient liés, même si le lien demeurait secret.

Il eut soudain envie de s'enfuir. Il sentit qu'il ne pourrait plus supporter longtemps cette pression. Quelqu'un devait prendre la relève. Martinsson ou Hansson. Pour sa part, il avait brûlé ses réserves. En plus, il souffrait de diabète. Il était sur une mauvaise pente.

Puis il les entendit : les voitures au loin, se frayant un passage sur les sentiers étroits. Soudain, ils furent tous autour de lui. Il aurait tout donné pour abandonner la direction des opérations à un autre. Mais il n'avait pas le choix. Tous les visages présents lui étaient familiers – certains depuis dix ou quinze ans. Lisa Holgersson était très pâle. Wallander se demanda de quoi lui-même avait l'air. Il montra le talus.

– Ils sont là-bas. Ils ont été abattus. Ils ne sont pas encore identifiés officiellement, mais je crois pouvoir affirmer qu'il s'agit des trois jeunes disparus depuis la Saint-Jean. Nous pensions, du moins nous espérions, qu'ils voyageaient en Europe. Nous savons maintenant que tel n'était pas le cas.

Il marqua une pause avant de poursuivre :

– Ils sont peut-être là depuis la Saint-Jean. Vous comprenez tous ce que cela signifie. Il y a toutes les raisons de mettre un masque.

Il interrogea Lisa Holgersson du regard ; elle hocha la tête.

Wallander les précéda dans la pente. On n'entendait que le bruit des branches cassées et le bruissement des feuilles. Soudain, l'odeur les immobilisa. Lisa Holgersson saisit le bras de Wallander. Ils étaient arrivés. C'était toujours plus facile d'affronter le lieu d'un crime quand on était plusieurs. Seul l'un des policiers les plus jeunes se détourna pour vomir. Lisa Holgersson prit la parole d'une voix tremblante.

– Nous ne pouvons pas laisser les parents voir ça. C'est atroce.

Wallander se tourna vers le médecin. Lui aussi était très pâle.

– Tu peux faire vite ? Nous voudrions emmener les corps et les arranger un peu avant que les parents les voient.

– Je ne veux pas me mêler de ça. Je vais demander à quelqu'un de l'institut de Lund de venir.

Il s'éloigna et emprunta le portable de Martinsson. Wallander se tourna vers Lisa Holgersson.

– Il y a un point que nous devons éclaircir d'emblée. D'abord Svedberg, et maintenant ces trois jeunes, ça nous fait quatre meurtres à élucider. Ça va susciter une énorme émotion, et de fortes pressions pour qu'on parvienne très vite à des résultats. En plus, on va devoir se prononcer sur le rapport qui peut exister, selon nous, entre les deux affaires. Tu comprends ce que cela implique.

– Que quelqu'un émette l'hypothèse que Svedberg les a tués ?

– Oui.

– Tu penses que c'est lui ?

La question avait fusé si vite que Wallander fut pris au dépourvu.

– Je ne sais pas. Nous n'avons pas l'ombre d'un mobile. Et il a lui-même été tué. Il nous manque un maillon de la chaîne.

– Alors ? Que devons-nous dire ?

– Quoi que nous disions, ça ne changera rien, malheureusement. La police ne peut rien contre les rumeurs.

Ann-Britt Höglund prit la parole. Wallander vit qu'elle tremblait de tout son corps.

– Autre chose, dit-elle. Eva Hillström va se répandre en accusations contre nous, parce que nous avons laissé passer tout ce temps sans rien faire.

– Elle n'a peut-être pas tort. Dans ce cas, nous devrons admettre que nous avons fait une erreur de jugement. J'en assume la responsabilité.

– Pourquoi toi ?

La question venait de Lisa Holgersson.

– Quelqu'un doit le faire. Peu importe qui.

Nyberg distribua des gants en plastique. Ils se mirent au travail. Il y avait des routines à respecter, des tâches à accomplir selon un certain ordre. Nyberg donnait des instructions au policier qui photographiait la scène. Wallander le rejoignit.

– Je veux une cassette vidéo. Toute la scène. De près et de loin.

– Ce sera fait.

– De préférence par quelqu'un qui ne tremble pas trop.

– C'est toujours plus facile de regarder la mort à travers un objectif. Mais on va quand même prévoir un pied.

Wallander rassembla ses collaborateurs les plus proches, Martinsson, Hansson et Ann-Britt Höglund. Il faillit demander où était Svedberg mais se ravisa juste à temps.

– Ils sont déguisés, commença Hansson. Et ils portent des perruques.

– Dix-huitième siècle, précisa Ann-Britt Höglund. Cette fois, je suis sûre de ce que je dis.

– Cela s'est donc passé la nuit de la Saint-Jean, dit Martinsson. Il y a bientôt deux mois.

– Nous n'en savons rien, objecta Wallander. Nous ne savons même pas s'il s'agit du lieu du crime.

Il entendit lui-même à quel point c'était absurde. Mais le fait que personne n'eût découvert les cadavres en deux mois était encore plus improbable.

Wallander contourna le drap bleu, en essayant d'apercevoir le drame qui s'était noué là. Lentement, il fit abstraction de tout ce qui l'entourait.

Ils se sont réunis pour faire la fête. Au départ, ils devaient être quatre, mais la quatrième est tombée malade. Ils ont apporté deux grands paniers contenant de la nourriture, des bouteilles de vin et un magnétophone.

Wallander s'interrompit dans ses pensées et rejoignit Hansson qui parlait au téléphone. Wallander attendit.

– Les deux voitures, dit-il ensuite. Nous pensions qu'ils étaient partis en Europe en voiture. Où sont-elles ? Il a bien fallu qu'ils se transportent jusqu'ici.

Hansson promit de s'en occuper. Wallander reprit sa marche lente autour du drap bleu et des trois corps. *Ils disposent la nourriture et les verres, ils mangent, ils boivent.* Wallander s'agenouilla. Une bouteille vide dans l'un des paniers, deux autres dans l'herbe. Trois bouteilles vides.

Quand la mort est venue, vous aviez déjà bu trois bouteilles de vin. Vous deviez être assez ivres.

Wallander se redressa, pensif, et se tourna vers Nyberg qui passait près de lui.

– Ce serait important de déterminer si du vin a coulé sur l'herbe ou s'ils ont tout bu.

Nyberg indiqua une tache sur la nappe.

– Quelqu'un en a renversé ici. En tout cas, ce n'est pas du sang.

Wallander reprit sa marche en rond.

Vous mangez, vous buvez, vous êtes ivres. Vous avez apporté un magnétophone, vous écoutez de la musique. Quelqu'un surgit et vous tue. À ce moment-là, vous êtes allongés sur le drap, enchevêtrés, la position d'Astrid Hillström suggère qu'elle s'était endormie. Il est peut-être tard – peut-être déjà l'aube du jour de la Saint-Jean.

Wallander s'immobilisa. Son regard était tombé sur un verre de vin posé à côté d'un panier. Il s'accroupit de nouveau, fit signe au photographe d'approcher et lui demanda de prendre une photo en gros plan. Le verre était appuyé contre le panier, le pied calé par un éclat de pierre. Wallander regarda autour de lui, souleva le bord de la nappe ; aucun caillou à proximité. Qu'est-ce que cela signifiait ? Il appela Nyberg.

– Tu vois l'éclat de pierre qui soutient ce verre ? Si tu en trouves un qui lui ressemble, préviens-moi.

Nyberg sortit un bloc-notes et griffonna deux mots. Wallander s'éloigna de la nappe et jeta un regard circulaire.

Vous aviez dressé votre festin au pied d'un arbre. Et vous aviez choisi un coin à l'abri des regards.

Wallander alla se placer de l'autre côté de l'arbre.

La mort a dû surgir très vite. Aucun d'entre vous n'a tenté de fuir. Vous étiez allongés sur le drap, peut-être endormis…

Wallander revint sur ses pas. Longuement, il contempla les morts.

Quelque chose clochait complètement. Il mit un moment à comprendre de quoi il s'agissait.

La scène qu'il avait sous les yeux n'était pas réelle. Quelqu'un l'avait arrangée.

13

À la tombée de la nuit de ce dimanche 11 août, alors que les projecteurs braquaient leur lumière fantomatique sur la clairière, Wallander prit tout le monde au dépourvu en quittant brusquement les lieux. Seule Ann-Britt Höglund fut prévenue ; il l'entraîna discrètement sur le sentier déjà méconnaissable, piétiné et labouré par le passage des hommes et des véhicules, et lui demanda s'il pouvait emprunter sa voiture, puisque la sienne était restée à Mariagatan. Il ne précisa pas où il allait ; en cas de découverte décisive, ils pourraient toujours le joindre sur son portable. Il disparut le long du sentier, tandis qu'Ann-Britt Höglund retournait dans la clairière où le travail battait son plein. Les corps n'étaient plus là ; on les avait enlevés peu après quatre heures. Martinsson finit par s'apercevoir de l'absence de Wallander. Puis ce fut au tour de Hansson et de Nyberg. Elle leur dit la vérité : elle n'en savait rien. Il avait emprunté sa voiture et il était parti.

En réalité, sa disparition n'avait rien d'étrange. Après toutes ces heures passées autour du drap bleu aux restes macabres, il en avait eu assez. Besoin de distance pour réfléchir. En dernière analyse, c'était lui le responsable des enquêtes. Ou fallait-il dire de l'enquête, au singulier, puisqu'il était d'ores et déjà convaincu que tout était lié : les trois jeunes, Svedberg, le télescope, tout ? Au moment où l'on avait emporté les corps, il se sentait recru de fatigue et d'angoisse. Il s'était obligé à continuer encore quelques heures pour tenter de se représenter une fois de plus ce qui avait pu se produire à cet endroit. Ensuite, le besoin de disparaître était devenu trop fort. Il savait où il voulait se rendre. Ce n'était pas une fuite. Même dans les pires moments de fatigue et d'abattement, il perdait très rarement sa boussole intérieure. Il marchait vite, sur le sentier envahi par le crépuscule. Il voulait obtenir confirmation de quelque chose. Il était pressé. Quelques journalistes l'attendaient à l'entrée de la réserve. La rumeur d'un accident s'était vite répandue.

Wallander leva la main pour prévenir leurs questions. Il y aurait une conférence de presse le lendemain. Pour l'instant, la police n'avait rien à dire. Pour des raisons techniques liées à l'enquête, et peut-être aussi pour d'autres raisons dont il ne pouvait pas parler. Cette dernière affirmation était cousue de fil blanc ; mais, sur le moment, cela lui était parfaitement égal. La seule chose qui comptait, c'était de retrouver celui ou ceux qui avaient tué les trois jeunes gens. S'il s'avérait que Svedberg était impliqué, il n'y pouvait rien. Il fallait conduire l'enquête dans la bonne direction. Dans l'immédiat, il se moquait de savoir à quoi ressemblait la vérité, pourvu qu'il la trouve.

Avant de s'engager sur la route d'Ystad, il s'arrêta pour vérifier qu'aucun des journalistes ne l'avait suivi.

Une fois en ville, il prit la direction de Lilla Norregatan et s'arrêta devant l'immeuble de Svedberg. La bétonnière était toujours là. Les clés de Svedberg se trouvaient dans l'une de ses poches depuis le jour où Nyberg les lui avait données. L'avertissement de la police barrait toujours la porte. Wallander détacha le ruban adhésif masquant le trou de la serrure et ouvrit. Comme la première fois, il s'immobilisa dans l'entrée et écouta. L'air était lourd et confiné. Il alla à la cuisine et ouvrit la fenêtre. Puis il but un verre d'eau, debout devant l'évier. Se rappela au même moment qu'il avait rendez-vous le lendemain lundi chez le docteur Göransson. Il n'aurait pas le temps d'y aller. D'ailleurs, rien n'avait changé depuis le diagnostic. Il mangeait aussi mal et faisait aussi peu d'exercice. Vu les circonstances, tout devait attendre, y compris sa santé.

Le séjour baignait dans la lueur des lampadaires de la rue. Wallander s'attarda un instant dans cette ambiance crépusculaire. Il avait besoin de réfléchir, c'était pour cela qu'il avait quitté les autres. Mais il lui était aussi venu une pensée nouvelle, au cours de la matinée. Ils avaient parlé d'une éventuelle implication de Svedberg, effleuré la pensée insoutenable qu'il pouvait être l'auteur de ce crime. Mais il existait une tout autre possibilité, qui était au fond la plus plausible. Svedberg avait mené une enquête personnelle dans le plus grand secret. Il avait consacré une grande partie de ses vacances à suivre les jeunes disparus à la trace. Peut-être avait-il quelque secret à cacher. Mais on pouvait aussi envisager le contraire : qu'il était sur une piste. Il soupçonnait que Boge, Norman et Hillström n'étaient pas partis en voyage et devinait qu'il leur était arrivé quelque chose. Puis il avait croisé la route d'un inconnu. Un soir, ou une nuit, il avait lui-même été tué. Cela n'expliquait pas son silence. Pourquoi aurait-il gardé ses soupçons pour lui ? Il avait peut-être ses raisons.

Le fauteuil renversé gisait encore à terre. Sans allumer dans la pièce, Wallander alla s'asseoir à l'extrémité du canapé. Les événements de la journée défilaient dans sa tête comme une série de diapositives. Très vite, moins d'une heure après la découverte des corps, il avait acquis la conviction que quelque chose clochait. Ce sentiment s'était renforcé après l'examen préliminaire des corps par le médecin légiste de Lund. Celui-ci ne pouvait affirmer combien de temps s'était écoulé depuis les meurtres. Mais cinquante jours, c'était impossible, avait-il dit. Wallander avait tout de suite pensé que cela leur donnait l'alternative suivante : soit les coups de feu avaient été tirés à une date postérieure à la nuit de la Saint-Jean, soit les corps avaient été entreposés ailleurs, dans un endroit où ils se conservaient mieux qu'à l'air libre. Le lieu de la découverte n'était pas nécessairement le lieu du crime. Mais il était encore plus difficile d'imaginer qu'on les ait tués avant de transporter les corps ailleurs pour ensuite les replacer au même endroit. Hansson avait avancé l'hypothèse qu'ils étaient peut-être bel et bien partis en voyage, mais qu'ils étaient rentrés plus tôt que prévu, sans prévenir leurs parents ni leurs amis.

C'était possible. Pas plausible, mais possible. Il ne voulait rien exclure. Il faisait ses propres observations et écoutait les commentaires des autres, avec le sentiment de s'enfoncer dans un banc de brouillard.

La chaude journée d'août s'était traînée, interminable. Ils avaient cherché refuge dans la routine, l'efficacité professionnelle. Avec minutie, ils avaient exploré les lieux. Wallander observait ses collègues choqués et découragés qui vaquaient en silence, faisant ce qu'on attendait d'eux, et il se demanda si chacun, à sa manière, n'avait pas regretté au moins une fois au cours de cette journée d'avoir choisi ce métier. Régulièrement, ils faisaient des pauses et s'éloignaient un peu. Quelques tables et chaises de camping avaient été disposées sur le sentier. Ils s'y rendaient pour boire du café – de plus en plus froid, à force d'ouvrir les Thermos. Mais Wallander ne vit personne manger quoi que ce soit de toute la journée.

Ce qui l'impressionnait le plus, cependant, c'était la résistance de Nyberg. Avec une obstination boudeuse, celui-ci avait sans relâche fouillé les restes de nourriture pourris et puants, donné des directives au photographe et au policier chargé de la caméra vidéo, rangé des objets dans des sacs en plastique et noté le lieu de toutes ses trouvailles sur des cartes compliquées. Wallander savait que Nyberg haïssait le responsable de cette scène de cauchemar où il était à présent contraint de farfouiller. Il savait aussi que nul n'aurait pu faire ce travail mieux que Nyberg. À un moment donné, il découvrit que Martinsson était à bout. Il le prit à part et lui dit de rentrer chez lui, ou au moins de se reposer ; il pouvait s'allonger un moment dans la voiture des techniciens, dit-il. Mais Martinsson secoua la tête sans rien dire avant de retourner auprès de la nappe bleue. Des maîtres-chiens étaient arrivés d'Ystad, parmi lesquels Edmundsson. Les chiens avaient flairé plusieurs pistes : des restes d'excréments derrière un buisson, des canettes de bière, des détritus. Tout fut rassemblé et reporté sur les cartes de Nyberg. À un autre endroit, sous un arbre un peu à l'écart, Kall, la chienne d'Edmundsson, leur avait signalé quelque chose. Mais ils ne trouvèrent rien. Plusieurs fois au cours de la journée, Wallander était retourné au pied de cet arbre – un endroit idéal, constata-t-il rapidement, pour observer la fête sans être vu. Un frisson involontaire le parcourut. Le meurtrier s'était-il tenu là avant lui ? Qu'avait-il vu ?

Peu après midi, Nyberg attira l'attention de Wallander sur le magnétophone renversé près de la nappe. Dans l'un des paniers, ils avaient trouvé un certain nombre de cassettes. Le silence se fit lorsque Wallander appuya sur le bouton et qu'une voix de basse s'éleva. Tout le monde reconnut la musique : Fred Åkerström chantant l'une des *Épîtres de Fredman*. Wallander jeta un regard à Ann-Britt Höglund.

Elle ne s'était pas trompée. La fête se déroulait bien au temps de Bellman.

Une voiture passa dans la rue. Un bruit de télévision, peut-être chez le voisin du dessous. Il alla à la cuisine et but un autre verre d'eau. Puis il s'assit à la table. Il n'avait toujours pas allumé dans l'appartement.

Au cours de l'après-midi, il avait eu une conversation approfondie avec Lisa Holgersson. Les parents devaient être avertis dès que les corps seraient en route vers l'institut de Lund. Il lui proposa de l'accompagner, mais elle souhaita s'en charger elle-même. Elle paraissait très déterminée. Il n'insista pas mais lui conseilla de s'assurer de la présence d'un médecin. Et d'un prêtre.

– Ça va être terrible, avait-il conclu. Pire que tout ce que tu peux imaginer.

Wallander se leva, alla dans le bureau, regarda autour de lui. Puis il s'assit. Des images traversaient cette enquête. Les trois cartes postales dont Eva Hillström s'était d'emblée méfiée. Wallander avait douté, tout le monde avait douté. Personne n'écrit de fausses cartes postales. Maintenant sa fille était morte. Quelqu'un avait écrit ces cartes. Quelqu'un avait voyagé, envoyé de fausses cartes postales de Hambourg, de Paris, de Vienne, quelqu'un avait délibérément créé une fausse piste. Mais pourquoi ? Même s'ils n'avaient pas été tués la nuit de la Saint-Jean, les trois jeunes étaient sûrement déjà morts au moment de l'envoi de la dernière carte, de Vienne. Pourquoi cette fausse piste ?

Wallander contemplait fixement la pénombre. J'ai peur, pensa-t-il. Je n'ai jamais cru à l'existence du mal. Il n'y a pas de gens mauvais, de brutalité inscrite dans les gènes. En revanche, il y a des circonstances mauvaises. Le mal n'existe pas. Mais cet acte-ci semble renvoyer à autre chose – comment décrire cela ? Un cerveau enténébré ?

Il pensa à Svedberg. Se pouvait-il qu'il ait voyagé en Europe pour déposer des cartes postales dans différentes boîtes aux lettres ? Invraisemblable, mais pas impossible. Il fallait dresser un emploi du temps de ses vacances, savoir à quelles dates il s'était trouvé en Suède à coup sûr. Mais combien de temps fallait-il pour se rendre en avion à Paris ou à Vienne et pour en revenir ? L'invraisemblable arrive, pensa Wallander. Et Svedberg était un tireur remarquable.

La question était de savoir s'il était aussi un être humain dément.

Il prit l'agenda de Svedberg sur le bureau et le feuilleta une nouvelle fois. Il y avait ces annotations récurrentes, le nom « Adamsson ». Était-ce le nom de la femme au portrait, celle que Sture Björklund appelait Louise ? Louise Adamsson. Il retourna à la cuisine et feuilleta l'annuaire. Aucune Louise Adamsson. Elle pouvait être mariée. Elle pouvait se cacher derrière quelqu'un d'autre qui portait ce nom. Il retourna dans le bureau et se rassit. Il demanderait à Martinsson de vérifier à quoi Svedberg avait consacré les jours où le nom d'Adamsson figurait dans son agenda.

Il changea de position dans le fauteuil. Extrêmement confortable – beaucoup plus que ceux du commissariat. Puis il se releva. Pas question de s'endormir. Il alla dans la chambre à coucher et alluma le plafonnier. Il ouvrit la penderie, fouilla parmi les vêtements de Svedberg. Rien n'attira son attention.

Il éteignit et retourna dans le séjour. Quelqu'un s'était tenu là, un fusil de chasse à la main. Un coup de feu était parti, visant Svedberg à la tête. Le fusil avait été abandonné. Était-ce le début ou la fin d'un enchaînement ? Ou y avait-il une suite ?

Wallander recula devant cette idée – que quelqu'un, peut-être, était tapi là, dehors, avec l'intention de poursuivre ce massacre aberrant.

Tout se dérobait. Il cherchait désespérément une prise et ne la trouvait pas. Il se plaça à l'endroit où ils avaient retrouvé le fusil. Imagina Svedberg assis dans le fauteuil. Ou en train de se lever. La bétonnière fonctionne et fait un bruit assourdissant. Deux coups de feu, Svedberg meurt avant même que son corps ait heurté le sol.

Mais il n'entendait rien, aucun bruit de voix, aucune dispute. Seulement la sécheresse des détonations. Il changea de place, se mit à côté du fauteuil renversé. *Tu laisses entrer quelqu'un que tu connais, dont tu n'as pas peur. Ou qui possède sa propre clé, ou un crochet de serrurier. Pas de pied-de-biche, aucune trace d'effraction. Il a un fusil de chasse. Si c'est un homme. Ou alors, il y a déjà un fusil dans l'appartement – bien que tu n'aies pas d'autorisation de port d'arme. Un fusil chargé, en plus. Dont cette personne connaît l'existence. Les questions sont innombrables. Mais, en fin de compte, elles se résument à un simple « qui » et à un simple « pourquoi ». Un seul qui. Et un seul pourquoi.*

Il retourna à la cuisine, s'assit à la table et appela l'hôpital. Il eut de la chance, le médecin auquel il avait parlé auparavant était de garde.

– Isa Edengren va bien. Elle sort demain ou après-demain.

– Que dit-elle ?

– Pas grand-chose. Mais, à mon avis, elle est assez contente que tu l'aies trouvée.

– Vous lui avez dit que c'était moi ?

– Pourquoi le lui aurait-on caché ?

– Comment a-t-elle réagi ?

– Je ne comprends pas la question.

– Au fait qu'un policier soit venu chez elle pour l'interroger.

– Je ne sais pas.

– Je veux lui parler le plus vite possible.

– Demain si tu veux.

– Ce soir de préférence. J'ai aussi besoin de te voir.

– On dirait que c'est urgent.

– Oui.

– Je m'apprêtais à rentrer chez moi. Personnellement, je préférerais qu'on attende demain.

– Personnellement, répliqua Wallander, je préférerais ne jamais avoir cette conversation. Je dois te demander de rester. Je serai là dans dix minutes.

– Il s'est passé quelque chose ?

– Oui. Et ce n'est rien de le dire.

Wallander but encore un verre d'eau. Puis il quitta l'appartement et prit la route de l'hôpital. Il faisait encore chaud, le vent était léger.

Le médecin l'attendait dans le couloir du service. Ils entrèrent dans un bureau désert ; Wallander ferma la porte. Sur le chemin de l'hôpital, il avait décidé d'aller droit au but. Il informa le médecin de la découverte des corps dans la réserve, en ajoutant que les trois jeunes avaient été assassinés et qu'Isa Edengren aurait dû être parmi eux. Il omit seulement le détail du déguisement et des perruques. Le médecin l'écoutait, incrédule.

– Quand j'étais étudiant, dit-il enfin, j'ai envisagé un moment de me spécialiser en médecine légale. À t'entendre, je suis content de ne pas l'avoir fait.

– Tu as raison. C'était horrible.

Le médecin se leva.

– Je suppose que tu veux la voir tout de suite ?

– Encore une chose. Tout ce que je viens de te dire est strictement confidentiel.

– Tu oublies le secret médical.

– Ça vaut aussi chez nous. Mais on est toujours étonné par le nombre des fuites.

Ils sortirent dans le couloir.

– Je vais voir si elle est réveillée.

Wallander attendit. Il n'aimait pas les hôpitaux. Il était pressé de repartir.

En même temps, il lui vint une idée. Göransson avait mentionné des méthodes simples pour mesurer le taux de sucre dans le sang. Le médecin reparut.

– Tu peux y aller.

– Juste une question : pourrais-tu mesurer mon taux de sucre dans le sang ?

Le médecin le considéra avec surprise.

– Pourquoi ?

– Je devais le faire demain chez un collègue à toi, mais je n'aurai pas le temps d'y aller.

– Tu es diabétique ?

– Non. J'ai un taux de sucre trop élevé.

– Alors tu es diabétique.

– Peux-tu mesurer mon taux, oui ou non ? Je n'ai pas ma carte d'assuré. Mais on peut peut-être faire une exception.

Une infirmière s'approchait dans le couloir. Le médecin se tourna vers elle.

– Est-ce qu'on a un lecteur de glycémie ?

– Bien sûr.

Wallander vit au clip fixé à sa blouse qu'elle s'appelait Brundin.

– Tu peux doser la glycémie de ce monsieur ? Ensuite il doit parler à Edengren.

Elle lui piqua le bout du doigt, fit tomber une goutte de sang sur une bande de papier et l'introduisit dans une machine qui ressemblait à un lecteur de disques compacts.

– 1,5, dit-elle. C'est un peu trop élevé.

– Un *peu* trop élevé ? Bon, c'était tout ce que je voulais savoir.

Elle le scruta du regard, mais d'un air plutôt aimable.

– Je crois que tu as un petit problème de poids.

Wallander acquiesça. Il se sentait honteux, comme un enfant pris sur le fait.

Puis il se rendit dans la chambre d'Isa Edengren. Il s'attendait à la trouver au lit, mais non, elle était assise dans un fauteuil, une couverture remontée jusqu'au menton. Seule la lampe de chevet éclairait la pièce. Wallander avait du mal à distinguer ses traits. En approchant, il aperçut ses yeux. Elle le fixait avec une expression qui ressemblait à de la peur. Il lui tendit la main et se présenta. Puis il s'assit sur un tabouret près d'elle.

Elle ne sait toujours pas ce qui s'est passé, pensa-t-il. Ou bien s'en doute-t-elle ? A-t-elle attendu d'en avoir confirmation, jusqu'au moment où elle n'a plus eu la force d'attendre ?

Il approcha le tabouret. Elle ne le quittait pas du regard. En entrant dans la chambre, il avait pensé à Linda. Elle aussi avait tenté de se suicider, alors qu'elle avait à peine quinze ans. Après coup, Wallander avait songé que c'était l'une des raisons pour lesquelles Mona avait demandé le divorce. Au fond, c'était un événement qu'il n'avait jamais vraiment compris. Il en avait parlé avec Linda directement, plusieurs fois même au cours des dernières années, mais quelque chose lui échappait toujours. Le fait de parler maintenant à cette autre fille l'aiderait-il à comprendre ?

– C'est moi qui t'ai trouvée, commença-t-il. Tu le sais déjà. Mais tu ignores sans doute ce que je faisais à Skårby. Pourquoi j'ai fait le tour de la maison fermée, pourquoi je suis entré dans le pavillon où tu dormais.

Il marqua une pause pour lui donner la possibilité de répondre. Mais elle continua de le dévisager en silence.

– Tu aurais dû participer à une fête, la nuit de la Saint-Jean, poursuivit-il. Avec Martin, Astrid et Lena. Finalement, tu es tombée malade, l'estomac, et tu es restée à la maison. C'est cela ?

Elle ne réagissait toujours pas. Soudain, Wallander ne sut plus quoi dire. Comment allait-il lui annoncer la nouvelle ? D'un autre côté, elle pourrait la lire dans les journaux dès le lendemain. Le choc était inévitable, quoi qu'il fasse. J'aurais dû emmener Ann-Britt, pensa-t-il, elle se serait mieux débrouillée que moi. Il s'obligea à poursuivre :

– Ensuite, la mère d'Astrid a reçu les cartes postales signées par les trois, ou seulement par Astrid. De Hambourg, Paris et Vienne. Aviez-vous convenu de faire ce voyage ? De partir dans le plus grand secret après la fête ?

Lorsqu'elle prit la parole, ce fut d'une voix si basse que Wallander dut faire un effort pour saisir ses paroles.

– Non. Nous n'avions rien décidé.

Wallander sentit sa gorge se serrer. Sa voix semblait terriblement fragile, prête à se briser d'un instant à l'autre. Il pensait à ce qu'il allait lui apprendre maintenant. Que son mal de ventre lui avait sauvé la vie.

S'il avait pu, Wallander aurait téléphoné au médecin à qui il venait de parler pour lui demander conseil. Mais quelque chose l'en empêchait, le poussait dans une autre direction.

– Parle-moi de cette fête, dit-il.

– Pourquoi ?

Il fut surpris. Comment une voix aussi frêle pouvait-elle être aussi ferme ? En même temps, elle n'était pas vraiment hostile. Les réponses dépendraient entièrement de la manière dont il poserait ses questions.

– Parce que je m'interroge. Parce que la maman d'Astrid est inquiète.

– C'était une fête normale.

– Mais vous deviez vous déguiser. Comme au temps de Bellman.

Elle ne pouvait pas savoir d'où il tenait cette information. Et il y avait un risque : elle pouvait se fermer. D'un autre côté, il serait peut-être impossible de lui parler tout à l'heure, une fois qu'elle aurait appris la mort de ses amis.

– Il nous arrivait de le faire. De nous déguiser.

– Pourquoi ?

– C'était un truc en plus.

– Changer d'époque comme il vous plaisait ?

– Oui.

– Vous choisissiez toujours l'époque de Bellman ?

– Nous ne nous répétions jamais, dit-elle avec une nuance de mépris.

– Pourquoi ?

Elle ne répondit pas. Wallander comprit aussitôt que c'était important. Il essaya de la prendre par un autre biais :

– Sait-on comment les gens étaient habillés au douzième siècle ?

– Oui. Mais nous n'avons jamais abordé cette période.

– Comment choisissiez-vous vos périodes ?

Elle ne répondit pas davantage. Wallander devina pour la première fois qu'il y avait une cohérence dans les questions auxquelles elle refusait de répondre.

– Raconte-moi ce qui s'est passé la veille de la Saint-Jean.

– Je suis tombée malade.

– Ça a dû arriver brusquement.

– C'est le cas, en général, avec les diarrhées.

– Que s'est-il passé ?

– Martin est passé me prendre. J'ai dit que je ne pouvais pas venir.

– Comment a-t-il réagi ?

– Comme convenu.

– C'est-à-dire ?

– Il m'a demandé si c'était vrai. Comme convenu.

Wallander ne comprenait pas.

– Que veux-tu dire ?

– Soit on dit la vérité, soit on ment. Si on ment, on est exclu.

Wallander réfléchit. Elle ne veut pas me dire pour quelle raison ils ne se répètent pas, ni comment ils choisissent leurs différentes époques. Puis elle affirme qu'on peut être exclu si on ment. Exclu de quoi ?

– Vous preniez donc votre amitié très au sérieux ? Un mensonge suffisait pour être exclu ?

Elle parut sincèrement surprise.

– Ce serait quoi, sinon, l'amitié ?

Il hocha la tête.

– Naturellement, elle se fonde sur la confiance.

– Sur quoi d'autre pourrait-elle se fonder ?

– Je ne sais pas. L'amour, peut-être.

Elle rajusta la couverture autour de son cou.

– Qu'as-tu pensé en t'apercevant qu'ils étaient partis en voyage en Europe ? Sans te prévenir ?

Elle le regarda longuement avant d'ouvrir la bouche.

– J'ai déjà répondu à cette question.

Wallander mit un moment à comprendre.

– Tu veux dire que le policier qui t'a rendu visite cet été t'a posé la même question ?

– Oui.

– Te souviens-tu du jour où il t'a rendu visite ?

– Le 1er ou le 2 juillet.

– Que t'a-t-il demandé d'autre ?

Elle se pencha soudain vers lui, si brusquement qu'il tressaillit.

– Je sais qu'il est mort. Svedberg. C'est pour me dire ça que tu es venu ?

– Pas exactement. Mais j'aimerais savoir ce qu'il t'a demandé d'autre.

– Rien.

Wallander fronça les sourcils.

– Il a bien dû te demander autre chose ?

– Non. J'ai la bande.

Wallander mit un moment à comprendre.

– Tu as enregistré ta conversation avec Svedberg sur cassette ?

– En secret. C'est une habitude chez moi. J'enregistre les gens à leur insu.

– Et c'est ce que tu as fait avec Svedberg ?

– Oui.

– Où est cette cassette ?

– Dans le pavillon. Il y a un ange bleu sur la boîte.

– Un ange bleu ?

– Je les fabrique moi-même.

Wallander hocha la tête.

– Est-ce que ça t'ennuie si je demande à quelqu'un d'aller chercher cette cassette ?

– Pourquoi ça m'ennuierait ?

Wallander appela le commissariat et ordonna à l'un des policiers de garde d'envoyer une patrouille récupérer la cassette. Et le baladeur qu'il se rappelait avoir vu sur la table à côté du canapé.

– Un ange bleu ? dit le policier, perplexe.

– Sur la boîte. Et c'est très urgent.

L'attente dura exactement vingt-neuf minutes. Pendant ce temps, Isa Edengren avait passé plus d'un quart d'heure aux toilettes. Lorsqu'elle revint, Wallander découvrit avec surprise qu'elle s'était lavé les cheveux. L'idée l'effleura qu'il aurait peut-être dû s'inquiéter à l'idée d'une nouvelle tentative de suicide.

Le policier entra dans la chambre avec la cassette et le baladeur. Elle hocha la tête. C'était bien celle-là. Elle mit le casque et chercha le début de la conversation.

– C'est là.

Elle tendait le casque à Wallander.

La voix de Svedberg l'atteignit très brutalement ; il tressaillit, comme si on l'avait frappé. Puis il entendit Svedberg s'éclaircir la voix et poser sa question. La réponse d'Isa Edengren disparut dans des grésillements. Il rembobina la cassette et écouta une nouvelle fois ; il ne s'était pas trompé. Elle avait dit vrai, et pourtant non. Svedberg posait en effet la même question. Mais pas tout à fait. Il y avait une différence décisive.

– Qu'as-tu pensé en comprenant qu'ils étaient partis en voyage en Europe ? Sans te prévenir ?

C'était la question de Wallander. Svedberg en ajoutait une seconde, qui en changeait radicalement le sens. Wallander écouta une nouvelle fois la voix familière.

– Penses-tu vraiment qu'ils soient partis ?

Isa n'avait pas répondu à cette question. Wallander enleva le casque.

Svedberg savait, pensa-t-il.

Dès le 1er ou le 2 juillet.

Ils n'étaient pas partis en voyage.

14

Ils avaient poursuivi l'entretien, le baladeur posé sur la table à côté de la boîte décorée d'un ange bleu qui renfermait les dernières traces de la voix de Svedberg. Wallander continua de poser des questions, bien qu'il eût du mal à se concentrer, tourmenté par la décision qu'il lui faudrait bientôt prendre. Qui allait annoncer à Isa Edengren ce qui était arrivé à ses amis ? Qui ? Et quand ? Wallander avait le sentiment confus de l'avoir déjà trahie. N'aurait-il pas dû lui apprendre la vérité d'emblée ? Il était vingt et une heures passées, il n'avait plus de questions à lui poser, et il ne restait rien d'autre à dire. Il s'excusa sous le prétexte d'aller chercher un café. Dans le couloir, il appela Martinsson, qui lui apprit que les policiers commençaient à revenir à Ystad. Il ne resterait bientôt plus sur place que les techniciens et les responsables du périmètre de sécurité. Nyberg et ses hommes poursuivraient sans doute leur travail jusqu'au matin. Wallander lui expliqua où il se trouvait et demanda à parler à Ann-Britt. En entendant sa voix, il lui dit sans détour qu'il avait besoin d'elle.

– Je dois apprendre la nouvelle à Isa Edengren, et je ne sais pas comment elle va réagir.

– D'un autre côté, elle est déjà à l'hôpital. Que pourrait-il lui arriver ?

Cette réponse le surprit. Elle lui paraissait froide. Puis il comprit qu'Ann-Britt se protégeait. Rien ne pouvait être pire que l'endroit sinistre qu'elle avait eu sous les yeux tout au long de cette journée.

– Je préférerais malgré tout que tu viennes. Je ne veux pas être seul. Elle vient de faire une tentative de suicide.

Après avoir raccroché, il partit à la recherche de l'infirmière qui avait mesuré son taux de sucre. Elle lui donna sans difficulté le nom du médecin et son numéro de téléphone privé. Il en profita pour l'interroger sur Isa Edengren.

– Parmi les candidats au suicide, on trouve beaucoup de gens d'une force surprenante. J'ai l'impression qu'Isa Edengren en fait partie.

Était-il possible d'avoir un café ? Elle lui indiqua la machine du rez-de-chaussée.

Wallander composa le numéro du docteur. Un enfant répondit, puis une femme, enfin le mari.

– J'ai mal jugé la situation, reconnut Wallander. En fait, il faut lui dire la vérité dès ce soir. Sinon elle l'apprendra demain, d'une manière qu'on ne pourra pas contrôler. Mais comment va-t-elle réagir ?

Le médecin comprit et s'engagea à venir tout de suite. Wallander partit en quête de la machine à café. Lorsqu'il la trouva enfin, il constata qu'il n'avait pas de monnaie. Un vieil homme approchait à pas minuscules en poussant son déambulateur. Wallander lui demanda avec prudence s'il pouvait lui changer son billet. L'autre secoua la tête et lui donna les pièces nécessaires. Wallander resta planté là, son billet de banque à la main.

– Je vais bientôt mourir, dit l'homme. Dans trois semaines à peu près. À quoi me sert l'argent ?

Il s'éloigna lentement dans le couloir ; il donnait l'impression d'être d'excellente humeur. Très étonné, Wallander le suivit du regard. Puis il se trompa de bouton et la machine lui servit un gobelet de café au lait. Il n'en buvait pour ainsi dire jamais. Il reprit l'ascenseur. Ann-Britt Höglund venait d'arriver. Teint pâle, yeux cernés, elle lui apprit qu'on n'avait pas trouvé d'indices décisifs sur le lieu du crime. L'épuisement était perceptible dans sa voix. Nous sommes tous épuisés, pensa-t-il – avant même d'avoir entamé la surface de ce cauchemar.

Il lui résuma sa conversation avec Isa Edengren. Elle haussa les sourcils lorsqu'il mentionna la voix enregistrée de Svedberg. Il lui livra aussi sans ambages la seule conclusion plausible selon lui : Svedberg savait, ou du moins soupçonnait, que les trois jeunes n'étaient jamais partis en voyage.

– Comment pouvait-il le savoir ? À moins de se trouver au cœur des événements…

– Ça nous apprend surtout autre chose. D'une manière ou d'une autre, c'est vrai, il devait être au cœur des événements. Mais il ne savait pas tout. Autrement, il n'aurait pas eu besoin d'interroger Isa Edengren.

– Ça laisse entendre que ce n'est pas Svedberg qui les a tués. De toute manière, personne n'envisageait sérieusement cette hypothèse.

– Moi, il m'est arrivé de l'envisager. Maintenant, c'est différent. Je crois qu'on peut risquer un pas de plus. Quelques jours après la Saint-Jean, Svedberg commence à poser des questions qui indiquent qu'il sait quelque chose. Quoi donc ?

– Qu'ils sont déjà morts ?

– Pas nécessairement. Ce qu'il sait avec certitude, c'est ce que nous savions avant de retrouver les corps.

– Mais que redoute-t-il ?

– Voilà la question décisive. D'où vient l'inquiétude de Svedberg ? Ou sa peur ? Ou son soupçon ?

– Il saurait quelque fait que nous ignorons ?

– Un fait, en tout cas, éveille sa suspicion. Ce n'est peut-être qu'un pressentiment, nous n'en savons rien. Mais il ne nous en parle pas. Il veut éclaircir le fait lui-même. Il part en congé et commence sa propre enquête. Il se montre énergique et minutieux.

– Alors ? Que savait-il ?

– C'est cela que nous devons découvrir. C'est capital.

– Mais ça n'explique pas pourquoi il a été tué à son tour.

– Pas davantage pourquoi il nous a tenus à l'écart.

Elle fronça les sourcils.

– Pourquoi cache-t-on quelque chose ?

– Parce qu'on ne veut pas que l'information circule. Ou alors parce qu'on ne veut pas être découvert.

– Il peut y avoir un intermédiaire.

– J'y ai pensé. Il peut y avoir une ou plusieurs personnes entre Svedberg et ces événements.

– La femme prénommée Louise ?

– Peut-être. Nous n'en savons rien.

Une porte claqua au bout du couloir. Le médecin apparut. Ils ne pouvaient plus repousser l'échéance. Wallander ouvrit la porte. Isa Edengren n'avait pas bougé. Il entra seul dans la chambre.

– Je dois t'annoncer une nouvelle. (Il s'assit auprès d'elle.) Une nouvelle très douloureuse. C'est pourquoi j'ai demandé à ton médecin de venir. Et aussi à une de mes collègues qui s'appelle Ann-Britt.

Il la vit prendre peur. Mais il n'était plus possible de revenir en arrière. Les deux autres entrèrent. Wallander lui apprit la vérité. Ses trois amis avaient été retrouvés. Ils étaient morts. Quelqu'un les avait tués.

Il se tut. La réaction, il le savait, pouvait venir tout de suite. Elle pouvait aussi tarder.

– Nous voulions te le dire maintenant. Pour t'éviter d'apprendre la nouvelle par les journaux.

Elle ne réagit pas.

– Je sais que c'est difficile. Mais je dois tout de même te poser la question : Peux-tu imaginer qui a fait ça ?

– Non.

Sa voix était très faible. Cependant la réponse était claire. Il poursuivit :

– Quelqu'un était-il au courant de l'endroit où devait se dérouler la fête ?

– Nous ne parlions jamais de nos fêtes aux personnes extérieures au groupe.

Une pensée fugitive traversa l'esprit de Wallander. On aurait dit qu'elle formulait un extrait de règlement. C'était peut-être le cas.

– Personne n'était au courant, en dehors de toi ?

– Personne.

– Tu n'as pas participé à la fête puisque tu es tombée malade. Mais savais-tu où elle devait avoir lieu ?

– Dans la réserve.

– Et vous deviez vous déguiser ?

– Oui.

– Personne d'autre n'était au courant ? Tous les préparatifs avaient eu lieu en secret ?

– Oui.

– Pourquoi ce secret ?

Elle ne répondit pas. De nouveau, le territoire défendu, pensa Wallander, les questions auxquelles elle refuse de répondre. En même temps, il sentit qu'elle disait la vérité. Personne n'était au courant de l'endroit où devait se dérouler la fête.

Il n'avait plus de questions.

– Nous allons partir, dit-il. Si tu penses à quelque chose, le personnel sait où me joindre. Je veux aussi que tu saches que j'ai parlé à ta maman.

Elle tressaillit.

– Pourquoi ? Qu'est-ce qu'elle a à voir avec moi ?

Sa voix était devenue aiguë. Wallander était très mal à l'aise.

– Je n'avais pas le choix. Tu étais dans le coma quand je t'ai trouvée. Dans ces cas-là, on prévient les proches.

Elle faillit ajouter quelques mots, peut-être une simple protestation, mais elle se ravisa. Puis elle fondit en larmes. Le médecin leur fit signe de sortir. Dans le couloir, Wallander remarqua qu'il était en sueur.

– À chaque fois, c'est pire. Je crois que je n'y arriverai plus très longtemps.

Ils quittèrent l'hôpital. La soirée était tiède. Wallander tendit ses clés de voiture à Ann-Britt.

– Tu as dîné ?

Il fit non de la tête.

Elle s'arrêta devant le kiosque à saucisses de la route de Malmö où Wallander avait mangé la veille ou l'avant-veille. Ils attendirent patiemment et en silence que les derniers membres d'une équipe d'athlètes de Vadstena passent leur commande. Puis ils mangèrent dans la voiture. Wallander était affamé. Pourtant, la nourriture ne lui faisait pas envie.

Après avoir fini, ils s'attardèrent un moment.

– Demain tout sera rendu public, dit-elle. Que va-t-il se passer alors ?

– Dans le meilleur des cas, nous obtiendrons des informations utiles. Dans le pire des cas, on nous accusera d'incompétence.

– Tu penses à Eva Hillström ?

– Je ne sais pas. Mais quatre personnes ont été abattues. Avec deux armes différentes.

– Qu'est-ce que tu vois ? Quel genre de meurtrier cherchons-nous ?

Wallander réfléchit avant de répondre :

– Tuer un autre être humain implique toujours une forme de folie. Une perte de contrôle. Mais il y a aussi une préméditation à l'œuvre dans tout ceci. J'imagine qu'on y réfléchit à deux fois avant de tuer un policier. Je pense aussi à ce qu'a dit Isa Edengren à l'hôpital. Personne ne savait où devait se dérouler la fête. Or, d'après moi, quelqu'un était informé. Je refuse de croire à une simple coïncidence.

– Nous cherchons donc quelqu'un qui aurait eu connaissance d'une fête préparée dans le plus grand secret.

– Quelqu'un dont Svedberg avait deviné l'identité.

La conversation cessa d'elle-même. Ce n'est pas plausible, pensa Wallander. Un élément décisif nous échappe. Lequel ?

– Demain, c'est lundi, dit-elle. La photo de Louise sera publiée dans la presse. Avec un peu de chance, on aura des nouvelles de l'institut médico-légal de Lund. Et des informations de la part du public.

– Je suis trop impatient. J'ai toujours ce défaut-là. En plus, mon impatience augmente d'année en année.

Ils arrivèrent au commissariat peu avant vingt-deux heures trente. Wallander, persuadé que la découverte des trois corps dans le parc aurait déjà fait l'objet d'une fuite, s'étonna de l'absence de journalistes. Il se débarrassa de sa veste dans son bureau et se rendit à la cafétéria où des policiers fatigués et silencieux se penchaient sur leurs gobelets de café et leurs parts de pizza. Wallander pensa qu'il aurait dû prononcer quelques paroles d'encouragement. Mais comment alléger le fait que trois jeunes avaient été retrouvés massacrés sur un drap bleu dans la forêt ? Et, à l'arrière-plan, le meurtre récent de l'un de leurs collègues...

Il choisit de ne rien dire et de hocher simplement la tête à la cantonade pour manifester sa présence. Hansson lui jeta un regard las.

– Quand est-ce qu'on commence ?

Wallander consulta sa montre.

– À moins le quart. Martinsson est là ?

– Il arrive.

– Lisa ?

– Dans son bureau. Je crois que ça a été très dur pour elle à Lund avec les parents. Les couples ont identifié leur enfant à tour de rôle. Mais Eva Hillström est venue seule, semble-t-il.

Wallander ne répondit pas. Il se rendit directement dans le bureau de Lisa Holgersson. Il l'aperçut par la porte entrebâillée. Assise, parfaitement immobile. Elle avait les yeux brillants. Il frappa légèrement et poussa la porte. Elle lui fit signe d'entrer.

– J'espère que tu ne regrettes pas d'être allée à Lund ?

– Il n'y a rien à regretter. Mais tu avais raison. C'était terrible. Il n'y a pas de mots. Qu'aurais-je pu leur dire ? Des parents qui se retrouvent par une belle journée d'août à devoir identifier leur enfant mort. Le personnel avait bien travaillé pour arranger les corps. Mais il était impossible de dissimuler entièrement le fait qu'ils étaient là depuis un certain temps.

– Hansson m'a dit qu'Eva Hillström est venue seule ?

– Oui. C'est elle qui a montré le plus de sang-froid. Probablement parce qu'elle s'y attendait.

– Elle va nous accuser. Peut-être avec raison. Elle dira qu'on n'a rien fait.

– Tu le penses sincèrement ?

– Non. Mais je ne sais pas ce que vaut mon opinion. Si nous avions eu plus de personnel, la situation aurait été différente. Il y a aussi la question des vacances. On trouve toujours des explications. Mais, au bout du compte, on a une mère seule qui apprend que ses pires craintes étaient encore en dessous de la réalité.

– Je voulais aborder avec toi la question des renforts. Je pense que le plus tôt serait le mieux.

Wallander était trop épuisé pour la contredire. Mais, au fond de lui-même, il n'était pas d'accord. On nourrissait toujours l'espoir d'obtenir des résultats rapides avec un nombre accru de policiers. Sa propre expérience lui avait cependant enseigné le contraire : c'était le groupe d'enquête réduit et soudé qui se montrait le plus efficace.

– Qu'en penses-tu ?

Wallander haussa les épaules.

– Tu sais ce que j'en pense. Mais si tu prends cette décision, je ne m'y opposerai pas.

– Il m'a semblé qu'on devrait en parler dès la réunion de ce soir.

Il le lui déconseilla.

– Tout le monde est très fatigué. Tu n'obtiendras pas de réponse cohérente. Attends demain.

Il était vingt-deux heures quarante-cinq. Wallander se leva. Ensemble, ils se rendirent à la salle de réunion. Ils venaient de s'asseoir lorsque Martinsson apparut, couvert de boue jusqu'en haut du pantalon.

– Que s'est-il passé ? demanda Wallander.

– J'ai essayé de prendre un raccourci dans la réserve et je me suis perdu. Mais j'ai un autre pantalon dans mon bureau. J'arrive.

Wallander en profita pour aller aux toilettes et boire de l'eau au robinet. En apercevant son visage dans le miroir, il détourna les yeux.

À vingt-deux heures cinquante, les portes se refermèrent. La place de Svedberg était toujours vacante. Nyberg venait de rentrer de la réserve. Wallander l'interrogea du regard mais il secoua la tête. Aucune découverte décisive.

Wallander commença alors par rendre compte de sa visite à l'hôpital. Il avait pensé à emporter le baladeur et la cassette ; ils écoutèrent en silence la voix de Svedberg. Le malaise était perceptible autour de la table, mais, lorsqu'il leur présenta sa conclusion – Svedberg savait quelque chose, et on l'avait peut-être tué pour cette raison –, il sentit que l'atmosphère d'épuisement se dissipait.

Il repoussa le baladeur et laissa ses mains retomber sur la table. Il n'avait pas la moindre idée de la manière dont il allait poursuivre. Il tâtonna pour trouver un fil conducteur.

La réunion dura longtemps. Parvenu à un certain point, le groupe réussit à surmonter à la fois l'épuisement et le dégoût.

Une battue, pensa Wallander, peut se dérouler dans un paysage imaginaire autant que dans un lieu réel. Voilà ce que nous faisons en ce moment. Nous passons au peigne fin, non pas des taillis et des broussailles, mais des observations infimes. Le processus est le même.

Peu après minuit, ils firent une pause, et Wallander se rendit aux toilettes. Il urina, but longuement au robinet. À la reprise de la réunion, Martinsson s'assit par erreur à la place de Svedberg. Il se releva aussitôt. Wallander avait la bouche sèche et la migraine. Mais il serra les dents et poursuivit. Pendant la pause, il était aussi passé à son bureau pour appeler l'hôpital. Après une longue attente, il avait obtenu de parler à l'infirmière qui lui avait piqué le doigt plus tôt dans la soirée.

– Isa dort, répondit-elle à sa question. Elle a demandé un somnifère, mais on ne peut pas lui en donner, bien sûr. On dirait qu'elle s'est endormie quand même.

– Ses parents l'ont-ils appelée ? Sa mère ?
– Seulement un homme, qui s'est présenté comme son voisin.
– Lundberg ?
– C'est cela.
– La réaction viendra sans doute demain.
– Qu'est-ce qui s'est passé au juste ?

Wallander ne voyait pas de raison de le lui cacher. L'infirmière resta un long moment silencieuse.

– Je n'arrive pas à y croire, dit-elle enfin. Comment est-ce possible ?

– Je suis comme toi, je me pose la même question.

Quand il retourna à la salle de réunion, il était temps de faire le point.

– Je ne sais pas pourquoi c'est arrivé, commença-t-il. Pas plus que vous, je ne peux comprendre la folie qui pousse quelqu'un à tuer trois jeunes de sang-froid, en pleine fête. Je ne vois aucun mobile, par conséquent aucun auteur. En revanche, comme vous, je vois un enchaînement. Il n'est pas parfaitement clair, et il comporte des lacunes, mais j'en vois un. Je vais le reprendre depuis le début. Corrigez-moi si je fais une erreur ou si j'oublie un détail.

Il ouvrit une bouteille d'eau minérale et remplit son verre avant de poursuivre :

– Au cours de l'après-midi du 21 juin, trois jeunes arrivent dans la réserve de Hagestad, probablement à bord de deux voitures – que nous devons d'ailleurs retrouver, ça fait partie des priorités. D'après Isa Edengren – qui aurait dû participer à la fête, mais qui est tombée malade, circonstance qui lui a sans doute sauvé la vie –, ils avaient convenu du lieu à l'avance. Ils se livrent à une sorte de mascarade. Ce n'est pas la première fois. Nous avons toutes les raisons de tenter de comprendre à quoi ils jouaient. J'ai l'impression d'un lien étroit, très fort, qui dépassait peut-être l'amitié. Ils se préparent à incarner une fête « comme au temps de Bellman ». Ils sont déguisés, portent des perruques, écoutent de la musique de Bellman. Nous ne savons pas encore si quelqu'un les a observés, soit à leur arrivée dans la réserve, soit plus tard dans la soirée. Le lieu de la fête est très isolé et bien abrité des regards. À un moment donné, quelqu'un surgit et les tue. Tous trois ont été abattus d'une balle dans le front. Nous ignorons encore quel type d'arme a été utilisé. Mais tout indique que le tueur a agi de sang-froid. Cinquante et un jours plus tard, nous retrouvons les corps. Voilà l'ordre chronologique vraisemblable. Mais tant que nous ne connaîtrons pas avec précision la date de leur mort, nous ne pourrons exclure que les faits se soient déroulés autrement. Si ça se trouve, c'est arrivé bien après la Saint-Jean. Nous n'en savons rien. Indépendamment de cela, nous pouvons affirmer que l'auteur du crime détenait certaines informations. Il est invraisemblable que ce triple meurtre ait été commis par erreur ou coïncidence. Nous ne pouvons pas exclure l'hypothèse d'un forcené. Cependant, tout porte à croire que ces jeunes ont été tués dans le cadre d'un projet défini à l'avance. Quelle sorte de projet ? Je n'arrive même pas à l'imaginer. Qui est capable de tuer trois jeunes en train de faire la fête ? Quel peut être le mobile ? Je ne comprends pas. J'ai l'impression d'être confronté à quelque chose qui m'échappe complètement.

Il se tut. Il n'avait pas terminé mais il voulait laisser place aux questions. Personne ne prit la parole. Il poursuivit :

– Les faits ne s'arrêtent pas là. Nous ne savons pas s'il s'agit d'un début ou d'une fin, d'un autre maillon de la même chaîne ou de quelque chose qui se joue parallèlement aux agissements de ces jeunes autour de la Saint-Jean – Svedberg est assassiné. Nous trouvons dans son appartement une photographie prise au cours d'une autre fête, où figure l'une des trois victimes. Nous savons que Svedberg poursuit une enquête personnelle depuis l'instant où Eva Hillström et les autres parents ont commencé à s'inquiéter de l'absence de leurs enfants. Nous ignorons pourquoi. Il y a cependant un lien, que nous ne devons perdre de vue à aucun moment. C'est par là que nous devons commencer. Et nous devons envisager toutes les hypothèses.

Il posa son crayon et changea de position. Il avait mal au dos.

– C'est peut-être prématuré, reprit-il. Mais, en examinant le lieu du crime, Nyberg et moi avons tous deux eu le sentiment d'une mise en scène.

– Je ne comprends pas comment les corps ont pu rester là pendant cinquante et un jours sans que quelqu'un s'en aperçoive, intervint Hansson d'un air découragé. La réserve est pleine de monde pendant l'été.

– Moi non plus. Ça nous laisse trois possibilités. Ou bien nous nous sommes trompés sur toute la ligne, ils n'ont pas été tués la nuit de la Saint-Jean, mais lors d'une autre fête, bien plus récente. Ou bien le lieu où nous avons découvert les corps n'est pas le lieu du crime. Troisième possibilité : c'est bien le même lieu, mais les corps ont été déplacés avant d'être remis à leur place initiale.

– Qui ferait une chose pareille ? demanda Ann-Britt. Et pourquoi ?

– Pourtant, c'est bien ce qui s'est passé, à mon avis.

Tous les regards se tournèrent vers Nyberg. Il était très rare que celui-ci se montre aussi affirmatif au début d'une enquête.

– J'ai eu la même impression que Kurt, commença-t-il. Une mise en scène. Un peu comme un photographe arrange son sujet avant d'appuyer sur le déclencheur. Puis j'ai découvert deux ou trois détails qui m'ont fait réfléchir.

Wallander l'écoutait avec la plus grande attention, mais Nyberg parut brusquement perdre le fil de son idée.

– On t'écoute, dit-il.

Nyberg secoua la tête.

– Ça paraît complètement absurde. Pourquoi déplacerait-on un cadavre ? Avant de le remettre au même endroit ?

– Il peut y avoir plusieurs raisons : pour retarder la découverte des corps, pour se donner la possibilité de disparaître.

– Ou d'envoyer des cartes postales, intervint Martinsson.

Wallander hocha la tête.

– Nous devons avancer pas à pas. Aucune idée n'est à exclure.

– C'étaient les verres, reprit Nyberg lentement. Il restait encore du vin dans deux d'entre eux. Un petit fond dans l'un, davantage dans l'autre, alors qu'il aurait dû s'être évaporé depuis longtemps, bien sûr. Mais ce qui m'a le plus surpris, c'est l'absence de moucherons ou d'autres insectes. Il aurait dû y en avoir. Tout le monde sait ce qui se passe si on laisse un verre de vin dehors pendant la nuit. Au matin, on y trouve des insectes morts. Dans ceux-ci, il n'y avait rien.

– Quelle est ta conclusion ?

– Je pense que les verres n'étaient pas là depuis longtemps quand Leman a découvert les corps.

– Combien d'heures ?

– Je ne peux pas répondre à cette question.

– Les restes du pique-nique contredisent ton idée, objecta Martinsson. Poulet pourri, salade moisie, beurre rance, pain rassis. La nourriture ne se décompose pas si vite.

Nyberg le dévisagea.

– N'est-ce pas précisément ce que nous étions en train de dire ? Une mise en scène : on dispose des verres, on y verse un fond de vin. La nourriture moisie a pu être préparée à part et disposée ensuite sur les assiettes.

Nyberg était aussi sûr de lui qu'au début de son intervention.

– C'est possible de le prouver. Nous allons bientôt savoir combien de temps le vin présent dans ces verres a été exposé à l'action de l'air. Nous allons pouvoir établir beaucoup de choses. Mais j'ai déjà un avis sur la question. Si les Leman avaient décidé de partir en excursion avant-hier, ils n'auraient rien trouvé.

Le silence se fit. Wallander comprit que Nyberg était allé plus loin que lui dans ses réflexions. Pour sa part, il n'avait pas imaginé que les corps aient pu passer moins de vingt-quatre heures à l'endroit où ils avaient été retrouvés. Si Nyberg avait raison, le meurtrier agissait tout près d'eux, presque en même temps qu'eux. La découverte de Nyberg modifiait aussi de façon fondamentale le rôle de Svedberg. Celui-ci avait pu tuer et escamoter les corps. Mais pas les replacer au même endroit.

– Tu parais sûr de toi, dit-il enfin. Quelle possibilité y a-t-il que tu te trompes du tout au tout ?

– Aucune. Je peux me tromper quant aux durées exactes. Mais sur le fond, ça s'est passé comme je l'ai dit.

– Reste à savoir si l'endroit où on a retrouvé les corps est bien le lieu du crime.

– Nous n'avons pas encore fini d'analyser les lieux. Mais il semble que du sang ait traversé la nappe et imbibé la terre.

– Tu penses donc qu'ils ont été tués sur place, et qu'on les a déplacés ensuite ?

– C'est ça.

– Où les a-t-on mis, dans ce cas ?

Chacun comprit que la question était décisive. Ils commençaient à entrevoir les déplacements d'un tueur. Même s'ils ne pouvaient se le représenter, ils devinaient désormais l'ombre de ses agissements. Et c'était un grand pas.

– Jusqu'ici, nous avons envisagé un seul meurtrier, dit Wallander. C'est peut-être un tort, si on imagine que les trois corps ont été déplacés.

– Peut-être est-ce le terme qui nous aveugle, dit Ann-Britt. Peut-être ne faut-il pas dire « déplacés », mais « dissimulés ».

Wallander avait eu la même idée.

– L'endroit ne se trouve pas très loin de l'entrée de la réserve, dit-il. On peut y accéder en voiture. Mais ce n'est pas autorisé, ça attirerait l'attention. Les corps ont donc sans doute été cachés à l'intérieur du parc. Peut-être à proximité du lieu du crime.

– Les chiens n'ont rien trouvé, dit Hansson. Mais ça ne veut rien dire.

Wallander venait de prendre une décision.

– Nous ne pouvons pas attendre le résultat de toutes les analyses techniques. Je veux qu'on commence à chercher dès le lever du jour. Un endroit où les corps auraient pu être dissimulés pendant un certain temps. Si notre raisonnement tient le coup, je crois que cet endroit est très proche.

Il était plus d'une heure du matin. Ils avaient tous besoin de dormir quelques heures avant de reprendre le travail.

Après le départ de ses collègues, Wallander rassembla ses papiers et alla les déposer dans son bureau. Il enfila sa veste et quitta le commissariat. Il n'y avait pas un souffle de vent. La chaleur n'avait pas diminué. Il inspira profondément. Puis il urina à l'abri d'une voiture de police. Il avait rendez-vous chez le docteur Göransson le lendemain matin. Il savait qu'il n'irait pas à ce rendez-vous. Son taux de sucre dans le sang était beaucoup trop élevé. Mais où trouverait-il le temps de penser à sa santé ?

Il traversa la ville déserte en pensant au détail qu'ils n'avaient abordé à aucun moment au cours de cette longue réunion, mais dont il n'était sans doute pas le seul à s'inquiéter.

Ils devinaient un tueur et ses déplacements.

Ils ne savaient pas ce qui le poussait à agir.

Encore moins s'il avait l'intention de frapper de nouveau.

15

Wallander n'alla pas se coucher cette nuit-là. Arrivé en bas de chez lui, lorsqu'il commença à fouiller ses poches à la recherche de ses clés, l'inquiétude l'assaillit avec une force décuplée. Tout près de lui, dans le noir, un tueur était passé à l'acte avec beaucoup de détermination. Et maintenant ? Qu'avait-il en tête ? Allait-il se montrer de nouveau ? Wallander hésita, les clés à la main. Puis il se décida, rangea le trousseau dans la poche de sa veste et se dirigea vers sa voiture. En quittant la ville déserte, il glissa une cassette dans l'autoradio. Musique d'opéra. Il l'arrêta presque aussitôt. La nuit était très calme. Il avait besoin de ce silence. Il baissa sa vitre et laissa l'air inonder son visage. L'inquiétude le submergeait par vagues. Il aurait voulu conjurer cette angoisse, se convaincre que le tueur ne reviendrait plus, mais c'était impossible. Toute idée de repos était vaine. Le tueur continuerait à rôder dans l'ombre jusqu'au moment où ils le débusqueraient. Il fallait absolument le prendre. Pas question qu'il rejoigne la liste des criminels impunis qui hantaient ses cauchemars, d'année en année, sans fin.

Il pensa à un événement survenu au début des années 1980, alors qu'il venait de quitter Malmö pour s'installer à Ystad avec Mona et Linda. Rydberg lui avait téléphoné tard un soir, disant qu'on avait trouvé une jeune fille morte dans un champ des environs de Borrie. Elle avait une large blessure au front, l'hypothèse d'une mort naturelle paraissait exclue. Ils étaient partis là-bas dans la nuit, c'était au mois de novembre. La neige tombait doucement. La jeune fille avait été assassinée, cela ne faisait aucun doute – en rentrant chez elle après avoir passé la soirée à Ystad, au cinéma. Elle était descendue à l'arrêt habituel et avait coupé à travers champs jusqu'à la ferme où elle vivait avec sa famille. Ne la voyant pas revenir, son père avait pris une lampe de poche pour aller l'attendre au bord de la route ; ce fut ainsi qu'il la découvrit. L'enquête avait duré des années. Rempli des milliers de pages de dossier. Mais ils n'avaient jamais retrouvé le coupable, ni même deviné quel pouvait être son mobile. Le seul indice était une pince à linge cassée, ensanglantée, retrouvée à côté du corps de la jeune fille. Ce meurtre n'avait jamais été élucidé. Bien des années plus tard, Rydberg était entré un soir dans le bureau de Wallander et s'était remis à parler de la jeune fille. Il venait d'avoir une idée dont il voulait lui faire part. Wallander savait qu'il consacrait parfois ses week-ends à relire des passages du dossier, seul au commissariat. Il n'avait jamais renoncé à éclaircir l'affaire. À la fin de sa vie, alors qu'il se mourait d'un cancer à l'hôpital, il avait une nouvelle fois évoqué la jeune fille morte dans le champ. Wallander avait compris le message : Rydberg lui demandait de ne pas l'oublier. Lui disparu, ce serait peut-être Wallander qui trouverait un jour la clé de l'énigme. Depuis la mort de Rydberg, il n'était jamais descendu aux archives pour consulter le dossier. Il pensait rarement à la jeune fille assassinée. Mais il n'avait pas oublié. Parfois, la jeune fille surgissait encore dans ses rêves. Toujours la même image : Wallander penché sur elle, Rydberg peut-être présent à l'arrière-plan, elle le regarde, mais elle est paralysée et ne peut pas parler.

Wallander quitta l'autoroute. Je ne veux pas être hanté toute ma vie par la mort de trois autres jeunes, pensa-t-il. Ni par la mort de Svedberg. Il faut retrouver celui ou ceux qui ont fait ça.

Il s'arrêta devant l'entrée de la réserve. Une voiture de police était stationnée sur le parking. Un policier en descendit. À son étonnement, Wallander reconnut Edmundsson.

– Où est ta chienne ?

– À la maison. Pourquoi l'obliger à dormir dans la voiture ?

Wallander acquiesça. Il n'y avait pas de raison, en effet.

– C'est calme ?

– À part Nyberg et les collègues qui surveillent le périmètre, il n'y a personne.

– Nyberg est revenu ?

– Il vient d'arriver.

Lui aussi, pensa Wallander, l'inquiétude ne le lâche pas. Ça ne devrait pas me surprendre.

– Il fait chaud pour un mois d'août, ajouta Edmundsson.

– Ne t'inquiète pas, l'automne sera là d'un jour à l'autre.

Il alluma sa torche électrique et enjamba le ruban plastifié qui délimitait le premier périmètre.

Il s'enfonça dans le parc.

*

L'homme était là depuis un long moment. Dès la tombée de la nuit, il s'était introduit dans la réserve, en passant par la mer pour ne pas attirer l'attention des policiers. Il avait longé la plage, escaladé les rochers, disparu parmi les arbres. Il ne pouvait exclure la présence des chiens ; il avait donc fait un grand détour en ne s'arrêtant qu'une fois parvenu au sentier principal qui s'enfonçait dans la partie sauvage de la réserve. De là, il pourrait facilement rejoindre la route si jamais un chien donnait l'alerte ou flairait le danger. Mais il n'était pas inquiet. Comment auraient-ils pu deviner qu'il reviendrait ?

Caché dans l'ombre, il avait observé les allées et venues des policiers le long du sentier. Plusieurs voitures étaient passées. Il avait aussi vu deux femmes. Beaucoup de gens avaient quitté la réserve au même moment, vers vingt-deux heures. Il en avait profité pour boire un peu de thé. Le nouveau stock qu'il avait commandé à Shanghai était déjà arrivé ; il irait chercher le paquet à la poste le lendemain à la première heure. Après avoir rangé la Thermos dans son sac à dos, il s'approcha lentement de l'endroit où il les avait tués. À ce moment-là, il était certain que tous les chiens étaient repartis. Bientôt, il aperçut les projecteurs qui répandaient leur lumière irréelle dans la forêt. C'était, pensa-t-il, comme assister gratuitement à une représentation théâtrale fermée au public. Il eut la tentation de s'approcher pour entendre ce que disaient les policiers. Et voir leurs visages. Mais il contrôla son impulsion. Comme toujours. Sans maîtrise de soi, on n'était jamais sûr de pouvoir se retirer à temps.

Les ombres jouaient dans le faisceau des projecteurs.

Les policiers ressemblaient à des géants. Impression illusoire, il le savait bien. Les policiers erraient comme des insectes aveugles perdus dans un univers incompréhensible. Un univers créé par lui. L'espace d'un instant, il s'autorisa à éprouver de la satisfaction. Mais l'orgueil était dangereux. L'orgueil rendait vulnérable.

Il retourna à son point de départ. Il venait de se décider à rentrer chez lui lorsqu'un homme seul surgit sur le sentier. La lampe torche éclairait le chemin et, l'espace d'un instant, il distingua son visage. Il le reconnut. Sa photo avait été publiée dans le journal. Il s'appelait Nyberg, c'était le technicien en chef de la police d'Ystad. Il sourit à la pensée que ce Nyberg ne comprendrait jamais le puzzle qu'il avait sous les yeux. Peut-être parviendrait-il à identifier les différents morceaux, jamais le dessin caché.

Il s'apprêtait à traverser le sentier lorsqu'il entendit derechef un bruit de pas. Puis la lueur d'une lampe apparut et il recula parmi les ombres. L'homme était massif, sa démarche trahissait la fatigue. De nouveau, il éprouva la tentation de se faire connaître, de passer à toute vitesse près de cet homme comme un animal nocturne avant de disparaître, avalé par l'obscurité.

Soudain l'homme s'immobilisa et promena le faisceau de sa lampe le long des taillis, de part et d'autre du sentier. L'espace d'un instant – qui se transforma en un espace de terreur infinie –, il se crut capturé. Il ne pouvait plus s'échapper. Puis le cercle de lumière s'éloigna. L'homme se remit en marche. Presque aussitôt, il se retourna et éclaira le sentier derrière lui. Puis la torche s'éteignit. L'homme resta immobile dans le noir. Enfin la lampe se ralluma et le type disparut.

Un long moment, il resta prostré, à ras de terre. Son cœur cognait à se rompre. Pourquoi l'homme sur le sentier s'était-il immobilisé ? Il n'avait fait aucun bruit pourtant ; il n'avait laissé aucune trace.

Combien de temps resta-t-il ainsi ? Pour la première fois, son horloge intérieure le trahit. Peut-être une heure, peut-être davantage. Finalement, il se leva, traversa le sentier et disparut en direction de la mer. Le jour commençait à se lever.

*

Wallander aperçut de loin la lumière des projecteurs éclairant les arbres. Peu après, il entendit la voix fatiguée et exaspérée de Nyberg. Un policier fumait une cigarette sur le sentier.

Il prêta l'oreille. D'où lui venait ce pressentiment ? Peut-être de ses propres pensées un peu plus tôt, dans la voiture, sur l'ombre invisible, le tueur caché dans le noir. Soudain, il avait cru entendre un bruit. Il s'était arrêté sur le sentier, brusquement terrorisé. Il n'y avait rien. Il s'était immobilisé de nouveau, cette fois en éteignant sa lampe, et il avait écouté de toutes ses forces. Mais on n'entendait rien, à part la rumeur de la mer.

Il se remit en marche et salua le policier fumeur. En l'apercevant, celui-ci voulut éteindre sa cigarette ; Wallander lui fit signe qu'il n'y avait pas de problème. Ils se trouvaient à la limite de la zone éclairée par les projecteurs. L'autre policier était jeune : Bernt Svensson, un grand type roux présent à Ystad depuis six mois. Wallander n'avait pas encore eu affaire à lui, mais il se souvenait de lui avoir serré la main à l'école de police de Stockholm, où il avait donné une conférence un an plus tôt.

– C'est calme ?

– Je crois qu'il y a un renard dans le coin.

– Qu'est-ce qui te fait dire ça ?

– Il m'a semblé voir une ombre plus grande qu'un chat.

– Il n'y a pas de renards en Scanie. Ils ont disparu avec la peste.

– Je crois quand même que c'était un renard.

Wallander hocha la tête.

– D'accord. C'était un renard.

Il entra dans le cercle de lumière et se laissa glisser avec précaution jusqu'au bas du talus. Nyberg contemplait l'arbre au pied duquel on avait retrouvé les trois jeunes. Maintenant on avait même ôté le drap bleu. Il grimaça en apercevant Wallander.

– Qu'est-ce que tu fais là ? Tu devrais dormir. Quelqu'un doit avoir la force de continuer.

La voix de Nyberg était éraillée par la fatigue.

– Je sais. Mais je n'y arrive pas.

– Tout le monde devrait aller se coucher.

– C'est ça, dit Wallander. Et ce genre de chose ne devrait pas arriver.

Ils se turent et contemplèrent un policier en combinaison de travail qui grattait la terre autour de l'arbre avec une pelle minuscule.

– Ça fait quarante ans que je suis dans la police, dit Nyberg soudain. Je peux prendre ma retraite dans deux ans, si ça me chante.

– Et tu feras quoi ?

– Je tournerai peut-être en rond. Mais, au moins, je ne passerai pas mes nuits dans la forêt en compagnie de jeunes cadavres à moitié décomposés.

Wallander se rappela les paroles du banquier Sundelius. *Avant, le matin, j'allais à mon travail. Maintenant je tourne en rond.*

– Tu te trouveras bien une occupation, dit-il sur un ton encourageant.

Nyberg marmonna une réponse inaudible. Wallander bâilla. Puis il se secoua pour chasser la fatigue.

– En fait, je suis venu préparer la suite.

– Les fouilles, tu veux dire ?

– Si on ne s'est pas trompés, il devrait être possible de déduire à quel endroit il a caché les corps.

– On ne sait pas s'il était seul.

– Moi je pense que oui. Il n'est pas vraisemblable que deux personnes se soient associées pour perpétrer ce massacre. De plus, nous supposons que c'est un homme. Il est fort rare qu'une femme tue les gens d'une balle dans la tête. Surtout des jeunes.

– Tu oublies ce qui s'est passé l'année dernière.

C'était vrai. L'année précédente, ils avaient été confrontés à une difficile enquête pour meurtres au terme de laquelle ils avaient arrêté une femme. Mais cela ne changeait rien à l'opinion de Wallander.

– Qui cherchons-nous ? Un forcené solitaire ?

– Peut-être. Pas nécessairement.

– Ça nous donne en tout cas un point de départ.

– Exactement. Il est seul. Il a trois cadavres à cacher. Comment raisonne-t-il ? Que fait-il ?

– Il réduit autant que possible la distance à parcourir. Pour des raisons pratiques. Il est sans doute obligé de les porter lui-même. À moins qu'il n'ait une brouette, mais ça peut attirer l'attention. Je crois que nous avons affaire à un homme prudent.

– Il doit aussi faire vite. Il se trouve dans un lieu ouvert au public. C'est l'été. Il peut y avoir du monde, même la nuit.

– Il les enterre donc à proximité.

– À supposer qu'il les ait enterrés. Y a-t-il d'autres possibilités ?

– Il a pu les hisser en haut d'un arbre à l'aide d'un palan. Mais, dans ce cas, les corps seraient plus abîmés qu'ils ne le sont.

Une pensée traversa l'esprit de Wallander.

– As-tu eu l'impression que les corps avaient été attaqués par des animaux ? Des becs d'oiseaux, ce genre de chose ?

– Non. Mais c'est aux légistes de trancher.

– Ça implique qu'ils ont vraisemblablement été enterrés. Mais les animaux creusent la terre. On peut imaginer que les corps étaient protégés. Dans des caisses ou des sacs en plastique.

– Je ne sais pas grand-chose de l'influence de la température sur la vitesse de décomposition. En tout cas, les corps conservés dans un espace fermé se comportent différemment de ceux qui sont en contact avec la terre. Autrement dit, ils sont peut-être là depuis plus longtemps qu'on ne le pensait.

Wallander sentit que ce point pouvait être décisif.

– Qu'est-ce que ça nous donne ?

Nyberg écarta les bras.

– Il n'a sans doute pas gravi la pente, dit-il en indiquant le talus.

– Pas davantage traversé un sentier, à moins d'y être contraint.

Ils tournèrent le dos au talus et scrutèrent l'obscurité au-delà des faisceaux lumineux où dansaient les insectes.

– La pente continue à gauche, dit Nyberg. Mais, très vite, il y a un autre talus. Je ne pense pas que ce soit là, le talus est trop proche.

– Et tout droit ?

– Terrain plat. Fourrés épais. Broussailles.

– À droite ?

– D'abord des broussailles. Mais pas très denses. Puis de la mousse qui doit se transformer en marécage l'hiver. Puis de nouveau des broussailles.

– C'est sans doute là. Tout droit ou à droite.

– À droite, dit Nyberg. J'ai oublié un détail. Si on continue tout droit, on arrive à un sentier. Mais ce n'est pas le plus important.

Il appela le policier en combinaison qui creusait au pied de l'arbre.

– Raconte ce que tu as trouvé en explorant le terrain droit devant, dit-il.

– Il y avait pas mal de champignons.

Wallander comprit.

– Il éviterait un coin à champignons qui peut attirer du monde, même l'été ?

Nyberg acquiesça.

– J'aime bien les champignons, et je visite mes coins préférés même en dehors de la saison.

Le policier se remit au travail.

– On va commencer par la droite, conclut Wallander. Dès qu'il y aura assez de lumière. On cherche un endroit où la terre semble avoir été retournée.

– À supposer qu'on ait raison. Il se peut qu'on se trompe du tout au tout.

Wallander n'eut pas la force de répondre. Il décida de retourner à sa voiture et de dormir quelques heures. Nyberg le raccompagna jusqu'au sentier.

– J'ai eu l'impression qu'il y avait quelqu'un quand je suis arrivé tout à l'heure, dit Wallander. Et Svensson était persuadé d'avoir vu un renard.

– Les gens normaux font des cauchemars quand ils dorment. Nous, nous vivons nos cauchemars tout éveillés.

– J'ai peur qu'il ne récidive.

Nyberg réfléchit avant de répondre :

– Nous savons en tout cas qu'il n'est jamais passé à l'acte auparavant. Ce meurtre, cette exécution plutôt, ne ressemble à rien de connu dans ce pays. Sinon, on le saurait.

– Martinsson devrait quand même faire circuler l'information à l'étranger, pour voir si ça évoque quelque chose à quelqu'un dans un autre pays.

– Tu as peur que ça recommence ?

– Pas toi ?

– Je suis toujours inquiet. Mais, depuis le début, j'ai l'impression que ce qui est arrivé ici ne peut pas se reproduire.

– J'espère que tu as raison. Je reviens dans quelques heures.

Wallander retourna à l'entrée de la réserve. La sensation d'une présence ne se renouvela pas. Arrivé à sa voiture, il se roula en boule sur la banquette arrière et s'endormit aussitôt.

Quand il se réveilla, il faisait grand jour. Quelqu'un venait de frapper à la vitre. Il reconnut le visage d'Ann-Britt Höglund et s'extirpa difficilement du véhicule. Il avait mal partout.

– Quelle heure est-il ?

– Sept heures.

– J'ai dormi trop longtemps. Ils devraient déjà être en train de creuser.

– Ils ne font que ça. C'est pour ça que je t'ai réveillé. Hansson arrive.

Ils prirent le chemin de la clairière, en marchant vite. Wallander ne put s'empêcher de geindre.

– J'ai horreur de ça, dormir dans une voiture et commencer la journée ainsi, pas lavé, pas rasé. Je suis trop vieux. Comment veux-tu réfléchir quand tu n'as même pas pris un café ?

– Ne t'inquiète pas pour ça. Même si la police n'a pas prévu de Thermos, j'en ai apporté une. Tu peux même avoir une tartine, si tu veux.

Wallander accéléra le pas, mais il avait encore l'impression qu'elle marchait plus vite que lui. Ça l'énerva. Ils passèrent devant l'endroit où il avait cru sentir une présence dans le noir, quelques heures plus tôt. Il s'immobilisa et regarda autour de lui. Soudain, il constata que c'était un endroit idéal pour surveiller les allées et venues sur le sentier. Ann-Britt le dévisageait d'un air interrogateur. Wallander n'eut pas la force de s'expliquer. Il venait de prendre une décision.

– Rends-moi un service, dit-il. Demande à Edmundsson de venir ici avec sa chienne et d'explorer le terrain à vingt mètres de part et d'autre du sentier.

– Pourquoi ?

– Parce que je le lui demande. Il devra se contenter de ça pour l'instant.

– Mais que doit-il chercher ?

– Je ne sais pas. Ce qui ne devrait pas y être.

Elle n'insista pas. Il regrettait déjà de ne pas s'être mieux expliqué. Trop tard. Elle lui tendit un journal. La photo de la femme prénommée Louise figurait en première page. Il lut les titres sans s'arrêter.

– Qui s'en occupe ?

– Martinsson va trier les informations fournies par le public.

– C'est important.

– Il a l'habitude de faire les choses à fond.

– Pas toujours.

Son ton était agressif. Il n'avait aucune raison de faire payer à Ann-Britt sa fatigue accumulée, mais il n'avait personne d'autre sous la main. Je m'excuserai plus tard, pensa-t-il avec résignation. Quand tout sera fini.

Au même instant, il aperçut de loin un coureur matinal qui approchait sur le sentier. Il réagit immédiatement.

– C'est quoi, ça ? Et le périmètre de sécurité ? Il ne devrait pas y avoir un chat dans le coin, à part nous.

Il se planta au milieu du sentier et attendit. Le coureur, un homme d'une trentaine d'années, casque de baladeur sur les oreilles, fit mine de le contourner. Wallander l'empoigna par le bras. Puis tout alla très vite. L'homme, se croyant agressé, fit volte-face et lui balança un coup de poing inattendu. Wallander s'effondra sur le sentier. Lorsqu'il revint à lui quelques secondes plus tard, Ann-Britt Höglund avait ceinturé le type et s'employait à lui plier les bras dans le dos. Le casque, toujours relié au baladeur, avait atterri à côté de Wallander, qui reconnut avec surprise un air d'opéra. Quelques policiers en uniforme, alertés par Ann-Britt, surgirent en courant et lui passèrent les menottes. Entre-temps, Wallander s'était remis debout avec précaution. Il s'était mordu la langue et sa mâchoire lui faisait mal. Pas de dent cassée en tout cas. Il dévisagea l'homme qui venait de le frapper.

– L'accès de la réserve est barré. Ça n'a pas pu t'échapper, tout de même ?

– Barré ?

Le type paraissait sincèrement surpris.

– Prenez son nom et relâchez-le, dit Wallander aux policiers. Et ne laissez plus passer qui que ce soit.

– Je vais porter plainte !

Wallander, qui s'était détourné pour se tâter la bouche, se retourna lentement.

– C'est quoi, ton nom ?

– Hagroth.

– Prénom ?

– Nils.

– Et tu vas porter plainte à quel sujet ?

– Je cours, je ne fais de mal à personne et je me fais agresser.

– Erreur. C'est moi qui ai été agressé, pas toi. Je suis de la police et j'ai été obligé de t'arrêter parce que tu violes un périmètre de sécurité.

L'homme tenta de protester. Wallander leva la main.

– Tu risques un an ferme. Coups et blessures à un policier dans l'exercice de ses fonctions. C'est sérieux. En plus, tu as le devoir de respecter les consignes de la police. Tu étais à l'intérieur d'un périmètre de sécurité. Ça fait plus d'un an ; ça fait trois ans. Et tu ne t'en tireras pas avec une peine conditionnelle. Tu as déjà été condamné ?

– Bien sûr que non.

– Alors ça fait trois ans. Mais si tu oublies l'affaire et si tu ne te montres plus ici, je verrai ce que je peux faire.

L'homme tenta une nouvelle fois de protester. Wallander releva aussitôt la main.

– Tu as dix secondes pour te décider.

L'autre hocha la tête.

– Enlevez-lui les menottes, raccompagnez-le à l'entrée de la réserve et notez son adresse.

Wallander s'était remis en marche. Il avait mal à la joue, mais le choc avait chassé la fatigue. Ann-Britt le rattrapa sur le sentier.

– Il n'aurait jamais pris trois ans pour ça !

– Il n'en sait rien. Et je ne pense pas qu'il va chercher à vérifier.

– C'est exactement le genre d'incident que la direction cherche à éviter, dit-elle sur un ton ironique. Ça peut entamer la confiance des citoyens.

– Ce n'est rien à côté de ce qui risque d'être entamé si nous ne retrouvons pas le meurtrier de Boge, Norman et Hillström. Et d'un de nos collègues, en plus.

Arrivé sur les lieux, Wallander prit un gobelet de café et se mit en quête de Nyberg, qui préparait les recherches. Nyberg avait les yeux rougis ; il était hirsute et très en colère.

– Je ne devrais pas avoir à m'occuper de ça ! Où sont les autres, bordel ? Et toi ? Pourquoi tu saignes ?

Wallander leva instinctivement la main. Il avait du sang à la commissure des lèvres.

– Je me suis battu avec un joggeur. Hansson ne devrait pas tarder.

– Avec un *quoi* ?

– On en parlera plus tard.

Il rejoignit Ann-Britt et la prit à part.

– Je te laisse organiser l'affaire, dit-il. On cherche un endroit où trois corps auraient pu être enterrés. Nyberg et moi avons l'idée d'un endroit possible.

Il était sept heures trente, le ciel était limpide. Pas d'averse en perspective, pensa Wallander. Tant mieux. Les traces resteront visibles.

Hansson apparut et se laissa glisser au bas du talus. Il paraissait aussi épuisé que les autres.

– Tu sais ce qu'ils ont prévu comme temps pour la journée ?

Hansson avait écouté la météo dans la voiture.

– Pas de pluie. Ni aujourd'hui, ni demain.

Wallander fit un point rapide de la situation. L'arrivée d'Ann-Britt et de Hansson rendait sa propre présence superflue. Si, de son côté, Martinsson dirigeait le travail au commissariat, il était libre de s'occuper de toutes les autres questions urgentes.

– Tu as du sang sur la joue, dit Hansson.

Wallander ne répondit pas et composa le numéro de Martinsson sur son portable.

– J'arrive, lui dit-il. Hansson et Ann-Britt restent là.

– Des résultats ?

– C'est encore trop tôt. Quand peut-on joindre quelqu'un à Lund ?

– Je peux essayer tout de suite.

– Fais-le. Et dis-leur que c'est urgent. Ce qu'on veut surtout, c'est une heure approximative. S'ils peuvent nous donner en plus l'ordre dans lequel ils ont été tués, ce serait bien.

– Pourquoi ?

– Je ne sais pas si c'est important. Mais si ça se trouve, le meurtrier n'en voulait qu'à un des trois.

Martinsson comprit et promit d'appeler Lund aussitôt. Wallander rangea le téléphone dans sa poche.

– Je rentre à Ystad, dit-il. Prévenez-moi dès qu'il y a du nouveau.

Sur le sentier, il croisa Edmundsson et sa chienne. Ann-Britt Höglund avait dû l'appeler directement, sans que Wallander s'en aperçoive. Et Edmundsson avait dû réagir très vite à son tour.

– Tu as fait venir la chienne par hélicoptère ? s'enquit-il.

– Un collègue est passé la prendre. Qu'est-ce que tu veux, exactement ?

Wallander s'expliqua.

– On ne cherche rien de particulier ?

– Tout ce qui ne devrait pas être là. Si vous trouvez quelque chose, préviens Nyberg. Quand tu auras fini, tu pourras aller aider les autres. Ils cherchent un endroit où creuser.

Edmundsson pâlit.

– On pense qu'il y a d'autres cadavres ?

Wallander sursauta. Cette possibilité ne l'avait même pas effleuré. Puis il se rassura à l'idée que c'était invraisemblable.

– Non. On cherche un trou où ils auraient pu être cachés.

– En attendant quoi ?

Wallander s'éloigna sans répondre. Edmundsson a raison, pensa-t-il. *En attendant quoi ?* Pourquoi le tueur a-t-il voulu cacher les corps ? Avant de les ressortir ? On a tenté de formuler une réponse possible. Mais la question est peut-être plus importante que nous ne le pensions.

Il regagna sa voiture, la mâchoire encore douloureuse. Il s'apprêtait à mettre le contact lorsque le téléphone sonna.

Réponse de Lund, pensa Wallander en reconnaissant la voix de Martinsson. Aussitôt, il sentit monter la tension.

– Qu'est-ce qu'ils ont dit ?

– Qui ?

– Tu n'as pas eu l'institut de Lund ?

– Non. J'ai reçu un autre appel entre-temps.

Wallander perçut brusquement l'inquiétude dans la voix de Martinsson.

Oh non, pensa-t-il. Pas une nouvelle victime. On n'y arrivera pas.

– C'était l'hôpital, dit Martinsson. Il semblerait qu'Isa Edengren se soit enfuie.

Le cadran de la voiture indiquait huit heures et trois minutes. Lundi 12 août.

16

Wallander se rendit directement à l'hôpital. Il conduisait beaucoup trop vite. En apercevant Martinsson, il freina et laissa sa voiture sous un panneau de stationnement interdit.

– Qu'est-ce qui s'est passé ?

– On ne sait pas. Apparemment, elle s'est habillée et elle est partie avant l'aube. Personne ne l'a vue.

– Avait-elle passé des coups de fil ? Quelqu'un a-t-il pu venir la chercher ?

– Difficile d'en être sûr. Il y a beaucoup de malades dans ce service et très peu de personnel de nuit. Il y a plusieurs téléphones. On a découvert sa disparition à six heures. Une infirmière était passée à quatre heures dans sa chambre. À ce moment-là, elle dormait.

– Non. Elle attendait. Et puis elle a filé.

– Pourquoi ?

– Sais pas.

– Tu penses qu'elle peut refaire une tentative ?

– C'est possible. Mais réfléchis : on lui apprend ce qui est arrivé à ses amis. Elle s'enfuit précipitamment de l'hôpital. Qu'est-ce que ça suggère ?

– Qu'elle a peur.

– Oui. Mais de quoi ?

Wallander ne connaissait qu'un endroit où entamer les recherches : la maison de Skårby. Il demanda à Martinsson de prendre sa propre voiture et de suivre. Il ne voulait pas retourner là-bas tout seul.

Ils s'arrêtèrent d'abord chez Lundberg. L'homme bricolait son tracteur, dans la cour. Il leva la tête à l'approche des deux voitures. Wallander fit les présentations et alla droit au but.

– Tu as téléphoné à l'hôpital hier et tu as appris qu'elle allait bien, compte tenu des circonstances. Or, ce matin, elle est partie. Elle s'est enfuie, plus exactement. Entre quatre et six heures. Ma question est simple : est-ce que tu l'as vue ? À quelle heure te lèves-tu le matin ?

– Vers quatre heures et demie, en général. Ma femme aussi.

– Isa n'est pas venue ici ?

– Non.

– As-tu entendu une voiture tôt ce matin ?

Lundberg répondit sans hésiter :

– Åke Nilsson, qui habite un peu plus loin, est passé vers cinq heures. Il travaille aux abattoirs trois jours par semaine. À part lui, il n'y a eu personne.

La femme de Lundberg apparut sur le seuil. Elle avait entendu la fin de la conversation.

– Isa n'est pas venue, dit-elle. Et il n'y a pas eu de voiture à part celle de Nilsson.

– As-tu une idée de l'endroit où elle pourrait être ?

– Non.

– Si elle donne signe de vie, il faut nous prévenir immédiatement. Nous devons savoir où elle est. C'est clair ?

– Elle n'a pas l'habitude de nous téléphoner.

Wallander était déjà remonté en voiture. Ils prirent la direction de la propriété des Edengren. Il explora la gouttière du bout des doigts et trouva les clés. Puis il entraîna Martinsson vers le pavillon du jardin. Rien ne semblait avoir été déplacé. Ils revinrent sur leurs pas. Wallander fit tourner la clé dans la serrure, et ils entrèrent. La maison paraissait encore plus vaste que de l'extérieur. Les meubles, les bibelots, tout semblait extrêmement coûteux, mais froid. On se croirait dans un musée, pensa Wallander. Aucune trace de vie humaine. Ils firent le tour des pièces du rez-de-chaussée et montèrent au premier étage. Une grande maquette d'avion était suspendue dans l'une des chambres. Un ordinateur sur une table. Quelqu'un avait posé un pull-over par-dessus. Wallander devina que c'était la chambre de Jörgen – le frère suicidé. Il alla à la salle de bains. Il y avait une prise électrique à côté du miroir. Il frissonna. Martinsson avait eu la même pensée.

– Ça ne doit pas arriver souvent que quelqu'un se suicide avec un grille-pain.

Wallander était déjà entré dans une autre chambre. À l'évidence, celle d'Isa.

– Viens, on doit la fouiller à fond.

– Qu'est-ce qu'on cherche ?

– Je ne sais pas. Mais Isa aurait dû être avec eux dans la réserve. Elle a essayé de se suicider. Elle s'est enfuie. Nous pensons tous les deux qu'elle a peur.

Wallander s'assit devant le bureau tandis que Martinsson s'attaquait à la grande penderie qui occupait tout un mur. Les tiroirs du bureau n'étaient pas fermés à clé. Cela le surprit tout d'abord, mais, en les ouvrant, il comprit que ça n'avait rien d'étonnant. Les tiroirs étaient presque vides. Il fronça les sourcils. Quelques vieux crayons et des pièces de monnaie de différents pays. Rien d'autre. Quelqu'un les avait-il vidés ? Il souleva le sous-main et découvrit une aquarelle maladroite signée *UE 95*, qui représentait un paysage marin. Des vagues et des rochers. Il la remit à sa place et se leva pour examiner les rayonnages, près du lit. Il suivit du doigt le dos des volumes en lisant les titres au fur et à mesure. Il en reconnut certains ; Linda avait lu les mêmes. Il passa la main derrière les livres et en trouva deux qui étaient tombés. Ou qu'on avait cachés. Il les sortit et les examina. Deux titres anglais. *Journey to the Unknown*, d'un certain Timothy Neil, et *How to Cast Yourself in the Play of Life*, par Rebecka Stanford. Il traduisit mentalement : *Voyage vers l'Inconnu* et *Comment trouver son rôle dans le jeu de la vie*. Les jaquettes se ressemblaient : des formes géométriques, des chiffres et des lettres flottant dans un espace abstrait. Wallander se rassit à la table. Les livres, à force d'avoir été lus et relus, s'ouvraient d'eux-mêmes. Certaines pages étaient cornées. Il mit ses lunettes et lut les résumés figurant au dos. Timothy Neil proposait de mieux orienter son existence en déchiffrant les cartes spirituelles que proposaient les rêves. Wallander posa le livre avec une grimace et prit l'autre. Rebecka Stanford traitait quant à elle de la « dissolution chronologique ». Soudain, son attention s'aiguisa. Le livre enseignait comment, avec un groupe d'amis, apprendre à maîtriser le temps et se mouvoir entre différentes époques, passées et futures.

L'auteur semblait penser que c'était la bonne méthode pour réussir sa vie « en cette période d'absurdité et de confusion accélérées ».

– Tu as entendu parler d'un écrivain qui s'appelle Rebecka Stanford ?

Martinsson descendit de la chaise où il s'était juché pour examiner l'étagère supérieure de la penderie et regarda la jaquette.

– Ça doit être un genre de livre pour la jeunesse. Il vaudrait mieux demander à Linda.

Wallander hocha la tête. Linda lisait beaucoup ; au cours de leurs vacances à Gotland, il avait jeté un coup d'œil à ses lectures. Aucun des auteurs ne lui était connu.

Martinsson retourna à sa penderie. Wallander continua à explorer les rayonnages. Il trouva quelques albums de photos et se rassit pour les feuilleter. Images déjà pâlies d'Isa et de son frère. Intérieurs, extérieurs. Isa et son frère encadrant un bonhomme de neige, tous les deux au garde-à-vous ; ils ne paraissent ni contents, ni fiers. Quelques photos d'Isa seule. Photos de classe. Photos d'Isa avec quelques amis à Copenhague. Puis de nouveau Jörgen. Il a grandi. Une quinzaine d'années, l'air lugubre, mais c'est peut-être une pose. Isa sourit. Jörgen est grave. Paysages maritimes, rochers. Wallander revint à l'aquarelle. Ce pouvait bien être le même endroit. Il trouva un nom et une date : *île de Bärnsö, 1989*. Wallander continua de feuilleter l'album. Aucune image des parents. Seulement Jörgen et Isa. Des amis. Des paysages. La mer et l'archipel. Mais pas de parents.

– C'est où, Bärnsö ?

– Je ne sais pas, ça évoque une phrase de la météo marine.

Wallander ouvrit l'album suivant. Images plus récentes. Toujours pas de parents. Aucun adulte d'ailleurs, sauf deux : les Lundberg, photographiés devant leur maison. On aperçoit le tracteur. C'est l'été. Ils rient. C'est sans doute Isa qui a pris cette photo, pensa-t-il. Puis de nouveau la mer et les rochers. Isa, debout sur un récif à fleur d'eau.

Il contempla longuement cette image. On aurait dit qu'Isa marchait sur la mer. Qui l'avait prise ?

Martinsson siffla.

– Je crois que tu devrais jeter un coup d'œil à ça.

Il se leva d'un bond. Martinsson tenait une perruque à la main. Semblable à celles que portaient Boge, Norman et Hillström. Un bout de papier était fixé par un élastique à l'une des mèches. Wallander le détacha avec précaution.

– Holmsted, location de costumes, lut-il. Avec une adresse et un numéro de téléphone à Copenhague.

Il retourna le papier. La perruque avait été louée le 19 juin et devait être rapportée le 28.

– On les appelle tout de suite ? proposa Martinsson.

– On devrait peut-être y aller. Mais commençons par le téléphone.

– Il vaut mieux que tu t'en charges. Les Danois ne comprennent jamais ce que je dis.

– C'est toi qui ne les comprends pas, parce que tu ne te donnes pas la peine de les écouter.

– Pendant ce temps, je vais localiser l'île de Bärnsö. Pourquoi est-ce important ?

– Je me le demande aussi, répondit Wallander en composant le numéro de Copenhague sur son portable.

Une femme répondit. Il se présenta et expliqua la situation : une perruque louée le 19 juin, qui n'avait pas été restituée à la date convenue.

– Louée au nom d'Isa Edengren, précisa-t-il. À Skårby, en Scanie.

– Un instant, je vais voir.

Wallander attendit. Martinsson était sorti de la chambre avec son portable et demandait à quelqu'un le numéro de la météo marine. La femme revint.

– Nous n'avons aucune perruque au nom d'Edengren. Ni ce jour-là ni les précédents.

– Essayez un autre nom.

– Je suis seule au magasin et j'ai des clients. Ça peut attendre ?

– Dans ce cas, je serai contraint de prendre contact avec la police danoise.

Elle n'insista pas. Il lui donna les autres noms – Martin Boge, Lena Norman, Astrid Hillström – et attendit. Martinsson s'énervait dans le couloir. Quelqu'un s'obstinait à le renvoyer à un autre interlocuteur.

– C'est exact, dit enfin la femme. Une certaine Lena Norman a payé et emporté quatre perruques le 19 juin. Ainsi que certains vêtements. Tout devait être rendu le 28. Mais nous n'avons rien reçu. Nous allions justement lui écrire à ce sujet.

– Tu te souviens d'elle ? Était-elle seule ?

– C'est mon collègue qui travaillait à ce moment-là. M. Sörensen.

– Puis-je lui parler ?

– Il est en vacances jusqu'à la fin du mois d'août.

– Où se trouve-t-il ?

– Dans l'Antarctique.

– Pardon ?

– En route vers le pôle Sud. Il va visiter de vieilles stations baleinières norvégiennes. Le père de M. Sörensen était pêcheur de baleines, je crois même que c'était lui qui tenait le harpon.

– Il n'y a donc personne qui puisse identifier Lena Norman ou me dire si elle était seule quand elle a loué les perruques ?

– Malheureusement non. Mais il va falloir nous dédommager pour le retard. Et nous aimerions récupérer la marchandise.

– Dans l'immédiat, c'est la police qui s'en occupe.

– Il s'est passé quelque chose ?

– Oui. Et je veux que Sörensen prenne contact avec la police d'Ystad dès son retour.

– Je le lui dirai. Wallander, c'est bien cela ?

– Kurt Wallander.

Il posa son portable sur la table. Lena Norman s'était donc rendue à Copenhague. Était-elle seule ? C'était la question.

Martinsson apparut.

– Bärnsö se trouve dans l'Östergötland. Plus exactement dans l'archipel de Gryt. Il y a aussi un Bärnsö sur la côte du Norrland, mais c'est plutôt un haut-fond réputé pour la pêche.

Wallander rendit compte de sa conversation avec la loueuse de costumes de Copenhague.

– Il faudra donc aller voir les parents de Lena Norman, dit Martinsson.

– J'aurais préféré attendre quelques jours. Mais comment faire ?

Ils méditèrent en silence ce terrible aspect de l'enquête – ne pas pouvoir laisser les parents tranquilles.

La porte d'entrée s'ouvrit. Ils eurent la même pensée : Isa Edengren ! Mais ce n'était que Lundberg dans son bleu de travail. En les apercevant en haut de l'escalier, il enleva ses bottes et les rejoignit.

– Isa t'a appelé ? demanda Wallander.

– Non. Et je ne veux pas te déranger. C'est juste à propos de ce que tu as dit tout à l'heure, devant la maison. Que j'avais appelé à l'hôpital pour demander des nouvelles d'Isa.

Wallander crut que Lundberg pensait avoir mal agi.

– C'était un geste parfaitement naturel de ta part.

Lundberg le dévisageait d'un air préoccupé.

– Mais je n'ai pas téléphoné. Et ma femme non plus. On aurait pu le faire, bien sûr. Mais on ne l'a pas fait.

Wallander et Martinsson échangèrent un regard.

– Tu dis que tu n'as pas téléphoné à l'hôpital pour prendre des nouvelles d'Isa ?

– Non.

– Et ta femme non plus ?

– Ni elle, ni moi.

– Y a-t-il un autre Lundberg qui aurait pu lui téléphoner ?

– Ah bon ? Et ce serait qui ?

Wallander considéra pensivement l'homme debout en face de lui. Il n'y avait aucune raison de mettre en doute sa sincérité. Un autre homme avait donc appelé l'hôpital. Qui connaissait les liens entre Isa et la famille Lundberg. Et qui était informé de son hospitalisation. Mais que voulait savoir cet individu ? Si Isa allait se rétablir ? Ou si elle était morte ?

– Je ne comprends pas, dit Lundberg. Qui a pu se faire passer pour moi ?

– Tu devrais pouvoir répondre toi-même à cette question. Qui savait qu'Isa venait chez vous quand elle avait des difficultés avec ses parents ?

– Tout le monde au village savait qu'Isa venait nous voir. Mais j'ignore qui a pu se faire passer pour moi.

– L'ambulance, intervint Martinsson. Elle n'est pas passée inaperçue, j'imagine. Quelqu'un vous a-t-il posé des questions ?

– Karin Persson. Elle habite dans le virage, juste avant l'autoroute. Elle est curieuse, s'intéresse à tout ce qui se passe. Mais elle aurait du mal à parler comme un homme au téléphone.

– Personne d'autre ?

– Åke Nilsson s'est arrêté chez nous en revenant du travail. Il nous apportait des côtelettes. Nous lui avons raconté. Mais il ne connaissait pas Isa, alors il n'avait aucune raison d'appeler l'hôpital.

– C'est tout ?

– Le facteur nous a apporté un avis de virement. On avait gagné trois cents couronnes au loto. Il a demandé si les Edengren étaient là, et on lui a dit qu'Isa avait été hospitalisée. Mais pourquoi aurait-il téléphoné là-bas ?

– Personne d'autre ?

– Non.

– Merci de nous avoir permis de tirer cela au clair, dit Wallander en marquant nettement par le ton de sa voix que l'entretien était clos.

Lundberg disparut dans l'escalier, remit ses bottes et partit.

– Je suis retourné dans la réserve cette nuit, dit Wallander. À un moment donné, j'ai eu le sentiment qu'il y avait quelqu'un dans le noir. Qui nous surveillait. Je me suis dit que je me faisais des idées. Mais, maintenant, je commence à me poser des questions. Ce matin, j'ai demandé à Edmundsson d'explorer l'endroit avec sa chienne. Est-ce que quelqu'un nous suit ?

– Je sais ce qu'aurait répondu Svedberg.

Wallander le dévisagea avec surprise.

– Qu'aurait-il dit ?

– Svedberg parlait parfois de ses Indiens. Je me souviens d'une nuit, on surveillait le terminal des ferries, je crois que c'était en 88, au début du printemps. Une grosse affaire de contrebande, tu t'en souviens peut-être. On planquait dans la voiture, Svedberg et moi, et il racontait des histoires d'Indiens pour nous tenir éveillés. Entre autres, il m'a parlé de leurs techniques de pistage, et de leurs méthodes pour vérifier qu'eux-mêmes ne sont pas suivis. Il faut savoir s'arrêter, en gros. Savoir à quel moment interrompre sa progression, se mettre à couvert et attendre ceux qui approchent par-derrière.

– Qu'aurait dit Svedberg ?

– Qu'on devrait s'arrêter de temps en temps et jeter un coup d'œil par-dessus l'épaule.

– Et qu'est-ce qu'on verrait alors ?

– Quelqu'un qui ne devrait pas y être.

Wallander réfléchit.

– Autrement dit, on doit garder cette maison sous surveillance. Au cas où quelqu'un déciderait de faire la même chose que nous : fouiller dans la chambre d'Isa. C'est ça ?

– À peu près.

– Il n'y a pas d'à peu près. C'est oui ou c'est non.

– Je t'informais juste du point de vue de Svedberg.

Wallander comprit à quel point il était fatigué. L'exaspération latente, prête à déborder pour un rien. Il aurait dû s'excuser auprès de Martinsson, et auprès d'Ann-Britt un peu plus tôt dans la réserve. Mais il ne dit rien. Ils retournèrent dans la chambre d'Isa. La perruque était posée sur la table, à côté du portable. Wallander s'agenouilla et jeta un regard sous le lit. Rien. En se relevant, il eut un vertige, chancela et dut s'agripper à Martinsson.

– Ça ne va pas ?

Il secoua la tête.

– Ce sont les nuits blanches. Ça fait longtemps que je ne peux plus les aligner impunément. Ça va t'arriver, à toi aussi.

– On devrait demander à Lisa de faire venir des renforts.

– Elle l'a déjà mentionné. On en reparlera. Y a-t-il autre chose à voir, ici ?

– Je ne crois pas.

– Est-ce qu'il manque un objet ? Qui devrait se trouver dans la chambre d'une jeune femme ?

– Pas que je sache.

– Alors on y va.

Il était neuf heures et demie lorsqu'ils ressortirent dans la cour. Wallander jeta un regard au ciel. Pas d'averse en perspective.

– Je vais prendre contact avec les parents d'Isa. Je vous laisse vous occuper des parents de Boge, Norman et Hillström. Je n'ose pas penser à ce qui se passera si nous ne retrouvons pas Isa. Il se peut qu'ils soient au courant d'un détail. Idem pour ceux qui figurent sur la photo qu'on a trouvée chez Svedberg.

– Tu crois qu'il est arrivé quelque chose ?

– Je ne sais pas.

Ils remontèrent en voiture et prirent la direction d'Ystad. Wallander pensait à la conversation avec Lundberg. Quelqu'un avait donc téléphoné à l'hôpital. Qui ? En plus, il sentait confusément que

Lundberg avait mentionné un fait, en passant, qui pouvait avoir de l'importance. Mais il rejeta cette intuition. Je suis fatigué, pensa-t-il. Je n'écoute pas ce que les gens me disent et, après coup, j'ai l'impression d'être passé à côté de l'essentiel.

En arrivant au commissariat, Martinsson disparut dans son bureau. Ebba fit signe à Wallander.

– Mona a appelé, dit-elle.

Il s'immobilisa.

– Que voulait-elle ?

– Elle ne me l'a pas dit, bien sûr.

Elle lui tendit un bout de papier où elle avait noté le numéro de Mona à Malmö. Wallander le connaissait par cœur, mais Ebba pensait à tout. Elle lui donna aussi une pile d'autres messages téléphoniques.

– Ce sont surtout des journalistes, dit-elle pour le rassurer. Tu n'es pas obligé de les rappeler.

Wallander prit un café au passage et alla dans son bureau. Il venait d'enlever sa veste lorsque le téléphone sonna. C'était Hansson.

– Rien de neuf jusqu'à présent. Juste pour ton information.

– Je voudrais que tu viennes, dit Wallander. Toi ou Ann-Britt. Martinsson et moi n'avons pas le temps de tout faire ici. Qui s'occupe des voitures disparues, par exemple ?

– C'est moi. Et j'y travaille. Il s'est passé autre chose ?

– Isa Edengren s'est enfuie de l'hôpital. Et cela m'inquiète.

– Bon. Qui doit venir ? Ann-Britt ou moi ?

Wallander aurait préféré Ann-Britt. Elle était meilleur policier que Hansson.

– Peu importe. L'un de vous.

Il raccrocha du doigt et composa aussitôt le numéro de Mona à Malmö. Chaque fois qu'elle appelait – très rarement, en réalité – il s'inquiétait à l'idée qu'il soit arrivé quelque chose à Linda.

Elle décrocha à la deuxième sonnerie. Wallander éprouvait toujours comme une ombre de chagrin en entendant sa voix. Parfois, il lui semblait que ce sentiment diminuait avec les années, mais il n'en était pas sûr.

– J'espère que je ne te dérange pas, dit-elle. Comment vas-tu ?

– Comment pourrais-tu me déranger alors que c'est moi qui te rappelle ? Je vais bien.

– Fatigué, on dirait.

– Oui. Tu as dû voir dans les journaux qu'un de mes collègues est mort. Svedberg. Tu te souviens de lui ?

– Très vaguement.

– Qu'est-ce que tu voulais ?

– Juste t'annoncer que je me remarie.

Wallander ne répondit pas. L'espace d'un instant, il fut sur le point de raccrocher. Mais il resta immobile.

– Tu es toujours là ?

– Oui. Je suis là.

– Je t'informe donc que je vais me remarier.

– Avec qui ?

– Clas-Henrik, bien sûr.

– Tu vas te marier avec un joueur de golf ?

– Ça, c'était une remarque idiote et superflue.

– Excuse-moi. Linda est au courant ?

– Je voulais t'en parler d'abord.

– Je ne sais pas quoi dire. Je devrais peut-être te féliciter.

– Par exemple. Ce n'est pas la peine de s'éterniser au téléphone. Je voulais juste que tu sois au courant.

– Mais je ne veux pas être au courant, bordel ! Ni de ta vie ni de ton golfeur de mes deux !

La rage avait émergé de nulle part. Peut-être à cause de la fatigue, ou de l'ultime déception muette d'être ainsi définitivement abandonné par Mona. D'abord, le fameux jour où elle lui avait annoncé qu'elle voulait divorcer. Et maintenant ça.

Il raccrocha si brutalement que le combiné se cassa net. Martinsson, qui venait d'apparaître à la porte, sursauta. Wallander s'empara de l'appareil, l'arracha à la prise et le balança de toutes ses forces dans la corbeille. Martinsson lui jeta un regard inquiet et se retourna pour partir.

– Qu'est-ce que tu me voulais ?

– Ça peut attendre.

– Ma colère est d'ordre privé. Dis-moi ce que tu veux.

– Je vais chez les Norman. Je pensais commencer par eux. En plus, Lillemor Norman sait peut-être où se cache Isa.

Wallander acquiesça.

– Hansson ou Ann-Britt doit passer. Demande-leur de s'occuper des autres.

Martinsson hocha la tête. Il hésitait visiblement.

– Je crois qu'il te faut un nouveau téléphone, dit-il. Je m'en occupe.

Wallander lui fit signe de s'en aller.

Il resta un long moment assis sans bouger. Une nouvelle fois, il avait été contraint de constater que Mona était encore la femme qui comptait le plus dans sa vie.

Lorsqu'un policier apparut à la porte avec un nouveau poste de téléphone, il se leva enfin et sortit de son bureau. Dans le couloir, il hésita. Puis il remarqua qu'il s'était arrêté devant la porte de Svedberg. Elle était entrebâillée. Il l'ouvrit du bout du pied. Le soleil illuminait la pièce, révélant la présence d'une fine couche de poussière sur le bureau. Wallander entra et referma la porte derrière lui. Après un instant d'indécision, il s'assit dans le fauteuil de Svedberg. Ann-Britt avait déjà examiné tous ses papiers. Elle était méticuleuse. Ce serait une perte de temps de les parcourir de nouveau. Il songea soudain que Svedberg avait aussi un casier personnel au sous-sol du commissariat. Ann-Britt l'avait probablement exploré, mais elle n'en avait rien dit. Il voulut en avoir le cœur net. Aucune des clés du trousseau que lui avait remis Nyberg ne correspondait aux casiers du sous-sol. Wallander se rendit à la réception et interrogea Ebba.

– Son double de clés est ici, dit-elle, mal à l'aise.

Wallander les prit et s'apprêtait à descendre lorsqu'elle le retint :

– L'enterrement est prévu pour quand ?

– Je ne sais pas.

– Ça va être dur.

– Au moins, il n'y aura pas une veuve et des petits enfants en larmes. Mais bien sûr que ça va être dur.

Il descendit l'escalier et dénicha le casier de Svedberg. Il ne savait pas ce qu'il espérait y trouver. Probablement rien du tout. Il y avait quelques serviettes de toilette ; Svedberg avait toujours pris un sauna le vendredi soir, avant de quitter le commissariat. Il y avait aussi une boîte à savon, du shampooing et une paire de vieilles chaussures de tennis. Wallander passa la main sur l'étagère. Une chemise plastifiée. Il la prit, mit ses lunettes et feuilleta les documents qu'elle contenait. Une facture de garagiste. Quelques papiers griffonnés à la main qu'il déchiffra à grand-peine – il finit par reconnaître des listes de courses à faire au supermarché. Il y avait aussi quelques billets de train et des tickets de bus. Le 19 juillet, Svedberg – ou quelqu'un d'autre – avait pris un train de très bonne heure pour Norrköping. Il était revenu à Ystad le 22 juillet. Le billet était poinçonné, il avait donc été utilisé. Les tickets de bus étaient indéchiffrables. Il les regarda à la lumière, sans succès. Il referma l'armoire à clé, emporta la chemise dans son bureau et examina les tickets de bus à la loupe jusqu'à déchiffrer un prix correspondant au trajet et les mots : *Réseau routier de l'Östergötland.* Il reposa les tickets en fronçant les sourcils. Qu'allait faire Svedberg à Norrköping, pendant trois jours, au milieu de ses vacances ? Il composa le numéro d'Ylva Brink. Pour une fois, elle était chez elle. Elle n'avait aucune idée de la raison qui avait pu pousser Svedberg à se rendre dans l'Östergötland. Il ne connaissait personne là-bas, dit-elle. Puis elle se ravisa.

– La fameuse Louise habitait peut-être là-bas. L'avez-vous trouvée, au fait ?

– Pas encore. Mais il est possible que tu aies raison.

Il alla chercher un café. Il pensait encore à sa conversation avec Mona. Il ne comprenait pas comment elle avait pu avoir l'idée d'épouser ce petit joueur de golf chétif qui gagnait sa vie en important des sardines en Suède. Il retourna dans son bureau. Les billets étaient encore sur la table. Soudain il resta pétrifié, le gobelet de café à la main.

Il aurait dû y penser tout de suite. L'album de photographies d'Isa Edengren. Comment s'appelait cette île ? Bärnsö ? Et qu'avait dit Martinsson ? *Bärnsö se trouve dans l'archipel de l'Östergötland.*

Il éclaboussa la table en posant son gobelet et inaugura son téléphone neuf par un coup de fil à Martinsson.

– Où es-tu ?

– Je prends le café avec Lillemor Norman. Son mari doit arriver bientôt.

Wallander devina à sa voix que la visite n'avait rien de facile.

– Je veux que tu lui poses une question. Là, tout de suite. Je veux savoir si le nom de Bärnsö lui dit quelque chose. S'il y a un quelconque rapport entre Isa Edengren et cette île.

– C'est tout ?

– C'est tout. Maintenant.

Il attendit. Ann-Britt apparut dans l'entrebâillement de la porte – Hansson avait peut-être compris où allait la préférence de Wallander. Elle indiqua le gobelet de café et disparut.

– La réponse est assez surprenante, dit Martinsson au téléphone. Elle affirme que la famille Edengren, en plus des maisons en Espagne et en France, possède une résidence secondaire à Bärnsö.

– Bien ! Enfin quelque chose qui colle.

– Lena aurait souvent séjourné là-bas, de même que Boge et Hillström.

– Je connais quelqu'un d'autre qui s'est rendu là-bas.

– Qui ?

– Svedberg. Entre le 19 et le 22 juillet.

– Merde alors. Comment tu l'as su ?

– Je te le dirai quand tu reviendras. En attendant, fais ce que tu dois faire.

Il reposa le combiné. Doucement cette fois. Ann-Britt reparut.

Elle comprit aussitôt qu'il y avait du nouveau.

17

Wallander ne s'était pas trompé. Ann-Britt avait oublié d'examiner le casier du sous-sol. Il ne put s'empêcher d'en éprouver une satisfaction idiote. À ses yeux, elle était un bon policier. Mais cet oubli montrait qu'elle n'était pas non plus infaillible.

Ils firent un point rapide. Isa Edengren avait disparu. D'après Wallander, il fallait la retrouver de toute urgence. Priorité absolue.

Ann-Britt le pressa de formuler ce qu'il imaginait au juste. Il ne le savait pas. Mais Isa aurait dû participer à la fête de la Saint-Jean. Elle avait fait une tentative de suicide – pourquoi ? – et maintenant elle avait disparu.

– Il y a une autre possibilité, dit Ann-Britt. Même si elle est à la fois désagréable et invraisemblable.

Wallander devina son raisonnement.

– Tu veux dire que c'est elle qui aurait tué ses amis ? J'y ai pensé. Toutefois, elle était vraiment malade la veille de la Saint-Jean.

– Oui. Mais nous ne savons pas encore si ça s'est passé à ce moment-là.

Il acquiesça intérieurement.

– Raison de plus pour la retrouver le plus vite possible. Il ne faut pas oublier qu'un homme a appelé l'hôpital en se faisant passer pour Lundberg.

Ann-Britt sortit pour prendre contact avec les familles Hillström et Boge, et avec les autres jeunes figurant sur la photo retrouvée chez Svedberg. Wallander lui avait bien précisé de les interroger sur l'île de Bärnsö. Le téléphone sonna aussitôt après son départ. C'était Nyberg.

– Ça y est ? Vous avez trouvé ?

– Pas encore. Ça peut prendre du temps. Je t'appelle pour une autre raison. On a des renseignements sur le fusil qui était chez Svedberg.

Wallander prit un bloc-notes.

– Les registres sont efficaces, poursuivit Nyberg. Le fusil qui a tué Svedberg a été volé il y a deux ans à Ludvika.

– Où ça ?

– À Ludvika. Le vol a été signalé le 19 février 1994 au commissariat de cette ville. La plainte a été recueillie par un collègue du nom de Wester. Celui qui a déclaré le vol s'appelait Hans-Åke Hammarlund. Il gardait ses armes sous clé, comme il se doit. Le 18 février, il s'était rendu à Falun pour une affaire auprès du tribunal d'instance. D'après sa déclaration, il dirige une petite entreprise d'électricité. Et il est chasseur. Dans la nuit du 18 au 19 février quelqu'un est entré chez lui par effraction. Sa femme, qui dormait au premier étage, n'a rien entendu. Hammarlund a constaté le vol en rentrant de Falun le lendemain, et il l'a déclaré le jour même. Le fusil est un Lambert-Baron, fabriqué en Espagne. Les numéros correspondent. Aucune des armes n'a été retrouvée. Et aucun suspect n'a pu être identifié.

– Il y avait donc plusieurs armes ?

– Curieusement, le voleur a laissé une carabine de chasse à l'élan de grand prix. En revanche, il a pris deux pistolets. Plus exactement, un pistolet et un revolver, dont la marque n'est pas précisée. D'après moi, Wester a rédigé un rapport assez négligent. Par exemple, il n'indique pas de quelle manière le voleur s'est introduit dans la maison. Mais tu vois les implications possibles.

– Que l'une de ces armes a pu être utilisée dans la réserve. Il faut s'en assurer le plus vite possible.

– Ludvika se trouve dans le Nord, loin d'ici. Mais les armes ont tendance à resurgir n'importe où.

– J'ai du mal à croire que Svedberg ait volé l'arme qui l'a tué.

– On a rarement affaire à des lignes droites. Les armes sont volées, revendues, utilisées, revendues. Ce fusil a peut-être connu une longue chaîne de propriétaires avant d'atterrir chez Svedberg.

– En tout cas, c'est un élément important. J'ai l'impression qu'on navigue en plein brouillard.

– Ici, il fait beau. Mais ce n'est pas drôle de chercher un caveau provisoire dans la forêt.

– Pense à ta retraite, dit Wallander.

Nyberg promit de traiter en priorité l'identification des armes volées et la vérification du type de munitions utilisées dans le parc. Wallander, penché sur son bloc-notes, s'apprêtait à faire un point personnel de l'enquête lorsque le téléphone sonna de nouveau. C'était le docteur Göransson.

– Tu n'es pas venu ce matin, dit-il.

– Je regrette. Je n'ai aucune excuse.

– Je comprends que tu sois débordé. C'est terrible, on ose à peine ouvrir le journal. J'ai travaillé quelques années à Dallas, dans un hôpital. Les gros titres d'Ystad commencent à ressembler à ceux du Texas.

– On travaille vingt-quatre heures sur vingt-quatre.

– Je crois tout de même que tu devrais t'occuper de ta santé. Un diabète mal soigné combiné à de l'hypertension, ce n'est pas à prendre à la légère.

Wallander lui parla de sa visite nocturne à l'hôpital et de l'infirmière qui avait mesuré son taux de sucre dans le sang.

– Cela confirme ce que je viens de dire. Nous devons faire des examens approfondis, foie, reins, pancréas. À mon avis, ça ne peut pas attendre.

Wallander comprit qu'il ne s'en tirerait pas à si bon compte. Il accepta un rendez-vous pour le lendemain, huit heures, et promit de venir à jeun, avec un échantillon de la première urine du matin.

– Je suppose que tu n'as pas le temps de passer prendre un flacon stérile…

Après avoir raccroché, Wallander repoussa le bloc-notes. Soudain l'étendue des dégâts lui apparut avec une netteté redoutable. Cela faisait des années qu'il négligeait sa santé. Au fond, cela durait depuis le jour où Mona avait demandé le divorce. Presque sept ans. L'espace d'un instant, il rejeta la faute sur elle. En réalité, il le savait, il ne pouvait s'en prendre qu'à lui-même.

Il se leva et s'approcha de la fenêtre. Il faisait encore chaud. Göransson avait raison. Il était obligé de faire attention s'il voulait vivre encore dix ans. Pourquoi fixer la limite à dix ans ? Il ne le savait pas très bien.

Il se rassit et contempla fixement la page blanche. Puis il chercha les numéros des Edengren en Espagne et en France, et il vérifia dans l'annuaire : c'était bien en Espagne qu'il avait réussi à joindre la mère d'Isa. Il composa le numéro et attendit. Il s'apprêtait à raccrocher lorsqu'un homme répondit. Wallander se présenta.

– On m'a fait part de votre appel, dit l'homme. Je suis le père d'Isa.

Wallander eut le sentiment que l'autre regrettait cette paternité et sentit de nouveau l'indignation l'envahir.

– Je suppose que vous vous apprêtiez à rentrer en Suède pour vous occuper d'Isa, dit-il.

– Pas vraiment, puisqu'il ne semble pas y avoir urgence.

– Comment le savez-vous ?

– J'ai appelé l'hôpital.

– Vous ne vous êtes pas présenté sous le nom de Lundberg, par hasard ?

– Pourquoi aurais-je fait une chose pareille ?

– Juste une question.

– La police n'a-t-elle rien de mieux à faire que poser des questions idiotes ?

– Oh que si. Par exemple, nous pouvons prendre contact avec la police espagnole et lui demander de vous rapatrier par le premier avion.

Ce n'était pas vrai, naturellement. Mais Wallander en avait soudain par-dessus la tête des parents d'Isa Edengren, et de leur froideur vis-à-vis de leur fille, alors qu'ils avaient déjà perdu un fils. Comment était-il possible de se comporter ainsi avec ses propres enfants ?

– Je ne tolère pas qu'on s'adresse à moi sur ce ton.

– Écoutez bien. Trois amis d'Isa ont été tués. Isa aurait dû être parmi eux. Je parle de *meurtres*. Maintenant vous répondez à mes questions, ou je prends contact avec la police espagnole. C'est clair ?

L'homme parut hésiter.

– Que s'est-il passé au juste ?

– On trouve des journaux suédois sur la côte espagnole. Je suppose que vous savez lire ?

– Que voulez-vous dire ?

– Ce que je dis, ni plus ni moins. Vous avez une maison sur l'île de Bärnsö. Isa a-t-elle les clés de cette maison ? Ou est-elle interdite de séjour, là aussi ?

– Elle a les clés.

– Y a-t-il un téléphone ?

– Nous utilisons nos portables.

– Isa a-t-elle un portable ?

– Qui n'en a pas ?

– Donnez-moi son numéro.

– Je ne le connais pas. D'ailleurs, je ne suis pas sûr qu'elle en ait un.

– Alors quoi ? Elle a un portable ou elle n'en a pas ?

– Elle ne m'a jamais demandé d'argent pour ça. Alors comment aurait-elle fait pour l'acheter ? Elle ne travaille pas, elle ne fait rien pour mettre de l'ordre dans sa vie.

– Isa a-t-elle pu se rendre à Bärnsö ? A-t-elle l'habitude d'aller là-bas ?

– Si j'ai bien compris, elle est à l'hôpital.

– Non, elle en est partie.

– Pourquoi ?

– Nous n'en savons rien. Est-il possible qu'elle soit à Bärnsö ?

– C'est tout à fait possible.

– Comment va-t-on là-bas ?

– Il faut prendre le bateau à Fyrudden. Il n'y a pas de liaisons terrestres.

– A-t-elle accès à un bateau ?

– Le nôtre se trouve à Stockholm pour une révision du moteur.

– Y a-t-il des voisins qu'on peut contacter ?

– Il n'y a personne. Notre maison est la seule de l'île.

Wallander avait pris des notes tout en parlant. Il ne voyait pas d'autres questions dans l'immédiat.

– Je dois vous prier de rester disponible à ce numéro. Y a-t-il un autre endroit où Isa aurait pu se rendre ?

– Pas que je sache.

– Si jamais vous pensez à quelque chose, je vous demande instamment de m'en faire part.

Il lui donna le numéro du commissariat d'Ystad et celui de son portable. En raccrochant, il constata qu'il avait les mains moites.

Il dut fouiller longtemps dans ses tiroirs et sur ses étagères avant de trouver ce qu'il cherchait : un atlas routier. Fyrudden était indiqué, mais pas Bärnsö. Une seule maison, pensa-t-il, l'île devait être minuscule. Qui était susceptible de connaître l'éventuel numéro de portable d'Isa Edengren ? Ses amis, bien sûr. Il appela Martinsson, qui se trouvait encore chez les Norman. Wallander ne l'enviait pas. Après une courte attente, Martinsson lui apprit qu'à leur connaissance Isa n'avait pas de portable. Wallander lui demanda de prendre contact avec les autres jeunes figurant sur la photo de Svedberg. La réponse arriva au bout de vingt minutes. Aucun d'entre eux n'était au courant de l'existence d'un portable.

L'après-midi était déjà bien avancé. Wallander était affamé. Il commanda une pizza, qui arriva trente minutes plus tard. Il la mangea assis à son bureau. Il avait la migraine. Toujours pas de nouvelles de Nyberg. Il envisagea de retourner à la réserve. Mais il ne serait d'aucune utilité là-bas. Nyberg connaissait son affaire. Il s'essuya la bouche, jeta l'emballage dans la corbeille et alla se laver les mains aux toilettes. Puis il quitta le commissariat, traversa la petite route, s'assit à l'ombre du château d'eau et donna libre cours aux pensées qui le hantaient.

Il devinait un schéma. Mais son pressentiment n'avait pas de forme, pas de visage. C'était plutôt une image fuyante, où certains éléments se répétaient. Sa pire crainte – que Svedberg ait pu tuer les trois jeunes – commençait à s'estomper. Svedberg faisait partie des poursuivants, comme eux ; mais il avait une longueur d'avance. Wallander ne l'avait pas tout à fait rattrapé.

À peine envolée, cette crainte avait aussitôt été remplacée par une autre : qui surveillait ses propres faits et gestes ? Ceux de Martinsson ? Ceux d'Ann-Britt ?

Quelque part, tout près d'eux, rôdait un individu très bien renseigné. Cette image était juste, il le savait, même si les éléments dont ils disposaient ne se recoupaient pas encore.

Le meurtrier de Svedberg et des trois jeunes gens avait à tout moment accès à l'information dont il avait besoin. La fête de la Saint-Jean avait été préparée dans le plus grand secret ; même les parents en ignoraient tout. Or quelqu'un savait. Ce quelqu'un avait aussi découvert que Svedberg le suivait à la trace.

Svedberg a dû s'approcher de trop près, pensa Wallander. Sans le savoir, il a empiété sur un territoire défendu. C'est pour cela qu'il a été tué. Il n'y a pas d'autre explication possible.

Jusque-là – il était toujours allongé dans l'herbe, à l'ombre du château d'eau – il lui semblait pouvoir suivre son propre raisonnement. Au-delà, tout devenait confus. Que faisait le télescope dans la remise de Björklund ? Pourquoi avait-on envoyé de fausses cartes postales de différentes villes d'Europe ? Pourquoi ce délai ? Les questions étaient multiples et incohérentes.

Je dois retrouver Isa, pensa-t-il. Je dois réussir à la faire parler. Lui faire dire ce qu'elle n'a peut-être même pas conscience de savoir. Et je dois suivre la trace de Svedberg. Qu'avait-il découvert qui nous a échappé ? À moins qu'il n'ait eu des soupçons dès le début, pour des raisons qu'il était seul à connaître ?

Wallander pensa à Louise. La femme que fréquentait Svedberg dans le plus grand secret. Son portrait avait quelque chose d'inquiétant. Il ne savait toujours pas quoi. L'inquiétude le taraudait, le poussait à rester vigilant, à ne pas laisser l'impatience prendre le dessus.

En réfléchissant ainsi, adossé au mur de pierre du château d'eau, il pensa soudain qu'il existait un point commun entre les quatre jeunes et Svedberg. Ils avaient des secrets. Peut-être était-ce là qu'il fallait chercher le point de recoupement caché ?

Il se leva. Il avait mal dans tout le corps après les heures de mauvais sommeil dans sa voiture. Il reprit le chemin du commissariat.

Sa plus grande peur restait intacte et inchangée. La peur que le tueur ne frappe de nouveau.

Il s'arrêta sur le parking. La situation lui apparut soudain très clairement. Il devait à tout prix se rendre à Bärnsö pour savoir si Isa Edengren s'y trouvait. De toutes les priorités, il devait en choisir une. Et il venait de choisir celle-là : retrouver Isa.

Aussitôt, il lui sembla que le temps était compté. Il retourna à son bureau et réussit à joindre Martinsson, qui venait de quitter le domicile des Norman.

– Du nouveau ? demanda Martinsson.

– Non. Pourquoi n'avons-nous aucune nouvelle des légistes ? Sans date précise, on est paralysés. Et pourquoi le public n'a-t-il rien à dire ? Où sont les voitures disparues ? Il faut qu'on parle. Viens le plus vite possible.

Il était seize heures passées lorsqu'ils réussirent à joindre Ann-Britt Höglund, qui avait parlé à la fois à Eva Hillström et aux parents de Martin Boge à Simrishamn. En l'attendant, Wallander et Martinsson téléphonèrent aux autres jeunes identifiés sur la photo de Svedberg. Tous avaient, en différentes occasions, rendu visite à Isa sur l'île de Bärnsö. Martinsson eut aussi le temps de joindre l'institut de Lund. On ne connaissait toujours pas l'heure exacte de la mort de Svedberg, ni celle des trois jeunes. Wallander feuilleta le résumé des informations fournies par le public – Martinsson avait affecté un jeune aspirant à cette tâche. Apparemment, personne n'avait fait d'observation décisive dans Lilla Norregatan et pas davantage dans la réserve. Le plus étonnant, c'était malgré tout que personne n'ait identifié ou cru identifier la femme prénommée Louise. Ce fut d'ailleurs la première remarque de Wallander lorsqu'il se fut enfermé dans la plus petite des salles de réunion avec ses deux collègues et qu'il eut placé le portrait de Louise dans le projecteur.

– Il ne s'est pas écoulé beaucoup d'heures depuis la publication de la photo dans la presse, objecta Martinsson.

– C'est une chose de demander aux gens de se souvenir d'un événement. Ça peut prendre beaucoup de temps. Mais là, il s'agit d'un visage.

– Et si elle n'était pas d'ici ? intervint Ann-Britt. Supposons qu'elle habite au Danemark, par exemple. Qui lit la presse de Scanie là-bas ? Sa photo ne paraîtra que demain dans les quotidiens nationaux.

Wallander pensa à Sture Björklund, qui faisait la navette entre Hedeskoga et Copenhague.

– Tu as raison, nous devons contacter la police danoise.

Ils contemplèrent en silence le portrait de Louise qui brillait sur le mur.

– Je maintiens qu'il y a quelque chose d'étrange dans cette photo. Mais quoi ?

Personne ne fit de commentaire. Wallander éteignit le projecteur.

– J'ai l'intention de partir demain dans l'Östergötland. J'ai des raisons de croire qu'Isa s'y trouve. Nous devons la retrouver et la faire parler.

– Que pourrait-elle nous apprendre ? Elle n'était pas là au moment du drame.

La question de Martinsson était plus que légitime. En revanche, Wallander n'était pas certain de pouvoir lui donner une réponse cohérente. Il y avait beaucoup de lacunes. Son idée ressemblait plus à une vague hypothèse qu'à un point de vue construit.

– Isa est une sorte de témoin. Nous sommes convaincus qu'il ne s'agit pas d'un crime fortuit – ce qui est peut-être le cas du meurtre de Svedberg, même si ça paraît peu vraisemblable. Les trois jeunes ont été tués dans le cadre d'un plan minutieusement élaboré. Eux-mêmes – c'est un point décisif – agissaient dans le plus grand secret. Pourtant, quelqu'un a réussi à se procurer les informations essentielles. Le programme, le lieu, la date, peut-être même l'heure. Quelqu'un les a espionnés, d'une manière ou d'une autre. S'il s'avère que les corps ont été provisoirement enterrés près du lieu du crime, nous en aurons la certitude. Une tombe ne se creuse pas toute seule. Isa a participé aux préparatifs de la fête. Elle a été présente à toutes les étapes, jusqu'au jour de la fête, lorsqu'elle est tombée malade. Nous n'avons pas de raison de douter de son témoignage. Si elle l'avait pu, elle aurait été avec les autres. Son mal d'estomac lui a sans doute sauvé la vie. En tout cas, elle peut nous guider dans notre travail de reconstitution.

– C'est le raisonnement qu'a tenu Svedberg, à ton avis ?

– Oui. Mais il devait aussi savoir – ou du moins soupçonner – autre chose. Quoi ? Nous n'en savons rien, pas plus que nous ne savons à quel moment ce soupçon a surgi, ni pourquoi Svedberg a tenu à garder le secret sur son enquête. Mais ce devait être important. Il y a consacré toutes ses vacances, en prenant ses jours de congé d'une traite, ce qui ne lui était jamais arrivé.

– Il manque quelque chose, intervint Ann-Britt. Un mobile. Vengeance, haine, jalousie. Ça ne colle pas. Qui pouvait éprouver le besoin de se venger de quelques jeunes, les haïr, ou être jaloux d'eux à ce point ? Il y a dans ce crime un aspect bestial qui dépasse tout ce que j'ai connu jusqu'à présent. C'est pire que le pauvre garçon qui se déguisait en Indien il y a deux ans.

– Le tueur a pu choisir la fête exprès, dit Wallander. C'est peut-être aussi horrible que cela : il a choisi l'instant où le plaisir était à son comble. Pensez à la solitude toute particulière qui peut exister au moment des fêtes, le soir de la Saint-Jean ou le soir de Noël.

– Alors, ça nous laisse l'hypothèse du forcené, dit Martinsson sans chercher à dissimuler son malaise.

– Un forcené extrêmement méthodique. C'est possible. Mais, surtout, nous devons nous interroger sur le dénominateur commun invisible. Le tueur a obtenu toutes les informations dont il avait besoin. Il avait accès à leur vie. C'est ça, le dénominateur commun. Nous devons creuser dans la vie de ces jeunes. Tôt au tard, nous trouverons le point de contact. D'ailleurs, on l'a peut-être déjà trouvé sans s'en apercevoir.

– Tu penses donc, dit Ann-Britt, qu'Isa Edengren peut devenir notre éclaireur ?

– À peu près. On ne peut pas oublier qu'elle a tenté de se suicider. Pourquoi ? On ne sait pas non plus ce que pense le tueur du fait qu'elle ait survécu.

– Celui qui a appelé l'hôpital en se faisant passer pour Lundberg ?

Wallander hocha la tête avec gravité.

– Je veux que l'un d'entre vous parle à la personne qui a reçu l'appel, à l'hôpital. Comment était la voix de cet homme ? Avait-il un accent ? Était-il jeune ou vieux ? Tout peut avoir de l'importance.

Martinsson promit de s'en charger. Ils consacrèrent l'heure suivante à faire le point. Lisa Holgersson entra à l'improviste pour évoquer l'enterrement de Svedberg, qui devait avoir lieu le mardi suivant. Elle avait parlé à Ylva Brink et à Sture Björklund. Wallander vit qu'elle était pâle, les traits creusés par la fatigue. Elle consacrait une grande partie de son temps à tenir les journalistes en respect. Il ne l'enviait pas.

– Quelqu'un sait-il quel genre de musique aimait Svedberg ? Ylva Brink, curieusement, a dit qu'elle l'ignorait.

Wallander s'aperçut à sa propre surprise qu'il ne le savait pas non plus.

– Il aimait le rock, dit Ann-Britt. Il me l'a dit un jour. Je crois que son musicien préféré était Buddy Holly, un type qui est mort il y a longtemps, dans un accident d'avion, je crois.

– Ce n'est pas lui qui chantait *Peggy Sue* ? demanda Wallander.

– Si. Mais on ne peut pas jouer ça à un enterrement.

– Un psaume, proposa Martinsson. Les psaumes, ça va toujours.

Lisa Holgersson pria ensuite Wallander de lui résumer l'état de l'enquête.

– Le jour de l'enterrement, dit-elle lorsqu'il eut fini, j'aimerais qu'on sache ce qui s'est passé et pourquoi.

– Je ne pense pas que ce soit possible. Mais nous le souhaitons tous, bien sûr.

Il était dix-sept heures. Ils allaient se séparer lorsque le téléphone sonna. C'était Ebba.

– Pas de journalistes, j'espère ?

– Non, c'est Nyberg. Et je crois que c'est important.

Wallander sentit d'un coup la tension lui vriller l'estomac. Ses collègues s'en aperçurent. Il y eut un grésillement. Puis la voix de Nyberg :

– Faut croire qu'on avait raison.

– Tu as trouvé l'endroit ?

– Je crois. On est en train de prendre des photos et de relever les empreintes tout autour.

– C'est où ? À l'endroit auquel on pensait ?

– Oui, à quatre-vingts mètres environ de là où l'on a retrouvé les corps. Un lieu très bien choisi, entouré de broussailles. N'importe quel promeneur aurait fait un détour pour l'éviter.

– Quand commencez-vous à creuser ?

– C'est pour ça que je t'appelle. J'ai pensé que tu voulais peut-être voir l'endroit avant qu'on l'attaque avec les pelles.

– J'arrive.

Wallander raccrocha.

– Ils ont sans doute trouvé l'endroit où étaient dissimulés les corps.

Après une rapide consultation, il fut décidé que Wallander irait seul à la réserve. Ann-Britt et Martinsson étaient déjà surchargés de travail.

Wallander mit le gyrophare en quittant la ville. Arrivé au premier périmètre de sécurité, il décida de continuer en voiture. Sur place, un technicien l'attendait.

Nyberg avait délimité une zone de dix mètres carrés environ. Wallander constata aussitôt que le lieu était en effet très bien choisi. Comme prévu. Il s'accroupit à côté de Nyberg. Quelques policiers en combinaison de travail étaient prêts à commencer les fouilles.

Nyberg indiqua un endroit précis.

– La terre a été retournée ici. Des mottes de terre ont été enlevées puis replacées à l'identique. En cherchant sous les feuilles, on trouve de la terre qui a été éparpillée au moment où le trou a été creusé.

Wallander passa la main sur une touffe d'herbe.

– Ça a été fait avec beaucoup de soin, on dirait.

Nyberg acquiesça.

– C'est un dessin géométrique, dit-il. Aucune négligence. Nous n'aurions jamais trouvé cet endroit si nous n'avions pas décidé qu'il existait.

Wallander se redressa.

– Alors on y va, dit-il. Il n'y a aucune raison d'attendre.

Le travail avançait lentement, sous les instructions précises de Nyberg. À la tombée de la nuit, ils avaient à peine fini d'enlever la couche de terre superficielle. Des projecteurs avaient été montés sur place. On les alluma. Dessous, la terre était moins tassée. En continuant de creuser, les policiers finirent par mettre à jour une ouverture rectangulaire. Il était vingt et une heures passées. Lisa Holgersson, qui venait d'arriver en compagnie d'Ann-Britt Höglund, contemplait le travail en silence. Lorsque Nyberg se déclara satisfait et donna l'ordre à ses hommes d'arrêter, il ne subsistait plus aucun doute dans l'esprit de Wallander. Le trou rectangulaire qu'ils avaient sous les yeux était bel et bien une tombe.

Ils firent cercle autour de la cavité.

– Le trou est assez grand en tout cas, dit Nyberg.

– Oui, dit Wallander. Même pour quatre corps.

Il frissonna. Pour la première fois depuis le début de cette enquête, ils avaient réussi à suivre le tueur à la trace. Et ils ne s'étaient pas trompés.

Nyberg s'était agenouillé au bord du trou.

– Il n'y a plus rien. Mais on peut imaginer que les corps étaient enfermés dans des sacs hermétiques. À supposer qu'il ait posé une bâche plastique sous les mottes superficielles, même la chienne d'Edmundsson n'aurait rien senti. Ça ne nous empêchera pas d'examiner chaque motte sous toutes les coutures.

Wallander remonta jusqu'au sentier en compagnie de Lisa Holgersson et d'Ann-Britt.

– Je ne comprends pas, dit Lisa Holgersson d'une voix blanche. Qu'est-ce qu'il veut, ce tueur ?

– Je l'ignore. En tout cas, nous avons une rescapée.

– Isa Edengren ?

Wallander ne répondit pas. C'était inutile. Ils le savaient tous les trois.

La tombe lui avait été destinée, à elle aussi.

18

Le mardi 13 août à cinq heures du matin, Wallander prit la direction du nord-est. Il avait déjà dépassé Sölvesborg lorsqu'il s'aperçut qu'il avait complètement oublié sa promesse au docteur Göransson de passer ce matin à son cabinet. Il s'arrêta au bord de la route pour téléphoner à Martinsson. Il était six heures et demie, le temps chaud et sec se maintenait.

– Appelle ce médecin de ma part et dis-lui que je n'ai pas pu venir à cause d'une mission urgente.

– Tu es malade ?

– Il devait me faire un check-up, c'est tout.

Martinsson devait se demander pourquoi il ne téléphonait pas lui-même au docteur Göransson. Il se posait la même question. Et pourquoi cette réticence à parler du diabète ? Il ne se comprenait pas lui-même.

Peu avant Brömsebro, la fatigue l'obligea à faire une pause. Il quitta la route et s'arrêta à côté de la pierre commémorant un ancien accord de paix conclu à cet endroit entre les Suédois et les Danois. Il se dirigea vers un arbre et soulagea sa vessie. Puis il remonta en voiture, ferma les yeux et s'endormit.

Dans son rêve, d'inquiétantes silhouettes se mouvaient sous une pluie battante. Wallander cherchait Ann-Britt sans la trouver. Son père apparaissait, puis Linda, mais il la reconnut à peine. Et la pluie tombait à verse.

Il émergea lentement du sommeil. Se souvint de l'endroit où il était avant même d'ouvrir les yeux. Le soleil éclairait son visage. Il était en sueur, mais pas reposé. Et il avait soif. Il constata avec surprise qu'il avait dormi plus d'une demi-heure ; il avait mal partout.

Il mit le contact et démarra. Après une vingtaine de kilomètres, il aperçut un café au bord de la route. Il s'arrêta pour prendre son petit déjeuner. En repartant, il acheta de l'eau minérale – deux grandes bouteilles – avant de continuer vers Kalmar, qu'il dépassa peu après neuf heures. Le téléphone sonna ; c'était Ann-Britt, qui s'était engagée à préparer son arrivée dans l'Östergötland.

– J'ai parlé à un collègue de Valdemarsvik. J'ai présenté l'affaire comme si on leur demandait un service privé.

– Tu as bien fait. Les collègues n'aiment pas qu'on empiète sur leur territoire.

– Surtout pas toi.

C'était vrai. Il n'aimait pas voir des policiers d'autres districts débarquer à Ystad.

– Comment fait-on pour arriver à Bärnsö ?

– Ça dépend. Tu es encore loin ?

– Je viens de dépasser Kalmar. Il me reste cent kilomètres jusqu'à Västervik. Et après il y a encore une centaine de kilomètres.

– Alors tu es en retard.

– Pourquoi ?

– Le collègue de Valdemarsvik te suggère de prendre le bateau postal, qui part de Fyrudden entre onze heures et onze heures et demie.

– Il n'y a pas d'autre moyen de se rendre sur l'île ?

– Sûrement. Mais tu devras te renseigner toi-même en arrivant au port.

– J'y serai peut-être pour onze heures. Ne pourrait-on pas prévenir les gens de la poste de mon arrivée ? Où le courrier est-il trié ? À Norrköping ?

– J'ai une carte sous les yeux. À mon avis, ce doit être à Gryt. S'il y a un bureau de poste là-bas.

– C'est où ?

– Entre Valdemarsvik et le port de Fyrudden. Tu n'as pas de carte ?

– Non, je l'ai laissée sur mon bureau.

– Bon, je te rappellerai. Mais il me semble que ce serait une bonne idée de prendre le bateau postal. À en croire le collègue, c'est le moyen de transport habituel des gens qui se rendent sur les îles – à moins d'avoir leur propre bateau ou quelqu'un qui vient les chercher.

– Tu veux dire qu'il aurait éventuellement emmené Isa Edengren ?

– C'était juste une idée comme ça.

Wallander réfléchit.

– Mais a-t-elle pu y être pour onze heures ? Si elle a quitté l'hôpital peu avant six heures ?

– En voiture, c'est possible. Après tout, elle a le permis. Et n'oublie pas qu'elle a peut-être quitté l'hôpital dès quatre heures du matin.

Elle promit de le rappeler plus tard. Wallander accéléra. La circulation devenait plus intense. Beaucoup de caravanes sur la route. Il s'aperçut que c'était encore l'été, le temps des vacances. L'espace d'un instant, il envisagea de mettre le gyrophare. Mais il laissa tomber. Il accéléra encore. Ann-Britt le rappela après une vingtaine de minutes.

– J'avais raison. Le dernier tri a lieu à Gryt. J'ai même réussi à parler au type qui achemine le courrier vers les îles. Il a l'air sympathique.

– Comment s'appelle-t-il ?

– Je n'ai pas bien compris son nom. Mais il t'attend, à condition que tu arrives avant midi. Sinon il peut revenir te chercher dans l'après-midi. Mais je soupçonne que ce sera nettement plus cher.

– Ah oui ? À vrai dire, je pensais passer tout ce voyage en notes de frais.

– Il y a un parking sur le port. Le bateau postal est juste à côté.

– Tu as son téléphone ?

Wallander s'arrêta pour noter le numéro. Au même moment, il fut doublé par un poids lourd qu'il avait lui-même dépassé avec beaucoup de difficulté quelques minutes plus tôt.

Il était midi moins vingt lorsque Wallander aborda la descente vers Fyrudden. Il trouva une place sur le parking et continua à pied jusqu'à la jetée. Une brise légère soufflait sur le port. Il aperçut un grand bateau à moteur et un homme d'une cinquantaine d'années qui chargeait des cartons à bord. Wallander hésita. Il s'était représenté un bateau postal différemment. Peut-être avec un drapeau portant l'emblème de la poste. L'homme se redressa et considéra Wallander.

– C'est toi qui veux aller à Bärnsö ?

– C'est moi.

L'homme mit pied à terre et lui tendit la main.

– Lennart Westin.

– Désolé d'arriver si tard.

– Il n'y a pas d'urgence.

– Je ne sais pas si la personne qui a appelé a précisé que je devais revenir ici, cet après-midi ou ce soir au plus tard.

– Tu ne passes pas la nuit là-bas ?

La situation devenait embarrassante. Il ne savait même pas si Ann-Britt avait précisé qu'il était policier.

– Laisse-moi t'expliquer. Je viens d'Ystad, je suis inspecteur de police, chargé d'une enquête difficile.

– Les trois jeunes ? J'ai lu ça dans le journal. Il n'y a pas eu aussi un policier tué ?

Wallander hocha la tête. Westin réfléchissait vite.

– Il m'a semblé les reconnaître, d'après les photos dans le journal. Les jeunes, je veux dire ; au moins l'un d'entre eux. J'ai eu l'impression de les avoir emmenés à Bärnsö, il y a quelques années.

– Avec Isa ?

– C'est ça. Je crois que c'était vers la fin de l'automne, il y a deux ans. Il y avait une tempête, je me demandais si on arriverait à accoster à Bärnsö. Le ponton est mal situé quand le vent souffle du sud-ouest. On a fini par y arriver, mais une de leurs valises est tombée à l'eau. On l'a repêchée de justesse avec la gaffe. C'est pour ça que je me souviens d'eux. Si c'était bien eux… On ne peut pas se fier à la mémoire.

– Tu as sûrement raison. As-tu vu Isa ces jours derniers ? Aujourd'hui ou hier ?

– Non.

– Mais quand elle vient, elle prend ton bateau ?

– Quand ses parents sont là, ce sont eux qui vont la chercher. Sinon, elle vient avec moi.

– Elle n'est donc pas ici ?

– Si elle est allée à Bärnsö aujourd'hui ou hier, c'est quelqu'un d'autre qui l'a emmenée.

– Qui ?

Westin haussa les épaules.

– Il y a toujours quelqu'un sur les îles qui est prêt à faire le chauffeur. Isa sait qui appeler. Mais je crois qu'elle m'aurait tout de même demandé d'abord.

Westin regarda sa montre. Wallander se dépêcha de retourner à la voiture pour prendre son petit sac de voyage. Il monta à bord. Westin lui indiqua une carte marine.

– Je peux te conduire directement à Bärnsö. Mais ça me fait faire un détour. Si on suit le trajet habituel, on y est dans une bonne heure. J'ai trois autres pontons à desservir avant.

– Pas de problème.

– Quand veux-tu que je passe te reprendre ?

Wallander réfléchit. Selon toute vraisemblance, Isa n'était pas sur l'île. C'était une erreur de jugement et une déception. Mais maintenant qu'il avait fait tout ce trajet, il voulait examiner la maison. Il pensait avoir besoin de quelques heures.

– Tu n'es pas obligé de répondre tout de suite, dit Westin en lui tendant sa carte de visite. Tu peux me joindre au téléphone. Cet après-midi et ce soir, je peux passer quand ça t'arrange. J'habite une île pas loin de Bärnsö, ajouta-t-il en indiquant un point sur la carte.

– Je t'appellerai.

Westin fit démarrer les deux moteurs et largua les amarres. Le siège à côté de la place du pilote était encombré de liasses de journaux et de courrier. Il y avait aussi un petit coffre-fort. Ce bateau paraît facile à manœuvrer, pensa Wallander ; ou alors c'est le pilote qui est très adroit. Une fois sorti du port, Westin lança les deux moteurs à fond. Lentement, le bateau déjaugea et prit de la vitesse.

– Depuis combien de temps fais-tu ce métier ?

Wallander était obligé de crier pour se faire entendre par-dessus le vacarme.

– Beaucoup trop longtemps, cria Westin. Plus de vingt-cinq ans !

– Et l'hiver ? Qu'est-ce que tu fais quand l'archipel est gelé ?

– Hydrocoptère.

Wallander remarqua que sa fatigue l'avait quitté. La vitesse, la sensation d'être en mer lui procuraient un bien-être inattendu. Quand avait-il ressenti cela pour la dernière fois ? Peut-être au cours des journées passées avec Linda sur l'île de Gotland. Il ne doutait pas que c'était un travail difficile de transporter le courrier dans l'archipel. Mais, pour l'heure, les tempêtes et les nuits d'automne étaient loin. Westin le dévisageait en plissant les yeux, comme s'il devinait ses pensées.

– Et policier, ça vaut le coup ?

En temps normal, Wallander se serait aussitôt porté au secours de sa profession. Mais en compagnie de Westin, sur le bateau qui glissait à toute vitesse sur l'eau presque étale, la question prenait un caractère différent.

– Ça m'arrive d'en douter, cria-t-il. Mais quand on approche de la cinquantaine, on se retrouve assez seul sur le quai. La plupart des trains sont déjà passés.

– J'ai eu cinquante ans ce printemps, cria Westin. Tous les gens que je connais dans l'archipel se sont réunis pour m'organiser une fête.

– Combien de personnes connais-tu ici ?

– Tout le monde. C'était une grosse fête.

Westin vira de bord et ralentit. Ils approchaient d'une paroi rocheuse au pied de laquelle se découpaient une remise peinte en rouge et un ponton posé sur des piles de vieilles pierres.

– Båtsmansö, annonça Westin. Quand j'étais enfant, neuf familles vivaient ici, plus de trente personnes en tout. Maintenant, il y a beaucoup de vacanciers l'été. À l'approche de l'automne, il ne reste plus un chat, sauf Zetterqvist qui a quatre-vingt-treize ans et qui se débrouille encore seul l'hiver. Il est trois fois veuf. C'est le genre de bonhomme comme on n'en trouve presque plus – peut-être parce qu'ils ont été interdits par la Sécurité sociale…

Wallander éclata de rire, surpris.

– Il était pêcheur ?

– Il a fait plein de choses dans sa vie. Même pilote côtier, il y a longtemps.

– Tu connais tout le monde, et tout le monde te connaît ?

– Forcément. Si je ne le vois pas apparaître sur le ponton, je vais vérifier qu'il n'est pas malade. Ou qu'il n'est pas tombé. Quand on est facteur à la campagne, sur mer ou sur terre, on connaît la vie des gens. Ce qu'ils font, où ils vont, quand ils rentrent. On est au courant, qu'on le veuille ou non.

Westin venait d'accoster en douceur. Il débarda d'abord quelques caisses. Un petit attroupement s'était formé. Westin prit le paquet de courrier et disparut dans la cabane rouge. Wallander mit pied à terre.

Quelques vieux poids de pêche en pierre avaient été disposés en tas. L'air était frais.

Westin reparut après quelques minutes ; ils repartirent à travers le paysage changeant de l'archipel. Après deux nouveaux arrêts, ils approchèrent de Bärnsö, qui était couverte d'une végétation luxuriante. L'île paraissait curieusement isolée, comme rejetée de la communauté de l'archipel. Wallander relança la conversation :

– Tu connais évidemment toute la famille Edengren…

– Connaître, c'est un grand mot. Les vieux, je veux dire les parents, je n'ai jamais eu trop affaire à eux. Ils me paraissent un peu arrogants, pour dire les choses comme elles sont. Mais j'ai souvent emmené Isa et Jörgen.

Wallander hésita.

– Tu es naturellement au courant de la mort de Jörgen ?

– J'ai entendu dire qu'il s'était tué en voiture. C'est son père qui me l'a dit, je crois, un jour où leur bateau avait un problème d'hélice et qu'il m'a demandé de venir le chercher.

– C'est tragique, la mort d'un enfant.

– J'aurais plutôt cru que c'était Isa qui risquait d'avoir un accident.

– Pourquoi ?

– Elle vit de manière assez extrême. Du moins, c'est ce qu'elle dit.

– Elle se confiait à toi ?

– Pas du tout. J'ai un fils de l'âge d'Isa. Ils étaient ensemble, il y a quelques étés, mais ça s'est terminé assez vite.

Le bateau accosta. Wallander prit son sac et débarqua sur le ponton.

– Je te rappelle cet après-midi, dit-il.

– Je mange à six heures. Tu peux m'appeler soit avant, soit après.

Wallander regarda le bateau disparaître derrière la pointe de l'île. Il repensa à ce qu'avait dit Westin à propos de la mort de Jörgen. Les parents avaient donc caché la vérité. Un grille-pain dans une baignoire s'était transformé en accident de voiture.

Il se mit en marche. Le ponton était flanqué d'une remise à bateaux et d'un pavillon assez semblable à celui de Skårby, où il avait trouvé Isa inconsciente. Une vieille barque était retournée sur des tréteaux. Une légère odeur de goudron flottait dans l'air. De grands chênes se dressaient dans la pente qui montait vers la maison rouge à deux étages, ancienne mais bien entretenue. Arrivé dans la cour, il s'arrêta et regarda autour de lui. Il aperçut un voilier au large et entendit le bruit d'un hors-bord. Il transpirait. Il posa son sac et enleva sa veste qu'il suspendit à la rampe du perron. Les rideaux étaient fermés. Il monta les marches et frappa à la porte. Pas de réponse. Il essaya de tourner le bouton. La porte était fermée à clé. Il resta un instant indécis. Puis il contourna la maison, avec le sentiment de répéter les mêmes gestes que lors de sa première visite à Skårby. Il découvrit un verger. Il y avait des pommes, des prunes. Un cerisier solitaire. Des meubles de jardin empilés sous un auvent en plastique.

Un sentier partait du fond du jardin vers l'intérieur de l'île, où la végétation était plus dense. Wallander s'y engagea et se retourna après cent mètres. La maison n'était plus visible. Il continua. Une guêpe commença à s'intéresser à son visage. Il la chassa d'un revers de main et s'approcha d'une cave creusée à même la terre, au bord du chemin. Une date était gravée au-dessus de la porte : 1897. Il y avait une clé. Wallander ouvrit. À l'intérieur, il faisait sombre et frais. Il sentit une odeur de pommes de terre. Quand son regard fut accoutumé à l'obscurité, il entra. La cave était vide. Il referma la porte et continua sur le sentier qui grimpait à présent. À gauche, il devinait la mer entre les feuillages. D'après la position du soleil, il se dirigeait vers le nord. Il avait parcouru cinq cents mètres lorsqu'il aperçut un sentier plus petit bifurquant vers la gauche. Il continua tout droit. Quelques centaines de mètres plus loin, le sentier s'arrêtait. Devant lui, un amoncellement de grandes pierres plates qui se transformaient peu à peu en rochers. Au-delà, la mer. La fin de l'île. Il escalada les rochers. Une mouette planait dans les courants au-dessus de sa tête. Il s'assit et essuya la sueur de son visage en regrettant de ne pas avoir emporté l'une des bouteilles d'eau rangées dans le sac. Il ne pensait plus du tout à Svedberg ni aux jeunes assassinés.

Puis il se releva et revint par le même chemin. Arrivé à la bifurcation, il emprunta le sentier secondaire. Celui-ci aboutissait à un petit port naturel ; quelques anneaux de fer rouillés fixés aux rochers. L'eau était lisse comme un miroir. Les grands arbres s'y reflétaient. Il retourna vers la maison, vérifia que son portable était bien allumé. Il urina contre le tronc d'un chêne. Il prit l'une des bouteilles d'eau dans le sac et s'assit sur les marches du perron. Il avait la bouche complètement desséchée. Au moment de reposer la bouteille, quelque chose capta son attention. Il regarda lentement autour de lui, en fronçant les sourcils. Quelque chose venait de déclencher sa sonnette d'alarme intérieure. Quoi ? Il regarda fixement le sac posé sur la première marche du perron. Il était certain de l'avoir posé sur la deuxième marche. Il redescendit et tenta de ressusciter l'image. *Il avait d'abord posé son sac sur le gravier. Puis il avait enlevé sa veste et l'avait suspendue à la rampe. Ensuite, il avait posé le sac sur la deuxième marche.*

Au cours de sa promenade sur l'île, quelqu'un avait déplacé le sac noir. Il regarda de nouveau autour de lui, tous les sens en alerte. Il examina les arbres et les arbustes, puis la maison. Les rideaux étaient fermés comme avant. Il gravit les marches du perron et essaya le bouton de la porte. Puis il pensa à la remise à bateaux et à l'autre, celle qui ressemblait au pavillon de Skårby. Il redescendit jusqu'au ponton. La porte noire de la remise à bateaux était fermée par un simple verrou en bois. Il l'ouvrit. Le bassin était vide. La taille des câbles indiquait la présence habituelle d'un gros bateau. Des épuisettes et des filets de pêche couvraient les murs. Il ressortit et referma la porte. Le pavillon, de l'autre côté du ponton, donnait directement sur l'eau ; il y avait même une échelle de bain. Wallander le contempla sans bouger. Puis il avança jusqu'à la porte et essaya de l'ouvrir. Fermée à clé. Il frappa deux coups légers.

– Isa, je sais que tu es là.

Il recula d'un pas et attendit.

Lorsqu'elle ouvrit la porte, il la reconnut à peine. Ses longs cheveux étaient relevés en chignon. Elle portait une sorte de combinaison noire de mécanicien. Son regard était hostile ; mais, pensa Wallander, ça pouvait aussi être un effet de la peur.

– Comment pouvais-tu le savoir ?

Sa voix était rauque et tendue.

– Je n'en savais rien jusqu'à ce que tu me le dises.

– Je n'ai rien dit.

– Les policiers remarquent les détails. Par exemple, un sac qui n'a pas été replacé exactement au même endroit.

Elle le dévisagea comme s'il venait de prononcer des paroles incompréhensibles. Il vit qu'elle était pieds nus.

– J'ai faim, dit-elle.

– Moi aussi.

Elle se mit en marche.

– Il y a de quoi manger à la maison. Pourquoi es-tu venu ?

– Tu as disparu de l'hôpital, alors on était obligés de te retrouver.

– Pourquoi ?

– Tu sais aussi bien que moi ce qui s'est passé. Je n'ai pas besoin de répondre à cette question.

Elle marchait en silence. Wallander la regarda à la dérobée. Elle était très pâle. Son visage était affaissé comme celui d'une vieille femme.

– Comment es-tu arrivée jusqu'ici ?

– J'ai appelé Lage à Wettersö.

– Pourquoi pas Westin ?

– Vous risquiez de l'appeler pour chercher à savoir si j'étais là.

– Et tu ne voulais pas qu'on le sache ?

Elle ne répondit pas. Elle sortit une clé de sa poche et ouvrit. Puis elle fit le tour des pièces du rez-de-chaussée et tira les rideaux. Elle le faisait de manière négligente, presque brutale, comme si elle avait voulu détruire ce qui était autour d'elle. Wallander la suivit dans la cuisine. Elle poussa une porte donnant sur le jardin et entreprit de relier le tuyau de la cuisinière à une bouteille de butane. Wallander avait déjà constaté qu'il n'y avait pas d'électricité dans la maison. Elle se retourna et le dévisagea.

– Cuisiner, c'est une des rares choses que je sais faire.

Elle indiqua un grand congélateur et un frigo, qui fonctionnaient eux aussi au gaz.

– Il y a plein de bouffe, dit-elle avec mépris. Mes parents paient quelqu'un pour venir changer les bouteilles de butane. Ils veulent qu'il y ait toujours de la nourriture, au cas où ils se décideraient à venir passer quelques jours, ce qui ne leur arrive jamais.

– On dirait que tes parents ont beaucoup d'argent. Ça rapporte tant que ça, de louer des engins de terrassement ?

La réponse fusa comme un crachat :

– Maman est idiote et bornée, ce n'est pas de sa faute. Papa, lui, est loin d'être bête. Par contre, il n'a aucun scrupule.

– Je t'écoute.

– Pas maintenant. Tout à l'heure, en mangeant.

Le message était clair : elle voulait qu'il quitte la cuisine. Il ressortit de la maison et réussit à joindre Ann-Britt sur son portable.

– Isa Edengren est ici, comme nous le pensions.

– Comme *tu* le pensais, corrigea-t-elle. À dire vrai, on n'y croyait pas trop.

– Il faut bien que j'aie raison de temps en temps. Je crois que nous reviendrons à Ystad ce soir ou cette nuit.

– Tu lui as parlé ?

– Pas encore.

Elle résuma les événements de la matinée à Ystad. Quelques personnes s'étaient manifestées en disant reconnaître la femme prénommée Louise. On était en train de vérifier leurs déclarations. Elle promit de le rappeler dès qu'il y aurait du nouveau.

Wallander retourna à l'intérieur et contempla longuement une très belle maquette de bateau. Un trois-mâts ancien. Des odeurs appétissantes lui parvenaient de la cuisine. Il était affamé. Il n'avait rien mangé depuis son petit déjeuner au bord de la route. Intérieurement, il dressa une liste des questions qu'il voulait poser à Isa. Que devait-il découvrir avant tout ?

Il revenait sans cesse au même point : il s'agissait de lui soutirer ce qu'elle savait sans qu'elle en ait conscience.

Elle avait dressé la table dans la grande véranda vitrée qui longeait tout un côté de la maison. Elle lui demanda ce qu'il voulait boire. De l'eau. Elle-même prit du vin. Wallander s'inquiéta. Si elle buvait trop, la conversation attendue ne pourrait pas avoir lieu. Mais elle se contenta d'un seul verre au cours du repas. Puis elle fit du café. Lorsque Wallander voulut débarrasser la table, elle l'en empêcha. Il y avait un divan et quelques fauteuils dans un coin de la véranda. Elle l'invita à s'y installer. Par la vitre, il voyait le ponton. Un voilier passa lentement, voiles faseyant.

– C'est beau ici. Je ne connaissais pas ce coin de la Suède.

– Ils ont acheté l'île il y a presque trente ans. Ils racontent que j'ai été conçue ici. Je suis née en février, alors c'est bien possible. L'île appartenait à un vieux couple qui avait vécu ici toute sa vie. Je ne sais pas comment Papa en a entendu parler. Il a débarqué ici avec une valise remplie de billets de cent couronnes. C'était impressionnant à regarder, mais ce n'était pas une grosse somme. Les vieux n'avaient jamais vu autant d'argent, bien sûr. Il a fallu quelques mois pour les convaincre. Puis ils ont signé le contrat. Le prix devait rester secret. La vérité, c'est que mon père a eu cette île pour rien.

– Tu veux dire qu'il les a trompés ?

– Je veux dire que mon père a toujours été un escroc.

– Si tout s'est passé légalement, ce n'est pas nécessairement une escroquerie. Ton père est peut-être un homme d'affaires très intelligent.

– Des affaires, il en fait dans le monde entier. Trafic de diamants et d'ivoire en Afrique, entre autres. Personne ne sait de quoi il s'occupe exactement. Des Russes viennent parfois lui rendre visite à Skårby. Personne ne me fera croire que leur business est légal.

– À ma connaissance, il n'a jamais eu affaire à nous.

– Il est malin. Et obstiné. On peut lui reprocher beaucoup de choses, mais pas d'être feignant. Les gens sans scrupule n'ont pas le temps de se reposer.

Wallander reposa sa tasse.

– Assez parlé de ton père. Parlons plutôt de toi. C'est pour ça que je suis venu. Ce soir, au fait, on retourne dans le Sud.

– Qu'est-ce qui te fait croire que je vais venir avec toi ?

Wallander la dévisagea un long moment avant de répondre :

– Trois de tes meilleurs amis ont été assassinés. Si tu n'étais pas tombée malade, tu aurais participé à la fête avec eux. Tu comprends aussi bien que moi ce que ça veut dire.

Elle s'était recroquevillée dans son fauteuil. Il vit qu'elle avait peur.

– Nous ne savons pas pourquoi ça s'est passé. Alors nous devons être prudents.

Elle parut enfin comprendre.

– Je suis en danger ?

– C'est possible.

– Mais pourquoi quelqu'un voudrait-il me tuer ?

– Pourquoi quelqu'un a-t-il voulu tuer tes amis ? Martin, Lena, Astrid ?

Elle secoua la tête.

– Je ne sais pas.

Wallander rapprocha son fauteuil du sien.

– Pourtant, tu peux nous aider. Il faut retrouver celui qui a fait ça. Pour cela, on doit comprendre ce qui le pousse à agir.

– Mais il n'y a rien à comprendre !

– Tu dois réfléchir. Qui pouvait vous en vouloir, en tant que groupe ? Qu'est-ce qui vous relie ? Pourquoi ? Il y a forcément une réponse.

Brusquement, il décida de changer de piste. Elle l'écoutait maintenant, il voulait profiter de l'occasion.

– Tu dois me répondre. Tu dois me dire la vérité. Je verrai tout de suite si tu mens.

– Pourquoi est-ce que je mentirais ?

– Quand je t'ai trouvée, tu étais presque morte. Pourquoi as-tu voulu te suicider ? Est-ce que tu savais ce qui était arrivé à tes amis ?

Elle eut un mouvement de surprise.

– Bien sûr que non ! Je me posais les mêmes questions que tout le monde.

Wallander sentit qu'elle disait la vérité.

– Pourquoi as-tu tenté de te suicider ?

– Je n'avais plus envie de vivre. Je ne vois pas quelle autre raison on peut avoir de vouloir en finir. Mes parents ont cassé ma vie comme ils ont cassé celle de Jörgen. Je n'avais plus envie de vivre.

Wallander attendit la suite. Mais elle resta silencieuse. Il choisit alors de revenir à ce qui s'était passé dans la réserve. Pendant près de trois heures, il lui fit faire une longue excursion dans le passé. Il ne laissa rien de côté, pas même les détails les plus insignifiants. Il revint sur certains points, parfois plusieurs fois. Il remonta très loin dans son histoire. Quand avait-elle vu Lena Norman pour la première fois ? Quelle année, quel mois, quel jour ? Comment s'étaient-elles rencontrées ? Pourquoi étaient-elles devenues amies ? Comment était-elle devenue amie avec Martin Boge ? Lorsqu'elle affirmait ne pas se souvenir ou ne pas être sûre d'un détail, il recommençait depuis le début. L'hésitation et l'oubli pouvaient toujours être vaincus, à force de patience. À chaque étape de son interrogatoire, il l'exhortait à se rappeler si un autre avait été présent, peut-être sans qu'elle s'en aperçoive. *Une ombre dans un coin*, dit-il. Quelqu'un d'invisible, qui était là sans qu'on le remarque. Il l'interrogea sur tous les incidents, les événements inattendus qui avaient pu se produire. Après quelque temps, elle comprit sa démarche et répondit avec plus de facilité.

Vers dix-sept heures, ils prirent la décision de rester sur l'île jusqu'au lendemain. Wallander appela Westin pour le prévenir. Celui-ci promit de passer les chercher, sans poser de questions à propos d'Isa. Mais Wallander eut l'impression qu'il savait qu'elle était à Bärnsö. Ensuite, ils firent une promenade sur l'île, tout en continuant à parler. De temps en temps, Isa s'interrompait pour lui montrer différents endroits où elle avait joué, petite fille. Ils allèrent jusqu'au bout de l'île, sur les rochers. Elle le prit au dépourvu en indiquant soudain un creux dans la pierre : c'était là qu'elle avait perdu sa virginité. Elle ne précisa pas avec qui.

Ils rebroussèrent chemin. La nuit tombait ; Isa alluma des lampes à pétrole dans toute la maison. Il passa un coup de fil à Martinsson, qui n'avait rien de neuf à lui apprendre. Louise n'était toujours pas identifiée. Wallander l'informa qu'il restait pour la nuit à Bärnsö et qu'il reviendrait à Ystad le lendemain avec Isa Edengren.

Ils passèrent la soirée à parler.

De temps en temps, ils faisaient une pause pour avaler un thé et des sandwiches. Ou juste pour se reposer. Wallander sortit plusieurs fois dans l'obscurité et urina contre un arbre. On n'entendait que le bruissement des feuilles, dans le silence. Puis ils reprenaient leur conversation. Lentement, Wallander commença à comprendre leurs jeux. Ils endossaient des rôles. Ils se déguisaient, organisaient des fêtes, passaient d'une époque à l'autre. Au moment d'aborder les préparatifs de la dernière fête, celle de la Saint-Jean, Wallander se ménagea d'infinies précautions, d'infinies lenteurs. Qui était au courant de leur projet ? Personne, dit-elle. Il ne pouvait accepter cette réponse. Quelqu'un savait, forcément.

– On recommence depuis le début. Encore une fois. Quand avez-vous décidé de mettre en scène un pique-nique au temps de Bellman ?

Il était une heure et demie du matin lorsqu'ils se séparèrent. Wallander était si fatigué qu'il en avait la nausée. Elle ne lui avait toujours pas fourni la piste qu'il espérait. Mais il disposait encore du long trajet en voiture jusqu'à Ystad pour continuer l'interrogatoire. Il n'avait pas l'intention de renoncer.

Elle lui proposa de prendre une chambre au deuxième étage. Pour sa part, elle dormait au rez-de-chaussée. Elle lui donna une lampe à pétrole et lui souhaita une bonne nuit. Il fit son lit et entrouvrit la fenêtre. Dehors, il faisait nuit noire.

Il se coucha entre les draps et souffla la mèche. Il entendit Isa s'affairer dans la cuisine. Puis le bruit d'une porte qu'on fermait à clé. Le silence se fit.

Il s'endormit immédiatement.

Personne ne remarqua le bateau qui, tous feux éteints, s'était engagé dans le bassin de Vikfjärden tard dans la soirée. Et personne ne l'entendit lorsqu'il glissa silencieusement dans la petite crique sur la côte ouest de l'île.

19

Linda hurla.

Elle était tout près de lui, le cri avait transpercé son rêve. En ouvrant les yeux dans le noir, il ne comprit pas tout de suite où il était. Mais l'odeur de la lampe à pétrole s'attardait dans la chambre. Ce n'était donc pas Linda. Il sentit que son cœur battait la chamade. Léger bruissement des feuillages de l'autre côté de la fenêtre entrebâillée. Il prêta l'oreille. Avait-il rêvé ? Il se redressa lentement dans le lit, chercha à tâtons les allumettes qu'il avait posées près de la lampe. Toujours aucun bruit. Il alluma la mèche et s'habilla rapidement. Il avait une chaussure à la main lorsqu'il l'entendit de nouveau. Au début, il lui sembla que le bruit venait de l'extérieur. Quelque chose cognait contre le mur de la maison, peut-être une corde à linge contre une gouttière. Puis il comprit que ça venait du rez-de-chaussée. Il se leva, la chaussure toujours à la main, et avança jusqu'à la porte qu'il ouvrit avec précaution. Le bruit provenait de la cuisine. Il comprit : la porte de l'office battait. La peur revint, décuplée. Il n'avait pas rêvé. Il ne s'était pas fait des idées.

Au lieu de mettre sa deuxième chaussure, il enleva l'autre, prit la lampe-tempête et descendit l'escalier. À mi-course, il s'immobilisa et écouta. La lumière de la flamme dansait sur les murs. C'était sa main qui tremblait. Il n'avait rien pour se défendre en cas de besoin. Il essaya de réfléchir. Ce n'était pas plausible que quelque chose se produise ici, sur l'île. Il n'y avait personne en dehors d'Isa et lui. Il avait sans doute rêvé. Ou alors c'était un oiseau de nuit. Ou alors, troisième possibilité, ce n'était pas lui qui rêvait, mais Isa Edengren.

Il était arrivé au rez-de-chaussée. Sa chambre à elle était à côté de la cuisine. Il s'immobilisa de nouveau. Puis il frappa à la porte. Pas de réponse. Il tenta de discerner sa respiration. Le silence est trop profond, pensa-t-il. Il essaya d'ouvrir la porte. Fermée à clé. Sans plus hésiter, il se mit à cogner de toutes ses forces, à secouer la poignée. Rien. Il alla à la cuisine, ferma la porte battante et commença à fouiller les tiroirs à la recherche d'un outil. Il trouva un gros tournevis. Puis il força la porte de la chambre d'Isa. Son lit était vide. La fenêtre était ouverte, mais le crochet n'était pas mis. Il essaya de comprendre ce qui avait pu se passer. Puis il se souvint d'avoir aperçu une grosse torche électrique dans la cuisine. Il alla la chercher, ainsi qu'un marteau trouvé dans le même tiroir que le tournevis ; il emporta aussi le tournevis. Il ouvrit la porte de l'office et prêta l'oreille. Une fois dans la cour, il s'aperçut qu'il était pieds nus. Un oiseau passa à tire-d'aile dans le noir. La brise faisait bouger la cime des arbres. Il appela Isa mais n'obtint aucune réponse. Il s'approcha de la fenêtre de sa chambre et éclaira le sol. Il y avait des empreintes, mais trop floues pour qu'il puisse les suivre. Il se retourna, éclaira l'obscurité du jardin. Appela de nouveau Isa. Son cœur cognait à se rompre. Il avait peur. Il revint vers la porte de la cuisine et éclaira la serrure. Comme il le redoutait, la porte avait été forcée. Sa peur augmenta. Il se retourna et leva le marteau, mais il n'y avait personne. Il remonta l'escalier. Son téléphone se trouvait sur la table à côté du lit. Il essaya de comprendre ce qui s'était passé. *Quelqu'un avait forcé la porte de la cuisine. Isa s'était réveillée parce que quelqu'un essayait d'entrer dans sa chambre. Elle s'était enfuie par la fenêtre.* Il ne voyait pas d'autre explication possible. Il regarda sa montre. Trois heures moins le quart. Il composa le numéro privé de Martinsson. Celui-ci décrocha à la deuxième sonnerie. Wallander savait qu'il avait un téléphone à côté de son lit.

– C'est Kurt. Désolé de te réveiller.

– Qu'est-ce qui se passe ?

– Lève-toi. Rince-toi le visage. Je te rappelle dans trois minutes.

Martinsson protesta. Wallander raccrocha et regarda de nouveau sa montre. Trois minutes plus tard, il rappela Martinsson, inquiet à l'idée d'épuiser la batterie de son portable. Il avait évidemment oublié d'en emporter une de rechange.

– Écoute-moi bien, dit-il. Je ne peux pas te parler longtemps. La batterie est presque à plat. Tu as du papier et un crayon ?

Martinsson était tout à fait réveillé à présent.

– Je t'écoute.

– Il s'est passé quelque chose ici cette nuit. Je ne sais pas quoi, mais Isa Edengren a crié. Ça m'a réveillé. Elle a disparu. La porte de l'office a été forcée. Il y a donc quelqu'un sur l'île. Je ne sais pas qui, mais il est venu la chercher. Il y a une mince possibilité qu'il ne sache pas que je suis là. J'ai peur pour elle. La tombe dans la réserve était prévue pour quatre.

– Qu'est-ce que je peux faire ?

– Rien pour l'instant, sinon trouver le numéro de téléphone des gardes-côtes à Fyrudden et attendre mon prochain appel.

– Qu'est-ce que tu comptes faire ?

– La retrouver.

– Ça peut être très dangereux. Tu as besoin d'aide.

– Tu penses aux collègues de Norrköping ? Combien de temps ça va leur prendre de venir, à ton avis ?

– Tu ne peux quand même pas fouiller l'île tout seul !

– Elle n'est pas très grande. Je vais raccrocher. Je m'inquiète pour la batterie.

– J'attends ton appel. Sois prudent.

Wallander enfila ses chaussures, rangea le téléphone dans la poche de sa chemise et quitta la maison après avoir passé le marteau à sa ceinture. Il commença par descendre jusqu'au ponton. Il éclaira l'étendue d'eau noire. Pas de bateau. Il appelait sans cesse Isa par son nom. Les deux cabanes étaient vides. Il remonta vers la maison en courant, la contourna et prit le sentier qui partait du jardin. Les buissons et les arbres brillaient dans la lumière puissante de la torche. Il ouvrit la porte de la cave creusée dans la terre. Personne.

Il continuait de crier son nom. Arrivé à l'endroit où le sentier bifurquait vers le port naturel, il s'immobilisa. Quel chemin choisir ? Il éclaira le sol mais ne vit aucune trace de pas. Il décida de poursuivre vers la pointe nord de l'île. Arrivé sur les rochers, il était hors d'haleine. La brise qui soufflait de la haute mer le surprit par sa froideur. Il laissa le faisceau lumineux errer sur les rochers. Une paire d'yeux étincelants apparut ; l'animal était petit et disparut dans une faille. Un vison. Il continua jusqu'à l'extrémité de la pointe en éclairant les anfractuosités. Rien. Il cria de nouveau son nom. Il s'apprêtait à retourner au sentier lorsqu'un bruit le fit s'immobiliser. Il écouta. Les vagues heurtaient les rochers. Mais il y avait aussi autre chose. Soudain il comprit : un moteur de bateau. Le bruit venait de l'ouest. La crique ! Il aurait dû prendre l'autre chemin. Il se mit à courir mais, parvenu aux derniers arbustes, il pila net, prêta l'oreille et éclaira la mer. Le bruit du moteur avait disparu. Un bateau vient de partir, pensa-t-il. Sa peur augmenta encore. Qu'était-il arrivé à Isa ? Il revint sur ses pas le long du sentier en essayant de réfléchir à ce qu'il devait faire. Les gardes-côtes avaient-ils des chiens ? L'île n'était pas grande, mais il ne parviendrait jamais à la fouiller tout seul. Il tenta d'imaginer les réactions d'Isa. Elle s'était enfuie par la fenêtre, prise de panique. Celui qui essayait de forcer sa porte bloquait en même temps l'accès à la chambre de Wallander. Elle avait enjambé le rebord de la fenêtre et s'était enfuie dans le noir. Elle n'avait sûrement pas de lampe de poche.

Soudain il comprit. Pendant leur promenade sur l'île, elle lui avait parlé d'une cachette où elle jouait avec son frère Jörgen quand ils étaient petits. Il tenta de se souvenir de l'emplacement où ils se trouvaient lorsqu'elle lui avait indiqué le gros rocher qui formait le point le plus élevé de l'île. C'était un peu plus loin, après la bifurcation, plus près de la maison. Le chemin à cet endroit passait entre deux ifs. Elle s'était arrêtée et elle lui avait dit : C'est là. Il se dépêcha, finit par trouver les ifs, éclaira la pente dans la direction qu'elle lui avait indiquée. Puis il quitta le sentier et se fraya un chemin parmi les gros blocs de pierre, les broussailles, les arbres renversés. Arrivé en haut, il devina un renfoncement plat derrière de hautes fougères. Il avança avec précaution, écarta les fougères et éclaira la paroi rocheuse.

Elle était recroquevillée contre la paroi, en chemise de nuit, les bras autour des genoux et la tête inclinée sur l'épaule. Elle paraissait dormir. Mais il comprit tout de suite qu'elle était morte. Quelqu'un l'avait tuée. D'une balle dans le front.

Wallander s'affaissa sur le sol. Il eut l'impression que tout son sang lui remontait à la tête. Il crut qu'il allait mourir. Et ça n'avait aucune importance. Il n'avait pas réussi à protéger Isa. Rien n'avait pu la sauver, pas même la cachette où elle jouait quand elle était petite fille. Il n'avait pas entendu le coup de feu. L'arme avait donc un silencieux.

Il se releva et prit appui contre un arbre. Le téléphone glissa de la poche de sa chemise. Il le ramassa, retourna en chancelant vers la maison, s'assit sur une chaise dans la cuisine et appela Martinsson.

– Je suis arrivé trop tard.

– Quoi ?

– Elle est morte. Abattue comme les autres.

Martinsson ne parut pas comprendre. Wallander répéta ce qu'il venait de dire.

– Nom de Dieu, dit Martinsson. Qui a fait ça ?

– Un homme dans un bateau. Appelle les collègues de Norrköping. Il faut qu'ils viennent. Parle aux gardes-côtes. Réveille les autres, Lisa Holgersson, tout le monde. Ma batterie est presque à plat. Je te rappelle dès que les secours arrivent.

La conversation prit fin. La torche électrique éclairait une broderie au point de croix accrochée au mur. *Home, sweet home.* Après un instant, il s'obligea à se lever et alla chercher une couverture dans la chambre d'Isa. Puis il ressortit dans l'obscurité. Là-haut, il l'enveloppa dans la couverture.

Il s'assit sur une pierre à côté des fougères qui masquaient l'anfractuosité. Sa montre indiquait trois heures vingt.

Le vent se leva à l'aube. Wallander était descendu au ponton en entendant approcher le bateau des gardes-côtes. À bord, des policiers aux visages tendus le considéraient avec méfiance. Il les comprenait parfaitement. Que venait faire un policier de Scanie sur leurs îles ? Si encore il avait été en vacances... Il les conduisit sur les lieux et se détourna lorsqu'ils emportèrent la couverture. L'un des policiers de Norrköping s'avança vers lui et demanda à voir sa carte de police. Wallander perdit complètement son sang-froid. Il tira son portefeuille avec brusquerie et jeta sa carte aux pieds du policier. Puis il s'en alla. Sa colère céda aussitôt la place à une fatigue paralysante. Il s'assit sur les marches du perron, une bouteille d'eau à la main.

Harry Lundström en profita pour le rejoindre. Il était présent là-haut lorsque Wallander avait piqué sa crise. Lui-même avait vivement réagi à la demande de l'autre collègue : un manque de tact peu commun. Après tout, l'alerte avait été donnée par le commissariat d'Ystad, et le message était on ne peut plus clair : Kurt Wallander se trouvait sur l'île de Bärnsö, il avait découvert le corps d'une jeune fille et il avait besoin d'aide.

Harry Lundström avait cinquante-sept ans. Il était né à Norrköping, et tout le monde – sauf lui – le considérait comme le meilleur policier de la ville. Il ignorait les circonstances des événements de

Bärnsö. L'information en provenance d'Ystad était très lacunaire, pour des raisons évidentes. Il avait compris que l'affaire était liée aux meurtres de Scanie – le collègue assassiné à son domicile et les trois jeunes tués dans la réserve naturelle. Au-delà de ces quelques données, la confusion était totale.

Mais Harry Lundström avait de l'imagination : il comprenait très bien l'effet que ça pouvait faire de trouver une jeune fille en chemise de nuit recroquevillée contre un rocher, le front troué par une balle.

Il attendit quelques minutes. Puis il rejoignit Wallander et s'assit près de lui sur les marches du perron.

– C'était un peu grossier de te demander ta carte, dit-il.

Puis il lui tendit la main et se présenta. Wallander se sentit aussitôt en confiance.

– C'est à toi que je dois parler ?

Harry Lundström hocha la tête.

– Alors on va à l'intérieur.

Ils s'installèrent au salon. Wallander lui demanda s'il pouvait emprunter son portable. Il passa un bref coup de fil à Martinsson ; il fallait avertir les parents d'Isa.

Cela lui prit presque une heure d'expliquer qui était la jeune fille assassinée et dans quel contexte sa mort devait être située. Lundström l'écoutait sans prendre de notes. De temps à autre, un policier venait lui demander quelque chose. Lundström répondait par un ordre simple et clair. Quand Wallander eut fini, il lui posa deux ou trois questions. Wallander pensa qu'à sa place il aurait posé les mêmes.

Il était sept heures du matin. Ils sortirent. Le bateau des gardes-côtes frottait contre le ponton.

– Il faut que je remonte là-haut, dit Lundström. Tu n'es pas obligé de m'accompagner. Tu en as déjà vu assez.

Le vent soufflait fort maintenant. Wallander frissonna.

– Vent d'automne, commenta Lundström. Le temps commence à tourner.

– Je n'étais jamais venu dans cet archipel, dit Wallander. C'est très beau.

– Je jouais au handball quand j'étais jeune. J'avais une photo en couleurs de l'équipe d'Ystad dans ma chambre, mais je ne suis jamais allé en Scanie.

Ils avaient pris le sentier. Les chiens aboyaient au loin.

– J'ai pensé qu'il valait mieux fouiller l'île, dit Lundström. Au cas où le tueur serait encore là, malgré tout.

– Il est venu en bateau. Il a accosté à l'ouest de l'île, dans la petite crique.

– Si on avait eu plus de temps, on aurait pu mettre les ports des environs sous surveillance. C'est trop tard maintenant.

– Quelqu'un a peut-être vu quelque chose.

– Oui, quelqu'un a pu voir un bateau accoster ici ou là en pleine nuit. On s'en occupe.

Lundström disparut pour parler avec ses collègues. Un court instant, il fut englouti par les fougères. Wallander avait la nausée. Il voulait s'éloigner de cette île le plus vite possible. Son sentiment d'être responsable de la mort d'Isa était très fort. Ils auraient évidemment dû quitter l'île dès la veille au soir. Il aurait dû prévoir le danger. Ils avaient affaire à un tueur qui semblait toujours avoir une longueur d'avance sur ses poursuivants. Surtout, c'était une erreur de l'avoir laissée dormir au rez-de-chaussée.

Il savait que ces accusations ne tenaient pas debout. Mais c'était plus fort que lui.

Lundström reparut entre les fougères. Il arrêta un policier qui tenait un chien en laisse.

– Du nouveau ?

– Il n'y a personne sur l'île. Le chien a flairé une piste qui aboutit à une crique, à l'ouest de l'île. La piste s'arrête là.

Lundström jeta un regard à Wallander.

– Tu avais raison. Il est venu en bateau, et il est reparti par le même chemin.

Ils retournèrent à la maison. Wallander réfléchissait.

– Le bateau est important. Où se l'est-il procuré ?

– Je pensais à la même chose. Si l'homme est étranger à la région, ce qui est sans doute le cas, comment se procure-t-il un bateau ?

– Il le vole.

Lundström s'immobilisa sur le sentier.

– D'accord. Et comment fait-il pour s'orienter dans l'archipel en pleine nuit ?

– Il connaît peut-être l'île. Et il sait naviguer.

– Il serait déjà venu ?

– On ne peut pas l'exclure.

Lundström se remit en mouvement.

– Bateau volé ou emprunté en douce. Ça a dû se passer dans les environs. À Fyrudden, Snäckvarp ou Gryt. À moins qu'il ne se soit attaqué à un ponton privé.

– Il n'avait pas beaucoup de temps. Isa s'est enfuie de l'hôpital hier matin.

– Les voleurs pressés sont les plus faciles à retrouver.

Ils étaient revenus au ponton. Lundström échangea quelques mots avec un autre collègue ; Wallander comprit qu'il était question d'un éventuel bateau volé.

Lundström le rejoignit devant la remise à bateaux, à l'abri du vent.

– Il n'y a plus de raison de te garder ici. Je suppose que tu as envie de rentrer.

Wallander éprouva un besoin subit de dire ce qu'il ressentait.

– Ça n'aurait pas dû arriver. C'est ma faute. On aurait dû repartir hier soir.

– Écoute. J'aurais fait la même chose que toi. Elle était revenue ici, chez elle, l'endroit idéal pour la faire parler. Tu ne pouvais pas savoir ce qui allait se passer.

Wallander secoua la tête.

– J'aurais dû prévoir le danger.

Ils remontèrent une fois de plus vers la maison. Lundström s'engagea à aplanir d'éventuelles difficultés de collaboration entre Norrköping et Ystad.

– Certains ne manqueront pas de se plaindre de n'avoir pas été informés de ta présence chez nous. Mais je veillerai à ce que ça n'aille pas plus loin.

Wallander alla chercher son sac. Le bateau des gardes-côtes devait le reconduire à Fyrudden. Wallander monta à bord et leva la main en signe d'au revoir. Lundström regarda le bateau s'éloigner depuis le ponton.

Arrivé au port, Wallander rangea son sac dans la voiture et alla régler le montant du parking. En ressortant de la capitainerie, il aperçut le bateau postal qui rentrait au port et alla l'attendre sur la jetée. Westin avait le visage grave.

– Je suppose que tu es au courant, dit Wallander quand il eut mis pied à terre.

– Isa est morte.

– Ça s'est passé cette nuit. Son cri m'a réveillé, mais il était trop tard.

Westin le dévisagea avant de répondre :

– Tu veux dire que ce ne serait pas arrivé si vous étiez repartis hier soir ?

La voilà, pensa Wallander. L'accusation contre laquelle je ne peux pas me défendre.

Il prit son portefeuille.

– Combien te dois-je pour hier ?

– Rien.

Westin commença à décharger. Wallander se souvint qu'il avait encore une question à lui poser.

– Entre le 19 et le 22 juillet, je crois que tu as conduit quelqu'un à Bärnsö.

– En juillet, j'ai du monde tous les jours.

– Un policier qui avait un accent de Scanie encore plus lourd que le mien. Karl Evert Svedberg. Tu te souviens de lui ?

– Il portait l'uniforme ?

– Sûrement pas.

– Tu peux me le décrire ?

– Presque chauve. Aussi grand que moi, à peu près. Corpulent. Mais pas gros.

Westin réfléchit.

– Entre le 19 et le 22 juillet ?

– Il a sans doute pris le bateau dans l'après-midi ou la soirée du 19. Je ne sais pas quand il est reparti, mais au plus tard le 22.

– Il faut que je vérifie. Je l'ai peut-être noté.

Westin monta à bord et ressortit du poste de pilotage avec un almanach.

– Je n'ai rien noté, mais j'ai un vague souvenir de l'avoir vu à bord. Il y avait beaucoup de monde ce jour-là. Je peux le confondre avec un autre.

– Si tu as un fax, on peut t'envoyer une photo.

– Il y en a un au bureau de poste.

Wallander pensa soudain à une autre possibilité.

– En fait, tu as peut-être déjà vu sa photo dans le journal, ou à la télévision. C'est le policier qui a été assassiné à Ystad, il y a quelques jours.

Westin fronça les sourcils.

– J'en ai entendu parler. Mais je ne me souviens pas de sa tête.

– Alors je t'envoie sa photo. Si tu me donnes un numéro de fax.

Westin nota le numéro sur son almanach et arracha la feuille.

– Est-ce qu'Isa était à Bärnsö entre le 19 et le 22 juillet ?

– Je ne m'en souviens pas. Mais elle a passé beaucoup de temps sur l'île cet été.

– C'est donc possible ?

– Oui.

Wallander quitta Fyrudden. À Valdemarsvik, il s'arrêta pour faire le plein. Puis il prit la route de la côte vers le sud. Le ciel était limpide. Il roulait vitre baissée. En approchant de Västervik, il comprit qu'il n'aurait pas la force de continuer. Il devait manger. Et dormir. Il s'arrêta dans un café au bord de la route, commanda une omelette, une eau minérale et un café. La femme qui prenait sa commande au comptoir lui sourit.

– À ton âge, on devrait dormir la nuit.

Wallander leva la tête.

– Ça se voit tant que ça ?

Elle se baissa, prit son sac à main caché sous le comptoir et lui tendit un miroir de poche. Elle avait raison. Il était pâle. Hirsute. Ses yeux étaient cernés.

– D'accord. Je vais manger mon omelette et dormir un moment dans la voiture.

Il alla s'asseoir dehors sous un parasol. Elle apparut très vite avec le plateau.

– J'ai une chambre derrière la cuisine, dit-elle. Il y a un lit. Tu peux dormir là si tu veux.

Elle repartit sans attendre la réponse. Wallander la suivit du regard, surpris.

Après avoir mangé, il s'approcha de la cuisine. La porte était ouverte.

– Ta proposition tient toujours ?

– Je n'ai pas l'habitude de changer d'avis.

Elle lui montra la chambre. Un simple lit de camp, avec une couverture.

– C'est toujours mieux qu'une banquette de voiture. Mais les flics ont l'habitude de dormir n'importe où, pas vrai ?

– Comment sais-tu que je suis de la police ?

– Quand tu as payé, j'ai vu ta carte dans ton portefeuille. J'ai été mariée à un policier, alors je l'ai reconnue.

– Je m'appelle Kurt. Kurt Wallander.

– Erika. Dors bien.

Wallander s'étendit sur le lit de camp. Il avait mal partout, et la tête vide. Il devait appeler Ystad, prévenir de son retour. Mais il n'en avait pas la force. Il ferma les yeux et s'endormit.

Au réveil, il se demanda où il se trouvait. Il regarda sa montre. Dix-neuf heures. Il se redressa d'un coup. Il avait dormi plus de cinq heures ! Il jura et composa le numéro de Martinsson. Personne. Il essaya le numéro de Hansson, qui décrocha tout de suite.

– Où es-tu, bordel ? On a essayé de te joindre toute la journée ! Pourquoi ne branches-tu pas ton portable ?

– Il doit y avoir un problème de batterie. Il s'est passé quelque chose ?

– Rien, sinon qu'on se demande depuis ce matin où tu es.

– J'arrive. Je suis à Västervik, je devrais arriver à Ystad vers vingt-trois heures.

Wallander raccrocha le plus vite possible. Il sursauta lorsque la femme prénommée Erika surgit à la porte.

– J'ai pensé que tu avais besoin de dormir, dit-elle.

– Une heure aurait suffi. J'aurais dû te demander de me réveiller.

– Il y a du café, mais pas de plat chaud ; j'ai fermé la boutique.

– Quoi ? Tu as attendu que je me réveille ?

– Il y a toujours de la comptabilité à faire.

Ils entrèrent dans le restaurant vide. Elle lui servit du café et des sandwiches et s'assit en face de lui.

– J'ai entendu la nouvelle à la radio. Une fille assassinée dans l'archipel, découverte par un policier de Scanie. Je suppose que c'est toi ?

– Oui. Mais je préfère ne pas en parler. Tu as été mariée à un policier ?

– J'habitais à Kalmar, à l'époque. Après le divorce, je suis venue ici et j'ai acheté cette affaire.

Elle lui raconta ses premières années, les difficultés, la boutique qui ne tournait pas. Maintenant, ça allait mieux. Wallander l'écoutait. Surtout, il la regardait. S'il avait osé, il l'aurait prise dans ses bras. Pour se raccrocher à un être réel.

Il s'attarda une demi-heure. Puis il paya et retourna à sa voiture. Elle le suivit.

– Je ne sais pas très bien comment te remercier, dit-il.

– Pourquoi faut-il toujours dire merci ? Fais attention sur la route.

Wallander arriva à Ystad vers vingt-trois heures, comme prévu, et se rendit directement au commissariat où le travail battait son plein. Il rassembla ses collaborateurs dans la grande salle de réunion. Nyberg et Lisa Holgersson étaient là eux aussi. En rentrant de Västervik, il avait repris mentalement tous les événements depuis le début – depuis la nuit où il s'était réveillé en pensant pour la première fois qu'il était arrivé quelque chose à Svedberg. La conviction d'avoir trahi Isa Edengren ne le quittait pas. Et il ressentait aussi de la colère – plusieurs fois, sur la route, il avait accéléré sans s'en rendre compte.

Sa colère n'était pas seulement liée à l'horreur de cette tuerie absurde. Mais aussi à un sentiment d'échec. Ils ne savaient toujours pas dans quelle direction se tourner. Et maintenant, Isa Edengren avait été tuée, pratiquement sous ses yeux.

Wallander leur rendit compte des événements survenus sur l'île. Après avoir répondu à leurs questions et écouté le résumé de la situation à Ystad, il regarda sa montre. Minuit passé. Il était temps de conclure.

– Demain, il faudra recommencer à zéro, dit-il. Et continuer à partir de là. Tôt ou tard, nous arrêterons celui qui a fait ça. Nous n'avons pas le choix. Mais, pour l'instant, je crois que le mieux est d'aller dormir. Cette enquête a été difficile jusqu'à maintenant, et ça ne risque pas de s'arranger.

Il se tut. Martinsson parut sur le point de dire quelque chose mais changea d'avis.

Wallander partit avant les autres et referma la porte de son bureau derrière lui. Personne ne pouvait manquer de comprendre qu'il souhaitait être seul.

Il s'assit dans son fauteuil et réfléchit à ce qu'il n'avait pas dit au cours de cette réunion.

Isa Edengren était morte. Cela signifiait-il que le tueur avait atteint son but ? Ou bien allait-il frapper de nouveau ?

Pas plus que ses collaborateurs, il ne connaissait la réponse.

Deuxième partie

20

Le jeudi 15 août au matin, Wallander se présenta enfin à la consultation plusieurs fois repoussée chez le docteur Göransson. Malgré la fatigue, il décida qu'il ne prendrait pas sa voiture. Il aurait toujours une bonne raison de ne rien changer à ses habitudes. Ce jour-ci était aussi mal choisi que les autres ; alors pourquoi ne pas commencer tout de suite ?

Il faisait encore beau : ciel limpide et pas de vent. En traversant la ville à pied, il se demanda quand il avait connu pour la dernière fois un tel mois d'août. Mais il ne put retenir cette pensée. L'enquête en cours le requérait à chaque instant, même pendant son sommeil. Il avait rêvé de Bärnsö. Il avait entendu Isa crier. Il s'était réveillé en sueur, le cœur cognant à se rompre, prêt à bondir du lit.

Il était allé s'asseoir dans la cuisine. L'aube était encore loin. Il ne se souvenait pas d'avoir jamais éprouvé une telle sensation de faiblesse. Et cette fatigue ne venait pas seulement des îlots de sucre blanc qui dérivaient dans ses artères – ou du moins dans son imagination. Elle tenait aussi à l'impression que le temps lui-même l'avait dépassé. Peut-être était-il trop vieux ? Alors qu'il n'avait même pas cinquante ans ?

Et si toutes ces responsabilités commençaient à lui faire peur ? Il n'était plus certain d'être à la hauteur. Comme s'il avait passé son zénith et qu'il déclinait maintenant vers un lieu où ne resterait bientôt plus que l'angoisse. Comment savoir ? Cette nuit-là, il fut à deux doigts de prendre la décision d'abandonner. De demander à Lisa Holgersson de nommer un autre responsable de l'enquête. Mais qui ?

Martinsson ou Hansson étaient les seuls candidats envisageables ; mais ni l'un ni l'autre n'en avait réellement les capacités. Restait une seule solution : faire appel à quelqu'un d'extérieur. Impossible. Ce serait une remise en cause officielle de la compétence de l'équipe. Dans ces conditions, le travail ne pourrait jamais se faire de façon satisfaisante.

Il tournait en rond. Lorsqu'il prit la décision d'aller chez le médecin le jour même, ce fut peut-être dans l'espoir secret d'entendre les paroles qui le délivreraient. *Tu es hors d'état de travailler, je te mets immédiatement en congé maladie pour une durée illimitée.*

Mais le docteur Göransson n'avait aucune intention de ce genre. Après l'avoir reçu – sans rendez-vous –, il constata une fois de plus une hyperglycémie alarmante, d'autant que le sucre avait maintenant filtré dans les urines, et que la tension restait beaucoup trop élevée. Il rédigea une ordonnance et préconisa une transformation radicale de ses habitudes alimentaires désastreuses.

– Nous devons attaquer les symptômes sur plusieurs fronts en même temps. Tous les éléments sont liés et doivent être traités comme tels. Pour cela, votre collaboration active est indispensable ; sinon, on n'arrivera à rien.

Il lui donna le numéro de téléphone d'un diététicien. Wallander quitta le cabinet, son ordonnance à la main. Il était huit heures. Il aurait dû se rendre sur-le-champ au commissariat, mais il ne se sentait pas tout à fait prêt. Il décida d'aller prendre un café sur la place centrale. Cette fois, il renonça aux viennoiseries.

Qu'est-ce que je fais ? pensa-t-il. Je suis responsable d'une enquête terriblement lourde. Chaque policier du pays a le regard braqué sur moi, puisque l'une des victimes était un collègue. En plus, je dois faire face à la pression des médias. Et puis je risque d'être très critiqué par les parents des quatre jeunes. Tout le monde s'attend à ce que j'arrête le coupable en quelques jours, de préférence en quelques heures, avec suffisamment de preuves pour épater le procureur le plus endurci. Le problème, c'est que la réalité est toute différente. Je n'ai rien à leur proposer. Ce matin, je vais réunir mes collègues et on va tout reprendre à zéro. On a tous le sentiment d'être très loin d'une percée. On n'a rien. Rien du tout.

Il finit son café. À la table voisine, un homme lisait le journal du matin où les titres s'étalaient, noirs, gras, énormes. Wallander se dépêcha de quitter le salon de thé. Il était encore tôt ; il décida de s'acquitter d'une autre visite avant de retourner au commissariat. Il se rendit à Vädergränd et sonna à la porte du banquier Sundelius. Celui-ci n'accepterait peut-être pas de le recevoir ainsi à l'improviste. D'un autre côté, il avait bien précisé qu'il était matinal.

Sundelius le reçut en costume, le nœud de cravate impeccable. Il ouvrit la porte toute grande, le pria d'entrer, s'excusa et disparut dans la cuisine.

– J'ai toujours de l'eau sur le feu en cas de visite imprévue, dit-il en revenant avec un plateau. La dernière fois, c'était il y a plus d'un an, mais on ne sait jamais.

Wallander se laissa tomber dans un canapé et prit la tasse qu'on lui tendait. Sundelius s'assit en face de lui.

– Nous avons été interrompus la dernière fois, commença Wallander.

– La raison de cette interruption est apparue on ne peut plus clairement. Quel genre de gens laissons-nous entrer dans ce pays, au juste ?

Wallander ne s'était pas attendu à un tel commentaire.

– Rien n'indique que ces crimes aient été commis par un étranger, dit-il.

– Ça me paraît assez évident. Un Suédois ne ferait pas des choses pareilles.

Wallander pensa qu'il valait mieux changer de sujet. Sundelius n'était pas homme à se laisser déstabiliser dans ses opinions ni dans ses préjugés. Pourtant, il ne put s'empêcher de le contredire.

– Rien n'indique que le meurtrier soit d'origine étrangère. Absolument rien. Parlons plutôt de Karl Evert. Vous le connaissiez assez bien, je crois.

– Pour moi, ce n'était pas Karl Evert, mais Kalle.

– Depuis combien de temps vous connaissiez-vous ?

– Quel jour est-il mort ?

De nouveau, Wallander fut pris au dépourvu.

– Nous ne le savons pas encore. Pourquoi ?

– Parce que j'aurais pu vous donner une réponse exacte. Provisoirement, je dirai donc que nous nous connaissions depuis dix-neuf ans, sept mois et une quinzaine de jours. J'ai toujours pris des notes, tout au long de ma vie. La seule chose que je ne pourrai pas noter, ce sera l'heure de ma mort. Sauf si je décide de me suicider. Ce que je n'envisage pas pour le moment. Mais le notaire chargé de la succession veillera à faire brûler mes carnets. Ils n'ont de valeur que pour moi.

Wallander devina que Sundelius avait trop rarement l'occasion de parler à autrui. Comme beaucoup de vieillards, pensa-t-il. Mais pas comme mon père.

– Si je comprends bien, vous aviez une passion commune pour le ciel étoilé ?

– C'est exact.

– Vous n'avez pas l'accent de Scanie. Vous avez donc emménagé dans la région ?

– Je suis arrivé de Vadstena le 12 mai 1959. Le camion de déménagement est arrivé le 14. Je comptais rester quelques années ; finalement, ça a été beaucoup plus long.

Wallander avait jeté un regard aux commodes, aux guéridons et aux rayonnages sans apercevoir la moindre photo de famille. Sundelius ne portait pas d'alliance.

– Êtes-vous marié ?

– Non.

– Divorcé ?

– Je suis célibataire.

– Comme Svedberg.

– Oui.

Wallander pensa qu'il n'avait rien à perdre en allant droit au but. Il avait encore dans sa poche une copie du portrait de Louise. Il la posa sur la table.

– As-tu déjà vu cette femme ?

Sundelius mit ses lunettes après les avoir essuyées avec un mouchoir et il examina attentivement le portrait.

– N'est-ce pas la photo qui figurait dans les journaux l'autre jour ?

– C'est exact.

– La police voulait des renseignements sur cette femme, n'est-ce pas ?

Wallander acquiesça. Sundelius reposa la photographie.

– Si je l'avais reconnue, j'aurais donc dû me manifester auprès de vous.

– Mais ce n'est pas le cas ?

– Non. Et j'ai une bonne mémoire des visages. C'est indispensable quand on exerce ce métier.

Wallander ne put résister à la curiosité. Pourquoi les banquiers devaient-ils avoir une bonne mémoire des visages ?

– Très simple, répliqua Sundelius. Dans ma jeunesse, c'était le seul renseignement auquel avait droit un établissement de crédit. Avant que cette société ne se transforme en un gigantesque registre informatisé. La personne qui voulait m'emprunter de l'argent était-elle sincère ? Était-elle intègre ? Ou bien me mentait-elle ? Je me souviens d'un vieux chef comptable de Vadstena qui ne posait jamais de question aux clients. Même plus tard, quand les conditions du crédit sont devenues beaucoup plus sévères et qu'on a eu le droit d'exiger toutes sortes de garanties, il n'a jamais posé la moindre question. Quelle que fût la somme, il se concentrait sur le visage du demandeur, et il acceptait ou refusait le prêt en fonction de l'impression que lui faisait le bonhomme. Il ne s'est jamais trompé une seule fois au cours de toute sa carrière de banquier. Il déboutait les escrocs, et il appuyait la requête des gens honnêtes et travailleurs. Sans hésitation. Il arrivait que certains, ensuite, jouent de malchance, mais ça, personne ne peut le prévoir.

Wallander hocha la tête et reprit le fil de l'interrogatoire :

– Cette femme est, d'une manière ou d'une autre, liée à Kalle. Nous savons de source sûre qu'ils se sont fréquentés pendant une dizaine d'années. Plus exactement, ils auraient eu une liaison. Kalle était célibataire. Mais il aurait eu une longue histoire d'amour avec cette femme.

Sundelius s'était immobilisé, la tasse à la main. Il la reposa lentement sur sa soucoupe.

– Ce n'est pas vrai, dit-il.

– Comment ça ?

– C'est complètement faux. Kalle n'avait pas de fiancée.

– Nous savons que cela s'est fait dans le plus grand secret.

– Ça ne s'est pas fait du tout.

Il paraissait sûr de lui. Mais il y avait aussi autre chose. Quoi ? Sundelius n'était pas neutre. Il se contrôlait. Mais Wallander perçut son agitation.

– Laissez-moi préciser un détail important, dit-il. Aucun d'entre nous ne connaissait l'existence de cette femme. Une seule personne était au courant. La surprise est donc totale aussi pour nous.

– Qui est cette personne si bien informée ?

– Je ne veux pas vous le dire pour l'instant.

Sundelius le dévisageait avec une drôle d'expression, à la fois crispée et absente. L'émotion était bien là. Wallander ne s'était pas trompé.

– Laissons cette femme. Comment vous êtes-vous rencontrés ?

Sundelius était méconnaissable. Lui tout à l'heure si volubile ne répondait plus qu'à contrecœur. Wallander comprit qu'il avait abordé un sujet sensible.

– Nous nous sommes rencontrés chez des amis communs à Malmö.

– Vous l'avez noté dans votre agenda ?

– Je ne crois pas que ce qui se trouve ou ne se trouve pas dans mon agenda ait un intérêt pour la police.

Complètement hostile, pensa Wallander. La photographie d'une femme inconnue transforme tout son comportement.

Il continua avec prudence :

– Vous avez commencé à vous fréquenter après cette première rencontre ?

Sundelius s'était repris. Il était à nouveau aimable et serein. Mais absent, nota Wallander. Comme s'il pensait à autre chose.

– Nous regardions les étoiles ensemble. C'est tout.

– Où donc ?

– À la campagne. Où le ciel est bien noir. En automne, surtout. On allait souvent dans la vallée de Fyledalen.

Wallander réfléchit.

– Quand j'ai pris contact avec vous, vous m'avez demandé pourquoi je ne m'étais pas manifesté plus tôt. Vous trouviez cela étrange, avez-vous dit, puisque Kalle n'avait pas beaucoup d'amis proches, et que vous étiez l'un d'entre eux.

– Je me souviens de ce que j'ai dit.

– Maintenant, vous affirmez que cette relation se limitait à regarder les étoiles de temps en temps…

– Ni lui ni moi n'étions très enclins à nous mêler de la vie des autres.

– J'ai du mal à comprendre qu'on puisse appeler cela une amitié proche. Et qu'il vous ait semblé évident que ses collègues seraient au courant de votre existence.

– Pourtant, c'était bien ça.

Non, pensa Wallander. *Ce n'était pas ça. C'était quoi ?*

– Quand vous êtes-vous revus pour la dernière fois ?

– À la mi-juillet. Le 16, plus précisément.

– Vous avez regardé les étoiles ensemble ?

– On est partis vers les hauteurs d'Österlen. La nuit était belle. Même si l'été n'est pas la meilleure période de l'année pour regarder les étoiles.

– Comment était-il alors ?

– Je ne comprends pas votre question.

– Était-il comme d'habitude ? A-t-il dit quelque chose qui vous a surpris ?

– Il était exactement comme d'habitude. En plus, quand on regarde les étoiles, on est silencieux en général. Nous, du moins, nous l'étions.

– Et ensuite ?

– Nous ne nous sommes pas revus.

– Aviez-vous convenu de vous revoir ?

– Il m'a dit qu'il comptait partir quelques jours. Il m'a dit aussi qu'il avait beaucoup à faire. Nous devions nous rappeler au début du mois d'août, quand il serait en vacances.

Wallander retenait son souffle. Trois jours plus tard, pensa-t-il, Svedberg part pour Bärnsö. Les paroles de Sundelius peuvent indiquer que Svedberg a déjà décidé de faire ce voyage. De plus, il dit qu'il a beaucoup à faire. Et qu'il sera en vacances au début du mois d'août. Alors qu'en réalité il est déjà en vacances.

Svedberg ment, pensa Wallander. À son ami Sundelius, il cache qu'il est déjà en vacances. À nous, il ne dit pas un mot sur ses recherches.

Pour la première fois, Wallander eut le sentiment de se trouver près d'une découverte décisive. Mais laquelle ?

Svedberg a menti à Sundelius qui me ment en ce moment même. Il y a une vérité cachée quelque part, mais comment la découvrir ?

Il remercia pour le café. Sundelius le raccompagna jusqu'à la porte.

– Nous nous reverrons sûrement…

– Je vous serais reconnaissant de me communiquer l'heure et le lieu de l'enterrement.

Sundelius avait retrouvé tout son sang-froid. Wallander promit et prit congé. Une fois dehors, il alla s'asseoir sur un banc devant le café Bäckahästen et regarda les canards énergiques qui nageaient dans l'étang. Intérieurement, il passait en revue sa conversation avec Sundelius. Il y avait eu deux instants critiques : d'abord, quand il lui avait montré la photo ; ensuite, lorsqu'il avait compris que Sundelius mentait. Il s'arrêta sur le premier incident. Ce n'était pas la photo elle-même qui avait suscité l'émotion de Sundelius, mais la mention par Wallander d'une histoire d'amour longue de dix ans.

C'est peut-être aussi simple que cela, pensa-t-il. Il n'y avait pas une, mais deux histoires d'amour. Se peut-il que Sundelius et Svedberg aient eu une liaison ? Que Svedberg ait bien été homosexuel, tout compte fait ? Wallander ramassa une poignée de graviers et la laissa couler entre ses doigts. Il en doutait cependant. La photographie représentait une femme. Et Sture Björklund était sûr de son fait : Louise figurait depuis des années dans la vie de Svedberg. Dans ce contexte, une autre question était décisive. Comment expliquer que Sture Björklund soit informé de l'existence de cette femme, alors que tout le monde l'ignorait ?

Wallander s'essuya les mains et se leva. Se rappelant l'ordonnance qui traînait dans sa poche, il entra dans une pharmacie et en ressortit avec les médicaments prescrits par Göransson. Il prit la direction du commissariat. À la pharmacie, il avait découvert que son portable était éteint ; il accéléra le pas. La conversation avec Sundelius lui avait tout de même apporté quelque chose, à défaut d'éclaircissements immédiats : l'intuition d'une profondeur cachée.

À peine arrivé, il fut informé par Ebba que tout le monde le cherchait. Il la pria de faire passer le message : réunion dans une demi-heure. Dans le couloir, il se heurta à Hansson.

– Justement, je te cherchais. On a des nouvelles de Lund.

– Alors ? Ils peuvent nous donner une heure ?

– On dirait que oui.

– Alors allons-y.

En passant devant le bureau de Svedberg, il constata que la plaque avait été retirée. La surprise se transforma aussitôt en consternation. Puis en colère.

– Qui a enlevé le nom de Svedberg de la porte ?

– Je ne sais pas.

– On aurait pu attendre qu'il soit enterré, merde !

– L'enterrement aura lieu mardi, au fait. Le ministre de la Justice a signalé sa venue.

Le ministre était une femme qui passait souvent à la télévision et qui faisait à Wallander l'effet d'être autoritaire et sûre d'elle. Comment s'appelait-elle, déjà ? Hansson fit prestement disparaître quelques coupons de tiercé de son bureau et étala les documents de l'institut de Lund. Wallander attendait, appuyé contre le mur.

– Nous y voilà, dit Hansson.

– On commence par Svedberg.

– Il a été abattu de face ; deux balles, coup sur coup. La mort a dû être instantanée.

– Quand ? fit Wallander avec impatience. Épargne-moi les détails. Je veux une heure.

– Quand vous l'avez trouvé, Martinsson et toi, il était mort depuis vingt-quatre heures au plus et dix heures au moins.

– Ils en sont sûrs ? Ou ils vont changer d'avis ?

– Ils ont l'air assez sûrs de leur coup. Et aussi du fait que Svedberg était sobre au moment de sa mort.

– Quelqu'un a-t-il jamais prétendu le contraire ?

– Je te lis ce qui est marqué. Son dernier repas, qu'il a dû manger quelques heures avant sa mort, c'était du fromage blanc.

– Ce qui veut dire qu'il est sans doute mort le matin.

Hansson hocha la tête. Chacun savait que Svedberg prenait du fromage blanc au petit déjeuner. Quand l'équipe était contrainte de travailler toute la nuit, Svedberg en rangeait toujours un pot ou deux dans le frigo de la cafétéria.

– Ça fait une incertitude en moins.

– Il y a plein d'autres informations. Tu veux que je te les lise ?

– Les détails, je peux les lire moi-même. Parle-moi des trois jeunes.

– Ils disent que c'est difficile de déterminer une heure.

– Ça, on le savait déjà. Quelle est leur conclusion ?

– Conclusion provisoire, en attendant des analyses plus poussées. Ils n'excluent pas que les jeunes aient pu être tués dès le 21 juin, autrement dit la nuit de la Saint-Jean. À une condition cependant.

– Que les corps n'aient pas été exposés par la suite à l'action de l'air ?

– C'est ça. Mais, encore une fois, ils n'en sont pas sûrs.

– Moi, si. On a enfin la possibilité de dresser un emploi du temps. On doit se réunir tout à l'heure ; on commencera par là.

– Je ne trouve pas les voitures. Le tueur de la réserve a dû s'en occuper.

– Elles sont peut-être enterrées, elles aussi. Quoi qu'il en soit, il faut les retrouver le plus vite possible.

Wallander alla dans son bureau et lut la notice de la boîte de comprimés Amaryl contre le diabète. Il fallait les prendre avec les repas. Wallander se demanda quand serait son prochain repas. Il se leva avec un soupir, se rendit à la cafétéria, grignota trois biscottes qui traînaient sur une assiette et avala les comprimés. En ressortant, il faillit entrer en collision avec Nyberg.

– Il paraît que Lund nous a envoyé des résultats ?

Wallander rendit compte des informations transmises par Hansson. Nyberg hocha la tête.

– On avait raison. On a affaire à un tueur qui massacre trois jeunes, qui les traîne jusqu'à une tombe, qui les enterre, qui les déterre un peu plus tard…

– On a affaire à quelqu'un qui a eu le besoin et le loisir de préparer soigneusement ses actes. À présent, on le sait avec certitude, et c'est un grand pas.

Nyberg promit de participer à la réunion. Wallander retourna dans son bureau. La table croulait sous les messages téléphoniques ; il s'en occuperait après la réunion. Il s'approcha de la fenêtre. De nouveau, il essaya de voir un visage. Dehors, quelque part, il y avait un homme qui tuait des gens. Avec minutie et de sang-froid. Pourquoi ? Personne ne le savait, sauf lui.

Wallander rassembla ses papiers et se dirigea vers la salle de réunion. Martinsson s'apprêtait à refermer la porte lorsque Lisa Holgersson apparut avec le procureur Thurnberg. Wallander pensa soudain qu'il ne lui avait pas encore fait de rapport approfondi sur l'état de l'enquête. D'ailleurs, Thurnberg paraissait mécontent ; il s'assit aussi loin que possible de Wallander. Lisa Holgersson prit la parole et les informa que l'enterrement de Svedberg aurait lieu le mardi 20 août à quatorze heures. Elle jeta un regard à Wallander.

– Je vais faire un discours, annonça-t-elle, de même que la ministre de la Justice et le chef de la direction centrale. Je me demandais si l'un d'entre vous ne devrait pas aussi dire quelques mots. Je pense plus précisément à Kurt, qui est le plus ancien de l'équipe.

– C'est impossible. Un discours, à côté du cercueil, dans l'église, je n'y arriverai pas.

– Tu avais fait un bon discours pour le départ de Björk, intervint Martinsson. C'est évident que l'un d'entre nous doit le faire. Et il vaut mieux que ce soit toi.

Wallander savait que ce serait impossible. Il nourrissait une appréhension énorme à la perspective des funérailles de Svedberg.

– Ce n'est pas que je ne veux pas, implora-t-il. Je peux l'écrire, si vous voulez, mais je ne pourrai pas le lire à haute voix à l'église.

– Ce n'est pas juste d'obliger quelqu'un à parler à un enterrement, dit Ann-Britt. Parfois, on n'arrive pas à sortir un mot à cause de l'émotion. Je veux bien prononcer ton discours à ta place, si personne ne s'y oppose.

Wallander était persuadé que Hansson, pas plus que Martinsson, n'approuvait cette solution. Mais ils ne dirent rien. L'affaire était réglée.

Wallander passa sans transition à la réunion d'enquête, pour échapper à la pensée de l'enterrement. Thurnberg restait inerte, inexpressif. Sa présence rendait Wallander nerveux. Il sentait chez Thurnberg du mépris, voire de l'hostilité.

Ils commencèrent par un tour de table. Wallander rendit compte très brièvement de sa visite chez Sundelius, sans mentionner la métamorphose causée par la révélation que Svedberg avait eu pendant dix ans une liaison avec une femme.

Au sujet de Louise, les renseignements affluaient. Mais personne ne semblait avoir réellement identifié la femme du portrait. Toute l'équipe s'accorda à trouver cela remarquable. Quelqu'un aurait dû la reconnaître. Ils décidèrent de publier la photo au Danemark et de la diffuser aussi dans d'autres pays, via Interpol. Pour le reste, rien de neuf à signaler. Au bout de deux heures, ils en arrivèrent au protocole médico-légal. Wallander proposa une courte pause pour aérer la pièce. Thurnberg se leva et quitta la salle. Il n'avait pas prononcé un mot. Lisa Holgersson s'attarda après le départ des autres.

– Il n'a pas l'air content, dit Wallander.

– Il ne l'est pas. Je crois que tu devrais lui parler. Il trouve que l'enquête avance trop lentement.

– Elle avance aussi vite qu'elle peut.

– On a peut-être besoin d'une aide extérieure…

– On va en parler. Je te l'ai déjà dit, je ne m'opposerai pas à ta décision.

Cette réponse la soulagea visiblement. Wallander alla chercher un café. Puis ils se rassirent autour de la table. Thurnberg à la même place et aussi inexpressif qu'avant.

Ils parcoururent les protocoles de l'institut de Lund. Wallander nota sur un tableau le début d'emploi du temps dont ils disposaient désormais.

– Svedberg a donc été assassiné au plus tôt vingt-quatre heures avant qu'on le découvre. Tout indique que le meurtre a eu lieu le matin, ou du moins dans la matinée. En ce qui concerne les trois jeunes, nos hypothèses semblent concorder avec les faits. Elles ne nous fournissent aucune indication quant au mobile ou quant à l'identité du tueur, mais elles nous révèlent un détail essentiel…

Il se rassit avant de poursuivre :

– Ces jeunes ont préparé leur fête dans le plus grand secret. Ils ont choisi un lieu écarté où ils ont cru qu'ils seraient tranquilles. Mais quelqu'un est averti de leur projet. Quelqu'un est très bien renseigné et dispose de pas mal de temps pour se préparer. Nous n'avons toujours pas de mobile pour les trois meurtres de la réserve. Mais le tueur ne renonce pas avant d'avoir retrouvé et tué la quatrième personne. Il sait qu'Isa Edengren s'est enfuie à Bärnsö. Il parvient à la retrouver sur l'île. Cela nous donne quelques points de départ décisifs. Nous recherchons quelqu'un d'extrêmement bien informé.

Wallander se tut. Personne ne fit de commentaire.

– Où pouvons-nous trouver une personne qui a accès à toutes ces informations ? C'est par là que nous devons commencer. Tôt ou tard, nous devrons aussi trouver le point de recoupement avec Svedberg.

– Il est déjà trouvé, intervint Hansson. Puisque Svedberg a commencé à enquêter quelques jours après la Saint-Jean.

– Non seulement ça. Je crois que Svedberg avait un soupçon précis. Je me demande même s'il ne savait pas *qui* avait tué les trois jeunes – ou s'apprêtait à le faire.

– Pourquoi a-t-il attendu si longtemps pour tuer Isa Edengren ? intervint Martinsson. Il aurait pu le faire depuis plus d'un mois.

– Oui, d'autant plus qu'elle n'était vraiment pas inaccessible.

– Autre chose, poursuivit Martinsson. Pourquoi a-t-il déterré les corps ? Parce qu'il *voulait* qu'on les découvre ?

– C'est la seule hypothèse plausible. Mais ça nous conduit à une nouvelle question sur le mobile. Et sur le lien avec Svedberg.

Wallander regarda ses collaborateurs à tour de rôle.

Svedberg savait qu'il était arrivé malheur aux trois jeunes, pensa-t-il. Et il connaissait l'identité du tueur. Du moins, il avait un fort soupçon.

C'est pour ça qu'il a été tué.

Il n'y a tout simplement pas d'autre explication possible.

Ce qui nous conduit à la question la plus importante de toutes.

Pourquoi n'a-t-il pas voulu nous dire qui il soupçonnait ?

21

Il était quatorze heures lorsque Wallander se tourna vers Martinsson pour lui réclamer une précision à propos d'un témoignage. Un homme qui tenait un kiosque à saucisses à Sölvesborg s'était arrêté la veille de la Saint-Jean à l'entrée de la réserve de Hagestad. Il se rendait à une fête à Falsterbo et avait fait une halte en s'apercevant qu'il était beaucoup trop en avance ; il lui semblait avoir vu deux voitures à l'entrée de la réserve. Mais Wallander n'eut jamais l'occasion d'apprendre le détail de l'affaire car, aussitôt après avoir posé sa question, il s'évanouit.

C'était complètement inattendu, bien sûr. L'instant d'avant, il agitait son crayon en direction de Martinsson. L'instant d'après, il gisait inerte dans son fauteuil, le menton affaissé sur la poitrine. Lisa Holgersson fut la première à réagir. Hansson avoua plus tard qu'il avait cru que Wallander venait de mourir d'une crise cardiaque. Les autres n'évoquèrent jamais l'incident par la suite. Sur le moment, ils avaient repoussé le fauteuil, étendu Wallander sur le sol, ouvert le col de sa chemise et pris son pouls. Quelqu'un avait appelé une ambulance. Mais Wallander reprit connaissance avant l'arrivée des secours. On l'aida à se relever. Grâce à ses lectures, il comprit que son taux de sucre dans le sang avait chuté brutalement. On lui donna de l'eau, qu'il avala avec quelques morceaux de sucre. Il se sentait beaucoup mieux. Les autres lui conseillèrent d'aller à l'hôpital, ou du moins de rentrer chez lui pour se reposer. Mais Wallander refusa. Il mit sa faiblesse sur le compte du manque de sommeil et reprit les rênes de la réunion avec une énergie redoublée, pour obliger ses collègues à laisser tomber l'incident.

Le seul à n'avoir pas réagi avec inquiétude était Thurnberg. Il n'avait pas réagi du tout. Il s'était levé alors que Wallander était déjà à terre, mais sans quitter sa place. Son regard était toujours aussi inexpressif.

À la pause, Wallander s'enferma dans son bureau et appela Göransson. Celui-ci ne parut pas surpris.

– Ton taux de sucre va continuer à varier brutalement tant qu'on ne l'aura pas stabilisé. Mais si les évanouissements continuent, il faudra sans doute prendre des médicaments. Essaie d'avoir toujours une pomme sur toi, et croque dedans au premier signe de vertige.

À compter de ce jour, Wallander pensa toujours à cacher des morceaux de sucre dans sa poche. Il se faisait l'effet d'un homme qui s'attendait en permanence à rencontrer un cheval. Mais il ne parlait à personne de sa maladie. Le diabète restait son secret.

La réunion se prolongea jusqu'à dix-sept heures. Ils avaient fait un point très approfondi et Wallander sentit qu'une énergie nouvelle s'emparait du groupe d'enquête. Ils avaient également décidé de demander des renforts à Malmö. Mais Wallander savait que l'essentiel du travail reviendrait au noyau de collaborateurs rassemblés dans cette pièce.

Thurnberg s'attarda après le départ des autres. Wallander comprit qu'il voulait un entretien et pensa avec regret à Per Åkeson, qui se trouvait quelque part sous le soleil d'Afrique. Il alla s'asseoir en bout de table, à la place habituellement occupée par Ann-Britt Höglund.

– Ça fait assez longtemps que j'attends un rapport, dit Thurnberg de sa voix qui paraissait toujours sur le point de se casser comme celle d'un adolescent.

– Je comprends, dit Wallander sur un ton aimable. Mais l'état de l'enquête a considérablement évolué au cours des dernières vingt-quatre heures.

Thurnberg ignora le commentaire.

– À l'avenir, je m'attends à être informé de manière continue, sans avoir à en faire la demande. Il va de soi que le procureur général est particulièrement attentif à une affaire où un fonctionnaire de police a été tué dans l'exercice de ses fonctions.

Wallander ne vit aucune raison de répliquer à cela. Il attendait la suite.

– Jusqu'à présent, cette enquête n'a été ni particulièrement efficace ni particulièrement systématique, poursuivit Thurnberg en indiquant son bloc-notes où s'alignait une longue liste de remarques.

Wallander eut l'impression d'être à nouveau à l'école, devant le maître lui expliquant les raisons de sa mauvaise note.

– Nous tiendrons compte de toutes les critiques, pour peu qu'elles soient justifiées, dit-il.

Il faisait un effort pour rester aimable. Mais il aurait du mal à contenir longtemps sa colère. Qu'est-ce qu'il s'imaginait au juste, ce petit procureur intérimaire d'Örebro ? Quel âge pouvait-il avoir, au fait ? Trente-trois ans ? Guère plus en tout cas.

– Je vais te faire parvenir la liste de mes objections, dit Thurnberg. J'escompte une réponse écrite.

Wallander écarquilla les yeux.

– Tu veux dire qu'on va entretenir une correspondance, tous les deux ? Pendant qu'un tueur qui vient de commettre cinq meurtres se promène en liberté ?

– Je veux dire que l'enquête ne s'est pas déroulée jusqu'ici de la manière qu'on aurait pu souhaiter.

Wallander abattit son poing sur la table et se leva si brusquement que sa chaise se renversa.

– Une enquête parfaite, ça n'existe pas ! Mais personne n'a le droit d'affirmer que mes collègues et moi n'avons pas travaillé au maximum de nos capacités.

Le visage inexpressif de Thurnberg avait changé du tout au tout. Il était livide.

– Apporte-moi tes commentaires, dit Wallander. S'ils sont justifiés, on en tiendra compte. Mais n'espère pas une lettre de ma part.

Il sortit en claquant la porte. Ann-Britt Höglund, qui se dirigeait vers son bureau, se retourna.

– Ça va ?

– Cet abruti de procureur n'arrête pas de se plaindre.

– Pourquoi ?

– On n'est pas assez efficaces. On n'est pas assez systématiques. Moi, je ne vois pas comment on pourrait travailler différemment.

– Sans doute veut-il juste te rappeler qui est le patron.

– Ah bon ? Alors il s'est adressé à la mauvaise personne.

Il la suivit dans son bureau et se laissa tomber dans le fauteuil des visiteurs. Ann-Britt le dévisagea.

– Qu'est-ce qui s'est passé tout à l'heure, au juste ? Quand tu t'es évanoui ?

– Je dors mal. Mais je vais bien.

Il eut la même impression qu'avec Linda, deux mois plus tôt. Elle ne le croyait pas.

Martinsson apparut à la porte.

– Je vous dérange ?

– Non, entre. Justement, il faut qu'on parle. Où est Hansson ?

– Il est parti s'occuper des voitures.

– J'aurais préféré qu'il soit avec nous. Tant pis, il faudra l'informer.

Il fit signe à Martinsson de fermer la porte. Puis il rendit compte de son entrevue avec Sundelius et de son sentiment que Svedberg avait peut-être bien été homosexuel, tout compte fait.

– Ça n'a aucune importance en soi. Les policiers peuvent avoir la sexualité qu'ils veulent. Si je tiens à ce que ça reste entre nous, c'est parce que Svedberg n'en a jamais parlé de son vivant, et que je ne vois pas de raison de le faire à sa place maintenant qu'il est mort. D'autant plus que ce serait peut-être répandre une fausse rumeur.

– Ça complique évidemment l'histoire avec Louise, dit Martinsson.

– Il était peut-être partagé dans ses attirances. Mais que sait exactement Sundelius ? Voilà la question. J'ai eu l'impression très nette qu'il ne me disait pas tout. Il faut continuer à creuser, dans la vie de Sundelius et dans celle de Svedberg. Y a-t-il d'autres secrets ? Même chose avec les jeunes. Il y a forcément un point de contact, quelqu'un qui n'est pour l'instant qu'une ombre. Mais qui existe bel et bien.

– J'ai un vague souvenir que Svedberg a fait l'objet d'une plainte, il y a quelques années. Je ne sais plus à quel sujet.

– Il faut vérifier. Je propose qu'on se partage le travail. Je m'occupe de Svedberg et de Sundelius. Je dois aussi reparler à Björklund. Il est quand même le seul à affirmer que cette femme existe.

– C'est extrêmement étrange que personne ne l'ait vue, intervint Ann-Britt.

– Ce n'est pas seulement étrange. C'est impossible. Nous devons nous demander ce que ça signifie.

– N'avons-nous pas lâché un peu trop vite ce professeur en sociologie ? C'est quand même chez lui qu'on a retrouvé le télescope de Svedberg.

– Tant que les soupçons ne portent pas sur une personne précise, tous les indices ont une valeur égale. Voilà une vérité archi-usée qu'il ne faudrait pas perdre de vue.

Wallander se leva.

– N'oubliez pas d'informer Hansson de ce qu'on a dit, conclut-il avant de sortir.

Il était dix-sept heures trente. Il n'avait rien mangé de la journée à part quelques biscottes et quelques morceaux de sucre. La pensée de rentrer chez lui et de se préparer à dîner l'effraya. Il prit sa voiture jusqu'à la place centrale et entra dans le restaurant chinois. En attendant d'être servi, il but une bière. Il en commanda une autre pendant qu'il mangeait – beaucoup trop vite, comme d'habitude. Il s'apprêtait à choisir un dessert lorsque la pensée du docteur Göransson l'arrêta. Il demanda l'addition et rentra chez lui. Il faisait encore chaud ; il ouvrit la porte du balcon. À trois reprises, il essaya de joindre Linda. La ligne était occupée. Il était trop fatigué pour réfléchir ; il alluma la télévision en coupant le son. Il s'allongea sur le canapé et contempla le plafond. Peu avant vingt et une heures, le téléphone sonna. C'était Lisa Holgersson.

– Je crois que nous avons un problème. Thurnberg est venu me voir après son engueulade avec toi.

Wallander fit la grimace. Il devinait la suite.

– Il a dû être choqué que je frappe du poing sur la table, etc.

– C'est pire que ça. Il remet en cause ta capacité à diriger l'enquête.

Wallander fut surpris. Il n'aurait pas cru que Thurnberg irait jusque-là.

Il pensa qu'il devrait se mettre en colère. Au lieu de cela, il prit peur. Qu'il lui soit arrivé de penser à l'échec en son for intérieur, c'était une chose. Mais que ses doutes privés puissent soudain se transformer en menace concrète de se voir retirer ses responsabilités, cela ne lui avait jamais traversé l'esprit.

– Quels étaient ses arguments ?

– Essentiellement des reproches sur la forme. Entre autres, il trouve grave de n'avoir pas été informé de manière plus active et plus régulière de l'évolution de l'enquête.

Wallander protesta, mais elle le coupa :

– Je te répète seulement ce qu'il m'a dit. De plus, il pense que c'était une faute de ne pas prévenir la police de Norrköping de ta visite dans l'Östergötland. D'ailleurs, il remet en cause l'opportunité de ce voyage.

– J'ai pourtant retrouvé Isa.

– Il estime que la police de Norrköping aurait pu le faire à ta place. Pendant que tu aurais continué de diriger l'enquête ici. Il paraissait sous-entendre qu'Isa serait peut-être encore en vie.

– C'est absurde. J'espère que tu le lui as dit ?

– Autre chose. Ton état de santé.

– Je ne suis pas malade.

– Nous ne pouvons nier que tu t'es évanoui sous nos yeux. En pleine réunion.

– Ça peut arriver à n'importe qui à partir d'un certain seuil de surmenage.

– Je te répète simplement ce qu'il m'a dit.

– Et que lui as-tu répondu ?

– Que je t'en parlerais. Et que je réfléchirais à la question.

Soudain, Wallander sentit qu'il ne pouvait peut-être pas compter sur le soutien inconditionnel de Lisa Holgersson. Le soupçon surgit aussitôt.

– OK, tu m'en as parlé. Reste donc à savoir ce que tu en penses.

– Et toi ?

– Moi, je pense que Thurnberg est un petit procureur arrogant qui ne m'aime pas, pas plus que les autres membres du groupe d'enquête. D'ailleurs, c'est réciproque. Et j'ai l'impression qu'il considère cette affaire comme un tremplin personnel pour sa brillante carrière.

– Voilà un jugement peu objectif…

– Mais vrai. À mon avis, le voyage à Bärnsö était parfaitement justifié. L'enquête ici s'est poursuivie comme elle le devait. Il n'y avait aucune raison de prévenir la police de Norrköping, aucun crime n'avait été commis et personne ne pouvait prévoir qu'il y en aurait un. En plus, ça aurait effrayé Isa Edengren encore davantage.

– Je crois que Thurnberg sait tout ça. D'autre part, je suis d'accord avec toi, c'est vrai qu'il peut paraître un peu arrogant. Ce qui l'inquiète sans doute le plus, c'est ton état de santé.

– Il ne s'inquiète pour personne, sauf pour lui-même. En tout cas, le jour où je ne pourrai plus diriger le travail d'enquête, je te promets que tu en seras avertie.

– Thurnberg devra se contenter de cette réponse. Mais je crois qu'à l'avenir il vaudrait mieux qu'il ait accès aux informations dont il a besoin.

– J'aurai beaucoup de mal à lui faire confiance, à l'avenir. Je supporte beaucoup de choses, mais pas les gens qui manigancent dans mon dos.

– Il n'a rien manigancé. C'est normal qu'il s'adresse à moi quand tu refuses de l'écouter.

– Personne ne peut m'obliger à apprécier ce type.

– Il n'en demande sans doute pas tant. Mais je crois qu'il risque de réagir si le groupe d'enquête montre des signes de faiblesse.

– Ça veut dire quoi, ça ?

La colère avait fusé de nulle part, complètement incontrôlée.

– Ce n'est pas la peine de t'en prendre à moi. Je ne fais que te répéter ses paroles.

– Nous devons élucider cinq meurtres, commis par un tueur parfaitement organisé, qui agit de sang-froid. Nous ne savons pas quel est son mobile, nous ignorons s'il va frapper de nouveau, et l'une des victimes est un proche collègue. Alors c'est normal que quelqu'un s'énerve un peu de temps en temps. Cette enquête n'est pas un thé dansant, merde !

Il sentit son sourire à l'autre bout du fil.

– Je ne connaissais pas la métaphore du thé dansant.

– Du moment qu'on se comprend, c'est l'essentiel.

– Je voulais juste que tu sois informé le plus vite possible.

– Je t'en remercie.

Wallander retourna s'allonger sur le canapé. La méfiance ne le quittait pas. Intérieurement, il méditait déjà sa vengeance contre Thurnberg. Il éprouvait un mélange confus d'envie de se défendre et d'apitoiement sur lui-même. La pensée qu'on puisse lui retirer son poste l'effrayait. Ce poste impliquait souvent une pression à la limite du supportable. Mais l'idée d'être dégradé, privé de ce fardeau, c'était pire.

Il avait besoin de parler à quelqu'un. D'obtenir le soutien moral de quelqu'un. Vingt et une heures quinze. Qui pouvait-il appeler ?

Martinsson ? Ann-Britt Höglund ? S'il avait pu choisir, il aurait appelé Rydberg. Mais celui-ci était dans sa tombe et n'avait plus rien à lui dire – même si Wallander était persuadé que Rydberg aurait réagi comme lui face au procureur intérimaire Harry Thurnberg.

Soudain, il pensa à Nyberg. Ils n'échangeaient pour ainsi dire jamais de confidences. Mais Nyberg le comprendrait. En plus, il n'hésitait jamais à dire le fond de sa pensée. Surtout, Nyberg le considérait comme un bon policier ; il se demandait même s'il supporterait de travailler sous les ordres de quelqu'un d'autre. Officiellement, c'était le procureur qui tirait les ficelles. Mais Nyberg était policier ; les procureurs étaient des personnages gravitant dans une périphérie lointaine qui ne le concernait pas.

Il lui téléphona à son domicile. Comme d'habitude, Nyberg était de mauvaise humeur. Wallander en avait déjà discuté avec Martinsson, et ils étaient tombés d'accord : il n'était jamais arrivé que Nyberg réponde au téléphone avec une voix aimable.

– Il faut qu'on parle, dit Wallander.

– Pourquoi ?

– Rien à voir avec l'enquête, mais il faut qu'on discute.

– Ça ne peut pas attendre jusqu'à demain ?

– Non.

– Je peux être au commissariat dans un quart d'heure.

– J'aimerais mieux ailleurs. Je pensais qu'on pourrait aller boire une bière.

– Tu veux qu'on sorte, tous les deux ensemble ? Qu'est-ce qui se passe ?

– Tu connais un endroit ?

– Je ne vais jamais au bistro, dit Nyberg avec méfiance. En tout cas, pas à Ystad.

– Il y a un petit restaurant sur la place centrale, à côté de l'antiquaire. On se retrouve là-bas.

– Il faut mettre un costume ?

– Je ne crois pas.

Nyberg promit d'y être dans une demi-heure. Wallander changea de chemise et décida de se rendre dans le centre à pied. Il n'y avait pas grand monde dans l'établissement. La serveuse lui apprit qu'ils fermaient à vingt-trois heures. Il avait faim. En examinant la carte, il fut sidéré par les prix. Qui donc pouvait avoir les moyens de dîner au restaurant ? En même temps, il aurait volontiers invité Nyberg à grignoter quelque chose.

À l'heure dite, à la minute près, Nyberg fit son apparition. Il portait un costume et une cravate. Il s'était même peigné à l'eau – lui qui était toujours hirsute. Le costume était vieux et paraissait trop large. Il s'assit en face de Wallander.

– Je ne savais pas qu'il y avait un bistro ici, dit-il.

– Il n'est pas ouvert depuis longtemps, cinq ans, je crois. Je pensais t'inviter à manger quelque chose.

– Je n'ai pas faim.

– Il y a des petites entrées.

– Je te laisse choisir, dit Nyberg en repoussant la carte.

En attendant d'être servis, ils commandèrent des bières. Wallander lui parla de sa conversation téléphonique avec Lisa Holgersson. Il la restitua en détail, en ajoutant tout ce qu'il avait pensé sur le moment sans le dire à Lisa.

– Il n'y a pas de quoi s'en faire, dit Nyberg quand il eut fini. Mais je comprends que ça t'énerve. On n'a vraiment pas besoin de disputes internes en ce moment.

Wallander feignit d'adopter le point de vue de Thurnberg.

– Il a peut-être raison, quelqu'un devrait peut-être prendre ma place.

– Ah ? Qui ça ?

– Martinsson.

– Tu te fous de moi ?

– Hansson, alors...

– Dans dix ans peut-être. Mais c'est la pire enquête qu'on ait jamais eue sur les bras. Alors on ne va pas commencer par affaiblir l'équipe.

Les plats arrivèrent. Wallander continua à parler de Thurnberg. Nyberg répondait de façon laconique sans ajouter de commentaire, et Wallander finit par comprendre qu'il allait trop loin. Nyberg avait raison : il n'y avait pas de quoi s'en faire. En cas de besoin, Nyberg lui apporterait l'appui nécessaire. Deux années plus tôt, il avait personnellement soulevé la question de la charge de travail de Nyberg avec Lisa Holgersson, qui venait de prendre la succession de Björk. Sa situation s'était améliorée ; ils n'en avaient jamais parlé ensemble, mais Wallander était persuadé que Nyberg était au courant de cette intervention.

Nyberg avait raison. Ils ne devaient pas gaspiller leur temps et leur énergie à entretenir une hostilité à l'égard de Thurnberg. Ils avaient mieux à faire.

Après avoir mangé, ils commandèrent d'autres bières. La serveuse les informa que c'était la dernière tournée. Wallander demanda à Nyberg s'il voulait un café.

– Non merci, j'en bois déjà vingt par jour. Pour me donner de la force, ou peut-être pour supporter la situation.

Wallander hocha la tête.

– Sans café, le travail de la police serait impossible.

– N'importe quel travail serait impossible.

Ils méditèrent en silence le rôle du café dans la vie. Les clients de la table voisine se levèrent pour partir.

– Je crois que je n'ai jamais rien vu d'aussi bizarre que ces meurtres, dit soudain Nyberg.

– Moi non plus. C'est une violence tellement absurde, je n'arrive pas à imaginer de mobile.

– On peut évidemment se représenter quelqu'un qui tue pour le plaisir. Qui prémédite et met en scène ses propres fantaisies macabres.

– Ce n'est pas à exclure. Mais comment Svedberg a-t-il pu soupçonner quelque chose si vite ? Je ne comprends pas.

– Il n'y a qu'une seule réponse plausible à cette question : Svedberg savait qui c'était, ou, du moins, il avait une idée là-dessus. Pourquoi ne nous en a-t-il rien dit ?

– Parce que c'était quelqu'un que nous connaissions ?

– Pas nécessairement. Si ça se trouve, Svedberg ne savait rien. Il ne soupçonnait pas vraiment quelqu'un, il *redoutait* simplement que ce puisse être une personne qu'il connaissait.

Wallander comprit le raisonnement de Nyberg. Soupçonner et redouter, ce n'était pas nécessairement la même chose.

– Ça explique ses investigations secrètes, poursuivit Nyberg. Il redoute que le tueur soit une personne proche. Mais il n'en sait rien. Il veut être sûr de son fait avant de nous en parler. Il veut pouvoir enterrer l'affaire au cas où ses craintes se révéleraient infondées.

Wallander dévisagea Nyberg avec attention. Soudain, il lui semblait deviner un enchaînement invisible jusque-là.

– Formulons une hypothèse, dit-il. Svedberg apprend que trois jeunes ont disparu. Quelques jours plus tard, il entreprend des recherches dans le plus grand secret. Il continue pendant son congé, jusqu'à être assassiné à son tour. Supposons qu'il nourrit une crainte fondée sur un soupçon cohérent. Supposons aussi qu'il a raison. Il comprend qui se cache derrière la disparition des trois jeunes – il n'a même pas besoin de savoir qu'ils sont morts.

– C'est difficile à admettre. Dans ce cas, il aurait été obligé de nous en parler. Svedberg n'aurait jamais eu la force de porter un tel secret.

Wallander acquiesça. Nyberg avait raison.

– Il ne sait donc pas qu'ils sont morts. Mais il a peur. Ses craintes se portent sur une personne précise. Imaginons que la peur se transforme en conviction. Il en parle à la personne concernée. Que se passe-t-il ?

– Cette personne le tue.

– Le lieu du meurtre fait l'objet d'une mise en scène. Nous avons tout d'abord pensé à un cambriolage. D'ailleurs, quelque chose a disparu, un télescope que nous retrouvons dans la remise du cousin, Sture Björklund.

– La porte, dit Nyberg. Je suis convaincu que Svedberg a ouvert à son meurtrier. Celui-ci possédait peut-être même ses propres clés.

– C'est donc quelqu'un que Svedberg connaît, et qui est déjà venu chez lui.

– Quelqu'un qui connaît aussi l'existence du cousin et qui décide de faire diversion en cachant le télescope chez lui.

La serveuse posa l'addition sur la table, mais Wallander ne voulait pas interrompre l'échange.

– Quel est le dénominateur commun ? Nous n'avons que deux personnes, au fond : Bror Sundelius et une femme inconnue prénommée Louise.

Nyberg secoua la tête.

– Ce n'est pas une femme qui a accompli ces meurtres. Je sais bien qu'on disait la même chose il y a deux ans et qu'on avait tort. Mais là, c'est différent.

– Ça ne peut pas non plus être Bror Sundelius. Il a de mauvaises jambes. Sa tête fonctionne très bien, mais sa santé n'est sans doute pas des meilleures.

– Alors, c'est quelqu'un dont nous ne savons rien. Svedberg devait avoir d'autres proches que nous ne connaissions pas.

– Je prépare un retour en arrière. À partir de demain, je vais fouiller dans le passé de Svedberg.

– Oui. Pendant ce temps, on devrait obtenir quelques résultats techniques, sur les empreintes en particulier. J'espère qu'on en saura plus demain.

– Les armes. C'est important. Le pistolet et le fusil.

– Wester, à Ludvika, est très aimable. Une coopération idéale, je dirais.

Wallander prit la note. Nyberg voulait partager.

– À moins qu'on ne la fasse passer en note de frais, proposa Wallander.

– On peut toujours rêver.

Wallander chercha son portefeuille. Disparu. Il le vit aussitôt en pensée : chez lui, sur la table de la cuisine.

– Je tiens à t'inviter, dit-il. Mais il faut que tu avances l'argent. J'ai oublié mon portefeuille.

Nyberg avait deux cents couronnes en liquide. L'addition s'élevait à plus du double.

– Il y a un distributeur au coin de la rue, dit Wallander.

– Je n'utilise pas ces machins-là.

La serveuse, qui avait éteint et rallumé plusieurs fois dans la salle, s'approcha de leur table. Ils étaient les derniers clients. Nyberg montra sa carte de police. La serveuse l'examina d'un air sceptique.

– La maison ne fait pas de crédit.

– On est du commissariat, insista Wallander. Il se trouve que j'ai oublié mon portefeuille à la maison.

– On ne fait pas de crédit, répéta la serveuse. Si vous ne payez pas, je suis obligée de porter plainte.

– Où ça ?

– Au commissariat.

Wallander faillit perdre patience. Mais Nyberg sourit.

– Ça peut devenir intéressant…

– Alors vous payez, oui ou non ?

– Je crois qu'il vaut mieux appeler la police, dit Wallander.

La serveuse alla téléphoner après avoir fermé à clé la porte du restaurant.

– Ils arrivent, dit-elle en revenant vers eux. Vous devez rester là en attendant.

Une patrouille débarqua au bout de cinq minutes. Deux policiers, dont Edmundsson, qui écarquilla les yeux en reconnaissant Wallander et Nyberg.

– On a un problème : j'ai oublié mon portefeuille, Nyberg n'a pas assez de liquide, madame ne fait pas crédit, et nos cartes de police ne lui font pas beaucoup d'effet.

Le visage d'Edmundsson s'éclaira.

– Combien ? fit-il.

– Quatre cents couronnes.

Il paya.

– Je n'y peux rien, dit la serveuse. Pas de crédit, ce sont les ordres du patron.

– C'est qui, le patron ? demanda Nyberg.

– Il s'appelle Alf Fredriksson.

– Un type grand et gros ? Qui habite à Svarte ?

Elle hocha la tête.

– Je le connais, dit Nyberg. Un gars sympa. Salue-le de la part de Nyberg et de Wallander.

Lorsque enfin ils se retrouvèrent dans la rue, la patrouille était déjà repartie.

– Étonnant, ce mois d'août, commenta Nyberg. On est déjà le 15 et il fait encore chaud.

Ils se quittèrent au coin de Hamngatan.

– On ne sait pas s'il va frapper de nouveau, dit Wallander. C'est ça le pire.

– C'est pour ça qu'on doit l'arrêter très vite.

Wallander rentra chez lui en flânant. Sa conversation avec Nyberg l'avait inspiré. Mais il ne ressentait aucune joie. Sans qu'il veuille se l'avouer, la réaction de Thurnberg et sa conversation avec Lisa Holgersson l'avaient démoralisé. Peut-être était-il injuste vis-à-vis du procureur ? Thurnberg avait peut-être raison ; quelqu'un d'autre devait prendre la direction de l'enquête.

De retour chez lui, Wallander se prépara un café et s'assit à la table de la cuisine. Le thermomètre de la fenêtre indiquait dix-neuf degrés. Il prit un bloc-notes et un crayon. Puis il chercha ses lunettes. La première paire qu'il découvrit se trouvait par terre sous le canapé.

Sa tasse à la main, il fit plusieurs fois le tour de la table, comme pour susciter un état d'esprit adéquat à la tâche qui l'attendait.

Il n'avait encore jamais fait ça.

Écrire un discours en hommage à un collègue assassiné.

Il regrettait d'avoir accepté. Comment décrire un sentiment qui prenait sa source dans la vision, en pleine nuit, d'un collègue étendu par terre, le visage arraché ?

Pour finir, il s'assit et fit une tentative. Il se souvenait de sa première rencontre avec Svedberg. Ça faisait plus de vingt ans ; Svedberg était déjà presque chauve.

Parvenu à la moitié de son discours, il déchira tout et recommença depuis le début. Il était plus d'une heure lorsqu'il posa enfin son crayon. Cette fois, ce qu'il avait écrit lui paraissait acceptable.

Il sortit sur le balcon. La ville était silencieuse. Il faisait encore très chaud. Il repensa à sa conversation avec Nyberg. Ses pensées vagabondaient. Soudain, il vit Isa Edengren recroquevillée dans la grotte de son enfance, qui ne la protégeait plus de rien.

Il retourna à l'intérieur, en laissant la porte du balcon ouverte.

La peur ne le lâchait pas. Il savait que le tueur risquait de frapper à n'importe quel moment.

22

La journée avait été longue.

Beaucoup de colis, des lettres recommandées, des mandats de l'étranger. Il était près de quatorze heures lorsqu'il termina les comptes qu'il devait remettre le lendemain.

Dans sa précédente vie, cela l'aurait énervé que son travail prenne plus de temps que prévu. Maintenant, ça lui était égal. La grande métamorphose l'avait, entre autres, rendu invulnérable par rapport au temps. Le « passé » n'existait pas. Pas plus que l'« avenir ». Il n'y avait aucun temps à perdre, ni à gagner. Ce qu'il faisait, *voilà tout ce qui comptait. Rien d'autre n'avait d'importance.*

Il rangea le sac de courrier et la caisse contenant l'argent. Puis il prit une douche et se changea. Il n'avait rien mangé depuis le matin, avant de se rendre au centre de tri. Mais il n'avait pas faim.

Comme dans l'enfance. Quand un événement excitant l'attendait, il perdait l'appétit.

Il se rendit dans la chambre insonorisée et alluma la lampe. Le lit était fait avec soin. Il s'assit en tailleur au centre du couvre-lit bleu nuit et disposa les enveloppes en demi-cercle. Il connaissait déjà leur contenu. C'était le premier pas : choisir les lettres les plus attirantes, les ouvrir discrètement sans abîmer l'enveloppe, les photocopier et puis les lire. Il ne savait pas combien de lettres il avait ainsi ouvertes, copiées et lues au cours de l'année écoulée. Pas loin de deux cents en tout cas. La plupart neutres, banales, ennuyeuses – jusqu'au jour où il avait ouvert la première lettre de Lena Norman à Martin Boge.

Il coupa court à cette pensée. Tout était fini de ce côté-là, il n'avait plus à y revenir. La dernière phase avait été compliquée et fatigante : d'abord le long trajet en voiture jusqu'à l'Östergötland, puis la longue promenade avec une lampe de poche pour trouver un bateau suffisamment grand pour rejoindre l'île.

C'était compliqué. Il n'aimait pas les complications. Celles-ci impliquaient toujours une résistance, chose qu'il souhaitait éviter plus que tout.

Il regarda les lettres éparpillées autour de lui.

L'idée de choisir un couple de jeunes mariés ne l'avait pas effleuré avant le mois de mai. C'était un pur hasard ; comme tant de choses dans la vie. Du temps de sa vie antérieure, sa vie d'ingénieur, le hasard avait été banni de son existence. Maintenant, tout était différent. Le jeu des hasards et des coïncidences fortuites était comme une suite ininterrompue de propositions que la vie lui faisait. À lui de choisir : il pouvait les accueillir, ou les laisser passer.

La petite pince à linge – code signalant que le propriétaire de la boîte aux lettres voulait lui parler – n'avait rien dévoilé. Mais, en frappant à la porte et en pénétrant dans cette cuisine, il avait trouvé plus d'une centaine d'enveloppes contenant des invitations. La future mariée était là, c'était elle qui lui avait ouvert. Il ne se rappelait plus son nom, seulement sa joie. Cette joie l'avait mis hors de lui. Il avait expédié les faire-part. Il était à cette époque complètement débordé par les préparatifs complexes d'une fête de la Saint-Jean à laquelle il devait participer. Sinon, il se serait peut-être mêlé de ce mariage en l'honneur duquel on avait invité tant de gens.

Mais les propositions nouvelles ne cessaient d'affluer. Hasards, coïncidences. Les six enveloppes qu'il avait sous les yeux contenaient toutes une invitation à un mariage. Il avait lu les lettres échangées par les futurs époux, il avait fait leur connaissance. Il savait où ils habitaient, à quoi ils ressemblaient et où devaient se dérouler les festivités. Les faire-part éparpillés sur le lit étaient un simple aide-mémoire.

Maintenant, il restait le plus important. Décider lequel de ces couples était le plus heureux.

Il ouvrit les enveloppes l'une après l'autre. Se rappela le visage de ces êtres, les lettres qu'ils avaient écrites, l'un à l'autre, ou à des amis. Il retardait le plus possible le moment de prendre sa décision. La sensation de bien-être était intense.

Il régnait. Dans cette chambre insonorisée, il échappait à tout ce qui l'avait tourmenté auparavant. Le sentiment d'être à l'écart. Incompris. Ici, dans cette chambre, il avait même la force de repenser à la grande catastrophe. Le jour où il avait été définitivement exclu, déclaré inutile.

Plus rien n'était difficile. Sauf le souvenir de la façon dont il s'était laissé humilier pendant plus de deux ans : répondre à des offres d'emploi, envoyer son CV, se présenter à d'innombrables entretiens d'embauche.

Jusqu'au jour où, d'un coup, il s'était libéré. En abandonnant tout. En devenant un autre.

Il avait eu de la chance. Aujourd'hui, il ne pourrait jamais devenir facteur remplaçant. Il y avait des barrières partout. Les gens étaient licenciés les uns après les autres. Il s'en était aperçu au cours de ses tournées dans les différents secteurs où on l'affectait, en fonction des besoins. Les gens attendaient, assis dans leur maison. Exclus. Ils étaient de plus en plus nombreux. Ces gens-là ne savaient pas qu'il était possible d'échapper à tout cela. D'être libre.

Enfin, il prit sa décision. Ce serait le couple qui devait se marier le samedi 17 août dans les environs de Köpingebro. Ce serait une grande fête. Il ne se souvenait même pas du nombre de faire-part qu'il avait expédiés. Mais lorsqu'il était entré dans la maison pour prendre toutes ces enveloppes, les futurs mariés étaient là tous les deux, et leur bonheur paraissait sans limites. Il avait eu du mal à se maîtriser. Il les aurait volontiers tués sur place. Mais il avait gardé son sang-froid, comme d'habitude. Il leur avait souhaité beaucoup de bonheur. Personne n'aurait pu déchiffrer ses véritables pensées.

C'était ça le plus important, pour un être humain. Savoir se maîtriser.

Ce serait une journée mémorable. Exactement comme la nuit de la Saint-Jean.

Personne ne se doutait de quoi que ce soit. Une fois de plus, il avait démontré sa supériorité absolue dans l'art de s'échapper.

Il rangea les enveloppes et s'allongea sur le lit. Pensa à toutes les lettres que d'autres s'écrivaient en ce moment même – des lettres qui tomberaient entre ses mains, qu'il sélectionnerait, qu'il ouvrirait et qu'il lirait.

Les propositions continueraient d'affluer. Il n'avait qu'à les cueillir.

*

Le vendredi matin, Wallander commença à se plonger sérieusement dans la vie de Svedberg. Il était arrivé au commissariat peu après sept heures et s'était mis au travail avec un sentiment de malaise. Il ignorait ce qu'il cherchait. Une seule certitude : quelque part dans la vie de Svedberg, il devait trouver la cause de l'assassinat de Svedberg. C'était déprimant de fouiller dans les secrets d'un mort.

Auparavant, il avait frappé à la porte d'Ann-Britt Höglund. Elle était là, malgré l'heure matinale. Il lui confia le texte qu'il avait rédigé au cours de la nuit et la pria de lui donner son opinion ; après tout, c'était elle qui devait le prononcer. Dans le couloir, il pensa qu'il aurait peut-être dû lui parler de Thurnberg. Mais il laissa tomber. Quelqu'un d'autre le ferait à sa place. Les rumeurs circulaient vite au commissariat.

Il commença par téléphoner à Ylva Brink, qui venait de rentrer après une nuit de garde à l'hôpital. Il lui proposa de la rappeler plus tard. Au contraire, dit-elle, la pensée de ce qui était arrivé à son cousin l'empêchait de dormir, et puis elle avait peur. Son mari devait rentrer la semaine suivante, ça irait sans doute mieux à ce moment-là ; malheureusement, il n'avait pas pu se libérer à temps pour l'enterrement…

Wallander dit qu'il comprenait. Puis il l'incita à parler de Svedberg. Ses parents, son enfance. Il aurait préféré l'avoir en face de lui plutôt qu'au téléphone. Il faillit lui proposer de venir – une voiture pouvait passer la prendre chez elle – mais il y renonça. Il ne cessait de prendre des notes, page après page, de son écriture indéchiffrable. Martinsson apparut deux fois à la porte, Nyberg une fois. Il leur fit signe de revenir plus tard. La conversation dura près d'une heure, au cours de laquelle il n'intervint que pour lui demander d'aller moins vite ou pour vérifier tel ou tel nom. Il comprit peu à peu qu'elle avait beaucoup réfléchi de son côté – pour retrouver des souvenirs, peut-être aussi pour découvrir une explication. En raccrochant, il constata que sa joue était en sueur. Il alla aux toilettes et se rinça le visage.

Puis il parcourut rapidement ses notes et souligna le nom des personnes à interroger. Celui qui l'intéressait le plus était un certain Jan Söderblom. Selon Ylva Brink, Svedberg le fréquentait très régulièrement à l'époque de son service militaire et à ses débuts dans la police. Ensuite, Söderblom s'était marié et avait déménagé, à Malmö ou à Landskrona, elle ne s'en souvenait plus. Détail intéressant, Söderblom était lui aussi entré dans la police. Wallander s'apprêtait à appeler le commissariat de Malmö lorsque Nyberg reparut, cette fois en agitant un fax. À son expression, Wallander devina aussitôt qu'il y avait du nouveau.

– Alors ?

– D'abord les armes. Le pistolet volé à Ludvika en même temps que le fusil de chasse peut bien être celui qui a été utilisé dans la réserve.

– *Peut bien être ?*

– Dans mon langage, ça veut dire que c'est le même.

– Très bien. On en avait besoin.

– Pour les empreintes, on a un bon pouce droit sur le fusil. On a réussi à relever un autre bout de pouce sur l'un des verres à pied, sur la nappe où on a retrouvé les jeunes.

– Le même pouce ?

– Oui.

– On le connaît ?

– Pas dans les registres suédois. Mais tu peux être tranquille, ce pouce va faire le tour du monde.

– C'est donc le même homme, dit Wallander lentement. Voilà une grosse incertitude en moins.

– Sur le télescope, on n'a pas trouvé d'empreintes en dehors de celles de Svedberg.

– Ça veut dire qu'il aurait caché le télescope lui-même ?

– Pas nécessairement. La personne qui l'a fait pouvait très bien porter des gants.

– Le pouce du fusil : est-ce qu'on le retrouve ailleurs dans l'appartement de Svedberg ? C'est important de savoir qui a saccagé l'appartement, le tueur ou Svedberg lui-même, ou les deux.

– Pour ça, il faudra sans doute attendre encore un peu. Mais ils s'en occupent.

Wallander, qui s'était levé, s'appuya contre le mur. Il sentait qu'il y avait autre chose.

– C'était quoi, ce pistolet ?

– Un Astra Constable. Il y en a sans doute pas mal en circulation dans le pays. On en trouve beaucoup en Allemagne.

– Et ils n'ont jamais soupçonné quelqu'un, à Ludvika ?

– J'ai parlé plusieurs fois à Wester. J'ai parfois du mal à comprendre son dialecte, mais il m'a envoyé tous les papiers qu'il a pu trouver. Ils ont fini par classer l'affaire. Par contre, ils l'ont associée à un autre vol d'armes intervenu quelques jours plus tôt, à Orsa. Mais, là non plus, aucun suspect.

– Une arme se revend très facilement.

– Oui, ils essaient de le trouver dans les registres, pour voir s'il a servi à une autre occasion. Braquage de banque par exemple, ça pourrait nous donner un indice.

– En tout cas, on peut exclure que Svedberg ait commis des cambriolages à Ludvika et à Orsa. Soit il a acheté les armes, soit elles ne lui appartenaient pas.

– On n'a pas trouvé d'empreintes de Svedberg sur le fusil. Ça peut signifier quelque chose, mais pas nécessairement.

– On a quand même fait un grand pas. C'est le même tueur.

– On devrait peut-être envoyer un mot au procureur, pour lui faire plaisir.

– ... ou le décevoir, par rapport à la mauvaise réputation qu'il veut nous faire. Mais on va lui envoyer un rapport, bien sûr.

Nyberg quitta la pièce. Wallander prit son téléphone et appela Malmö. Il y avait bien là-bas un policier du nom de Jan Söderblom, qui s'occupait essentiellement des affaires d'atteinte à la propriété. Wallander demanda à lui parler directement, mais il était en vacances sur une île grecque et ne reviendrait pas avant le mercredi suivant. Wallander laissa un message – il voulait lui parler le plus vite possible – et nota aussi le numéro de son domicile. Il venait de raccrocher lorsque Ann-Britt frappa à la porte entrouverte. Elle tenait son discours à la main.

– Je l'ai lu, et je trouve qu'il est à la fois fidèle et touchant. D'ailleurs, ça va ensemble. Personne n'est ému par les propos hypocrites sur l'éternité et le triomphe de la lumière sur les ténèbres.

– Il n'est pas trop long ?

– Je l'ai lu à haute voix dans mon bureau. Ça m'a pris moins de cinq minutes. Je n'ai pas l'habitude de prononcer des discours aux enterrements, mais je crois que c'est parfait.

Wallander lui communiqua les informations de Nyberg.

– On a fait un grand pas, dit-elle quand il eut fini. Si seulement on pouvait retrouver celui ou ceux qui ont volé ces armes…

– Ça va être difficile. Ne devrait-on pas publier des photos à la fois du pistolet et du fusil ?

– Il y a une conférence de presse à onze heures. Lisa est harcelée par les médias. Il faudrait peut-être leur parler des armes. Qu'est-ce qu'on a à perdre à relier officiellement l'assassinat de Svedberg à celui des jeunes ? Ça fait une série de meurtres comme on n'en a pas connu depuis longtemps dans ce pays.

– Tu as raison. Je serai là à onze heures.

Elle s'attarda encore un instant.

– La femme, dit-elle. La mystérieuse Louise que personne ne semble avoir vue. Je viens d'en parler à Martinsson. On a beaucoup d'informations du public, mais rien qui indique que quelqu'un l'ait identifiée.

– C'est incompréhensible. On a parlé d'étendre les recherches au Danemark…

– Pourquoi pas à toute l'Europe ?

– Oui, pourquoi pas ? Mais commençons par le Danemark. Maintenant, tout de suite.

– Je dois partir à Lund pour fouiller la chambre d'étudiante de Lena Norman. Mais je vais demander à Hansson de s'en occuper.

– Non. Hansson cherche les deux voitures disparues. Il doit bien y avoir quelqu'un d'autre…

– Les renforts de Malmö ne vont pas être superflus. D'après Lisa, ils doivent débarquer cet après-midi.

– Svedberg nous manque. C'est aussi simple que ça. On ne s'est pas encore habitués à son absence.

Ils restèrent un moment silencieux. Puis Ann-Britt disparut. Wallander ouvrit la fenêtre ; il faisait toujours aussi chaud. Le téléphone sonna. C'était Ebba, qui paraissait fatiguée. Elle avait beaucoup vieilli ces derniers temps. Avant, on pouvait toujours compter sur elle pour remonter le moral des policiers. Maintenant elle était souvent mélancolique. Il lui arrivait aussi d'oublier de transmettre certains messages. Elle allait prendre sa retraite l'été suivant. Personne n'avait envie d'y penser.

– Un certain Larsson, du commissariat de Valdemarsvik, dit-elle. Tous les autres sont occupés, tu peux le prendre ?

Larsson était un assistant qui parlait avec un fort accent de l'Östergötland.

– Harry Lundström, de Norrköping, dit que ça vous intéresse de savoir si un bateau a été volé à Gryt au cours des vingt-quatre heures précédant la mort de la fille à Bärnsö.

– Oui.

– On en a peut-être trouvé un. Il a disparu de Snäckvarp, le propriétaire ne peut pas préciser la date exacte puisqu'il n'était pas chez lui, mais on l'a retrouvé hier dans une crique au sud de Snäckvarp. Un bateau en plastique de six mètres avec pupitre de pilotage.

Wallander ne connaissait rien aux bateaux.

– On peut aller jusqu'à Bärnsö avec ça ?

– S'il n'y a pas de vent, on peut aller jusqu'à Gotland.

Wallander réfléchit.

– Est-ce qu'il est possible de relever des empreintes ?

– On l'a déjà fait. Il y avait une tache d'huile sur le volant, on a pu obtenir quelques empreintes nettes, qu'on vous a envoyées via Norrköping. C'est Harry qui dirige tout.

– Est-ce qu'on peut aller en voiture jusqu'à l'endroit où le bateau a été retrouvé ?

– Il était caché dans les roseaux. Mais il y a un chemin de gravier. Dix minutes à pied jusqu'à Snäckvarp, pas plus.

– Ce sont des nouvelles importantes.

– Vous allez retrouver le tueur ?

– Sûrement. Mais ça peut prendre du temps.

– Je n'ai jamais rencontré la fille. Mais j'ai eu affaire à Edengren père, il y a quelques années.

– À quel sujet ?

– Il posait ses filets et ses nasses à anguilles chez les autres.

– La pêche n'est pas libre ?

– Non, ce sont des lots. Mais il s'en fichait. Pour dire les choses franchement, il ne se prenait pas pour de la merde. Mais il doit en baver maintenant, avec la mort de sa fille.

– Il n'y avait rien d'autre, à part la pêche ?

– Pas que je sache.

Wallander le remercia. Puis il essaya de joindre Harry Lundström à Norrköping. On lui donna un numéro de portable.

Lundström se trouvait quelque part dans une voiture. Wallander lui raconta qu'ils avaient identifié l'arme de la réserve, et qu'on saurait bientôt si elle avait également servi à Bärnsö. Lundström lui apprit qu'ils n'avaient rien trouvé sur l'île ; mais il lui paraissait hors de doute que le bateau volé à Snäckvarp était bien celui qu'avait utilisé le tueur.

– Les gens de l'archipel ont peur, maintenant. Vous devez le retrouver.

– Oui. On le retrouvera.

Il alla chercher un café. Déjà neuf heures trente. Une idée venait de lui traverser l'esprit. Il retourna à son bureau et chercha le numéro de téléphone des Lundberg à Skårby. Ce fut la femme qui répondit. Wallander s'aperçut qu'il ne leur avait pas parlé depuis la mort d'Isa. Il commença donc par des condoléances.

– Erik est couché, il n'a plus la force de se lever. Il parle de vendre la maison et de partir d'ici. Qui peut faire une chose pareille à une enfant ?

C'est bien ça, pensa Wallander. Isa était comme leur propre fille. J'aurais dû y penser plus tôt.

Il n'avait rien à répondre à cette question, mais il remarqua qu'elle ne l'accusait de rien.

– Je me demandais si ses parents étaient rentrés, dit-il enfin.

– Oui, hier soir.

Il lui présenta de nouveau ses condoléances avant de raccrocher.

Il avait l'intention de se rendre à Skårby directement après la conférence de presse. S'il avait pu, il serait parti tout de suite – mais il ne serait pas de retour pour onze heures. Il appela Thurnberg. Sans un commentaire sur ce qu'il avait appris la veille au soir, il lui rendit compte brièvement des conclusions techniques. Thurnberg écouta en silence. Wallander termina par l'information décisive, à savoir qu'ils cherchaient un seul tueur. Thurnberg demanda un rapport écrit. Wallander promit qu'il le lui enverrait.

– Il y a une conférence de presse à onze heures, conclut-il. Je crois qu'on doit communiquer ces renseignements aux médias. J'estime aussi qu'il faut publier des photos des deux armes.

– Ces photos sont-elles déjà disponibles ?

– Demain au plus tard.

Thurnberg ne formula aucune objection. Il allait lui aussi participer à la conférence de presse. L'entretien avait été officiel et bref, mais Wallander constata qu'il était en sueur.

La rencontre avec les journalistes eut lieu dans la plus grande salle de réunion. Wallander ne savait plus quand les médias leur avaient témoigné un tel intérêt pour la dernière fois. Comme d'habitude, la nervosité s'empara de lui au moment de grimper sur l'estrade. À son étonnement, ce fut Thurnberg qui prit la parole le premier. Ce n'était encore jamais arrivé, Per Åkeson avait toujours laissé cette tâche à Wallander ou au chef. Thurnberg semblait habitué à parler aux journalistes. Les temps nouveaux, pensa Wallander – par pure méchanceté ou avec une pointe d'envie ? Il s'interrogea là-dessus tout en écoutant attentivement ce qu'avait à dire Thurnberg. Impossible de nier que ce procureur s'exprimait bien.

Ensuite, ce fut son tour. Il avait griffonné quelques repères sur un bout de papier, qui demeurait naturellement introuvable. Il parla des armes, évoqua le cambriolage de Ludvika, le lien présumé avec un autre cambriolage survenu à Orsa, et conclut qu'on attendait la confirmation que l'arme avait également servi à Bärnsö. Tout en parlant, il pensa à Westin et au bateau postal. Pourquoi donc ? Il parla aussi de la découverte du bateau volé. Lorsqu'il eut fini, il y eut un déluge de questions. Thurnberg répondit à la plupart d'entre elles. De temps à autre, Wallander apportait une courte précision. Martinsson écoutait, les bras croisés, appuyé contre le mur au fond de la salle.

Pour finir, une journaliste que Wallander n'avait encore jamais vue demanda la parole. Elle s'adressa directement à lui :

– Si je comprends bien, la police ne dispose d'aucun indice.

– Nous travaillons sur plusieurs pistes, mais nous n'avons pas encore effectué de percée décisive.

– Je crois tout de même devoir constater que la police piétine. N'y a-t-il pas un grand risque que le tueur récidive ? Il paraît évident qu'on a affaire à un forcené.

– Nous n'en savons rien. C'est la raison pour laquelle nous essayons de ratisser large, sans a priori.

– À t'entendre, on dirait une stratégie, mais n'est-ce pas plutôt l'expression de votre impuissance ?

Wallander jeta un regard à Thurnberg qui, d'un signe de tête imperceptible, l'encouragea à répondre.

– Dans ce cas, nous ne serions pas policiers.

– Mais tu es d'accord avec moi sur le fait que vous êtes à la recherche d'un forcené ?

– Non.

– Qui, alors ?

– Nous ne le savons pas encore.

– Crois-tu que vous allez arrêter celui qui a fait ça ?

– Oui.

– Va-t-il frapper de nouveau ?

– Nous n'en savons rien.

Wallander profita du court silence qui s'ensuivit pour se lever. Chacun comprit que la réunion était terminée. Thurnberg souhaitait sûrement conclure de manière officielle, mais, le temps qu'il se tourne vers Wallander, celui-ci était déjà sorti. Arrivé à la réception, il fut intercepté par des reporters qui voulaient l'interviewer ; il leur proposa de s'adresser plutôt à Thurnberg. Ebba lui raconta par la suite que celui-ci avait posé face aux caméras avec le plus grand plaisir.

Wallander alla chercher sa veste tout en pensant qu'il devait manger quelque chose avant de se rendre à Skårby. Pourquoi l'image de Westin avait-elle surgi dans son esprit au cours de la conférence de presse ? Ça signifiait forcément quelque chose. Il s'assit à son bureau et tenta en vain de repêcher le souvenir. À peine eut-il enfilé sa veste que le portable bourdonna dans sa poche. C'était Hansson.

– J'ai retrouvé les voitures de Norman et de Boge ! La Toyota de 91 et la Volvo, qui a un an de plus. Elles étaient sur un parking près de Sandhammaren. J'ai déjà parlé à Nyberg. Il arrive.

– Moi aussi.

Wallander s'arrêta à un kiosque pour manger. C'était devenu une habitude pour lui d'acheter de grandes bouteilles d'eau minérale. Il avait évidemment oublié de prendre le médicament prescrit par Göransson. Il n'avait même pas pensé à l'emporter. Il retourna à Mariagatan très énervé, en conduisant beaucoup trop vite. Il y avait du courrier dans l'entrée. Une carte postale de Linda, qui rendait visite à des amis à Hudiksvall, et une autre de sa sœur Kristina – dans une enveloppe, celle-là. Wallander emporta le courrier dans la cuisine. Au dos de l'enveloppe, sa sœur avait noté l'adresse d'un hôtel de Kemi. C'était dans le nord de la Finlande ; il se demanda ce qu'elle faisait là-bas. Bon, il lirait tout cela plus tard. Il avala son comprimé avec un verre d'eau. Au moment de partir, il resta un instant planté sur le seuil de la cuisine à regarder le courrier posé sur la table. L'image de Westin revint. Cette fois, il put localiser le souvenir.

C'était quelques mots que Westin avait prononcés au cours de la traversée jusqu'à Bärnsö.

Il tenta de revivre la conversation telle qu'elle s'était déroulée, dans le vacarme des moteurs. Ils étaient dans la cabine de pilotage. Westin avait dit quelque chose d'important. Quoi ? Il décida de l'appeler. Mais d'abord il voulait voir les deux voitures retrouvées par Hansson.

Nyberg était déjà sur les lieux. La Toyota et la Volvo étaient garées côte à côte, à l'intérieur d'un périmètre de sécurité dressé à la hâte. On était en train de les photographier, portières et coffres ouverts. Wallander s'approcha de Nyberg.

– Merci pour hier soir, dit-il.

– En 1973, j'ai reçu la visite d'un vieil ami de Stockholm, et on a passé la soirée au bistro. Je crois bien que ça ne s'est pas reproduit depuis.

Wallander songea qu'il n'avait pas encore remboursé Edmundsson.

– Quoi qu'il en soit, c'était une bonne soirée.

– La rumeur court déjà qu'on a failli se faire arrêter alors qu'on essayait de filer sans payer.

– Espérons que ça ne parviendra pas aux oreilles de Thurnberg, il risquerait de prendre ça au sérieux !

Wallander rejoignit Hansson, qui prenait des notes dans un carnet.

– Aucun doute ?

– La Toyota est celle de Lena Norman. La Volvo appartient à Martin Boge.

– Depuis combien de temps sont-elles là ?

– On n'en sait rien. Au mois de juillet, le parking est toujours plein. Ce n'est qu'en août qu'on commence à remarquer les véhicules qui ne sont jamais déplacés.

– Y a-t-il un moyen de savoir si elles sont là depuis la Saint-Jean ?

– Ça, il faut le demander à Nyberg.

Wallander retourna auprès de Nyberg, qui scrutait la Toyota.

– Le plus important, dit Wallander, ce sont les empreintes. Quelqu'un a dû conduire ces voitures de la réserve jusqu'ici.

– S'il n'a pas pris la peine d'enfiler des gants, c'est sans doute que ses empreintes ne figurent dans aucun registre et qu'il le sait.

– J'y ai déjà pensé. Espérons que tu te trompes.

Wallander remonta en voiture. En parvenant à la sortie de Löderup, il ne put résister à la tentation de jeter un coup d'œil à la maison de son père. Un panneau annonçait sa mise en vente. Il ne s'arrêta pas ; le panneau l'avait mis mal à l'aise.

Il n'était pas loin d'Ystad lorsque son portable bourdonna sur le siège du passager. C'était Ann-Britt.

– Je suis à Lund, dans l'appartement de Lena Norman. Je crois que tu devrais venir.

– Pourquoi ?

– Tu verras. Je crois que c'est important.

Wallander nota l'adresse et prit la direction de Lund.

23

L'immeuble se trouvait à l'entrée de la ville. Il faisait partie d'un ensemble de six bâtiments identiques, à quatre étages. Plusieurs années plus tôt, Wallander s'était rendu à Lund avec Linda, et elle lui avait désigné ces immeubles, des logements d'étudiants, disant qu'elle y habiterait peut-être si jamais elle décidait d'étudier ici. Avec un frisson, il se demanda comment il aurait réagi si on avait retrouvé Linda parmi les jeunes de la réserve.

Il n'eut pas besoin de chercher le numéro de l'immeuble ; une voiture de police était garée devant l'entrée. Wallander rangea son portable dans la poche de sa veste et descendit. Une femme prenait le soleil sur une pelouse. Wallander se serait volontiers allongé près d'elle pour dormir un moment. La fatigue le submergeait par vagues. Le policier qui montait la garde devant la porte bâilla et lui indiqua l'escalier d'un geste désabusé.

– Dernier étage, pas d'ascenseur.

Puis il bâilla de nouveau. Wallander éprouva une envie inattendue de lui remettre les idées en place. Après tout, il était son supérieur, collègue d'une autre ville, et ils recherchaient un meurtrier qui avait tué cinq personnes. Alors il ne voulait pas voir de policiers qui bâillaient et trouvaient à peine la force de dire bonjour.

Mais il ne broncha pas. Il monta l'escalier. À part un appartement d'où la musique déferlait à plein volume, l'immeuble paraissait abandonné. Il se rappela qu'on était au mois d'août, le semestre n'avait pas commencé. La porte de Lena Norman était entrebâillée ; il sonna quand même.

Ce fut Ann-Britt qui lui ouvrit. Il essaya de deviner à son expression ce qui l'attendait. Peine perdue.

– Excuse-moi pour le ton dramatique au téléphone. Mais je crois que tu vas comprendre.

Il la suivit. L'appartement n'avait pas été aéré depuis longtemps. Il flottait cette odeur sèche difficile à décrire qu'il avait souvent remarquée dans les bâtiments en ciment dont on ouvrait rarement les fenêtres. Il se souvint d'un article paru dans un magazine de la police américaine : le FBI avait mis au point des méthodes pour déterminer depuis combien de temps exactement un bâtiment n'avait pas été aéré. Il ignorait si Nyberg avait accès à cette technique.

De nouveau, il se rappela qu'il devait rembourser Edmundsson.

L'appartement se composait de deux pièces et d'une petite cuisine. Ann-Britt le précéda dans le séjour qui servait aussi de bureau. La pièce était inondée de soleil ; la poussière tourbillonnait dans les rayons de lumière. Ann-Britt lui indiqua un mur, où étaient punaisées de nombreuses photos. Il trouva ses lunettes et s'approcha. Il la reconnut tout de suite : Lena Norman, déguisée. La photographie avait été prise dehors, dans le parc d'un château dont on apercevait la façade en brique rouge à l'arrière-plan. La fête semblait inspirée du dix-neuvième siècle. Martin Boge y figurait aussi. Deuxième photo : autre fête, autre décor. Lena Norman, encore. Soudain, il reconnut aussi Astrid Hillström. Toutes les deux à moitié nues. Wallander crut deviner que le décor figurait un bordel. Mais ni l'une ni l'autre n'étaient très convaincantes dans leur rôle. Wallander se redressa et se tourna vers Ann-Britt.

– Ils se déguisent, ils incarnent des rôles.

– Je crois que ça va plus loin.

Elle se dirigea vers un bureau placé à angle droit de l'une des fenêtres, surchargé de dossiers et de chemises plastifiées.

– J'ai jeté un coup d'œil à ses papiers. Pas très longtemps et pas en détail, mais ce que j'ai vu m'inquiète.

Wallander leva la main.

– Attends. Il faut d'abord que je boive un verre d'eau et que j'aille aux toilettes.

– Mon père était diabétique, dit Ann-Britt soudain.

Wallander s'immobilisa net.

– Que veux-tu dire ?

– On pourrait croire que tu l'es aussi. À te voir engloutir des litres d'eau et courir aux toilettes toute la journée.

L'espace d'un instant, Wallander fut sur le point de sortir de ses retranchements et de lui dire qu'elle avait raison. Au lieu de cela, il marmonna une réponse inaudible et disparut. Lorsqu'il revint après avoir bu, la chasse d'eau fonctionnait encore.

– Il doit y avoir un problème de flotteur, mais ce n'est pas notre souci.

Elle le regardait comme si elle attendait qu'il lui parle enfin de son état de santé. Il coupa court.

– Quelque chose t'inquiète, disais-tu. Quoi ?

– Je vais te le dire. Mais je suis convaincue que ce n'est pas tout. On en saura plus quand on aura examiné ces papiers à fond.

Wallander s'était assis sur une chaise. Elle resta debout.

– Ils se déguisent, dit-elle. Ils font la fête. Ils passent d'une époque à l'autre. De temps en temps, ils font une incursion dans le futur, mais pas très souvent. Sans doute parce que c'est beaucoup plus difficile à imaginer. Personne ne sait comment nous serons habillés dans mille ans, ni même dans cinquante. Bref, tout ça, nous le savons déjà. Nous avons parlé à ceux de leurs amis qui n'étaient pas présents à la fête de la Saint-Jean. Tu as parlé à Isa Edengren. On sait qu'il leur arrivait de louer des costumes à Copenhague. Mais ça va beaucoup plus loin.

Elle prit un dossier dont la couverture était ornée de signes géométriques.

– Il semblerait qu'ils aient été membres d'une secte ayant ses racines en Amérique. Plus exactement, un QG à Minneapolis. Ça évoque un peu une loge maçonnique, ou un Ku Klux Klan d'un genre nouveau. Ce dossier contient un règlement, assez terrifiant dans son genre. Ça rappelle les lettres de menace que reçoivent les gens quand ils interrompent une chaîne – tu sais, ces lettres qu'on doit copier et envoyer à dix autres personnes, sous peine d'un terrible châtiment. Ici, le châtiment est toujours une sentence de mort. Ils paient une cotisation à ce bureau de Minneapolis, qui leur suggère en contrepartie comment organiser leurs fêtes. Mais il y a aussi une sorte de dimension spirituelle. Si j'ai bien compris, les gens qui se déplacent dans le temps pourront à l'instant de leur mort choisir à quelle époque ils veulent être réincarnés. C'est très désagréable à lire. Quoi qu'il en soit, Lena Norman était une sorte de figure dirigeante de la branche suédoise de ce mouvement.

Wallander l'écoutait avec la plus grande attention. Elle avait eu raison de le faire venir.

– Ce mouvement a-t-il un nom ?

– En Suède, je ne sais pas. Aux États-Unis, ils se font appeler les *Divine Movers*. Si j'ai bien compris, l'élément religieux est purement intérieur. Le simple fait de garder le secret équivaut à une messe. Et le fait de ne pas verser sa cotisation au bureau de Minneapolis revient à transgresser le dogme. En gros, c'est louche.

Wallander feuilletait le dossier qu'elle lui avait tendu. Partout les mêmes signes géométriques, mais aussi des photos d'idoles antiques et d'êtres humains torturés, dépecés. Il le reposa avec dégoût.

– Tu penses que c'est ce qui s'est passé dans la réserve ? On les aurait tués parce qu'ils avaient trahi le secret ?

– Par les temps qui courent, on ne peut pas l'exclure.

Elle avait raison. Peu de temps auparavant, il y avait eu un suicide collectif en Suisse. Un peu plus tard, la même secte avait répété le sacrifice, en France cette fois. Dans toute l'Europe, le nombre des sectes et la quantité d'adeptes ne cessaient de croître, à mesure que les conditions de vie devenaient plus difficiles. La Suède n'était pas épargnée. Au mois de mai, Martinsson avait participé à une conférence nationale, à Stockholm, sur les agissements de ces sectes, du point de vue de la police. Il était souvent très difficile d'intervenir. On n'avait plus affaire à des fous isolés ; il s'agissait d'entreprises informatisées, entourées d'avocats et d'experts-comptables. Les membres s'endettaient volontairement pour payer les cotisations quand leurs moyens ne le leur permettaient pas. Le harcèlement moral, technique de travail habituelle de ces sectes, ne pouvait pas toujours être compté comme activité criminelle. Martinsson était revenu de la conférence en disant qu'il faudrait élaborer une nouvelle législation si on voulait s'attaquer à ces nouveaux escrocs.

Wallander se souvenait de ce qu'il lui avait répondu : l'occultisme, les délires religieux et la prise de distance avec le monde augmentaient toujours dans les périodes de crise économique. Bien des années plus tôt, il avait passé toute une soirée sur le balcon de Rydberg à discuter de la célèbre ligue de Sala, qui sévissait dans les années 1930, et dont l'existence n'aurait pas été possible dix ans plus tôt ou plus tard.

Les années 30 sont peut-être de retour, pensa-t-il. Dans une version encore plus brutale.

– C'est une découverte importante, conclut-il. On va avoir besoin d'aide. À la direction centrale, il y a du personnel spécialisé dans les nouvelles sectes. Il faut aussi que les États-Unis nous renseignent sur ces *Divine Movers*. Mais, surtout, nous devons faire parler les autres jeunes, même si ça doit leur coûter leur secret si bien gardé.

– Ils prêtent serment, dit-elle en feuilletant le dossier. Ensuite, ils doivent manger un morceau de foie de cheval cru.

– Devant qui prêtent-ils serment ?

– En Suède, ce devait être Lena Norman.

Wallander secoua la tête.

– Mais elle est morte. Aurait-elle trahi un secret, alors même qu'elle faisait partie des dirigeants ? Avait-elle un successeur désigné ?

– Je ne sais pas. On en saura peut-être plus en lisant ces papiers.

Wallander se leva et regarda par la fenêtre. La femme solitaire se faisait toujours bronzer sur la pelouse. Il pensa soudain à celle qui tenait le café près de Västervik. Il dut faire un effort pour retrouver son prénom. Erika. Le souvenir le remplit d'une nostalgie confuse.

– Nous ne devons peut-être pas trop miser sur cette piste, dit-il d'un air absent. En tout cas, il ne faut pas négliger les autres.

– Qui sont ?

La réponse était évidente. Il n'y avait pas d'autre piste – sinon celle d'un forcené solitaire. L'hypothèse sur laquelle on se rabattait toujours quand on n'en avait pas d'autre.

– Je n'arrive pas à voir Svedberg dans ce contexte. Svedberg dans une secte, adepte de la réincarnation, se déguisant, prêtant serment et mangeant du foie de cheval cru, c'est impossible à imaginer pour moi. Même s'il s'est révélé différent de ce que nous pensions.

– Il n'était peut-être pas impliqué directement. Il connaissait peut-être quelqu'un qui l'était.

Soudain, il repensa à Westin, le facteur de l'archipel. Il avait dit quelque chose au cours de la traversée en bateau. Mais quoi ?

Il la pria de répéter ce qu'elle venait de dire. Puis il réfléchit avant de répondre :

– Tu as peut-être raison. Svedberg se trouve à l'extérieur. À la périphérie. Quelqu'un croise sa route ; quelqu'un qui est lié à cette secte. Un secret est trahi. Un commando de tueurs est envoyé. Svedberg enquête seul. Il est inquiet. Il redoute que son soupçon ne se confirme. Ce quelqu'un croise sa route encore une fois. Et le tue.

– Ce n'est pas vraisemblable.

– Ce n'est pas non plus vraisemblable de retrouver trois jeunes assassinés dans la forêt. Et un policier.

– Où se procure-t-on du foie de cheval ? Peut-être devrions-nous contacter les abattoirs de Scanie ?

– Il n'y a qu'une question à laquelle on doit absolument répondre. Comme dans toutes les enquêtes difficiles. Une seule réponse, et l'avalanche se déclenche toute seule.

– Qui était derrière la porte de Svedberg ?

Il hocha la tête.

– Précisément. Si on a une réponse à cette question, on a tout. Sauf peut-être le mobile. Mais ça, on pourra le démêler après coup.

Wallander se rassit.

– As-tu eu le temps de parler aux Danois de notre inconnue Louise ?

– Sa photo sera publiée demain. Apparemment, on a beaucoup parlé là-bas des jeunes gens assassinés. Pas seulement au Danemark d'ailleurs, dans toute l'Europe, et même aux États-Unis. Lisa a été réveillée cette nuit par un journaliste du Texas.

– Avant, c'était moi qu'ils appelaient. *Expressen* à trois heures du matin, *Aftonbladet* à trois heures et demie, ou l'inverse. Ça ne s'arrêtait jamais.

Il se leva.

– Nous devons fouiller cet appartement de fond en comble, sans oublier la cave et le grenier. Si on en trouve le temps, on devrait confier ces informations à Interpol et aux Américains dès aujourd'hui. Martinsson va adorer ça.

– Je crois qu'il rêve d'être agent fédéral aux États-Unis plutôt qu'inspecteur à Ystad.

– On a tous un rêve, dit Wallander dans une tentative maladroite et inutile de défendre Martinsson.

Pour faire diversion, il commença à rassembler les dossiers et les papiers éparpillés. Ann-Britt alla chercher des sacs en plastique dans la cuisine. Au moment de partir, ils s'attardèrent dans la petite entrée.

– J'ai tout le temps l'impression de négliger quelque chose. Il doit bien y avoir un point de recoupement quelque part ! J'ai l'impression de l'avoir sous les yeux sans arriver à mettre le doigt dessus. C'est lié aux paroles de Westin.

– Westin ?

– Le type qui m'a conduit sur l'île de Bärnsö, celui qui pilote le bateau postal de l'archipel. Il m'a dit quelque chose dans la cabine. Mais quoi ?

– Pourquoi ne l'appelles-tu pas ?

– Comment veux-tu qu'il se souvienne de ce qu'il m'a raconté...

– Vous pouvez peut-être reconstituer l'entretien. Si ça se trouve, il te suffira d'entendre sa voix pour que la phrase resurgisse.

– Tu as peut-être raison, dit Wallander avec hésitation. Je vais l'appeler.

Puis il se souvint d'une autre voix importante dans le cadre de cette enquête.

– Au fait, qu'en est-il du faux Lundberg ? Celui qui a demandé des nouvelles d'Isa à l'hôpital ?

– C'est Martinsson qui s'en occupe. On a échangé des tâches, je me suis chargée de quelque chose qu'il n'avait pas le temps de faire, et il a promis de parler à l'infirmière.

Wallander devina la critique implicite. Ils avaient trop à faire ; les tâches en attente s'amoncelaient.

– Les renforts de Malmö arrivent aujourd'hui, dit-il. Ils sont peut-être déjà à Ystad, en train d'évaluer la situation.

– On ne tiendra pas le coup longtemps à ce rythme-là. On n'a pas le temps de réfléchir, pas le temps de retourner un seul détail pour voir si on a oublié quelque chose. Qui a encore envie d'être policier si l'essentiel n'est plus de bien travailler, mais de faire semblant ?

– Personne.

Wallander ramassa les sacs en plastique et commença à descendre l'escalier.

La femme de la pelouse avait disparu. Wallander prit la route d'Ystad, en récapitulant pour lui-même tous les événements survenus jusqu'alors. Que signifiait la découverte dans l'appartement de Lena Norman ? Ces fêtes avaient-elles des implications bien plus profondes qu'ils ne l'avaient soupçonné ?

Il repensa à l'épisode, quelques années plus tôt, où Linda avait traversé une sorte de crise religieuse. C'était tout de suite après le divorce, Linda était aussi perdue que lui. Il l'entendait marmonner toute seule, tard le soir, une sorte de prière sans doute. Il avait aussi trouvé dans sa chambre des livres sur la scientologie, et ça l'avait sérieusement inquiété. Il avait essayé d'en parler avec elle, sans succès. Pour finir, ce fut Mona qui s'en chargea. Il ignorait ce qui s'était dit, mais, un beau jour, les marmonnements avaient cessé, et Linda avait recommencé à s'intéresser à ses études – à l'époque, elle voulait être tapissière décoratrice.

Il frissonna. Beaucoup de sectes qui avaient vu le jour au cours des dernières décennies étaient des entreprises commerciales extrêmement dures. La religion et l'occultisme étaient désormais une marchandise parmi les autres. Il se souvenait du ton méprisant de son père parlant de la « pêche aux âmes » – ces gens qui se laissaient appâter et qui se tortillaient ensuite jusqu'à la mort dans les nasses des faux prophètes.

La solution se cachait-elle malgré tout dans ces sacs en plastique ?

Il appuya sur l'accélérateur. Il était pressé.

En arrivant au commissariat, sa première démarche fut de trouver Edmundsson et de lui rembourser l'argent emprunté la veille au soir. Puis il se rendit à la salle de réunion où Martinsson informait les trois policiers de Malmö de l'état de l'enquête. Il reconnut l'un d'eux, un inspecteur d'une soixantaine d'années du nom de Rytter. Les deux autres étaient plus jeunes ; il ne les avait jamais rencontrés. Il les salua mais ne s'attarda pas. Compte tenu du décalage horaire entre les États-Unis et la Suède, il demanda juste à Martinsson de lui communiquer d'éventuels résultats plus tard dans la soirée. Il se rendit directement à son bureau et commença à lire attentivement les documents trouvés dans l'appartement de Lena Norman. La plupart d'entre eux étaient rédigés en anglais. Il fut obligé de consulter plusieurs fois le dictionnaire. Il eut bientôt la migraine. Il en était environ à la moitié lorsque Martinsson frappa à la porte. Il était vingt-trois heures passées. Martinsson était pâle, ses yeux étaient cernés. Wallander se demanda de quoi lui-même avait l'air.

– Ça va ?

– Ce sont de bons policiers, répondit Martinsson. Surtout le plus âgé, je crois. Rytter.

– On va vite s'apercevoir du changement ; ils vont nous soulager.

Martinsson se débarrassa de sa cravate et ouvrit le col de sa chemise.

– J'ai une mission à te confier, poursuivit Wallander.

Il lui raconta en détail la découverte dans l'appartement de Lena Norman. Martinsson parut lentement revenir à la vie. Comme l'avait prévu Ann-Britt, la perspective de prendre contact avec les collègues américains lui donnait un regain d'énergie.

– Le plus important, conclut Wallander, c'est d'obtenir une image précise de cette organisation. Évidemment, il faut que tu leur expliques ce qui s'est passé chez nous, la mort de Svedberg et des quatre jeunes. Donne-leur une description détaillée du lieu du crime. Emprunte une carte à Nyberg. Est-il arrivé quelque chose de semblable chez eux ? Le plus important, ce soir, c'est d'établir le contact ; on complétera demain. D'autre part, il faut parler aux collègues européens. Cette secte existe sans doute aussi en dehors des États-Unis et de la Suède.

Martinsson regarda sa montre.

– Ce n'est peut-être pas le meilleur moment de la journée pour les appeler, mais je vais essayer.

Wallander se leva et rassembla les documents. Ensemble, ils firent des photocopies de ceux que Wallander n'avait pas encore eu le temps de parcourir.

– Après la drogue, c'est sans doute ce qui me fait le plus peur, dit soudain Martinsson. Que mes enfants soient pris au piège d'un cauchemar pseudo-religieux dont ils ne pourraient plus sortir, et où je n'aurais aucun moyen de communiquer avec eux.

– Il y a eu une époque où je m'inquiétais pour Linda à ce sujet.

Il n'en dit pas plus, et Martinsson ne lui posa aucune question. Le voyant rouge de la photocopieuse s'alluma. Martinsson ajouta du papier. Wallander pensait à Svedberg.

– La plainte contre Svedberg dont on a parlé l'autre jour. Tu as trouvé quelque chose ?

Martinsson le dévisagea d'un air perplexe.

– Tu n'as pas reçu les papiers ?

– Quels papiers ? Je n'ai rien vu.

– Quelqu'un devait les déposer dans ton bureau.

Pendant que Martinsson continuait de copier, Wallander retourna dans son bureau et souleva les dossiers éparpillés. Rien. Martinsson revint avec les photocopies.

– Tu as trouvé ?

– Non.

Martinsson posa la liasse de documents sur la table.

– Les papiers ont une étrange faculté à disparaître. Quand tout le monde travaillera sur ordinateur, ce genre de chose n'arrivera plus.

– C'est ça, dit Wallander, qui n'avait aucune confiance dans les ordinateurs.

– La mise à l'essai du PEI démarre en septembre. Tu seras bien obligé de t'y mettre.

Wallander savait que ce sigle signifiait « Protocoles d'enquête informatisés ». Ce que cela impliquait en réalité, il n'en avait pas la moindre idée. En principe, l'informatisation devait dégager un demi-million d'heures de travail pour la police. Mais Wallander se demandait combien de temps on perdrait en réalité, ne serait-ce que parce que les gens comme lui n'apprendraient jamais à s'en servir correctement.

Wallander jeta un regard sombre à la corbeille, où traînait un papier qu'il avait jeté un peu plus tôt. Un sigle lui sauta au visage.

– SYSTINCO, dit-il. Ça a quelque chose à voir avec le nouveau système ?

– Système de documentation des méthodes d'intervention et de coercition. Tu connais ça ?

– J'en ai entendu parler, mentit-il.

– Je t'apprendrai à t'en servir en septembre. C'est beaucoup plus facile que tu ne le crois.

Martinsson disparut. Cinq minutes plus tard, il était de retour.

– Les papiers étaient dans mon bureau. Malentendu. Les gens n'écoutent pas.

Martinsson disparut de nouveau pour prendre contact avec la police américaine. En passant par Interpol sans doute, pensa Wallander. À moins que la Suède n'ait un lien direct avec le FBI ? Il ne connaissait presque rien aux relations internationales entre les différentes polices. Pourtant, il avait récemment travaillé avec la police sud-africaine et avec la police lettonne. Il s'assit et lut la plainte déposée à l'encontre de Karl Evert Svedberg. Elle était datée du

19 septembre 1985. Ça faisait donc plus de dix ans. Le plaignant était un certain Stig Stridh, domicilié à Ystad. Le rapport avait été rédigé sur une machine à écrire où la touche du « e » ne fonctionnait plus, mais Wallander comprit tout de même que ce Stig Stridh avait été maltraité à son domicile, le 24 août 1985 au soir, par son propre frère, qui avait un problème de boisson et qui s'était présenté chez lui pour lui réclamer de l'argent. Sa demande ayant été rejetée, il s'était énervé, et Stridh s'était retrouvé avec deux dents en moins et une entaille au-dessus de l'œil gauche. Son frère avait aussi saccagé le salon et volé un appareil photo. Après le départ du frère, Stridh avait appelé la police. Deux policiers, dont l'un s'appelait Andersson, étaient passés prendre sa déclaration. Ensuite, Stridh s'était rendu par ses propres moyens à l'hôpital, où on s'était occupé de lui. Au moment de la rédaction de la plainte, il avait rendu visite à un dentiste pour remplacer les deux dents manquantes. Le 26 août, Stridh avait été convoqué au commissariat pour un entretien avec l'inspecteur Karl Evert Svedberg. Celui-ci lui avait signifié qu'il n'y aurait pas d'enquête, dans la mesure où il n'existait aucune preuve à l'encontre du frère. Stridh avait violemment protesté : son frère avait volé son appareil photo et saccagé son salon, les deux policiers avaient pu le constater de leurs propres yeux, ainsi que les coups et blessures. Svedberg avait cependant confirmé, disant qu'il n'y aurait pas d'enquête. Selon Stridh, l'inspecteur Svedberg s'était montré désagréable et menaçant. Si jamais il intentait un procès à son frère, avait-il dit, ça risquait de lui coûter très cher. Stridh était rentré chez lui et avait aussitôt écrit au commissaire Björk, pour se plaindre du traitement subi. Quelques jours plus tard, l'inspecteur Svedberg lui avait rendu visite à son domicile et s'était de nouveau montré menaçant. Stridh avait pris peur. Mais, après avoir demandé conseil à quelques amis, il avait décidé de déposer une plainte à l'encontre de l'inspecteur Svedberg. Dont acte.

Wallander était interloqué. Comment comprendre que Svedberg ait pu proférer des menaces ? Son attitude, de façon générale, paraissait très étrange. Il y avait apparemment toutes les raisons d'ouvrir une enquête et de faire comparaître le frère en justice. Il lut les autres documents. D'abord la réponse de Svedberg, datée du 4 novembre 1985. Réponse laconique : Svedberg expliquait qu'il avait suivi la procédure habituelle et niait catégoriquement s'être comporté de manière menaçante ou de toute autre manière incompatible avec la dignité de policier.

Suivait la décision du médiateur. Celui-ci n'avait pas trouvé de raison d'ouvrir une enquête. Il avait rejeté la plainte de Stig Stridh et classé l'affaire sans suite.

Wallander reposa les papiers en fronçant les sourcils. Il se leva et rejoignit Martinsson, qui pianotait sur son ordinateur.

– Tu te souviens de cette affaire Stridh ?

Martinsson réfléchit avant de répondre :

– J'ai le souvenir que Svedberg ne voulait pas en parler. Et il a été soulagé par la décision du médiateur, bien sûr.

– Si Stridh dit la vérité, le comportement de Svedberg est incompréhensible.

– Ce n'était pas l'avis de Svedberg.

– Je veux qu'on retrouve le rapport rédigé le soir du 24 août.

– Tu crois vraiment que ça vaut le coup ?

– Je ne sais pas encore. L'un des policiers qui a rendu visite à Stridh ce soir-là s'appelait Andersson.

– Hugo Andersson.

– Qu'est-il devenu ?

– Il a quitté la police en 1988, je crois. Il est responsable de la sécurité quelque part, on doit pouvoir le retrouver.

– La plainte de Stridh ne précise pas qui était l'autre policier. Mais on trouvera son nom dans le rapport. Qui peut se souvenir de cette affaire ?

– Björk probablement.

– Je vais l'appeler. Mais je crois que je vais commencer par Stridh. S'il vit encore.

– J'ai du mal à comprendre que ça puisse être important. Une vieille plainte qui n'a même pas abouti…

– L'attitude de Svedberg est incompréhensible. Il met un terme à une enquête dont il aurait dû se charger. Il se comporte de manière menaçante. Ça me paraît très étrange. Et ce sont les côtés déviants de Svedberg que nous recherchons.

Martinsson hocha la tête, il avait compris.

– Je vais demander à un collègue de Malmö de m'aider, conclut Wallander.

Il retourna à son bureau. Minuit passé. La visite chez les parents d'Isa Edengren n'avait pas eu lieu. Il était trop tard maintenant. Il s'assit et feuilleta l'annuaire. Aucun Stig Stridh ne figurait parmi les abonnés. Il allait appeler les renseignements lorsqu'il s'aperçut qu'il n'en avait pas la force. Ça attendrait jusqu'au lendemain. Dans l'immédiat, il devait dormir. Il prit sa veste et quitta le commissariat. Une légère brise soufflait sur le parking ; la chaleur persistait. Il trouva ses clés de voiture et ouvrit la portière. Soudain il fit volte-face et tendit l'oreille, en scrutant l'obscurité du parking où la lumière des lampadaires ne pénétrait pas.

Personne évidemment.

La peur vient de l'intérieur, pensa-t-il.

Cet homme, quel qu'il soit, est très bien informé.

Il n'est pas loin. Il peut frapper d'un instant à l'autre.

24

Le samedi 17 août, Wallander fut réveillé par un tambourinement contre l'appui de la fenêtre. Le réveille-matin indiquait six heures trente. Wallander écouta le bruit de la pluie. L'aube filtrait par l'entrebâillement des rideaux. Il tenta de se rappeler quand il avait plu pour la dernière fois. Ce devait être avant la nuit où Martinsson et lui avaient trouvé Svedberg mort dans son appartement. Ça faisait huit jours. Un laps de temps irréel, pensa-t-il, court ou long, peu importe. Il alla aux toilettes, but un verre d'eau à l'évier de la cuisine, retourna se coucher. La peur de la veille au soir était toujours là. Aussi confuse. Et aussi forte.

À sept heures et quart, il était douché et habillé. Pour son petit déjeuner, il prit un café et une tomate. La pluie avait cessé. Le thermomètre indiquait quinze degrés et les nuages se dispersaient déjà. Il décida de téléphoner de chez lui, d'abord à Westin, puis aux renseignements pour retrouver la trace de Stig Stridh. Westin ne travaillait pas le samedi, mais il était sans doute matinal. Wallander emporta sa tasse de café dans le séjour et composa le premier des trois numéros. Une femme décrocha à la troisième sonnerie. Wallander se présenta et s'excusa d'appeler de si bon matin.

– Je vais le chercher. Il est en train de scier du bois.

Wallander crut entendre le bruit d'une scie à l'arrière-plan. Le bruit cessa, remplacé par des cris d'enfant. Puis la voix de Westin.

– Le froid arrive plus vite qu'on ne le pense. Comment ça va ? J'essaie de lire les journaux et de regarder la télé. Vous avez trouvé le coupable ?

– Pas encore. Ça prend du temps. Mais on le retrouvera tôt ou tard.

Westin ne dit rien. Il devinait probablement combien ce semblant d'optimisme était fragile. Mais nécessaire, pensa Wallander. Les policiers pessimistes n'ont presque aucune chance de résoudre les cas les plus difficiles.

– Qu'est-ce que je peux faire pour toi ? demanda ensuite Westin.

– Est-ce que tu te souviens de notre conversation, dans le bateau ?

– Laquelle ? Il me semble qu'on a discuté sans arrêt.

– La première, je crois. Avant d'accoster à la première île.

Soudain, ça lui revint. *Westin avait ralenti. Il se dirigeait vers le premier ponton, ou peut-être vers le deuxième.*

– L'un des premiers arrêts, répéta-t-il. C'était quoi, le nom de l'île ?

– Harö ou Båtsmansö.

– Båtsmansö. Il y avait un vieil homme là-bas.

– Zetterqvist.

Wallander commençait à se souvenir. Les détails revenaient l'un après l'autre.

– On se dirigeait vers le ponton. Tu me parlais de Zetterqvist, qui se débrouillait tout seul pendant l'hiver. Il me semble que tu as ajouté quelque chose…

Westin éclata de rire, sans malice aucune.

– J'ai pu dire n'importe quoi !

– Je sais bien que ma question paraît étrange. Mais c'est important.

Westin parut comprendre la gravité du propos.

– Je crois que tu m'as demandé quel effet ça faisait de distribuer le courrier dans l'archipel.

– Alors je te repose la question. Quel effet ça fait ? Que me réponds-tu ?

– C'est un travail libre, mais assez usant. Personne ne sait combien de temps la poste continuera à m'employer. J'imagine qu'on supprimera bientôt les derniers services aux habitants de l'archipel. Zetterqvist m'a dit un jour qu'il voulait réserver son propre transport jusqu'au cimetière. Sinon, il risquait de rester dans sa bicoque pour l'éternité.

– Ça, tu ne me l'as jamais dit, je m'en souviendrais. Je te repose la question : quel effet ça fait de distribuer le courrier dans l'archipel ?

Westin hésita.

– Je n'ai rien dit de plus, il me semble.

Il y avait autre chose, Wallander le savait. Une phrase banale sur ce qu'impliquait le fait de transporter le courrier et les produits de première nécessité d'une île à l'autre.

– On approchait du ponton, insista-t-il. Je m'en souviens. Tu ne conduisais pas vite. Tu avais parlé de Zetterqvist. Tu as ajouté quelque chose.

– J'ai peut-être dit qu'à force on finit par veiller sur les gens. Si un jour quelqu'un ne se montre pas, on va vérifier qu'il ne lui est rien arrivé.

Presque, pensa Wallander. *On y est presque. Mais tu as dit autre chose, Lennart Westin. Je m'en souviens.*

– Je ne vois rien d'autre.

– Attends ! Essayons encore un peu.

Mais Wallander ne parvint pas à l'aider.

– Repenses-y, dit-il. Appelle-moi, si tu trouves.

– Je ne suis pas curieux en général. Mais pourquoi est-ce si important ?

– Je ne sais pas, répondit Wallander avec simplicité. Mais quand je le saurai, je te le dirai.

Wallander raccrocha. Le découragement l'envahit. Il n'avait pas réussi à lui soutirer son secret. Mais surtout, ce secret n'avait probablement pas le moindre intérêt. L'idée d'abandonner la partie, de demander à Lisa Holgersson de confier la responsabilité à quelqu'un d'autre, le reprit avec force. Puis il pensa à Thurnberg, et le besoin de résister prit aussitôt le dessus. Il appela les renseignements et demanda le numéro de Stig Stridh. On lui répondit immédiatement : l'abonné avait choisi de ne pas figurer dans l'annuaire, mais son numéro n'était pas sur liste rouge. Wallander nota l'adresse, qui avait changé. Stig Stridh habitait désormais Cardellgatan. Il composa le numéro et compta les sonneries. Au bout de la neuvième, quelqu'un décrocha. La voix était âgée, traînante.

– Stridh.

– Je m'appelle Kurt Wallander, je suis de la police.

La réponse fusa, violente :

– J'ai pas abattu Svedberg, mais c'est peut-être un tort.

Wallander fut choqué. Il se maîtrisa de justesse.

– Il y a onze ans, tu as déposé une plainte qui est restée sans suite.

– C'est incompréhensible. Il aurait dû être renvoyé.

– Je ne t'appelle pas pour discuter de la décision du médiateur, mais parce que j'ai besoin de te poser des questions sur ce qui s'est passé le soir du 24 août.

– Qu'y a-t-il à raconter ? Mon frère était ivre.

– Comment s'appelle-t-il ?

– Nisse.

– Il habite à Ystad ?

– Il est mort en 1991, d'un foie dévoré par l'alcool, ce qui ne devrait surprendre personne.

Wallander resta un instant désorienté. Dans son esprit, Stig Stridh n'était qu'un intermédiaire. C'était surtout le frère qu'il aurait voulu rencontrer.

– Mes condoléances, dit-il.

– Tu parles ! On s'en fout, de toute façon. Moi non plus, ça ne me fait rien qu'il soit mort. Maintenant, au moins, on ne vient pas démolir mon salon et me harceler jour et nuit pour de l'argent. Du moins pas aussi souvent.

– Que veux-tu dire ?

– Nisse a une veuve. Enfin, si on peut appeler ça comme ça.

– Soit il a une veuve, soit il n'en a pas.

– Elle se fait appeler comme ça, mais ils n'étaient pas mariés.

– Avaient-ils des enfants ?

– Elle oui. Pas avec lui, heureusement. Un de ses enfants est en taule, d'ailleurs.

– Pourquoi ?

– Braquage de banque.

– Comment s'appelle-t-il ?

– Elle. Elle s'appelle Stella.

– La belle-fille de ton frère a attaqué une banque ?

– Qu'est-ce que ça a de bizarre ?

– Disons que ce n'est pas très fréquent dans notre pays de la part d'une femme. Où cela s'est-il produit ?

– À Sundsvall. Elle a tiré plusieurs coups de feu en l'air.

Wallander se souvint vaguement de l'affaire. Il commença à fouiller la cuisine à la recherche d'un crayon.

– On a besoin de parler sérieusement. Ça peut se faire soit au commissariat, soit chez toi.

– Parler de quoi ?

– Je te le dirai quand on se verra.

– Tu commences à être presque aussi désagréable que Svedberg.

Wallander sentit monter la colère, mais il se domina.

– Je peux t'envoyer une voiture de police. Ou alors, je viens chez toi.

– Maintenant ? À sept heures et demie un samedi matin ?

– Tu as un travail auquel tu dois te rendre ?

– J'ai une pension d'invalidité.

– Tu habites Cardellgatan. Je serai là dans une demi-heure.

– La police a-t-elle le droit de déranger les gens à n'importe quelle heure ?

– Oui. Quand c'est nécessaire, elle peut même les réveiller en pleine nuit.

Stridh commença à protester.

Wallander raccrocha. Puis il mangea une deuxième tomate, changea les draps du lit et rassembla le linge sale éparpillé dans l'appartement, en pensant à Lennart Westin qui sciait du bois sur son île. Puis il songea à Erika, de Västervik. Il avait très bien dormi sur son lit de camp, mieux que depuis longtemps. Plus précisément, depuis l'époque où Baiba lui rendait visite à Ystad. Ou quand lui-même allait la voir à Riga.

Il sortit de chez lui à huit heures moins cinq et décida de faire le chemin à pied. En s'arrêtant devant les agences immobilières, il finit par trouver la photo de la maison de son père à Löderup. Un sentiment de mélancolie, de chagrin peut-être, s'empara de lui. Sans compter la mauvaise conscience. Il aurait dû racheter la maison pour la donner à Linda. Mais il était déjà trop tard. Il ne le ferait jamais.

À huit heures dix, il était devant l'appartement de Stridh. Il dut sonner trois fois avant que la porte ne s'ouvre. L'homme avait une soixantaine d'années ; pas rasé, la chemise dépassant d'une braguette mal fermée ; il sentait le vermouth.

– J'aimerais bien voir une plaque de police, dit Stridh avec méfiance.

– Ma carte, tu veux dire.

Il la lui montra. L'appartement où il pénétra ensuite était au moins aussi en désordre que le sien. Deux chats le contemplaient d'un air réservé. Stridh était à l'évidence un passionné des courses. Des magazines spécialisés traînaient partout. Des coupons de tiercé déchirés remplissaient la corbeille à papier. Les rideaux du séjour étaient fermés et la télévision allumée.

– Je n'ai pas l'intention de te proposer un café, dit Stridh. J'espère que tu n'en as pas pour longtemps.

Wallander repoussa l'un des chats pour s'asseoir dans le seul fauteuil qui n'était pas encombré de journaux. Il s'était souvenu d'emporter un crayon et un bloc-notes. Stridh disparut dans la cuisine. Wallander perçut le cliquetis d'une capsule contre une surface émaillée.

Stridh reparut dans le séjour et Wallander commença à poser ses questions. L'autre répondait du bout des lèvres. Ça prenait un temps fou, et Wallander fut plusieurs fois sur le point de craquer. Il se demanda si Svedberg avait réagi de la même façon, onze ans plus tôt. Il était déjà neuf heures moins dix lorsqu'il lui sembla enfin avoir une image précise de l'affaire. Stridh avait longtemps travaillé pour le syndicat des agriculteurs. Peu après son cinquantième anniversaire, il avait commencé à souffrir d'une hernie discale. De longs congés maladie et une opération avaient abouti à son départ en préretraite. Il avait été marié et avait deux fils adultes, qui vivaient respectivement à Malmö et à Laholm. Son frère Nils, plus jeune que lui de trois ans, était devenu alcoolique très tôt. Il avait entamé une carrière militaire mais l'armée avait fini par le renvoyer après des écarts répétés dus à des beuveries monumentales. Au début, Stig s'était montré patient. Mais leurs relations n'avaient cessé de se détériorer – en partie à cause des sempiternels emprunts jamais remboursés – jusqu'à la fameuse crise, onze ans plus tôt. Quelques années plus tard, la cirrhose était déclarée et, au bout de trois ans, il était mort. Wallander nota qu'il était enterré dans le même cimetière que Svedberg et son propre père. Quant aux relations privées de Nils Stridh, Wallander réussit à établir qu'il avait vécu pendant de nombreuses années et dans des circonstances chaotiques avec une femme appelée Rut Lundin. Elle aussi avait un grave problème de boisson et venait parfois demander de l'argent à son beau-frère. S'il ne lui en donnait pas, elle l'insultait. Mais elle ne cassait pas les meubles. Et elle ne lui volait rien. Elle avait un fils et une fille de précédentes liaisons. Le fils s'était bien débrouillé, il était second sur les ferries d'Åland. La fille se trouvait à la prison pour femmes de Hinseberg après avoir été condamnée pour deux attaques de banque à main armée. Wallander avait noté l'adresse de Rut Lundin. Elle habitait tout à côté, sur la route de Malmö. Au cours de la conversation, le téléphone sonna deux fois. Wallander entendit qu'il était question de chevaux et de possibles combinaisons gagnantes. Après chaque coup de fil, Stridh disparaissait dans la cuisine et la capsule tintait contre l'évier.

Enfin, ils parvinrent au véritable objet de cette visite : les événements survenus onze ans plus tôt.

– On n'a pas besoin de tout reprendre dans le détail. Ce que je veux savoir est très simple : pourquoi, à ton avis, Svedberg a-t-il renoncé à ouvrir une enquête ?

– Il disait qu'il n'y avait pas de preuves. Ce qui était absurde.

– Ça, on le sait, ce n'est pas la peine de le redire. Je répète ma question : pourquoi a-t-il renoncé à ouvrir l'enquête, à ton avis ?

– Parce que c'était un imbécile.

Wallander s'attendait à une réponse exaspérante ; d'un autre côté, Stridh avait des raisons d'être en colère. Le comportement de Svedberg était très étrange. C'était ce comportement qu'il fallait tenter de déchiffrer.

– Svedberg n'était pas un imbécile. Il y a donc une autre raison. L'avais-tu déjà rencontré, avant cette affaire ?

– Pourquoi je l'aurais rencontré ?

– Réponds à mes questions.

– Je ne l'avais jamais vu.

– As-tu déjà eu affaire à la justice ?

– Non.

La réponse avait fusé trop vite. Wallander décida de s'accrocher.

– Je veux la vérité. Si tu mens, on file directement au commissariat.

Stridh le crut.

– J'ai fait un peu de commerce de bagnoles dans les années 60. Il y a eu une histoire à propos d'une voiture prétendument volée. À part ça, rien.

– Svedberg a-t-il pu rencontrer ton frère ?

– Probable, vu le nombre de fois où il a été traîné au commissariat complètement paf.

– As-tu eu l'impression que c'était le cas ? Que Svedberg connaissait ton frère ?

– La seule impression que j'ai eue, c'est ça.

Il ouvrit grand la bouche et tapota deux dents avec l'index.

– Ici, dit-il. Ça m'a fait mal ici.

– Je te crois. Mais, pour l'instant, nous parlons de ton frère. Et de Svedberg. Ton frère ne t'a jamais parlé de lui ?

– Jamais. Je m'en serais souvenu.

– Ton frère a-t-il commis d'autres délits ?

– Sûrement. Mais il n'a jamais été au poste pour autre chose que l'alcool.

Wallander eut l'impression que Stridh disait la vérité. S'il existait un lien caché entre Svedberg et Nils Stridh, son frère l'ignorait.

C'est absurde, pensa-t-il. Je me cogne la tête contre les murs. Je n'arrive à rien.

Il avait déjà pris la décision d'aller voir Rut Lundin.

– Crois-tu que la veuve soit chez elle ?

– Sûrement. Mais je ne peux pas te garantir qu'elle soit sobre.

Wallander se leva. Il avait hâte de s'en aller.

– J'avais raison, dit Stridh dans l'entrée.

– À quel sujet ?

– Svedberg était bien un imbécile. Puisqu'il n'y a pas d'autre explication.

Wallander fit volte-face.

– Quelqu'un l'a abattu avec un fusil de chasse en lui arrachant le visage. C'était un bon policier, qui veillait entre autres à ce que les gens comme toi puissent vivre à peu près tranquilles. Je ne sais pas ce qui s'est passé il y a onze ans, mais je sais deux choses. Svedberg était un bon policier. Et c'était mon ami.

Stridh ne répondit pas. Wallander fit claquer la porte si fort que l'écho résonna dans l'escalier.

Une fois dans la rue, il inspira profondément pour chasser les miasmes de ses narines. Il était neuf heures et quart. Il appela le commissariat et informa Hansson qu'il serait de retour à dix heures et demie au plus tard. Puis il remonta la route de Malmö jusqu'à l'adresse de Rut Lundin. Il appréhendait un peu de la rencontrer. Il fut surpris. La femme qui lui ouvrit était pâle, mais sobre. Pour le reste, petite et maigre, avec des dents jaunes. Wallander essaya d'imaginer ce que ça pouvait être d'avoir une fille en prison, sans y parvenir. Même s'il se doutait de la douleur que ça impliquait. Elle l'invita à s'asseoir à la table de la cuisine. Il accepta un café et alla droit au but. Se souvenait-elle des événements survenus onze ans plus tôt ? Qu'avait dit son mari ? Avait-elle jamais entendu parler d'un policier du nom de Svedberg ?

– Celui qui a été assassiné ?

– Oui.

– J'en ai entendu parler il y a onze ans, mais pas depuis.

– Raconte-moi ce qui s'est passé ce soir-là.

– Nils est rentré en pleine nuit. Il m'a réveillée. Il avait peur, il croyait avoir tué son frère. Il était à la fois ivre et sobre, si tu vois ce que je veux dire ; c'était une de ses pires périodes, il buvait sans s'arrêter depuis des semaines. Il pouvait devenir très agressif dans ces cas-là. Jamais contre moi, note bien. Quand il est rentré, cette nuit-là, il était conscient de ce qu'il avait fait. Et il avait peur.

– D'après son frère, il avait volé un appareil photo.

– Oui, il l'avait jeté dans la rue. Je ne sais pas si quelqu'un l'a retrouvé.

– Que s'est-il passé ensuite ?

– Il parlait de s'enfuir. Il disait qu'il connaissait quelqu'un qui pouvait transformer son physique. Il était bouleversé.

– Mais il n'est jamais parti ?

– Ça n'a pas été nécessaire. J'ai bien réfléchi à la question et j'ai compris qu'il n'y avait qu'une seule chose à faire : téléphoner à Stig. C'est ce que j'ai fait.

– Tu l'as appelé en pleine nuit ?

– Je me suis dit : s'il répond, c'est qu'il est vivant. Et il a répondu. Nils s'est calmé. Le matin, quand je me suis réveillée, il était déjà sorti. J'ai pensé qu'il était en train d'acheter à boire. Mais quand il est revenu en fin de matinée, il était complètement sobre. Et de bonne humeur. Il a dit qu'on n'avait plus besoin de s'inquiéter. Il avait parlé à la police. Il n'y aurait pas de poursuites. Rien du tout.

Wallander fronça les sourcils.

– T'a-t-il dit à quels policiers il avait eu affaire ? A-t-il cité le nom de Svedberg ?

– Non. Il a juste dit « la police ». Pas de noms.

– Et il était certain qu'il n'y aurait pas de suites ?

– Nils avait un peu tendance à faire le malin. Pour cacher ses faiblesses. Le fameux sentiment d'infériorité des alcooliques. J'ai mes contacts, il disait. Ou bien : On ne s'en sort pas sans relations.

– Comment as-tu interprété cela ?

– Je n'ai rien interprété du tout. J'ai pensé que ça ne devait pas être si grave, tout compte fait. J'étais soulagée, bien sûr.

– Tu ne sais donc pas s'il a été en contact avec Svedberg ? Ou avec un autre policier dont tu connaîtrais le nom ? En dehors de ce moment précis ?

– Non.

– Que s'est-il passé ensuite ?

– Rien. Nils a recommencé à boire. Et moi aussi.

– A-t-il continué à réclamer de l'argent à son frère ?

Soudain, elle fit le rapprochement.

– Tu as parlé à Stig ! C'est pour ça que tu es chez moi !

– Oui.

– Il n'avait sûrement rien d'agréable à dire sur nous.

– Ni sur Svedberg. Tu sais peut-être qu'il a porté plainte contre lui, mais que l'affaire a été classée sans suite.

– J'en ai entendu parler.

– Nils a continué à lui emprunter de l'argent ?

– Et pourquoi pas ? Stig était riche. Il l'est toujours. Quand je suis dans une de mes périodes, je vais le voir moi aussi.

– Que veux-tu dire ? Comment peut-on être riche quand on touche une pension d'invalidité ?

– Il a gagné plusieurs fois aux courses. Des millions ! Et il est avare. Il économise. Il cache son argent. D'ailleurs, ça m'étonnerait qu'il ait vraiment mal au dos.

– Revenons à la conversation de cette nuit-là. Nils est rentré à la maison. Il était bouleversé, il pensait avoir tué son frère. Il envisageait de s'enfuir. Si j'ai bien compris, il a dit qu'il connaissait quelqu'un qui pouvait transformer son physique. Que voulait-il dire par là ?

– Nils connaissait beaucoup de monde.

– Quelqu'un qui transforme le physique des gens ne peut être qu'un chirurgien.

Elle le considéra en silence, sa tasse à la main.

– Qu'est-ce que tu sais des alcooliques, au juste ?

– Qu'ils sont nombreux.

Elle reposa sa tasse.

– On est nombreux. Et on est très différents les uns des autres. On se rend insupportables devant les débits de boissons, on passe son temps sur des bancs avec des sacs en plastique et des chiens – ça, c'est le prolétariat, le truc pas propre, ce qu'on préfère ne pas voir. Mais combien de gens savent qu'il y a d'anciens médecins sur les bancs ? Ou d'anciens avocats ? Et pourquoi pas des policiers ? L'alcool a tout fait dérailler. L'identité du type est tout entière dans son sac en plastique. Mais derrière, il y a autre chose. Chez les alcooliques, il n'y a pas de classes sociales ; il n'y a que deux groupes : ceux qui ont de l'alcool, et ceux qui ont fini le leur et qui n'ont pas encore réussi à s'en procurer de nouveau.

– Nils peut donc avoir connu un médecin ?

– Bien sûr. Il connaissait des avocats, des hommes d'affaires, des banquiers. Certains buvaient en cachette et parvenaient à garder leur travail, parfois même sans que l'entourage remarque quoi que ce soit. Quelques-uns réussissaient à s'en sortir. Mais ils n'étaient pas nombreux.

– Te souviens-tu du nom de ces gens ?

– Certains peut-être. Pas tous.

– Je voudrais que tu me fasses une liste.

– Beaucoup d'entre eux n'avaient qu'un surnom.

– Note tout ce dont tu te souviens.

– Alors il faudra me laisser un peu de temps.

Wallander finit son café.

– Je peux revenir cet après-midi, dit-il.

– D'accord, mais alors avant dix-huit heures. Je ne crois pas que je pourrai rester sobre plus longtemps.

Elle le regardait bien en face. Wallander promit de revenir à temps. Il la remercia pour le café, et elle le raccompagna.

– Je me demande si tu peux comprendre ça, dit-elle lentement. Que c'est possible de pleurer un homme comme Nils. Il a passé toute sa vie à boire. Il n'a jamais rien fait, sauf causer des ennuis à tout le monde. Pourtant, il me manque.

– Je crois que je peux comprendre. Certains côtés des gens ne sont visibles pour personne, sauf pour ceux qui les aiment.

Ces paroles lui firent plaisir. Il pensa en ressortant dans la rue qu'il n'en fallait pas beaucoup pour faire la différence. Entre le rejet pur et simple et ce qui ressemblait à une reconnaissance.

Il prit le chemin du commissariat. Il faisait chaud. En face de l'hôpital, les gros titres s'étalaient à la devanture du kiosque : « La police complice du crime organisé. » Il continua sans s'arrêter. Qu'avait-il appris ? Pas grand-chose. Lennart Westin sciait du bois sur son île et n'avait pas retrouvé la fameuse phrase. D'ailleurs, elle n'existait peut-être que dans l'imagination de Wallander. La conversation avec Stig Stridh l'avait seulement conduit à Rut Lundin, qui allait tenter de dresser une liste des gens qu'avait connus le frère. Wallander s'immobilisa sur le trottoir. Le sentiment de faire fausse route le submergea. Était-il en train de conduire l'enquête dans une impasse ? Mais que faire ? Vers où se tourner ? Il se remit en marche. Il restait beaucoup de questions en suspens et d'idées non encore approfondies. Il ne fallait surtout pas perdre patience.

En arrivant au commissariat, il apprit que ses plus proches collaborateurs étaient tous là, ainsi que les trois policiers de Malmö. Il saisit l'occasion pour les réunir. Il était onze heures. Wallander commença par rendre compte de ses propres efforts pour éclaircir une plainte déposée contre Svedberg onze ans plus tôt. Martinsson précisa dans ce contexte que Hugo Andersson, l'un des policiers qui avaient rendu visite à Stridh le soir du 24 août, travaillait maintenant comme surveillant général dans une école de Värnamo. L'autre policier s'appelait Holmström et était îlotier à Malmö. Wallander allait prendre contact avec eux avant de rendre visite aux parents d'Isa Edengren.

Après la réunion, il partagea une pizza avec Hansson. Il avait essayé de compter le nombre de fois où il s'était rendu aux toilettes et combien de verres d'eau il avait bus depuis son réveil. Impossible. Il décida de laisser tomber.

Il eut quelques difficultés à retrouver Hugo Andersson et Harald Holmström. Le résultat fut décevant. Ni l'un ni l'autre ne put éclaircir le rôle de Svedberg dans cette affaire. Tous deux avaient trouvé étrange le fait qu'il n'y ait pas eu de poursuites contre Nils Stridh. Mais tout ça étant loin, ils ne se souvenaient pas de tous les détails. Wallander finit par comprendre qu'ils ne voulaient pas dire du mal d'un collègue mort. À supposer qu'il y eût du mal à en dire. Avec l'aide de Martinsson, Wallander put enfin lire le rapport rédigé à la suite de cette intervention. Il n'y découvrit rien de neuf. À seize heures, il téléphona à son ancien chef, Björk, qui travaillait désormais à Malmö. Après quelques commérages et quelques condoléances – eu égard aux difficultés où se débattaient Wallander et ses collègues, avec ces cinq meurtres à élucider –, ils parlèrent longuement de Svedberg. Björk précisa qu'il avait l'intention d'assister aux funérailles et Wallander s'en étonna, sans savoir pourquoi. À propos de la fameuse plainte, Björk n'avait rien à dire. Il ne se souvenait plus de la raison pour laquelle Svedberg avait renoncé aux poursuites. Mais, puisque le médiateur avait entériné sa décision, les choses avaient dû se passer de façon régulière.

À seize heures trente, Wallander quitta le commissariat pour se rendre à Skårby. Auparavant, il allait passer chez Rut Lundin. Avec un peu de chance, elle aurait dressé la liste qu'il lui avait demandée. Lorsqu'il sonna à la porte, elle lui ouvrit aussitôt, comme si elle l'attendait dans l'entrée. Il vit qu'elle avait bu. Elle lui tendit un bout de papier griffonné à la main. Wallander comprit qu'elle ne souhaitait pas le faire entrer. Il se contenta de la remercier et s'en alla.

Sur le trottoir, à l'ombre d'un arbre, il parcourut le papier couvert d'une écriture arrondie, enfantine.

Il reconnut aussitôt un nom. *Bror Sundelius.*

Wallander retint son souffle.

Un lien venait enfin d'apparaître : Svedberg – Bror Sundelius – Nils Stridh. Il fut interrompu dans ses pensées par le bourdonnement de son portable.

C'était Martinsson. Sa voix tremblait.

– C'est fait, balbutia-t-il. C'est fait, il a recommencé.

Il était dix-sept heures moins neuf minutes, le samedi 17 août.

25

Il savait qu'il prenait un risque.

Il ne l'avait encore jamais fait ; les risques, c'était bon pour les gens sans dignité. Mais, cette fois, le défi était irrésistible. Et la prudence elle-même était peut-être un fil qui risquait de se rompre si on ne le mettait pas à l'épreuve de temps en temps.

Le risque existait. Mais il était calculé, infime. Si petit qu'il n'existait presque pas.

De plus, la cible était beaucoup trop tentante. Déjà, au moment de récupérer les faire-part, il avait eu du mal à se maîtriser. Le bonheur éclatant des futurs mariés l'avait blessé, comme si on lui faisait subir une agression humiliante. Ce qui était précisément le cas.

Puis il avait lu la lettre décisive : entre la cérémonie et le repas, ils allaient se rendre à la plage pour prendre les photos de mariage. Le photographe leur présentait sa proposition de manière très précise. Il avait même dessiné une carte pour leur désigner l'endroit. Le couple avait dit oui. Les photos seraient prises à seize heures. S'il faisait beau.

Alors il avait pris sa décision. Il s'était rendu à la plage. La description du lieu par le photographe était parfaite ; aucune erreur possible. La plage était immense. Juste à côté, un grand camping. Au premier regard, il n'avait pas cru qu'il serait possible de réaliser son dessein. Mais, en s'approchant, il vit que le risque d'être découvert était minime. La séance de photos devait avoir lieu entre de hautes dunes. Bien entendu, il y aurait du monde sur la plage. Mais les gens se tiendraient sans doute à distance le moment venu.

Le seul problème était de décider par où lui-même surgirait. Disparaître, en revanche, serait facile. Il y avait moins de deux cents mètres jusqu'au sentier où l'attendrait sa voiture. À supposer que les choses tournent mal, que quelqu'un le découvre et se lance à sa poursuite, il aurait son arme. Quelqu'un pouvait aussi remarquer sa voiture ; il inclut donc dans son projet trois véhicules entre lesquels choisir à la dernière minute.

En quittant la plage ce jour-là, il n'avait toujours pas décidé de quelle direction il arriverait. À sa deuxième visite, il découvrit une possibilité qui lui avait complètement échappé la première fois ; une entrée en scène digne de cette comédie heureuse qu'il allait personnellement transformer en tragédie.

Soudain, tout lui parut évident. Mais il ne lui restait pas beaucoup de temps ; il fallait voler et disposer les voitures, creuser un trou et le recouvrir d'une bâche plastique puis d'une fine couche de sable. Après y avoir rangé son arme. Et une serviette de bain.

Seul élément d'incertitude : le temps qu'il ferait. Mais, jusqu'ici, le mois d'août avait été magnifique.

Tôt le matin, le samedi 17 août, il sortit sur son balcon ; une averse passait sur la ville. Le beau temps serait de retour avant l'après-midi, tout se déroulerait comme prévu. Il retourna dans sa chambre insonorisée, s'allongea sur le lit et passa une fois de plus en revue les événements qui l'attendaient.

Ils se dirent oui à quatorze heures dans l'église où la mariée avait fait sa communion solennelle neuf ans plus tôt. Le pasteur de ce temps-là était décédé. Mais un cousin pasteur avait accepté de diriger la cérémonie. Tout s'était bien passé dans l'église remplie de parents et d'amis ; il ne restait plus qu'à prendre les photos, avant la grande fête. Le photographe avait tout prévu. Ce n'était pas la première fois qu'il utilisait cette plage comme décor extérieur ; mais jamais encore il n'avait fait aussi beau qu'aujourd'hui.

Ils arrivèrent peu avant seize heures. Beaucoup de monde au milieu des tentes et des caravanes du camping ; des enfants jouaient sur la plage ; un baigneur solitaire nageait un peu plus loin. La mariée enleva ses chaussures et souleva sa robe pour ne pas trébucher dans le sable. Elle avait enroulé le voile autour de son cou. Il ne fallut que quelques minutes au photographe pour installer le pied et le réflecteur. Les gens se tenaient à l'écart pour ne pas les déranger. Au loin, on entendait les cris des enfants et une radio. Le baigneur s'était rapproché du rivage. Mais il ne les gênait pas.

Tout était prêt. Le photographe attendit derrière son appareil pendant que la mariée arrangeait son voile et vérifiait son maquillage dans le miroir de poche que lui tendait le marié. Le baigneur sortit de l'eau et s'assit sur sa serviette, dos à eux. La mariée l'aperçut dans le miroir ; on aurait dit qu'il creusait dans le sable.

Les mariés se tournèrent vers le photographe, qui leur montra la pose qu'ils devaient prendre. Fallait-il rire ou être sérieux ? Il leur proposa différentes variantes. Il n'était que seize heures dix. Ils avaient tout leur temps.

Le photographe venait de prendre la première image lorsque l'homme à la serviette se leva et commença à longer le rivage. Le photographe préparait la photo suivante. Soudain, la mariée vit que l'homme changeait de direction. Elle leva la main ; il valait mieux attendre qu'il soit passé. Il se dirigeait droit vers eux maintenant, en tenant sa serviette de bain devant lui. Le photographe hocha la tête et sourit avant de se retourner vers les jeunes mariés. L'homme répondit à son sourire. L'instant d'après, il leva l'arme enroulée dans la serviette et lui tira une balle dans la nuque. Il fit quelques pas vers le couple et les visa l'un après l'autre. Trois détonations sèches, très faibles. Il jeta un regard autour de lui. Aucune réaction.

Il escalada calmement la dune la plus proche. Une fois de l'autre côté, où il ne pouvait plus être vu du camping, il se mit à courir. Arrivé à la voiture, il s'assit derrière le volant et démarra.

Toute l'opération avait duré moins de deux minutes. Il constata qu'il avait froid. C'était un risque supplémentaire ; celui de s'enrhumer. Mais la tentation avait été trop forte. Surgir des flots comme l'être inaccessible qu'il était réellement.

À l'entrée d'Ystad, il s'arrêta et enfila le survêtement rangé sur la banquette arrière. Puis il se rassit derrière le volant et attendit. L'attente dura plus longtemps que prévu. Qui avait découvert les corps ? Peut-être l'un des enfants qui jouaient sur la plage ? Ou un promeneur venu du camping ? Il l'apprendrait bientôt, en lisant les journaux.

À la fin pourtant, il entendit les sirènes approcher à toute allure. Il était dix-sept heures moins trois minutes. Il vit les voitures de police passer en trombe ; il y avait aussi une ambulance. Il eut envie de leur faire un signe de la main, mais il se domina. Puis il rentra chez lui. Une fois de plus, il avait accompli la tâche qu'il s'était fixée. Et il s'était retiré à temps, dans le calme et la dignité.

*

Wallander attendait sous un arbre, devant l'immeuble de Rut Lundin. La voiture s'arrêta, sirènes hurlantes, et il monta à l'arrière. Les premières informations étaient confuses et contradictoires. Sa conversation avec Martinsson avait été interrompue, et les policiers qui avaient reçu l'ordre de venir le chercher ne savaient rien, sinon qu'ils se rendaient à Nybrostrand. Par radio, il avait appris qu'on avait trouvé des gens morts. Il n'avait pas réussi à joindre Martinsson, mais sa voix résonnait dans sa tête : *il a recommencé.*

Il ferma les yeux, s'efforça de respirer lentement. Il avait l'impression que les sirènes hurlaient à l'intérieur de lui. Ils roulaient très vite. En arrivant à Nybrostrand, ils s'engagèrent sur un chemin, presque un sentier. Wallander vit Martinsson et Ann-Britt Höglund descendre d'une autre voiture, il ouvrit sa portière sans attendre d'être à l'arrêt. Une femme pleurait, le visage dans les mains. Elle portait un tee-shirt incitant son entourage à voter pour l'entrée de la Suède dans l'OTAN.

– Que s'est-il passé ? demanda Wallander.

Des campeurs bouleversés désignaient un point du côté des dunes. Les trois policiers se mirent à courir. Soudain, Wallander s'immobilisa net. Le cauchemar, de nouveau. D'abord, il ne comprit pas ce qu'il avait sous les yeux. Puis il vit que c'étaient trois corps, trois morts qui gisaient dans le sable devant lui. Et un appareil photo sur un trépied un peu plus loin.

– Un couple de jeunes mariés…

C'était la voix d'Ann-Britt Höglund, qui lui parvenait comme de très loin. Wallander s'approcha et s'accroupit. Ils avaient le front troué. Le voile de la femme était rouge de sang. Il effleura délicatement son bras nu ; il était encore tiède. Il se leva lentement en espérant qu'il ne s'évanouirait pas. Hansson venait d'arriver en compagnie de Nyberg. Il les rejoignit.

– C'est arrivé presque à l'instant, dit-il. Y a-t-il des traces ? Quelqu'un a-t-il vu quelque chose ? Qui a découvert les corps ?

Tout le monde semblait paralysé. Comme si chacun attendait qu'il leur explique ce qui s'était passé. Ou qu'il réponde lui-même aux questions qu'il venait de poser.

– Au travail ! rugit-il. Ça vient à peine d'arriver. Il faut qu'on le retrouve !

La paralysie se dissipa aussitôt. Quelques minutes plus tard, Wallander détenait une image précise de la manière dont les choses s'étaient passées. Un couple de jeunes mariés était arrivé en compagnie d'un photographe. Ils avaient disparu entre les dunes. Un peu plus tard, un enfant qui jouait sur la plage avait quitté ses copains pour aller faire pipi. En découvrant les morts, il était revenu au camping en hurlant. Personne n'avait entendu de coups de feu. Personne n'avait vu quelqu'un quitter les lieux. Plusieurs témoins affirmaient aussi que le couple et le photographe étaient venus seuls. Hansson et Ann-Britt tentèrent de combiner en toute hâte ces observations confuses et choquées. Martinsson commença à s'occuper du périmètre de sécurité pendant que Wallander faisait rapidement le point avec Nyberg. Toutes les deux minutes, il demandait où étaient les maîtres-chiens. Lorsque Edmundsson arriva enfin avec Kall, Hansson et Ann-Britt s'étaient tant bien que mal isolés du chaos pour tenter de formuler une première hypothèse cohérente. Wallander les rejoignit.

– Quelques enfants ont vu un baigneur, dit Hansson. Il est sorti de l'eau et il s'est assis dans le sable. Puis il a disparu.

– Quoi ?

Wallander avait du mal à cacher son impatience.

– Une femme était en train d'étendre du linge près de sa caravane au moment où le couple est arrivé, dit Ann-Britt. Il lui a semblé voir un baigneur dans la mer. Mais ensuite il a disparu.

Wallander secoua la tête.

– Qu'est-ce que ça veut dire ? Il s'est noyé ? Il s'est enterré dans le sable ?

Hansson indiqua la plage, au-delà de l'endroit où gisaient les corps.

– D'après les gamins, il s'est assis là-bas. L'un d'eux est très observateur, je crois qu'on peut se fier à lui.

Ils retournèrent sur la plage. Hansson alla chercher un garçon aux cheveux noirs qui attendait un peu plus loin avec son père. Wallander leur demanda de faire un grand détour pour éviter de compliquer le travail du maître-chien. Ils découvrirent l'empreinte de quelqu'un qui s'était assis dans le sable. Ils découvrirent aussi les restes d'un trou et un fragment de bâche plastique. Wallander fit venir Edmundsson et Nyberg.

– Ce bout de plastique me rappelle quelque chose.

Nyberg acquiesça.

– Ça ressemble à celui qu'on a trouvé dans la réserve.

Wallander se tourna vers Edmundsson.

– Fais-lui renifler ça. On verra bien si elle se met à chercher.

Ils s'écartèrent. La chienne commença aussitôt à tirer avec enthousiasme en direction des dunes. Puis elle prit à gauche. Wallander et Martinsson suivaient à distance. Parvenue au bord d'un chemin, la chienne s'immobilisa. La trace s'arrêtait là. Edmundsson secoua la tête.

– Une voiture, dit Martinsson.

– … que quelqu'un a peut-être vue, ajouta Wallander. Mobilise tous les policiers présents, sans exception. Une seule question aux témoins : un homme en maillot de bain et une voiture, qui aurait stationné ici et qui serait partie il y a environ une heure.

Wallander retourna en courant jusqu'au lieu du crime. L'un des techniciens relevait des empreintes dans le sable humide. Edmundsson continuait à chercher avec sa chienne.

– Un baigneur, dit Wallander à Ann-Britt. Un baigneur qui disparaît.

Hansson finissait d'interroger une femme devant le camping. Wallander lui fit signe d'approcher.

– D'autres gens l'ont vu, dit Hansson.

– Le baigneur, tu veux dire ?

– Oui, il était dans l'eau quand les jeunes mariés sont arrivés. Puis il s'est assis dans le sable. Quelqu'un dit qu'il avait l'air de creuser comme s'il voulait faire un château. Puis il s'est levé et il a disparu.

– On n'a vu personne d'autre ? Quelqu'un qui les aurait suivis ?

– Un homme affirme que deux hommes masqués ont longé la plage à vélo. Mais il était ivre ; je crois qu'on peut écarter son témoignage.

– Alors on fait une évaluation provisoire. Savons-nous qui sont les morts ?

– L'homme couché près de l'appareil avait un faire-part dans sa poche.

Ann-Britt Höglund lui tendit le carton. L'angoisse de Wallander était telle qu'il aurait voulu crier de toutes ses forces et partir en courant.

– Malin Skander et Torbjörn Werner, lut-il. Ils se sont mariés cet après-midi.

Hansson avait les larmes aux yeux. Ann-Britt Höglund regardait fixement le sable à ses pieds.

– Ensuite, ils sont venus se faire photographier ici. Savons-nous qui est le photographe ?

– Il y a un nom à l'intérieur de la sacoche, dit Hansson. Rolf Haag. Il avait un studio à Malmö.

– Nous devons avertir les proches. Bientôt l'endroit va grouiller de photographes d'un autre genre.

– Est-ce qu'on ne devrait pas bloquer les routes ? demanda Martinsson qui s'était joint au groupe.

– Pour chercher quoi ? On ne sait même pas à quoi ressemblait la voiture. Et quelles routes ? Que cherchons-nous au juste ? Un homme en maillot de bain ? Il n'a qu'une heure d'avance, mais on ne le trouvera pas pour autant. C'est trop tard.

– Il faut l'attraper, merde !

– C'est ce qu'on veut tous. Et on y arrivera. Pour ça, il faut commencer par faire le point. Ce baigneur : c'est la seule piste. Nous devons partir de l'idée que c'est le même homme. Et tous ses actes présupposent deux choses : il est très bien informé et il se prépare minutieusement.

– Il aurait attendu de passer à l'acte en se baignant… dit Hansson sans cacher son scepticisme.

Wallander essayait de *voir* la scène.

– Il sait que les jeunes mariés vont se faire photographier à cet endroit précis. L'invitation stipule que le repas de noce débute à dix-sept heures. Cela signifie qu'il dispose aussi d'une heure : les photos doivent être prises à cet endroit précis, vers seize heures. En attendant leur arrivée, il se baigne. Sa voiture est garée un peu plus loin. Sur un chemin d'où il lui est possible de descendre au bord de l'eau sans passer devant le camping.

– Il aurait emporté son arme dans l'eau ?

La méfiance de Hansson était palpable, mais Wallander avait déjà commencé à comprendre.

– Nous devons nous en tenir aux conditions de départ, répéta-t-il. Nous savons qu'il est bien informé et qu'il prémédite ses actes. Il attend le couple et le photographe dans l'eau. Un homme qui se baigne n'a pas de vêtements ; les cheveux mouillés modifient la physionomie. La vérité, c'est qu'on ne fait pas attention à quelqu'un qui se baigne. D'ailleurs, tout le monde a remarqué qu'il était là, mais personne n'a réussi à le décrire.

Il jeta un regard circulaire sans rencontrer d'objection. Aucun des témoins interrogés jusqu'à présent n'avait pu donner un signalement du baigneur.

– Les jeunes mariés arrivent avec le photographe. Il sort de l'eau et s'assied sur la plage.

– Il a une serviette de bain à rayures, dit Ann-Britt. Plusieurs personnes se sont apparemment souvenues de la serviette.

– C'est bien. Tous les détails ont leur importance. Il s'assied sur sa serviette de bain rayée. Un témoin a l'impression de le voir faire quelque chose.

– Il creuse dans le sable.

Wallander comprit qu'il avait raison. Une première esquisse prenait forme. L'homme suivait ses propres règles. Il les variait, certes ; mais Wallander avait le sentiment de commencer à les déchiffrer.

– Il ne creuse pas pour construire un château de sable. Il creuse pour enlever un bout de bâche plastique qui masque un trou, où il a caché une arme.

Les autres comprirent sa pensée. Wallander poursuivit avec prudence :

– L'arme a été cachée plus tôt. Maintenant, il ne lui reste plus qu'à attendre le bon moment. Lorsque le couple et le photographe sont concentrés sur leur affaire, et qu'il n'y a personne à proximité. Alors il se lève. Il a probablement enroulé son arme dans la serviette. Personne ne fait attention à lui. C'est un baigneur solitaire qui s'apprête à quitter la plage. Il tire trois fois. L'arme devait avoir un silencieux. Après les avoir tués, il franchit les dunes et reprend sa voiture. Toute l'opération a pu se dérouler en moins de trois minutes. Nous ne savons pas où il est parti.

Nyberg s'était approché du groupe en silence.

– Nous ne savons encore rien de cet homme, conclut Wallander, en dehors de ce qu'il a fait.

– Je sais une chose sur lui, intervint Nyberg. Il chique. Il a craché du tabac près du trou. On dirait qu'il a essayé de le recouvrir, mais la chienne l'a trouvé. On s'en occupe. La salive humaine est pleine d'informations.

Wallander aperçut Lisa Holgersson, suivie de Thurnberg. Dans une vision fugitive et envieuse, Wallander vit Per Åkeson installé dans un paradis du bout du monde, loin des restes macabres laissés par un fou. Il pensa que le moment était venu de passer la main. Il n'y arrivait plus ; même s'il avait correctement fait son travail, l'échec était patent. Ils n'avaient pas retrouvé le tueur qui avait assassiné leur collègue, trois jeunes en pleine fête, une jeune fille recroquevillée dans les fougères, et maintenant un couple de jeunes mariés et un photographe.

Il n'y avait qu'une chose à faire. Demander à Lisa Holgersson de le remplacer. Ou accepter que Thurnberg fasse appel à quelqu'un de Stockholm.

Il n'eut même pas la force de les informer de ce qui s'était passé. Il laissa cette tâche aux autres et s'éloigna pour rejoindre Nyberg qui examinait l'appareil photo.

– Il a eu le temps de prendre une seule photo, dit Nyberg. Mais on va la développer le plus vite possible.

– Ils ont été mariés pendant deux heures…

– On dirait que ce malade n'aime pas les gens heureux. Ou que la mission de sa vie consiste à convertir la joie en malheur.

Wallander écoutait distraitement. Edmundsson s'agitait sur la plage avec Kall ; un autre maître-chien travaillait un peu plus loin. Beaucoup de gens s'attroupaient déjà autour du périmètre de sécurité. À l'horizon, Wallander vit un gros bateau mettre cap à l'ouest. Dans quelques heures, il passerait le détroit et rejoindrait la haute mer.

Il ne se sentait pas encore la force de s'attaquer à cette nouvelle enquête. Il avait pressenti que ça se reproduirait – tout en espérant le contraire. *Un bon policier espère toujours*, disait souvent Rydberg. *Un bon policier espère qu'un meurtre n'aura pas lieu. Qu'un tueur manquera sa cible. Qu'une personne sans défense sera épargnée. Mais un bon policier espère aussi que les crimes qui ont lieu malgré tout seront poursuivis de telle sorte que les procureurs soient satisfaits et que les tribunaux puissent évaluer des peines justes. Par-dessus tout, un bon policier espère que le crime va diminuer. Mais il sait que c'est peu probable. Aussi longtemps que la société restera ce qu'elle est, avec ses injustices incluses, condition indispensable au jeu des forces de la mécanique sociale.*

Rydberg disait aussi autre chose, pensa Wallander. *Combattre le crime, c'est toujours une question d'endurance. Qui est prêt à tenir le coup le plus longtemps ?*

Lisa Holgersson et Thurnberg surgirent à ses côtés. Wallander sursauta en pleine méditation.

– Il aurait fallu faire un barrage routier, dit Thurnberg.

Wallander le dévisagea. Thurnberg ne l'avait pas salué, pas même d'un signe de tête.

En cet instant, Wallander prit deux décisions. Il n'abandonnerait pas la direction de l'enquête de son plein gré ; et il n'hésiterait plus à dire le fond de sa pensée.

– Non, répliqua-t-il. Il n'aurait pas fallu faire de barrage routier. Tu aurais pu l'ordonner. Mais, dans ce cas, il aurait fallu t'en expliquer. Et tu n'aurais pas obtenu mon appui.

L'espace d'un instant, Thurnberg perdit contenance.

Il était trop remonté, pensa Wallander avec satisfaction. Tant pis pour lui, le ressort s'est cassé.

Il lui tourna le dos de manière ostentatoire. Lisa Holgersson était plus pâle que jamais. Sa peur reflétait la sienne.

– Alors, c'est le même homme ? demanda-t-elle.

– Oui, sans l'ombre d'un doute.

– Mais… des jeunes mariés ?…

Cela avait été sa première réaction, à lui aussi. Que répondre ?

– Les mariés sont des gens déguisés, dit-il avec hésitation.

– Ce serait ça qu'il cherche ?

– Je ne sais pas.

– Qu'est-ce que ça pourrait être d'autre ?

Wallander ne répondit pas. Il était beaucoup trop tôt pour tirer des conclusions, mais il avait le sentiment que les hypothèses qu'ils avaient échafaudées avec tant de peine venaient de s'effondrer.

Il ne voyait plus qu'un forcené. Quelqu'un de redoutable, qui avait tué huit personnes. Dont un policier.

– Je crois n'avoir jamais été confrontée à une affaire aussi horrible, dit-elle.

– Il y eut un temps où la Suède était connue pour ses inventeurs. Puis ça a été le modèle suédois, puis les mœurs soi-disant libérées, puis le tennis. Maintenant, on va peut-être devenir célèbres à cause d'un tueur en série sans précédent.

Il regretta aussitôt ces paroles. Les comparaisons étaient absurdes, l'occasion mal choisie, la situation tragique.

– Les proches, dit-elle. Comment prévient-on la famille et les amis d'un couple qui vient de se marier voici deux heures que les jeunes mariés n'existent plus ?

– Je suis aussi désemparé que toi. Et le photographe ? Nous ne savons pas s'il avait une famille.

– Si j'ai bien compris, ils se sont mariés dans le coin ?

– À Köpingebro. Le repas de noce doit bientôt commencer.

Elle le dévisagea. Il savait ce que signifiait ce regard.

– Je propose que Martinsson s'occupe des proches du photographe avec l'aide des collègues de Malmö. Toi et moi, on va à Köpingebro.

Un peu plus loin, Thurnberg parlait dans son portable, et Wallander se demanda fugitivement avec qui. Puis il rassembla ses collaborateurs les plus proches et laissa officiellement la direction des opérations à Hansson jusqu'à son retour.

– Répondez à toutes les questions de Thurnberg, dit-il. Mais s'il commence à donner des ordres, appelez-moi.

– Pourquoi un procureur se mêlerait-il du travail de la police sur le lieu d'un crime ?

La question de Hansson était justifiée. Au lieu de répondre, il prit Ann-Britt à part.

– Je ne sais pas combien de temps ça va nous prendre. Mais d'ici mon retour, je veux que tu réfléchisses à la manière dont nous devons poursuivre cette enquête, au-delà des tâches de routine. D'accord ? Comme on fait d'habitude, aucune enquête ne ressemble à une autre, etc. De quelle manière celle-ci doit-elle se distinguer ? Comment ce qui vient de se produire modifie-t-il les données que nous avions jusqu'ici ? Quelque chose s'est-il éclairci ? Y a-t-il une piste qui se dégage, ou non ?

– Je ne sais pas si j'y arriverai. C'est ton travail.

– Non, pas le mien : le nôtre. Si je dois prévenir les parents d'un couple de jeunes mariés qui se sont dit oui il y a trois heures, je n'aurai pas la possibilité de penser à autre chose. C'est pour ça que tu dois réfléchir à ma place.

– Je ne sais pas pour autant si j'en suis capable.

– Essaie.

Il s'éloigna, rejoignit la voiture où l'attendait Lisa Holgersson.

Elle démarra en silence. Wallander regardait le paysage. Au loin, il vit qu'un orage approchait ; il atteindrait sûrement la Scanie avant le soir.

Il se mit à pleuvoir vers vingt-deux heures. Wallander était entretemps revenu sur le lieu du crime. La rencontre avec les proches, la sensation d'entrer par effraction dans une oasis de bonheur et de semer la destruction autour de lui, ç'avait été pire que jamais. Lisa Holgersson était d'une passivité inhabituelle, comme si elle n'avait pas la force d'accomplir une deuxième fois ce qu'elle avait déjà dû faire une semaine plus tôt. Un policier a peut-être un certain nombre de décès à annoncer au cours de sa carrière, pensa Wallander. Dans ce cas, j'ai atteint ma limite. Je ne pourrai plus continuer à la forcer très longtemps.

C'était comme de participer à une scène de cauchemar dans une pièce de théâtre. Le cadre irréel – un trio d'accordéons dans le jardin de la pension de famille, une grande salle ornée de guirlandes, des parfums appétissants s'échappant de la cuisine, des invités qui attendaient par petits groupes. Et puis la voiture de police surgissant dans la cour.

Ce fut avec soulagement qu'il reprit enfin la route de Nybrostrand. Lisa Holgersson était déjà retournée à Ystad. Il avait plusieurs fois parlé à Hansson au téléphone, mais il ne s'était rien passé de décisif. De plus, Hansson lui avait annoncé que Rolf Haag, le photographe, était célibataire. Son père vivait encore, dans une maison de retraite, Martinsson y était allé et l'infirmière avait promis d'annoncer la nouvelle au vieil homme, mais, selon elle, il avait depuis longtemps oublié qu'il avait un fils du nom de Rolf.

Voyant arriver la pluie, Nyberg avait fait monter en toute hâte une bâche plastique au-dessus du lieu de la découverte des corps et de l'endroit où le baigneur s'était assis sur sa serviette à rayures. Au retour de Wallander, il y avait encore beaucoup de monde autour du périmètre de sécurité. Plusieurs journalistes tentèrent de lui soutirer un commentaire, mais il se contenta de poursuivre son chemin en secouant la tête. Hansson lui résuma la situation tandis que Martinsson et les policiers de Malmö interrogeaient de possibles témoins dans le camping. Jusqu'à présent, personne ne s'était souvenu d'une voiture garée sur le chemin d'accès à la plage. Nyberg avait fait développer et tirer l'unique photographie prise par Rolf Haag. Les jeunes mariés riaient face à l'objectif. Wallander contempla l'image. Il se souvint de quelque chose qu'avait dit Nyberg au cours de la journée.

– Qu'est-ce que tu as dit cet après-midi, quand tu as découvert qu'il avait pris une seule photo ?

– J'ai dit quelque chose ?

– Tu as fait un commentaire.

Nyberg réfléchit.

– Je crois avoir dit que ce dingue n'aimait pas les gens heureux.

– C'est-à-dire ?

– Bon, Svedberg n'était pas exactement le type débordant de joie de vivre. Mais les jeunes dans la réserve, on peut imaginer qu'ils avaient plaisir à faire la fête.

Wallander devina plus qu'il ne comprit la pensée de Nyberg. Il regarda de nouveau la photographie des jeunes mariés.

Puis il la lui rendit et fit signe à Ann-Britt de le suivre. Ils s'assirent dans l'une des voitures vides.

– Où est Thurnberg ? demanda-t-il.

– Il a disparu assez vite.

– Il a dit quelque chose ?

– Pas que je sache.

Il pleuvait fort à present. Les gouttes tambourinaient contre le toit de la voiture.

– À un moment donné, j'ai envisagé de passer la main. On a huit victimes maintenant. Et on ne s'est pas rapprochés d'un millimètre de la solution.

– En quoi cela arrangerait-il les choses que tu quittes ton poste ? Et pour le laisser à qui ?

– Je voulais peut-être juste y échapper.

– Mais tu as changé d'avis ?

– Oui.

Wallander s'apprêtait à l'interroger sur ce dont ils avaient parlé avant son départ pour Köpingebro lorsqu'on frappa discrètement à la vitre. C'était Martinsson, dégoulinant de pluie ; il s'assit sur le siège du passager.

– Je voulais juste te signaler qu'un homme a déposé plainte contre toi.

Wallander le dévisagea sans comprendre.

– Ah bon, mais pourquoi ?

– Coups et blessures.

Martinsson se gratta le front d'un air soucieux.

– Tu te souviens du type qui faisait son jogging dans la réserve ? Nils Hagroth ?

– Il n'avait rien à faire là.

– Eh bien, il a quand même porté plainte. Thurnberg l'a appris. Et il prend l'affaire très au sérieux.

Wallander resta muet.

– Je voulais juste te le dire, conclut Martinsson.

La pluie martelait le toit de la voiture. Martinsson ouvrit la portière et disparut.

Au loin, un projecteur illuminait le lieu où un couple de jeunes mariés avait été assassiné quelques heures plus tôt.

Il était vingt-deux heures trente.

26

La pluie s'arrêta peu après minuit.

Au large, du côté de Bornholm, on voyait encore des éclairs. Mais l'orage n'avait pas atteint la Scanie. Lorsque les dernières gouttes cessèrent, Wallander s'éloigna de la lumière des projecteurs et descendit vers l'obscurité du rivage. Il y avait encore du monde autour du périmètre de sécurité ; au-delà, la plage était déserte. Il se retourna et leva les yeux vers les projecteurs étincelants. Les corps avaient été emportés, mais Nyberg et ses hommes travaillaient encore.

Il était descendu sur la plage pour faire ce dont il avait plus que tout besoin : réfléchir. Tenter de se faire une idée de ce qui s'était produit au juste, et de la manière dont ils devaient poursuivre.

La pluie avait laissé un parfum de fraîcheur. L'odeur d'algues pourries avait disparu. Il sentit que la chaleur s'attardait, malgré l'averse. Le ressac était imperceptible. Wallander urina dans l'eau en imaginant les îlots de sucre blanc dressés comme des petits icebergs dans ses veines. Il avait la bouche sèche en permanence, éprouvait parfois des difficultés à fixer des objets du regard et soupçonnait que son taux de sucre ne cessait de grimper.

Pour l'instant cependant, il ne pouvait rien faire. Après – lorsqu'ils auraient arrêté le tueur –, il prendrait un congé maladie.

À moins qu'il ne meure d'ici là d'une crise cardiaque.

Il se rappela la nuit, cinq ans plus tôt, où il avait été réveillé par une terrible douleur à la poitrine, en croyant à une attaque. À l'hôpital, le médecin avait parlé d'un « avertissement » – que Wallander s'était méthodiquement appliqué à oublier.

Son regard s'attarda sur l'eau. Au loin, il lui sembla deviner le reflet des lumières d'un grand bateau.

Puis il s'obligea à redevenir policier.

Il se mit à longer le rivage, lentement, en réfléchissant à tout ce qui s'était produit. Il avançait avec précaution, de peur d'oublier quelque chose ou de s'écarter de son cap intérieur. Il échafauda et démolit plusieurs hypothèses, associa et dissocia des idées disparates. Il imagina qu'il se faufilait dans les pas du tueur ; essaya de sentir sa présence tout près de lui. Rydberg parlait toujours des empreintes invisibles que laissait un tueur.

Elles étaient souvent décisives.

Pour Wallander, il ne faisait aucun doute que l'homme surgi de la mer, le baigneur à la serviette de bain rayée, était le tueur qu'ils cherchaient. D'ailleurs, il n'y avait pas d'autres candidats. C'était lui qui s'était tenu caché dans la réserve, sans doute derrière le fameux arbre. Et aussi dans l'appartement de Svedberg. Cette fois-ci, il était sorti de la mer. Sur la plage, il avait déterré son arme. Une voiture l'attendait à proximité.

Wallander avait déjà évoqué tout cela avec ses collaborateurs, en soulignant l'importance de rappeler aux témoins que l'homme à la serviette rayée était déjà venu au moins une fois sur la plage auparavant, et probablement plusieurs fois. Il s'était assis au même endroit, il avait creusé dans le sable. Cela s'était peut-être passé la nuit, mais pas nécessairement. Il leur fallait un signalement. Était-il grand ? Petit ? Se déplaçait-il d'une manière particulière ? Le moindre détail était important.

Il est forcément quelque part, pensa Wallander. L'enquête extérieure recoupe l'enquête intérieure. Si on ne le trouve pas au coin d'une rue, on le débusquera au coin d'un raisonnement. Il finira bien par se montrer, dans ce tas de paperasses qui augmente de jour en jour.

Il est forcément quelque part.

Wallander essaya de suivre la logique la plus simple, la plus fondamentale. Ils savaient que c'était le même homme ; rien n'indiquait qu'il y ait plus d'un tueur impliqué. Ils savaient aussi qu'il était très bien informé sur la vie et les habitudes de ses victimes. Sur leurs secrets surtout. Wallander avait déjà demandé aux policiers de Malmö de fouiller le studio de Rolf Haag, le photographe. Comment les jeunes mariés l'avaient-ils contacté ? Comment avaient-ils choisi le lieu de la séance ? Il fallait trouver le point décisif qui débloquerait toute l'enquête. Comme si l'enquête était un mur dont ils cherchaient le point faible.

Le tueur était donc très bien informé. Mais comment avait-il accès à ses informations ? Et quel était son mobile ? Deuxièmement, les meurtres de la réserve et celui des jeunes mariés présentaient une ressemblance frappante : dans les deux cas, des gens déguisés. Y avait-il d'autres dénominateurs communs ? C'était la question la plus importante. De quelle manière pouvait-on relier Torbjörn Werner et Malin Skander avec, par exemple, Astrid Hillström ? Ils ne le savaient pas encore. Mais ils le découvriraient bientôt.

Wallander sentit qu'il était maintenant très près de découvrir la clé. Il la frôlait ; mais il ne pouvait la saisir. Pas encore. L'explication est peut-être simple, pensa-t-il. Si simple que je ne la trouve pas. Comme quand on cherche les lunettes qu'on a déjà sur le nez.

Il revint lentement sur ses pas. Les projecteurs brillaient au loin. Il décida de changer provisoirement de piste et de suivre Svedberg. Qui avait-il laissé entrer dans son appartement ? Qui était Louise ? Qui avait envoyé des cartes postales de différentes villes d'Europe ? *Que savais-tu, merde ? Pourquoi n'as-tu pas voulu m'en parler ? Moi qui, selon Ylva Brink, étais ton plus proche ami.*

Il s'immobilisa de nouveau. La question qu'il venait de poser prit soudain une importance énorme. Pourquoi Svedberg n'avait-il rien voulu lui dire ? Il n'y avait qu'une seule explication plausible : Svedberg espérait se tromper. Il soupçonnait une vérité terrifiante, et il avait peur de voir ses craintes avérées.

Il n'y avait pas d'autre possibilité.

Svedberg avait vu juste. Ses craintes étaient fondées ; il avait été tué pour cette raison.

Wallander avait rejoint le périmètre de sécurité, où les badauds contemplaient encore l'épilogue du sinistre spectacle auquel ils n'avaient pas assisté.

En arrivant aux dunes, il vit Nyberg qui prenait des notes dans son bloc.

– On a des empreintes de pas. De pieds, plus exactement, puisque le tueur n'avait pas de chaussures.

– Que vois-tu ?

Nyberg rangea son bloc dans une poche.

– Le photographe a été tué le premier, aucun doute là-dessus. La balle est entrée de biais, par la nuque. Cela signifie qu'il tournait le dos au tueur. Si le premier coup de feu avait été dirigé vers le couple, le photographe se serait retourné, et il aurait été abattu de face.

– Ensuite ?

– Difficile à dire. Je suppose que le marié a été tué juste après – un homme est potentiellement plus dangereux. Enfin la jeune femme.

– Autre chose ?

– Rien que nous ne sachions déjà. Celui qui a tiré maîtrise son arme à la perfection.

– Sa main ne tremble pas ?

– Pas du tout.

– Tu vois donc un tueur calme, qui sait ce qu'il veut ?

Nyberg le dévisagea d'un air morne.

– Je vois un malade complètement glacial.

Nyberg n'avait pas d'autres éléments décisifs à lui signaler dans l'immédiat. Wallander se dirigea vers l'une des voitures de police et demanda à être raccompagné à Ystad. Sa présence n'était plus utile sur la plage.

En arrivant au commissariat, il constata que les téléphones du central sonnaient sans interruption. L'un des policiers chargés de prendre les appels lui fit signe d'approcher. Wallander attendit pendant qu'il terminait sa conversation. Apparemment, un homme soupçonné de conduite en état d'ivresse avait été repéré à Svarte, et le policier s'engageait à envoyer une patrouille le plus vite possible. Wallander savait que cette voiture n'arriverait jamais à Svarte, du moins pas au cours des prochaines vingt-quatre heures.

– Il y a eu un appel de la police de Copenhague. De la part d'un certain Kjaer. Ou peut-être Kraemp.

– Que voulait-il ?

– Te parler. Je crois que c'est à propos de la photo qu'on leur a envoyée.

Wallander prit le papier portant le nom et le téléphone du policier danois. Sans prendre la peine d'enlever sa veste, il s'assit à son bureau et composa le numéro. Les Danois avaient appelé peu avant minuit ; Kjaer ou Kraemp était peut-être encore là.

Un policier de garde décrocha. Wallander se présenta et patienta.

– Kjaer, j'écoute.

Wallander fut décontenancé ; il ne s'attendait pas du tout à une voix de femme.

– Kurt Wallander, d'Ystad. Tu as cherché à me joindre.

– Bonsoir. Il s'agit de la photographie d'une femme qui s'appellerait Louise. Deux personnes se sont manifestées en disant la reconnaître.

Le poing de Wallander s'abattit sur la table.

– Enfin !

– J'ai moi-même parlé à l'un d'entre eux. Il paraît très fiable. Il s'appelle Anton Bakke et il est responsable de la communication d'une entreprise qui fabrique des meubles de bureau.

– Il la connaît ?

– Non. Mais il affirme l'avoir déjà vue, ici à Copenhague. Dans un bar près de la gare centrale. Il l'a vue plusieurs fois, dit-il.

– Il faut absolument qu'on parle à cette femme.

– Elle est soupçonnée de quelque chose ?

– Elle figure dans le cadre d'une enquête pour meurtre. C'est pour ça qu'on vous a transmis sa photo.

– J'ai entendu parler de l'histoire. Les jeunes qui faisaient la fête dans un parc. Et un policier.

Wallander l'informa des événements de la journée.

– Alors tu penses que cette femme est impliquée ?

– Pas nécessairement. Mais j'ai des questions à lui poser.

– Par périodes, Bakke fréquentait ce bar plusieurs fois par semaine. Il la voyait à peu près une fois sur deux, a-t-il dit.

– Elle était seule ?

– Il n'en est pas sûr, mais il lui semble qu'elle était accompagnée.

– Lui as-tu demandé quand il l'a vue pour la dernière fois ?

– Oui, la dernière fois qu'il y est allé lui-même. À la mi-juin.

– Tu as dit qu'une deuxième personne s'était manifestée ?

– Un chauffeur de taxi qui affirme l'avoir transportée, ici à Copenhague, il y a quelques semaines.

– Un chauffeur de taxi confond souvent ses clients…

– Il s'est souvenu d'elle parce qu'elle parlait suédois.

– Était-il passé la chercher à une adresse ?

– Non, elle l'avait arrêté dans la rue, en pleine nuit. Au petit matin plutôt, vers quatre heures et demie. Elle devait prendre le premier ferry pour Malmö.

Wallander essayait de parvenir à une décision. Cette femme, Louise, restait très importante. Mais à quel point ? Après un instant de réflexion, il décida qu'il fallait la retrouver le plus vite possible. Ça ne pouvait pas attendre.

– Nous ne pouvons pas vous demander de l'arrêter, dit-il. Mais il faut que vous l'ameniez au commissariat et que vous la reteniez jusqu'à ce que quelqu'un d'entre nous puisse venir. Nous avons besoin de lui parler. C'est tout pour l'instant. On verra bien où ça nous mène.

– Ça ne devrait pas poser de problème, mais il faudra trouver une bonne raison…

– Prévenez-moi dès qu'elle se montre de nouveau dans ce bar. Comment s'appelle-t-il, au fait ?

– L'Amigo.

– Quelle réputation ?

– Bonne, à ma connaissance. Même s'il se trouve dans Istedgade, derrière la gare.

– Merci pour ton aide.

– On te rappelle dès qu'elle se manifeste. On peut aussi prévenir le personnel du bar. Quelqu'un sait peut-être où elle habite ?

– Non, le risque est trop grand qu'elle disparaisse.

– Tu as dit qu'elle n'était pas soupçonnée de quoi que ce soit ?

– C'est vrai. Mais je peux me tromper.

Kjaer comprit. Wallander nota son nom complet – elle se prénommait Lone – et plusieurs numéros de téléphone.

Il raccrocha. Il était une heure et demie. Il se leva lourdement et se rendit aux toilettes. Puis il but de l'eau à la cafétéria.

Quelques sandwiches desséchés traînaient sur une assiette. Il en prit un et entendit au même instant dans le couloir la voix de Martinsson qui parlait à l'un des policiers de Malmö. Ils entrèrent dans la cafétéria où Wallander, debout, finissait son sandwich.

– Du nouveau ?

– Personne n'a vu qui que ce soit, à part l'homme qui est sorti de la mer.

– Avons-nous un signalement ?
– On s'apprêtait à recouper nos informations.
– Où sont les autres ?
– Hansson est encore sur la plage. Ann-Britt Höglund a été obligée de rentrer chez elle, sa fille avait des vomissements.
– La police danoise a téléphoné. Ils ont repéré Louise.
– C'est sûr ?
– Apparemment.
Wallander se servit un café. Martinsson attendait la suite.
– Ils l'ont arrêtée ?
– Il n'y a pas de motif suffisant. Mais elle a été vue par un chauffeur de taxi et dans un bar. La diffusion de sa photo dans la presse a donné des résultats.
– Elle s'appelle vraiment Louise ?
– Ça, on n'en sait rien.
Wallander bâilla. Martinsson bâilla. L'un des policiers de Malmö se frotta les yeux.
– Il faut faire le point, dit Wallander.
– Donne-nous un quart d'heure pour recouper toutes les infos. En plus, je crois que Hansson va arriver. On peut téléphoner à Ann-Britt chez elle, au besoin.
Wallander emporta la tasse de café dans son bureau. Il n'avait toujours pas enlevé sa veste. En s'asseyant, il renversa du café sur sa manche. Il posa la tasse avec brusquerie, arracha sa veste et la jeta dans un coin. En réalité, pensa-t-il, il s'en prenait au tueur.
Il attira à lui un bloc de papier où les fragments d'annotations alternaient à chaque page avec des pendus. Il trouva une feuille vierge et nota trois questions :
Comment se procure-t-il ses informations ?
Quel est son mobile ?
Pourquoi Svedberg ?
Il recula dans son fauteuil et considéra ce qu'il venait d'écrire. Il n'était pas satisfait. Il se pencha de nouveau et ajouta quatre lignes :
Pourquoi le télescope de Svedberg était-il chez son cousin ?
Pourquoi s'en prend-il à des gens déguisés ?
Pourquoi Isa Edengren ?
Le point décisif. Lequel ?
Ça devenait plus clair. Mais il manquait encore quelque chose.

Les Morts de la Saint-Jean. La Muraille invisible. L'Homme inquiet

Louise se rend souvent à Copenhague. Elle parle suédois.
Une secte ?
Bror Sundelius.
Qu'a dit Lennart Westin dans la cabine de pilotage ?

Voilà, il avait résumé la situation. Un homme sort de l'eau. Un homme dont la main ne tremble pas. Un excellent tireur.

Wallander alla jusqu'au mur et considéra la carte de Scanie. D'abord Hagestad. Maintenant Nybrostrand. Entre les deux : Ystad. Une zone très limitée, qui ne donnait aucun indice en soi. Wallander prit son bloc-notes et se rendit à la salle de réunion. Visages épuisés. Vêtements froissés, corps lourds. Et le tueur dort peut-être, pensa-t-il. Pendant que nous tâtonnons sur ses traces.

Ils firent le point. Aucune voiture n'avait été observée. Aucun autre tueur potentiel n'était apparu, ce qui était très important en soi. Personne n'avait pu se tenir caché à l'endroit où les photos devaient être prises, ni arriver de l'endroit où se trouvait vraisemblablement la voiture. Deux témoins, des gens du camping, avaient vu les jeunes mariés et le photographe arriver seuls sur les lieux. À ce moment-là, il n'y avait personne, l'endroit était désert.

La question du signalement se révéla plus complexe. Ils avaient tenté de recouper toutes les indications fournies par les témoins. Mais l'image d'ensemble restait floue. L'homme qu'ils recherchaient leur échappait toujours. Martinsson appela plusieurs fois Ann-Britt Höglund à son domicile pour discuter des informations qu'elle avait obtenues de son côté.

À la fin, ils durent se rendre à l'évidence : ils n'avançaient plus. Wallander parcourut ses notes.

– En résumé, on dispose d'un signalement très contradictoire. A-t-il les cheveux courts ou bien est-il chauve ? On a plusieurs avis sur cette question. À supposer qu'il ait des cheveux, on ne connaît pas leur couleur. Quant au visage, tout le monde semble d'accord pour dire qu'il n'est pas rond, mais plutôt allongé. « Chevalin » est un adjectif qui revient deux fois. De plus, tout le monde affirme qu'il n'était pas bronzé. Il est de taille normale ; là-dessus nous avons aussi une belle unanimité. Mais ça ne veut rien dire, sauf que ce n'est ni un nain, ni un géant. Il ne semble pas être gros. Il ne se déplace pas d'une manière caractéristique. Évidemment, personne n'a vu la couleur de ses yeux. Un homme qui promenait son chien est passé à cinq mètres de lui environ. Personne ne l'a vu de plus près. Quant à son âge, il règne une totale confusion. Les suppositions vont de vingt à soixante ans. Une petite majorité lui donne entre trente-cinq et quarante-cinq ans. Mais ça reste une hypothèse.

Wallander repoussa le bloc de papier.

– Autrement dit, nous n'avons aucun signalement. Nous savons que c'est un homme sans caractéristique particulière, qui n'est pas bronzé. Tout le reste est contradictoire.

Le silence pesait sur la table comme une chape. Wallander comprit qu'il devait immédiatement modifier cette atmosphère.

– Pourtant, c'est remarquable qu'on ait pu réunir toutes ces informations en si peu de temps. En continuant à travailler demain, on pourra établir beaucoup de choses. De plus, nous pouvons affirmer avec certitude que c'est lui que nous cherchons et ça, c'est capital. C'est même une percée décisive.

Ça, c'était le premier point. Ensuite, il leur résuma sa conversation avec Lone Kjaer à Copenhague. La femme du portrait n'était pas encore identifiée, mais on l'avait localisée ! Voilà pour le deuxième point.

Il était trois heures moins vingt. Ils se séparèrent rapidement. Seul Martinsson s'attarda. Le manque de sommeil rendait son visage tout gris.

– Interpol et le FBI ont commencé à nous envoyer de la documentation sur les *Divine Movers*. Il s'agirait d'un groupe schismatique issu d'une autre secte qui porte un nom bizarre, « les Filles de Jésus », qui à son tour a des racines dans le mouvement rasta, dans la mythologie grecque et d'autres choses encore. Le fondateur était un prêtre catholique d'Uruguay qui a été démis de ses fonctions parce qu'il était devenu fou. À l'asile, il a eu des visions et des révélations. Au bout de quelque temps, on l'a relâché, ne me demande pas pourquoi, et il a fondé ce mouvement.

– Ce qui nous intéresse, l'interrompit Wallander, c'est la violence. Des membres de cette secte ont-ils été agressés auparavant ?

– Pas d'après les informations que j'ai là, mais je dois en recevoir davantage, à la fois de Washington et de Bruxelles. J'avais l'intention de m'y remettre après la réunion.

– Non, tu dois rentrer chez toi et dormir.

– Je croyais que c'était important ?

– Oui. Mais on n'a pas le temps de tout faire. Maintenant nous devons nous concentrer sur Nybrostrand. Notre dément n'avait pas beaucoup d'avance, cette fois-ci.

– Tu as changé d'avis ?

– Pourquoi ?

– Tu parles d'un dément.

– Un tueur est forcément dément. Mais il peut aussi être calculateur et lâche. Il peut être exactement comme toi et moi.

Martinsson hocha la tête sans parvenir à étouffer un bâillement.

– Je rentre, dit-il. Pourquoi suis-je devenu flic ?

Wallander ne répondit pas. Il alla chercher un autre café alors qu'il avait déjà mal au ventre, ramassa sa veste et resta un instant debout, indécis. Il était trop épuisé pour réfléchir. Mais sans doute aussi trop épuisé pour dormir.

Il se rassit dans son fauteuil. À côté du téléphone, il découvrit soudain un message précisant qu'il devait rappeler Linda. Le restaurant où elle travaillait était peut-être encore ouvert ? Il renonça à tenter sa chance. Il n'en avait pas la force.

Sous quelques documents, il aperçut la photocopie du portrait de Louise. Il la regarda. Le sentiment que quelque chose clochait lui revint. Distraitement, il rangea la photo dans la poche de sa veste et posa les pieds sur son bureau.

Il ferma les yeux pour les reposer de la lumière et s'endormit presque aussitôt.

Il se réveilla en sursaut. À un moment donné, dans son sommeil, il avait retiré ses pieds de la table ; une crampe au mollet l'avait réveillé. Il était quatre heures moins dix. Il avait dormi près d'une heure. Tout son corps lui faisait mal. Il resta longtemps immobile, sans une seule pensée. Puis il alla aux toilettes et se rinça le visage. Auparavant, il avait fouillé ses tiroirs en vain à la recherche d'une brosse à dents.

Il était toujours en proie à la même lourde indécision. Il devait dormir, ne serait-ce que quelques heures. Il avait besoin de prendre un bain et de se changer. Il quitta le commissariat.

La brise était tiède. Il traversa à pied la ville déserte. En arrivant à Mariagatan, il décida de reporter le sommeil à plus tard. Il était quatre heures du matin. Il pourrait bientôt aller sonner à la porte de Bror Sundelius. L'ancien banquier avait été très clair sur ses habitudes matinales : toujours debout, rasé et habillé dès cinq heures. Wallander n'avait pas lâché la piste du lien avéré entre Svedberg, Sundelius et une plainte déposée onze ans plus tôt ; peut-être cela les rapprocherait-il du secret de Svedberg ?

Cette décision en suscita une autre. Il prit sa voiture et quitta la ville en direction de Nybrostrand. Les badauds devaient être partis à cette heure. Seuls les policiers de garde seraient encore là. Wallander savait qu'il découvrait souvent de nouveaux détails en retournant, seul, sur le lieu d'un crime.

Le trajet ne lui prit que quelques minutes. Comme prévu, tout était calme autour du périmètre de sécurité. Une voiture de police stationnait sur la plage. Quelqu'un dormait derrière le volant. Dehors, un policier fumait une cigarette. En s'approchant pour le saluer, Wallander découvrit que c'était le même qui avait monté la garde à l'entrée de la réserve quelques jours plus tôt. Certains détails revenaient sans cesse dans cette enquête.

– Tout est calme ?

– Les derniers curieux sont partis il y a un moment. Je ne sais pas ce qu'ils attendent.

– Rien, à mon avis. Juste la sensation d'être tout près de l'horreur en sachant qu'on n'est pas concerné.

Il enjamba le périmètre. Un projecteur solitaire éclairait l'herbe piétinée. Wallander se plaça à l'endroit supposé où s'était tenu le photographe. Puis il se retourna lentement et descendit jusqu'au trou creusé dans le sable – délimité lui aussi et recouvert d'une bâche. Celui qui s'assied là sur sa serviette rayée sait tout, pensa Wallander. Il n'est pas seulement bien informé ; il sait en détail ce qui va se produire ; comme s'il avait lui-même participé à l'élaboration du projet.

Était-ce possible ? En supposant que Rolf Haag ait eu un assistant qui connaissait en détail le projet de la séance photos, comment cet assistant aurait-il pu être au courant de la fête dans la réserve ? Comment pouvait-il connaître l'île de Bärnsö ? Et à quoi ressemblait sa relation avec Svedberg ?

Wallander écarta provisoirement cette idée, sans l'oublier pour autant. Il remonta vers les dunes en essayant de se représenter un type de victimes – des jeunes gens déguisés – où Svedberg constituait l'exception. Mais cette exception pouvait s'expliquer : Svedberg n'était pas réellement une victime, il ne faisait pas partie du projet du tueur. Simplement, il s'était mis en travers de son chemin ; il avait franchi une limite invisible.

Wallander songea soudain que c'était peut-être aussi le cas du photographe. Il ne faisait pas partie des victimes programmées ; il représentait simplement un obstacle aux yeux du tueur. Restaient six jeunes gens déguisés. Six personnes heureuses en train de faire la fête. Il pensa à ce qu'avait dit Nyberg. *On dirait que ce malade n'aime pas les gens heureux.* Jusque-là, ça collait. Une surface cohérente. Mais cela ne suffisait pas. Il remonta jusqu'au chemin où le tueur avait dû laisser sa voiture. Là encore, c'était bien vu. Aucune maison à proximité. Pas de témoin.

Il revint par le même chemin. Le policier fumait toujours.

– Je pensais à ce qu'on disait tout à l'heure. (Il écrasa son mégot dans le sable.) Tous ces curieux : je suppose qu'on en ferait partie si on n'était pas policiers.

– Sûrement, dit Wallander.

– On voit beaucoup de types bizarres. Certains font même semblant de ne pas être intéressés, mais ça ne les empêche pas de rester là pendant des heures. Une des dernières à partir ce soir était une femme ; elle était déjà là quand j'ai pris la relève.

Wallander l'écoutait distraitement. Quitte à attendre jusqu'à cinq heures, pourquoi pas ici ?

– Au début, j'ai cru que c'était quelqu'un que je connaissais, continua le policier. Que j'avais déjà vu. Mais en fait non.

Ces paroles imprégnèrent lentement la conscience de Wallander.

– Qu'est-ce que tu viens de dire ?

– J'ai cru reconnaître la femme qui me regardait de l'autre côté du périmètre. Mais je me trompais.

– Tu croyais l'avoir déjà vue, c'est ce que tu as dit ?

– J'ai cru que c'était quelqu'un de ma famille.

– Ce n'est pas la même chose, reconnaître quelqu'un et simplement croire qu'on l'a déjà vu ?

– Elle avait un air familier. Ça, c'est sûr.

Wallander pensa que c'était de la folie. Il tira cependant de sa poche le portrait de Louise.

– Regarde cette photo.

Le policier avait une lampe de poche. Il éclaira la copie et la regarda. Puis il leva les yeux vers Wallander.

– Comment pouvais-tu savoir que c'était elle ?

Wallander retint son souffle.

– Tu en es certain ?

– Oui, bien sûr. J'étais persuadé de l'avoir déjà vue.

Wallander jura en silence. Un policier plus expérimenté l'aurait peut-être identifiée et se serait arrangé pour la retenir. En même temps, il savait qu'il était injuste. Il y avait beaucoup de monde autour du périmètre ; ce jeune homme l'avait malgré tout reconnue et s'était souvenu de son visage.

– Où était-elle ?

Le policier éclaira un endroit, du côté du rivage.

– Combien de temps est-elle restée ?

– Plusieurs heures.

– Est-ce qu'elle était seule ?

Le policier réfléchit.

– Oui.

Il paraissait sûr de sa réponse.

– Et elle a été la dernière à partir ?

– L'une des dernières, en tout cas.

– Dans quelle direction ?

– Vers le camping.

– T'a-t-il semblé qu'elle se dirigeait vers une tente ou une caravane ?

– Je n'ai pas vu exactement où elle allait. Mais elle ne ressemblait pas aux gens qui vont dans les campings.

– À quoi ressemblent les gens qui vont dans les campings ? Plutôt, à quoi ressemblait-elle ?

– Elle était habillée en bleu. Je crois que ça s'appelle un tailleur-pantalon. Les gens des campings sont plutôt en survêtement.

– Si elle revient, préviens-moi. Transmets l'information au collègue qui te relèvera tout à l'heure. As-tu une photo d'elle dans la voiture ?

– Je peux le réveiller et lui poser la question.

– Ce n'est pas nécessaire.

Wallander lui donna la photo qu'il tenait à la main. Puis il s'en alla. Il était près de cinq heures. Sa fatigue avait diminué.

Le sentiment de toucher au but était maintenant très fort.

La femme prénommée Louise n'était pas la personne qu'ils cherchaient.

Mais elle connaissait l'identité du tueur.

27

Wallander laissa sa voiture dans l'une des rues perpendiculaires à Vädergränd. Il était cinq heures et quart.

Calme du dimanche matin. Encore une belle et chaude journée d'août en perspective. Il tourna au coin de la rue. Le portail de l'immeuble était ouvert. Il monta l'escalier et sonna à la porte de Sundelius en espérant que celui-ci ne changeait pas ses habitudes le dimanche. La porte s'ouvrit et Sundelius apparut, l'air surpris, en costume sombre, le nœud de cravate impeccable.

– Une heure inattendue pour une visite inattendue, dit-il en s'effaçant pour laisser entrer Wallander.

– Désolé de passer comme ça sans prévenir un dimanche. Je peux revenir à un autre moment, si vous préférez.

– Je vous l'ai déjà dit, j'ai toujours du café prêt au cas où je recevrais de la visite. Le dimanche matin ne fait pas exception.

Sundelius lui tendit un cintre. Wallander y suspendit sa veste mais garda son portable. Sundelius le remarqua.

– Risque-t-il de sonner de nouveau ?

– À cette heure, c'est peu probable.

Ils étaient entrés dans le séjour. Wallander s'assit au même endroit que la fois précédente. Sundelius disparut à la cuisine et revint quelques minutes plus tard avec le café.

– Au fait, votre visite m'étonne. En pensant à ce qui s'est passé hier à Nybrostrand…

Wallander jeta un regard à la table basse. Pas de journaux en vue. Sundelius comprit sa pensée.

– Je commence ma journée par un coup de fil au service Actualités. Trois personnes ont été retrouvées mortes à Nybrostrand. On peut supposer qu'il s'agit du même meurtrier que pour les trois jeunes de Hagestad. La police soupçonne-t-elle que cet individu devient fou devant le chiffre trois ?

Wallander pensa à Isa Edengren et à Svedberg.

– Pas nécessairement.

– Mais pour le reste, vous confirmez l'information ?

– Oui.

Sundelius recula dans son fauteuil et croisa les jambes.

– La police me rend visite à cinq heures et dix-sept minutes un dimanche matin. Je n'ai pas encore été arrêté. Je suis donc très curieux de savoir ce que vous me voulez.

Wallander pensa que Sundelius était un homme habitué à commander et à toujours exprimer son opinion. Était-il aussi quelqu'un d'arrogant ? Difficile à dire.

– Aurions-nous une raison de vous arrêter ?

– Bien sûr que non. C'était une plaisanterie.

Wallander alla droit au but :

– Il y a quelques années, un certain Nils Stridh est mort ici, à Ystad. On l'appelait Nisse. Le connaissiez-vous ?

Une expression de surprise passa sur le visage de Sundelius. C'était imperceptible, mais Wallander la perçut, parce qu'il guettait une réaction de ce genre.

– Je ne sais pas, j'ai rencontré tant de gens dans ma vie. Il faut m'en dire davantage.

– Nils Stridh était alcoolique. Il n'avait pas de métier à proprement parler. Il avait un frère prénommé Stig. Et il vivait avec une femme du nom de Rut Lundin.

Sundelius avait retrouvé son sang-froid ; il répondit avec beaucoup d'autorité :

– Je me souviens vaguement qu'un homme du nom de Nils Stridh est passé un jour à la banque pour solliciter un emprunt, qui lui a d'ailleurs été refusé. Il a exigé de me parler personnellement. Je lui ai expliqué pourquoi on ne pouvait lui accorder ce prêt. Je ne l'ai plus jamais revu, à supposer que ce soit le même homme.

– Quand était-ce ?

Sundelius parut réfléchir, mais Wallander n'était pas certain que ce soit nécessaire.

– Au début des années 80, je dirais. Je ne peux pas répondre avec plus de précision.

– C'est le seul contact que vous ayez jamais eu avec Nils Stridh ?

– Oui. Si c'est bien l'homme dont nous parlons.

– Admettons que oui. Le nom Stridh n'est pas très répandu. Vous ne l'avez jamais revu ? Il n'est jamais revenu à la banque ?

– Il n'a jamais sollicité de nouvel entretien avec moi. Je ne sais pas s'il est revenu à la banque.

– Voyons les choses sous un autre angle. J'ai une information qui contredit vos paroles. Qui affirme au contraire que vous vous connaissiez extrêmement bien. Même si vous n'étiez pas spécialement… assortis, disons.

Sundelius resta en apparence maître de lui. Mais Wallander devina que c'était une façade.

– Qui affirme cela ?

– Rut Lundin. Généralement considérée comme la veuve de Nils Stridh, bien que n'étant pas mariée avec lui.

– Elle affirme que j'aurais fréquenté son mari ? Un chômeur alcoolique ?

– Fréquenter n'est peut-être pas le mot juste. Mais elle dit que vous avez eu des relations étroites.

– C'est une insinuation dénuée de fondement. J'ai rencontré Nils Stridh une seule fois. Je me rappelle maintenant qu'il était insistant et désagréable. Il avait vraisemblablement bu. J'ai été contraint de refuser sa demande après lui avoir explicité les règles en vigueur à la banque.

– Vous ne l'avez jamais revu après cela ?

– J'ai déjà répondu à cette question. Maintenant, je voudrais savoir pourquoi vous venez chez moi à cinq heures du matin pour évoquer des faits soit insignifiants, soit complètement erronés. Je croyais que nous allions parler de Karl Evert.

– C'est ce que nous faisons. Nils Stridh était, comme vous le disiez vous-même, quelqu'un d'assez difficile. Un jour, il s'en est pris à son propre frère, et il a saccagé son salon. Une question d'argent, là encore. Stig Stridh a porté plainte. C'est là qu'intervient Svedberg : il était chargé de l'affaire, mais il a décidé de ne pas engager d'enquête. Stig Stridh a porté plainte, le médiateur a lavé Svedberg de tout soupçon de faute professionnelle. Maintenant, plus de dix ans après, je creuse à nouveau dans cette affaire. Je parle à Stig Stridh, puis à Rut Lundin. Elle cite votre nom parmi les plus proches amis de Nils Stridh.

– C'est absurde.

– Pourquoi mentirait-elle, alors que rien n'est plus facile à vérifier ?

– C'est à elle qu'il faut poser la question.

– Svedberg vous a-t-il déjà parlé de cet incident ?

– Jamais.

La réponse avait jailli si vite que l'attention de Wallander s'aiguisa encore. Sundelius était sur ses gardes maintenant. Voire dans ses retranchements. Il fallait avancer avec précaution.

– N'y a-t-il aucun risque que vous vous trompiez ? Après tout, ce sont des événements assez anciens.

– Svedberg ne m'a jamais dit que quelqu'un aurait porté plainte contre lui.

– Parlait-il de son travail, de façon générale ?

– Parfois. Mais il faisait très attention à ne jamais rompre le secret professionnel.

– Lui est-il arrivé de parler de moi ?

– Pourquoi cette question ?

– La curiosité peut-être.

– Il lui arrivait de citer votre nom. Toujours de façon élogieuse.

Wallander finit son café et refusa d'en reprendre.

– Vous niez donc absolument avoir rencontré Nils Stridh en dehors de cette unique occasion à la banque ?

– Oui.

Il comprit qu'il n'arriverait à rien. Sundelius était sur la défensive. Wallander était convaincu qu'il ne disait pas la vérité, et il comptait bien découvrir pourquoi.

– J'avais promis de vous prévenir, pour l'enterrement. Ce sera après-demain, mardi, à quatorze heures.

– J'ai vu l'annonce dans les journaux.

Cela avait échappé à Wallander. Il voulut se lever. Mais il restait une question.

– Svedberg avait-il des ennemis ?

– Pas à ma connaissance.

– Vous a-t-il jamais semblé qu'il était inquiet ? Ou qu'il avait peur ?

– Non. C'était quelqu'un de très équilibré. C'était d'ailleurs une condition pour que nous puissions nous fréquenter.

Wallander hésita un instant. Puis il se décida :

– La femme avec laquelle Svedberg avait une liaison a été localisée.

De nouveau, l'ombre inquiète passa sur le visage de Sundelius. Comme prévu.

– A-t-elle un nom ?

– Nous pensons qu'elle s'appelle Louise.

– Et à part ça ?

– On n'en sait rien.

Wallander se leva, les jambes lourdes de fatigue. Sundelius le raccompagna jusqu'à la porte. À la dernière minute, il s'aperçut qu'il avait encore une question.

– Adamsson ? Ce nom vous dit-il quelque chose ?

– Je ne connais qu'un seul Adamsson. Il habite à Svarte et il est naturopathe. Sven-Erik Adamsson.

– Svedberg le connaissait-il aussi ?

– Nous lui rendions visite ensemble.

– Pourquoi ?

– Parce qu'on était tous les deux adeptes de la médecine naturelle.

Tellement simple, pensa Wallander. Impossible à remettre en cause. Et pourtant… Il n'avait aperçu aucun remède de ce type dans l'armoire à pharmacie de Svedberg.

Une fois dans la rue, il eut la nette impression que Sundelius le regardait derrière sa fenêtre. Mais il ne leva pas la tête. Le sentiment que Sundelius lui cachait quelque chose était très fort. Il remonta en voiture et se remémora l'entretien, étape par étape. Mais ses pensées se bousculaient. Il n'avait pas l'énergie de réfléchir. Il rentra à Mariagatan et s'allongea sur son lit.

Le téléphone le tira du sommeil. Il se dirigea vers la cuisine en titubant.

C'était Lennart Westin qui l'appelait de son île.

– Je te réveille ?

– Pas du tout. Je prenais ma douche. Je peux te rappeler dans quelques minutes ?

– Pas de problème. Je suis chez moi.

Il y avait un crayon sur la table. Mais pas de papier. Pas même un journal. Il nota le numéro directement sur la table.

Puis il resta un instant sans bouger, la tête entre les mains. Mal au crâne. Fatigue encore pire qu'au moment de se coucher. Il se rinça le visage à l'eau froide, trouva un tube d'aspirine et fit chauffer de l'eau. Il n'y avait presque plus de café dans la boîte. Lorsqu'il rappela Lennart Westin, il s'était écoulé près d'un quart d'heure. L'horloge murale indiquait huit heures neuf minutes. Ce fut Westin lui-même qui répondit.

– En fait, je crois bien que je t'ai réveillé. Mais tu m'avais dit de te téléphoner si je repensais à un détail important.

– On travaille pratiquement vingt-quatre heures sur vingt-quatre, on ne dort pas assez, mais tu as bien fait de m'appeler.

– Deux choses. La première, c'est le jour où j'ai conduit le policier sur l'île – celui qui a été assassiné après. Ce matin au réveil, je me suis souvenu de quelques mots qu'il avait dits.

Wallander s'excusa et alla chercher un bloc-notes dans le séjour.

– Il m'a demandé si j'avais eu une passagère pour Bärnsö récemment.

– C'était le cas ?

– Oui.

– Qui est-ce ?

– Elle s'appelle Linnea Vederfeldt et elle habite à Gusum.

– Qu'allait-elle faire à Bärnsö ?

– La mère d'Isa avait commandé de nouveaux rideaux pour la maison. Vederfeldt et elle étaient apparemment des amies d'enfance. Elle voulait prendre des mesures sur place. Je devais la récupérer au retour, après ma tournée.

– Tu as raconté ça à Svedberg ?

– En fait, je trouvais que ça ne le regardait pas. J'ai dû répondre de manière un peu évasive.

– Comment a-t-il réagi ?

– Il a insisté. Pour finir, j'ai dit que c'était une amie de la mère. Du coup, ça n'a plus eu l'air de l'intéresser.

– T'a-t-il posé d'autres questions ?

– Je ne crois pas. Mais ça l'a secoué d'apprendre que j'avais eu une passagère pour l'île. Ça, je m'en souviens très nettement. Je ne comprends pas comment j'ai pu l'oublier.

– Secoué de quelle manière ?

– Je ne suis pas très doué pour décrire ce genre d'épisode. Comme s'il avait peur, peut-être.

Wallander acquiesça en silence. Svedberg avait cru que c'était Louise. Et ça lui avait fait peur.

– Quelle était la deuxième chose ?

– J'ai dû bien dormir cette nuit, car ce matin je me suis aussi souvenu de notre conversation dans la cabine. Avant d'accoster au premier ponton, j'ai dit que quand on fait ce genre de travail, on finit par tout savoir sur les gens. Qu'on le veuille ou non. Tu t'en souviens ?

– Oui.

– Tu vois, ce n'était pas plus important que ça.

– C'est bien assez important. Je te remercie de m'avoir appelé.

– Tu devrais revenir ici à l'automne, dit Westin. Quand tout est tranquille.

– Dois-je prendre ça comme une invitation ?

– Tu le prends comme tu veux, dit Westin en riant. Mais je suis plutôt du genre à tenir mes promesses.

La conversation était terminée. Wallander prit sa tasse de café et alla dans le séjour.

Il s'en souvenait maintenant. La conversation dans la cabine de pilotage, les différents aspects du métier de facteur dans l'archipel.

Soudain, il comprit ce qu'il cherchait ; son intuition ne l'avait pas trompé.

Ils étaient à la recherche d'un tueur qui préméditait soigneusement ses atrocités. Cette préméditation supposait entre autres la possibilité de se procurer les informations nécessaires en toute discrétion.

Par exemple : en ayant accès au courrier des autres.

Wallander était parfaitement immobile, sa tasse de café à la main.

Cela pouvait-il être aussi simple ? Aussi simple et aussi terrifiant que cela ? Qui avait accès à toutes ces informations ? Lennart Westin avait fourni un élément de réponse : un facteur de campagne. Sur terre ou sur mer, peu importe.

Un facteur. Qui ouvrait les lettres et les lisait. Qui refermait ensuite les enveloppes et acheminait le courrier comme si de rien n'était.

Pourtant Wallander n'était pas convaincu. Les choses ne se passaient pas ainsi dans le monde. L'hypothèse était à la fois trop simple et trop fantastique.

En même temps, impossible de ne pas voir que cela répondait à l'énorme question avec laquelle ils se débattaient depuis le début de cette enquête : *comment le tueur se procurait-il ses informations ?*

Il y avait aussi les cartes postales expédiées de différentes villes d'Europe. Les signatures imitées.

La fatigue s'était envolée. Les pensées affluaient toutes seules. L'enchaînement des faits, depuis le début. Il venait de trouver une explication possible. Un modèle possible, plutôt. Mais celui-ci risquait de s'effondrer tout de suite, car il présentait beaucoup de points faibles. Par exemple, le fait que les victimes ne vivaient pas dans la même zone de distribution postale. D'autre part, était-il possible d'ouvrir des enveloppes sans laisser de traces ? Peut-être fallait-il chercher un préposé au tri des lettres dans un terminal quelconque, et pas un préposé à la tournée des maisons avec un sac rempli de courrier ?

Il s'assit dans le canapé avec son café. Il pouvait avoir à la fois tort et raison, il le savait. C'était sans doute une fausse piste. Mais il ne put s'empêcher de penser que l'hypothèse en elle-même était d'une grande importance.

Une solution au problème de l'information.

La question était décisive : comment avoir accès en secret aux secrets des autres ?

Il finit son café, prit une douche et s'habilla. Il était neuf heures et quart lorsqu'il franchit les portes du commissariat. Il ressentait un besoin immédiat de communiquer ses réflexions à quelqu'un. Il trouva celle qu'il cherchait dans son bureau.

– Comment vont les enfants ?

– Ils tombent toujours malades au pire moment. C'est la première loi de Höglund, si tu veux.

Il s'assit dans le fauteuil des visiteurs. Ann-Britt le dévisageait de l'autre côté du bureau.

– J'espère que je n'ai pas la même tête que toi, dit-elle enfin. Sauf ton respect. Tu as dormi un peu cette nuit ?

– Quelques heures.

– Mon mari part à Dubaï dans quatre jours. Tu crois qu'on sera sortis de ce cauchemar d'ici là ?

– Non.

Elle écarta les mains.

– Alors je ne sais pas comment je vais faire.

– Tu travailles autant que tu peux. C'est aussi simple que cela.

– Non. Ce n'est pas du tout aussi simple que cela. Mais un homme ne comprend pas.

Wallander ne voulait pas se laisser entraîner dans une discussion sur les problèmes de garde d'enfants pendant les heures de travail. Il commença donc par l'informer des événements de la nuit : le policier qui avait reconnu « Louise » à l'extérieur du périmètre et sa propre conversation avec Lone Kjaer.

– Louise existe donc. Je commençais à croire que c'était un fantôme.

– Un fantôme qui a peut-être partie liée avec la secte des *Divine Movers*. Je ne sais pas si elle s'appelle vraiment Louise. Mais elle existe ; ça, j'en suis convaincu. Et elle s'intéresse à cette enquête.

– Est-ce que c'est elle ?

– Nous ne pouvons pas l'exclure. Mais si ça se trouve, elle joue le même rôle que Svedberg.

– Elle serait sur la trace de quelqu'un ?

– À peu près. Nous devrions dire et répéter à ceux qui travaillent sur le lieu du crime et aux responsables du périmètre de garder les yeux ouverts. Non, écarquillés. Au cas où elle se montrerait de nouveau.

Il lui raconta ensuite sa conversation avec Westin et les pensées que celle-ci avait fait naître chez lui. Elle l'écoutait attentivement. Avec un scepticisme de plus en plus marqué, constata-t-il.

– Ça vaut le coup de vérifier bien sûr, dit-elle lorsqu'il eut fini. Mais j'ai peur que ça ne tienne pas la route. Les gens échangent-ils encore une correspondance privée, de nos jours ? Par lettres, je veux dire ?

– J'y pensais comme à un élément de solution, ou comme à une idée qui peut conduire à une autre idée.

– Avons-nous déjà un facteur de campagne dans cette enquête ?

– Nous en avons deux : Westin et puis un autre, car je me souviens qu'Erik Lundberg, le voisin d'Isa Edengren, a dit que le facteur était passé le jour où Isa avait été conduite à l'hôpital. Lundberg l'avait informé de la situation.

– Ce serait peut-être intéressant de comparer la voix de ce facteur et celle du type qui a téléphoné à l'hôpital.

Wallander mit une seconde à comprendre.

– Tu veux dire celui qui s'est fait passer pour Lundberg ?

– Ce facteur savait qu'elle était là-bas. En plus, il savait que Lundberg le savait.

Wallander sentit la confusion prendre le dessus. Se pouvait-il que son hypothèse tienne le coup, contre toute attente ? La fatigue l'empêchait de se fier à son propre jugement.

Il passa à son entrevue avec Bror Sundelius. Son sentiment que Sundelius cachait quelque chose, qu'il mentait même carrément.

– Quel est le rôle de Svedberg ? demanda-t-elle.

– Il se comporte de manière étrange. Ça, c'est indéniable. Il aurait dû ordonner une enquête ; non seulement il y renonce, mais il se montre menaçant. Il intervient de manière active et agressive pour que Nils Stridh ne soit pas traîné en justice. Le fait que l'affaire ait finalement été classée sans suite me paraît un pur coup de chance. Svedberg risquait une forte réprimande.

– Ça ne lui ressemble pas du tout de se comporter de manière menaçante.

– Justement. Svedberg ne se comporte pas comme il le devrait, ou comme il en a l'habitude. Ça indique qu'il subit des pressions.

– De la part de Nils Stridh ?

– Je ne vois pas d'autre réponse. Et Bror Sundelius est impliqué d'une manière ou d'une autre.

Ils méditèrent un instant en silence.

– Chantage, dit-elle. Est-ce que c'est possible ?

– Retourne la question. Qu'est-ce que ça pourrait être d'autre ?

– Quels moyens de pression Stridh pouvait-il avoir sur Svedberg ?

– C'est ce qu'on doit découvrir.

– On devrait faire venir ce Sundelius et lui mettre la pression, dit-elle.

– On va le faire. Dès qu'on en aura le temps. Parmi toutes les priorités, je crois qu'il faut garder une place pour Sundelius.

Il était un peu plus de dix heures. Martinsson et Hansson étaient arrivés, ainsi que les trois policiers de Malmö. Nyberg était toujours sur la plage. Lisa Holgersson s'était barricadée dans son bureau pour organiser les contacts avec les médias. Wallander aperçut Thurnberg dans le couloir, mais celui-ci ne fit aucune observation. Dans la salle de réunion, la copie de la plainte de Nils Hagroth contre Wallander fit le tour de la table et suscita une certaine hilarité, en particulier l'expression « renversement brutal d'un individu de sexe mâle pacifiquement occupé à courir ». Wallander ne vit pas ce qu'il y avait de drôle. Non pas qu'il craignît beaucoup les conséquences de la plainte, mais parce que ça dispersait l'attention du groupe d'enquête.

Il commença donc sans attendre. Après un point succinct, ils se répartirent le travail. Les tâches étaient très nombreuses, et ils se séparèrent rapidement. Wallander prit la route de Köpingebro avec Ann-Britt Höglund pour parler aux parents de Malin Skander. Martinsson et Hansson devaient avoir une conversation avec les proches de Torbjörn Werner. Wallander s'assoupit dès qu'il fut monté dans la voiture d'Ann-Britt, et elle le laissa dormir.

Il se réveilla au moment où la voiture freinait dans la cour de la ferme des Skander. La journée était belle et chaude, mais il régnait un silence absolu. Toutes les portes et les fenêtres étaient fermées. Pendant qu'ils se dirigeaient vers la porte d'entrée, un homme apparut au coin de la maison. La cinquantaine, grand et fort, vêtu d'un costume sombre. Il avait les yeux rougis. Il se présenta : Lars Skander, le père de la mariée.

– Il faudra vous adresser à moi. Ma femme n'en a pas la force.

– D'abord, nous voudrions vous présenter nos condoléances, dit Wallander. Nous sommes désolés que cet entretien ne puisse attendre.

– Évidemment qu'il ne peut pas attendre, dit Lars Skander sans cacher son amertume et son chagrin. Vous avez l'intention d'arrêter le dingue qui a fait ça, oui ou non ?

Il les regardait d'un air presque implorant.

– Comment quelqu'un peut-il faire une chose pareille ? Comment quelqu'un peut-il tuer deux jeunes gens qui se font prendre en photo le jour de leur mariage ?

Wallander se demanda avec inquiétude si l'homme allait s'effondrer. Ann-Britt prit la situation en main :

– Nous n'avons que quelques questions à te poser. Mais elles sont essentielles pour que nous puissions arrêter celui qui a tué ta fille.

– Ça vous ennuie si on reste dehors ? On étouffe là-dedans.

Ils firent le tour de la maison et s'assirent dans des fauteuils de jardin, sous un vieux cerisier.

Lars Skander était vétérinaire. Il était né à Hässleholm, mais avait déménagé à Ystad tout de suite après son diplôme. Sa femme et lui avaient trois enfants, deux filles et un fils. Malin était la plus jeune. Les autres étaient déjà mariés. Torbjörn et Malin se connaissaient depuis l'école. Il était évident aux yeux de tous qu'ils se marieraient un jour. Torbjörn venait de reprendre la ferme de son père. Le couple avait emménagé là-bas dès le début de l'été. Pour des raisons pratiques, le mariage avait été repoussé au mois d'août.

Jusque-là, Wallander avait laissé faire Ann-Britt. Maintenant, c'était son tour.

– Peux-tu imaginer qui a fait ça ? Avaient-ils des ennemis ?

Lars Skander le dévisagea fixement.

– Comment des êtres comme Malin et Torbjörn auraient-ils pu avoir des ennemis ? Ils étaient amis avec tout le monde. On ne peut pas imaginer deux personnes plus bienveillantes.

– Je dois pourtant te poser la question ; et te demander de réfléchir attentivement avant de répondre.

– J'ai réfléchi. Il n'y a personne.

Wallander continua. L'information, pensa-t-il. Le point décisif. Comment le tueur a-t-il appris ce qu'il avait besoin de savoir ?

– Quand le jour du mariage a-t-il été fixé ?

– Je ne sais plus. Au mois de mai, je crois. Ou la première semaine de juin au plus tard.

– À quel moment a-t-il été décidé que les photographies seraient prises à Nybrostrand ?

– Je ne sais pas. Torbjörn et Rolf Haag se connaissaient depuis très longtemps. Ils ont dû convenir de l'endroit ensemble. Mais je suppose que Malin a pris part à la décision.

– Quand as-tu appris pour la première fois que ce serait à Nybrostrand ?

– Torbjörn et Malin avaient tout prévu dans les moindres détails. Rien ne devait dérailler. La séance photos a dû être organisée en même temps que le reste.

– C'est-à-dire voici deux mois au moins ?

– Oui.

– Qui savait que les photos seraient prises à cet endroit ?

La réponse fut déconcertante :

– Personne.

– Comment cela ?

– Ils voulaient être tranquilles pendant ces quelques heures, entre la cérémonie et la fête. Seul le photographe était au courant. C'était un peu comme un voyage de noces secret de deux heures.

Wallander et Ann-Britt échangèrent un regard.

– Ce point est très important, dit Wallander. Est-ce que cela signifie que même toi, tu n'étais pas au courant ?

– Ni moi, ni ma femme. Je suis sûr que ça vaut aussi pour les parents de Torbjörn.

– Reprenons. Je dois être certain d'avoir bien compris. En dehors de Malin et de Torbjörn, seul le photographe savait où devaient être prises ces photos ?

– Oui.

– Et le lieu a été décidé au mois de mai, ou au plus tard début juin ?

– Au départ, ils devaient aller à Ale Stenar, vous savez, les tombeaux vikings. Mais ils ont changé d'avis.

Wallander fronça les sourcils. Il n'était pas sûr d'avoir bien suivi.

– Vous saviez donc où ça allait se passer ?

– Au départ, oui. Mais ensuite ils ont changé d'avis. Ils ont trouvé que c'était trop banal. Tous les jeunes mariés se font photographier devant les tombeaux des Vikings, ces temps-ci.

Wallander retint son souffle.

– Quand le projet a-t-il été modifié ?

– Il y a quelques semaines.

– Et, cette fois, ils ont gardé le secret sur le lieu ?

– Oui.

Wallander regardait fixement Lars Skander. Puis il se tourna vers Ann-Britt. Il savait qu'elle pensait la même chose que lui. Le lieu avait été modifié quelques semaines plus tôt. Personne n'était au courant. Mais ces semaines-là avaient suffi à quelqu'un pour s'introduire dans le secret.

– Appelle Martinsson, dit Wallander à Ann-Britt. Demande-lui de faire confirmer ce point par les parents de Werner.

Elle s'éloigna pour téléphoner.

Nous n'avons jamais été aussi proches du but, pensa Wallander.

Il se retourna vers Lars Skander.

– Tu ne peux pas imaginer quelqu'un qui aurait été au courant de cette séance de photographie sur la plage ?

– Non.

Wallander essaya d'envisager intérieurement toutes les possibilités. Il ne savait toujours pas si Rolf Haag avait un assistant. Il se pouvait aussi que l'un ou l'autre ami du couple ait été au courant, à l'insu de Lars Skander.

Au même instant, une fenêtre s'ouvrit au premier étage de la maison. Une femme se pencha au-dehors et poussa un hurlement.

28

Après coup, Wallander repenserait toujours à la femme à la fenêtre et à ce qui s'était passé ensuite comme à une scène irréelle. L'air immobile, l'une des journées d'août les plus chaudes de cette année-là, le jardin intensément vert, Ann-Britt debout au pied d'un poirier, le portable contre sa joue, lui-même sur une chaise en bois peinte en blanc face à Lars Skander. Ann-Britt et lui avaient immédiatement senti qu'il était trop tard. La femme allait se jeter dans le vide, et ils ne pourraient pas l'en empêcher. Elle tomberait sur les dalles de pierre qui entouraient la maison. Peut-être survivrait-elle à sa chute ; mais elle donnait l'impression de vouloir se jeter la tête la première.

Il y eut un instant immobile, comme pétrifié. Puis Ann-Britt jeta son portable et se précipita, pendant que Wallander criait de toutes ses forces une phrase qu'il oublia aussitôt après. Lars Skander se leva lentement, comme s'il ne comprenait pas ce qu'il voyait. Pendant ce temps, la femme hurlait, cette femme qui était la mère de la jeune mariée, et sa douleur transperçait la belle journée d'août comme un diamant.

C'était un cri insoutenable.

Ann-Britt Höglund contourna la maison en courant pendant que Wallander restait sous la fenêtre, bras tendus. Lars Skander apparut brusquement à ses côtés, tel un fantôme sans force, le regard levé vers la malheureuse agrippée au rebord de la fenêtre.

Puis Ann-Britt surgit derrière la femme et la tira d'un coup vers l'obscurité de la chambre. Le silence se fit.

Arrivés au premier étage, ils trouvèrent Ann-Britt assise par terre, la femme dans ses bras. Wallander redescendit pour appeler une ambulance, qui arriva très vite. Après son départ, ils retournèrent à l'arrière de la maison. Ann-Britt ramassa son portable dans l'herbe. Wallander s'assit sur l'une des chaises de jardin.

– Je venais de joindre Martinsson quand la fenêtre s'est ouverte. Il a dû se poser des questions.

– Rappelle-le, dit Wallander.

Elle s'assit de l'autre côté de la table. Une guêpe faisait des allers et retours entre eux.

Svedberg avait une peur panique des guêpes. Maintenant il était mort. C'était la raison pour laquelle ils se trouvaient ici, dans le jardin de Lars Skander. D'autres gens étaient morts. Beaucoup trop de gens.

– Je vais te dire ce que je pense, commença Wallander. J'ai peur qu'il remette ça. Je redoute à chaque instant que quelqu'un m'appelle pour me dire que c'est arrivé de nouveau. Je cherche fébrilement un signe que ce cauchemar va bientôt prendre fin, ou du moins qu'on ne sera plus obligés de se pencher sur de nouvelles victimes. Mais je n'en trouve aucun.

– C'est pareil pour nous tous.

Il n'y avait rien à ajouter. La peur les aiguillonnait. Et continuerait de les tenailler jusqu'à ce qu'ils aient identifié et arrêté quelqu'un avec la certitude de ne pas se tromper de coupable.

– Elle allait se jeter par la fenêtre, dit Ann-Britt. Aucun d'entre nous ne peut imaginer ce qu'elle endure en ce moment.

Elle rappela Martinsson, qui voulut savoir ce qui se passait. Wallander déplaça sa chaise pour être à l'ombre et renoua le fil de sa réflexion. La décision de faire les photos à Nybrostrand avait été prise quelques semaines plus tôt. Qui avait pu se procurer cette information ?

Pourquoi n'avaient-ils pas encore été avertis de l'existence d'un éventuel assistant du photographe ? L'impatience le rongeait.

Ann-Britt Höglund conclut sa conversation avec Martinsson. Puis elle se déplaça elle aussi vers l'ombre.

– Il va nous rappeler. Apparemment, les parents de Werner sont très âgés. Il dit qu'il a du mal à faire la part de la consternation et de la sénilité.

– Rolf Haag avait-il un assistant ? La police de Malmö devait s'en charger. Qui peut-on appeler ?

– Tu te souviens de Birch, qui a travaillé avec nous à Lund il y a deux ans ?

– Évidemment !

Birch était un policier de la vieille école que Wallander avait rencontré avec le plus grand plaisir.

– Il est à Malmö, maintenant. Je crois que c'est lui qui devait s'en occuper.

– Alors il l'a sûrement déjà fait.

Le numéro du commissariat de Malmö était programmé dans la mémoire de son portable. Il eut de la chance, Birch était là. Ils échangèrent quelques phrases amicales.

– J'ai averti Ystad, dit Birch. Ils ne t'ont pas transmis l'information ?

– Pas encore.

– Alors écoute-moi. Rolf Haag avait son atelier près de la place Nobel. C'était surtout un photographe de studio. Mais il a fait aussi quelques livres de voyage, un sur l'Érythrée, un autre sur les Açores.

– Je t'interromps. Je voudrais surtout savoir s'il avait un assistant.

– Oui.

Il fit signe à Ann-Britt qu'il avait besoin d'un crayon. Dans la poche de sa chemise, il trouva une vieille facture.

– Comment s'appelle-t-il ?

– Les photographes hommes ont souvent des assistantes femmes. Je ne sais pas si l'inverse est vrai.

– Comment s'appelle-t-elle ?

– Maria Hjortberg.

– Tu lui as parlé ?

– Non, impossible. Elle est depuis vendredi chez ses parents qui habitent du côté de Hudiksvall, dans la forêt. Il n'y a pas le téléphone, elle n'a pas emporté son portable. J'ai parlé à une fille qui partage son appartement. Elle dit que Maria aime de temps en temps se libérer des merveilles de la technologie et passer un moment dans la forêt sans qu'on puisse la joindre. Mais elle revient à Malmö ce soir. Son avion atterrit à Sturup à dix-neuf heures quinze. J'avais l'intention de l'attendre là-bas. Mais je suis d'ores et déjà convaincu que ce n'est pas elle qui a tué son employeur, pas plus que les jeunes mariés.

Wallander avait espéré une autre réponse. Il constata que son impatience et son exaspération croissaient, ce qui le rendait mauvais policier.

– On veut avant tout savoir *qui* était informé du lieu où devaient être prises les photos. On a des raisons de croire que ces personnes étaient peu nombreuses.

– J'ai fouillé le studio hier soir. Ça m'a pris la moitié de la nuit. Il y a une lettre datée du 28 juillet, où Torbjörn Werner confirme à Haag le lieu et l'heure.

– Où la lettre a-t-elle été postée ?

– Elle est datée d'Ystad.

– Où se trouve cette lettre, maintenant ?

– Sur une étagère de mon bureau.

– Il n'y a pas d'enveloppe ? Pas de cachet de la poste ?

– J'ai le souvenir d'avoir vu un sac-poubelle tenant lieu de corbeille dans le bureau du studio. L'enveloppe y est peut-être encore.

– On aurait besoin d'y jeter un coup d'œil.

– Pourquoi ? Si la lettre est datée d'Ystad, on peut supposer qu'elle a été postée au même endroit ?

– Ce qui m'intéresse surtout, c'est d'éventuelles traces que l'enveloppe ait été ouverte plus d'une fois.

Birch ne demanda pas d'autre explication. Il allait immédiatement retourner au studio.

– C'est une théorie risquée, répliqua-t-il néanmoins.

– Pour l'instant, je n'en ai pas d'autre. En fait, je cherche peut-être surtout une confirmation négative, qui me permettrait d'oublier cette piste. Mais que ce tueur soit quelqu'un de bien informé, c'est une certitude. La question est de savoir comment il se procure ses informations.

Birch promit de le rappeler quand il aurait du nouveau. Ann-Britt et Wallander revinrent à Ystad. Il était déjà midi. Il lui demanda de le déposer près de chez lui, car il devait absolument manger quelque chose. D'ailleurs, elle était la bienvenue, dit-il, mais elle refusa.

Il prépara deux œufs sur le plat. Puis il s'allongea sur son lit. À treize heures dix, il était de retour au commissariat.

Il alla dans son bureau, fouilla parmi les messages téléphoniques et entreprit ensuite de résumer par écrit, d'un seul jet, tout ce qui s'était passé jusqu'à présent. Son ambition était simple. Il voulait se faire une idée des informations indispensables au tueur. Le strict minimum qu'il *devait* savoir pour pouvoir agir. En relisant ses notes, il eut le sentiment d'avoir peut-être écarté trop vite sa propre théorie, celle des lettres ouvertes. Il alla à la réception et demanda à la fille qui remplaçait Ebba pendant le week-end si elle savait où était trié le courrier de la région d'Ystad. Elle l'ignorait.

– Ça devrait être possible de se renseigner, suggéra-t-il aimablement.

– Un dimanche ?

– Pour nous, c'est une journée de travail comme les autres.

– Pour la poste, ça m'étonnerait.

Wallander faillit s'énerver. Mais il y renonça.

– À ma connaissance, les boîtes aux lettres sont relevées même le dimanche. Au moins une fois. Cela veut dire qu'il existe au moins une personne de la poste qui travaille ce jour-là.

Elle promit de se renseigner. Wallander retourna à son bureau avec le sentiment très net de l'avoir dérangée. Il venait de refermer sa porte lorsqu'un détail refit surface dans son esprit. Au cours de la conversation avec Ann-Britt, ils avaient évoqué l'existence de deux facteurs dans cette enquête. En fait, il y en avait un troisième. Il s'assit et tenta de se souvenir. Qu'avait dit Sture Björklund ? Quelqu'un était entré dans sa propriété. Quelqu'un qui n'avait rien à faire là. Tous ses voisins savaient qu'il voulait être tranquille. Le seul à venir régulièrement, c'était le facteur.

Un facteur qui range le télescope de Svedberg dans la remise de son cousin, pensa-t-il. Ce n'est pas seulement invraisemblable ; c'est de la folie. Un dernier recours, quand on n'a plus rien à quoi se raccrocher.

En soupirant, il commença à feuilleter différents rapports qu'il n'avait pas encore eu le temps de lire. Il venait à peine de commencer lorsque Martinsson apparut. Wallander laissa retomber les papiers.

– Alors ?

– Ann-Britt m'a raconté ce qui s'est passé, la mère de la mariée qui a tenté de sauter par la fenêtre. Nous, c'était différent. Les parents de Torbjörn Werner sont trop vieux pour avoir ce genre de réaction, je crois. Mais la tragédie est totale. Torbjörn avait repris la ferme, la continuité était assurée, la nouvelle génération prenait la relève. Ils avaient un autre fils, qui est mort il y a quelques années dans un accident de voiture. Maintenant, ils n'ont plus personne.

– Le tueur n'y a pas pensé, à ça.

Martinsson s'était posté près de la fenêtre. Wallander vit qu'il était très secoué et se demanda combien de temps encore il tiendrait le coup. Martinsson avait choisi de devenir policier avec les meilleures intentions, à une époque où la profession n'attirait pas spécialement les jeunes – ensuite était venue une autre période où la police était considérée avec mépris. Martinsson avait conservé son ambition d'origine. Il voulait être un bon policier. Il l'était devenu. Mais, au cours des dernières années, Wallander l'avait senti de plus en plus coupé de ses propres convictions. Resterait-il dans le métier jusqu'à la retraite ? Wallander en doutait. Encore fallait-il qu'il trouve une solution de rechange…

Martinsson se retourna.

– Il va frapper de nouveau, dit-il sans préambule.

– On n'en sait rien.

– Quelle raison aurait-il de s'arrêter ? Sa haine paraît illimitée. Le seul mobile cohérent, c'est qu'il tue pour le plaisir.

– Ça, c'est très rare. Le problème, c'est qu'on n'a pas encore découvert ce qui le motive.

– Je crois que tu te trompes.

Les paroles de Martinsson étaient chargées. Aux oreilles de Wallander, elles sonnaient comme une accusation. Dirigée contre lui.

– À quel sujet est-ce que je me trompe ?

– Il y a quelques années, j'aurais été d'accord avec toi. Il n'y a pas de violence gratuite, toute violence a une explication, etc. Mais ce n'est plus le cas. On n'a rien vu venir, mais il y a eu un changement dans ce pays. La violence est devenue naturelle. On a franchi un cap invisible. Des générations entières de jeunes sont en train de perdre pied. Personne ne leur enseigne plus ce qui est bien ou mal. Il n'y a plus de bien ou de mal. Chacun revendique son propre droit. Quel sens y a-t-il alors à être policier ?

– Il n'y a que toi qui peux répondre à cette question.

– C'est ce que j'essaie de faire.

Martinsson s'assit dans le fauteuil défoncé face à Wallander.

– Tu sais ce qu'est devenue la Suède ? Un pays sans loi. Qui aurait cru il y a quinze ou vingt ans qu'une chose pareille pouvait arriver ?

– On n'en est pas là. Je ne suis pas d'accord. Mais ça évolue bien dans le sens que tu dis. C'est bien pour ça qu'on doit résister, toi et moi.

– C'est ce que j'ai toujours pensé. Mais, en ce moment, j'ai l'impression qu'on est en train de perdre.

– Il n'y a pas un seul policier qui ne pense ça à l'occasion. Ça ne change rien. On doit résister. Là, tout de suite, on doit résister à ce fou furieux. On le pourchasse. On le suit à la trace. On ne va pas laisser tomber. On va le prendre.

– Mon fils s'est mis en tête qu'il veut être policier. Il me questionne sur le métier. Je ne sais jamais quoi lui répondre.

– Envoie-le-moi. Je vais lui expliquer.

– Il a onze ans.

– C'est un bon âge pour comprendre les choses.

– Je le lui dirai.

Wallander changea de sujet :

– Que savaient les parents de Werner à propos de la séance photos ?

– Rien, sinon qu'elle devait avoir lieu après la cérémonie et avant le dîner.

Wallander laissa ses mains retomber sur la table.

– C'est très important. Il faut désormais accélérer le rythme de cette enquête.

– On est déjà sur les genoux. Comment va-t-on faire ?

– On va cesser de penser à nos genoux.

Wallander se leva.

– Réunion générale à quinze heures. Thurnberg aussi. Je veux que tu t'en occupes.

Martinsson hocha la tête. À la porte, il se retourna.

– Tu étais sérieux, pour mon fils ?

– Quand on en aura fini avec cette histoire, je promets que je répondrai à toutes ses questions. Je lui laisserai même essayer ma casquette d'uniforme.

– Tu en as une ? fit Martinsson, surpris.

– Sûrement, mais je ne sais pas où elle est.

Wallander retourna à ses rapports. Le téléphone sonna. C'était la jeune fille de la réception ; tout le courrier destiné aux différents districts de la région était trié au centre de tri d'Ystad, qui se trouvait dans Mejerigatan, derrière l'hôpital. Wallander nota le numéro de téléphone, la remercia pour son aide et appela immédiatement le centre de tri. Pas de réponse. Il pensa s'y rendre à pied – il y avait peut-être quelqu'un là-bas qui ne prenait pas la peine de décrocher. Mais il décida d'attendre. Il avait besoin de se préparer.

Wallander se rendit à la salle de réunion avec le sentiment qu'il allait devoir affronter le procureur Thurnberg. Pourquoi ? Depuis leur regrettable échange à Nybrostrand, Thurnberg n'avait rien fait dont il puisse se formaliser ; et il ignorait quelle serait l'issue de la plainte portée par Nils Hagroth. Pourtant, il avait la sensation d'être en guerre avec Thurnberg.

Pendant la réunion, il constata qu'il s'était trompé. Thurnberg lui offrit son appui chaque fois que le groupe montrait des signes de doute ou de division. Il l'avait peut-être jugé trop vite. Ce qu'il prenait pour de l'arrogance n'était peut-être qu'une protection ?

Wallander avait commencé la réunion en soulignant tout ce qui pouvait laisser croire à une percée décisive. Ils devaient se concentrer sur une seule question : qui pouvait être informé du lieu et de l'heure de la séance de photos ? Voilà à quoi ils se consacreraient tous, dès la fin de la réunion. Tout le reste passait au second plan.

Il dut faire face à un flot d'objections. D'abord de la part de Hansson, qui trouvait qu'il allait un peu vite en besogne. Les parents de Werner avaient pu le savoir, mais l'oublier ; Malin Skander et Torbjörn Werner avaient beaucoup d'amis, qui pouvaient eux aussi être au courant. Selon Hansson, il était trop tôt pour mettre tous ses œufs dans le même panier.

Thurnberg intervint à ce moment-là, de façon laconique et précise. Vu l'état de l'enquête, il estimait que Wallander avait raison. Au cours des prochains jours, des prochaines heures plus exactement, ils devaient se concentrer sur ce point décisif : qui était informé de l'heure et du lieu de la séance photos ?

Thurnberg s'était de nouveau retiré dans sa coquille. Mais, à partir du moment où Wallander avait obtenu l'appui du procureur, il ne restait pas grand-chose à discuter. Le reste de la réunion fut consacré à élaborer un plan d'action et à se répartir les différentes tâches. Qui parlerait à qui ? Dans quel ordre ? Wallander se chargerait de l'assistante, qui devait atterrir à Sturup quelques heures plus tard.

Ils décidèrent de se retrouver dans la soirée. En cas de découverte décisive, cette réunion serait avancée.

Wallander fut très bref dans sa conclusion :

– On est peut-être sur le point de franchir le mur. On sait tous dans quelles conditions on travaille, même si on n'en parle pas souvent. Le tueur peut frapper de nouveau. Aujourd'hui, demain, la semaine prochaine. On ne sait pas de combien de temps on dispose. Si ça se trouve, il est déjà trop tard.

En se levant, Wallander pensa qu'il devrait peut-être dire un mot à Thurnberg, mais quoi ? Aucune idée ne lui vint ; il laissa tomber.

Il était seize heures trente. L'assistante de Haag allait atterrir dans un peu plus de deux heures. Il essaya de rappeler Birch, sans succès.

Alors il fit quelque chose qu'il n'avait encore jamais fait. Il ferma à clé la porte de son bureau et s'allongea par terre. Juste avant de s'endormir, il entendit quelqu'un frapper à la porte. Il ne répondit pas. S'il voulait avoir la force de continuer, il avait besoin de dormir au moins une heure. Un vieux réveil traînait dans un tiroir, il ne savait plus pour quelle raison. En tout cas, il tombait bien.

Il rêva de nouveau de son père. Des images inquiètes surgies de l'enfance. L'odeur de térébenthine. Images de sa propre vie, en accéléré. Le voyage à Rome. Soudain, Martinsson était dans l'escalier de la Trinité-des-Monts. On aurait dit un petit enfant. Wallander l'appelait, mais Martinsson ne l'entendait pas. Après cela, rien, le rêve était coupé net.

Il se leva avec difficulté et entendit un craquement dans son dos. Il fit tourner la clé dans la serrure et se rendit aux toilettes en chancelant. Il n'y avait rien qu'il détestait tant dans sa vie que cette fatigue paralysante. Qui le déprimait, lui donnait la nausée. Et qui devenait de plus en plus difficile à supporter avec l'âge. Il se rinça toute la tête à l'eau froide. Il urina longuement. Il évita de se regarder dans la glace.

À dix-huit heures quinze, il prit la direction de Sturup. Le ciel était encore limpide, pas un nuage, peu de vent. Une demi-heure plus tard, il s'arrêtait devant le bâtiment jaune de l'aéroport. Dans le hall des arrivées, il découvrit immédiatement le grand Birch. Il était appuyé contre un mur, les bras croisés, et il s'illumina en le reconnaissant.

– Toi ici ?

– Je pensais t'éviter d'attendre seul.

– L'avion n'a pas de retard, apparemment. Mais on a le temps de prendre un café.

– J'ai passé l'après-midi à fouiller les sacs de vieux papiers, dit Birch quand ils furent dans la file du self-service. Il y avait bien quelques enveloppes, mais pas celle que tu espérais.

– Cette enquête n'est pas précisément bénie par la chance…

Birch prit un gâteau et une viennoiserie avec son café. Wallander s'obligea à y renoncer. Ils payèrent à la caisse.

– Par contre, poursuivit Birch, j'ai appelé l'un de nos techniciens. C'est un type plein d'imagination, très utile sur des lieux de crimes. Håkan Tobiasson. Tu en as entendu parler ?

Wallander secoua la tête.

– J'ai eu une longue conversation avec lui. Il était en train de pêcher dans le détroit, mais il avait pris son téléphone. D'ailleurs, ça a mordu deux fois pendant qu'on se parlait. J'ai oublié de demander ce que c'était comme poisson.

Ils écoutèrent un message diffusé par les haut-parleurs, mais il s'agissait d'un charter retardé en provenance de Marbella.

– Håkan m'a parlé de toutes sortes de techniques pour ouvrir les lettres. Avant, on utilisait la vapeur et les aiguilles à tricoter. Maintenant, c'est nettement plus raffiné. Il m'a proposé de lui donner plusieurs lettres fermées et de revenir un peu plus tard. D'après lui, je serais incapable de dire s'il en avait ouvert une ou non.

– On aurait besoin de cette enveloppe, répéta Wallander.

Birch s'essuya la bouche.

– Je ne comprends pas très bien cette histoire d'enveloppe. Je me demande aussi ce que tu fais ici, évidemment. Ça veut dire que Maria Hjortberg est quelqu'un d'important à tes yeux.

Wallander lui résuma les événements des dernières vingt-quatre heures. Il venait de finir lorsque les premiers passagers de l'avion qu'ils attendaient commencèrent à apparaître. Birch le surprit en tirant de sa poche une feuille de papier où il avait écrit en grosses lettres le nom de Maria Hjortberg. Il se posta au milieu de l'allée avec sa pancarte. Wallander attendait un peu en retrait.

Maria Hjortberg était une très belle femme au regard intense et aux longs cheveux sombres. Elle portait un sac à dos sur l'épaule. Wallander pensa qu'elle ignorait encore la mort de Rolf Haag. Mais

Birch avait déjà commencé à lui expliquer la situation. Elle secoua la tête, l'air incrédule. Birch prit son sac à dos en même temps qu'il lui présentait Wallander. Elle n'avait pas d'autres bagages.

– Quelqu'un devait-il venir te chercher ?

– Je pensais prendre le bus.

– Alors on t'emmène en voiture. On a besoin de te parler et ça ne peut pas attendre. Soit au commissariat, soit au studio.

– Rolf est vraiment mort ?

– Oui, dit Birch, et je le regrette. Depuis combien de temps étais-tu son assistante ?

– Pas très longtemps. Depuis le mois d'avril.

Cela veut dire qu'elle s'en remettra peut-être plus facilement, pensa Wallander. À moins qu'ils n'aient eu une liaison.

Elle dit qu'elle préférait le studio.

– Il vaut mieux qu'elle parte avec toi, dit Wallander. J'ai quelques coups de fil à passer.

Il voulait parler à Nyberg. Mais, en arrivant sur l'autoroute de Malmö, il décida d'attendre. Tout ce qui comptait dans l'immédiat, c'était ce que pouvait leur apprendre Maria Hjortberg.

Deux heures plus tard, Wallander comprit qu'elle ne les aiderait pas. Ils étaient dans le studio, entourés de pieds, de projecteurs, de réflecteurs de différentes tailles. Elle n'était pas informée du projet de photos à Nybrostrand. Rolf lui avait dit qu'il devait assister à un mariage le samedi, mais elle avait cru que c'était en tant qu'invité. Pour sa part, elle était partie pour Hudiksvall le vendredi après-midi. Le lundi matin, ils devaient préparer un nouveau travail – photographier une agence bancaire qui venait d'ouvrir à Trelleborg. Elle n'avait jamais entendu parler de Malin Skander ni de Torbjörn Werner. Ensemble, ils feuilletèrent l'agenda où étaient notés les différents rendez-vous. La page du samedi 17 août était vide. En fouillant le studio la veille au soir, Birch avait épluché la correspondance. Il lui montra la fameuse lettre ; elle ne l'avait jamais vue.

– C'est lui qui ouvrait le courrier, dit-elle. Je l'aidais pendant les séances de pose et ensuite pour le développement et le tirage, c'est tout.

– Quelqu'un d'autre a-t-il pu voir cette lettre ? demanda Wallander. Qui fréquente ce studio en dehors de toi ? Y a-t-il une femme de ménage ? Un gardien ?

– Nous faisons le ménage nous-mêmes. Et les gens que nous photographions dans le studio n'entrent jamais dans le bureau.
– Il n'y avait donc que Rolf et toi qui entriez ici ?
– Seulement Rolf. Je n'avais rien à y faire.
– Y a-t-il eu un cambriolage récemment ?
– Non.
– J'ai fouillé les sacs en plastique qui servent de poubelles, mais je n'ai pas trouvé l'enveloppe correspondant à cette lettre.
– Les poubelles sont vidées le lundi. Rolf était très soucieux de la propreté de son studio.
Wallander jeta un regard à Birch. Il n'y avait pas de raison de douter de ses propos. Cette conversation ne les menait à rien.
– Rolf avait-il des ennemis ?
– Pourquoi en aurait-il eu ?
– As-tu remarqué quelque chose d'inhabituel ces derniers temps ? Était-il inquiet, soucieux ?
– Il était pareil à lui-même.
– Comment étaient vos relations ?
Elle comprit la question mais ne parut pas s'en formaliser.
– Rien de personnel. On travaillait bien ensemble. Il m'a beaucoup appris. Je veux devenir photographe, moi aussi.
– Qui était la personne la plus proche de lui ? Avait-il une petite amie ?
– C'était un solitaire. Je ne savais rien de sa vie privée, il n'en parlait jamais. Je n'ai pas connaissance d'une éventuelle petite amie.
– On va fouiller son appartement, dit Birch. Pour l'instant, je crois que nous n'avons pas d'autres questions.
– Qu'est-ce que je vais faire demain, si Rolf est mort ?
Ni Wallander ni Birch n'avaient de réponse à lui proposer. Birch s'engagea à la raccompagner chez elle. Wallander devait retourner à Ystad. Ils se séparèrent sur le trottoir devant le studio.
– Je ne comprends toujours pas, dit-elle. Pendant deux jours, j'étais toute seule dans une maison dans la forêt. Et maintenant ceci…
Elle fondit en larmes. Birch passa un bras protecteur autour de ses épaules.
– Je la raccompagne, dit-il. Tu m'appelles ?
– Quand je serai à Ystad. Où vas-tu ?

– Je vais examiner l'appartement dès ce soir.

Wallander vérifia qu'il avait le numéro de portable de Birch. Puis il rejoignit sa voiture qui était garée de l'autre côté de la rue. Birch et Maria Hjortberg disparurent. Il était vingt-deux heures trente.

Il s'apprêtait à ouvrir sa portière lorsque le portable bourdonna.

– Kurt Wallander ?

– C'est moi.

– Lone Kjaer, de Copenhague. Louise est à l'Amigo en ce moment. Que veux-tu qu'on fasse ?

Wallander se décida sur-le-champ.

– Je suis à Malmö. Je prends le bateau et j'arrive. Si elle quitte le bar, je veux qu'on la suive.

– En te dépêchant, tu peux attraper celui de vingt-trois heures. Ça t'amène à Copenhague à minuit moins le quart. Je t'attendrai au terminal.

– Ne la perdez pas de vue. J'ai besoin d'elle.

– On ne va pas la quitter des yeux. Je te le promets.

Wallander prit la direction du port et laissa sa voiture.

À vingt-trois heures précises, le *Sprinter* quitta le quai, cap sur Copenhague.

Wallander se trouvait sur le pont supérieur, le regard perdu dans le noir. Il chercha son portable. Se rappela qu'il l'avait posé sur le siège du passager. Et les phares ? Est-ce qu'il avait pensé à les éteindre ? Il demanda à une hôtesse s'il pouvait téléphoner.

– Désolée, le téléphone est en panne.

Wallander hocha la tête. Lone Kjaer avait sûrement un portable.

Il regardait fixement l'obscurité. Il sentait monter la tension.

29

Wallander l'aperçut dès qu'il eut franchi la passerelle : veste en cuir, cheveux blonds et courts ; plus jeune qu'il ne l'avait imaginé. Petite, en plus. Mais aucun doute sur le fait qu'elle était flic. Comment pouvait-il en être si sûr ? Il l'ignorait ; mais il était très rare qu'il ne parvienne pas à identifier un policier dans un groupe d'inconnus.

Ils se saluèrent.

– Louise est encore au bar.

– On ne sait même pas si elle s'appelle comme ça.

– Que savez-vous sur elle, au juste ?

Wallander avait fait le point intérieurement au cours de la traversée. Louise n'était pas soupçonnée de quoi que ce soit. La seule chose qu'il voulait, c'était lui parler. Il lui semblait avoir suffisamment de questions à lui poser.

– Je crois qu'elle détient certaines informations très importantes. L'essentiel, c'est qu'elle ne disparaisse pas.

– Tu crois qu'elle tentera de le faire ?

La question était plus que justifiée. Louise n'avait peut-être pas conscience que la police la recherchait, ni même que son portrait avait été publié dans les journaux. Que personne ou presque ne l'ait reconnue pouvait très bien s'expliquer par le fait qu'elle se montrait rarement, pour des raisons qui ne regardaient qu'elle.

Ils avaient traversé la douane et rejoint la rue où les attendait une voiture de police. Ils montèrent à l'arrière et la voiture démarra.

– Un bar de nuit, ce n'est pas le meilleur endroit pour une conversation, dit Wallander.

– Mon bureau est à ta disposition.

Il y eut un silence. Wallander pensait à sa dernière visite à Copenhague, pour voir une mise en scène de *Tosca* à l'Opéra. Il était seul. Après le spectacle, il était allé dans un bar. Le temps de reprendre le dernier bateau pour Malmö, il était plutôt éméché.

Il s'apprêtait à emprunter le portable de sa collègue lorsque la voiture freina. Lone Kjaer parla brièvement à quelqu'un par radio et se tourna vers Wallander.

– Elle est toujours là.

Elle fit un geste de la main.

– C'est là, de l'autre côté de la rue. Tu veux que je t'attende ?

– Je préfère que tu viennes.

Il vit un néon cassé où subsistaient les lettres *IGO* et sentit la tension monter d'un cran. Il allait enfin rencontrer la femme sur laquelle il s'était tant interrogé depuis qu'il avait trouvé sa photo dans la cachette de Svedberg.

Ils poussèrent la porte, écartèrent une tenture et entrèrent dans le bar. Il faisait très chaud ; air enfumé, lumière rougeâtre, beaucoup de monde. Un homme passa devant eux, se dirigeant vers la porte.

– Au bout du comptoir, dit l'homme à Lone Kjaer.

Wallander avait entendu. Tandis qu'elle restait près de la porte, il commença à se frayer un passage dans la foule.

Soudain, il l'aperçut.

Elle était assise à l'extrémité du comptoir. Ses cheveux étaient comme sur la photographie. Wallander la contempla, immobile. Il eut l'impression qu'elle était seule, bien qu'entourée de gens des deux côtés. Elle buvait un verre de vin. Lorsqu'elle leva la tête dans sa direction, il s'écarta vivement pour se cacher derrière un grand type qui gesticulait, une bière à la main. Lorsqu'il risqua un regard, elle paraissait de nouveau absorbée dans la contemplation de son verre. Wallander se retourna, fit un signe de tête à Lone Kjaer et s'approcha d'elle.

Il eut de la chance. Au moment où il arrivait à sa hauteur, l'homme assis à sa gauche se leva et partit. Wallander prit sa place sur le tabouret. Elle lui jeta un regard avant de baisser les yeux vers son verre.

– Tu t'appelles Louise, je crois. Moi, je suis Kurt Wallander, de la police d'Ystad. Je suis venu à Copenhague parce que j'ai besoin de te parler.

Il la vit se raidir. Puis elle se détendit, le regarda et sourit.

– Bien sûr, dit-elle. Il faut juste que je me rende aux toilettes. Je m'apprêtais à y aller, j'en ai pour une minute.

Elle se leva et disparut vers le fond de la salle, où un panneau lumineux signalait les WC.

Le barman demanda à Wallander ce qu'il voulait boire. Il secoua la tête. Elle n'avait pas l'accent de Scanie, pensa-t-il. Mais elle était suédoise.

Lone Kjaer s'était rapprochée, constata-t-il. Elle se tenait un peu plus loin, devant le comptoir. Il lui fit signe que tout allait bien. Une horloge suspendue au mur faisait de la pub pour une marque de whisky dont Wallander n'avait jamais entendu parler. Quatre minutes s'étaient écoulées. Il jeta un regard vers les toilettes. Un homme en sortit, puis un autre. Tout en attendant, il réfléchissait à ce qu'il lui demanderait en premier. Ce n'étaient pas les questions qui manquaient.

Soudain, il vit que sept minutes s'étaient écoulées. Quelque chose n'allait pas. Il se leva et se dirigea vers les toilettes. Lone Kjaer le rejoignit immédiatement.

– Va aux toilettes des dames, dit-il.

– Pourquoi ? Elle n'est pas ressortie. Si elle avait tenté de quitter le bar, je l'aurais vue.

– Il y a quelque chose qui cloche. Je veux que tu y ailles.

Lone Kjaer disparut. Wallander attendit. Le soupçon lui était venu d'un coup, sans l'ombre d'un doute. Lone Kjaer ressortit très vite.

– Elle n'y est pas.

– Et merde ! Il y avait une fenêtre ?

Sans attendre la réponse, il se rua dans les toilettes. Deux femmes se maquillaient devant la glace, mais il les remarqua à peine. Il ressortit en courant. Louise avait disparu.

– Elle est forcément là, dit Lone Kjaer. Je l'aurais vue.

– Pourtant elle n'y est pas. Viens.

Wallander se fraya un passage dans la foule qui semblait de plus en plus compacte. Le type qui surveillait l'entrée ressemblait à un lutteur.

– Demande-lui s'il a vu une femme aux cheveux foncés, mi-longs, quitter le bar au cours des dix dernières minutes.

Elle posa la question en danois. Le lutteur fit signe que non.

– Est-ce qu'il en est sûr ? insista Wallander. Demande-le-lui.

Le lutteur répondit quelque chose que Wallander ne comprit pas.

– Il en est sûr ! cria-t-elle pour se faire entendre par-dessus le vacarme.

Wallander se fraya un chemin dans l'autre sens. Il la cherchait encore. Mais, au fond de lui, il savait déjà qu'elle n'était plus là.

Pour finir, il renonça.

– Elle n'est plus ici, dit-il. On peut aussi bien s'en aller.

Il retourna au comptoir. Le verre de vin n'y était plus. Il se tourna vers le barman.

– Le verre ?

– On l'a lavé.

Wallander considéra le comptoir et fit signe à Lone Kjaer d'approcher.

– Je ne sais pas si c'est possible, mais vois si on peut relever des empreintes, ici sur le comptoir. J'en ai besoin pour les comparer à d'autres.

– C'est la première fois que je dresse un périmètre autour d'un mètre de zinc. Mais je vais le faire.

Elle dut parler longtemps au barman avant que celui-ci comprenne où elle voulait en venir. Puis elle discuta au téléphone avec des techniciens.

Wallander sortit dans la rue. Il constata qu'il était en sueur. Surtout, il était hors de lui. Il s'était laissé piéger par son sourire. Elle voulait bien lui parler, très volontiers ; elle devait simplement aller aux toilettes d'abord. Et il l'avait crue !

Lone Kjaer ressortit après une dizaine de minutes.

– Je ne comprends pas comment elle s'y est prise. Je l'aurais forcément vue.

Une image commençait à prendre forme dans la tête de Wallander. Il n'y avait qu'une seule possibilité, au fond. L'explication était si inattendue qu'il lui fallut du temps pour comprendre ce qu'elle impliquait en réalité.

– J'ai besoin de réfléchir, dit-il. Est-ce qu'on pourrait aller à ton bureau ?

Pendant le trajet jusqu'au commissariat, Wallander ne dit pas un mot. Elle ne l'interrogea pas. Ils prirent l'ascenseur jusqu'au troisième étage. Elle lui offrit du café. Il accepta.

– Je ne comprends pas comment elle a fait pour sortir, répéta-t-elle. Je ne comprends pas.

– Elle n'est pas sortie. Louise est encore là-bas.

Lone Kjaer écarquilla les yeux.

– Qu'est-ce qu'on fait ici alors ?

Wallander secoua la tête. Il ressentait une sorte d'ennui désespéré devant sa propre lenteur. Dès la première fois, dans l'appartement de Svedberg, il avait eu le sentiment que cette photo était étrange. Les cheveux. J'aurais dû comprendre tout de suite, pensa-t-il. J'aurais dû voir que c'était une perruque.

– Louise est encore là-bas. Pour la simple raison que Louise était quelqu'un d'autre. Louise était un homme. Le type de l'entrée a dit que trois hommes étaient sortis du bar au cours des dernières minutes. L'un d'entre eux était Louise. Sa perruque dans la poche et le maquillage essuyé.

Il vit qu'elle ne le croyait pas. Du reste, il n'avait pas la force de s'expliquer. Le plus important, c'était que lui-même, désormais, savait à quoi s'en tenir. Pourtant, il sentit qu'elle avait droit à une explication. Il était minuit passé. Elle l'avait aidé de son mieux.

– Il y a quelques années, j'étais dans les Caraïbes, dit-il. C'était une très mauvaise période pour moi. Un soir, dans un bar, j'ai engagé la conversation avec une très belle femme. J'étais tout près d'elle, je voyais parfaitement son visage. Mais je n'ai rien compris, jusqu'au moment où elle me l'a dit.

– Dit quoi ?

– Qu'elle était un homme.

Lone Kjaer parut accepter lentement son point de vue.

– Elle a disparu aux toilettes, poursuivit-il. Elle a retiré sa perruque et son maquillage, et puis elle est ressortie. Elle a sans doute modifié un peu sa tenue. Nous n'avons rien vu, puisque nous attendions une femme. Pourquoi aurions-nous fait attention aux hommes qui passaient ?

– À ma connaissance, l'Amigo n'est pas un rendez-vous de travestis.

– Peut-être venait-il ici pour jouer son rôle de femme, dit Wallander pensivement. Pas pour fréquenter ses semblables.

– Qu'est-ce que ça implique pour ton enquête ?

– Je ne sais pas. Pas mal de choses, sans doute. Mais je n'en vois pas encore toutes les conséquences.

Elle consulta sa montre.

– Le dernier bateau pour Malmö vient de partir. Le prochain départ est à cinq heures moins le quart.

– Je vais aller à l'hôtel.

Elle secoua la tête.

– Tu peux dormir chez moi sur le canapé. Mon mari est maître d'hôtel, il rentre à peu près à cette heure-ci. On a l'habitude de manger des sandwiches.

Ils quittèrent le commissariat. Wallander ne comprit pas dans quel quartier de Copenhague elle l'emmenait. À leur arrivée, le mari, qui se prénommait Torben, venait de rentrer. Un type aimable, aussi petit que sa femme. Ils prirent des sandwiches et des bières dans la cuisine. Puis elle déplia le canapé et lui mit des draps. Comme il insistait pour prendre le premier bateau, elle promit de le réveiller.

Wallander dormit très mal. À un moment donné, il se leva et regarda par la fenêtre la rue déserte. Toutes les rues se ressemblaient, la nuit. On s'attendait à voir arriver quelqu'un. Mais il ne venait jamais personne.

Louise était un homme. Dès le début, il avait vu que ses cheveux avaient quelque chose de bizarre. L'explication était simple, peut-être trop simple. Une perruque. Il se rappela le socle en bois arrondi dans la cave de Svedberg. Il aurait dû comprendre plus tôt.

C'était un homme. Qui se faisait appeler Louise lorsqu'il changeait d'identité. Mais le vrai nom de cet homme, et sa physionomie réelle – ils en ignoraient tout.

Wallander sentait croître son malaise. Toutes les victimes du tueur étaient déguisées, maquillées, travesties. Comme Louise. Quand Wallander s'était présenté à elle, elle avait immédiatement déguerpi.

C'est lui, pensa Wallander. C'est forcément lui. Il n'y a pas d'autre explication. J'avais le tueur à portée de main. Mais je ne l'ai pas reconnu sous son masque. Et il a filé. Maintenant il sait qu'on le suit à la trace ; il sait aussi qu'on ne connaît pas son identité.

On ne sait rien du tout.

Il se recoucha, somnola un moment, se réveilla de nouveau. Il attendait qu'il soit quatre heures.

Quand Lone Kjaer entra pour le réveiller, il était déjà habillé et avait replié les draps. Elle lui jeta un regard sévère.

– Le manque de sommeil n'a jamais fait de bons policiers, dit-elle.

– J'ai toujours eu du mal à dormir, même avant d'entrer dans la police.

Ils burent un café dans la cuisine. Les ronflements de Torben leur parvenaient par la porte ouverte.

– Je vais voir si je peux découvrir autre chose sur cette Louise qui n'en était pas une.

Il la remercia pour son aide passée et à venir. Puis elle appela un taxi.

– C'est lui que vous cherchez ? demanda-t-elle enfin.

– Oui. Il n'y a pas d'autre explication possible.

Il arriva au terminal à cinq heures moins vingt. Il fut étonné du nombre de gens qui attendaient le premier bateau. Qui avait besoin de se rendre à Malmö de si bonne heure ? Il acheta un billet et s'assit sur l'un des sièges en plastique. Il s'était presque endormi lorsque les passagers commencèrent à monter à bord. Il s'assit près d'un hublot, s'endormit avant même que le bateau quitte le quai et ne se réveilla qu'en arrivant à Malmö.

En franchissant la douane, il comprit soudain sa grave erreur. Louise était un homme. Qui parlait suédois. Qui était, comme lui, en visite à Copenhague ; bien entendu, il aurait pu prendre le dernier bateau, la veille au soir. Mais il aurait pu tout aussi bien être l'un des passagers de ce matin. Wallander ne savait pas ce qu'il aurait pu tenter au juste. Faire le tour du bateau en essayant de reconnaître un visage, une femme sans maquillage transformée en homme ? Prévenir la police de Malmö, faire contrôler l'identité de tous les passagers à leur arrivée ?

Surtout, il aurait dû y penser. Mais il était beaucoup trop fatigué. Il n'était plus qu'une mince coquille posée sur un organisme constitué d'épuisement, d'excès de sucre et de manque de sommeil.

Il sortit du terminal. Les passagers s'égaillèrent dans tous les sens ; il les regarda, impuissant.

Il regagna sa voiture. Le portable était bien sur le siège avant. Et il avait bien oublié d'éteindre ses phares. Il tenta de mettre le contact ; batterie à plat. Il s'enfonça dans son siège et ferma les yeux. Envisagea de laisser la voiture, de traverser la rue, de prendre une chambre à l'hôtel Savoy et de dormir. Mais il résista à son envie et téléphona à Birch, en espérant que celui-ci était matinal. Birch prenait son café.

– Où es-tu passé, hier soir ? Je croyais que tu devais me rappeler.

Wallander lui expliqua la situation.

– Si près du but, dit Birch pensivement quand il eut fini.

– Je me suis laissé prendre au piège. J'aurais dû surveiller la porte des toilettes.

– Il y a tant de choses qu'on devrait faire. Et maintenant, te voilà donc revenu à Malmö. Tu dois être fatigué.

– Je n'arrive pas à faire démarrer ma voiture.

– J'ai des câbles. Où es-tu ?

Il le lui expliqua.

Birch arriva dix-neuf minutes plus tard. Wallander en avait profité pour dormir un peu.

– Je suis allé à l'appartement de Haag, annonça Birch. Très spartiate. Des agrandissements de photos de papillons sur les murs. Par contre, je n'ai rien trouvé de très intéressant pour nous, je crois.

– Il est mort parce qu'il se trouvait par malheur au mauvais endroit. J'en suis sûr. C'étaient les jeunes mariés qui intéressaient le tueur.

– L'homme que tu as rencontré hier ? Déguisé en femme ?

– Je crois.

– Tu as une photo. Ça veut dire que tu as un visage. Enlève les cheveux ; tu disposes peut-être de plus d'éléments que tu ne le crois.

– On va commencer par là. Il est possible que quelqu'un reconnaisse Louise en homme.

Birch le regarda attentivement.

– Toi, tu devrais commencer par dormir quelques heures. Si tu t'écroules, ça ne va rien arranger.

Ils posèrent les câbles et la voiture démarra. Il était six heures vingt-cinq.

– On va continuer à fouiller le studio et l'appartement, dit Birch. On reste en contact.

– Merci pour tout.

Wallander quitta Malmö ; dès la sortie de Jägersro, il s'arrêta et composa le numéro de Martinsson, qui se mit aussitôt à geindre.

– J'ai essayé de t'appeler, on devait se réunir hier soir, mais ton portable n'est jamais branché ou alors on n'arrive pas à te joindre.

– J'étais au Danemark. Mais je veux que tu réunisses le groupe d'enquête pour huit heures.

– Il s'est passé quelque chose ?

– Oui. Mais on en parlera à huit heures.

Wallander continua en direction d'Ystad. Le beau temps persistait. Ciel sans nuages, presque pas de vent. Il se sentait moins fatigué que tout à l'heure. Son cerveau recommençait à fonctionner. Il ne cessait de revenir intérieurement à sa rencontre avec Louise. Il essayait de *voir* le visage derrière le maquillage. Par moments, il lui semblait presque y parvenir.

Lorsqu'il arriva enfin à Ystad, il était huit heures moins vingt. Ebba éternua plusieurs fois en le voyant.

– Enrhumée ? demanda-t-il. Par ce beau temps ?

– Les vieilles dames peuvent attraper des allergies, dit-elle avec ironie.

Puis elle le considéra d'un air sévère.

– Tu n'as pas dormi cette nuit ?

– J'étais à Copenhague. On ne dort pas beaucoup, dans ces cas-là.

Elle ne parut pas comprendre la tentative de plaisanterie.

– Si tu ne t'occupes pas sérieusement de ta santé, ça va mal finir. Je te le dis juste pour ton information.

Il ne prit pas la peine de répondre. Parfois, la faculté qu'avait Ebba de le percer à jour l'énervait. Elle avait raison, bien sûr. Les îlots de sucre dans son sang étaient sûrement déjà des icebergs.

Il alla chercher un café et s'assit derrière son bureau. Quelqu'un y avait posé une enveloppe, avec un Post-it précisant que c'était important. Il jeta un regard à l'horloge et déchira l'enveloppe. La lettre était de Mats Ekholm. Wallander avait collaboré avec lui deux ans plus tôt, à l'époque où ils recherchaient un forcené qui tuait les gens avant de les scalper. Mats Ekholm était psychologue. Il les avait aidés à dresser un profil du tueur. Dans les grandes lignes, leur collaboration avait été fructueuse. Mais par la suite, une fois le tueur arrêté, Wallander s'était interrogé sur l'apport réel d'Ekholm, et il n'était jamais parvenu à une conclusion définitive. En tout cas, Ekholm avait joué un rôle en tant que partenaire de discussion.

Wallander parcourut la lettre, envoyée par Ekholm de sa propre initiative. Officiellement, personne ne lui avait demandé son opinion. Mais, à l'évidence, il s'intéressait de très près aux événements. La conclusion de la lettre était on ne peut plus explicite. Wallander sentit son estomac se nouer. Ekholm écrivait :

> On peut raisonnablement supposer que ce tueur va récidiver. Rien n'indique qu'il soit au bout de son projet. Aucun emploi du temps ne se dégage. La pleine lune symbolique qui déclenche sa violence semble pouvoir briller à n'importe quel moment. On peut interpréter de différentes manières le fait qu'il choisisse de tuer des gens déguisés, travestis. Pour moi, l'hypothèse la plus vraisemblable est qu'il s'éloigne ainsi de toute responsabilité. Il tue des personnages, pas des personnes réelles. Je peux évidemment me tromper. Mais je me demande s'il n'y a pas un autre mobile en jeu, que je ne distingue pas bien, qui relierait les victimes tout à fait indépendamment de la question du déguisement. Pour le reste, je tire les mêmes conclusions que tu as apparemment tirées toi-même, à savoir que c'est un homme qui a accès à des informations confidentielles, et un homme qui ne prend pas de risques. Il peut très bien mener ce que nous appelons une vie ordinaire. Il peut avoir un travail dont il s'acquitte à la perfection. Il peut avoir une famille, des amis, tout ce qui appartient à la norme sociale. Il n'a sans doute jamais eu affaire à la justice. Il n'a sans doute jamais eu recours à la violence auparavant. Il s'est passé quelque chose. Une éruption volcanique intime que personne – lui moins que quiconque – n'aurait pu prévoir.

Wallander reposa la lettre. Différents numéros de téléphone figuraient en haut à gauche. Il composa celui de son travail. On lui répondit qu'Ekholm n'était pas encore arrivé. Wallander demanda qu'il le rappelle.

Il était huit heures moins trois minutes.

Wallander pensait à ce qu'Ekholm ne savait pas : le tueur aussi se déguisait. De la même manière que ses victimes.

À supposer que ce soit lui. Mais Wallander ne trouvait aucun outil qui lui aurait permis de démonter cette hypothèse. C'était le tueur qu'il avait rencontré la veille au soir à Copenhague. Une autre explication n'était tout simplement pas envisageable.

Il pensa à Isa Edengren, recroquevillée derrière les fougères, et frissonna.

Il se leva de son fauteuil. Ses collègues l'attendaient sûrement déjà. Il leur raconterait ce qui s'était passé la veille au soir. Le tueur s'était montré, puis volatilisé.

La femme disparue en fumée. Renaissant de ses cendres sous la forme d'un homme. Il n'y avait plus de Louise ; il n'y avait plus qu'un inconnu qui avait enlevé sa perruque avant de disparaître. Un homme qui avait déjà tué huit personnes et qui s'apprêtait peut-être en ce moment même à recommencer.

Il s'immobilisa sur le seuil. Ekholm avait fait un commentaire. Y avait-il un autre mobile, un autre lien entre les victimes ? Déguisements mis à part ?

Intuitivement, il devinait qu'Ekholm avait raison. Mais comment identifier ce lien ?

Comment faire ? pensa Wallander. En plus, on manque cruellement de temps pour penser à toutes les hypothèses, suivre toutes les pistes, formuler toutes les objections. Mais comment savoir quelle piste est la bonne ? Il laissa la question en suspens et se rendit aux toilettes.

Après s'être lavé les mains, il considéra fixement le visage que lui renvoyait le miroir. Enflé, pâle, bouffi. Pour la première fois de sa vie, il éprouva de la répulsion devant sa propre image.

Je dois arrêter ce type, pensa-t-il. Ne serait-ce que pour prendre un congé maladie et m'occuper un peu de ma santé.

Il but de l'eau dans un gobelet en plastique. De nouveau, il se posa la question : Comment savoir quelle piste est la bonne ? La réponse est simple : On n'en sait rien. On joue à la roulette avec nos intuitions. Noir = impasse, rouge = bonne voie. Le temps est un capital vite englouti.

Les marges sont infimes, inexistantes. On est contraint de compter sur ce que tout le monde méprise et récuse, mais espère en secret : la chance. Coup de chance, que la piste retenue se révèle être la bonne, qu'elle ne mène pas tout droit dans le vide.

Il était huit heures et sept minutes. Wallander sortit des toilettes et se rendit à la salle de réunion.

Ils étaient tous là. Il était l'élève retardataire. Ou le professeur retardé. Thurnberg tripota son nœud de cravate impeccable, Lisa

Holgersson lui sourit de son sourire inquiet. Les autres, ses collègues, le saluèrent de la seule manière possible, avec leur présence épuisée. Wallander s'assit et leur dit exactement ce qu'il en était. Il avait eu le tueur à portée de main, mais il l'avait laissé s'échapper. Calmement, méthodiquement, il leur raconta tout ce qui s'était produit depuis l'instant où il avait rencontré Birch et Maria Hjortberg, l'appel inattendu de Lone Kjaer, la traversée jusqu'à Copenhague, le bar situé dans l'une des ruelles derrière la gare, Louise qui regardait son verre, son sourire, son empressement à lui parler. Mais, auparavant, elle devait aller aux toilettes.

– Là, elle a retiré sa perruque. La même qu'elle porte sur la photo, d'ailleurs. Elle a effacé son maquillage. Puisqu'elle – il, plutôt – est quelqu'un d'extrêmement calculateur, il avait sans doute prévu cette possibilité. Il avait probablement un flacon de démaquillant sur lui. Je n'ai rien vu, puisque j'attendais une femme.

– Les vêtements ? demanda Ann-Britt Höglund.

– Elle portait une sorte de tailleur-pantalon. Des chaussures plates. En la regardant très attentivement, on aurait peut-être pu se douter que c'était un homme. Mais pas dans l'obscurité du bar.

Il n'y avait pas d'autres questions.

– Je n'ai aucun doute, dit Wallander lorsque le silence s'éternisa au-delà du temps de réflexion légitime. C'est lui que nous cherchons. Sinon, pourquoi se serait-il enfui ?

– Tu n'as pas pensé au fait qu'il avait pu prendre le même bateau que toi ce matin ? demanda Hansson.

– J'y ai pensé. Mais beaucoup trop tard.

Ils devraient me tomber dessus, pensa-t-il. Pour ça et pour bien d'autres choses dans cette enquête. En fait, j'ai vu qu'elle portait une perruque dès la première fois que j'ai eu sa photo sous les yeux. Si j'avais compris qu'elle était aussi travestie, presque tout aurait été différent. C'était elle que nous cherchions : Louise, qui était en réalité un homme. Les autres pistes auraient pu attendre. Mais je ne l'ai pas vu. Je n'ai pas eu la force de voir ce que j'avais découvert dès le premier instant.

Il se versa un verre d'eau minérale avant de poursuivre :

– J'ai reçu une lettre de Mats Ekholm. Vous vous souvenez, le psychologue qui nous a aidés il y a deux ans à arrêter le garçon qui scalpait les gens. Il m'a fait part de ses réflexions sans que je le lui demande. Il souligne le risque de récidive. On n'a pas une seconde à perdre.

– L'homme a la perruque figure-t-il déjà dans l'enquête ? demanda l'un des policiers de Malmö.

– On n'en sait rien. Mais c'est l'une des questions les plus importantes. On doit revenir en arrière, reprendre tous les éléments de l'enquête depuis le début. On finira peut-être par le trouver.

– La photo, dit Martinsson. Avec l'ordinateur, on peut enlever la perruque et commencer à reconstituer un visage d'homme.

– C'est le plus important. On va commencer tout de suite, en sortant d'ici. Avec une perruque et un maquillage habile, on peut modifier un visage, mais pas le transformer du tout au tout.

Il sentit une énergie nouvelle autour de la table. Il n'avait aucune intention de prolonger la réunion plus longtemps que nécessaire. Lisa Holgersson, voyant qu'il allait conclure, leva la main.

– Je voudrais juste vous rappeler ce que vous savez tous. L'enterrement de Svedberg aura lieu demain à quatorze heures. Compte tenu de l'état de l'enquête, on repousse jusqu'à nouvel ordre la petite cérémonie qu'on comptait organiser ici au commissariat.

Personne ne fit de commentaire. Ils étaient pressés.

Wallander était retourné à son bureau pour prendre sa veste. Une visite qui ne pouvait être repoussée ; une piste qui se révélerait sans doute complètement fantaisiste. Mais s'il s'avérait contre toute attente qu'il avait eu raison, il ne se pardonnerait jamais de ne pas l'avoir suivie. Une heure lui suffirait pour en avoir le cœur net. Cette heure, pensa-t-il, devait pouvoir lui être accordée.

Dans le couloir, Thurnberg apparut soudain à ses côtés.

– Avons-nous le matériel informatique nécessaire pour travailler sur la photographie ?

– Ça, il faut le demander à Martinsson. Mais, s'il a le moindre doute, il fera appel à des gens compétents.

Thurnberg hocha la tête.

– Je voulais juste m'en assurer.

Il hésita avant de poursuivre :

– À mon avis, tu ne dois pas te reprocher ce qui est arrivé à Copenhague. Ç'aurait été trop demander, de prévoir une chose pareille.

Thurnberg était visiblement sincère. Une tentative de rapprochement ? Wallander décida de faire comme si c'était le cas.

– Je suis disposé à écouter tous les points de vue. Cette enquête est tout sauf facile.

– Si j'ai quelque chose à te dire, je le ferai sans faute.

La conversation était terminée. Wallander quitta immédiatement le commissariat. Hésita un instant à prendre sa voiture. Choisit en définitive de marcher. Le centre n'était pas loin. La seule manière de combattre le manque de sommeil, c'était de rester en mouvement.

Dix minutes plus tard, il était devant le bâtiment rouge du centre de tri postal. Quelques voitures jaunes chargeaient de gros sacs un peu plus loin. Wallander n'était encore jamais venu là. La porte d'entrée était fermée à clé. Il sonna à l'interphone.

L'homme qui l'accueillit était le responsable des lieux. Il était jeune, trente ans à peine, et s'appelait Kjell Albinsson. Wallander se sentit immédiatement en confiance. Albinsson le précéda dans son bureau où un ventilateur bourdonnait en haut d'une armoire.

Wallander sortit un papier et un crayon pour gagner du temps. Par où devait-il commencer ? « Arrive-t-il souvent aux facteurs de campagne de lire le courrier des gens ? » Impossible. Cela revenait à insulter toute une profession. Wallander pensa à Westin ; il n'aurait sûrement pas apprécié.

Il décida de tout reprendre depuis le début. Il était onze heures moins dix-sept minutes, le lundi 19 août.

30

Une carte était accrochée au mur du bureau d'Albinsson.

Wallander commença par l'interroger là-dessus : l'étendue des différents districts de distribution du courrier. Albinsson voulut savoir pourquoi la police s'intéressait à cette question. Wallander faillit lui dire la vérité, qu'il soupçonnait un facteur de la région d'Ystad d'être un meurtrier en série. Une telle affirmation n'était pas seulement tirée par les cheveux ; elle était sans doute fausse. Rien n'indiquait que « Louise » fût employée par la poste, au contraire. Par exemple, les facteurs travaillaient souvent tôt le matin ; ils ne pouvaient donc pas passer leurs nuits dans des bars de Copenhague, en semaine du moins. Il répondit donc de façon évasive, sans même évoquer le meurtre de Svedberg, ni des jeunes de Hagestad et de Nybrostrand –, mais avec suffisamment d'énergie pour qu'Albinsson n'insiste pas.

Albinsson commença à lui expliquer l'organisation des districts avec enthousiasme. Wallander prit quelques notes.

– Combien de facteurs de campagne y a-t-il en tout ? demanda-t-il lorsque Albinsson se fut rassis derrière son bureau.

– Nous avons huit titulaires.

– Y a-t-il une liste de leurs noms ? De préférence avec leur photographie ?

– La poste est une entreprise dynamique. Nous avons même une brochure en couleurs sur le métier de facteur de campagne.

Albinsson disparut. Wallander pensa que, pour une fois, il avait de la chance. Avec ces photos, il s'apercevrait tout de suite que l'homme de Copenhague ne travaillait pas à la poste.

Il gardait tout de même un infime espoir d'identifier le tueur en quelques secondes.

Albinsson revint avec la brochure. Wallander jura ; il avait oublié ses lunettes.

– Les miennes t'iront peut-être. C'est quoi, ta dioptrie ?

– Je ne sais pas très bien. 10,5.

Albinsson lui jeta un regard perplexe.

– Dans ce cas, tu serais aveugle. Je suppose que tu veux dire 1,5. Moi, j'ai 2. Ça devrait aller.

Ça allait, en effet. La brochure était luxueuse ; était-ce pour cela que le prix des timbres ne cessait d'augmenter ? Puis il pensa à ce qu'avait dit Westin en le conduisant à Bärnsö : d'ici quelques années, la moitié du courrier actuel serait remplacée par le courrier électronique. Que ferait alors la poste ? Westin n'avait pas de réponse. Wallander non plus. Cette brochure avait-elle une utilité en dehors de celle, indéniable, qu'elle présentait pour lui en cet instant ?

Il la déplia. Huit titulaires, quatre hommes et quatre femmes. Wallander examina le visage des hommes. Aucun d'entre eux n'avait la moindre ressemblance avec Louise. Il eut un instant d'hésitation devant un certain Lars-Göran Berg. Puis il vit que c'était impossible. Il regarda ensuite les femmes. Il reconnut l'une d'elles, qui avait toujours distribué le courrier chez son père à Löderup.

– Je peux garder la brochure ?

– Je peux t'en donner plusieurs, si tu veux.

– Ce n'est pas nécessaire.

– As-tu eu la réponse que tu cherchais ?

– Pas vraiment. Mais j'ai encore quelques questions. Le courrier est donc trié ici. Est-ce que ce sont les facteurs eux-mêmes qui s'en occupent ?

– Oui.

– Il n'y a donc pas d'autres employés ici ?

– Si : Sune Boman. Veux-tu que j'aille le chercher ?

Wallander se demanda fugitivement ce qui arriverait si Sune Boman se révélait être son homme. Mais il voulait en avoir le cœur net.

– On peut peut-être aller lui dire bonjour ?

Ils se rendirent dans le grand local où l'on triait le courrier. Un homme était penché sur un sac qu'il venait de refermer. Même à cette distance, il était évident que ce ne pouvait pas être lui. Sune Boman mesurait près de deux mètres et pesait sûrement plus de cent kilos. Wallander s'approcha néanmoins et le salua. Boman lui rendit son regard sans sourire.

– Pourquoi n'avez-vous pas encore arrêté ce malade ?

– On fait de notre mieux.

– Vous auriez dû le capturer depuis longtemps.

– Les choses ne se passent pas toujours comme on le voudrait.

Wallander et Albinsson retournèrent dans le bureau.

– Il n'a pas toujours un caractère très facile, s'excusa Albinsson.

– Comme tout le monde. En plus, il a raison.

Wallander se rassit. Avait-il d'autres questions ? La solution ne se trouvait pas au centre de tri de la poste. D'ailleurs, ça ne l'étonnait qu'à moitié.

Il rendit ses lunettes à Albinsson.

– Je ne vais pas te déranger plus longtemps. À moins qu'il n'y ait d'autres employés…

– Il y a les chauffeurs, bien entendu. Mais ils s'occupent de la manutention. Ils n'ont rien à voir avec le tri ni avec la distribution du courrier.

– Tu n'aurais pas une brochure sur eux ?

– Malheureusement pas.

Wallander se leva, il n'avait pas d'autres questions.

– Que veux-tu savoir au juste ? demanda Albinsson.

– Comme je te l'ai dit. Simple mesure de routine.

Albinsson secoua la tête.

– Tu ne me feras pas avaler ça. Pourquoi le principal enquêteur de la ville gaspillerait-il son temps en mesures de routine ? Alors que vous êtes en train d'élucider le meurtre de l'un de vos collègues, de plusieurs jeunes et d'un couple de jeunes mariés. Tu es ici à cause de ces meurtres.

– Ça ne change rien au fait que ce soit une mesure de routine.

– Je ne te crois pas. Je crois que tu cherches quelque chose de précis.

– Je t'ai dit tout ce que je pouvais te dire. Mais j'ai peut-être encore quelques questions.

Il se rassit.

– Un sac de courrier ne doit pas avoir la même allure aujourd'hui qu'il y a dix ou vingt ans. Qui écrit des lettres aujourd'hui ?

– Tu as raison, il y a eu de grands changements. D'ici quelques années, ce sera encore plus flagrant. La poste commence à devenir archaïque. Maintenant, les gens communiquent par télécopie et par e-mail.

– Je suppose que la correspondance à caractère privé a énormément diminué.

– Pas autant qu'on pourrait le croire. Beaucoup de gens se méfient du courrier électronique. On est jaloux de son intimité. On préfère l'enveloppe fermée.

– Les sacs de la poste ne sont donc pas remplis de publicités et de lettres officielles ?

– Loin de là.

Wallander hocha la tête. Albinsson et lui se levèrent en même temps.

– As-tu obtenu une réponse à tes questions ?

– Je crois. Merci pour ton aide.

Albinsson n'insista pas. Ils se séparèrent devant l'entrée principale. Wallander sortit au soleil. Étrange mois d'août, pensa-t-il, avec cette chaleur qui refuse de s'en aller et le vent qui, pour une fois, a complètement quitté la ville.

Il reprit le chemin du commissariat en se demandant s'il devait mettre son uniforme le lendemain pour l'enterrement de Svedberg. Et Ann-Britt ? Ne regrettait-elle pas d'avoir accepté de tenir ce discours qu'elle n'avait pas écrit elle-même ?

À son arrivée, Ebba lui apprit que Lisa Holgersson voulait lui parler. Ebba paraissait déprimée.

– Tu vas bien, au fait ? demanda Wallander. On n'a jamais le temps de se parler, ces temps-ci.

– Ça va comme ça peut, répondit-elle.

Wallander se souvint que son père utilisait toujours cette expression pour évoquer les misères de la vieillesse.

– Dès que cette affaire sera terminée, on va discuter tous les deux, dit Wallander.

Elle acquiesça en silence. Il eut l'impression qu'elle avait quelque chose sur le cœur. Mais il n'avait pas le temps de s'attarder. Il se dirigea vers le bureau de Lisa Holgersson. Comme d'habitude, sa porte était ouverte.

– C'est une percée remarquable, dit-elle lorsqu'il se fut assis dans le confortable fauteuil des visiteurs. Thurnberg est épaté.

– Par quoi ?

– Demande-le-lui. Mais tu te montres à la hauteur de ta réputation.

Wallander ouvrit de grands yeux.

– Elle est si mauvaise que ça ?

– Plutôt le contraire.

Wallander écarta les mains. Il ne voulait pas trop parler d'initiatives qui laissaient beaucoup à désirer à ses propres yeux.

– Le chef de la direction centrale sera présent à l'enterrement, dit-elle. La ministre de la Justice aussi. Ils arrivent à Sturup à onze heures, je vais les chercher là-bas. Ils désirent être informés de l'état de l'enquête. Disons à onze heures trente, dans la grande salle de réunion. Toi, moi et Thurnberg.

– Tu ne peux pas le faire seule ? Ou avec Martinsson ? Il parle beaucoup mieux que moi.

– C'est toi qui diriges le travail. Ça ne prendra pas beaucoup de temps, une demi-heure tout au plus. Ensuite, ils iront déjeuner. Ils repartiront pour Stockholm tout de suite après l'enterrement.

– Est-ce que l'un d'eux va faire un discours ?

– Tous les deux.

– J'appréhende beaucoup l'enterrement. Ça fait quand même une grande différence quand le mort a été brutalement assassiné.

– Tu penses à ton ami Rydberg ?

– Oui.

Le téléphone sonna. Elle écouta un instant et demanda à son interlocuteur de la rappeler plus tard.

– Vous avez pris une décision, pour la musique ? demanda Wallander.

– Le chantre s'en occupe. Ce sera sûrement digne. Qu'est-ce qu'on joue d'habitude aux enterrements ? Bach et Buxtehude ? Et un psaume, évidemment.

Wallander se leva.

– J'espère que tu vas profiter de l'occasion, dit-il.

– Quelle occasion ?

– Pour dire au chef et à la ministre que si on continue à réduire les effectifs, ce ne sera plus une campagne de rigueur budgétaire, mais un complot. Un aveu de complicité avec le crime, organisé ou non, qui sévit dans ce pays.

– Tu es fou ? Qu'est-ce que ça veut dire ?

– Exactement ce que ça dit. Un complot pour rendre la police définitivement incapable de remplir sa mission. Dis-le-leur. Nous n'en sommes pas tout à fait là, mais presque.

Elle secoua la tête.

– Je ne pense pas être d'accord avec toi là-dessus.

– J'ai raison, et tu le sais. Tous ceux qui travaillent dans la police constatent la même dérive.

– Pourquoi ne le leur dis-tu pas toi-même ?

– Je devrais peut-être le faire. Mais surtout, je devrais arrêter ce tueur.

– Pas toi. Nous.

Wallander alla dans le bureau de Martinsson, où se trouvait déjà Ann-Britt. Ensemble, ils contemplèrent une image sur l'écran de l'ordinateur : le visage de Louise, sans cheveux.

– J'utilise un programme mis au point par le FBI, précisa Martinsson. Maintenant que j'ai effacé ses cheveux, on peut lui inventer des centaines de coiffures. Sans compter la barbe et la moustache. On peut même lui donner de l'acné.

– Je ne pense pas qu'il en ait, dit Wallander. La seule chose qui nous intéresse, c'est ce qu'il cache sous sa perruque.

– J'ai fait quelques recherches, dit Ann-Britt. J'ai appelé un perruquier à Stockholm en lui demandant s'il est possible ou non de dissimuler une grande masse de cheveux sous une perruque. Il n'y a pas de réponse simple à cette question.

– Si ça se trouve, il est donc très chevelu.

– On peut faire plein de choses avec ce programme, insista Martinsson. Déplier les oreilles, aplatir les nez…

– Dans le cas qui nous occupe, on n'a pas besoin de déplier ou de replier quoi que ce soit.

– La couleur des yeux ?

Wallander réfléchit.

– Bleus, dit-il.

– Elle avait des dents comment ?

– Pas elle. *Il*.

– Tu as vu ses dents ?

– Pas très bien. Mais je crois qu'elles étaient plutôt blanches, bien soignées.

– Les psychopathes sont souvent des maniaques de l'hygiène.

– Nous ne savons pas si c'est un psychopathe.

Martinsson intégra dans l'ordinateur les indications de Wallander quant aux yeux et aux dents.

– Quel âge avait-elle ? demanda Ann-Britt.

– Pas elle. *Il*.

– Mais tu as vu une femme. C'est après coup seulement que tu as compris que c'était un homme.

Wallander sentit qu'elle avait raison. Il avait vu une femme. Il devait partir de là pour évaluer son âge.

– C'est difficile à dire quand on a affaire à une femme très maquillée. Mais la photo que nous avons doit être assez récente. Je dirais qu'elle a une quarantaine d'années.

– Sa taille ? dit Martinsson.

– Difficile à dire. Assez grande. Entre un mètre soixante-dix et un mètre soixante-quinze.

Martinsson pianota sur le clavier.

– Son corps, dit-il ensuite. Avait-elle de faux seins ?

Wallander comprit qu'il n'avait pas été très observateur.

– Je ne sais pas quoi répondre.

Ann-Britt Höglund le regarda avec un sourire amusé.

– Selon toutes les études disponibles, un homme remarque très vite la taille des seins d'une femme. Ensuite, paraît-il, il regarde ses jambes. Puis son derrière.

Martinsson gloussa derrière son écran. Wallander saisit l'absurdité de la situation. Il devait décrire une femme qui était un homme, mais qui devait cependant être considérée comme une femme jusqu'à ce que Martinsson ait fini d'intégrer toutes les données dans l'ordinateur.

– Elle portait une veste. Je ne suis peut-être pas un observateur typique. Mais je n'ai pas fait attention à sa poitrine. En plus, le comptoir était assez haut. Je ne l'ai pas non plus regardée de dos. Quand elle s'est éloignée, elle a tout de suite été cachée par la foule. Il y avait beaucoup de monde dans ce bar.

– On a quand même beaucoup d'éléments, dit Martinsson d'un ton encourageant. Maintenant, il faut essayer de deviner ce que ce type avait comme coiffure sous sa perruque.

– Ça me paraît impossible, dit Wallander. Ne devrions-nous pas nous contenter du visage ? Le publier dans les journaux en espérant que quelqu'un le reconnaisse, une fois enlevée cette perruque qui fausse tout ?

– D'après les enquêtes du FBI, c'est presque impossible.

– Essayons quand même.

Une pensée venait de le frapper.

– Qui a parlé à l'infirmière ? Celle qui a reçu un coup de fil du type se faisant passer pour Erik Lundberg ?

– C'est moi, dit Ann-Britt. Ç'aurait dû être Hansson. Mais finalement c'est moi qui lui ai parlé.

– Alors ? Qu'est-ce qu'elle a dit ?

– Pas grand-chose. Il avait l'accent de Scanie.

– L'accent lui a-t-il semblé authentique ?

Elle le regarda avec surprise.

– Eh bien non. Elle a même fait un commentaire là-dessus, en disant que le dialecte du type avait quelque chose de bizarre, mais qu'elle n'arrivait pas à mettre le doigt dessus.

– On peut donc penser que l'accent était imité ?

– Oui.

– Comment était la voix ? Aiguë ou grave ?

– Grave.

Wallander retourna en pensée à l'Amigo. Louise lui avait souri. Puis elle lui avait dit qu'elle devait aller aux toilettes. Et sa voix était grave. Sous la voix d'emprunt, elle était grave.

– Alors, conclut-il, c'est lui qui a téléphoné. Nous pouvons en être presque certains, même si nous n'avons pas de preuve.

Il sentit qu'il était temps de rassembler ses collègues les plus proches. Dans cette situation, ceux-ci se limitaient à Ann-Britt et à Martinsson. Pas même Hansson n'était inclus dans ce cercle intime.

– Faisons un point, proposa-t-il. Rien que nous trois, dans la petite salle de réunion.

– Je devrais continuer à travailler sur ce portrait-robot, ça n'a rien de facile.

– Ce ne sera pas long.

Martinsson se leva. Ensemble, ils se rendirent dans la plus petite des salles de réunion et refermèrent la porte. Wallander leur parla de sa visite au centre de tri de la poste.

– Je n'avais pas grand espoir, conclut-il. Mais je voulais vérifier.

– Ça ne change rien à l'hypothèse de départ, dit Martinsson. Nous recherchons quelqu'un qui dispose d'informations surprenantes. Quelqu'un qui a accès aux secrets les mieux gardés.

– Nous n'avons toujours pas la preuve que quelqu'un ait été au courant de la séance photos des jeunes mariés, dit Ann-Britt.

– Nous devons nous concentrer là-dessus. Cette enquête est incroyablement étendue, dans toutes les directions. Mais nous avons maintenant trouvé quelque chose qui ressemble à un centre plausible. Nous avons un tueur qui partage une habitude avec ses victimes : il se déguise. De plus, il s'introduit dans un univers au moins partiellement secret. Comment s'y prend-il ? À quelle *place* se trouve-t-il ? Comment a-t-il accès à ces informations ?

Il réfléchit un instant en silence à sa visite au centre de tri.

– Je n'ai trouvé qu'un seul dénominateur commun. Isa Edengren avait le même facteur que Sture Björklund. Ensuite, j'ai dû ajouter trois facteurs différents. Plus un quatrième qui travaille en dehors du district d'Ystad. Nous pouvons donc abandonner cette théorie. C'est absurde d'imaginer une conspiration entre facteurs. L'histoire est déjà assez invraisemblable comme ça.

Martinsson restait hésitant.

– N'allons-nous pas trop vite ? Supposons un instant que cet homme déguisé en femme existe à la périphérie de l'enquête. Nous ne pouvons pas savoir avec certitude que c'est lui, le tueur.

L'objection de Martinsson était pertinente.

– Tu as raison. Regardons d'un peu plus près ces quatre facteurs masculins. Plus un autre, qui travaille dans le district de Simrishamn. La poste nous facilite la tâche en mettant une brochure à notre disposition.

Ils notèrent les noms et se les partagèrent.

– C'est mince, comme espoir. Mais il est possible qu'on obtienne une empreinte, sur le comptoir de l'Amigo. Malheureusement, ils avaient déjà lavé son verre de vin.

Ils prirent le temps de considérer ce centre provisoire sous différents angles. Qu'omettaient-ils ? De quelle manière les gens se procuraient-ils des informations ? En ouvrant des lettres, en écoutant des conversations téléphoniques, ou les deux à la fois. Mais à part ça ? Ils envisagèrent toutes les possibilités, du commérage au chantage, des fax aux e-mails. Mais rien qui puisse donner un contenu à ce centre vide. Wallander constata que son inquiétude était de nouveau intense. Il pensa à la lettre de Mats Ekholm.

– Nous n'avons pas de schéma directeur. Nous avons les déguisements et les secrets. C'est tout.

– On a reçu des informations sur la fameuse secte des *Divine Movers*, dit Martinsson. Pas de violence apparemment. En revanche, pas mal d'embrouilles avec le fisc. Mais ça, je crois que ça vaut pour la plupart des sectes en Europe et aux États-Unis.

– Que se passe-t-il si nous oublions les déguisements ? dit Ann-Britt. Si nous considérons ce thème comme une surface dont nous devrions faire abstraction. Qu'avons-nous alors ?

– Des jeunes, dit Wallander. Des jeunes gens joyeux qui font la fête ou qui se marient.

– Tu ne comptes donc pas Haag ?

– Non. Il est en dehors de l'histoire.

– Et Isa Edengren ?

– Elle aurait dû participer à la fête.

– Ça change quand même le profil de l'enquête. Un nouvel élément apparaît. Le tueur a décidé qu'Isa Edengren ne devait pas en réchapper. Mais réchapper à quoi ? Quel est le mobile ? La haine ou la vengeance ? D'autre part, nous ne trouvons pas de point de recoupement entre les jeunes mariés et les quatre jeunes gens. Et Svedberg : quelle piste suivait-il ?

– Ça, dit Wallander, je crois qu'on peut y répondre, du moins provisoirement. Svedberg connaissait cet homme qui se déguisait en femme. Quelque chose a dû éveiller ses soupçons. Au cours de l'été, il comprend qu'il avait vu juste. Cela doit être la raison de son assassinat. Il en sait trop. Il disparaît avant d'avoir pu nous en parler.

– Mais qu'est-ce que ça signifie ? dit Martinsson. À son cousin, Svedberg dit qu'il fréquente une femme du nom de Louise. À présent, on apprend que Louise était un homme – détail dont Svedberg aurait quand même dû s'apercevoir, après tant d'années. Alors de quoi parlons-nous au juste ? De travestis ? Sommes-nous en train de dire que Svedberg était bien homosexuel, tout compte fait ?

– Je ne pense pas que Svedberg ait eu une propension à s'habiller en femme. Mais il pouvait être homosexuel sans que nous le sachions.

– Dans cette affaire, quelqu'un me paraît de plus en plus important, dit Ann-Britt.

Wallander savait à qui elle pensait : Bror Sundelius, le banquier retraité.

– C'est aussi mon avis. Je crois qu'il y a toutes les raisons de construire un nouveau centre, n'excluant pas l'autre, mais complémentaire : les gens et les événements groupés autour d'une plainte vieille de onze ans. Nous savons que Svedberg s'est comporté de manière très étrange. On peut facilement imaginer qu'il ait été exposé à une forme de chantage. Ou qu'il ait eu d'autres raisons de taire quelque fait lié à Stridh.

– Si Bror Sundelius avait lui aussi des penchants contre nature, c'est compréhensible.

Wallander réagit vivement à cette formule de Martinsson, qui contenait un mépris à peine voilé.

– « Contre nature », c'est ce qu'on disait dans les années 50. Qu'aujourd'hui encore certains souhaitent cacher leur préférence, ce n'est pas tout à fait la même chose.

Martinsson remarqua la désapprobation de Wallander. Mais il ne réagit pas.

– La question est donc de savoir ce qui reliait Sundelius, Stridh et Svedberg. Un banquier, un petit délinquant et un policier, dont les noms commencent tous par un S.

– Je me demande si Louise faisait partie de cette constellation, dit Ann-Britt.

Wallander grimaça.

– Il faut qu'on lui trouve un autre nom. Louise a disparu aux toilettes de l'Amigo à Copenhague. Il faut lui trouver un autre nom, sinon ça va encore ajouter à la confusion.

– Louis, proposa Martinsson. Ce n'est pas compliqué.

Les autres étaient d'accord. Louise changea de sexe et fut provisoirement rebaptisée. Maintenant, ils étaient à la recherche d'un homme prénommé Louis.

– Stridh est mort, poursuivit Wallander, et les morts font de mauvais témoins. Rut Lundin, par contre, a peut-être quelque chose à ajouter. Mais j'en doute. Je crois qu'elle était sincère en disant qu'elle n'était pas au courant de toutes les activités de Stridh.

– Reste Sundelius.

Wallander se tourna vers Martinsson.

– Oui, dit-il, Sundelius est très important. À tel point que nous devrions nous concentrer un peu plus sur lui. Qui est-il exactement ?

– Pourquoi ne le faisons-nous pas venir ?

– Sous quel prétexte ?

– S'il est important pour l'enquête, il est important pour l'enquête.

– Avant de faire une chose pareille, il faudrait avoir de bonnes questions à lui poser.

Il fut convenu que Martinsson consacrerait une partie de son énergie à Sundelius. Wallander sortit et retourna dans son bureau. Dans le couloir, il croisa Edmundsson.

– On n'a rien trouvé à l'endroit de la réserve que tu nous avais demandé d'examiner.

Wallander mit un moment à comprendre.

– Rien du tout ?

– Quelqu'un avait craché sa chique au pied d'un arbre, c'est tout.

Wallander lui lança un regard aigu.

– J'espère que tu as ramassé cette chique, ou que tu en as parlé à Nyberg.

Edmundsson le surprit.

– Oui, dit-il.

– Cette découverte est peut-être plus importante que tu ne le crois.

Il continua jusqu'à son bureau. Il avait donc eu raison. L'endroit où il s'était senti observé, celui d'où on avait la meilleure vue sur le sentier… Le tueur s'était tenu là. Il avait craché sa chique, comme sur la plage. Il s'était aussi manifesté devant le périmètre à Nybrostrand. Déguisé, cette fois.

Il nous suit, pensa Wallander. Il est tout près de nous. Un pas devant, un pas derrière. Peut-être essaie-t-il de se tenir informé de nos conclusions ? Ou alors il cherche seulement à se convaincre que nous ne le rattraperons jamais.

Une pensée le frappa soudain. Il composa le numéro de Martinsson.

– As-tu eu l'impression que quelqu'un portait un intérêt inattendu à cette enquête ?

– Qui ça ? À part les journalistes, qui fouinent tant qu'ils peuvent…
– Peux-tu faire passer le message : que chacun se montre vigilant, au cas où quelqu'un manifesterait un intérêt particulier pour l'enquête, ou un comportement étrange, pas tout à fait habituel. Je ne peux pas être plus précis que ça.

Martinsson s'engagea à transmettre. Wallander raccrocha. Il était midi. Il s'aperçut soudain qu'il était affamé à en avoir la nausée. Il quitta le commissariat et se rendit dans l'un des restaurants du centre. À treize heures, il était de retour. Il ôta sa veste et déplia la brochure de la poste.

Le premier des facteurs qu'il allait tenter de contacter s'appelait Olov Andersson.

Wallander souleva le combiné et composa le numéro. Combien de temps tiendrait-il encore le coup ?

*

Il revint à Ystad peu après vingt-trois heures. Ne voulant pas risquer de croiser le policier qui avait retrouvé sa trace à Copenhague, il avait pris le train et embarqué sur le ferry à Helsingör. Arrivé à Helsingborg, du côté suédois, il prit un taxi jusqu'à Malmö, où l'attendait sa voiture. L'héritage laissé par un membre de sa famille lui évitait de penser aux économies. Il épia longuement le parking avant de se diriger vers la voiture. Il leur avait échappé ! D'ailleurs, il n'en avait douté à aucun moment, même la veille au soir, dans le bar de Copenhague. C'était un grand triomphe. Il ne s'attendait pas du tout à ce qu'un policier vienne s'asseoir sur le tabouret voisin. Mais il n'avait pas perdu son sang-froid. Tranquillement, il avait accompli les gestes prévus depuis longtemps, au cas où cette situation se présenterait.

Se rendre aux toilettes des dames, enlever la perruque, la coincer sous la ceinture, dans son dos, ôter son maquillage avec le démaquillant qu'il portait toujours sur lui. Et s'en aller. Quitter les toilettes en même temps qu'un autre homme. La faculté de se retirer à temps ne l'avait pas abandonné.

Lorsqu'il fut certain que le parking n'était pas surveillé, il monta dans sa voiture et prit la route d'Ystad. Rentré chez lui, après une longue douche, il se glissa entre les draps de sa chambre insonorisée.

Il avait besoin de réfléchir. Il ignorait comment le policier du nom de Wallander l'avait retrouvé. D'une manière ou d'une autre, il avait dû laisser une trace. Ça lui inspirait plus de contrariété que d'inquiétude. La seule explication était que Svedberg ait malgré tout gardé une photo de lui dans son appartement. Une photo de Louise qu'il n'avait pas retrouvée ; il avait bien fouillé, pourtant. D'un autre côté, c'était rassurant ; le policier était venu pour parler à une femme. Rien n'indiquait qu'il ait su avant sa visite au bar que Louise n'était qu'un déguisement. Maintenant, bien entendu, il le savait.

Le fait d'avoir échappé si facilement au policier l'excitait, l'encourageait à continuer. Le problème était qu'il n'avait aucune victime programmée pour le moment. D'après son plan initial, il devait désormais attendre assez longtemps, un an peut-être, pour mieux réfléchir à la manière dont il se surpasserait ensuite. Il attendrait que les gens aient commencé à l'oublier. Alors il resurgirait.

La rencontre avec le policier l'avait malgré tout déstabilisé. Il ne pouvait plus supporter l'idée de laisser passer une année entière sans passer à l'acte. Il s'attarda au lit toute la matinée, en essayant de traiter le problème de façon méthodique. Il y avait plusieurs possibilités, beaucoup d'issues. Plusieurs fois, il faillit renoncer au projet.

Enfin, il crut avoir trouvé une solution. Elle s'éloignait du plan d'origine, ce qui la rendait par bien des aspects insatisfaisante. Mais il n'avait pas le choix. De plus, son idée recelait une grande tentation. Plus il y réfléchissait, plus elle lui paraissait géniale. Il allait mettre en scène un tableau que personne n'aurait osé imaginer. Et que personne ne comprendrait jamais. Il allait créer une énigme qui ne serait jamais résolue. La clé invisible, il la jetterait très loin dans le noir, où nul ne pourrait la retrouver.

Tard dans l'après-midi, il prit sa décision. Ce serait Wallander. Le policier. Il fallait agir vite. L'enterrement de Svedberg devait avoir lieu le lendemain. Il avait besoin de cette journée pour se préparer. Il sourit à la pensée que Svedberg allait l'aider. Pendant la cérémonie, l'appartement du policier serait vide. Svedberg lui avait dit plusieurs fois que Wallander était divorcé et qu'il passait le plus clair de son temps seul.

Il passerait à l'acte le surlendemain, mercredi. De nouveau, son projet l'excita. Il allait tuer ce policier. Et ensuite, il allait le déguiser. Mais pas n'importe comment.

31

La journée du lundi avait été gâchée. Ce fut la première pensée de Wallander en se réveillant le mardi matin. Le seul avantage était que, pour la première fois depuis très longtemps, il se sentait reposé. Il avait quitté le commissariat dès vingt et une heures. À bout de forces, contraint de battre en retraite. Il était rentré chez lui en voiture, avait mangé quelques sandwiches desséchés dans la cuisine et s'était couché aussitôt après. Il n'avait aucun souvenir depuis l'instant où il avait éteint sa lampe de chevet.

Il était six heures du matin. Il s'attarda dans le lit sans bouger. Par l'entrebâillement des rideaux, il vit que le ciel était bleu. Une journée perdue, pensa-t-il de nouveau. Aucun progrès. Il avait parlé à deux facteurs de campagne. Ni l'un ni l'autre n'avait eu d'informations intéressantes à lui communiquer. Ils étaient tous les deux aimables et bavards, mais l'enquête n'avait pas avancé d'un millimètre. Vers dix-huit heures, Wallander avait fait le point avec ses collaborateurs. À ce moment-là, ils avaient parlé à tous les facteurs présents sur la liste. Mais quelles questions avaient-ils eu à leur poser ? Et quelles réponses avaient-ils obtenues ? Wallander fut contraint d'admettre qu'il s'était fourvoyé. Et ce n'avait pas été la seule impasse de cette journée. Lone Kjaer l'avait appelé de Copenhague pour dire qu'on n'avait pas réussi à relever d'empreintes sur le comptoir de l'Amigo, ni sur le tabouret. Wallander n'espérait pas un miracle, mais bon. Une seule empreinte, confrontée à celles dont ils disposaient déjà, aurait permis de balayer les derniers doutes quant au fait que cet homme déguisé en femme était bien celui qu'ils cherchaient. À présent, il subsistait une possibilité infime mais inquiétante que l'hypothèse soit fausse, que l'homme à la perruque ne soit qu'un intermédiaire, et non pas la cible.

Martinsson avait travaillé d'arrache-pied à ses images fantômes en présentant à ses collègues plusieurs propositions de coiffures, leur demandant chaque fois leur avis. Wallander avait vaguement pensé aux poupées de son enfance, celles qu'on découpait dans les magazines et dont les robes se fixaient par des languettes de papier aux épaules et sur les côtés. Pouvait-on aussi changer leur coiffure ? Il ne s'en souvenait pas.

Le problème était que personne n'avait la moindre idée sur le sujet. Wallander envoya quelques policiers chez Svedberg dans Lilla Norregatan afin de montrer ce visage sans perruque aux habitants de l'immeuble. Aucun d'entre eux ne le reconnut.

Fallait-il transmettre la nouvelle photo à la presse ? La discussion à ce sujet avait été longue – inutilement longue, selon Wallander. Il avait fait venir Thurnberg à la réunion, soucieux d'obtenir son accord. Mais les avis étaient partagés. Wallander insista. Il voulait que la photo soit publiée ; quelqu'un reconnaîtrait forcément le visage maintenant que la perruque avait été enlevée. Il fit valoir qu'il suffisait d'une seule personne. Thurnberg resta longtemps silencieux. Pour finir, il donna quand même son aval. L'image paraîtrait le plus vite possible.

Ils décidèrent cependant d'attendre le mercredi, lendemain de l'enterrement. En contrepartie de ce délai, ils seraient assurés d'une place dominante dans tous les médias du pays.

– Tout le monde adore les portraits-robots, dit Wallander. Peu importe si c'est ressemblant. Il y a une horreur spéciale, presque magique, à publier un visage incomplet en espérant que quelqu'un se manifestera.

L'après-midi fut marqué par une activité fébrile. Hansson – le plus calé en informatique après Martinsson – avait cherché dans tous les registres une trace de Bror Sundelius. Rien, naturellement. Dans le monde des ordinateurs, Sundelius était un citoyen irréprochable. Il fut décidé que Wallander aurait une nouvelle conversation avec lui dès le lendemain de l'enterrement. Cette fois, il lui mettrait la pression. Wallander leur rappela que Sundelius devait assister aux funérailles.

Le téléphone sonna peu après seize heures. Un journaliste de l'un des grands journaux nationaux lui annonça qu'Eva Hillström avait pris contact avec sa rédaction. Les parents des jeunes assassinés avaient l'intention de critiquer publiquement le travail de la police. Ils estimaient que celle-ci n'en avait pas fait assez, et qu'elle n'avait pas donné aux parents les informations auxquelles ils avaient droit. Le journaliste tenait à le prévenir : la critique serait sévère. Eva Hillström l'avait plusieurs fois désigné nommément comme principal responsable – principal irresponsable, plutôt. L'article occuperait une place importante dans l'édition du lendemain matin. Le journaliste souhaitait lui donner une occasion de répliquer. Mais, à sa propre surprise, Wallander refusa. Il ne voulait pas entendre les paroles d'Eva Hillström récitées au téléphone ou via un fax. Il voulait les lire dans le journal du matin et, s'il voyait une raison de réagir, il prendrait contact avec la rédaction, un point, c'est tout.

Après cette conversation, il sentit un nœud supplémentaire dans son estomac déjà durement éprouvé par la peur que le tueur récidive. Maintenant, sa propre réputation était en jeu. Il tenta de passer ses initiatives au crible et parvint à la conclusion que l'équipe avait fait tout ce qui était en son pouvoir. S'ils n'avaient pas réussi à arrêter le tueur, ce n'était pas une question de paresse, de négligence ou d'incompétence. Cela tenait simplement à la difficulté même de l'enquête. Depuis le début, ils ne disposaient d'aucun indice ou presque. Ensuite, il y avait eu des erreurs internes, mais ça, c'était un autre sujet. L'enquête parfaite n'existait pas. Eva Hillström n'était pas en mesure de porter un jugement là-dessus.

Lors d'une réunion improvisée à dix-huit heures – où il fut décidé d'abandonner une fois pour toutes la piste des facteurs de campagne –, tandis qu'ils examinaient, épuisés, les portraits-robots de Martinsson, Wallander leur fit part de sa conversation avec le journaliste. Thurnberg se montra soucieux et demanda ouvertement s'il avait bien fait de ne pas demander à lire l'intervention des parents.

– C'est surtout une question de temps, répondit Wallander. Quand on est surchargé de travail à ce point, les critiques doivent attendre.

– La ministre et le chef de la direction centrale arrivent demain. Il serait tout à fait regrettable qu'ils découvrent dans l'avion un article critiquant notre travail.

Wallander comprit soudain quel était le véritable souci de Thurnberg.

– Ça ne retombera pas sur toi, dit-il. Si j'ai bien compris ce journaliste, Eva Hillström et les autres parents en voulaient à la *police*. Pas au parquet.

Thurnberg ne répondit pas. Après la réunion, dans le couloir, Ann-Britt lui raconta que Thurnberg l'avait interrogée sur ce qui s'était vraiment passé dans la réserve le jour où Nils Hagroth avait été « agressé » par Wallander.

Une grande fatigue s'abattit sur lui à ce moment-là. N'avaient-ils pas assez à faire ? Fallait-il consacrer son énergie à prendre au sérieux les accusations de Nils Hagroth ? Ce fut en cet instant que ce lundi lui apparut, malgré toute son activité fébrile, comme une journée perdue.

Wallander regarda le réveille-matin. Il était six heures trente. Il se leva sans enthousiasme. Il avait suspendu son uniforme à la porte de la penderie. Entre la conversation avec les chefs et la cérémonie, il n'aurait pas le temps de rentrer chez lui pour se changer. Une fois habillé, il se regarda dans le miroir. Le pantalon était beaucoup trop serré à la taille et il avait dû laisser ouvert le dernier bouton de la veste. Quand avait-il porté l'uniforme pour la dernière fois ? Il ne s'en souvenait pas. En tout cas, ça faisait longtemps. Sur le chemin du commissariat, il s'arrêta devant un kiosque et acheta le quotidien où devait figurer l'article. Le journaliste n'avait pas exagéré : ils avaient accordé beaucoup de place à l'affaire, il y avait même des photos. Les accusations d'Eva Hillström et des autres parents portaient essentiellement sur trois points. Premièrement, la police avait réagi beaucoup trop tard à la disparition des enfants. Deuxièmement, l'enquête manquait d'efficacité. Troisièmement, ils estimaient avoir été très mal informés.

Le chef ne sera pas content, pensa Wallander. Peu importe ce que je pourrai lui dire. Que ces torts, hormis peut-être qu'on s'y soit mis un peu tard, n'ont pas de fondement. Le fait que cette critique s'exprime est suffisant pour nuire à notre réputation.

Wallander débarqua au commissariat peu avant huit heures avec un sentiment de malaise et de colère. La journée serait longue et déprimante. Malgré le beau temps.

Peu avant onze heures trente, Lisa Holgersson l'appela de sa voiture. Ils arrivaient de l'aéroport et seraient là dans cinq minutes. Wallander se rendit à la réception pour les accueillir. Thurnberg était déjà là. Ils échangèrent quelques mots. Ni l'un ni l'autre ne mentionna l'article.

La voiture freina. Le chef était en uniforme et la ministre en tailleur sombre et strict. Après les salutations et présentations d'usage, le café fut servi dans le bureau de Lisa Holgersson. Juste avant d'entrer, elle prit Wallander à part.

– Ils ont lu le journal dans l'avion. Le chef est très mécontent.

– Et la ministre ?

– Plus réservée. Elle veut sans doute en savoir davantage avant de formuler un avis.

– Dois-je commenter l'article ?

– Seulement si j'aborde le sujet.

Ils prirent place. Wallander reçut les condoléances pour la mort de Svedberg. Puis ce fut son tour de prendre la parole. Il ne retrouva pas le papier où il avait griffonné des notes ; pourtant il le tenait à la main en quittant son bureau. Il avait dû l'oublier aux toilettes.

Il ne prit pas la peine d'aller le chercher. Le plus important, dit-il, était qu'ils disposaient désormais d'une piste. Il avait une nouvelle à leur communiquer : ils avaient identifié le tueur présumé. L'enquête bougeait. Ils ne piétinaient plus.

– Tout cela est très regrettable, dit le chef de la direction centrale lorsque Wallander eut fini. Regrettable et préoccupant. Des policiers et des jeunes gens assassinés, et maintenant un couple de jeunes mariés. Je compte sur vous pour résoudre l'affaire dans les plus brefs délais. Si vous avez fait une percée décisive, personne n'en est plus heureux que moi.

Wallander eut le sentiment que le chef était vraiment préoccupé. Ce n'était pas une pose.

– Une société ne peut pas se protéger contre les psychopathes, intervint la ministre. Les meurtres en série surviennent sur tous les continents, dans les démocraties comme dans les dictatures.

– Les psychopathes, dit Wallander, ne se comportent jamais de la même manière. Ils ne constituent pas un groupe. De plus, ils préméditent souvent leurs actes avec méthode et précision. Ils surgissent de nulle part, n'ont en général aucun passé criminel et disparaissent sans laisser de trace.

– La police de proximité, dit le chef. C'est par là qu'il faut commencer.

Wallander ne comprit pas très bien le rapport entre les psychopathes et la police de proximité. Mais il ne dit rien. Et le chef, de son côté, n'évoqua pas les nouvelles stratégies policières qui semblaient sans cesse mijoter au niveau de la direction centrale. La ministre posa quelques questions à Thurnberg ; puis ce fut terminé. Au moment d'aller déjeuner, le chef s'aperçut que des documents manquaient dans sa serviette.

– J'ai une secrétaire remplaçante en ce moment, dit-il d'un air sombre. Elles font toujours des bourdes, on a à peine le temps d'apprendre leur nom qu'elles ont déjà disparu.

Ils firent une courte visite guidée du commissariat. Wallander se tenait un peu en retrait. La ministre se rapprocha de lui.

– J'ai entendu parler d'une plainte contre toi. Qu'en est-il exactement ?

– Je ne me fais pas de souci à ce sujet. L'homme se trouvait à l'intérieur du périmètre de sécurité. Il n'y a pas eu d'agression.

– C'est bien ce qu'il me semblait, dit-elle d'une voix encourageante.

De retour à la réception, ce fut au tour du chef d'interroger Wallander.

– Cette plainte est très regrettable. Surtout en ce moment.

– C'est toujours regrettable. Mais il n'y a pas eu d'agression.

– Qu'y a-t-il eu ?

– Rien, sinon un homme à l'intérieur du périmètre de sécurité.

– C'est très important que la police ait de bonnes relations avec le public et les médias.

– Quand la plainte sera classée, je penserai à en avertir les journaux.

– J'aimerais en avoir une copie avant que ça ne parvienne aux médias.

Wallander s'y engagea. Il déclina l'invitation à participer au déjeuner et se rendit dans le bureau d'Ann-Britt. Personne. Il retourna vers son propre bureau. L'ambiance était feutrée, au commissariat. Ebba était toute vêtue de noir. Wallander appela Ann-Britt à son domicile.

– Comment va le discours ? demanda-t-il lorsqu'elle décrocha.

– J'appréhende. Le trac, la boule dans la gorge. J'ai peur de bégayer.

– Tu t'en sortiras très bien. Mieux que n'importe qui.

Après, Wallander resta un moment inerte derrière son bureau. Une pensée confuse dansait dans son esprit sans qu'il puisse la saisir. Quelques mots de la ministre ? Ou du chef ? Peine perdue.

À quatorze heures, l'église Sankta Maria de la place centrale d'Ystad était pleine à craquer. Wallander avait aidé à porter le cercueil jusqu'à l'autel. Le cercueil était blanc, simplement orné de roses. Quelques minutes avant que les cloches ne sonnent, il salua Ylva Brink.

– Sture ne viendra pas, dit-elle. Il est opposé aux enterrements.

– Je sais. D'après lui, il faut disperser les cendres n'importe où.

Wallander guettait la foule. Louise ne se montrerait sans doute pas ; pourtant, il cherchait son visage. Un visage d'homme maintenant. Louis. Mais il ne le vit pas. En revanche, il salua Bror Sundelius, qui lui demanda où en était l'enquête.

– On a fait un pas décisif, répondit-il. Je ne peux pas vous en dire davantage.

– Du moment que vous retrouvez celui qui a fait ça.

Wallander constata que Sundelius était sincère. Le meurtre de Svedberg l'affectait beaucoup. Sundelius pouvait-il être au courant, du moins en partie, de ce que savait Svedberg ? Peut-être avait-il partagé ses craintes ?

Cette pensée renforça l'urgence d'une conversation avec lui. C'était l'une des priorités qui ne pouvaient attendre.

Les cloches finirent de résonner. La musique de Bach était belle, le prêtre raisonnable et Wallander, au premier rang, plein d'angoisse à l'idée de son propre anéantissement futur. C'était une plaie, ces enterrements. Devait-il nécessairement en être ainsi ? La ministre avait évoqué la démocratie et la défense de l'État de droit, le chef de la direction centrale le côté tragique et bouleversant de l'affaire. Jusqu'au bout, Wallander se demanda s'il parviendrait à caser son couplet sur la police de proximité. Puis il pensa qu'il était injuste. Il n'y avait pas de raison de mettre en cause les intentions du chef. Ce fut au tour d'Ann-Britt. Wallander ne l'avait encore jamais vue en uniforme. Elle parla d'une voix forte et claire, et, à son propre étonnement, Wallander supporta d'entendre ses propres mots. Puis il y eut encore de la musique, le défilé devant le cercueil et, par les vitres cerclées de plomb, l'étonnant soleil d'août.

Ce fut vers la fin, juste avant le psaume final, qu'il captura enfin la pensée volage. Une réflexion du chef. En cherchant ses documents égarés. À propos des remplaçantes. Qui ne faisaient que passer. Et dont on avait vite oublié le nom.

Pourquoi cette réflexion s'était-elle gravée dans sa mémoire ? Au milieu du psaume, il comprit soudain. Son inconscient avait formulé une question.

Les facteurs n'avaient-ils pas eux aussi des remplaçants ?

Il cessa de chanter avec les autres. Son idée l'exaspérait presque.

Mais en ressortant de l'église, soulagé que ce fût fini, il constata que l'idée le poursuivait toujours. Un rapide coup de fil à Albinsson suffirait pour en avoir le cœur net.

Dix-sept heures. La ministre et le chef de la direction centrale étaient sans doute déjà à l'aéroport. Wallander, qui était retourné chez lui pour se débarrasser de l'uniforme trop serré, appela le centre de tri. Personne ne décrocha. Avant de chercher le numéro du domicile d'Albinsson, il prit une douche. Puis il trouva une paire de lunettes et feuilleta l'annuaire. Kjell Albinsson habitait Rydsgård. Ce fut sa femme qui répondit. Son mari jouait au foot, dit-elle. Il faisait partie de l'équipe de la poste. Elle ne savait pas où se déroulait le match. Wallander la pria de transmettre le message et lui donna son numéro privé.

Il mangea une soupe de tomates en boîte avec du pain dur. Puis il s'allongea sur le lit. Il était de nouveau fatigué, malgré la longue nuit de sommeil. L'enterrement avait été une épreuve.

Il fut réveillé par la sonnerie du téléphone. Dix-neuf heures trente, déjà. Il reconnut la voix de Kjell Albinsson.

– Comment s'est passé le match ?

– Pas trop bien. On jouait contre un abattoir privé. Ils sont assez forts, mais ce n'était qu'un match amical. La compétition n'a pas encore commencé.

– C'est sûrement un bon moyen de rester en forme.

– Ou de se faire démolir les jambes à coups de pied…

Wallander alla droit au but :

– J'ai oublié une question, hier. Je suppose que vous embauchez des remplaçants de temps à autre ?

– Ça arrive.

– Qui sont les remplaçants ?

– De nos jours, les candidats sont nombreux bien sûr, vu le chômage. Mais nous recherchons de préférence des gens qui ont de l'expérience. Et nous avons de la chance, car nous en avons deux qui reviennent régulièrement, en cas de besoin.

– Ils ne figuraient pas dans la brochure ?

– Non, c'est sans doute la raison pour laquelle j'ai oublié de t'en parler. Nous avons une femme qui s'appelle Lena Stivell. Elle travaillait à plein temps au départ, puis elle est passée à temps partiel, puis au statut d'intérimaire.

– Et l'autre ? Une femme aussi ?

– Il s'appelle Åke Larstam. Il était ingénieur à l'origine. Il s'est recyclé.

– En facteur ?

– Ce n'est pas aussi surprenant qu'on pourrait le croire. C'est un travail assez libre. On rencontre beaucoup de monde.

– Travaille-t-il en ce moment ?

– Il était de service jusqu'à il y a une semaine à peu près. En ce moment, je ne sais pas trop ce qu'il fait.

– Peux-tu me dire deux mots sur lui ?

– Il est assez réservé. Mais très consciencieux. Je crois qu'il a quarante-quatre ans. Il habite ici, à Ystad, dans Harmonigatan, au numéro 18 si je ne m'abuse.

– Autre chose ?

– C'est à peu près tout.

Wallander réfléchit.

– Ces remplaçants peuvent-ils être affectés à différents districts ?

– Oui, c'est la règle du jeu. Il faut bien que le courrier soit distribué, même lorsqu'un facteur s'enrhume pour quelques jours.

– Où Larstam a-t-il travaillé ces derniers temps ?

– Dans le district ouest d'Ystad.

J'ai tout faux, pensa Wallander. Il ne s'est rien passé là-bas. Les jeunes mariés n'habitaient pas là, pas plus que les jeunes de la réserve.

– C'était tout, je crois. Merci de m'avoir rappelé.

Wallander conclut et raccrocha. Il avait déjà pris la décision de retourner au commissariat. Le groupe d'enquête ne devait pas se réunir, mais il voulait examiner de plus près certains éléments du dossier qu'il n'avait que survolés jusque-là.

Le téléphone sonna. C'était de nouveau Albinsson.

– Mille excuses. J'ai confondu Lena et Åke. C'était Lena qui avait la charge du district ouest.

– Åke Larstam n'avait rien ?

– C'est là que je me suis trompé. Il a fait son dernier remplacement à Nybrostrand.

– À quel moment ?

– Quelques semaines au mois de juillet.

– Et avant cela ?

– Il a fait un long remplacement du côté de Rögla. Ce devait être entre mars et juin.

– Tu as bien fait de me rappeler.

Wallander raccrocha. Le remplaçant nommé Larstam avait donc travaillé dans le district où vivaient à la fois Torbjörn Werner et Malin Skander. Avant cela, au cours du printemps, il avait eu accès à un district qui couvrait entre autres Skårby, où vivait Isa Edengren.

Quelque chose lui disait que ça n'allait pas du tout. Qu'il se raccrochait à des coïncidences hasardeuses. Pourtant il rouvrit l'annuaire et chercha un abonné du nom de Larstam. Il n'y en avait pas. Il appela les renseignements et apprit qu'il était sur liste rouge.

Il s'habilla et se rendit au commissariat. En passant devant le central, il demanda à tout hasard si l'un des enquêteurs était là et apprit avec surprise qu'Ann-Britt était dans son bureau. Il y alla. Elle cherchait quelque chose dans une grosse liasse de documents.

– Je pensais qu'il n'y aurait personne ce soir, dit-il.

Elle était encore en uniforme. Wallander l'avait déjà complimentée pour le discours.

– J'ai une baby-sitter, dit-elle. Il faut que j'en profite. Il y a tellement de papiers que je n'ai pas encore eu le temps de lire.

– Pareil pour moi. C'est pour ça que je suis là.

Il s'assit dans le fauteuil des visiteurs. Ann-Britt repoussa le tas de documents et attendit.

Il lui raconta l'idée qui lui était venue après avoir entendu le chef parler des secrétaires remplaçantes, et le résultat de sa conversation avec Albinsson.

– Vu ta description, on ne dirait pas vraiment un tueur en série.

– Qui ressemble à un tueur en série ? Personne. Je dis simplement que nous avons là quelqu'un qui était en activité dans le secteur où vivaient certaines des victimes.

– Qu'est-ce qu'on doit faire, à ton avis ?

– Je voulais juste en parler avec toi.

– On a interrogé les titulaires, alors on devrait aussi dire deux mots aux remplaçants. C'est ce que tu veux dire ?

– Peut-être pas à Lena Stivell…

Elle regarda sa montre.

– On pourrait faire une promenade, proposa-t-elle. S'aérer la tête, descendre jusqu'à Harmonigatan et sonner à la porte de Larstam. Il n'est pas très tard.

– Je n'y avais pas pensé. Mais je suis d'accord.

Ils quittèrent le commissariat. Il leur fallut dix minutes pour se rendre dans le quartier ouest de la ville.

– Je crois que je n'ai pas encore compris que Svedberg n'est plus là, dit-elle soudain. Chaque fois qu'on a une réunion, je m'attends à le voir à sa place habituelle.

– Personne ne s'y est encore assis, à cette place. Je crois que ça prendra du temps.

Ils étaient arrivés. Le numéro 18 était un bâtiment ancien de trois étages. Il y avait un interphone. Larstam habitait au dernier étage. Wallander appuya sur le bouton. Ils attendirent. Il appuya de nouveau.

– Åke Larstam n'est pas chez lui.

Il traversa la rue et leva la tête. Deux fenêtres étaient éclairées. Il rejoignit Ann-Britt et examina le portail. Curieusement, il n'était pas fermé à clé. Il n'y avait pas d'ascenseur. Ils montèrent le large escalier. Wallander sonna à la porte. La sonnerie résonna dans l'appartement. Aucune réaction. Il sonna de nouveau. Ann-Britt Höglund se pencha et souleva le battant de la boîte aux lettres.

– Pas un bruit, dit-elle. Mais il y a de la lumière.

Wallander sonna encore une fois. Puis il se mit à tambouriner.

– On essaiera de nouveau demain matin, dit-elle.

Wallander avait soudain le sentiment que quelque chose n'allait pas du tout. Elle s'en aperçut.

– À quoi penses-tu ?

– Je ne sais pas. Quelque chose cloche.

– Il n'est sans doute pas chez lui. Le responsable du centre de tri a bien dit qu'il ne travaillait pas en ce moment. Il a peut-être pris des vacances ?

– Sans doute.

Wallander hésitait. Ann-Britt était déjà dans l'escalier.

– On réessaiera demain, dit-elle.

– À moins qu'on ne décide d'entrer quand même.

Elle s'immobilisa.

– Tu es sérieux ? Tu veux qu'on force la porte ? Il est soupçonné de quelque chose ?

– Une idée comme ça. Vu qu'on est là, de toute manière.

Elle secoua énergiquement la tête.

– Je ne suis pas d'accord. C'est contraire à tout ce qu'on nous a appris.

Wallander haussa les épaules.

– Tu as raison. On essaiera demain.

Ils retournèrent au commissariat. Pendant le trajet, ils passèrent en revue la répartition des tâches au cours des prochains jours. Arrivés à la réception, ils se séparèrent. Wallander se rendit dans son bureau et parcourut les piles de documents en attente. Vers vingt-trois heures, il appela Stockholm et réussit à joindre le restaurant dont la ligne était presque toujours occupée. Linda n'avait pas beaucoup de temps. Ils convinrent qu'elle le rappellerait le lendemain matin.

– Tout va bien ? demanda-t-il. Tu sais où tu vas partir en voyage ?

– Pas encore. Mais je vais partir.

La brève conversation avec Linda lui avait redonné de l'énergie. Il retourna à ses papiers. Vers vingt-trois heures trente, Ann-Britt apparut à la porte.

– Je rentre, dit-elle. Il y a quelques détails dont je voudrais discuter avec le groupe demain.

– Très bien.

– J'essaierai d'être là avant huit heures. On pourra commencer la journée par une nouvelle visite à Larstam.

– On le fera quand on aura un moment.

Elle partit. Wallander attendit cinq minutes. Puis il prit un trousseau de passe-partout qu'il gardait dans un tiroir et quitta le commissariat.

Il avait pris sa décision sur le palier de Larstam. Si elle ne voulait pas l'aider, il le ferait tout seul.

Quelque chose chez Åke Larstam l'inquiétait. Il voulait en avoir le cœur net.

Il retourna à Harmonigatan. Il était minuit moins dix. Le vent s'était levé à l'est. Wallander sentit un léger avant-goût d'automne. Peut-être la longue canicule touchait-elle à sa fin ?

Il sonna à l'interphone. Les fenêtres du dernier étage étaient encore éclairées. Aucune réponse. Il entra et monta l'escalier.

Il avait le sentiment d'être revenu au point de départ – à la nuit où Martinsson et lui étaient montés jusqu'à l'appartement de Svedberg. Il frissonna. Tout était silencieux sur le palier. Il ouvrit le battant de la boîte aux lettres. Rien. Un faible rayon de lumière. Il sonna. Longuement. Attendit. Sonna de nouveau. Après cinq minutes, il sortit les passes et, pour la première fois, examina sérieusement les serrures. Tout d'abord, il ne comprit pas ce qu'il avait sous les yeux. Puis il constata que c'était le système de serrures le plus sophistiqué qu'il ait jamais vu. Åke Larstam était quelqu'un qui s'enfermait avec le plus grand soin. Il comprit qu'il ne parviendrait jamais à ouvrir cette porte seul. En même temps, l'intuition vague s'était transformée en priorité absolue. Il hésita une fraction de seconde avant de composer sur son portable le numéro de Nyberg.

Une voix irritée lui répondit. Pas besoin de demander s'il le réveillait.

– J'ai besoin de toi, dit-il simplement.

– Ne me dis pas que c'est arrivé de nouveau.

– Non, pas de victime. Mais j'ai besoin de ton aide pour forcer une porte.

– Et tu as besoin d'un technicien pour ça ?

– Dans ce cas précis, oui.

Nyberg grommela. Mais il était bien réveillé, à présent. Wallander lui décrivit les serrures et lui indiqua l'adresse. Puis il descendit l'escalier sans bruit. Il voulait l'attendre dans la rue pour lui expliquer la situation. Nyberg était capable de protester très bruyamment, et là le risque qu'il proteste était énorme.

Il savait aussi qu'il s'apprêtait à faire quelque chose de peu recommandable.

Nyberg arriva dix minutes plus tard. Wallander devina le pyjama sous la veste. Comme prévu, Nyberg se mit immédiatement à protester :

– Tu ne peux pas t'introduire comme ça chez les gens…

– Je veux juste que tu ouvres la porte. Après, si tu veux, tu rentres chez toi. J'assume toute la responsabilité. Je ne dirai à personne que tu es venu.

Nyberg continua de protester. Mais Wallander insista. Pour finir, Nyberg accepta de monter l'escalier et d'examiner les serrures.

– Personne ne te croira, dit-il après un premier coup d'œil. Personne ne croira que tu as réussi à entrer ici tout seul.

Il se mit au travail. Il était une heure moins dix lorsque la porte s'ouvrit enfin.

32

Ce qui le frappa en premier, ce fut l'odeur.

Il l'avait sentie dès le vestibule. Nyberg était encore sur le palier. L'odeur l'enveloppait, très forte.

Puis il comprit : c'était une odeur de renfermé.

L'appartement n'avait pas été aéré depuis très longtemps. L'air était carrément vicié.

Il fit signe à Nyberg d'entrer. Nyberg était très réticent. Mais il finit par se décider et referma la porte derrière lui. Wallander lui dit d'attendre pendant qu'il faisait le tour de l'appartement. Trois pièces et une petite cuisine. Tout était bien entretenu, bien rangé. Étrange contraste avec la mauvaise qualité de l'air.

L'une des portes se distinguait des autres. Elle paraissait construite sur mesure. En l'ouvrant, Wallander constata qu'elle était très épaisse. Cela lui rappela les portes des studios, lorsqu'il lui arrivait d'être interviewé à la radio. Il entra. La chambre tout entière avait quelque chose d'étrange. Pas de fenêtre. Des murs aussi épais que la porte. Un lit et une lampe pour tout mobilier. Le lit était fait, mais la couverture portait visiblement l'empreinte d'un corps. Il lui fallut un instant pour comprendre à quoi tenait cette impression d'étrangeté : la chambre était insonorisée. Une voiture passa dans la rue. Il ferma la porte. Le bruit disparut instantanément. Pensif, il quitta la chambre et refit le tour des autres pièces. Ce qu'il cherchait avant tout, c'était une photo de l'homme qui vivait là. Il n'en trouva aucune. Par contre, d'innombrables étagères avec des statuettes de porcelaine et d'autres bibelots minutieusement rangés. Il s'immobilisa dans le séjour. Un malaise d'un autre ordre venait de s'emparer de lui. Le sentiment d'avoir agi à l'encontre du droit. Il était entré par effraction dans un appartement où il n'avait rien à faire. L'air vicié mis à part, les lieux donnaient une impression de calme ordonné. Il devait s'en aller. Mais quelque chose le retenait.

Il rejoignit Nyberg, qui était resté dans l'entrée.

– Cinq minutes, dit-il. Pas plus.

Nyberg ne répondit pas. Wallander se mit en quête. Il savait ce qu'il cherchait : une penderie. Il en trouva trois, qu'il ouvrit l'une après l'autre. Les deux premières ne contenaient que des vêtements d'homme. Il allait refermer la troisième lorsqu'un détail retint son attention. Il repoussa quelques cintres de chemises ; oui, il y avait bien un renfoncement. Il y glissa la main et ramena au jour une robe rouge. Il s'immobilisa, la robe à la main. Attentif, aux aguets. Il commença à fouiller méthodiquement les commodes. Palpa le contenu des tiroirs – des sous-vêtements soigneusement pliés. Le sentiment qu'il devait faire vite, que le temps pressait, ne le quittait pas. Enfin il trouva ce qu'il cherchait : des sous-vêtements de femme, bien dissimulés. Il retourna vers les penderies, se mit à quatre pattes et découvrit aussi des souliers de femme. Il était très attentif à ne laisser aucune trace de son passage. Nyberg entra dans le séjour. Wallander vit qu'il était hors de lui. Ou alors, c'était peut-être la peur.

– Ça fait presque un quart d'heure. Qu'est-ce qu'on fout là ?

Wallander ignora sa question. Il essaya d'ouvrir le secrétaire. Fermé à clé. Il fit signe à Nyberg, qui se remit aussitôt à protester. Il le fit taire et lui donna l'explication la plus courte qu'il put trouver.

– C'est l'appartement de Louise, dit-il. La femme de la photo. La femme de Copenhague. La femme qui n'existe pas. Elle habite ici.

– Tu aurais pu le dire plus tôt.

– Je viens juste de le comprendre. Tu peux forcer le secrétaire sans que ça se voie ?

Nyberg se mit au travail. Wallander ouvrit le rabat.

Il avait souvent pensé que le travail de la police se caractérisait par une suite de vœux non exaucés. Même par la suite, il ne put jamais dire à quoi il s'attendait en ouvrant le secrétaire. Pas à ce qu'il découvrit, en tout cas.

Une chemise plastifiée contenant des coupures de journaux. Tous les articles consacrés à l'enquête. Ainsi que l'annonce de la mort de

Svedberg, que Wallander n'avait pas vue jusqu'à cet instant. Nyberg attendait, un peu en retrait.

– Je crois que tu devrais regarder ça, dit Wallander lentement.

Nyberg avança d'un pas et se figea. Ils échangèrent un regard.

– On a deux possibilités, dit Wallander. Soit on s'en va et on met l'immeuble sous surveillance. Soit on passe des coups de fil et on met l'appartement sens dessus dessous dès ce soir.

– Il a tué huit personnes. Il est armé. Il est dangereux.

Wallander n'avait même pas songé au danger. La décision fut immédiate : alerte maximale. Nyberg referma le secrétaire. Wallander avait repéré quelques verres sales dans la cuisine. Il enveloppa l'un d'eux dans du papier absorbant et le rangea dans sa poche. Il allait quitter la cuisine lorsqu'il s'aperçut qu'il y avait une porte de service. En s'approchant, il vit qu'elle était entrebâillée.

La peur surgit d'un coup. Quelqu'un allait ouvrir cette porte en grand et brandir une arme. Mais rien de tel n'arriva. Wallander la poussa très doucement. L'escalier était désert. Nyberg était déjà sorti de l'appartement, par l'autre porte. Wallander le rejoignit. Tout était silencieux sur le palier. Nyberg referma la porte avec précaution et braqua sa torche électrique sur le montant.

– Il y a quelques égratignures. Mais elles se voient à peine, à moins qu'on ne les cherche, bien sûr.

Wallander pensait à la porte entrebâillée. Mais il garda ses réflexions pour lui.

Ils se retrouvèrent dans la rue déserte. Nyberg avait laissé sa voiture près du théâtre. Ils retournèrent au commissariat en silence. Il était une heure trente.

– Qui va-t-on appeler ? demanda Nyberg quand ils furent à la réception.

– Tout le monde. Y compris Thurnberg et Lisa Holgersson.

– Surveillance de l'immeuble ?

– Des voitures banalisées, avec des gens qui comprennent la gravité de la situation. On décidera une fois que tout le monde sera arrivé.

Ils se répartirent les appels. Wallander courut jusqu'à son bureau et commença par appeler Martinsson. C'était surtout de lui qu'il avait besoin.

Au cours des dix minutes qui suivirent, il parla à plusieurs personnes ivres de sommeil qui se réveillèrent très vite en comprenant de quoi il retournait. Martinsson arriva le premier, suivi d'Ann-Britt.

– J'ai de la chance, dit-elle. Ma mère est là en ce moment, elle peut garder les enfants.

– Je suis retourné à Harmonigatan parce que j'ai senti que ça ne pouvait pas attendre.

Il était deux heures et quatorze minutes lorsque tout le monde fut rassemblé dans la salle de réunion. Wallander jeta un regard circulaire et se demanda où Thurnberg avait trouvé le temps de nouer un nœud de cravate aussi parfait. Puis il les mit rapidement au courant.

– Qu'est-ce qui t'a donné l'idée d'aller là-bas en pleine nuit ? demanda Hansson.

– Je me méfie de mes intuitions, mais, cette fois, elle était juste.

Toute fatigue s'était envolée. L'équipe était réunie. Maintenant, ils le savaient, ils ne s'arrêteraient que lorsque le tueur serait capturé.

– Nous ne savons pas où il est. Mais la porte de service était entrebâillée. Vu les serrures qu'il a mises à sa porte d'entrée, je crois qu'il a eu le temps de nous entendre et qu'il est parti. En toute hâte. En d'autres termes, il sait qu'on est sur ses traces.

– Il ne risque donc pas de revenir, dit Martinsson.

– On n'en sait rien. On va mettre l'immeuble sous surveillance, par équipes de deux, et au moins deux voitures en renfort dans les rues voisines.

Il laissa ses mains retomber lourdement sur la table.

– Cet homme est dangereux. Tout le monde doit être armé.

Hansson et l'un des policiers de Malmö se levèrent pour assurer la première garde. Nyberg les accompagna pour leur montrer l'immeuble et vérifier que les fenêtres étaient toujours éclairées de la même manière.

– Kjell Albinsson, à Rydsgård, poursuivit Wallander. Il faut le réveiller et le faire venir, envoyez une voiture le chercher.

Personne n'avait la moindre idée de l'identité d'Albinsson. Wallander s'expliqua et poursuivit :

– Åke Larstam figure-t-il dans nos registres ? Ce sera le travail de Martinsson. On est en pleine nuit, mais peu importe, n'hésitez pas à réveiller toute personne utile. Albinsson peut nous fournir des renseignements personnels sur Larstam. Mais, à supposer qu'ils soient exacts, seront-ils suffisants ? Il se déguise en femme. Il se transforme. Peut-être ne s'appelle-t-il même pas Larstam. D'ailleurs, ça sonne comme un nom d'emprunt. Nous devons chercher sur tous les fronts, pensables et impensables, pour nous faire une idée de qui il est.

Il avait posé sur la table le verre enveloppé de papier absorbant.

– Si on a de la chance, on trouvera des empreintes. À moins que je ne me trompe du tout au tout, ce seront les mêmes que celles de l'appartement de Svedberg et de la réserve, et que celles que nous n'avons jamais trouvées à Nybrostrand.

– Sundelius, intervint Ann-Britt. Ne faudrait-il pas le réveiller, lui aussi ? Si nous avons raison de penser qu'il connaît Larstam d'une manière ou d'une autre ?

Wallander jeta un regard à Thurnberg, qui ne fit pas d'objection.

– Fais-le venir tout de suite. Je veux que tu t'en charges personnellement. Il ne faut pas le ménager. Je suis convaincu qu'il nous a déjà menti, et on n'a plus de temps à perdre.

Thurnberg acquiesça.

– Ça me paraît cohérent. Demandons-nous seulement s'il y a le moindre risque d'erreur dans cette affaire.

– Non. Il n'y a pas d'erreur possible.

– Tu es absolument certain que c'est lui ? Après tout, on n'a rien, hormis quelques coupures de journaux.

Wallander répondit avec beaucoup de calme :

– Bien sûr que c'est lui. Il n'y a aucun doute là-dessus.

Le dernier point soulevé par le groupe avant de se disperser et de se mettre au travail fut de savoir combien de temps il convenait d'attendre avant de retourner à l'appartement. Si Larstam était parti de façon précipitée, comme le pensait Wallander, rien ne laissait supposer qu'il reviendrait de son plein gré, alors pourquoi ne pas retourner là-bas tout de suite ? Wallander n'avait pas de bonne réponse à cette question ; pourtant, il hésitait. Sur la proposition de Martinsson, ils décidèrent d'attendre au moins d'avoir parlé à Kjell Albinsson, qui était en route vers Ystad dans une voiture de police.

– Je veux savoir qui habite dans l'immeuble à part lui. Envoyez quelqu'un sur place pour relever les noms. À qui appartient l'immeuble ? Je veux aussi avoir accès au sous-sol et au grenier.

Ils établirent un QG provisoire dans la salle de réunion. Wallander attendait à sa place en bout de table lorsque Kjell Albinsson entra. Il était très pâle et ne semblait pas avoir compris pour quelle raison on l'avait tiré du lit et emmené à Ystad. Wallander lui fit apporter un café. Il aperçut fugitivement Ann-Britt Höglund dans le couloir, suivie d'un Sundelius très en colère.

– Je vais te dire exactement ce qu'il en est, commença-t-il. Nous pensons que c'est Åke Larstam qui a tué un policier du nom de Svedberg, qui a été enterré hier.

Albinsson pâlit encore.

– Ce n'est pas possible.

– Nous sommes également convaincus qu'il a tué les trois jeunes de la réserve de Hagestad ainsi qu'une jeune fille sur une île dans l'archipel de l'Östergötland. Et le couple de jeunes mariés de Nybrostrand. C'est donc quelqu'un qui en très peu de temps a tué huit personnes. Cela fait de lui l'un des plus redoutables meurtriers de l'histoire de ce pays.

Albinsson secoua la tête.

– Ce doit être une erreur. Pas Åke.

– Je ne te dirais pas cela si je n'en étais pas certain. Tu ferais donc mieux de me croire sur parole. Et de répondre de ton mieux à mes questions. Tu as compris ?

– Oui.

Thurnberg entra, fit le tour de la table et s'assit sans un mot en face d'Albinsson.

– Voici le procureur Thurnberg. Sa présence ne signifie pas que tu sois soupçonné de quoi que ce soit.

– Mais je n'ai rien fait, dit Albinsson.

– C'est précisément ce que je viens de dire. Maintenant, tu vas te concentrer et répondre à mes questions. Elles ne seront pas présentées dans un ordre systématique, vu que certaines sont plus urgentes que d'autres.

Albinsson acquiesça en silence. Il commençait lentement à comprendre que cette effervescence n'était pas un étrange cauchemar.

– Åke Larstam habite Harmonigatan, au numéro 18. Nous savons qu'il n'y est pas en ce moment. Nous pensons qu'il est en fuite. As-tu une idée de l'endroit où il peut être ?

– Je ne le connais pas à ce point…

– A-t-il une résidence secondaire ? Des amis proches ?

– Je ne sais pas.

– Tu dois bien savoir quelque chose ?

– Il y a quelques renseignements dans son dossier, qui se trouve au centre de tri.

Wallander jura intérieurement. Il aurait dû y penser.

– Alors on va le chercher. Tout de suite.

Il se leva et fit signe à Albinsson de le suivre. Une patrouille de nuit s'apprêtait à faire son rapport. Wallander leur laissa Albinsson en expliquant de quoi il s'agissait. Puis il retourna dans la salle de réunion. Thurnberg prenait des notes dans un cahier.

– Comment es-tu entré dans l'appartement, au juste ?

– Par effraction. Nyberg était présent. Mais j'assume toute la responsabilité.

– J'espère que tu ne te trompes pas dans tes soupçons contre Larstam. Dans le cas contraire, il y aura du grabuge.

– Je t'envie d'avoir le temps de penser à ça.

– Il arrive que les policiers se trompent. Tu dois comprendre pourquoi je m'interroge.

Wallander fit un énorme effort pour se dominer.

– Je ne veux pas d'un meurtre supplémentaire. C'est aussi simple que cela. Et Åke Larstam est l'homme que nous cherchons.

– Personne ne veut d'un meurtre supplémentaire. Mais on ne veut pas non plus que la police commette des erreurs inutiles.

Wallander se sentit personnellement mis en cause. Il s'apprêtait à demander à Thurnberg qui il visait au juste lorsque Martinsson entra.

– Nyberg vient d'appeler. On dirait que l'éclairage des fenêtres n'a pas changé.

– Les voisins, dit Wallander. Qui habite l'immeuble ? À qui appartient-il ?

– Par où veux-tu que je commence ? Le registre de la police ? Une recherche sur Larstam ? Les voisins ?

– De préférence les trois à la fois. Mais si nous trouvons Larstam dans nos archives, ça peut donner des éléments de son histoire personnelle dont nous avons le plus grand besoin.

Martinsson repartit. Wallander ne dit rien. Thurnberg prenait des notes. Un chien aboya. Wallander se demanda distraitement si c'était Kall. Il était trois heures moins trois minutes. Il alla chercher un autre café. La porte du bureau d'Ann-Britt était fermée. Elle interrogeait Sundelius.

Il faillit entrer mais se ravisa. Quelqu'un lui apporta un portable, et Hansson l'informa que la surveillance fonctionnait depuis dix minutes.

– Tout le monde a bien compris que c'est un individu très dangereux ?

– Je le leur ai répété plusieurs fois.

– Redis-le. Rappelle-leur que nous avons enterré un collègue pas plus tard que cet après-midi.

Il retourna à la salle de réunion. Thurnberg n'y était plus. Wallander lut ce qu'il avait noté dans son cahier.

Des rimes. *Flocon, plancton, triton.* Wallander secoua la tête. Cinq minutes s'écoulèrent. Albinsson reparut, un peu moins pâle que tout à l'heure. Il tenait un classeur jaune à la main.

– Ce sont des renseignements confidentiels. Je devrais appeler le chef pour qu'il me donne des consignes.

– Dans ce cas, je fais venir le procureur, dit Wallander. Et je te fais arrêter pour complicité de meurtre.

Albinsson parut le croire. Wallander tendit la main et Albinsson lui donna le dossier. Quelques pages seulement, dont une longue liste d'affectations successives. Wallander constata rapidement que, au cours des deux dernières années, Larstam avait travaillé dans tous les districts couverts par l'enquête, sauf un. Il s'avéra aussi qu'Albinsson avait dit vrai : depuis le début du mois de mars jusqu'à la mi-juin, Larstam avait fait un remplacement dans la région de Skårby. En juillet, il avait distribué le courrier à Nybrostrand.

Il passa aux renseignements personnels. Åke Larstam était né le 10 novembre 1952 à Eskilstuna. Son nom complet était Åke Leonard Larstam. Il avait passé son bac à Eskilstuna en 1970. En 1971, il avait fait son service militaire dans le régiment de chars de Skövde. En 1972, il avait commencé des études d'ingénieur à Chalmers, grande école de Göteborg. Il avait obtenu son diplôme en 1979. La même année, il avait été engagé en tant qu'ingénieur dans un bureau d'ingénieurs-conseils de Stockholm, Strand Consultants. Il y avait travaillé jusqu'en 1985. Puis il avait démissionné et suivi une formation pour devenir facteur. La même année, il avait déménagé à Höör, puis à Ystad. Suivait la longue liste de ses affectations successives. Il était célibataire et n'avait pas d'enfants. Dans la case « personne à contacter », il y avait un trait.

– Cet homme n'a-t-il aucun parent ? demanda Wallander avec méfiance.

– Apparemment pas.

– Mais il devait bien fréquenter quelqu'un ?

– Il est très réservé, je vous l'ai déjà dit.

Wallander posa le dossier. Toutes ces informations seraient examinées à la loupe. Mais, avant toute chose, il avait besoin de savoir où se trouvait Larstam à l'instant, dans cette nuit du mardi 20 au mercredi 21 août.

– Aucun être humain n'est seul à ce point. À qui parlait-il ? Avec qui prenait-il son café ? N'avait-il aucun avis sur quoi que ce soit ? Quelqu'un doit forcément en savoir plus sur lui que ce dossier.

– On en parlait parfois entre nous ; c'était un gars vraiment insaisissable. Mais comme il était toujours aimable, toujours serviable, on ne s'en préoccupait pas. C'est possible d'apprécier vraiment quelqu'un dont on ne sait rien.

Wallander médita un instant ces paroles. Puis il choisit une autre piste :

– Il faisait des remplacements. Parfois très courts, parfois plus longs. Lui est-il arrivé de refuser une vacation ?

– Jamais.

– Il n'avait donc pas d'autre activité ?

– Pas à notre connaissance. Il était très disponible. Au besoin, on lui passait un coup de fil et il prenait son service deux heures plus tard.

– Ça veut dire qu'on pouvait toujours le joindre ?

– Oui.

– Qu'est-ce que ça veut dire ? Il passait son temps chez lui près du téléphone ?

Albinsson répondit sans sourire :

– Il m'est arrivé d'avoir cette impression.

– Tu as décrit un homme consciencieux, serviable, disponible. Et très réservé. Ne lui arrivait-il jamais de te surprendre ?

Albinsson réfléchit.

– Il chantait parfois.

– Il chantait ?

– Oui. Ou plutôt il fredonnait, pourrait-on dire.

– Que chantait-il ? À quelle occasion ? Exprime-toi un peu plus clairement. Est-ce qu'il chantait bien ?

– Je crois que c'était des psaumes. Il les fredonnait en triant le courrier, en allant à sa voiture. Je ne sais pas si on peut dire qu'il chantait bien. En tout cas, il chantait à voix basse. Il ne voulait sans doute pas déranger les autres.

– Ça paraît très bizarre. Il chantait des psaumes ?

– Des chants religieux en tout cas.

– Était-il croyant ?

– Comment pourrais-je le savoir ?

– Tu dois répondre à mes questions, pas en poser.

– Chacun est libre de croire ce qu'il veut dans ce pays. Åke Larstam était peut-être bouddhiste sans qu'on soit au courant.

– Les bouddhistes ne tuent pas les jeunes mariés, répondit Wallander sèchement. Avait-il d'autres particularités ?

– Il se lavait très souvent les mains.

– Autre chose ?

– Les seules fois où il m'est arrivé de le voir de mauvaise humeur, c'est quand les autres s'amusaient. Mais ça lui passait vite.

Wallander écarquilla les yeux.

– Tu peux préciser ce que tu viens de dire ?

– Pas vraiment. C'est comme je vous le dis.

– Il n'aimait pas les gens joyeux ?

– Ça, je n'en sais rien. Mais quand les gens riaient – je suppose qu'on peut appeler ça de la joie –, ça le dérangeait visiblement.

Wallander pensa à ce qu'avait dit Nyberg à Nybrostrand, à l'endroit où ils avaient retrouvé les corps des jeunes mariés et du photographe : ce meurtrier n'aimait pas les gens heureux.

– A-t-il jamais manifesté des tendances violentes ?

– Jamais.

– D'autres particularités ?

– Non. Il n'avait pas de particularités. C'était quelqu'un qui passait inaperçu.

Wallander eut l'impression qu'Albinsson voulait ajouter quelque chose. Il attendit.

– C'était peut-être ça, sa particularité. Il ne voulait à aucun prix se faire remarquer. Et il ne se plaçait jamais dos à une porte.

– Que veux-tu dire ?

– Il se tenait toujours de façon à voir qui entrait ou sortait de la pièce.

Wallander devina ce qu'essayait d'exprimer Albinsson. Il regarda sa montre. Il était quatre heures moins dix-neuf minutes. Il appela Ann-Britt.

– Tu es toujours avec Sundelius ?

– Oui.

– Alors je te retrouve dans le couloir.

Wallander se leva.

– Je peux rentrer ? demanda Albinsson. Ma femme est sûrement très inquiète.

– Appelle-la. Parle-lui tant que tu veux aux frais de l'État, mais nous ne pouvons pas te laisser partir tout de suite.

Wallander sortit et referma la porte. Ann-Britt l'attendait dans le couloir.

– Que dit Sundelius ?

– Il nie avoir jamais entendu parler d'Åke Larstam. Il répète que Svedberg et lui n'ont jamais fait autre chose ensemble que regarder les étoiles et rendre visite à un naturopathe. Il est très indigné. Il n'apprécie pas d'être interrogé par une femme.

Wallander acquiesça pensivement.

– Je crois qu'on peut le laisser rentrer chez lui. Il ne connaissait sans doute pas Larstam. Dans ce chaos, je crois que nous avons deux types de secret. Larstam entre par effraction dans les secrets des autres ; Svedberg avait un secret qu'il cachait à Sundelius.

– Ah bon, lequel ?

– Réfléchis.

– Tu veux dire qu'il y aurait un drame triangulaire derrière cette histoire ?

– Pas derrière. En plein milieu.

Elle hocha la tête.

– Je vais lui dire qu'il peut s'en aller. Quand Hansson attend-il la relève ?

Wallander avait déjà pris sa décision.

– Ils peuvent rester là-bas. On va les rejoindre. Åke Larstam ne reviendra pas cette nuit. Il se cache, mais où ? La réponse, on ne pourra la trouver que dans son appartement.

Il retourna à la salle de réunion. Albinsson était encore au téléphone avec sa femme. Wallander lui fit signe d'abréger la conversation.

– As-tu pensé à quelque chose ? demanda-t-il ensuite. Une idée de l'endroit où se cache Larstam ?

– Je ne sais pas. Mais ça aussi, c'est peut-être une manière de le décrire.

– Comment ça ?

– C'était quelqu'un qui cherchait sans cesse des endroits où se cacher.

Wallander hocha la tête.

– On va te reconduire chez toi, dit-il. Mais si tu penses à autre chose, appelle-moi sans faute.

Il le raccompagna jusqu'à la réception et échangea quelques mots avec un policier de garde. Puis il partit à la recherche de Nyberg et l'informa de sa décision de retourner à l'appartement.

– Ça ira plus vite, maintenant que je connais ses serrures.

Il était quatre heures et quart lorsqu'ils pénétrèrent de nouveau dans l'appartement d'Åke Larstam. Wallander rassembla ses collaborateurs devant la porte de la chambre insonorisée.

– On cherche la réponse à deux questions. Où se cache-t-il en ce moment ? S'apprête-t-il à commettre un nouveau meurtre ? Voilà. Si vous trouviez une photo, ce serait bien.

Il prit Nyberg à part.

– Des empreintes, dit-il. Thurnberg est inquiet. On a besoin d'une preuve irréfutable qui relie Larstam aux autres meurtres, du moins celui de la réserve et celui de Svedberg. À toi de jouer. Tu as la priorité absolue.

– Je vais faire ce que je peux.

– Plus que ça. Appelle le chef de la direction centrale si c'est nécessaire.

Wallander alla s'asseoir sur le lit de la chambre insonorisée. Hansson apparut à la porte. Il lui fit signe qu'il ne voulait pas être dérangé. Hansson disparut.

Pourquoi fait-on insonoriser une chambre ? pensa-t-il. Pour empêcher les bruits d'entrer. Ou éventuellement pour les empêcher de sortir. Mais à quelle fin dans une ville comme Ystad, où la circulation est très limitée ? Il regarda autour de lui. Au même moment, il constata que le lit était très dur. Il se leva et souleva les draps. Il n'y avait pas de matelas. L'occupant de ce lit dormait directement sur le sommier. Un masochiste, pensa-t-il. Il s'agenouilla et jeta un coup d'œil sous le lit. Rien. Même pas de la poussière. Il se rassit. Les murs étaient nus. À part une lampe, il n'y avait rien. Il essaya de sentir la présence de l'homme. Åke Larstam, quarante-quatre ans. Né à Eskilstuna. Ancien élève de Chalmers. Ingénieur reconverti en facteur.

Soudain, tu sors de chez toi et tu tues huit personnes. À part le policier et le photographe, tous étaient déguisés. Le photographe ne faisait pas partie du tableau. Il était là par hasard. Et le policier, tu l'as tué parce qu'il avait découvert ton secret. Mais les autres étaient déguisés. Ils étaient joyeux. Pourquoi les as-tu assassinés ? Était-ce ici, dans ta chambre insonorisée, que tu préméditais tout ?

L'homme se dérobait. Il se leva et retourna dans le séjour. Partout ces figurines de porcelaine. Des chiens, des coqs, des demoiselles de la Belle Époque, des lutins et des trolls. Comme une maison de poupées, pensa-t-il. Une maison de poupées avec un fou dedans. Un fou qui a mauvais goût, en plus. Tu remplis ta vie avec des bibelots. Question : où es-tu ? Maintenant que nous t'avons fait quitter ton repaire ?

Ann-Britt Höglund apparut à la porte de la cuisine. Wallander vit immédiatement qu'elle avait découvert quelque chose.

– Je crois que tu devrais venir voir, dit-elle.

Wallander la suivit. L'un des tiroirs était posé sur la table. Ann-Britt en avait éparpillé le contenu, factures, dépliants. Restait une feuille de papier à petits carreaux, détachée d'un bloc-notes. Une phrase au crayon noir. L'écriture – celle de Larstam ? – était irrégulière. Wallander mit ses lunettes. *Numéro 9. Mercredi 21. La chance sourit et puis s'en va.* Ça ressemblait à un poème macabre, mais Wallander comprit immédiatement, comme Ann-Britt avant lui.

– Il a déjà tué huit personnes. Là, il parle de la neuvième.

– On est le 21 aujourd'hui. Et c'est un mercredi.

– Il faut le capturer avant qu'il ne passe à l'acte.

– Ça veut dire quoi, cette phrase sur la chance ?

– Ça veut dire qu'Åke Larstam ne supporte pas les gens à qui la chance sourit.

Il lui fit part des commentaires d'Albinsson.

– Comment trouve-t-on une personne chanceuse ? demanda-t-elle.

– On ne la trouve pas. On la cherche.

Il sentit de nouveau son estomac se contracter.

– C'est curieux, dit-elle. Il parle du numéro 9. Une personne seule. Jusqu'ici, à l'exception de Svedberg, il s'en est toujours pris à un groupe.

– Et Svedberg ne faisait pas partie du tableau. Tu as raison, c'est une nouveauté. C'est important.

Il était quatre heures vingt. Wallander s'approcha de la fenêtre et jeta un coup d'œil au-dehors. Pas d'aube en vue. Åke Larstam était là quelque part. Wallander sentit monter la panique. On ne l'attrapera pas, pensa-t-il. Il va recommencer. Et on arrivera trop tard.

Il a désigné une nouvelle victime. Qui ? Nous n'en avons aucune idée. Nous tâtonnons dans le noir. Nous ne savons même pas de quel côté chercher. Nous ne savons rien.

Il se retourna vers Ann-Britt. Puis il enfila une paire de gants en caoutchouc et commença à fouiller le contenu du tiroir.

33

La mer.

Il s'était toujours représenté sa dernière échappatoire ainsi : s'avancer tout droit dans l'eau ; s'enfoncer peu à peu dans un abîme infini où régnaient l'obscurité et le silence, où aucune trace ne subsistait. Les profondeurs de la mer, voilà la dernière cachette. Ultime, absolue.

Il avait pris l'une de ses voitures jusqu'à Mossby Strand, à l'ouest de la ville. La nuit était tiède, la plage déserte. Il avait croisé quelques rares voitures sur la route de Trelleborg. Il s'était arrêté dans un endroit où les phares des autres véhicules ne pouvaient l'atteindre, mais d'où il pourrait facilement prendre la fuite au besoin.

Il avait éteint ses feux. L'obscurité l'enveloppait. Par la vitre baissée, il entendait la rumeur de la mer. Pas un souffle de vent. Lentement, avec méthode, il déroula intérieurement le film des événements de la nuit. Un seul détail le dérangeait : il avait eu de la chance. D'habitude, il fermait toujours la porte de la chambre insonorisée. Cette fois, exceptionnellement, il l'avait laissée entrebâillée. Il essayait de se persuader que sa faculté d'esquive était devenue un instinct, inséparable de sa conscience. Mais il ne pouvait entièrement exclure l'hypothèse de la chance pure et simple.

Si la porte avait été fermée, il ne les aurait pas entendus venir. Là, il s'était réveillé en sursaut ; il avait immédiatement compris ce qui se passait et s'était enfui par la porte de service. L'avait-il bien refermée ? Il ne s'en souvenait pas. Il n'avait rien pu emmener, en dehors de son arme et de ses vêtements. Dès le début, il avait eu la certitude que c'était la police.

Il avait quitté la ville. Malgré son agitation intérieure, il s'était obligé à conduire lentement. Il ne voulait pas risquer un accident. Il était quatre heures, l'aube était encore loin. Il avait bien réfléchi. Avait-il commis une erreur ? Il n'en trouvait aucune. Il ne serait pas nécessaire de modifier ses projets.

Tout s'était passé comme prévu. Pendant la cérémonie de l'enterrement, il s'était rendu à l'adresse du policier, dans Mariagatan. Il avait ouvert la porte sans difficulté avec son passe, fait le tour de l'appartement, constaté que l'homme vivait là seul. Puis il avait peaufiné son plan. Tout était encore plus simple que prévu. Il avait même trouvé un double des clés dans un tiroir de la cuisine. Il n'aurait pas besoin de se servir de son passe la prochaine fois. Il s'était allongé un instant sur le lit. Le matelas était beaucoup trop mou, il avait tout de suite eu la sensation de s'enfoncer.

Puis il était rentré chez lui et il avait pris une douche. Ensuite il avait accompli une tâche prévue depuis longtemps : astiquer toutes ses figurines de porcelaine. Cela avait nécessité beaucoup de temps. Après il avait dîné et il s'était couché. Au moment où les policiers avaient commencé à attaquer sa porte, il dormait depuis plusieurs heures.

Il descendit de voiture. Toujours pas de vent. Avait-il jamais connu un mois d'août pareil ? Peut-être dans son enfance. Mais il n'en était pas sûr. Il descendit sur la plage. Les vagues caressaient le rivage. Il pensa aux policiers qui étaient en ce moment dans son appartement, il les imagina en train d'ouvrir les tiroirs, de salir le plancher, de déplacer ses bibelots. Ça le mettait hors de lui. Le désir de rebrousser chemin, de monter l'escalier en courant et de tirer dans le tas était très fort. Mais il se domina. Aucune vengeance n'était importante au point qu'il y sacrifie sa faculté d'esquive. Ils ne trouveraient rien chez lui. Aucun papier, aucune photo, rien. Les policiers ne pouvaient pas avoir connaissance du coffre qu'il louait sous un faux nom à la banque, et où il conservait tous les documents susceptibles de révéler son visage, les numéros d'immatriculation de ses voitures, ses comptes en banque.

Ils resteraient sûrement plusieurs heures dans l'appartement. Mais, tôt ou tard, le policier retournerait chez lui, très fatigué après cette nuit blanche. Alors, il serait déjà sur place, en train de l'attendre.

Il retourna à sa voiture. Le plus important, dans l'immédiat, c'était de récupérer le sommeil perdu. Il pouvait dormir dans l'une ou l'autre de ses voitures. Mais le risque était grand qu'on le découvre, quel que soit son lieu de stationnement. En plus, il n'aimait pas dormir recroquevillé sur une banquette. Ce n'était pas digne de lui. Il voulait pouvoir s'étirer, se reposer dans un vrai lit. Après en avoir retiré le matelas bien sûr.

Un court instant, il pensa aller à l'hôtel. Mais il serait obligé de laisser un nom et, cela, il ne le voulait pas – même un faux nom.

Puis la solution lui apparut. Comment n'y avait-il pas pensé plus tôt ? Un lieu tout désigné. Où le risque d'être découvert était infime. Au cas où quelqu'un essaierait malgré tout d'entrer, il y avait, là aussi, une porte de service.

Il mit le contact et alluma les feux. L'aube n'était pas loin. Il avait besoin de dormir maintenant. Se reposer en vue de ce qui l'attendait.

Il reprit la route d'Ystad.

*

Vers cinq heures du matin, Wallander sentit qu'il commençait à comprendre ce qui caractérisait Åke Larstam. C'était un être humain qui menait une vie quasi invisible, entouré de ses vilains bibelots. Ils avaient fouillé tout l'appartement sans découvrir un seul indice quant à l'identité de son occupant. Ils n'avaient trouvé aucun papier personnel, aucune lettre, pas un seul document mentionnant le nom d'Åke Larstam, et encore moins une photographie. Ensemble, ils avaient exploré le sous-sol et le grenier. La cave de Larstam était vide. Il n'y avait même pas de poussière. Au grenier, ils trouvèrent un vieux coffre en bois fermé à clé. En forçant la serrure, Wallander découvrit avec désespoir qu'il ne contenait que des fragments de figurines en porcelaine. Il rassembla ses collaborateurs à la cuisine pendant que les techniciens finissaient le travail dans le séjour, sous la conduite de Nyberg.

– Je n'ai jamais rien vu de pareil. Cet Åke Larstam donne l'impression de ne pas exister. Pas un seul papier, pas le moindre document qui confirme son existence. Pourtant, on sait qu'il existe.

– Est-ce qu'il peut avoir un autre appartement ? demanda Martinsson.

– Il peut en avoir dix, il peut avoir des maisons, des résidences secondaires en pagaille, mais on n'a pas le moindre indice pour nous y conduire.

– A-t-il pu s'en aller pour de bon ? demanda Hansson. En comprenant qu'on l'avait presque rattrapé ?

– Le vide qui règne ici ne donne pas l'impression d'être récent. Il a vécu ainsi, dans un espace vide, fermé et insonorisé. Ça n'empêche pas que tu puisses avoir raison. Je serais presque soulagé s'il était vraiment parti. Mais tu sais aussi bien que moi ce qui s'oppose à cette idée.

Ils regardèrent la feuille de papier quadrillé posée en évidence sur la table.

– Est-ce qu'on a pu l'interpréter de travers ? demanda soudain Ann-Britt.

– Non. En plus, Nyberg affirme que ça a été écrit récemment – à cause de la consistance de la trace laissée par la mine. Ne me demande pas comment il peut affirmer ça.

– Qu'est-ce qui l'a poussé à écrire ça ?

La question venait de Martinsson ; elle était importante.

– Tu as raison. C'est le seul papier personnel qu'on ait trouvé ici. Qu'est-ce que ça signifie ? Si nous admettons qu'il était ici à notre arrivée – la porte de service entrouverte, une fuite précipitée...

– La seule trace qu'il n'aurait pas eu le temps d'effacer ?

La conversation se déroulait à présent entre Wallander et Martinsson.

– Sans doute. Ou plutôt, c'est l'explication la plus évidente. Mais est-ce la bonne ?

– Qu'est-ce qu'on peut imaginer d'autre ?

– Qu'il aurait laissé ce papier exprès, sachant qu'on le trouverait.

Personne ne comprit où Wallander voulait en venir. Il sentait lui-même que son raisonnement était très fragile.

– Que savons-nous d'Åke Larstam ? Il a la faculté de se procurer des informations et de forcer les secrets des autres. Je ne prétends pas qu'il ait accès à nos conclusions. Mais je crois qu'il est capable de prévoir pas mal de choses. Imaginons qu'il ait envisagé la possibilité qu'on arrive jusqu'ici. Il y pense forcément, au moins depuis le soir où j'ai surgi dans le bar, à Copenhague. Que fait-il ? Il prépare un plan d'évasion. Mais il nous laisse aussi un message, en sachant que nous le découvrirons forcément, dans cet appartement dépourvu de tout papier personnel.

– Mais pourquoi ? Quelle est son intention ?

– Nous agacer. Ce n'est pas inhabituel, qu'un criminel essaie d'humilier la police. Il a dû triompher après l'épisode de Copenhague. Oser se montrer, alors même que la photo de Louise était publiée dans les journaux danois, et réussir à s'échapper malgré tout...

– Cela paraît très étrange. Qu'on trouve ce papier le jour même où il annonce qu'il va frapper de nouveau.

– Il ne pouvait pas savoir qu'on viendrait cette nuit.

Wallander sentit à quel point son raisonnement était vague et hésitant. Il laissa tomber.

– Il faut quand même prendre ce message au sérieux, dit-il.

– Avons-nous la moindre piste ?

La question venait de la porte, où était adossé Thurnberg.

– Non. Nous n'avons rien. Autant l'avouer.

Personne ne fit de commentaire. Wallander sentit qu'il fallait rompre le découragement qui se répandait dans la cuisine.

– Nous ne pouvons faire qu'une seule chose. Examiner une fois de plus tous les éléments dont nous disposons. En espérant qu'on découvrira un détail qui nous aurait échappé jusqu'ici. Un schéma qui nous permette d'identifier cette neuvième victime. L'un des paramètres de l'enquête s'est tout de même transformé de façon radicale. Nous savons qui est le tueur : un ancien ingénieur recyclé dans la distribution du courrier.

– Tu penses vraiment, demanda Thurnberg, qu'il y aurait une logique décelable dans les agissements de cet homme, que nous n'aurions pas encore discernée ?

– Je ne peux pas répondre, je n'en sais rien. Mais nous n'avons pas le choix. À moins d'attendre passivement le prochain drame.

Il était cinq heures vingt. Wallander proposa au groupe de se retrouver à huit heures. Cela donnerait à chacun la possibilité de se reposer au moins une heure. La surveillance de la rue était maintenue. On allait maintenant réveiller les habitants de l'immeuble. Que savaient-ils sur leur voisin ? Le bâtiment appartenait à une entreprise immobilière. Wallander dit qu'il fallait tout de suite demander à cette entreprise si Larstam louait un autre appartement. Hansson promit de s'en charger.

Nyberg attendit afin de rester seul avec Wallander.

– C'est un appartement très bien rangé, dit-il, mais nous avons des empreintes.

– Autre chose ?

– Non.

– Aucune arme ?

– Je te l'aurais déjà signalé.

Wallander hocha la tête. Nyberg était gris de fatigue.

– Tu as sans doute raison quand tu dis que cet homme n'aime pas les gens heureux.

– Est-ce qu'on va le retrouver ?

– Tôt ou tard. Mais j'ai peur de ce qui risque d'arriver aujourd'hui.

– On ne pourrait pas faire passer une annonce à la radio ?

– En disant quoi ? Que les gens devraient se garder de rire aujourd'hui ? Il a déjà choisi sa victime. Sans doute quelqu'un qui ne soupçonne pas qu'un tueur le suit à la trace.

– Ce serait peut-être plus facile de découvrir où il se cache.

– C'est aussi mon avis. Mais nous ne savons pas de combien de temps nous disposons. Les jeunes de la réserve ont été tués au cours de la soirée ou dans la nuit. Les jeunes mariés, à quatre heures de l'après-midi. Et Svedberg peut-être le matin. Il frappe à n'importe quelle heure.

– On devrait peut-être poser la question autrement. Il n'a peut-être pas de cachette – pas d'autre appartement, pas de parents, pas de maison de vacances. Où se cache-t-il dans ce cas ?

Nyberg avait évidemment raison. Il n'avait pas envisagé cette possibilité. La fatigue creusait des trous dans sa jugeote.

– Et que réponds-tu ?

Nyberg haussa les épaules.

– Nous savons qu'il a au moins une voiture. On peut toujours se recroqueviller sur une banquette arrière. Il fait encore chaud. Dans le pire des cas, il peut dormir dehors. Il s'est peut-être construit une cabane quelque part. Ou alors il a un bateau. Les possibilités sont nombreuses.

– Oui. Et on n'a pas le temps de chercher.

– Je comprends dans quel enfer tu te débats, je tiens à te le dire.

Nyberg exprimait très rarement un sentiment personnel. Son soutien était sincère. Sur le moment, Wallander se sentit un peu moins seul.

Quand il fut de nouveau dans la rue, Wallander resta un instant indécis. Il aurait dû rentrer, prendre une douche, dormir une demi-heure. Mais l'inquiétude le tenaillait. Une voiture de police le conduisit au commissariat. Il avait la nausée, pensa qu'il devait manger ; mais il se contenta d'un café et de ses comprimés contre la tension et l'hyperglycémie. Puis il s'assit à son bureau et reprit tout le dossier depuis le début. Une fois de plus, il se vit dans l'entrée de l'appartement de Svedberg, Martinsson sur ses talons. Åke Larstam les avait précédés ; il avait tué Svedberg. Wallander ne savait toujours pas à quoi ressemblait la relation des deux hommes. Mais c'était une photographie de Larstam habillé en femme que Svedberg avait dissimulée. Désormais, il voyait très clairement pourquoi l'appartement donnait l'impression d'avoir été cambriolé. Larstam avait une peur obsessionnelle de laisser des traces. Après avoir tué Svedberg, il avait fouillé l'appartement pour détruire tout ce qui serait susceptible de le compromettre.

Svedberg avait donc eu un secret, même vis-à-vis de Larstam.

Wallander continua de feuilleter le dossier. Ce qu'il savait des événements de la réserve pouvait-il lui apprendre où se cachait Larstam en ce moment ? Il chercha longtemps, sans pouvoir y répondre. Les événements de Nybrostrand ne lui donnèrent pas davantage un fil conducteur. Toutes les deux minutes, il regardait sa montre. Qui était la neuvième victime ? Il cherchait désespérément une réponse. Mais il n'y en avait aucune.

À huit heures, ils se retrouvèrent dans la salle de réunion. En voyant les visages fatigués et inquiets rassemblés autour de lui, Wallander eut de nouveau le sentiment d'avoir échoué. Il ne les avait peut-être pas égarés sur une fausse piste. Mais il ne leur avait pas non plus indiqué la bonne, du moins pas jusqu'au bout. Ils piétinaient, sans savoir vers où se tourner.

Une seule certitude : à partir de maintenant, ils allaient travailler sans discontinuer. Personne ne quitterait le QG à moins d'une nécessité absolue. Les recherches se poursuivraient au cœur du matériau de l'enquête, pas dans les rues de la ville. Lorsqu'ils auraient une idée plausible de l'endroit où pouvait se trouver Larstam ou de l'identité de sa victime présumée, ils passeraient à l'action ; mais pas avant. Il leur demanda d'aller chercher leurs dossiers et de les apporter dans la salle de réunion.

– Désormais, on est tous rassemblés ici. C'est d'ici que part l'enquête, et c'est ici qu'elle converge.

Ils disparurent dans le couloir. Martinsson s'attarda.

– Tu as dormi un peu ?

Wallander secoua la tête.

– Il le faut. Si tu craques, on n'y arrivera pas.

– J'ai encore quelques forces.

– Tu as déjà franchi la limite. J'ai réussi à dormir une heure entière. Ça m'a aidé.

– Je vais faire un tour, rentrer chez moi et changer de chemise. Mais pas tout de suite.

Martinsson voulut ajouter quelques mots mais Wallander leva la main. Il n'avait pas la force d'en entendre davantage. Il s'assit à l'extrémité de la table. Aurait-il le courage de se relever un jour de son fauteuil ? Les autres revinrent un à un, et la porte se referma. Thurnberg avait desserré son nœud de cravate. Lui aussi commençait à paraître fatigué. Lisa Holgersson les informa qu'elle serait dans son bureau, en train de repousser les journalistes.

Tous les visages se tournèrent vers Wallander.

– Nous devons essayer de comprendre comment il raisonne. Mais ça ne suffit pas. Certains d'entre nous doivent commencer à creuser dans son passé. Est-il vrai qu'il n'a pas de famille ? Ses parents sont-ils malgré tout en vie ? A-t-il des frères et sœurs ? Qui a-t-il fréquenté à Chalmers ? Et sur son précédent lieu de travail ? Où a-t-il été formé au métier de facteur ? Notre grand problème est que le temps presse. Nous devons partir de l'hypothèse que le bout de papier trouvé dans la cuisine était un vrai message, adressé à nous ou à lui-même. La question est donc : par où devons-nous commencer à interroger son passé ?

– Nous devons évidemment découvrir s'il a encore ses parents, dit Ann-Britt. On peut espérer que sa mère est encore en vie. Une mère connaît ses enfants ; c'est un cliché, mais c'est la vérité.

– Tu t'en occupes.

– Je n'ai pas tout à fait fini, dit Ann-Britt. Je trouve étonnant le fait qu'il se soit reconverti en facteur.

– Récemment, raconta Hansson, un évêque est devenu chauffeur de taxi. Ce sont des choses qui arrivent.

– J'ai entendu parler de cet évêque. Il avait cinquante-cinq ans, on a peut-être besoin de s'essayer à autre chose avant la retraite ? Åke Larstam n'avait même pas la quarantaine.

Wallander sentit qu'elle venait peut-être de toucher un point important.

– Tu veux dire qu'il a pu se passer quelque chose ?

– Pourquoi donne-t-il sa démission ? Pourquoi change-t-il de vie ? Pour moi, ça laisse imaginer une rupture brutale.

– Un ingénieur qui quitte tout d'un jour à l'autre…

– Il a déménagé au même moment, fit remarquer Thurnberg. Ça confirme ce que dit Ann-Britt.

– Je m'en occupe, dit Wallander. Je vais appeler ce bureau d'ingénieurs. Comment s'appelle-t-il déjà ?

Martinsson feuilleta ses papiers.

– Strand Consultants. Il est parti en 1985, il avait donc trente-trois ans.

– On commence par là. Vous autres, vous continuez à chercher. Où est-il ? Qui est sa prochaine victime ?

– Ne faudrait-il pas faire revenir Kjell Albinsson ? proposa Thurnberg. Il se peut qu'il lui vienne des idées, s'il assiste à la discussion.

– Je suis d'accord. Il faut aussi que quelqu'un cherche Larstam dans les registres. Apparemment, Larstam est son vrai nom.

– Je ne pense pas qu'il y soit, dit Martinsson, j'ai déjà cherché.

Où Martinsson avait-il trouvé le temps de faire ça ? Il n'y avait qu'une réponse possible : il avait menti tout à l'heure en prétendant qu'il avait dormi une heure. Wallander devait-il être touché par ce mensonge ou se mettre en colère ? Il choisit de laisser tomber.

– On commence. Les ingénieurs-conseils de Strand ont-ils un numéro de téléphone ?

Quelqu'un le lui donna. Il le composa, tomba sur un message indiquant que le numéro avait changé. Le nouveau numéro correspondait à une adresse sur l'île de Vaxholm, dans l'archipel de Stockholm. Wallander essaya encore. Cette fois, une femme répondit :

– Strand Consultants.

– Je m'appelle Kurt Wallander, de la police d'Ystad. J'ai besoin de quelques renseignements concernant l'un de vos anciens employés.

– De qui s'agit-il ?

– Åke Larstam, ingénieur.

– Personne de ce nom ne travaille ici.

– C'est ce que je viens de dire. Un *ancien* employé. Je te demande d'écouter attentivement.

– Pas sur ce ton, s'il te plaît. Comment puis-je savoir que tu es de la police ? Tu peux être n'importe qui.

Wallander faillit jeter le téléphone par terre. Mais il se maîtrisa.

– C'est exact. Tu ne peux pas savoir qui je suis. Mais j'ai besoin de ces renseignements. Åke Larstam a démissionné en 1985.

– C'était avant mon arrivée. Il vaut mieux que tu t'adresses à Persson.

– Pour éviter d'autres malentendus, je te laisse mon numéro de téléphone. Il peut me rappeler ici, au commissariat.

Elle nota le numéro.

– C'est très important. Persson est-il là ?

– Il est en réunion avec un promoteur. Mais je vais lui demander de te rappeler dès qu'il le pourra.

– Non, il doit interrompre sa réunion et me rappeler immédiatement.

– Je vais lui dire que c'est important. C'est tout ce que je peux faire.

– Tu peux lui dire qu'un hélicoptère de la police de Stockholm va atterrir sur votre toit s'il ne m'a pas rappelé dans trois minutes sans faute.

Il raccrocha. Autour de la table, les autres le dévisageaient avec des yeux ronds. Il croisa le regard de Thurnberg, qui éclata de rire.

– Désolé, dit Wallander, désarçonné. Je n'avais pas le choix.

Thurnberg hocha la tête.

– Je n'ai rien entendu. Rien du tout.

Moins de deux minutes plus tard, le téléphone sonna.

– Hans Persson, annonça une voix d'homme.

Wallander expliqua son affaire, sans préciser les soupçons qui pesaient sur Larstam.

– D'après nos renseignements, il vous a quittés en 1985.

– C'est exact. Je crois qu'il a été mis à la porte en novembre.

– Mis à la porte ? Ça paraît assez dramatique.

– Ça l'était.

Wallander serra le combiné contre son oreille.

– Que veux-tu dire ?

– C'est le seul ingénieur qu'il me soit jamais arrivé de renvoyer. Je devrais peut-être préciser que je suis le fondateur de l'entreprise.

– Alors qui est Strand ?

– Je trouvais que ça sonnait mieux que Persson. Il n'y a jamais eu de Strand dans cette boîte.

– Tu as donc renvoyé Åke Larstam. Pourquoi ?

– C'est très difficile de répondre à cette question. Disons qu'il ne cadrait pas avec le reste de l'équipe.

– Pourquoi ?

– Ça va te paraître très étrange.

– Je suis policier, j'ai l'habitude.

– Il manquait complètement d'indépendance. C'était un type qui tombait toujours d'accord sur tout, même quand il était évident qu'il était en fait d'un autre avis. C'est impossible de discuter avec quelqu'un qui cherche en permanence à ne pas déplaire. La discussion n'avance pas, on n'arrive à rien.

– Il était comme ça ?

– Oui. À la longue, c'est devenu intenable. Il ne présentait jamais la moindre idée personnelle, de peur que quelqu'un ne l'approuve pas.

– Et ses compétences techniques ?

– Excellentes. Aucun problème de ce côté-là.

– Comment a-t-il réagi à son licenciement ?

– Il n'a pas réagi du tout. Du moins, je n'ai rien vu. Je pensais qu'il pourrait rester encore six mois, et c'est ce que je lui ai dit. Mais, à peine sorti de mon bureau, il est allé chercher ses affaires et il a disparu. Il n'a même pas encaissé les indemnités de départ auxquelles il avait droit. Il a disparu, purement et simplement.

– Avez-vous été en contact avec lui depuis lors ?

– On a essayé. Mais il s'était volatilisé.

– Savais-tu qu'il était devenu facteur ?

– Nous sommes en relation avec l'agence pour l'emploi. C'est comme ça que je l'ai appris.

– Avait-il un ami proche, du temps où il travaillait chez vous ?

– Nous ne savions rien de sa vie privée. Au bureau, il n'avait pas d'amis, je pense que c'est clair après ce que je viens de te dire. Il lui arrivait de garder l'appartement ou la maison de quelqu'un qui partait en vacances. Pour le reste, il se tenait toujours à l'écart.

– Sais-tu s'il avait des frères et sœurs ? Des parents ?

– Non. Sa vie en dehors du bureau nous était complètement inconnue. Dans une petite entreprise comme celle-ci, ça pose des problèmes.

– Je comprends. Je te remercie de ton aide.

– Tu as éveillé ma curiosité. Que se passe-t-il ?

– Tu le sauras bientôt. Pour l'instant, je ne peux rien te dire de plus.

Wallander raccrocha avec brusquerie. Une pensée commençait à prendre forme dans son esprit. Quelque chose qu'avait dit Persson : Larstam gardait les appartements des autres… Il n'était sûr de rien, mais ça valait le coup d'essayer.

– Qu'est-il arrivé à l'appartement de Svedberg ?

– Ylva Brink m'a dit après l'enterrement qu'elle n'avait pas encore commencé à trier les affaires de son cousin.

Wallander pensa au trousseau de clés qui était encore dans le tiroir de son bureau.

– Hansson, dit-il. Retourne à l'appartement de Svedberg. Emmène quelqu'un. Juste pour voir si un visiteur est passé.

– Rien d'autre ?

– Non. Les clés sont dans le premier tiroir de mon bureau.

Hansson disparut avec l'un des policiers de Malmö. Il était neuf heures moins trois minutes. Ann-Britt Höglund cherchait les parents de Larstam. Martinsson était parti pour continuer d'explorer les registres. Wallander alla aux toilettes mais évita de se regarder dans le miroir. Puis il retourna à la salle de réunion. Quelqu'un faisait passer un carton de sandwiches autour de la table. Il fit non de la tête. Ann-Britt revint.

– Les deux parents de Larstam sont morts.

– Avait-il des frères et sœurs ?

– Deux sœurs plus âgées.

– Il faut les joindre.

– Je m'en occupe.

Wallander pensa à sa propre sœur, Kristina. Comment le décrirait-elle, si jamais la police devait l'interroger sur lui ?

Il s'assit et tendit la main vers les sandwiches. Le carton était vide. Thurnberg parlait au téléphone. Wallander comprit qu'il était question d'une réunion reportée à plus tard. Martinsson revint et prit un dossier sur la table. Thurnberg raccrocha. Kjell Albinsson entra au même instant ; Thurnberg l'entraîna dans un coin et commença à lui parler à voix basse.

Quelqu'un cria dans le couloir. Wallander se leva vivement. Un policier surgit à la porte.

– Ça tire ! Du côté de la place centrale !

Wallander réagit aussitôt :

– L'appartement de Svedberg ! Quelqu'un est blessé ?

– Je ne sais pas, mais il y a eu des coups de feu, c'est sûr.

Moins d'une minute plus tard, quatre voitures aux sirènes hurlantes quittaient le commissariat. Wallander serrait son arme si fort qu'il en avait mal aux jointures. Larstam était là, pensa-t-il. Qu'était-il arrivé à Hansson ? Et au collègue de Malmö ? Il craignait le pire, mais cette pensée était trop insoutenable. Il ne s'était rien passé, voilà ; c'était aussi simple que ça.

Il sauta de voiture sans attendre d'être à l'arrêt. Un attroupement s'était formé. Wallander se rua vers le portail, et quelqu'un prétendit après coup qu'il criait comme un soldat au moment de l'assaut.

Il découvrit aussitôt Hansson et le collègue de Malmö. Ils étaient sains et saufs.

– Que s'est-il passé ? cria-t-il.

Hansson tremblait, livide. Le collègue de Malmö s'était assis sur le trottoir.

– I-i-il était là, articula Hansson. J'ai ouvert la porte. Il était dans l'entrée, il nous a tiré dessus. C'est un pur coup de chance qu'on n'ait pas été touchés. Il a disparu. On a couru comme des fous. C'était un pur coup de chance.

Wallander ne répondit pas. Il savait que ce n'était pas vrai. Larstam était un excellent tireur. S'il l'avait voulu, il leur aurait logé à chacun une balle dans le front. Mais il ne le voulait pas ; ce n'étaient pas eux qui devaient être sacrifiés ce jour-là.

La chance de Hansson tenait à une seule chose : il n'était pas la neuvième victime.

Aux yeux de Wallander, il était évident que Larstam avait déjà quitté l'appartement par l'escalier de service ; il veillait toujours à se ménager des issues de secours. Ils attendirent néanmoins d'avoir enfilé des gilets pare-balles et bloqué la rue avant de monter l'escalier.

L'appartement était vide ; la porte de service entrouverte. Larstam nous fait signe, pensa Wallander. Il nous montre par où il s'échappe.

Martinsson ressortit de la chambre de Svedberg.

– Il s'était allongé sur le lit. On sait maintenant comment il raisonne : il trouve ses cachettes dans les nids abandonnés.

– On sait comment il *raisonnait*. On peut être sûrs qu'il ne le refera plus.

– Va plus loin, dit Martinsson. On se demande comment il raisonne. Mais il fait sans doute pareil : il se demande comment on raisonne, de notre côté. Peut-être faudrait-il laisser cet appartement sous surveillance ? Puisqu'on est convaincus qu'il ne reviendra pas, c'est peut-être précisément ce qu'il va faire.

– Il ne peut pas lire dans nos pensées.

– Je me le demande. On a l'impression qu'il a à la fois un temps de retard et un temps d'avance.

Wallander resta silencieux. Lui aussi commençait à se poser des questions.

Il était dix heures trente. Wallander fut le dernier à quitter l'appartement de Svedberg. Il avait le sentiment d'être revenu à la case départ. Pour la millième fois.

Une seule chose lui paraissait certaine : Larstam n'avait pas encore tué sa neuvième victime. S'il l'avait fait, Hansson serait mort. En tant que dixième victime. Et le collègue de Malmö en tant que onzième.

Pourquoi attend-il ? pensa Wallander. Parce qu'il n'a pas le choix ? Parce que sa victime désignée n'est pas encore disponible ? Ou bien y a-t-il une autre explication ?

Il descendit l'escalier.

Les questions étaient innombrables. Il n'avait pas une seule réponse.

C'était bien cela.

Il était de retour à la case départ.

34

Après coup, il avait éprouvé un vague regret.

Peut-être aurait-il dû viser leur tête malgré tout ? Punir ces deux hommes qui l'avaient réveillé, qui avaient fait irruption jusque dans ses rêves.

Il avait tout de suite compris qu'ils étaient de la police. Qui, en dehors de la police, aurait eu des raisons de venir à l'appartement de Karl Evert, maintenant que celui-ci était mort et enterré ? Qu'ils soient venus pour le chercher, c'était tout aussi évident. Il n'y avait pas d'autre explication.

Une fois de plus, il leur avait échappé. C'était à la fois un soulagement et une satisfaction. Il n'avait pas prévu que les policiers viendraient, mais il avait naturellement pris ses précautions en déverrouillant la porte de service et en appuyant une chaise contre la porte d'entrée de l'appartement. Si quelqu'un entrait, la chaise tomberait. Le pistolet, il l'avait près de lui. Il n'avait pas retiré ses chaussures.

Les bruits de la rue l'inquiétaient. Quelle différence avec sa propre chambre, où le silence à lui seul était comme une cachette ! Plusieurs fois, il avait tenté de convaincre Karl Evert de faire insonoriser sa chambre à coucher. Ça ne s'était jamais fait. Maintenant, il était trop tard.

Au moment où le bruit l'avait réveillé, il rêvait de son enfance. Images indistinctes ; lui-même, très petit, debout derrière un canapé, pendant que des adultes – ses parents sans doute – se disputaient. Une voix d'homme, dure et autoritaire, comme un oiseau effrayant battant des ailes au-dessus de sa tête. Puis une voix de femme, faible et apeurée. Il avait eu la sensation que c'était sa propre voix, alors même qu'il se tenait muet et invisible derrière le canapé.

Soudain, il avait entendu du bruit sur le palier. Au moment où la chaise était tombée, il était déjà hors du lit, son arme au poing.

Il regrettait maintenant de ne pas les avoir tués. Même si c'était une entorse au plan d'origine, il aurait peut-être dû le faire.

Il sortit de l'immeuble, le pistolet dans la poche de sa veste. Sa voiture était devant la gare. En quittant la ville, il entendit des sirènes. Il prit la direction de Sandskogen, puis de l'Österlen, en s'arrêtant à Kåseberga, où il fit un tour dans le port en réfléchissant à ce qu'il allait faire. Il avait encore envie de dormir. Mais il était déjà tard ; il ne pouvait pas savoir quand le policier qui s'appelait Wallander se déciderait à rentrer chez lui. À ce moment-là, il fallait que lui-même soit déjà sur place. Il avait décidé d'agir aujourd'hui. Il ne pouvait pas changer la date, ni risquer de voir l'opportunité lui glisser entre les doigts.

Parvenu au bout de la jetée, il s'était décidé. Il reprit la route d'Ystad et laissa la voiture derrière Mariagatan. Personne ne le vit lorsqu'il se glissa dans l'entrée de l'immeuble. Il sonna à la porte de l'appartement et attendit. Personne.

Il ouvrit avec sa clé et s'assit dans le canapé du séjour pour attendre. Le pistolet était posé sur la table devant lui. Il était onze heures passées de quelques minutes.

*

Hansson et le policier de Malmö étaient sous le choc – physiquement indemnes, mais hors d'état de travailler. Hansson avait insisté pourtant, mais Wallander comprit en lui parlant qu'il n'allait pas bien du tout. Pour le policier de Malmö, les choses étaient plus simples : un médecin de l'hôpital l'avait aussitôt déclaré en état de choc aggravé.

L'équipe était donc diminuée de deux personnes. En rassemblant ses collaborateurs, à son retour au commissariat, Wallander sentit à quel point l'atmosphère était tendue. Lisa Holgersson le prit à part et lui demanda si le moment n'était pas venu de faire appel à des renforts massifs de tous les districts voisins. Wallander hésita, en raison surtout de sa propre fatigue et de son sentiment d'échec. Puis il refusa. Ce n'était pas des renforts qu'il leur fallait, mais de la concentration. Rien ne s'améliorerait sous prétexte que les rues de la ville seraient envahies par les voitures de police. Ils avaient surtout besoin de temps pour conduire leurs recherches, de façon aussi calme et aussi méthodique que possible, pour trouver le point décisif où tout se débloquerait.

– Il existe, ce point ? Ou c'est juste un espoir ?

– Je ne sais pas.

Ils se rassirent autour de la table. L'ambiance était inquiète, fébrile. Wallander essayait de conduire le débat du mieux qu'il pouvait, en revenant sans cesse aux questions décisives : où était Larstam ? Qui était la neuvième victime ? Que leur avaient appris les événements de Lilla Norregatan ?

Martinsson n'avait rien trouvé dans les registres ; Åke Larstam n'avait jamais eu affaire à la justice. Il venait de déléguer à un autre policier la tâche de fouiller dans les archives, au cas où Larstam y aurait malgré tout laissé une trace. Ann-Britt n'avait toujours pas réussi à retrouver les deux sœurs. En l'absence de Hansson, Wallander lui demanda d'interrompre ses recherches jusqu'à nouvel ordre. Il sentait qu'il avait besoin d'elle ; les sœurs attendraient. Tout attendrait. Pourvu qu'ils trouvent Larstam avant qu'il ne surgisse, arme levée, devant sa neuvième victime.

– Reprenons : que savons-nous ?

Il avait le sentiment de poser cette question pour la millième fois.

– Il est encore en ville, dit Martinsson. C'est ici ou dans les environs immédiats qu'il s'apprête à frapper.

– Notre présence doit l'influencer, dit Thurnberg. Il sait que nous le suivons à la trace. Il ne peut pas y être insensible.

– Il le fait peut-être exprès. Mais si ça se trouve, tu as raison. Nous l'avons débusqué deux fois en moins de vingt-quatre heures. Il constate que tout commence à s'effondrer autour de lui. Ses plans minutieusement construits sont menacés. Quelle réaction cela provoque-t-il chez lui ?

Kjell Albinsson était assis dans un coin. Wallander ignorait quelles instructions lui avait données Thurnberg, mais soudain il vit qu'il voulait prendre la parole. Il lui fit signe d'approcher.

– Je ne sais pas si c'est important, commença Albinsson. Mais je me suis souvenu d'une rumeur, quelqu'un disant qu'il avait vu Larstam dans le port de plaisance. C'était l'été dernier. Il a donc peut-être un bateau.

Wallander frappa du poing sur la table.

– On peut s'y fier, à cette rumeur ?

– C'est l'un des facteurs qui l'a vu. Il était sûr de lui.

– Est-ce qu'il a vu Larstam monter à bord d'un bateau ?

– Non. Mais il avait un bidon d'essence à la main.

– Dans ce cas, dit l'un des policiers de Malmö, s'il a un bateau, ce n'est pas un voilier.

Les protestations fusèrent de toutes parts.

– Les voiliers ont des moteurs d'appoint. On ne peut rien exclure, même pas un hydravion.

L'intervention de Martinsson suscita à son tour des protestations. Wallander leva la main.

– Un bateau peut très bien servir de cachette. Mais que faut-il miser sur cette information ?

Il se retourna vers Albinsson.

– Tu es sûr de ce que tu avances ?

– Oui.

Wallander regarda Thurnberg, qui hocha la tête.

– Dans ce cas, dit Wallander, je veux des policiers en civil dans le port de plaisance. Discrètement, vite, sans question. Au moindre soupçon que Larstam s'y trouve, ils se retirent immédiatement. Ensuite, on avise.

– Il y a sûrement beaucoup de monde là-bas, dit Ann-Britt, avec ce beau temps.

Martinsson et l'un des policiers de Malmö partirent pour le port de plaisance. Wallander demanda à Albinsson de prendre place à la table.

– Autre chose ? Tu t'es souvenu du port de plaisance. Si tu en as d'autres comme ça, ce serait bien de nous le dire rapidement.

– Tout est tellement confus… J'ai essayé de réfléchir, mais ce n'est que maintenant que je m'aperçois à quel point j'en savais peu sur lui.

Albinsson était visiblement sincère. Il retourna s'asseoir dans son coin. Wallander regarda sa montre. Onze heures trente. On n'y arrivera pas, pensa-t-il. D'un instant à l'autre, on va apprendre qu'il y a une nouvelle victime.

Ann-Britt Höglund aborda la question du mobile. Pourquoi Larstam agissait-il ainsi ? Pourquoi ce massacre ?

– Ce doit être une sorte de vengeance, dit Wallander.

– Mais par rapport à quoi ? Parce qu'il s'est fait renvoyer un jour d'un bureau d'ingénieurs ? Ça ne tient pas debout. Quel rapport entre ce renvoi et un couple de jeunes mariés ? En plus, il n'a pas eu l'air de le prendre mal. Il se reconvertit, devient facteur…

– Pourquoi facteur précisément ? C'est un grand pas, passer du métier d'ingénieur à celui de facteur. Préméditait-il déjà quelque chose ? Ou bien cela lui est-il venu plus tard ?

– On n'en sait rien.

– On ne sait rien de rien, voilà la vérité.

La conversation s'acheva. Wallander regarda sa montre. Il s'attendait à encaisser d'un instant à l'autre la terrible nouvelle. Il alla chercher un café. Ann-Britt le suivit.

– Ce n'est pas ça, le mobile, dit Wallander dans la cafétéria. Il y a peut-être un besoin de vengeance tout au fond. Mais Larstam tue des gens heureux, joyeux. Nyberg a eu cette idée à Nybrostrand. Albinsson l'a confirmée : Åke Larstam n'aime pas les gens qui rient.

– Il doit être plus cinglé que nous ne le pensions. On ne tue quand même pas les gens sous prétexte qu'ils sont heureux ? Ce serait quoi, un monde pareil ?

– Oui, dit Wallander. C'est ça, la vraie question : dans quel monde vivons-nous ? Mais la réponse est trop insoutenable, on n'a pas la force de la penser jusqu'au bout. Ce que nous redoutons est peut-être déjà là : l'étape suivante, si on peut s'exprimer ainsi. Après l'effondrement de l'État de droit. Une société où de plus en plus de gens se sentent inutiles, voire rejetés. Dans ces conditions, nous pouvons nous attendre à une violence entièrement dénuée de logique. La violence comme aspect naturel du quotidien. Nous nous plaignons de cette évolution, mais parfois je me demande si nous ne sommes pas encore en dessous de la vérité.

Il s'apprêtait à poursuivre lorsqu'on le prévint qu'il avait un appel de Martinsson. Il renversa du café sur sa chemise en courant jusqu'à la salle de réunion.

– Ça ne donne rien, dit Martinsson au téléphone. J'ai discrètement consulté la liste des propriétaires, il n'y a aucun bateau au nom d'Åke Larstam.

– Vous avez fait le tour des pontons ?

– Je ne pense pas qu'il soit là.

Wallander réfléchit.

– Peut-être a-t-il loué un emplacement sous un autre nom ? Un faux nom ?

– Le port est tout petit, la plupart des gens se connaissent. Je ne pense pas qu'il aurait osé donner un faux nom. Ça ne correspond pas à sa prudence habituelle.

Wallander insista :

– Quelqu'un d'autre aurait-il pu louer l'emplacement ?

– Qui ? Åke Larstam n'a pas d'amis.

– Tu as vérifié si le nom de Svedberg y était ?

– J'y ai pensé, mais il n'y est pas.

Une autre idée traversa l'esprit de Wallander. Il faillit laisser tomber mais changea d'avis.

– Regarde encore le registre en pensant à tous les noms qui sont apparus jusqu'ici dans cette enquête, au centre ou à la périphérie, peu importe.

– Tu penses par exemple à Hillström ou Skander ?

– C'est ça.

– Je comprends. Tu crois vraiment que ça tient debout ?

– Rien ne tient debout. Va consulter le registre et rappelle-moi si tu trouves quelque chose.

Il raccrocha. La tache de café s'étalait, beige foncé sur sa chemise blanche. Il pensait avoir une dernière chemise propre dans son armoire, à Mariagatan. Il lui faudrait moins de vingt minutes pour rentrer chez lui et se changer ; mais il voulait attendre le coup de fil de Martinsson. Thurnberg le rejoignit.

– Je pensais laisser partir Albinsson. Je ne crois pas qu'il ait encore des choses à nous apprendre.

Wallander se leva et alla serrer la main d'Albinsson.

– Merci pour ton aide, dit-il.

– Je ne comprends toujours pas.

– Nous non plus.

– Pas un mot à quiconque, ajouta Thurnberg. Cela aurait des conséquences extrêmement graves.

Albinsson promit et partit. Wallander se rendit aux toilettes. Soudain, il repensa au télescope de Svedberg. Pourquoi quelqu'un l'avait-il caché dans la remise de Björklund ? Il retourna à la salle de réunion.

– Quelqu'un sait-il où se trouve Nyberg ?

– Il passe des coups de fil dans le bureau de Hansson.

– Si Martinsson appelle, je suis là-bas.

Il trouva en effet Nyberg dans le bureau de Hansson, le téléphone collé contre son oreille, en train de prendre des notes. Il comprit que c'était le laboratoire de Linköping.

– On aura les résultats dans la journée, dit Nyberg après avoir raccroché. Si ce sont bien les mêmes pouces…

– Oui, forcément. Ce n'est pas une réponse qu'il nous faut, mais une confirmation.

– Que se passe-t-il si nous supposons un instant que ce ne sont pas les empreintes de Larstam ?

– Alors je renonce à diriger la suite de l'enquête.

Nyberg médita ces paroles. Il était assis dans le fauteuil de Hansson.

– Le télescope, dit Wallander. Pourquoi était-il chez Björklund ? Qui l'a caché là-bas ?

– Larstam, qui d'autre ?

– Mais pourquoi ?

– Peut-être pour faire diversion. Ajouter à notre confusion, faire peser des soupçons sur le cousin de Svedberg.

– Il pense à tout.

– Si un détail lui a échappé, on le découvrira tôt ou tard. Et on le capturera à ce moment-là.

– On devrait donc retrouver ses empreintes sur le télescope ?

– À moins qu'il ne les ait essuyées.

Le téléphone sonna. Wallander prit le combiné. C'était Martinsson.

– Tu avais raison.

Wallander se leva si brusquement qu'il fit tomber sa chaise.

– Qu'est-ce que tu as trouvé ?

– Un emplacement au nom d'Isa Edengren. En plus, j'ai regardé le contrat. Je me souviens de l'écriture d'Isa ; si c'est Larstam qui a imité sa signature, c'est très bien fait. J'ai parlé au type qui lui a fait signer le contrat. Il m'a parlé d'une femme.

– Aux cheveux noirs ?

– C'est ça. Louise. En plus, elle avait précisé que ce serait surtout son frère qui se servirait du bateau.

– Il est malin.

– C'est un vieux bateau en bois qui dispose d'une cabine. L'emplacement voisin est occupé par un voilier. L'autre côté est vide.

– J'arrive. Tenez-vous éloignés du ponton, soyez extrêmement prudents. Il est peut-être dans le coin. Et il est forcément sur ses gardes. Il risque de faire le guet un bon moment avant de s'approcher du bateau.

– On n'y a sans doute pas assez pensé…

Wallander raccrocha, expliqua rapidement la situation à Nyberg et retourna à la salle de réunion. Il fut décidé qu'Ann-Britt et Thurnberg organiseraient une intervention en cas de besoin.

– Que fais-tu s'il est à bord ? demanda-t-elle.

Wallander secoua la tête.

– Je ne sais pas. Il faut d'abord que je me rende compte de la situation.

Il était treize heures lorsque Wallander arriva au port de plaisance. Il faisait chaud, une légère brise soufflait du sud-ouest. Wallander avait pensé à emporter des jumelles. Ils observèrent le bateau à distance.

– Il donne l'impression d'être abandonné, dit Martinsson.

– Le voilier à gauche ?

– Il est vide.

Wallander promena ses jumelles ; beaucoup de bateaux étaient occupés.

– On ne peut pas tirer de coups de feu ici, dit Martinsson. Et on ne peut pas faire évacuer le port.

– Et on ne peut pas attendre. On doit découvrir s'il est à bord ou pas. S'il y est, on doit l'intercepter. S'il n'y est pas, ça fera une incertitude en moins.

– On commence à bloquer les accès ?

– Non. Je vais monter à bord.

Martinsson sursauta.

– Tu es cinglé ?

– Ça nous prendrait au moins une heure de bloquer les accès et d'évacuer les gens. On n'a pas le temps. Je monte à bord. Tu me couvres depuis le ponton. Je fais vite. S'il y est, à mon avis, il dort.

– Je ne suis pas d'accord. Le risque est trop grand.

– Tu n'as peut-être pas pensé à une chose : Larstam a épargné Hansson et le collègue de Malmö. Personne ne me fera croire qu'il les a ratés. C'est simplement que ni l'un ni l'autre n'était la neuvième victime.

– Et ce n'est pas non plus ton cas, c'est ça ?

– C'est ça.

Martinsson avait encore une objection.

– C'est un bateau. Il n'y a pas de porte de service. Que peut-il faire ? Sauter à l'eau ?

– Il faut prendre ce risque. L'absence d'issue de secours peut tout modifier.

Martinsson insista :

– C'est complètement irresponsable.

Wallander avait déjà pris sa décision.

– Alors on fait comme tu veux. Retourne au commissariat et fais venir tout le monde. Moi je reste ici et je surveille le bateau.

Martinsson partit. Le policier de Malmö fut envoyé sur le parking pour surveiller l'accès au port.

Une fois seul, Wallander se rendit sur le ponton. Il était parfaitement conscient de transgresser plusieurs règles élémentaires. Il s'apprêtait à affronter un homme extrêmement dangereux, et il s'apprêtait à le faire seul, sans aucune assistance, sans même que le lieu soit cerné.

Quelques jeunes garçons jouaient sur le ponton. Wallander essaya de prendre une voix autoritaire pour leur dire d'aller jouer plus loin. Il serrait son arme dans sa poche – prêt à tirer. Il se demanda s'il pourrait sauter du ponton. Que ferait-il ensuite ? Si Larstam était à bord, il le verrait, et Wallander serait exposé, sans la moindre protection.

Il comprit que ça n'irait pas. La seule possibilité était de monter par l'arrière et de défaire la bâche qui recouvrait le bateau. Mais pour cela, il avait lui-même besoin d'un bateau. Il regarda autour de lui. Une petite fête se déroulait un peu plus loin, sur un yacht d'un certain âge ; Wallander aperçut un youyou rouge. Sans hésiter, il monta à bord du yacht et montra sa carte de police aux convives interloqués.

– J'ai besoin d'emprunter votre canot.

Un homme chauve se leva, un verre de vin à la main.

– Pourquoi ? Il y a eu un accident ?

– Pas d'accident. Et pas de temps pour répondre aux questions. Vous restez ici. Personne ne va sur le ponton. Celui qui s'y risque en subira les conséquences. C'est compris ?

Aucune réponse. Wallander se laissa glisser tant bien que mal dans le petit canot. Il perdit une rame. Lorsqu'il se pencha pour la rattraper, son arme faillit glisser de sa poche. Il jura, transpira mais finit par récupérer toutes ses affaires. Le chauve avait défait le bout. Wallander commença à ramer en se demandant si l'embarcation allait couler sous son poids. Arrivé près du bateau de Larstam, il ralentit et amortit le léger choc avec la main. Il vit qu'il y avait un moteur. Son cœur cognait. Il attacha le youyou avec d'infinies précautions, pour ne pas faire osciller le bateau. Puis il prêta l'oreille. Aucun bruit, hormis les coups désordonnés de son propre cœur. Il prit son arme et commença lentement à défaire le taud. Aucun signe de vie. C'était le moment le plus délicat : il fallait arracher le taud d'un coup sec tout en se rejetant sur le côté – sinon, il ferait une cible parfaite pour celui qui l'attendait peut-être dessous avec une arme. Il avait la tête complètement vide. La main qui serrait l'arme était moite et tremblante.

Il souleva la bâche et se jeta sur le côté. Le youyou faillit se retourner, mais Wallander se raccrocha de justesse à un pare-bateaux. Aucune réaction. Il arracha la moitié du taud. Personne. La petite porte en palissandre était ouverte ; la cabine aussi paraissait vide. Il monta à bord. Il tenait toujours son arme à la main. Il descendit les deux marches, examina les deux couchettes. Il n'y avait pas de draps, seulement des matelas plastifiés.

Wallander ressortit. Il était trempé de sueur. Il rangea son arme dans sa poche. Puis il reprit le youyou. Les gens accoudés au bastingage, leur verre à la main, le regardaient, médusés. Le chauve prit le bout que lui lançait Wallander. Il remonta à bord.

– On pourrait peut-être avoir une explication, maintenant ?

– Non.

Il était pressé. Les autres étaient sûrement déjà en route. Il fallait à tout prix les empêcher d'arriver jusqu'au port de plaisance. Larstam n'était pas dans le bateau. Cela pouvait signifier qu'ils étaient pour la première fois en avance sur lui. Il appela Martinsson.

– On arrive ! dit celui-ci.

– Arrête tout ! Je ne veux pas une seule voiture de police dans le port. Viens seul.

– Il s'est passé quelque chose ?

– Il n'est pas là.

– Comment le sais-tu ?

– Je le sais.

Silence à l'autre bout du fil.

– Tu es monté à bord, c'est ça ?

– On n'a pas de temps à perdre. On en parlera une autre fois.

Martinsson arriva cinq minutes après. Wallander lui expliqua sa pensée : Larstam était peut-être en route. En apercevant la bâche à moitié arrachée, Martinsson secoua la tête.

– L'un d'entre nous doit réparer les dégâts pendant que l'autre surveille le ponton, au cas où il arriverait. Le port doit être maintenu sous surveillance.

Martinsson fit le guet, debout sur le ponton, pendant que Wallander fouillait rapidement le bateau. Il n'y avait rien. Larstam ne laissait jamais traîner de papiers. Il remit le taud en place et retourna sur le ponton.

– Comment es-tu monté à bord ?

– J'ai emprunté un canot.

– Tu es fou.

– Pas si sûr.

Martinsson alla parler au policier que Wallander avait envoyé sur le parking. Maintenant, il s'agissait de surveiller à la fois le port et le ponton. Il appela aussi d'autres policiers en renfort. Puis il considéra Wallander avec un air de reproche.

– Tu devrais rentrer chez toi et changer de chemise.

– Je vais le faire. Mais il faut d'abord qu'on fasse le point avec les autres.

Au commissariat, personne ne l'interrogea sur la manière dont il était monté à bord. Personne ne pensa même à lui demander s'il y était allé seul. Martinsson restait muet. Il paraissait très choqué, mais Wallander n'y pouvait rien dans l'immédiat.

– Pour la première fois, nous sommes peut-être en avance sur lui. Cela ne veut pas dire qu'il viendra dormir dans le bateau ; il se doute peut-être qu'on l'a trouvé.

– On est donc de retour au point de départ, dit Ann-Britt. Qui est la neuvième victime ?

– Il s'est servi du nom d'Isa Edengren pour louer l'emplacement. Il ne suit aucun schéma prévisible. Chacune de ses initiatives nous surprend. Nous ne pouvons que continuer à chercher dans le matériau disponible pour trouver le point crucial qui permettra de tout débloquer.

Wallander avait la forte impression de radoter. Comme un illuminé prêchant la seule vraie doctrine à ses collaborateurs infidèles. Il ne savait pas quoi faire d'autre. Pour l'instant, il n'avait qu'une seule pensée neuve.

– Isa Edengren, dit-il. Pourquoi a-t-il choisi son nom ? Est-ce un hasard ? Ou bien y a-t-il une raison particulière ?

– Isa doit être enterrée après-demain, dit Martinsson.

– Je veux que quelqu'un appelle ses parents, et que l'un des deux vienne ici. Je veux en savoir plus sur cette histoire d'emplacement.

Il se leva.

– Mais, avant, je demande vingt minutes pour rentrer chez moi et changer de chemise.

Ebba entra avec plusieurs cartons de sandwiches dans les bras. Elle avait entendu la dernière phrase de Wallander.

– Si tu me donnes tes clés, je peux y aller, dit-elle. Ce n'est pas un problème pour moi.

Wallander la remercia mais déclina sa proposition. Il avait grand besoin de prendre du recul. De quitter les lieux, ne serait-ce que vingt minutes. Il s'apprêtait à sortir lorsque le téléphone sonna. Ann-Britt décrocha et lui fit signe d'attendre.

– C'est la police de Ludvika. L'une des sœurs de Larstam habite là-bas.

– J'ai envoyé la question à tout le monde, dit Martinsson. Apparemment, ça a donné des résultats.

Wallander décida de rester. Il chercha Ebba du regard, mais elle était repartie. Martinsson avait pris le téléphone. Wallander s'assit sur un coin de table et regarda fixement la tache de café sur sa chemise. Ann-Britt appelait les parents d'Isa Edengren d'un autre poste. Martinsson raccrocha.

– Berit Larstam, annonça-t-il. Quarante-sept ans, sociologue au chômage. Elle habite à Fredriksberg, ne me demande pas où ça se trouve.

– Les armes volées, dit Wallander. Larstam était peut-être en visite chez sa sœur.

Martinsson agita un bout de papier, puis il composa le numéro. Wallander se sentait inutile. Il alla à la réception dans l'idée de donner ses clés à Ebba. Il ne la trouva pas ; elle était sans doute aux toilettes. Il retourna dans la salle de réunion. Martinsson avait visiblement obtenu une réponse chez la sœur, Ann-Britt Höglund écoutait un autre interlocuteur en fronçant les sourcils. Wallander se mit à faire les cent pas. Thurnberg avait disparu. Wallander commença à jeter des gobelets de café vides dans une corbeille. Ann-Britt raccrocha en jurant.

– Le père va venir, dit-elle. Axel Edengren. Je crois qu'il faut s'attendre à un type assez arrogant qui n'aime pas la police.

– Comment ça ?

– Il m'a fait un long discours sur l'étendue de notre incompétence. J'ai failli l'insulter.

– Tu aurais dû.

Martinsson raccrocha.

– Åke Larstam lui rendait visite une fois tous les trois ans. J'ai eu l'impression que leurs relations n'étaient pas très étroites.

Wallander écarquilla les yeux.

– C'est tout ?

– Qu'est-ce que tu veux dire ?

– Tu ne lui as pas posé d'autres questions ?

– Bien sûr que si. Mais elle m'a demandé de la rappeler, elle était occupée.

Wallander ne put s'empêcher de faire un commentaire désagréable. Martinsson protesta. Le silence se fit. Wallander se leva et repartit en quête d'Ebba. Elle était à sa place, derrière la vitre de la réception.

– Si ta proposition tient toujours, dit-il en lui tendant les clés, je crois qu'il y a une chemise propre dans la penderie. Sinon, tu peux prendre l'une de celles qui sont dans le panier de linge sale.

– Ce n'est pas la première fois, j'y arriverai bien aujourd'hui encore.

– Quelqu'un te conduit là-bas ?

– J'ai toujours ma vieille PV, dit-elle. Tu l'avais oubliée ?

Wallander sourit. Il la regarda sortir du commissariat. Comme elle avait vieilli, ces dernières années !

Sa première initiative, en revenant dans la salle de réunion, fut de s'excuser auprès de Martinsson. Puis ils se remirent au travail. Il était quatorze heures et dix minutes.

35

Lorsque Axel Edengren arriva au commissariat, Ebba n'était toujours pas revenue. Wallander se demanda pourquoi ça lui prenait tant de temps. Peut-être n'avait-elle pas trouvé de chemise propre ? Il se rendit à la réception pour accueillir Edengren. Il se sentait mal à l'aise, pas tant à cause de sa chemise tachée qu'à cause du souvenir de l'étrange manière dont Edengren traitait sa fille, de son vivant. Quel type d'homme allait-il rencontrer ? Pour une fois, ce fut comme si la réalité confirmait ses préjugés. Axel Edengren était très grand et très fort – il avait rarement vu un homme aussi grand. Ses cheveux étaient coupés court, en brosse. Il avait un regard intense. Toute sa personne dégageait quelque chose de lourd et de repoussant. Même sa poignée de main ressemblait à une fin de non-recevoir. Wallander, qui avait décidé de l'emmener dans son bureau, avançait dans le couloir avec la sensation de traîner derrière lui un buffle menaçant, prêt à l'empaler sur ses cornes. Il indiqua le fauteuil des visiteurs. Edengren s'y laissa tomber. Le fauteuil grinça très fort, mais il ne parut pas le remarquer. Il ouvrit la bouche avant même que Wallander se soit assis.

– Qu'étiez-vous allé faire à Bärnsö, monsieur l'inspecteur ?

– Je m'appelle Wallander.

La réplique fusa, cinglante :

– Je préfère ne pas appeler par leur nom les gens que je ne connais pas et que je n'aurai pas l'occasion de revoir. Que faisiez-vous à Bärnsö ?

Wallander se demanda s'il devait se mettre en colère. L'attitude de cet homme l'exaspérait, mais il ne pensait pas avoir la force d'imposer son autorité habituelle.

– J'avais des raisons de penser qu'Isa y était ; et c'était en effet le cas.

– On m'a raconté les événements. Pour moi, c'est une énigme que vous ayez pu laisser faire une chose pareille.

– Personne n'a laissé faire quoi que ce soit. Si j'avais eu la moindre possibilité d'intervenir, je l'aurais fait. Je suppose que c'est pareil pour toi, par rapport à Isa autant qu'à Jörgen.

Edengren sursauta en entendant le nom de son fils. Ce fut comme si on l'avait immobilisé en pleine marche forcée. Wallander saisit l'occasion et changea de sujet :

– Nous n'avons malheureusement pas le temps de parler de cela aujourd'hui. Je te présente toutes mes condoléances. J'ai rencontré Isa à plusieurs reprises et elle m'a fait l'impression d'être une fille bien.

Edengren s'apprêtait à dire quelques mots, mais Wallander ne lui en laissa pas le temps :

– Je veux te parler d'un emplacement de bateau dans le port de plaisance, ici à Ystad. Un contrat au nom d'Isa Edengren.

Edengren lui jeta un regard méfiant.

– C'est un mensonge.

– Non, c'est la vérité.

– Isa n'avait pas de bateau.

– Je ne le pense pas non plus. Et toi ? As-tu déjà loué un emplacement dans ce port ?

– Mes bateaux à moi se trouvent dans une marina, dans l'archipel de l'Östergötland.

Wallander n'avait aucune raison d'en douter. Il poursuivit :

– Quelqu'un d'autre a signé le contrat au nom de ta fille.

– Qui ?

– La personne que nous soupçonnons de l'avoir tuée.

Edengren écarquilla les yeux.

– Qui est-ce ?

– Il s'appelle Åke Larstam.

Aucune réaction. Edengren n'avait jamais entendu parler de lui.

– Vous l'avez arrêté ? demanda-t-il.

– Pas encore.

– Pourquoi ? S'il a tué ma fille ?

– Nous n'avons pas encore réussi à le localiser. C'est pour ça que tu es ici. Pour nous aider.

– Qui est-ce ?

– Je ne peux pas te communiquer toutes nos informations. Mais il a travaillé ces dernières années comme facteur.

Edengren secoua la tête.

– C'est une plaisanterie ? Un facteur aurait tué Isa ?

– Malheureusement.

Edengren s'apprêtait à poser une autre question, mais Wallander leva la main. Son instant de faiblesse était passé.

– Isa était-elle en contact avec le club de plaisance ? Faisait-elle de la voile ? Avait-elle des amis qui possédaient des bateaux ?

La réponse d'Edengren le prit au dépourvu :

– Isa non, mais Jörgen avait un voilier. L'été, il naviguait autour de Bärnsö. Le bateau passait l'automne et le printemps ici, à Ystad.

– Il avait donc un emplacement ?

– Oui. Et l'hiver, il était en cale ici.

– Mais Isa ne naviguait pas ?

– Elle accompagnait souvent son frère. Ils s'entendaient bien. Par périodes, en tout cas.

Pour la première fois, Wallander devina de la douleur chez cet homme qui avait perdu ses deux enfants. Il eut soudain l'impression que les apparences ne révélaient rien, et que ce grand corps abritait un volcan de sentiments réprimés.

– À quelle époque Jörgen naviguait-il ?

– Je crois qu'il a eu le bateau en 1992. C'était un petit club d'amis qui naviguaient, faisaient la fête, rédigeaient des protocoles bizarres, envoyaient des bouteilles à la mer. Jörgen en était la plupart du temps secrétaire. Je lui ai appris à rédiger des statuts.

– Ces protocoles existent-ils encore ?

– Après sa mort, je les ai rangés dans un tiroir. Ils y sont toujours.

Des noms, pensa Wallander. C'est ce qu'il me faut en premier lieu.

– Comment s'appelaient les amis de Jörgen ?

– Je ne me souviens pas de tous.

– Les noms se trouvent sans doute dans les protocoles ?

– Probablement.

– Alors on va aller les chercher. C'est peut-être important.

Il l'avait dit avec une conviction telle qu'Edengren ne fit aucune objection. Wallander proposa d'envoyer une voiture de police à Skårby, mais Edengren refusa. Il préférait aller les chercher lui-même. Sur le seuil, il se retourna.

– Je ne sais plus comment faire, dit-il lentement. Pour continuer, je veux dire. Quand on a perdu ses deux enfants – qu'est-ce qui reste ?

Il n'attendit pas la réponse. Wallander pensa qu'il n'aurait pu lui en donner aucune. Il se leva et retourna à la salle de réunion. Personne n'avait vu Ebba. Il alla à la réception ; même chose. Il retourna à son bureau, composa le numéro de Mariagatan et laissa sonner huit fois avant de renoncer. Ebba avait dû quitter l'appartement.

Quarante minutes plus tard, Edengren était de retour. Il déposa une enveloppe en papier kraft sur le bureau de Wallander.

– Voilà. Je crois qu'il y en a onze en tout. Ils n'étaient pas trop obnubilés par cette histoire de rédaction de protocoles.

Wallander feuilleta les papiers, ils étaient tapés à la machine et bourrés de fautes de frappe. Il distingua sept noms, dont aucun ne lui était familier. À sa connaissance, aucun d'eux ne figurait dans l'enquête. Encore une fausse piste, pensa-t-il. Je crois toujours qu'Åke Larstam laisse des traces qui nous permettraient d'entrevoir une certaine logique. En vérité, il ne laisse pratiquement rien.

Il se rendit pourtant à la salle de réunion et donna les protocoles à Martinsson en lui expliquant de quoi il s'agissait. Pouvait-il examiner ces noms de plus près ? Il était presque à la porte lorsque Martinsson poussa une exclamation. Il se retourna. Martinsson lui montra un nom : Stefan Berg.

– Berg, dit-il. Il n'y avait pas un facteur qui portait ce nom-là, dans la belle brochure de la poste ?

Il l'avait complètement oublié. Martinsson prit le téléphone.

– Je l'appelle tout de suite.

Wallander retourna vers son bureau. Avant d'entrer, il réfléchit un instant. Avait-il d'autres questions à poser à Edengren ? Il décida que non. En poussant la porte, il le découvrit debout près de la fenêtre. Edengren se retourna. Wallander fut surpris de voir qu'il avait les yeux rouges.

– Tu peux rentrer chez toi, dit-il. Je ne pense pas qu'on ait besoin de te retenir davantage.

Edengren le dévisagea de son regard intense.

– Vous allez l'arrêter ? Celui qui a tué Isa ?

– Oui. On va l'arrêter.

– Pourquoi a-t-il fait ça ?

– On n'en sait rien.

Edengren lui tendit la main. Wallander le raccompagna jusqu'à la réception. Toujours pas d'Ebba.

– On reste jusqu'à l'enterrement, dit Edengren. Après, je ne sais pas. On va peut-être quitter la Suède. Vendre la ferme de Skårby. L'idée de retourner à Bärnsö n'est pas évidente non plus.

Il partit sans attendre une réponse. Wallander le regarda s'éloigner.

Lorsqu'il revint dans la salle de réunion, Martinsson parlait au téléphone avec le facteur Berg. Wallander s'approcha pour écouter ; puis son agitation intérieure prit le dessus et il ressortit dans le couloir. On attend, pensa-t-il. On n'arrête pas de s'activer, on téléphone, on feuillette des documents, on discute, on tire des conclusions. Mais, au fond, on ne fait qu'une seule chose : attendre. On n'a pas réussi à rattraper l'avance d'Åke Larstam. Pour l'instant.

Il entendit Martinsson raccrocher et revint sur ses pas.

– Ça colle. Stefan Berg est le fils de ce facteur, et il étudie dans une université du Kentucky.

– Où ça nous mène ?

– Nulle part, à mon avis. Berg a été très franc. Il m'a dit qu'il parlait beaucoup de sa famille au centre de tri. Åke Larstam a eu d'innombrables occasions d'entendre des anecdotes à propos du fils et de son club de voile.

Wallander s'était rassis à sa place habituelle.

– Mais qu'est-ce que ça signifie ? Qu'est-ce qu'on peut en tirer ?

– Pas grand-chose.

Wallander repoussa avec impatience tous les papiers étalés devant lui.

– On n'y arrivera pas ! Où est-ce qu'il se cache ? Qui est le neuvième ?

Tous les regards se tournèrent vers lui. Il écarta les mains dans un geste d'excuse, sortit et se mit à faire les cent pas dans le couloir, pour la millième ou dix millième fois depuis le début de cette journée. Il retourna à la réception. Ebba n'était toujours pas là. À mon avis, pensa-t-il, elle n'a pas trouvé de chemise propre, et elle a décidé d'aller en acheter une quelque part.

Il était quinze heures et sept minutes – il restait moins de neuf heures jusqu'à la fin de ce mercredi où Åke Larstam avait promis de frapper de nouveau.

Wallander prit une décision. La salle de réunion était transformée en QG, et c'était bien, mais il voulait maintenant réduire encore davantage le noyau du groupe d'enquête. Il attendit à la porte, croisa le regard d'Ann-Britt.

– Préviens Martinsson. On se retrouve dans mon bureau.

Martinsson pensa à emporter une chaise.

– Reprenons depuis le début, commença Wallander. Rien que nous trois. On a deux questions. Où se trouve-t-il ? Qui est la victime présumée ? Si on imagine qu'il passe à l'acte à minuit moins une, on a à peine neuf heures devant nous. En réalité, on a sans doute bien moins de temps que ça. Il est même peut-être trop tard. Si ça se trouve, c'est déjà arrivé et on est les seuls à l'ignorer.

Martinsson et Ann-Britt avaient forcément envisagé cette possibilité. Mais ce fut comme s'ils venaient juste de comprendre ce qu'elle signifiait.

– Où est Larstam ? Comment raisonne-t-il ? On l'a trouvé dans l'appartement de Svedberg. Il devait penser qu'on n'aurait jamais l'idée de le chercher là-bas. Puis on a découvert son bateau. Mais ce n'est pas sûr qu'il ait l'intention de s'en servir. Peut-être estime-t-il que le bateau est grillé. Que fait-il dans ce cas ?

– Il nous défie, dit Martinsson. S'il reste fidèle à ses habitudes, il aura choisi une situation où tout va très vite, où la victime n'a pas la possibilité de se transformer en menace ou en obstacle. Il sait qu'on le suit à la trace et qu'on a percé à jour son déguisement. Il nous défie.

– Bien. C'est très clair. Alors : comment raisonne-t-il ? Ann-Britt, tu te mets à la place de Larstam : comment raisonne-t-il ?

– Il essaie de comprendre comment nous raisonnons, de notre côté. Il a l'intention d'accomplir ce qu'il a prévu de faire. Il sait sans doute que nous ignorons l'identité de la neuvième victime.

– Comment peut-il en être sûr ?

– Dans le cas contraire, on aurait mis cette personne sous surveillance. Il a sûrement vérifié que ce n'était pas le cas.

– Ça nous conduit à une autre conclusion, intervint Martinsson. Il peut consacrer toutes ses forces au choix de la meilleure cachette. Il n'a pas besoin de se soucier de sa victime.

– Voilà comment il croit qu'on raisonne, dit Ann-Britt. Et il a bien raison.

– Donc, nous devons raisonner autrement, conclut Wallander.

– Il se cache dans un endroit où l'on n'aurait jamais l'idée de le chercher.

– Dans ce cas, dit Martinsson, il aurait dû choisir le sous-sol du commissariat.

Wallander hocha la tête.

– Oui, ou du moins un commissariat symbolique. Où ça pourrait être ?

Ils réfléchirent un moment, sans résultat.

– Pense-t-il que nous serions incapables de le reconnaître en homme ?

– Il ne peut pas prendre ce risque.

Wallander pensa soudain à quelque chose.

– As-tu demandé à la sœur de te donner une photo ?

– J'y ai pensé, mais elle n'avait qu'une photo de lui à quatorze ans, pas très ressemblante en plus.

– Laisse tomber.

– J'ai été en relation avec tous les organismes qui devraient avoir une photo de lui. Mais apparemment cet homme ne possède pas de permis de conduire, pas de carte d'identité, pas de passeport, rien.

– Si seulement on connaissait le nom de famille de Louise, tu peux être sûr que tu trouverais toutes les photos que tu veux.

– Mais il devait bien lui arriver de conduire sans perruque ? Prudent comme il est, il devait tenir compte de la possibilité de se faire arrêter, pour un contrôle ou autre chose. Quels papiers montrait-il alors ?

Wallander pensa soudain à un incident survenu quelques années plus tôt ; c'était la première fois qu'il le reliait à Svedberg et à Åke Larstam.

– C'était avant l'époque d'Ann-Britt, dit-il, mais toi, Martinsson, tu devrais t'en souvenir. Quelques passeports vierges ont disparu du commissariat. Volés dans un coffre. L'enquête interne n'a jamais abouti, mais il était évident que le voleur était quelqu'un de la maison.

– Je m'en souviens. Les gens se regardaient de travers, c'était très désagréable.

– Je me souviens d'autre chose. Rydberg a dit un jour qu'il était certain que Svedberg les avait pris. Je n'ai jamais réussi à savoir pourquoi il en était si sûr.

– Svedberg aurait donc fourni Louise en papiers d'identité ?

– Louise ou Åke Larstam. Ou les deux.

Ils méditèrent en silence ces événements anciens. Puis Wallander renoua le fil de la discussion :

– Où se cache-t-il ? C'est ça qu'on veut savoir. Où se trouve Åke Larstam en cet instant ?

Pas de réponse. Il n'y avait aucun élément auquel se raccrocher – rien que des hypothèses vagues et contradictoires.

Wallander sentait monter la panique. Le temps s'écoulait, et ils étaient désespérément bloqués.

– Parlons un instant de la victime potentielle. Qui est-elle ? Jusqu'ici, il a tué six jeunes gens, un photographe et un policier. On a déjà dit que le photographe et le policier ne comptaient pas. Restent six jeunes. Deux fêtes différentes. Deux groupes.

– Trois, objecta Ann-Britt. Isa Edengren a été tuée plus tard.

– Ça nous apprend qu'il suit son idée. Ce qu'il a décidé d'accomplir, il l'accomplit. À n'importe quel prix. Alors y a-t-il quelque chose d'incomplet dans cette série ? Ou bien entame-t-il une nouvelle série de meurtres ?

Avant que quelqu'un ait pu répondre, on frappa à la porte. C'était Ebba, portant une chemise suspendue à un cintre.

– Désolée de t'avoir fait attendre si longtemps, mais j'ai eu du mal à ouvrir ta porte.

Wallander savait que sa serrure fonctionnait parfaitement. Ebba avait dû se tromper de clé plusieurs fois avant de trouver la bonne. Il la remercia de son aide, s'excusa et disparut aux toilettes pour se changer.

– Quitte à aller au peloton d'exécution, dit-il en revenant, autant y aller avec une chemise propre.

La chemise sale disparut dans un tiroir du bureau.

– Il n'y a rien d'inachevé selon Ann-Britt et moi, dit Martinsson. Nous sommes certains que personne d'autre qu'Isa Edengren ne devait participer à la fête dans la réserve. Quant au mariage, en général on n'est que deux.

– Dans ce cas, il recommence à zéro. La pire hypothèse. Ça veut dire qu'on n'a rien du tout. Absolument rien.

Le silence se fit. Que pouvaient-ils ajouter ? Une seule chose, pensa Wallander. Entre deux impossibilités, il faut choisir celle qui paraît le moins impossible.

– Nous ne devinerons jamais où il se cache. Notre seule chance, c'est de tenter de cerner la victime avant qu'il ne passe à l'acte. À partir de maintenant, on se concentre là-dessus, si vous êtes d'accord.

Wallander savait que la décision était difficile, voire impossible, à prendre.

– Est-ce que ça sert à quelque chose ? demanda Ann-Britt. On a beau se démener, on ne trouvera pas Larstam, pas plus que sa victime.

– Nous ne pouvons pas abandonner.

Ils reprirent tout depuis le début. Il était seize heures passées. Wallander avait mal au ventre, d'angoisse et de faim. Il était si fatigué que cet état lui paraissait complètement normal. Il devinait le même épuisement désespéré chez ses collègues.

– Des mots clés, dit-il. Des gens joyeux. Des gens heureux. Quoi d'autre ?

– Des gens jeunes.

– Des gens déguisés, ajouta Ann-Britt.

– Il ne se répète pas. Nous ne pouvons pas en être certains, mais il est probable qu'il va se renouveler. La question est donc : où pouvons-nous trouver des gens jeunes, joyeux et déguisés aujourd'hui ? Qui ne se marient pas et qui n'ont pas l'intention de faire la fête dans une réserve ?

– Un bal masqué ? proposa Martinsson.

– Le journal, dit Wallander soudain. Y a-t-il des événements prévus à Ystad aujourd'hui ?

Martinsson disparut avant même qu'il ait terminé sa phrase.

– On ne va pas rejoindre les autres ? demanda Ann-Britt.

– Pas encore. Ce serait bien de leur apporter quelque chose, même si ça se révèle être une fausse piste.

Martinsson revint en courant avec le quotidien de la ville, *Ystads Allehanda*. Ils l'étalèrent sur le bureau. Un défilé de mannequins à Skurup retint immédiatement l'attention de Wallander.

– Les mannequins doivent être comptés pour des gens déguisés. Et on peut supposer qu'elles sont de bonne humeur lorsqu'elles défilent.

– C'est mercredi prochain, dit Ann-Britt. Tu as mal lu.

Ils feuilletèrent le journal. Le soir même, l'association des amis d'Ystad organisait une soirée à l'hôtel Continental. Les membres étaient priés de venir en tenues du dix-neuvième siècle.

Wallander hésitait, sans savoir pourquoi. Martinsson et Ann-Britt ne partageaient pas ce doute.

– La fête est sûrement décidée depuis longtemps. Il a eu tout son temps pour se préparer.

– Les membres de ce genre d'association ne sont pas très jeunes, en général…

– Oh, il y a de tout, dit Ann-Britt. Du moins, c'est mon impression.

Wallander hésitait toujours. Mais ils n'avaient plus rien à perdre. Le dîner commençait à dix-neuf heures trente. Il leur restait encore quelques heures. Par mesure de précaution, ils feuilletèrent le journal une nouvelle fois. Rien d'autre n'était prévu.

– La décision t'appartient, dit Martinsson. On s'occupe de cette fête, oui ou non ?

– Ce n'est pas à moi de décider. On doit le faire ensemble. Et puis vous avez raison ; a-t-on le choix ?

Ils retournèrent à la salle de réunion. Quelqu'un alla chercher Thurnberg. Wallander réclama aussi la présence de Lisa Holgersson. Pendant qu'ils attendaient, Martinsson téléphona pour tenter de dénicher un responsable des festivités.

– L'hôtel doit savoir qui a réservé la salle, dit Wallander. Appelle-les.

Il avait crié, alors que Martinsson se trouvait juste à côté de lui. Il devait absolument se calmer.

Thurnberg et Lisa Holgersson entrèrent. Wallander marqua la gravité de la situation en fermant la porte. Il leur expliqua de quelle manière ils étaient parvenus à la conclusion qu'Åke Larstam passerait peut-être à l'acte lors de la fête qui devait se dérouler le soir même à l'hôtel Continental. Wallander souligna plusieurs fois le côté aléatoire de l'hypothèse. Ce pouvait être une erreur, une nouvelle fausse piste. Mais ils n'avaient rien d'autre à proposer, sinon une attente passive. Il s'attendait à des objections – surtout de la part de Thurnberg –, voire à un rejet pur et simple. Mais Thurnberg donna son accord. Avec le même argument : ils n'avaient pas le choix.

– On ne peut qu'espérer qu'on a mal interprété le message de Larstam. Ce qu'il nous faut avant tout, c'est du temps.

– À minuit on saura ce qu'il en est. Cet homme-là ne dévie pas de ses projets.

Ils se mirent au travail. Il était dix-sept heures quinze. Il leur restait un peu plus de deux heures pour s'organiser. Wallander partit pour l'hôtel Continental en emmenant Martinsson. Auparavant, ils avaient lancé un appel aux districts voisins pour obtenir des renforts. Wallander avait souligné la nécessité de gilets pare-balles pour tout le monde. Åke Larstam était dangereux. Puis ils prirent la direction de l'hôtel.

– Je crois que je n'ai jamais porté de gilet pare-balles, sauf à l'entraînement, dit Wallander.

– Contre le type d'arme qu'il utilise, c'est efficace. Le problème, c'est qu'il vise la tête.

Martinsson avait raison. Wallander téléphona de la voiture en disant de faire circuler le message : les casques étaient aussi importants que les gilets.

Ils laissèrent la voiture devant l'hôtel.

– Le directeur s'appelle Orlovsky, dit Martinsson.

– Je l'ai déjà rencontré.

Orlovsky – un grand homme bien bâti, d'une cinquantaine d'années – était prévenu de leur arrivée. Il les attendait à la réception. Wallander avait décidé de lui dire la vérité. Ils se rendirent dans la salle à manger, où les préparatifs battaient leur plein.

– Nous devons gagner du temps, expliqua Wallander. Alors si Martinsson pouvait faire le tour de l'hôtel avec quelqu'un qui connaît les lieux comme sa poche, ce serait bien.

– Emilsson. Il travaille ici depuis vingt ans.

Orlovsky appela un serveur qui dressait une table un peu plus loin. Emilsson parut surpris de la demande, mais disparut sans un mot en compagnie de Martinsson.

Wallander se retourna vers Orlovsky. Il ne lui dit pas tout, mais assez pour lui faire comprendre la gravité de la situation.

– Ne faudrait-il pas reporter la fête ? demanda Orlovsky lorsqu'il eut fini.

– C'est possible, mais seulement si nous estimons que nous ne pouvons pas garantir la sécurité des convives et du personnel. On n'en est pas tout à fait là.

Il voulut voir les plans de table et la liste complète des invités. Trente-quatre personnes devaient venir. Puis il fit le tour de la salle à manger en essayant de se mettre à la place d'Åke Larstam. *Il ne veut pas prendre de risque. Il arrive de quelque part. Il a prévu une retraite. Il n'a pas l'intention de tuer trente-quatre personnes ; il doit pouvoir s'approcher de la table qui l'intéresse.*

Une pensée le frappa.

– Combien de serveurs sont prévus ce soir ?

– Six.

– Tu les connais tous ? Ou quelqu'un a-t-il été embauché spécialement pour l'occasion ?

– Oui, un.

– Qui est-ce ? Comment s'appelle-t-il ?

– Leijde. Il nous aide régulièrement pour les grandes réceptions. C'est lui là-bas, à cette table.

Wallander vit un petit homme corpulent d'une soixantaine d'années qui examinait les verres à la lumière avant de les disposer sur la table.

– Veux-tu que je l'appelle ?

Wallander secoua la tête.

– Le personnel de cuisine ? Les responsables du vestiaire ? Du bar ?

– Tous sont employés ici.

– Y a-t-il des clients qui doivent passer la nuit à l'hôtel ?

– Quelques touristes allemands. Deux familles avec enfants.

– Personne d'autre ?

– La salle à manger est réservée – pourtant ils ne sont pas très nombreux, on aurait pu accueillir d'autres clients. En dehors du personnel de salle, il n'y a que le réceptionniste.

– C'est toujours Hallgren ? Je le connais.

Orlovsky hocha la tête. Martinsson et le serveur reparurent à la porte de la cuisine. Emilsson retourna à sa table. Wallander se demanda si le personnel devait lui aussi porter des casques et des gilets pare-balles. Mais Larstam verrait tout de suite que quelque chose n'allait pas. Wallander eut soudain l'impression que le tueur était tout près de lui – en train de surveiller l'hôtel.

C'était ça, le plus difficile. Si l'hôtel était cerné par la police, Larstam ne viendrait pas. Ils l'empêcheraient de tuer quelqu'un ; mais ils ne l'arrêteraient pas. Et la chasse impossible continuerait.

Wallander voulait faire entrer Larstam dans cette salle à manger. Il voulait le prendre avant qu'il décharge son arme.

Avec l'aide d'Orlovsky, Martinsson esquissa un plan du rez-de-chaussée : les différentes entrées, la salle à manger, les toilettes et la cuisine. Un projet commençait lentement à prendre forme dans l'esprit de Wallander.

Il leur restait très peu de temps. Wallander et Martinsson retournèrent au commissariat. On leur dit que les renforts étaient en route. Ann-Britt et Lisa Holgersson avaient agi vite.

Ils placèrent le croquis de Martinsson dans le projecteur.

– C'est très simple, dit Wallander. À un moment ou à un autre, Åke Larstam va pénétrer dans l'hôtel. Le bâtiment doit donc être cerné, mais les policiers doivent rester invisibles. Je sais bien que ce sera difficile. Mais je veux essayer. Autrement, il ne se montrera pas.

Il jeta un regard circulaire. Pas de commentaire. Il poursuivit :

– S'il réussit à franchir cette première barrière, nous aurons un dispositif à l'intérieur de la salle à manger. Je propose que Martinsson et Ann-Britt se mêlent au personnel, en tenue de serveur.

– Avec des gilets pare-balles et des casques ? demanda Martinsson.

– S'il entre dans la salle à manger, on doit le prendre immédiatement. Autrement dit, toutes les issues sauf celle de la réception doivent être bloquées. Pour ma part, je serai sur place, mobile. Après tout, c'est moi qui suis le mieux placé pour l'identifier.

– Qu'est-ce qu'on fait s'il se montre ?

– Au niveau du premier barrage, toute présence suspecte doit m'être signalée sur-le-champ. On peut faire le tour du bâtiment rapidement. Si c'est lui, il faut le prendre. S'il essaie de s'enfuir, on tire.

– Et s'il parvient malgré tout à entrer ?

– Vous serez armés. Il faudra vous servir de vos armes.

Il restait très peu de temps. Les renforts commençaient à arriver. Il était dix-huit heures.

Juste avant de clore la réunion, Wallander ajouta un dernier point.

– Nous ne devons pas oublier qu'il peut se déguiser en femme. Pas en Louise ; en quelqu'un d'autre. Et nous ne pouvons pas être sûrs qu'il se montrera.

– Qu'est-ce qu'on fait dans ce cas-là ?

– On va tous se coucher et on dort jusqu'à demain matin. C'est ce dont on a le plus besoin dans l'immédiat.

Peu après dix-neuf heures, le dispositif était en place. Martinsson et Ann-Britt avaient revêtu leur tenue de serveur. Wallander s'était retranché dans la petite pièce derrière la réception. Il était en relation par talkie-walkie avec huit policiers à l'extérieur de l'hôtel, plus un autre à la cuisine. Son arme était dans sa poche. Les convives commencèrent à arriver. Ann-Britt avait raison, constata-t-il. Plusieurs d'entre eux étaient jeunes. Aussi jeunes qu'Isa Edengren. Et déguisés. L'ambiance était festive. Les rires fusaient dans la réception et dans la salle à manger. Wallander pensa qu'Åke Larstam aurait détesté cette bonne humeur.

Il attendit. Vingt heures. Rien à signaler. Il était en contact permanent avec les autres, à l'extérieur. Aucun suspect en vue. À vingt heures vingt-trois minutes, on le prévint qu'un homme s'était immobilisé sur le trottoir de Supgränd et contemplait les fenêtres de l'hôtel. Wallander sortit immédiatement, mais, le temps qu'il arrive dans la rue, l'homme s'était éloigné. Un des policiers l'avait reconnu à la faveur d'un lampadaire : propriétaire d'un magasin de chaussures à Ystad. Wallander retourna à la réception. De la salle à manger lui parvenaient d'anciennes chansons à boire, bientôt suivies par des discours. Toujours rien à signaler. Martinsson se montra à la porte de la salle à manger. Wallander remarqua qu'il était dans un état de tension extrême. Vingt-deux heures. Les invités avaient fini de manger le dessert. Nouvelles chansons, nouveaux discours. Vingt-deux heures quarante. La fête était presque finie. Larstam ne s'était pas montré. *On s'est trompés*, pensa Wallander. *Il n'est pas venu. Ou alors, il a vu qu'on était là.*

Il éprouvait un soulagement mêlé de déception. La neuvième personne, à supposer qu'elle fît partie des convives de ce soir, vivait encore. Le lendemain, ils examineraient la liste des participants à la loupe pour tenter d'identifier la victime épargnée. En attendant, ils n'avaient toujours pas arrêté Larstam.

Vingt-trois heures trente. La rue devant l'hôtel était déserte. Les invités étaient partis, les policiers de nouveau réunis au commissariat. Wallander avait vérifié que la surveillance du port de plaisance serait maintenue pendant la nuit, tout comme celle de l'appartement de Harmonigatan. Lorsque Martinsson et Ann-Britt se levèrent pour partir, il les imita. Aucun d'entre eux n'avait la force de tirer les conclusions de la soirée. Ils décidèrent de se retrouver à huit heures du matin. Thurnberg et Lisa Holgersson étaient d'accord : pas de réunion dans l'immédiat. Larstam ne s'était pas montré. Pourquoi ? Ils tenteraient de le comprendre le lendemain.

– Ça nous a donné un peu de temps, dit Thurnberg. C'est peut-être le principal résultat de cette soirée.

Wallander retourna à son bureau, rangea son arme dans le tiroir et ferma le tiroir à clé. Puis il prit sa voiture. Il était minuit moins quatre lorsqu'il franchit le portail de son immeuble et commença à monter l'escalier.

36

Wallander fit tourner la clé dans la serrure.

De très loin, du fond de sa conscience, un souvenir remonta à la surface. Une réflexion d'Ebba, à propos de la serrure récalcitrante. En fait, il le savait, la serrure ne résistait que si une clé était déjà insérée de l'autre côté. Ce qui n'arrivait que si quelqu'un était là. Linda avait l'habitude de donner un tour de clé, le soir. Lorsqu'il rentrait chez lui et que la serrure résistait, c'était un rappel de la présence de sa fille.

Après coup, il lui arriverait souvent de penser que la lenteur de sa réaction ne s'expliquait que par son immense fatigue. Il avait pensé aux paroles d'Ebba en ouvrant la porte. La serrure ne résistait plus. Ce que cela voulait dire, il le comprit au moment où la porte s'ouvrit. Il devina plus qu'il ne vit la silhouette au fond de l'entrée. Il se rejeta sur le côté et sentit une brûlure déchirer sa joue droite. Alors il se rua dans l'escalier en pensant que chaque seconde était la dernière. Åke Larstam était chez lui ; et il était venu pour le tuer. Ce n'était pas du tout comme Hansson et le collègue de Malmö. Ni même Ebba – pourtant Larstam était là lorsqu'elle était venue chercher la chemise propre. La neuvième victime, c'était lui, Wallander. Larstam voulait le tuer. Il déboula comme un fou dans l'entrée, arracha à moitié la porte de l'immeuble et se mit à courir sur le trottoir. Au bout de la rue, il se retourna. Personne. La rue était déserte. Sa joue était en sang. Sa tête le brûlait. Il chercha son arme dans sa poche. Puis il se rappela qu'il l'avait laissée dans le tiroir de son bureau, au commissariat. Il surveillait en permanence le portail, prêt à voir Larstam surgir d'un instant à l'autre. La seule chose qu'il pourrait faire alors serait de prendre la fuite. En même temps, il savait que c'était la dernière chose à faire. Maintenant, il savait où se cachait le tueur. Il n'y avait pas d'escalier de service. Larstam n'avait qu'une seule issue, c'était ce portail.

Il commença à chercher son portable, les mains en sang. L'avait-il laissé dans la voiture ? Puis il se souvint. En rangeant le pistolet dans le tiroir, il avait posé le téléphone sur le bureau. Il jura en silence. Il avait envie de hurler. Ni arme, ni téléphone. Il ne pouvait appeler personne au secours. Fébrilement, il chercha une solution. Il n'y en avait aucune. Il resta ainsi un temps infini, sans savoir quoi faire, le col de la veste relevé contre sa joue en sang. Il regardait fixement le portail. De temps en temps, il jetait un regard vers les fenêtres sombres. Larstam est là-haut, pensa-t-il. Il me voit. Mais il ne sait pas que je n'ai pas d'arme, pas de téléphone. Si aucun renfort n'arrive, il comprendra. Alors, il sortira.

Il leva la tête vers le ciel. La lune était pleine, mais recouverte par un écran de nuages apparu dans la soirée. Il faisait encore chaud, bien que le vent se soit levé. Qu'est-ce que je fais ? pensa-t-il. Que pense Larstam ?

Il regarda sa montre. Minuit sept minutes, jeudi 22 août. Le fait d'avoir dépassé l'heure fatidique ne lui était plus d'aucun secours. Larstam l'avait pris au piège. Peut-être devinait-il que Wallander et ses collègues le chercheraient à la fête de l'hôtel ?

Il se demanda aussi comment Larstam avait pu s'introduire chez lui. Il comprit assez vite. Cela lui donna pour la première fois le sentiment de reconnaître un schéma dans le comportement de Larstam : il tirait parti des occasions qui se présentaient. La veille, pendant l'enterrement de Svedberg, tous les policiers étaient à l'église. Cela lui avait laissé un temps illimité pour s'introduire dans l'appartement. Il avait dû dénicher sans problème le double des clés dans le tiroir.

Les pensées se bousculaient dans sa tête. Sa joue lui faisait mal et la peur tourbillonnait en lui à chaque battement de cœur. La question la plus importante – pourquoi Larstam l'avait-il choisi ? –, il la repoussait de toutes ses forces. Je dois trouver une solution, pensa-t-il. L'immeuble derrière lui n'abritait que des bureaux. Autrement, il aurait pu cogner à la vitre et réveiller quelqu'un. S'il appelait au secours, un voisin contacterait peut-être la police. Mais ce serait le chaos. Il n'aurait pas la possibilité de prévenir la patrouille qui débarquerait.

Ce fut alors qu'il l'entendit. Un bruit de pas. Quelqu'un approchait. Il vit un homme tourner au coin de la rue et avancer droit vers lui, les mains enfouies dans les poches de sa veste en cuir. Il sortit de l'ombre. L'homme sursauta et leva les mains. Quand Wallander s'approcha de lui, il recula.

– Je suis de la police. Il y a eu un accident. J'ai besoin de ton aide.

L'homme, âgé d'une trentaine d'années, le regardait d'un air effrayé.

– Tu m'entends ? Je suis de la police. Tu dois prévenir le commissariat. Dis-leur que Larstam est dans l'appartement de Wallander. Et qu'ils doivent faire très attention. Tu as compris ?

L'homme secoua la tête. Puis il dit quelques mots dans une langue étrangère. Du polonais.

Et merde ! pensa Wallander. Il essaya l'anglais. L'homme répondit par monosyllabes. Il perdit patience, avança d'un pas et éleva la voix. L'autre s'enfuit en courant.

Il était de nouveau seul. Larstam était là-haut, derrière les vitres noires. Bientôt, il allait comprendre pourquoi personne ne venait. Et alors Wallander ne pourrait rien faire d'autre que s'enfuir.

Il essaya de réfléchir. Il devait y avoir une autre solution. Il mit un moment à la trouver. Il leva la main comme s'il faisait signe à quelqu'un sur le trottoir opposé. Il indiqua son appartement du doigt et cria quelque chose. Puis il tourna au coin de la rue, se dérobant au champ de vision de Larstam. Il ne peut pas savoir qu'il n'y a personne, pensa-t-il. Ça me laisse peut-être un répit de quelques minutes. Le risque est qu'il déguerpisse avant que la situation ne devienne intenable pour lui.

Alors il se produisit ce que Wallander n'avait osé espérer. Une voiture s'engagea dans la rue. Il se planta au milieu de la chaussée et agita les bras. La voiture s'arrêta net. Wallander se précipita. L'homme derrière le volant commença à baisser rageusement sa vitre. En apercevant Wallander ensanglanté, il la remonta aussitôt, mais Wallander avait eu le temps de passer son bras dans la fente et d'ouvrir la portière avec l'autre main. L'homme, qui pouvait avoir une soixantaine d'années, était accompagné d'une femme beaucoup plus jeune que lui. Wallander eut tout de suite l'impression que quelque chose clochait, mais il n'avait pas le temps d'y réfléchir. Il n'avait le temps de rien faire, sinon arrêter Larstam et en finir avec cette enquête d'épouvante.

– Je suis de la police, rugit-il.

Il parvint à trouver sa carte et la brandit sous le nez du conducteur.

– Il y a eu un accident. Tu as un portable ?

– Non.

Moi qui croyais que tout le monde avait un portable maintenant, pensa-t-il avec désespoir.

– Que s'est-il passé ? demanda l'homme, inquiet.

– Aucune importance. Tu es réquisitionné, toi et ton véhicule. Tu vas aller tout droit au commissariat. Tu sais où c'est ?

– Je ne suis pas d'ici.

– Moi je sais, intervint la femme.

– Allez-y directement. Dites-leur que Larstam se trouve dans l'appartement de Wallander. Vous pourrez vous souvenir de ça ?

L'homme hocha la tête.

– Répète-le.

– Larstam est dans l'appartement de Wallgren.

– *Wallander*, merde !

– Larstam est dans l'appartement de Wallander.

– Puis tu leur diras que Wallander a besoin d'aide. Et qu'ils doivent faire très attention.

L'homme répéta, sans se tromper cette fois.

– Qu'est-ce qui se passe ? demanda la femme.

– Je ne peux pas vous le dire maintenant. Allez-y.

L'homme hocha la tête. La voiture disparut. Wallander se dépêcha d'aller jeter un coup d'œil au coin de la rue. Combien de temps s'était-il écoulé ? À peine plus d'une minute. Larstam devait encore être là-haut. Wallander regarda sa montre. Il ne faudrait pas plus de dix minutes à la première voiture de police pour arriver sur les lieux. Larstam avait-il l'intention d'attendre jusque-là ?

La douleur s'était déplacée et lui martelait maintenant le cerveau. En plus, il avait besoin d'uriner. Il ouvrit sa braguette sans quitter le portail des yeux. Trois minutes s'étaient écoulées. Si la femme connaissait vraiment le chemin du commissariat, ils devaient déjà y être. N'importe quel policier de garde comprendrait que c'était urgent. Wallander sentit qu'il commençait à reprendre espoir.

Dix-sept minutes plus tard, aucune voiture n'était en vue, et Wallander comprit : le couple ne s'était jamais rendu au commissariat. Ils l'avaient berné. Il était de retour à la case départ.

Il cherchait toujours une solution lorsqu'il entendit un bruit étrange qu'il ne put ni identifier, ni localiser. Il prêta l'oreille. Mais le bruit ne se renouvela pas. Il se demanda s'il pourrait éventuellement barricader la porte de l'extérieur. Enfermer Larstam dans l'appartement. Mais avec quoi ? Et si jamais l'autre ouvrait la porte et le trouvait sur le palier, il n'aurait pas une chance. Cette fois, Larstam ne manquerait pas sa cible.

Il fut interrompu dans ses pensées par le bruit d'une voiture qui démarrait de l'autre côté de l'immeuble. Sans pouvoir se l'expliquer, il comprit que c'était Larstam. Le bruit qu'il venait d'entendre était celui de quelqu'un avançant avec précaution sur un toit de tuiles. Il avait négligé cette issue. La trappe ! Larstam avait dû la découvrir, et il avait réussi, d'une manière ou d'une autre, à descendre le long de l'immeuble. Wallander traversa la rue en courant, juste à temps pour voir une voiture rouge s'éloigner très vite. Il ne put distinguer le conducteur, mais, pour lui, il ne faisait aucun doute que c'était Larstam. Sans réfléchir, il courut jusqu'à sa propre voiture, démarra et se lança à sa poursuite. Il réussit à retrouver les feux arrière de la voiture rouge. S'il ne le sait pas déjà, pensa-t-il, il va vite comprendre que c'est moi qui le poursuis. Mais il ne peut pas encore être sûr que je ne suis pas armé. La voiture rouge s'engagea sur la route 19 en direction de Kristianstad. Larstam conduisait vite. L'indicateur de jauge de Wallander frôlait la zone rouge. Il essaya d'imaginer où allait Larstam. Il avait certainement un but. Même s'il conduisait vite, ce n'était pas nécessairement une fuite éperdue. Ils traversèrent Stora Herrestad. Il y avait peu de circulation. Wallander compta deux voitures venant en sens inverse. Qu'est-ce que je fais s'il s'arrête ? pensa-t-il. S'il descend de voiture, l'arme à la main ? Il gardait ses distances, prêt à freiner brutalement d'un instant à l'autre. Larstam devait savoir que c'était lui qui le pourchassait. Soudain la voiture rouge accéléra. Ils arrivaient à un endroit où la route devenait très sinueuse. Wallander la perdit de vue. À chaque sortie de virage, il se préparait à trouver Larstam l'attendant au bord de la route. Il cherchait fébrilement une solution. Il était seul.

Personne ne savait où il était, personne ne lui apporterait l'aide dont il avait besoin.

La voiture de Larstam surgit de nouveau devant lui. Puis elle prit la sortie de la vallée de Fyledalen. Les feux s'éteignirent.

Wallander freina. Très lentement, il prit la même direction que la voiture rouge. La pleine lune apparaissait de temps à autre dans les accrocs des nuages. Wallander s'arrêta au bord de la route, éteignit ses propres feux, descendit très vite de voiture et s'éloigna de quelques pas. Tout était silencieux. Larstam avait lui aussi coupé son moteur. On n'entendait rien. Wallander s'enfonça dans les ombres du bord de la route en remontant la fermeture éclair de sa veste pour dissimuler sa chemise blanche. La veste, heureusement, était bleu foncé. En franchissant un fossé, il s'égratigna la joue et recommença à saigner. Il était dans une prairie ; soudain, il posa le pied sur quelque chose. Bruit de ferraille. Il jura en silence et s'éloigna le plus vite possible en suivant le fossé. Puis il s'arrêta et tenta de percer l'obscurité. Leva la tête vers les nuages. La lune avait disparu. Mais une échancrure approchait. Bientôt, il y verrait plus clair.

Il continua avec précaution le long du fossé et s'accroupit derrière quelques buissons. S'il ne se trompait pas du tout au tout, il faisait face à la route de Fyledalen. Son pied heurta un objet. Il le chercha à tâtons : un bout de planche. Il le ramassa. Je suis en train de me transformer en homme de Cro-Magnon, pensa-t-il. La police nationale se défend avec des débris de planches. Image de la Suède à venir : œil pour œil, dent pour dent.

La lune apparut entre les nuages. Wallander était accroupi derrière les buissons qui sentaient la terre fraîche. Il aperçut la voiture de Larstam. Elle était stationnée juste après la sortie, vers Fyledalen. Tout était silencieux. Wallander scruta les ombres au-delà de la voiture. La couverture nuageuse se reforma. Il faisait complètement noir. Il essaya de réfléchir. Larstam n'était sûrement plus dans sa voiture. Comment raisonnait-il ? Il savait que Wallander l'avait suivi. Comme il était très prudent, il devait compter avec la possibilité qu'il soit armé. L'absence de renforts, il l'avait sûrement compris, s'expliquait par le fait que Wallander n'avait pas réussi à entrer en contact avec ses collègues.

Autrement dit, ils étaient seuls. Deux hommes armés. Sa seule avance, son seul avantage, était que Larstam ignorait que le bout de planche qu'il serrait dans la main était son seul instrument de défense.

Il essaya de réfléchir encore. Que pouvait-il faire ? Attendre l'aube ? Arrêter des voitures ? Pour ensuite barrer l'accès à l'ensemble de la vallée de Fyledalen, c'est-à-dire toute la limite nord-est de la commune d'Ystad ? Cela ne donnerait rien. Une fois le barrage installé et les chiens lâchés, Larstam serait déjà loin. Cet homme, Wallander le comprenait davantage à chaque instant, avait une faculté remarquable pour se ménager des issues de secours.

Il envisagea avec désespoir d'autres possibilités inexistantes, tout en guettant le moindre bruit. Mais on n'entendait rien, en dehors du vent. Plusieurs fois, il eut la sensation terrifiante que Larstam était tout près de lui. Derrière, ou à côté. L'arme brandie. L'arme qui avait déjà failli lui transpercer le front d'une balle silencieuse. Wallander n'avait pas entendu de coup de feu, seulement senti la douleur, la joue qui s'ouvrait. L'arme était équipée d'un silencieux.

Fiévreusement, il tenta de se mettre à la place de Larstam. Il s'était passé quelque chose de tout à fait imprévu. Personne ne disposait d'issues de secours en quantité illimitée. Il devinait que Larstam était désorienté, et qu'il avait réagi de la même façon que lui : impossible de rester dans la voiture. Mais se trouvait-il à proximité ? Ou bien était-il en train de s'enfoncer dans la vallée de Fyledalen ?

Il voit aussi mal que moi dans le noir, pensa Wallander. Nous sommes sous la même couverture de nuages.

Il décida de traverser la route et d'approcher la voiture de Larstam par le côté. Aucune échancrure n'était visible dans le ciel à ce moment-là. La lune ne se montrerait pas. Il traversa la route en courant, toujours accroupi, et se cacha derrière un fourré. La voiture de Larstam n'était plus qu'à vingt mètres. Il écouta. Tout était silencieux. Il avait encore sa planche dans les mains.

Alors, il l'entendit. Un bruit de branche cassée, devant lui. Wallander se recroquevilla dans les ombres. Puis il l'entendit de nouveau, moins fort cette fois. Quelqu'un se déplaçait, s'éloignait de la voiture, vers la vallée. Larstam avait donc attendu, comme lui. À présent, il commençait à bouger. Si Wallander n'avait pas traversé la route, il ne l'aurait jamais entendu.

J'ai une avance sur toi, pensa-t-il. Je t'entends. Tu ne sais pas que je suis tout près.

Nouveau bruit. Cette fois comme si Larstam avait heurté un arbre, assez loin déjà. Wallander sortit de l'ombre et commença à se faufiler, toujours accroupi, le long des taillis qui bordaient la route. Tous les cinq pas, il s'immobilisait. La route descendait en pente douce vers la vallée. Il se souvint qu'une rivière coulait à proximité, sur la gauche. Au bout d'une cinquantaine de mètres, il marqua une pause. Un oiseau de nuit cria tout près de lui. Il attendit plus de cinq minutes. Aucun bruit. Qu'est-ce que cela voulait dire ? Larstam s'était-il arrêté ? Ou était-il déjà loin ? Brusquement, il sentit la peur revenir avec une force décuplée. Il avait dû négliger quelque chose. Comment raisonnait Larstam ? Avait-il cassé les branches exprès, pour entraîner Wallander dans une direction donnée ? Son cœur battait à se rompre. De nouveau, il sentit l'homme armé tout près de lui. Bientôt, la lune éclairerait le terrain. Wallander comprit qu'il ne pouvait pas rester où il était. Si Larstam l'avait entraîné exprès, il devait se trouver juste devant lui. Wallander traversa la route en courant, escalada le talus, s'accroupit derrière un arbre et attendit.

La lune apparut.

Le paysage se colora en bleu. Il tenta de distinguer les abords de la route à l'endroit où il s'était arrêté. Le vide. Les buissons s'espaçaient. Un peu plus loin, il y avait une petite colline au sommet de laquelle se dressait un arbre solitaire.

La lune se glissa de nouveau dans l'ombre des nuages.

Wallander pensa à l'arbre de la réserve. Celui qu'il avait découvert, derrière lequel il était certain que le meurtrier s'était tenu avant de passer à l'acte. À l'époque, ce meurtrier était un homme sans visage. Désormais, il avait un nom. Åke Larstam. Il est comme un chat, pensa Wallander. Il choisit des lieux isolés, en hauteur, pour dominer la situation. Il acquit aussitôt la conviction que Larstam se cachait à cet endroit-là. Il n'y avait aucune raison pour lui de fuir tant qu'il n'aurait pas tué Wallander. Son projet initial s'était transformé en nécessité absolue s'il voulait en réchapper, cette fois encore.

C'était l'occasion ou jamais. Larstam ne pouvait se douter qu'il avait deviné sa cachette. De plus, son attention serait portée vers la route, où il s'attendait à voir surgir Wallander, et où il se glisserait jusqu'à lui pour le tuer d'une balle en lieu et place de celle qui avait manqué sa cible deux heures plus tôt.

Wallander savait ce qui lui restait à faire : un long détour. Revenir sur ses pas, traverser la route, remonter vers la colline sur sa gauche et s'approcher de l'arbre par-derrière.

Ce qui arriverait à ce moment-là, il n'en avait aucune idée. Il ne voulait pas y penser.

Il accomplit sa manœuvre en trois temps. D'abord, il revint sur ses pas le long de la route. Puis il la traversa et aborda la colline avec d'infinies précautions afin de ne pas se trahir. Enfin, une lente avancée parallèle à la route. Il s'immobilisa. La couverture nuageuse s'était épaissie. Sans un rayon de lune, il ne pourrait évaluer sa position. Il attendit. Il était deux heures et six minutes.

Vingt minutes plus tard, la lune apparut un bref instant. Wallander constata que l'arbre était bien devant lui. Y avait-il quelqu'un ? Difficile à dire, la distance était trop importante et il y avait beaucoup de broussailles. Il tenta de mémoriser le terrain à parcourir : une légère montée, puis le taillis, puis vingt à trente mètres jusqu'à l'arbre.

La lune disparut. L'oiseau de nuit cria de nouveau, très loin cette fois. Wallander essaya de se raisonner. Larstam était aux aguets. Il ignorait probablement que Wallander avait découvert sa cachette et qu'il s'approcherait de lui par-derrière. D'un autre côté, il ne fallait pas le sous-estimer. À chaque instant, il pouvait surgir tout contre lui, prêt à tirer.

Il commença son mouvement d'approche – avec une lenteur infinie, en tâtonnant dans l'obscurité compacte. La sueur ruisselait sous sa chemise. Il était persuadé que les battements de son cœur s'entendaient de très loin. Arrivé au niveau du taillis, il leva la tête vers le ciel. Les nuages étaient très épais. Pour la troisième fois, il entendit l'oiseau – il avait décidé que c'était le même. Il écarta quelques branchages mais ne vit que l'obscurité. Il comprit qu'il devait attendre.

Vingt minutes plus tard, il lui sembla que la lune s'apprêtait à percer de nouveau les nuages. Il se prépara, sans trop savoir ce qu'il ferait au cas où Larstam se trouvait effectivement au pied de l'arbre. Il n'en savait rien. Et il redoutait ses propres impulsions.

La lune apparut, traversant l'écran nuageux. Ce fut alors qu'il l'aperçut. Larstam se tenait plaqué contre le tronc de l'arbre, complètement absorbé, semblait-il, par sa surveillance de la route.

Wallander distingua ses deux mains. L'arme devait être dans sa poche. Il lui faudrait au moins deux secondes pour l'en sortir et se retourner. C'était le temps dont disposait Wallander. Il tenta d'évaluer la distance. Il ne vit pas d'obstacle apparent, pas de pierres, pas de trous. Il jeta un rapide regard au ciel. La lune allait se cacher d'un instant à l'autre. Sa seule possibilité d'arriver jusqu'à Larstam était de s'élancer à l'instant où la lumière disparaîtrait. Il tâta la planche dans sa main.

C'est de la folie, pensa-t-il. Je ne devrais pas le faire ; pourtant il faut que je le fasse.

La lumière décrut. Il se leva très lentement, se tint prêt. Larstam n'avait pas bougé. À l'instant où la lumière disparut, il s'élança. Il faillit pousser un cri de guerre qui lui donnerait peut-être quelques secondes supplémentaires si Larstam prenait peur. Mais personne ne savait comment pouvait réagir l'homme au pied de l'arbre. Personne.

Il s'était élancé d'un bond, la planche brandie au-dessus de sa tête. Il était presque arrivé, Larstam ne s'était toujours pas retourné, lorsqu'il heurta dans le noir un obstacle invisible, racine ou caillou. Il tomba. Larstam fit volte-face. Wallander réussit à l'agripper par une jambe. Larstam gémit et se dégagea. Mais, avant qu'il ait eu le temps de prendre son arme, Wallander se rua sur lui. Le premier coup de planche n'atteignit que le tronc de l'arbre ; la planche éclata sous la violence du choc. Il n'y avait aucune lumière. Wallander jeta ce qui restait de la planche contre la poitrine de Larstam. Puis, avec une force surgie de nulle part, il lui décocha un coup de poing qui, par chance, atteignit la mâchoire. Il y eut un bruit d'os brisés et Larstam s'effondra en silence. Wallander se jeta sur lui et le frappa aveuglément, avant de comprendre qu'il avait déjà perdu connaissance. Alors il tendit la main vers sa poche et lui prit son arme.

L'espace d'un instant, il fut tenté d'approcher le pistolet du front de Larstam et d'appuyer sur la détente.

Puis il le traîna, toujours évanoui, jusqu'à la route. Larstam ne commença à geindre qu'arrivé à la voiture. Wallander prit le câble de remorque dans le coffre et lui ligota les bras. Puis il le ficela au siège du passager.

Lorsqu'il fut enfin installé derrière le volant, Wallander se tourna vers Larstam et le contempla. Il lui sembla soudain que c'était Louise qui était assise là.

Il était quatre heures moins le quart lorsque Wallander arriva au commissariat. Il pleuvait sur le parking ; il laissa la pluie rincer son visage. Puis il entra pour parler au policier de garde et eut la surprise de trouver Edmundsson, en train de manger un sandwich. Edmundsson sursauta en apercevant Wallander, qui ne s'était pas encore regardé dans un miroir. Ses vêtements étaient pleins de boue.

– Qu'est-ce qui se passe ?

– Pas de questions. Il y a un homme ligoté dehors dans ma voiture. Va chercher quelqu'un, passez-lui les menottes et enfermez-le.

– Qui c'est ?

– Åke Larstam.

Edmundsson s'était levé, son sandwich à la main. Wallander vit que c'était du pâté de foie. Sans réfléchir, il le prit et mordit dedans. Il avait mal à la joue. Mais la faim était plus grande que la douleur.

– Tu veux dire que le tueur est dans ta voiture ?

– Oui. Il faut lui passer les menottes. Mets-le quelque part et ferme la porte à clé. Tu as le téléphone de Thurnberg ?

Edmundsson chercha le numéro dans l'ordinateur. Puis il partit. Wallander finit le sandwich en mâchant avec lenteur. Il n'était plus pressé maintenant. Il composa le numéro de Thurnberg. Au bout de plusieurs sonneries, une voix de femme répondit. Wallander se présenta. Elle lui passa Thurnberg.

– C'est Wallander. Je crois que tu dois venir.

– Pourquoi ? Quelle heure est-il ?

– Je m'en fous. Il faut que tu viennes pour rendre officielle l'arrestation d'Åke Larstam.

Wallander perçut un bruit de respiration dans le combiné.

– Tu peux répéter ?

– J'ai Larstam dans ma voiture.

– Nom de Dieu. Tu l'as trouvé où ?

C'était la première fois que Wallander l'entendait jurer.

– Dans la forêt.

Thurnberg comprit que ce n'était pas une plaisanterie.

– J'arrive, dit-il.

Edmundsson et un autre policier faisaient entrer Larstam. Wallander croisa son regard. Ni l'un ni l'autre ne prononça un mot.

Puis il se rendit dans la salle de réunion et posa l'arme de Larstam sur la table.

Thurnberg arriva un peu plus tard. Il eut un mouvement de recul en apercevant Wallander, qui ne s'était toujours pas regardé dans un miroir. Par contre, il avait trouvé quelques comprimés d'aspirine dans le tiroir de son bureau. Son portable était bien là. De colère, il le jeta dans la corbeille. Il ne prit pas la peine de le repêcher. Quelqu'un s'en chargerait sûrement.

Wallander lui raconta brièvement ce qui s'était passé et lui montra l'arme sur la table.

D'un geste solennel, Thurnberg tira une cravate de sa poche et commença à la nouer.

– Tu l'as arrêté, dit-il. Beau travail.

– Au contraire. Mais on pourra en parler une autre fois.

– On devrait peut-être prévenir les autres ?

– Pourquoi, alors qu'ils dorment enfin ?

Thurnberg n'insista pas. Il quitta la pièce pour s'occuper de Larstam.

Wallander se leva lourdement et se rendit aux toilettes. La blessure à la joue était profonde. Il faudrait sans doute la recoudre. Mais la perspective de se rendre à l'hôpital lui parut insurmontable. Il décida que ça pouvait attendre.

Il était quatre heures et demie. Il retourna dans son bureau et ferma la porte.

Martinsson arriva le premier au commissariat le lendemain matin. Il avait mal dormi et s'était levé de très bonne heure, poussé par l'inquiétude. Thurnberg, qui était encore là, lui apprit la nouvelle. Martinsson appela Ann-Britt Höglund, puis Nyberg, enfin Hansson. Lisa Holgersson débarqua peu après. Lorsque tout le monde fut réuni, quelqu'un demanda où était passé Wallander. Selon Thurnberg, il avait disparu. Sans doute à l'hôpital pour soigner sa blessure au visage.

À huit heures et demie, Martinsson composa en vain le numéro de Mariagatan. Ann-Britt suggéra alors qu'il était peut-être tout simplement dans son bureau. Ils s'y rendirent. La porte était fermée. Martinsson frappa avec précaution. Pas de réponse.

Ils ouvrirent. Wallander dormait, étendu de tout son long sur le sol, avec sous la tête sa veste et un annuaire. Il ronflait.

Ann-Britt et Martinsson se regardèrent.

Puis ils refermèrent doucement la porte pour le laisser dormir.

Épilogue

Le vendredi 25 octobre, une pluie insistante tombait sur Ystad.

Le vent soufflait du sud-est, par rafales. Wallander sortit de l'immeuble de Mariagatan peu après huit heures ; il faisait sept degrés. Malgré sa décision d'aller à pied au commissariat le plus souvent possible, il prit sa voiture. Il était en congé maladie depuis quinze jours et le docteur Göransson venait de prolonger ce congé d'une semaine. Son taux de sucre avait baissé, mais sa tension était encore beaucoup trop élevée. Il s'était reposé un quart d'heure avant qu'on la lui prenne : 16/12. Il comprit que le repos forcé pourrait bien durer au-delà de ces trois semaines.

D'ailleurs, ce n'était pas pour travailler qu'il se rendait au commissariat. Il s'apprêtait à honorer un rendez-vous pris au cours des semaines chaotiques du mois d'août, à l'époque où ils ignoraient encore l'identité du tueur, et s'il y aurait de nouvelles victimes.

Wallander se souvenait parfaitement de ce moment où Martinsson était entré dans son bureau et lui avait parlé de son fils de onze ans qui voulait peut-être devenir policier. Wallander s'était engagé à le recevoir une fois que le cauchemar serait terminé. Il s'apprêtait à honorer cette promesse. La veille au soir, il avait longuement cherché sa casquette d'uniforme, qu'il n'avait pas réussi à retrouver pour l'enterrement de Svedberg. Il finit par la dénicher tout au fond d'une armoire.

Il s'en était coiffé et s'était regardé dans le miroir, avec l'impression de contempler une photographie ancienne, presque oubliée. Des souvenirs lui étaient revenus.

Il laissa la voiture sur le parking et lutta contre le vent pour rejoindre l'entrée du commissariat. Ebba était enrhumée. Elle lui fit signe de rester à l'écart pendant qu'elle se mouchait. Dans un an, pensa-t-il, elle ne sera plus au commissariat. Elle était contente de prendre sa retraite, disait-elle ; en même temps, ça lui faisait peur.

David devait arriver à neuf heures moins le quart. En l'attendant, Wallander rangea son bureau. Dans quelques heures, il quitterait Ystad. Il ne savait pas encore si c'était une bonne décision. Mais il se réjouissait quand même à l'idée de rouler en voiture à travers les paysages d'automne en écoutant de l'opéra.

David était à l'heure. Ebba l'accompagna jusqu'au bureau de Wallander.

– Tu as de la visite, dit-elle en souriant.

– Oui, une visite importante.

Le garçon ressemblait à son père. Il avait une attitude réservée, comme Martinsson.

Wallander avait posé la casquette sur la table.

– Par quoi on commence ? La casquette ou les questions ?

– Les questions.

David sortit un papier de sa poche et le déplia. Il s'était bien préparé.

– Pourquoi es-tu devenu policier ?

Cette question toute simple le décontenança. Il avait décidé de prendre au sérieux cette conversation avec David. Il devait donc lui répondre de façon honnête et réfléchie.

– Je crois que je pensais pouvoir devenir un bon policier.

– Pourquoi ? Les policiers ne sont pas tous bons ?

Cette question-là ne figurait pas sur le papier.

– La plupart, oui. Mais peut-être pas tous. Les professeurs ne sont pas tous bons non plus.

– Qu'ont dit tes parents quand tu leur as annoncé que tu voulais être policier ?

– Maman n'a rien dit. Elle était morte au moment où j'ai pris ma décision.

– Et ton papa ?

– Il était contre. Tellement qu'on a failli cesser de se voir.

– Pourquoi ?

– Je ne le sais toujours pas. Ça doit te paraître bizarre, mais c'est la vérité.

– Tu as dû lui demander ?

– Il ne m'a jamais répondu.

– Il n'est pas mort ?

– Si, il est mort récemment. Alors je ne peux plus lui poser la question. Même si j'en ai envie.

Ces paroles parurent causer du souci à David. Il chercha la troisième question écrite sur son bout de papier.

– Est-ce qu'il t'est déjà arrivé de regretter d'être devenu policier ?

– Très souvent. Je crois que ça arrive à tous les policiers.

– Pourquoi ?

– On est obligé de voir beaucoup de choses terribles. On se sent impuissant. On se demande si on aura la force de tenir le coup toute sa vie.

– Tu as l'impression de faire quelque chose de bien, parfois ?

– Parfois. Mais pas toujours.

– Est-ce que tu trouves que je devrais devenir policier ?

– Je crois que tu devrais attendre. À mon avis, c'est vers dix-sept, dix-huit ans qu'on sait vraiment ce qu'on veut.

– Moi, je veux être policier, ou alors construire des routes.

– Ah bon, pourquoi ?

– Ça doit être bien de faciliter la vie des gens qui veulent voyager.

Wallander hocha la tête. Ce garçon était vraiment réfléchi.

– Je n'ai plus qu'une question, dit David. Est-ce que ça t'arrive d'avoir peur ?

– Oui. Assez souvent même.

– Qu'est-ce que tu fais dans ces cas-là ?

– Je ne sais pas. Je dors mal. J'essaie de penser à autre chose si c'est possible.

Le garçon rangea son bout de papier dans sa poche et regarda la casquette. Wallander la lui tendit. David la posa sur sa tête. Wallander le conduisit devant un miroir pour qu'il puisse se regarder. La casquette était beaucoup trop grande et lui couvrait les oreilles. Ensuite Wallander le raccompagna jusqu'à la réception.

– Tu peux revenir si tu as d'autres questions.

Il regarda le garçon disparaître dans la pluie et le vent. De retour à son bureau, il continua à trier les tas de papiers. L'envie de partir était plus forte que tout à l'heure. Il voulait quitter le commissariat le plus vite possible.

Ann-Britt Höglund apparut à la porte.

– Je te croyais en congé maladie ?

– Mais oui.

– Comment s'est passé le rendez-vous ?

Wallander la dévisagea sans comprendre.

– Quel rendez-vous ?

– Martinsson m'a raconté…

– David est un petit gars intelligent. J'ai essayé de répondre le plus sincèrement possible à ses questions. Mais je me demande si son papa ne l'avait pas aidé à les rédiger.

Il rangea quelques dossiers. La table était vide. Ann-Britt s'était assise dans le fauteuil des visiteurs.

– Tu as un peu de temps ?

– Un peu. Je vais partir quelques jours.

Elle se leva et ferma la porte.

– Au fond, je ne sais pas pourquoi je te raconte ça, dit-elle quand elle se fut rassise. Jusqu'à nouvel ordre, je préférerais aussi que ça reste entre nous.

Elle démissionne, pensa Wallander. Elle n'a plus la force de continuer. C'est ça qu'elle est venue me dire.

– Tu me le promets ?

– Oui, je te le promets.

– Parfois on sent le besoin de partager ses soucis avec au moins *une* personne vivante.

– C'est pareil pour moi.

– Je vais divorcer, dit-elle. On est parvenus à une sorte d'accord. À supposer qu'on puisse parler d'accord sur un sujet pareil, quand il y a deux petits enfants en jeu.

Wallander constata qu'il n'était pas surpris. À la fin de l'été, déjà, elle lui avait laissé entendre que ça n'allait pas très fort.

– Je ne sais pas quoi dire…

– Ce n'est pas nécessaire. Ne me dis rien. Tu es au courant, ça suffit.

– Moi aussi, j'ai divorcé. Ou plutôt, ma femme m'a quitté. Je sais malgré tout quelque chose de l'enfer que ça peut être.

– Pourtant, tu t'en es bien sorti.

– Ah ? Je dirais plutôt le contraire.

– Dans ce cas, tu caches bien ton jeu.

– Sans doute.

La pluie tambourinait contre la vitre. Les rafales étaient plus rapprochées maintenant.

– Autre chose, dit-elle. Larstam est en train d'écrire un livre.

– Quel genre de livre ?

– Sur ses huit meurtres. Et l'effet que ça lui faisait de les commettre.

– Comment le sais-tu ?

– Je l'ai lu dans un journal.

Wallander sentit monter l'indignation.

– Qui le paie pour ça ?

– Un éditeur. L'article ne dit pas combien il va toucher, mais une belle somme sans doute. Les mémoires intimes d'un tueur en série, ça risque de bien se vendre.

Wallander secoua la tête avec mépris.

– Ça me donne envie de vomir.

– Il va peut-être devenir riche. Contrairement à nous.

– Le crime paie, de mille façons.

Elle se leva.

– Je voulais juste que tu sois au courant.

Elle se retourna sur le seuil.

– Bon voyage, où que tu ailles.

Elle disparut. Wallander réfléchit un instant à ce qu'elle venait de lui apprendre : son divorce, et le livre du tueur. Sa propre indignation. Et sa tension calamiteuse.

Il avait pensé quitter le commissariat dès qu'il aurait fini ; pourtant il s'attardait dans son fauteuil. Les événements de la fin de l'été lui revinrent en mémoire.

Ils avaient réussi à arrêter Larstam avant qu'il ne passe à l'acte pour la neuvième fois. Après, tous ceux qui avaient eu affaire à lui s'étaient étonnés de son attitude polie et réservée. Chacun s'attendait à trouver un monstre, et si on s'en tenait aux actes qu'il avait commis, c'en était effectivement un. Mais Sture Björklund aurait eu beaucoup de mal à le proposer comme héros à ses employeurs de l'industrie internationale du film d'horreur. Wallander pensa même plusieurs fois qu'Åke Larstam était l'homme le plus ordinaire qu'il eût jamais rencontré.

Il avait passé de longues journées à l'interroger. Souvent, il s'était fait la réflexion qu'Åke Larstam était quelqu'un d'hermétique, non seulement pour son entourage mais sans doute aussi pour lui-même. Il répondait sans détour aux questions de Wallander. Pourtant, c'était comme s'il ne lui apprenait jamais rien.

– Pourquoi as-tu tué les trois jeunes dans la réserve ? Tu as ouvert leurs lettres, tu les as espionnés pour découvrir le lieu de la fête, tu les as attendus sur place pendant des heures. Et puis tu leur as tiré une balle dans le front. Pourquoi ?

– C'est une chance de mourir quand on est au point culminant de sa vie.

– C'est pour ça que tu les as tués ? Pour leur rendre service ?

– Je crois.

– Tu crois ? Tu devrais savoir, tu avais tout prévu.

– On peut prévoir même sans savoir.

– Tu as expédié des cartes postales de différentes villes d'Europe. Tu as caché les voitures, tu as caché les corps. Pourquoi ?

– Je ne voulais pas qu'ils soient découverts.

– Mais pourquoi les avoir enterrés de cette manière ? Pour pouvoir les ressortir ?

– Je voulais me ménager cette possibilité.

– Mais pourquoi ?

– Je ne sais pas. Pour être vu. Je ne sais pas.

– Tu t'es donné la peine d'aller jusqu'à Bärnsö afin de tuer Isa Edengren. Pourquoi ne lui as-tu pas laissé la vie sauve ?

– On doit toujours aller au bout de ce qu'on a décidé de faire.

Parfois, les interrogatoires aboutissaient à un point où Wallander n'en pouvait plus. Il sortait alors, en pensant que l'homme assis dans cette pièce n'était qu'un monstre, malgré son sourire aimable et ses manières polies. Puis il s'obligeait à y retourner, à poursuivre. Ils avaient évoqué les jeunes mariés – qu'il n'avait pas pu laisser vivre puisqu'ils rayonnaient d'un bonheur qui lui était insupportable.

Enfin, ils avaient évoqué Svedberg. La longue histoire d'amour compliquée et secrète. Le drame triangulaire avec Bror Sundelius, qui ignorait que Svedberg le trompait avec un autre homme. Et Nils Stridh, qui était au courant et qui avait menacé de les dénoncer. Puis la peur de Svedberg comprenant que c'était peut-être l'homme qu'il fréquentait depuis dix ans qui était responsable de la disparition des trois jeunes. Ils parlèrent même du télescope que Larstam avait caché dans la réserve de Björklund. Une fausse piste, expliqua-t-il. Une manœuvre de diversion.

Au cours des interminables interrogatoires, Wallander eut souvent l'impression qu'il n'obtenait pas de réponse complète. Il y avait toujours quelque chose d'évasif, de fuyant dans les répliques de Larstam. Il était invariablement aimable, s'excusait lorsqu'il ne se souvenait plus avec précision d'un détail. Mais il y avait en lui comme une case vide, un espace creux où Wallander ne parvint jamais à pénétrer. Pas plus qu'il ne pouvait comprendre la relation qui avait existé entre Larstam et Svedberg.

– Que s'est-il passé ce matin-là ? demanda-t-il pour finir.

– Quel matin ?

– Quand tu es entré dans l'appartement de Svedberg et que tu l'as abattu – avec l'arme volée à Ludvika, au cours d'une visite chez ta sœur.

– J'étais obligé de le tuer.

– Pourquoi ?

– Il m'accusait d'être impliqué dans l'histoire des jeunes disparus.

– Ils n'avaient pas disparu. Ils étaient morts. Comment a-t-il commencé à te soupçonner ?

– Je lui en avais parlé.

– Tu lui as dit ce que tu avais fait ?

– Non. Mais je lui parlais de mes rêves.

– Quels rêves ?

– Faire taire les gens qui riaient.

– Et pourquoi les gens ne devraient-ils pas rire ?

– Tôt ou tard, le bonheur conduit à son contraire. Je voulais leur épargner ce retournement. J'en rêvais, et je lui en avais parlé.

– Tu lui avais dit que tu pensais parfois à tuer les gens heureux ?

– Oui.

– Et cela a éveillé ses soupçons ?

– Je ne l'ai remarqué que quelques jours avant.

– Avant quoi ?

– Avant de le tuer.

– Que s'est-il passé ?

– Il a commencé à me poser des questions. C'était comme un interrogatoire. Ça m'a rendu nerveux. Je n'aime pas être inquiété.

– Alors tu es monté chez lui et tu l'as tué ?

– Il était assis dans le fauteuil. Au début, je voulais juste lui dire d'arrêter de me rendre nerveux avec ses questions. Mais il a continué. Alors j'ai été obligé d'en finir. J'avais emporté le fusil, il était dans l'entrée. Je suis allé le chercher et je l'ai tué.

Wallander resta longuement silencieux. Il essaya de se représenter le dernier instant de la vie de Svedberg. Avait-il eu le temps de comprendre ? Ou bien tout s'était-il passé trop vite ?

– Ça doit être difficile, dit-il. De tuer la personne qu'on aime.

Larstam ne répondit pas. Son visage était inexpressif. Wallander répéta ce qu'il venait de dire mais n'obtint aucune réaction.

L'interrogatoire reprit laborieusement. En fouillant les vêtements de Larstam après son arrestation, ils avaient découvert un petit appareil photo. Au développement, il apparut qu'il contenait deux images : l'une prise dans la réserve peu après la mort des trois jeunes gens, la seconde au flash, sur l'île de Bärnsö. Isa Edengren, recroquevillée au milieu des fougères.

Wallander posa les photos sur la table.

– Pourquoi photographies-tu tes victimes ?

– Je voulais m'en souvenir.

– Te souvenir de quoi ?

– Comment c'était.

– Tu veux dire la sensation d'avoir tué quelques jeunes innocents ?

– Plutôt le fait d'avoir vraiment accompli le projet que je m'étais fixé.

Wallander avait encore beaucoup de questions. Mais la nausée l'obligea soudain à repousser les images. Il n'avait plus la force de continuer, du moins pas tout de suite.

Il évoqua alors la dernière nuit, celle où Larstam l'avait attendu dans l'appartement de Mariagatan.

– Pourquoi m'avais-tu désigné comme victime ?

– Je n'avais personne d'autre.

– Que veux-tu dire ?

– Au départ, mon intention était d'attendre. Peut-être un an, peut-être plus. Puis j'ai ressenti le besoin de continuer, puisque tout marchait si bien.

– Mais pourquoi moi ? Je ne suis pas quelqu'un de très heureux. Je ne ris pas souvent.

– Tu as quand même un travail. Dans le journal, j'ai vu des photos où tu souriais.

– En plus, je n'étais pas déguisé. Je ne portais même pas mon uniforme.

La réponse de Larstam le surprit :

– J'avais l'intention de le faire après.

– Quoi ?

– Te déguiser. J'avais pensé te mettre ma perruque et te donner le visage de Louise. Je n'avais plus besoin d'elle. Elle pouvait bien mourir. J'avais décidé de me réincarner dans une autre femme.

Larstam le regardait droit dans les yeux. Wallander soutint son regard. Il ne put jamais par la suite formuler ce qu'il y avait lu en cet instant. Mais il ne l'oublierait jamais.

À la fin il n'avait plus eu de questions. Il avait reconstitué le parcours d'un homme qui n'avait pas trouvé sa place, qui était devenu fou et avait fini par exploser dans une violence qu'il ne contrôlait absolument pas. L'examen psychiatrique vint par la suite compléter cette image : un enfant rabroué, humilié, qui n'avait jamais appris qu'à se cacher et à prendre la fuite. Qui n'avait pas supporté son licenciement. Qui avait peu à peu décidé que les gens souriants étaient des gens mauvais.

Wallander pensa qu'il discernait à travers cette histoire une ombre portée effrayante qui s'étendait désormais sur tout le pays. De plus en plus de gens jugés superflus seraient réduits à des vies indignes dans les marges très dures de la société, où ils seraient condamnés à contempler les autres : ceux qui étaient du bon côté de la barrière, ceux qui avaient des raisons d'être contents.

Il se souvint d'une conversation inachevée avec Ann-Britt, à propos de l'effondrement de la société suédoise – peut-être beaucoup plus avancé qu'ils ne le croyaient – et de la violence irrationnelle, aléatoire, qui était devenue partie intégrante du quotidien. Le sentiment d'en être déjà à l'étape suivante : celle où des pans entiers de l'État de droit auraient cessé de fonctionner. Pour la première fois de sa vie, Wallander se demanda si la société suédoise tout entière était désormais susceptible d'imploser – dès lors que les failles seraient suffisamment nombreuses. La Bosnie, songea-t-il, est peut-être beaucoup plus proche que je ne l'ai cru jusqu'à présent. Il y pensait sans cesse en écoutant Larstam. Qui était cet homme ? Un être humain bien moins incompréhensible qu'il n'aurait dû l'être. Un effondrement intérieur reflétant un affaissement collectif.

À un certain moment, il ne resta plus rien à ajouter. Wallander conclut le dernier interrogatoire, Åke Larstam fut emmené, et ce fut tout.

Quelques jours plus tard, Eva Hillström se suicida. Ce fut Ann-Britt qui apprit la nouvelle à Wallander. Il l'écouta en silence. Puis il quitta le commissariat, acheta une bouteille de whisky et se saoula à mort.

Mais il ne fit jamais de commentaire à ce sujet. Ne révéla jamais à quiconque le fond de sa pensée : que c'était elle, Eva Hillström, la neuvième et dernière victime d'Åke Larstam.

Il prit sa veste, se leva et sortit. Sa valise était déjà dans le coffre de la voiture. Il vérifia qu'il avait bien emporté son portable mais l'éteignit et le déposa sur la banquette arrière. Il était dix heures et dix minutes lorsqu'il quitta la ville. Il prit la direction de Kristianstad, puis de Calmar.

À quatorze heures, il freina devant le café de la route de Västervik. Il savait que le café était fermé pendant la saison d'hiver ; mais il avait un vague espoir qu'elle serait là malgré tout. Il avait pensé l'appeler plusieurs fois au cours de l'automne. Mais il ne l'avait jamais fait. D'ailleurs, il ne savait même pas ce qu'il lui voulait, au fond. Il descendit de voiture. La pluie et le vent le suivaient depuis la Scanie. Les feuilles d'automne collaient à la terre. Tout était fermé. Il contourna le bâtiment jusqu'à la petite chambre où il avait dormi en revenant de Bärnsö. Quelques mois plus tôt à peine – pourtant il eut la sensation que ça n'avait jamais eu lieu. Ou alors, il y avait si longtemps que le souvenir commençait déjà à disparaître.

Tous ces volets fermés le mettaient mal à l'aise.

Il remonta en voiture et continua vers sa destination – qui était peut-être une erreur.

À Valdemarsvik, il s'arrêta, acheta une bouteille de whisky, entra dans un salon de thé où il commanda un café et des sandwiches en précisant qu'il ne voulait pas de margarine. À dix-sept heures, alors que la nuit tombait déjà, il s'engagea sur la route sinueuse conduisant à Gryt et à Fyrudden.

Lennart Westin lui avait téléphoné à l'improviste au début du mois de septembre, alors que Larstam était sous les verrous, l'enquête bouclée, le dossier transmis à Thurnberg. C'était l'après-midi, Wallander interrogeait un jeune homme qui avait maltraité son père, un interrogatoire lourd et désespérant, Wallander ne parvenait pas à découvrir ce qui s'était vraiment passé. Pour finir, il jeta l'éponge ; Hansson prit le relais. En revenant à son bureau, il entendit le téléphone sonner. C'était Westin. Quand voulait-il venir dans l'archipel ? Wallander avait oublié cette invitation. Il voulut refuser, puis accepta, en pensant que la visite n'aurait sans doute jamais lieu. Ils convinrent de la fin du mois d'octobre. Westin l'avait rappelé pour confirmer. Et à présent il était en route.

Westin viendrait le chercher au port de Fyrudden à dix-huit heures ; Wallander logerait chez sa femme et lui jusqu'au dimanche.

Il se sentait reconnaissant, mais aussi un peu effrayé. Il ne lui était pour ainsi dire jamais arrivé de fréquenter des inconnus. Cet automne-ci était le plus lourd qu'il ait connu depuis des années. Il pensait sans cesse à sa santé, craignant d'être terrassé par une attaque, malgré les assurances patientes et réitérées du docteur Göransson. Il commençait à remonter la pente, la glycémie se stabilisait, il avait perdu du poids, changé ses habitudes alimentaires. Mais souvent il lui semblait qu'il était déjà trop tard. Il n'avait pas encore cinquante ans et, dans ses moments sombres, il lui arrivait de penser qu'il était en sursis. Un sifflet invisible pouvait d'un instant à l'autre signaler la fin du match.

Il s'engagea dans le port. Le vent soufflait fort et la pluie tambourinait contre le pare-brise. Il laissa sa voiture au même endroit qu'au mois d'août. Coupa le moteur et écouta le bruit des vagues contre le quai. Juste avant dix-huit heures, il vit des feux approcher. C'était Westin.

Il descendit de voiture, prit sa valise dans le coffre et alla à sa rencontre.

Westin sortit du poste de pilotage. En le voyant, Wallander se souvint aussitôt de son sourire.

– Sois le bienvenu ! cria Westin pour se faire entendre par-dessus le vent et la pluie. On y va directement, le dîner est prêt.

Il saisit la valise de Wallander. Celui-ci grimpa maladroitement à bord. Il avait froid. La température était en chute libre.

– Alors, dit Westin lorsque Wallander apparut dans la cabine de pilotage, tu as fini par venir !

En cet instant, Wallander ne comprit plus ses propres hésitations. Il était content de se trouver à bord du bateau de Westin, en route à travers le vent et l'obscurité. Westin vira de bord. Wallander s'agrippa à ce qu'il put trouver. Quand ils quittèrent le port, il sentit les vagues s'attaquer à la coque.

– Tu es malade en mer ? demanda Westin.

Il n'y avait aucune malice dans sa voix. Plutôt de la tendresse.

– Je ne sais pas. Sûrement, oui.

Westin accéléra progressivement. Wallander constata soudain qu'il était très content. Il se demanda pourquoi. Puis il devina la réponse.

Personne ne savait où il était. Personne ne pouvait le joindre. Pour la première fois depuis très longtemps, il avait la paix.

Le lendemain matin, Wallander se réveilla à six heures avec une légère migraine. Ils avaient bu beaucoup de whisky la veille au soir. Wallander s'était tout de suite senti chez lui dans la maison de Westin, entre ses deux enfants timides et sa femme qui l'avait immédiatement traité comme un vieil ami. Excellent dîner de poissons, café et whisky. Ils lui avaient parlé de leur vie dans l'archipel. Wallander les écoutait, en posant une question de temps à autre. Les enfants étaient partis se coucher, la femme de Westin les avait imités un peu plus tard. Ils étaient restés tous les deux à discuter jusqu'à ce que la bouteille soit presque vide. De temps en temps, Wallander sortait pisser dans le vent. La pluie avait cessé. Mais il faisait de plus en plus froid. Westin pensait que le vent tomberait au petit matin.

Il le conduisit dans la chambre où il dormirait : une véranda aménagée pour l'hiver. Il était deux heures du matin. Wallander écouta longtemps le bruit du vent. Pas une fois il ne pensa à Larstam. Ni au commissariat. Ni même à Ystad.

Il n'avait dormi que quatre heures, mais il se sentait en pleine forme, malgré la migraine. Il s'attarda dans le lit à scruter l'obscurité au-dehors. À sept heures, il se leva, s'habilla et sortit. Westin avait raison. Le vent avait faibli. Un thermomètre fixé à la fenêtre de la cuisine indiquait zéro degré. De lourds nuages couraient dans le ciel. Il prit le sentier qui partait vers le bout de l'île. Les arbres sentaient bon. Très vite, il arriva aux rochers. Devant lui, la haute mer. Le bateau de Westin était au mouillage dans une crique abritée au nord et à l'est. Il longea les rochers en observant les progrès de l'aube à l'horizon. Soudain il aperçut Westin sur le sentier.

– Merci pour hier soir, dit-il quand Westin fut arrivé près de lui. Je ne sais pas quand j'ai passé une telle soirée pour la dernière fois.

– Je t'ai entendu te lever. J'ai pensé qu'on pouvait faire un tour en bateau, je voudrais te montrer quelque chose. Rien d'extraordinaire, mais quand même.

– C'est quoi ?

– Une île. Tout au bout de l'archipel. Hammarskär.

Westin avait un sac plastique à la main.

– J'ai apporté du café, dit-il. Mais le whisky, je crois bien qu'on se l'est descendu.

Ils se dirigèrent vers la petite crique. La lumière augmentait rapidement. La mer était d'un gris de plomb, il n'y avait presque plus de vent. Ils montèrent à bord, Westin sortit de la crique en marche arrière et mit cap sur le large. Ils dépassèrent des îlots couverts d'arbres, puis des rochers de plus en plus dénudés et espacés. Westin indiqua un récif isolé à l'extrême limite de l'archipel. Le bateau glissait doucement sur la houle. Westin ralentit et commença à manœuvrer entre les rochers du côté sud.

– Vas-y, dit Westin. Je reste ici, c'est impossible d'accoster. Tu arriveras à sauter ?

– Si je tombe, tu n'auras qu'à me repêcher.

– En marchant vers l'ouest, tu verras des restes de fondations. Des gens vivaient là, dans le temps. Je ne sais pas comment ils se débrouillaient pour survivre. Des ancêtres à moi ont vécu ici à la fin du dix-huitième siècle. Un jeune couple. Un jour d'octobre, presque comme aujourd'hui, il y a eu une tempête. Ils devaient absolument sortir pour sauver les filets. Le bateau s'est retourné, ils sont morts tous les deux. Il y avait plein d'enfants à la maison. Entre autres un garçon qui a été adopté. Il s'appelait Lars Olson. L'un de ses petits-enfants a pris le nom de Westin. Je suis son descendant direct.

Westin avait versé le café dans deux gobelets tout en parlant.

– J'ai pensé que tu pourrais faire un tour sur l'île. La Suède commence là, ou finit là. Ça dépend comment on voit les choses.

Ils burent le café ; le bateau oscillait sur l'eau. Puis Westin approcha doucement la proue d'un rocher où la profondeur était suffisante. Wallander réussit à sauter à terre sans glisser. Le bateau recula. Westin sortit du poste de pilotage.

– Prends ton temps ! cria-t-il. Je t'attends ici.

Les tapis de bruyère s'étalaient de tous côtés. Dans les crevasses, Wallander reconnut des broussailles d'aulnes enchevêtrées. Pour le reste, les rochers étaient nus. Un crâne d'oiseau gisait abandonné dans un trou. Il prit vers l'ouest, escaladant tant bien que mal les rochers mouillés où la mousse cédait sous son poids. Il découvrit bientôt une petite crique, qui formait un port naturel. Et les ruines évoquées par Westin. Le bateau était maintenant invisible, caché par les rochers. Tout était silencieux, à part la mer. Sentiment de grande solitude ; mais aussi de se trouver au centre de quelque chose. Un lieu où le regard ne cessait de s'élargir.

Ici commence la Suède, pensa-t-il. Exactement comme il l'a dit. Ça commence et ça finit ici. Des récifs qui continuent à émerger lentement. La roche primitive suédoise.

Il constata qu'il était ému, sans vraiment savoir pourquoi. Il tenta d'imaginer ce que ça pouvait être de vivre ici. À l'extrême limite de l'archipel. Dans des maisons en bois disjointes, dans la pauvreté et les privations constantes.

Ici commençait et finissait la Suède. Ici, il était au cœur de quelque chose qu'il ne pouvait réellement cerner. Comme si l'Histoire, ici, se superposait au paysage, le temps à l'espace.

Au nord du repli de terrain dissimulant les ruines se dressait un gros rocher qui devait être le point culminant de l'île. Il tenta de l'escalader, glissa plusieurs fois et fit un accroc à son pantalon. Il finit par arriver au sommet. Le bateau, dansant comme un bouchon sur l'eau, paraissait petit à cette distance. Wallander regarda autour de lui. La haute mer, ouverte, au nord et à l'est. Au sud et à l'ouest, la masse de l'archipel. Des oiseaux isolés planaient dans les courants ascendants. Mais aucun navire, aucun voilier filant vent arrière vers les ports de l'hiver. Les chenaux étaient déserts, les balises signalaient des hauts-fonds invisibles, comme des statues abandonnées dans un musée fermé pour la saison.

Wallander pensa qu'il se trouvait dans une haute tour. D'ici, il pouvait calculer sa position. Les récifs et la vue sur la mer ne permettaient aucun faux-fuyant.

Il aurait bientôt cinquante ans. La plus grande partie de sa vie était déjà passée. Il ne pouvait pas revenir en arrière, recommencer à zéro. Quelques années plus tôt, il avait failli prendre la décision de quitter la police et de choisir un autre métier, par exemple responsable de la sécurité dans une entreprise. Il avait découpé des petites annonces, il s'était presque résolu à y répondre, puis, à la dernière minute, il avait renoncé. Maintenant, ça n'arriverait plus. Il resterait policier. Et il ne quitterait jamais Ystad. Il passerait encore au moins dix ans dans son bureau du commissariat. Puis il franchirait les portes vitrées pour la dernière fois, dans la peau d'un retraité, et ce qui se passerait alors, il n'en avait pas la moindre idée.

Où trouverait-il la force ? Il scruta la mer dans l'espoir d'une réponse. Mais il n'y avait que la houle.

Il pensa que la société continuerait de se durcir. De plus en plus de gens exclus, de plus en plus de jeunes qui n'auraient en héritage que la certitude d'être inutiles. Les grilles et les trousseaux de clés seraient l'emblème des années à venir.

Il pensa aussi que le métier de policier n'impliquait au fond qu'une seule chose : résister, combattre ces forces négatives.

Mais cette réponse était insuffisante – à supposer qu'elle soit vraie. Les hommes et femmes politiques suédois étaient pour la plupart intègres, les syndicats suédois n'étaient pas contrôlés par la mafia, les chefs d'entreprise suédois n'étaient pas armés, les grévistes se faisaient rarement bastonner. Pourtant la faille qui traversait la société de part en part ne cessait de s'élargir. Impossible d'en faire abstraction. Une nouvelle répartition de la population commençait à se dessiner dans le pays : ceux dont la société avait besoin, et les autres. Être policier, dans ce contexte, impliquerait des choix de plus en plus difficiles. Il faudrait accepter de continuer à nettoyer en surface alors que la pourriture se propageait dessous, dans les fondements mêmes de la société.

Tout deviendrait plus dur. Il pensa aux années qui l'attendaient et sentit qu'il avait toutes les raisons d'avoir peur.

Son regard tomba de nouveau sur le bateau. Il devait y retourner. Westin lui avait dit de prendre son temps, mais il lui semblait en avoir déjà abusé.

Pourtant, quelque chose le retint. Le sentiment d'être dans la tour invisible de la pointe de l'archipel. La vue, la vue illimitée. Se trouver pour une fois au centre de lui-même.

Il se serait volontiers attardé un peu. Mais il ne voulait pas impatienter Westin. Avec précaution, il entama sa descente du rocher.

Au retour, il s'arrêta encore une fois auprès des ruines. Des pierres s'étaient détachées ici et là. Il eut le sentiment qu'elles s'apprêtaient lentement à retourner à l'endroit d'où elles avaient été extraites un jour.

En arrivant au rivage, il ramassa un éclat de galet et le rangea dans sa poche. Souvenir. Puis il continua vers la pointe où il avait sauté à terre.

Westin l'aperçut et manœuvra pour s'approcher des rochers.

Au moment de monter à bord, Wallander remarqua qu'il neigeait. D'abord des flocons isolés ; puis une chute de plus en plus dense. La tempête venait du nord-est et avançait à grande vitesse sur l'archipel. La température était descendue au-dessous de zéro.

L'automne se terminait, l'hiver était en marche.

Wallander monta à bord. Le bateau fit demi-tour. Il regarda longuement l'îlot disparaître sous la neige.

Le lendemain, dimanche 27 octobre, il retourna à Ystad.

La neige avait cessé de tomber.

En Scanie, c'était encore l'automne.

Postface

Il existe une liberté dans le monde du roman. Ce que je décris aurait pu se passer ainsi, mais s'est peut-être passé d'une manière un peu différente dans la réalité.

Voilà ce que j'écrivais dans la postface de *La Cinquième Femme.*

C'est également valable pour ce livre-ci.

Parmi ces libertés, je compte en particulier mon remaniement très personnel de l'organisation interne de la poste pour le tri et la distribution du courrier, ainsi que la délimitation des différents secteurs postaux. À ce propos, je tiens à souligner que ma propre relation aux facteurs de campagne est excellente. Aucun personnage de ce livre n'a de modèle dans la réalité.

J'ai pris d'autres libertés. Certaines routes ont été déplacées, raccourcies ou allongées. Une réserve naturelle a été réaménagée au point que beaucoup de gens s'y perdraient. L'une ou l'autre bétonnière fait peut-être davantage de bruit que dans l'expérience du lecteur. De plus, j'ai – sans demander l'autorisation de quiconque – inventé une association et convié ses membres à un dîner de gala. Je pourrais multiplier les exemples.

Mais l'histoire est portée par son idée.

La plus grande liberté que j'ai prise est donc de l'avoir écrite.

Henning Mankell,
Stenhejdan, avril 1997

La Muraille invisible

roman traduit du suédois
par Anna Gibson

L'homme qui s'écarte du chemin de la sagesse
reposera dans l'assemblée des ombres.

PROVERBES 21,16

I

L’attaque

1

Le vent décrut en début de soirée, puis ce fut le calme plat.

Il était sorti sur le balcon. De jour, on apercevait la mer entre les immeubles. Là, il faisait nuit ; parfois, il prenait sa jumelle marine pour scruter les fenêtres éclairées de l'immeuble d'en face. Mais ça lui laissait toujours l'impression désagréable d'avoir été pris sur le fait.

Le ciel était limpide, constellé d'étoiles.

Déjà l'automne. Peut-être gèlerait-il cette nuit.

Une voiture passa. Il frissonna et retourna à l'intérieur. La porte du balcon fermait avec difficulté. Sur le bloc posé à côté du téléphone, il prit note de la faire réparer le lendemain.

Il s'immobilisa sur le seuil du séjour et regarda autour de lui. Dimanche ; il avait fait le ménage. Comme toujours, c'était une satisfaction de se trouver dans une pièce parfaitement propre.

Son bureau était placé contre le mur. Il tira la chaise, alluma la lampe de travail, sortit du tiroir son épais livre de bord et commença par relire l'entrée de la veille :

Samedi 4 octobre 1997. Le vent a soufflé par rafales toute la journée. De 8 à 10 m/seconde d'après la météo marine. Course de nuages déchiquetés dans le ciel. Température extérieure à six heures du matin : 7°. À quatorze heures : 8°. Dans la soirée : 5°.

Puis ces quatre phrases :

L'espace est désert aujourd'hui. Aucun message des amis. C. ne répond pas à l'appel. Tout est calme.

Il dévissa le couvercle de l'encrier, y trempa avec précaution la plume héritée de son père, qui l'avait achetée au début de sa carrière de fondé de pouvoir dans une petite agence bancaire de Tomelilla. Il n'utilisait jamais d'autre stylo pour son livre de bord.

Il écrivit que le vent avait faibli, avant de tomber tout à fait. Trois degrés au-dessus de zéro. Ciel dégagé. Puis il nota qu'il avait rangé son appartement. Cela lui avait pris trois heures et vingt-cinq minutes, soit dix minutes de moins que le dimanche précédent.

Il avait fait un tour jusqu'au port de plaisance, après avoir médité une demi-heure dans l'église Sankta Maria.

Il réfléchit et ajouta : *Deuxième promenade dans la soirée.*

Il appuya doucement le buvard sur la page, essuya la plume métallique et revissa le couvercle de l'encrier.

Puis il referma le livre et jeta un regard à la vieille horloge marine posée sur le bureau. Vingt-trois heures vingt.

Dans l'entrée, il enfila sa veste en cuir usée et des bottes en caoutchouc. Avant de quitter l'appartement, il vérifia qu'il avait empoché ses clés et son portefeuille.

En bas, il s'immobilisa pour scruter les ombres de la rue. Personne. Ce n'était pas une surprise. Il se mit en marche. Comme d'habitude, il prit à gauche, traversa la route de Malmö en direction des grands magasins et du bâtiment en briques rouges des impôts. Il accéléra le pas jusqu'à trouver son rythme nocturne habituel, tranquille. Dans la journée, il marchait vite, pour se fatiguer et faire venir la transpiration. Les promenades du soir étaient différentes. Là, il cherchait avant tout à se déconnecter des pensées du jour, à préparer le sommeil de la nuit et le travail du lendemain.

Devant le centre de bricolage, il croisa une femme qui promenait son chien. Un berger allemand. Il les croisait presque toujours le soir. Une voiture passa, beaucoup trop vite. Il devina un jeune homme derrière le volant et crut entendre de la musique malgré les vitres fermées.

Ils ne savent pas ce qui les attend. Tous ces jeunes qui conduisent à toute vitesse avec la musique à fond, à s'en abîmer les tympans.

Ils ne savent pas ce qui les attend. Pas plus que les dames solitaires qui promènent leur chien.

Cette idée le mit de bonne humeur. Il pensa au pouvoir qu'il détenait. À son sentiment de faire partie des élus : ceux qui avaient la force de briser les anciennes vérités pétrifiées et d'en créer de nouvelles, complètement inattendues.

Il s'immobilisa et leva la tête vers les étoiles.

Je ne comprends rien. Pas plus ma propre vie que la lumière des étoiles, dont je sais qu'elle me parvient après avoir voyagé dans des espaces-temps incommensurables. Le seul sens qu'il y ait à tout cela, c'est ce que j'accomplis. À cause d'une proposition qui m'a été faite il y a vingt ans.

Il se remit en marche. Plus vite, à cause des pensées qui lui venaient et le bousculaient de façon désagréable. L'impatience. Ils attendaient ça depuis si longtemps. L'instant où enfin ils déclencheraient le grand raz de marée et le verraient déferler sur le monde.

Mais le moment n'était pas encore venu. L'impatience était une faiblesse qu'il ne pouvait se permettre.

Il s'arrêta de nouveau. Déjà le quartier résidentiel – il n'avait pas l'intention de pousser plus loin. Il tenait à être au lit à minuit.

Près des grands magasins, il fit une halte devant le distributeur bancaire et tâta le portefeuille dans sa poche. Il ne voulait pas retirer d'argent, seulement demander un relevé de compte, histoire de s'assurer que tout était en ordre.

Il sortit sa carte de retrait. La dame au berger allemand n'était plus là. Un poids lourd très chargé passa sur la route de Malmö, sans doute en direction des ferries vers la Pologne. À en juger d'après le bruit, le tuyau d'échappement n'était pas en très bon état.

Il composa son code et appuya sur la touche « dernières opérations ». Il récupéra sa carte et la rangea dans le portefeuille. La machine émit son cliquetis familier. Il sourit, ricana presque.

Si les gens savaient. Si seulement ils savaient ce qui les attend.

Le ticket apparut dans la fente. En cherchant ses lunettes, il se rappela qu'il les avait laissées dans le manteau qu'il avait mis pour descendre au port de plaisance. Cet oubli l'irrita l'espace d'un instant.

Il se plaça sous le lampadaire le plus proche et plissa les yeux. Le virement automatique du vendredi avait été enregistré, de même que son retrait de la veille. Le solde net était de neuf mille sept cent soixante-cinq couronnes. Tout était en ordre.

Ce qui arriva l'instant d'après le prit complètement au dépourvu. Comme le coup de sabot d'un cheval – une douleur fulgurante.

Il tomba en avant, les doigts crispés sur le reçu où s'alignaient les chiffres.

Sa tête heurta l'asphalte ; il eut une fraction de seconde de lucidité. Sa dernière pensée fut qu'il ne comprenait rien. Puis l'obscurité l'engloutit. Il était minuit passé de quelques minutes. Lundi 6 octobre 1997. Un deuxième poids lourd passa sur la route de Malmö pour rejoindre le ferry de nuit. Puis le silence retomba.

2

Kurt Wallander se sentait très mal à l'aise ce matin-là en prenant sa voiture au bas de chez lui, dans Mariagatan. Il était huit heures, le 6 octobre 1997. Il quitta la ville en se demandant pourquoi il avait accepté de se rendre là-bas. Il détestait les enterrements.

Comme il était en avance, il décida de prendre la route de la côte, en passant par Svarte et Trelleborg. Sur sa gauche, il voyait la mer. Un ferry entrait dans le port.

C'était le quatrième enterrement auquel il assistait en l'espace de sept ans. D'abord son collègue Rydberg, décédé d'un cancer après un long et pénible déclin. Wallander lui rendait souvent visite à l'hôpital ; sa mort avait été un coup personnel très dur. Rydberg était l'homme qui avait fait de lui un policier en lui apprenant à poser les bonnes questions. Grâce à lui, Wallander avait peu à peu appris l'art difficile de déchiffrer le lieu d'un crime. Avant sa collaboration avec Rydberg, il n'était qu'un policier ordinaire. Bien longtemps après, alors que Rydberg était déjà mort, il avait compris qu'il était lui-même doué pour le métier – pas seulement têtu et énergique. Aujourd'hui encore, il menait souvent des conversations silencieuses avec Rydberg, face à une enquête complexe lorsqu'il ignorait de quel côté orienter le travail. Il ne se passait pratiquement pas un jour sans que Rydberg lui manquât. Ce manque ne le quitterait jamais.

Puis ça avait été la disparition brutale de son père, terrassé par une attaque dans son atelier de Löderup. Cela faisait maintenant trois ans. Wallander se surprenait encore à ne pas admettre que son père ne soit plus là, entouré de ses tableaux, dans l'odeur de térébenthine et de peinture à l'huile. La maison de Löderup avait été vendue. Wallander était passé devant à quelques reprises ; d'autres gens vivaient là à présent ; il ne s'était jamais arrêté. De temps à autre, il allait sur sa tombe, toujours avec une mauvaise conscience diffuse. Il voyait bien que ces visites étaient de plus en plus espacées. Et qu'il lui devenait de plus en plus difficile de se remémorer le visage de son père.

Une personne morte devenait pour finir une personne qui n'avait jamais existé.

Ensuite, il y avait eu Svedberg, son collègue sauvagement assassiné dans son appartement, l'année précédente. Cette nuit-là, il avait pensé qu'il ne savait rien au fond des êtres avec lesquels il travaillait. La mort de Svedberg avait dévoilé des choses qu'il n'aurait jamais crues possibles.

Et maintenant, il était en route vers son quatrième enterrement – le seul auquel il aurait pu se dispenser d'assister.

Elle l'avait appelé le mercredi, alors qu'il s'apprêtait à quitter le commissariat. Il avait mal au crâne après avoir longuement étudié un dossier désespérant – une saisie de cigarettes de contrebande effectuée à bord d'un poids lourd à la descente du ferry. La piste menait au nord de la Grèce, avant de se perdre complètement. Il avait échangé des informations avec les polices grecque et allemande, mais ils ne s'étaient pas approchés pour autant des principaux acteurs de l'affaire. Le chauffeur du poids lourd, qui ignorait vraisemblablement la présence de la marchandise dans son véhicule, serait condamné à quelques mois de prison, et les choses s'arrêteraient là. Wallander avait la certitude que des cigarettes de contrebande arrivaient quotidiennement à Ystad, et qu'on ne parviendrait jamais à endiguer le trafic.

En plus, sa journée avait été empoisonnée par une querelle avec le remplaçant du procureur Per Åkeson, qui était parti en Ouganda quelques années plus tôt et ne semblait pas vouloir revenir. En lisant les lettres qu'Åkeson lui envoyait régulièrement d'Afrique, Wallander éprouvait chaque fois un pincement d'envie. Åkeson avait osé franchir le pas dont lui-même ne faisait que rêver. Il venait d'avoir cinquante ans et il savait, même s'il ne voulait pas se l'avouer, que les grands choix de sa vie avaient déjà été faits. Il ne serait jamais autre chose que flic. D'ici sa mise à la retraite, il pouvait tenter de devenir un meilleur enquêteur, point final. Et peut-être enseigner deux ou trois choses à ses collègues plus jeunes. En dehors de cela, aucun tournant décisif en perspective. Aucun Soudan ne l'attendait.

Il avait déjà pris sa veste lorsque le téléphone sonna. Tout d'abord il ne comprit pas qui l'appelait. En réalisant que c'était la mère de Stefan Fredman, ses souvenirs se bousculèrent, rameutant en quelques secondes les événements intervenus trois ans plus tôt.

Un garçon déguisé en Indien avait conçu ce projet dément : punir les hommes qui avaient conduit sa sœur à la folie et rempli son petit frère de terreur. L'une des victimes était son propre père. Wallander revit la terrible image, la dernière, le garçon agenouillé pleurant sur le corps de sa sœur. Il ne savait pas grand-chose de ce qui lui était arrivé ensuite, sinon qu'il n'avait pas fini en prison, bien entendu, mais dans un service psychiatrique fermé.

Anette Fredman l'appelait pour lui apprendre la mort de Stefan. Il s'était jeté par la fenêtre. Wallander lui offrit ses condoléances. Quelque part en lui, il ressentait une peine sincère. Ou peut-être était-ce seulement de la désespérance. Debout devant son bureau, le combiné à la main, il tenta de se rappeler son visage. Il l'avait rencontrée deux ou trois fois dans une banlieue de Malmö, à l'époque où ils recherchaient Stefan en essayant de s'accoutumer à l'idée que ce pouvait être un garçon de quatorze ans qui avait commis ces meurtres atroces. Il se souvenait d'une femme timide et tendue, le regard fuyant comme si elle redoutait toujours le pire. Et le pire s'était avéré. Wallander se demanda brièvement si elle était toxicomane. Peut-être buvait-elle trop, ou abusait-elle des médicaments pour calmer son angoisse ? Il n'en savait rien. La voix à l'autre bout du fil ne lui était pas familière.

Puis elle lui avait exposé l'objet de son appel.

Elle voulait qu'il vienne à l'enterrement. Parce qu'il n'y aurait pour ainsi dire personne d'autre. De la famille, il ne restait qu'elle et puis Jens, le petit frère de Stefan. Wallander resta aimable, plein de bonnes intentions. Il promit de venir et le regretta aussitôt ; mais il était trop tard.

Après ce coup de fil, il tenta de se renseigner plus précisément sur ce qui était arrivé au garçon après son arrestation. Il parla à un médecin de l'hôpital psychiatrique. Stefan était resté quasi muet au cours de ses années d'internement, complètement replié sur lui-même. Mais quand on l'avait retrouvé sur l'asphalte, il avait le visage peinturluré ; et ces couleurs maculées de sang lui faisaient un masque d'effroi qui en disait peut-être plus long sur la société où avait vécu Stefan que sur le dédoublement de sa pauvre personnalité.

Wallander conduisait lentement. Le matin, en enfilant son costume sombre, il avait constaté avec surprise que le pantalon lui allait. Il avait donc perdu du poids. Depuis un an qu'on avait diagnostiqué son diabète, il avait été contraint de changer ses habitudes, de prendre de l'exercice et de surveiller son régime. Au début, il montait sur la balance plusieurs fois par jour. Il avait fini par la jeter, dans un accès de colère. S'il ne parvenait pas à maigrir malgré cette surveillance constante, autant laisser tomber tout de suite.

Mais le médecin auquel il rendait régulièrement visite refusait de s'avouer vaincu, l'exhortant sans relâche à faire du sport et à renoncer à ses repas malsains. Cela avait fini par donner des résultats. Wallander s'était acheté un survêtement et une paire de baskets et s'était mis à la marche. Pourtant, quand Martinsson lui proposa d'aller courir avec lui, il refusa net. Il y avait une limite. Marcher, soit ; courir, non. Il avait mis au point un circuit qui partait de Mariagatan et traversait la forêt de Sandskogen. Il s'obligeait à sortir au moins quatre fois par semaine. Il avait aussi réduit sa fréquentation assidue des kiosques à hamburgers. Et son médecin avait constaté des résultats : la glycémie baissait et il perdait du poids. Un matin en se rasant, il constata que sa tête avait changé, il avait les joues creuses. C'était comme de voir réapparaître son vrai visage, longtemps enseveli sous la graisse et un teint terreux. Sa fille Linda avait été surprise et contente de cette transformation. Mais, au commissariat, aucun commentaire.

Comme si on ne se voyait pas vraiment, pensa Wallander. On travaille ensemble ; mais on reste invisibles les uns pour les autres.

En dépassant la plage de Mossby Strand, abandonnée à sa solitude d'automne, il se rappela le jour, six ans plus tôt, où un Zodiac contenant deux cadavres s'était échoué à cet endroit.

Il freina et s'engagea sur le chemin de traverse ; il était encore en avance. Il coupa le contact et descendit de voiture. Pas un souffle de vent, quelques degrés au-dessus de zéro. Il ferma sa veste et prit un sentier qui serpentait entre les dunes. Bientôt la mer apparut. La plage était déserte. Des empreintes de pas humains, de chiens, de sabots de cheval. Il laissa son regard errer sur l'eau. Dans le ciel, un vol d'oiseaux migrateurs, en route vers le sud.

Il se souvenait encore avec précision de l'endroit où l'on avait trouvé le Zodiac. L'enquête, très difficile, l'avait conduit à Riga. Et à Baiba, veuve d'un inspecteur letton assassiné – un homme qu'il avait eu le temps de connaître et d'apprécier.

Il y avait eu son histoire avec Baiba. Longtemps il avait cru que les choses prendraient forme entre eux, qu'elle viendrait vivre en Suède. Ils avaient même visité ensemble une maison dans les environs d'Ystad. Puis elle avait commencé à émettre des réserves. Wallander, jaloux, avait imaginé un autre homme. Une fois, il avait même fait le voyage jusqu'à Riga sans la prévenir. Mais il n'y avait pas d'autre homme. Simplement, Baiba hésitait. Pouvait-elle envisager de se remarier avec un policier ? De quitter son pays où elle exerçait le métier mal rémunéré mais gratifiant de traductrice ? Leur histoire avait pris fin.

Wallander longeait le rivage en pensant que cela faisait plus d'un an maintenant qu'il lui avait parlé pour la dernière fois. Elle lui apparaissait encore en rêve ; mais il ne parvenait jamais à la toucher. Quand il allait à sa rencontre ou lui tendait la main, elle avait déjà disparu. Lui manquait-elle vraiment ? La jalousie était partie ; il pouvait l'imaginer avec un autre homme sans que cela lui fasse comme une morsure.

C'est d'avoir perdu l'intimité, pensa-t-il. Avec Baiba, j'échappais à une solitude dont je n'avais pas conscience avant. C'est cette intimité qui me manque quand je pense à elle.

Il revint vers sa voiture. Il devait se méfier des plages abandonnées. Surtout à l'automne. Elles réveillaient facilement en lui une grande, une lourde mélancolie.

Une fois, bien des années plus tôt, il s'était aménagé un district de police solitaire à l'extrémité nord de l'île danoise de Jylland. À ce moment-là de sa vie, il était en arrêt maladie pour cause de dépression grave, convaincu qu'il ne reviendrait jamais au commissariat d'Ystad. Les années avaient passé, mais il se rappelait encore avec épouvante le climat intérieur qui était le sien à l'époque. Il ne voulait pas revivre cela. Ce paysage-là ne réveillait en lui que de la peur.

Il remonta en voiture et continua vers Malmö. L'automne progressait. À quoi ressemblerait l'hiver ? De grosses chutes de neige sèmeraient-elles le chaos en Scanie ou n'y aurait-il que la pluie ? Et puis que ferait-il de la semaine de congé qu'il était censé prendre en novembre ? Il avait évoqué avec sa fille Linda la possibilité d'un voyage au soleil. Il était tout disposé à l'inviter. Mais elle, qui vivait à Stockholm et étudiait il ne savait trop quoi, répondit qu'elle ne pourrait sans doute pas s'absenter, même si elle en avait envie. Il avait alors envisagé de proposer ce voyage à quelqu'un d'autre ; mais il n'y avait personne. Ses amis étaient si peu nombreux, presque inexistants... Il y avait bien Sten Widén, qui possédait un élevage de chevaux près de Skurup. Mais Wallander n'était pas certain d'avoir envie de partir avec lui, notamment à cause de ses problèmes d'alcool. Il buvait tout le temps, contrairement à Wallander, qui avait réduit sa consommation sur l'ordre strict du médecin. Restait Gertrud, la veuve de son père. Mais de quoi pourraient-ils bien parler tous les deux pendant une semaine ?

Il n'y avait personne d'autre.

Il resterait donc chez lui. L'argent servirait à changer de voiture. Sa Peugeot donnait des signes de faiblesse. En ce moment même, sur la route de Malmö, le moteur faisait un drôle de bruit.

Il atteignit la banlieue de Rosengård peu après dix heures. La cérémonie devait débuter à onze heures. Il s'arrêta devant l'église, de construction récente. Quelques garçons jouaient au football contre un mur. Il les observa sans quitter sa voiture. Ils étaient sept ; trois garçons noirs, trois autres qui semblaient eux aussi issus de familles immigrées. Le septième avait des taches de rousseur et une tignasse blonde. Tous tapaient dans le ballon avec beaucoup d'énergie et de grands rires. Un court instant, il eut envie de les rejoindre, mais resta assis. Un homme sortit de l'église et alluma une cigarette. Wallander descendit de voiture et s'approcha de lui.

– C'est ici que doit être enterré Stefan Fredman ?

L'homme hocha la tête.

– Tu es de la famille ?

– Non, dit Wallander.

– On ne pense pas qu'il viendra du monde. Je suppose que tu es au courant de ce qu'il a fait.

– Oui. Je sais.

L'autre contempla sa cigarette.

– Pour quelqu'un comme lui, ça vaut sans doute mieux d'être mort.

Wallander sentit monter la colère.

– Stefan n'avait même pas dix-huit ans. Ce n'est pas un âge pour mourir.

Il avait haussé le ton sans s'en rendre compte. L'homme lui jeta un regard surpris. Wallander se détourna et aperçut au même instant le corbillard qui s'arrêtait devant l'église. Le cercueil apparut, brun foncé, surmonté d'une couronne solitaire. Wallander regretta aussitôt de ne pas avoir apporté de fleurs. Il s'approcha des garçons qui jouaient au foot.

– Y a-t-il un fleuriste dans le coin ?

L'un des garçons indiqua une direction vague. Wallander prit son portefeuille et lui tendit un billet de cent couronnes.

– Vas-y pour moi, achète un bouquet. Des roses de préférence. Si tu reviens tout de suite, il y aura dix couronnes pour toi.

Le garçon lui jeta un regard perplexe mais accepta l'argent.

– Je suis flic. Si tu files, je te retrouverai.

– Tu n'as pas d'uniforme. Et tu ne ressembles pas à un flic.

Wallander lui montra sa carte. Le garçon l'examina, hocha la tête et s'éloigna pendant que les autres reprenaient la partie.

Il y a de fortes chances qu'il ne revienne pas, pensa Wallander. Ça fait longtemps que le respect de la police a cessé de faire partie des mœurs dans ce pays.

Quand le garçon reparut avec les roses, Wallander lui donna vingt couronnes. Dix parce qu'il s'y était engagé et dix autres parce que le garçon était revenu. C'était beaucoup trop, bien sûr. Mais trop tard pour changer d'avis. Peu après, un taxi freina devant l'église. Il reconnut la mère de Stefan, vieillie et terriblement maigre, presque décharnée. Elle était accompagnée du garçon prénommé Jens, sept ans. Il ressemblait beaucoup à son frère. De grands yeux écarquillés – la peur d'autrefois n'avait pas disparu. Wallander s'avança pour les saluer.

– Il n'y aura que nous, dit-elle. Et le pasteur.

Il doit quand même y avoir un chantre pour s'occuper de l'orgue, pensa Wallander. Mais il ne dit rien.

Ils entrèrent dans l'église. Le pasteur, un jeune homme, lisait le journal assis sur une chaise à côté du cercueil. Wallander sentit la main d'Anette Fredman lui agripper le bras. Il la comprenait.

Le pasteur rangea son journal. Ils prirent place côte à côte à droite du cercueil. Anette Fredman n'avait pas lâché son bras.

D'abord, elle a perdu son mari. Björn Fredman était un type brutal et antipathique qui la battait et terrorisait ses enfants, mais c'était quand même leur père. Il a été tué par son propre fils. Ensuite, elle a perdu sa fille, Louise. Et maintenant, elle enterre son fils. Que lui reste-t-il ? Un débris de vie, et encore…

Quelqu'un entra dans l'église. Anette Fredman ne parut pas s'en apercevoir – ou alors elle était trop occupée à survivre au moment présent. C'était une femme de l'âge de Wallander. Anette Fredman remarqua soudain sa présence et lui adressa un signe de tête. La femme s'assit quelques rangs derrière eux.

– C'est un médecin, murmura Anette Fredman. Elle s'appelle Agneta Malmström. Elle s'est occupée de Jens lorsqu'il n'allait pas bien.

Ce nom évoquait quelque chose, mais il lui fallut un moment pour le situer : c'était elle, Agneta Malmström, qui lui avait fourni un indice capital à l'époque de l'enquête. Ils s'étaient parlé une nuit, via la radio de Stockholm. Elle se trouvait avec son mari à bord d'un voilier, quelque part au large de Landsort.

La musique d'orgue s'éleva, mais Wallander comprit aussitôt qu'elle ne venait pas d'un exécutant invisible ; le prêtre avait mis en marche un magnétophone.

Pourquoi les cloches n'avaient-elles pas sonné ? Les enterrements ne commençaient-ils pas toujours ainsi ? Il cessa d'y penser en sentant l'étau se resserrer autour de son bras. Il jeta un regard au garçon assis à côté d'Anette Fredman. Était-ce juste d'emmener un enfant de sept ans à des funérailles ? Il n'en était pas sûr. Mais le garçon paraissait calme.

La musique cessa ; le pasteur s'éclaircit la voix. Il avait choisi pour point de départ la parole de Jésus demandant qu'on laisse venir à lui les petits enfants. Wallander garda le regard rivé au cercueil en essayant de compter les fleurs de la couronne pour ne pas sentir la boule dans sa gorge.

La cérémonie fut brève. À tour de rôle ils s'avancèrent jusqu'au cercueil. Anette Fredman respirait avec difficulté, comme si elle courait les derniers mètres d'un sprint. Agneta Malmström les avait rejoints. Wallander se tourna vers le pasteur, qui donnait des signes d'impatience.

– Les cloches. On voudrait entendre les cloches en sortant d'ici. Et pas enregistrées sur cassette, si possible.

Le pasteur acquiesça à contrecœur. Wallander se demanda très vite ce qui se serait passé s'il avait montré sa carte. Anette Fredman et Jens sortirent les premiers. Wallander salua Agneta Malmström.

– Je te reconnais, dit-elle. On ne s'est jamais rencontrés, mais ta photo a circulé dans la presse.

– Elle m'a demandé de venir. Et toi ?

– C'est moi qui ai tenu à être là.

– Que va-t-il se passer maintenant ?

– Je ne sais pas. Elle s'est mise à boire beaucoup trop. Je ne sais pas comment ça va aller pour Jens.

Ils étaient parvenus à la porte où les attendaient Anette et Jens. Les cloches sonnaient. Wallander se retourna vers le cercueil qu'on soulevait déjà pour le porter au-dehors.

Soudain, un flash crépita. Anette Fredman cacha son visage mais le photographe braquait déjà son appareil sur le petit garçon. Le temps que Wallander s'interpose, l'autre avait appuyé sur le déclencheur.

– Vous ne pouvez pas nous fiche la paix ? cria Anette Fredman.

Le garçon fondit en larmes. Wallander saisit le photographe par le bras et l'entraîna à l'écart.

– Qu'est-ce que tu fous ?

– T'occupe.

Le photographe avait l'âge de Wallander, et mauvaise haleine.

– Je fais ce que je veux. L'enterrement du meurtrier en série Stefan Fredman, c'est des images qui se vendent. Dommage que je sois arrivé trop tard pour la cérémonie.

Wallander s'apprêtait à lui montrer sa carte mais changea d'avis et lui arracha l'appareil des mains. Le photographe tenta de le récupérer mais Wallander le tenait à bout de bras. Il réussit à l'ouvrir et à en retirer la pellicule.

– Il y a des limites, dit-il en lui rendant l'objet.

Le photographe le toisa. Puis il sortit son portable.

– J'appelle la police. C'est une agression.

– Vas-y. Je suis de la brigade criminelle, je m'appelle Kurt Wallander et je travaille à Ystad. Appelle les collègues de Malmö et raconte-leur tout ce que tu voudras.

Il laissa tomber le rouleau de pellicule et le piétina. Les cloches se turent au même instant.

Il transpirait. Le cri d'Anette Fredman résonnait dans sa tête. Le photographe contemplait sa pellicule détruite d'un œil incrédule. Les garçons continuaient à jouer au football comme si de rien n'était.

Au téléphone déjà, Anette Fredman l'avait invité à prendre le café chez elle après la cérémonie. Il n'avait pas eu le courage de refuser.

– Il n'y aura pas de photo dans le journal, dit-il simplement en revenant vers elle.

– Pourquoi ne peuvent-ils pas nous laisser en paix ?

Wallander n'avait pas de réponse. Il jeta un regard à Agneta Malmström ; elle non plus ne trouva rien à dire.

L'appartement, au quatrième étage d'un immeuble mal entretenu, était identique au souvenir qu'il en gardait. Agneta Malmström les avait accompagnés. Ils attendirent en silence que le café soit prêt. Wallander crut entendre le tintement d'une capsule dans la cuisine.

Le garçon, assis par terre, jouait sans bruit avec une petite voiture. Wallander s'aperçut qu'Agneta Malmström partageait son sentiment d'oppression. Mais il n'y avait rien à dire.

Le café arriva. Ils occupèrent leurs mains avec les tasses. Anette Fredman avait les yeux brillants. Agneta Malmström lui demanda comment elle s'en sortait, avec le chômage.

– Je me débrouille. D'une manière ou d'une autre. Je survis au jour le jour.

La conversation retomba. Wallander consulta sa montre. Presque treize heures. Il se leva. Anette Fredman fondit en larmes au moment où il lui serrait la main. Il se sentit pris de court.

– Je reste un moment, dit Agneta Malmström. Vas-y, toi.

– J'essaierai d'appeler à l'occasion.

Il effleura maladroitement la tête du garçon et sortit.

Dans la voiture, il resta un long moment sans bouger. Il pensait au photographe, à sa conviction de pouvoir vendre les images de l'enterrement du tueur en série.

C'est arrivé, je ne peux pas le nier. Mais je n'y comprends rien.

Il reprit la direction d'Ystad, dans le paysage d'automne scanien. Ce qu'il venait de vivre lui pesait. Peu après quatorze heures, il franchit le seuil du commissariat.

Le vent d'est s'était levé. Une couverture de nuages venant de la mer recouvrait lentement la ville.

3

En entrant dans son bureau, Wallander fouilla ses tiroirs à la recherche d'un comprimé. Hansson passa dans le couloir en sifflant. Tout au fond du dernier tiroir, il trouva enfin un paquet d'aspirine froissé. Il alla chercher un café et un verre d'eau à la cafétéria. Quelques jeunes policiers débarqués à Ystad au cours des dernières années discutaient à une table. Wallander leur adressa un signe de tête. Ils parlaient de leurs années de formation à l'école de police. De retour dans son bureau, il resta assis, inerte, à regarder les deux comprimés se dissoudre dans le verre d'eau.

Il pensait à Anette Fredman. Et au garçon qui jouait silencieusement par terre dans l'appartement de Rosengård. Comment s'en sortirait-il ? On aurait dit qu'il se cachait du monde. Avec le souvenir d'un père, d'un frère et d'une sœur morts.

Wallander vida son verre ; il lui sembla aussitôt que le mal de tête se dissipait. Sur le bureau attendait un rapport avec un Post-it rouge signé de Martinsson. *Hyper urgent.* Wallander savait de quoi il retournait, ils en avaient parlé ensemble avant le week-end. Un événement survenu la semaine précédente, dans la nuit de mardi à mercredi. Wallander se trouvait alors à Hässleholm, où Lisa Holgersson l'avait envoyé en séminaire, la direction centrale de la police devant présenter les nouvelles directives pour la coordination de la surveillance des gangs de motards. Wallander avait demandé une dispense, mais Lisa avait insisté. L'un de ces gangs avait racheté une ancienne ferme des environs d'Ystad. On devait s'attendre à des ennuis.

Wallander soupira et se força à redevenir policier. Il ouvrit le dossier et le parcourut, en constatant comme d'habitude que Martinsson avait rédigé un rapport clair et succinct. Il s'enfonça dans son fauteuil et réfléchit à ce qu'il venait de lire.

Deux filles, âgées de dix-neuf et quatorze ans, avaient téléphoné d'un restaurant à vingt-deux heures le mardi soir pour commander un taxi. Elles avaient ensuite demandé à être conduites à Rydsgård. L'une des deux était montée à l'avant ; à la sortie de la ville, elle avait demandé au chauffeur de s'arrêter, disant qu'elle préférait tout compte fait voyager à l'arrière. Le taxi s'était arrêté au bord de la route. La fille assise à l'arrière avait alors brandi un marteau et frappé le chauffeur à la tête, pendant que l'autre lui enfonçait un couteau dans la poitrine. Elles l'avaient dépouillé de son portefeuille et de son portable avant de prendre la fuite. Malgré ses blessures, le chauffeur – Johan Lundberg, soixante ans, dont quarante au volant de son taxi – avait réussi à donner l'alerte et à fournir un bon signalement des deux filles. Martinsson, qui s'était chargé de l'affaire ce soir-là, les avait identifiées sans trop de mal en interrogeant les clients du restaurant. Elles avaient été arrêtées à leur domicile. Celle de dix-neuf ans était restée en garde à vue. En raison de la gravité du crime, on avait décidé de retenir aussi la plus jeune. Johan Lundberg était conscient à son arrivée à l'hôpital ; puis son état s'était brusquement aggravé. Les médecins hésitaient à se prononcer. Selon Martinsson, les deux filles avaient justifié l'agression par un « besoin d'argent ».

Wallander fit la grimace. Il n'avait jamais de sa vie été confronté à une chose pareille : deux jeunes filles passant à l'acte avec une violence incontrôlée. D'après les notes de Martinsson, la plus jeune allait à l'école, c'était même une excellente élève. La plus âgée avait déjà travaillé comme réceptionniste dans un hôtel et comme jeune fille au pair à Londres, et s'apprêtait à entamer des études de langues. L'une et l'autre n'étaient connues ni de la police ni des services sociaux.

Je ne comprends pas, pensa Wallander avec découragement. Elles auraient pu le tuer, ce chauffeur de taxi. D'ailleurs, elles l'ont peut-être fait, on ne sait pas encore. Deux jeunes filles. Si ça avait été des garçons, j'aurais peut-être pu comprendre. Par préjugé, à défaut d'autre chose.

Ann-Britt Höglund frappa à la porte. Comme d'habitude, elle était pâle et paraissait fatiguée. Wallander songea à la transformation qu'elle avait subie depuis son arrivée à Ystad. Elle avait été l'une des meilleures de sa promotion à l'école de police et était arrivée au commissariat avec beaucoup d'énergie et de grandes ambitions. Il lui restait sa force de volonté. Mais elle avait changé. Sa pâleur venait de l'intérieur.

– Je te dérange ?

– Non.

Elle s'assit prudemment dans le fauteuil déglingué réservé aux visiteurs. Wallander indiqua d'un geste le dossier ouvert devant lui.

– Qu'en dis-tu ?

– Ce sont les filles du taxi ?

– Oui.

– J'ai parlé à celle qui est en garde à vue. Sonja Hökberg. Elle s'exprime bien. Répond de façon précise à toutes les questions. Et ne semble pas éprouver de remords. Les services sociaux s'occupent de l'autre depuis hier.

– Tu y comprends quelque chose ?

Elle répondit après un silence :

– Oui et non. Que des actes de violence soient le fait de gens de plus en plus jeunes, nous le savions déjà.

– Je n'ai pas le souvenir qu'on ait jamais eu affaire à deux adolescentes qui passent à l'acte avec un marteau et un couteau. Est-ce qu'elles avaient bu ?

– Non. Mais je me demande si cela devrait nous étonner. Si nous n'aurions pas plutôt dû prévoir cette éventualité.

– Explique-toi.

– Je ne sais pas si j'y arriverai.

– Essaie.

– On n'a plus besoin des femmes sur le marché du travail. Cette époque-là est révolue.

– Ça n'explique pas pourquoi deux jeunes filles s'en prennent à un chauffeur de taxi avec un marteau et un couteau.

– Il doit y avoir autre chose, si on cherche bien. Toi pas plus que moi ne croyons à l'existence d'un mal inné.

– Je veux encore le croire. Même si c'est parfois difficile.

– Il suffit de regarder les magazines que lisent les filles de cet âge. À nouveau, il n'est plus question que de beauté. Trouver un petit ami et se réaliser à travers ses rêves à lui.

– Ça n'a pas toujours été comme ça ?

– Non. Regarde ta fille. N'a-t-elle pas ses propres idées sur ce qu'elle veut faire de sa vie ?

Wallander secoua la tête. Pourtant, il savait qu'elle avait raison.

– Je ne comprends toujours pas pourquoi elles s'en sont prises à Lundberg.

– Tu devrais. Quand ces filles commencent à saisir ce qui se passe, qu'elles ne sont pas seulement inutiles mais presque indésirables, elles réagissent. De la même manière que les garçons. Par la violence, entre autres.

Wallander comprenait maintenant ce qu'elle avait tenté d'exprimer.

– Je ne pense pas pouvoir m'expliquer mieux que cela, conclut-elle. Tu devrais lui parler toi-même.

– C'est aussi l'avis de Martinsson.

– En réalité, je suis venue te voir pour une tout autre raison. J'ai promis de tenir une conférence pour une association féminine, ici, à Ystad. C'est jeudi soir. Mais je n'en ai pas la force. Je n'arrive pas à me concentrer. Il se passe trop de choses.

Wallander savait qu'Ann-Britt traversait un douloureux divorce. Son mari, accompagnateur de voyages, était perpétuellement absent, et la procédure traînait en longueur. Cela faisait plus d'un an maintenant qu'elle lui avait parlé pour la première fois de ses difficultés conjugales.

– Demande à Martinsson. Tu sais bien que je suis mauvais pour ce genre de chose.

– Une demi-heure seulement. Tu dois juste parler du métier. Trente femmes. Elles vont t'adorer.

Wallander secoua la tête avec énergie.

– Martinsson s'en chargera très volontiers. En plus, il a fait de la politique, il a l'habitude de s'exprimer en public.

– Je lui ai posé la question, il n'est pas disponible.

– Lisa Holgersson ?

– Pareil. Il ne reste que toi.

– Et Hansson ?

– Il se mettra à parler tiercé au bout de deux minutes. C'est impossible.

Wallander comprit qu'il ne pouvait pas refuser.

– C'est quoi, cette association féminine ?

– Une sorte de club de lecture qui a pris de l'ampleur. Elles se retrouvent régulièrement depuis plus de dix ans.

– Et je dois juste leur raconter quel effet ça fait d'être flic ?

– Oui. Et peut-être répondre à leurs questions.

– Je ne veux pas y aller. Mais j'irai, puisque c'est toi qui me le demandes.

Elle parut soulagée et déposa un bout de papier sur le bureau.

– Le nom et l'adresse de la personne à contacter.

L'adresse était dans le centre, pas très loin de Mariagatan. Elle se leva.

– La prestation n'est pas rémunérée. Mais tu auras droit à un café avec des gâteaux.

– Je ne mange pas de gâteaux.

– En tout cas, c'est complètement dans la ligne de la direction. Les bonnes relations avec le public, tout ça.

Wallander songea à lui demander comment elle allait. Mais il s'abstint. À elle de décider si elle voulait lui parler de ses problèmes.

Sur le seuil, elle se retourna.

– Tu ne devais pas aller à l'enterrement de Stefan Fredman ?

– J'y suis allé. C'était aussi terrible que je le redoutais.

– Comment allait la mère ? Je ne me souviens pas de son prénom.

– Anette. On dirait qu'il n'y a aucune limite à ce qu'elle doit supporter. Mais je crois qu'elle s'occupe assez bien du fils qui lui reste. Elle essaie, du moins.

– On verra bien.

– Que veux-tu dire ?

– Comment s'appelle-t-il ?

– Jens.

– On verra bien si le nom de Jens Fredman apparaît dans les rapports d'ici dix ans.

Ann-Britt sortit. Le café avait refroidi, Wallander alla s'en chercher un autre. Les jeunes policiers avaient disparu. Il poursuivit jusqu'au bureau de Martinsson. La porte était grande ouverte, mais il n'y avait personne. Wallander retourna dans son propre bureau. Le mal de tête avait disparu. Quelques corneilles menaient grand tapage du côté du château d'eau ; il se posta derrière la fenêtre et tenta en vain de les compter.

Le téléphone sonna, il décrocha sans s'asseoir. La librairie l'informait que le livre qu'il avait commandé venait d'arriver. Wallander ne se souvenait pas d'avoir commandé un livre, mais promit de venir le chercher le lendemain.

Puis cela lui revint : un cadeau pour Linda, un livre français sur la restauration des meubles anciens. Wallander l'avait vu dans un magazine feuilleté dans la salle d'attente du médecin. Il pensait encore que Linda, malgré ses étranges hésitations professionnelles, finirait par revenir à son intérêt pour les vieux meubles. Il avait commandé le livre, puis il avait tout oublié. Il reposa sa tasse et décida de téléphoner à Linda le soir même. Cela faisait plusieurs semaines qu'ils ne s'étaient pas parlé.

Martinsson entra sans frapper, pressé comme à son habitude. Au fil des ans, Wallander avait acquis la conviction que Martinsson était un bon flic. Sa faiblesse tenait sans doute au fait qu'au fond de lui il aurait voulu faire autre chose. À plusieurs reprises au cours des dernières années, il avait sérieusement envisagé de donner sa démission. En particulier le jour où sa fille avait été agressée dans la cour de l'école pour l'unique raison que son père était de la police. Cette fois-là, Wallander avait réussi à le convaincre de rester. Martinsson était têtu et pouvait à l'occasion faire preuve d'une certaine acuité d'esprit. Mais l'obstination pouvait se muer en impatience, et le travail de fond laissait parfois à désirer.

Martinsson s'appuya contre le montant de la porte.

– J'ai essayé de te joindre sur ton portable.

– J'étais à l'église, j'ai oublié de le rebrancher après.

– L'enterrement de Stefan ?

Wallander répéta ce qu'il avait dit à Ann-Britt Höglund, que ça avait été une expérience terrible.

Martinsson indiqua d'un signe de tête le dossier ouvert sur le bureau.

– Je l'ai lu, dit Wallander. Et je ne comprends pas ce qui a pu pousser ces deux filles à passer à l'acte à coups de marteau.

– C'est écrit noir sur blanc. Elles avaient besoin d'argent.

– Mais cette violence… Comment va-t-il ?

– Qui ?

– Lundberg, bien sûr.

– Il est toujours dans le coma. Ils ont promis d'appeler dès qu'il y aurait du nouveau. Soit il s'en sort, soit il y passe.

– Tu y comprends quelque chose, toi ?

Martinsson s'assit dans le fauteuil des visiteurs.

– Non. Et je ne suis pas sûr d'avoir envie de comprendre.

– On n'a pas le choix si on veut continuer à faire ce métier.

– Tu sais que j'ai envisagé d'arrêter. Tu m'as fait changer d'avis, mais la prochaine fois je ne sais pas. Ce ne sera pas aussi simple, en tout cas.

Wallander pensa qu'il ne voulait pas le perdre en tant que collègue. Lui pas plus qu'Ann-Britt. Il se leva.

– On devrait peut-être aller parler à la fille. Sonja Hökberg.

– J'ai autre chose dont je voudrais te parler avant.

Wallander se rassit. Martinsson lui tendit un rapport.

– Je voudrais que tu lises ça. Ça s'est passé cette nuit, c'est moi qui m'en suis occupé. Je n'ai pas jugé utile de te réveiller.

– Je t'écoute.

– Un vigile a donné l'alerte vers une heure du matin : il avait trouvé un homme mort devant le distributeur bancaire à côté des grands magasins.

– Quels grands magasins ?

– À côté des impôts.

– Continue.

– On y est allés. Il y avait bien un type allongé sur le trottoir. D'après le médecin qui est arrivé tout de suite, il était mort depuis une heure ou deux, pas plus. On aura les détails dans les prochains jours.

– Que s'était-il passé ?

– C'est bien la question. Il avait une blessure à la tête. Reste à savoir si on l'a frappé ou s'il s'est blessé en tombant...

– Le portefeuille ?

– Il y était. Des billets à l'intérieur.

Wallander réfléchit.

– Pas de témoins ?

– Non.

– Qui était-ce ?

Martinsson consulta le rapport.

– Un certain Tynnes Falk. Quarante-sept ans. Il vivait juste à côté, Apelbergsgatan, au numéro 10. Il louait un appartement au dernier étage.

– Tu as bien dit Apelbergsgatan ?

– Oui.

Wallander resta songeur. Quelques années plus tôt, juste après son divorce avec Mona, il avait rencontré une femme à une soirée, à l'hôtel de Saltsjöbaden. Ivre mort, il l'avait raccompagnée chez elle et s'était réveillé le lendemain à côté d'une femme endormie qu'il reconnaissait à peine et dont il ne savait même pas le nom. Il s'était rhabillé à toute vitesse et ne l'avait jamais revue. Mais pour une raison ou pour une autre, il était convaincu que c'était cette adresse-là. Apelbergsgatan, au numéro 10.

– Tu penses à quelque chose ?

– J'avais mal entendu, c'est tout.

Martinsson lui jeta un regard surpris.

– Je me fais mal comprendre ?

– Continue.

– Apparemment, il vivait seul. Divorcé. Son ex-femme habite en ville, mais les enfants sont partis. Le fils de dix-neuf ans étudie à Stockholm et la fille de dix-sept ans travaille comme jeune fille au pair dans une ambassade à Paris. La femme a naturellement été prévenue.

– Quelle était sa profession ?

– Indépendant. Consultant en informatique.

– Et rien n'a été volé ?

– Non. Juste avant de mourir, il a demandé un relevé de compte au distributeur. Il le tenait à la main quand on l'a retrouvé.

– Il n'avait pas effectué de retrait ?

– Pas d'après le papier qu'il tenait à la main. Son dernier retrait remonte à samedi. Une somme insignifiante.

Martinsson lui tendit un sac en plastique contenant le bout de papier ensanglanté. Wallander nota qu'il était minuit passé de deux minutes lorsque le distributeur avait enregistré l'opération. Il rendit le sac à Martinsson.

– Que dit Nyberg ?

– Rien n'indique une agression, hormis la blessure à la tête. Il est sans doute mort d'un infarctus.

– Il s'attendait peut-être à ce qu'il y ait plus d'argent sur son compte, dit Wallander pensivement.

– Et pourquoi donc ?

Wallander se demanda lui-même ce qu'il avait voulu dire. Il se leva.

– Alors on attend le rapport des légistes. En partant de l'idée qu'aucun crime n'a été commis.

Martinsson rassembla ses papiers.

– Je vais appeler l'avocat de Hökberg, commis d'office. Je te dirai quand il peut venir pour que tu parles à la fille.

– Je mentirais en disant que ça me fait envie. Mais je n'ai pas le choix, j'imagine.

Martinsson parti, Wallander se rendit aux toilettes en pensant qu'au moins il n'était plus comme avant obligé d'uriner sans cesse à cause de sa glycémie.

Il consacra l'heure suivante à se replonger dans le dossier des cigarettes de contrebande. La promesse faite à Ann-Britt le tourmentait.

À seize heures, Martinsson annonça que Sonja Hökberg et l'avocat étaient arrivés.

– Qui est l'avocat ?

– Herman Lötberg.

Wallander le connaissait. Un homme mûr, la collaboration avec lui ne posait pas de problème.

– J'arrive dans cinq minutes.

Il se posta de nouveau derrière la fenêtre. Les corneilles avaient disparu. Le vent soufflait fort. Il pensa à Anette Fredman. Au garçon qui jouait par terre, à son regard effrayé. Il se ressaisit et tenta de réfléchir aux premières questions qu'il poserait à Sonja Hökberg. D'après le rapport de Martinsson, c'était elle, assise à l'arrière, qui avait frappé Lundberg à la tête avec le marteau. Pas un seul coup, mais plusieurs. Comme sous l'effet d'une rage incontrôlée.

Il fouilla ses tiroirs à la recherche d'un bloc-notes et d'un crayon. Dans le couloir, il s'aperçut qu'il avait oublié ses lunettes et retourna dans son bureau. Il était prêt.

Il n'y a qu'une seule question qui importe, pensa-t-il en se dirigeant vers la salle d'interrogatoire.

Pourquoi ont-elles fait ça ?

Le besoin d'argent n'est pas une raison suffisante. Il doit y avoir une autre explication.

4

Sonja Hökberg ne ressemblait pas du tout à l'image que s'en était faite Wallander. À quoi s'attendait-il au juste ? En tout cas, pas à ça. Sonja Hökberg était petite, menue, presque transparente. Des cheveux blonds mi-longs, des yeux bleus. Une image publicitaire enfantine, pleine de joie de vivre. Tout sauf une folle furieuse dissimulant un marteau dans son sac.

Martinsson et lui avaient auparavant échangé quelques mots dans le couloir avec l'avocat.

– Elle est très posée. Mais je ne suis pas sûr qu'elle comprenne vraiment de quoi on la soupçonne.

– On ne la soupçonne pas. Elle a avoué.

– Le marteau, avait dit Wallander. On l'a retrouvé ?

– Caché dans sa chambre, sous son lit. Elle n'avait même pas essuyé le sang. Mais l'autre fille s'est débarrassée du couteau. On le cherche.

Martinsson les laissa. Wallander entra dans la salle d'interrogatoire avec l'avocat ; la fille leur jeta un regard plein de curiosité. Elle ne paraissait pas du tout nerveuse. Wallander lui adressa un signe de tête et s'assit. Un magnétophone était posé sur la table. L'avocat s'assit de telle manière que Sonja Hökberg puisse le voir. Wallander la considéra longuement. Elle soutint son regard.

– Tu n'aurais pas un chewing-gum ? demanda-t-elle soudain.

Wallander jeta un coup d'œil à Lötberg, qui secoua la tête.

– On verra si on peut en trouver tout à l'heure. D'abord, il faut qu'on parle.

Il enfonça la touche d'enregistrement.

– J'ai déjà dit ce qui s'était passé. Pourquoi est-ce que je ne peux pas avoir un chewing-gum ? J'ai de quoi payer. Je ne dirai rien si on ne me donne pas de chewing-gum.

Wallander prit le téléphone et appela la réception en pensant qu'Ebba le tirerait sûrement d'affaire. Lorsqu'une voix étrangère lui répondit, il se rappela qu'Ebba ne travaillait plus au commissariat. Elle avait pris sa retraite six mois plus tôt ; il ne s'habituait toujours pas à son absence. La nouvelle réceptionniste – une jeune femme d'une trentaine d'années prénommée Irene, ancienne secrétaire médicale – avait su se faire apprécier de tout le monde en peu de temps. Mais Wallander pensait à Ebba avec nostalgie.

– Il me faut un chewing-gum. Tu connais quelqu'un qui aurait ça ?

– Oui. Moi.

Wallander raccrocha et se rendit à la réception.

– C'est la fille ?

– Tu saisis vite.

Il revint dans la salle d'interrogatoire, tendit le chewing-gum à Sonja Hökberg et s'aperçut qu'il avait oublié d'arrêter le magnétophone.

– Alors on y va, dit-il. Il est seize heures quinze, le 6 octobre 1997. Sonja Hökberg est interrogée par Kurt Wallander.

– Il faut que je répète les mêmes trucs encore une fois ?

– Oui. Et tu vas parler distinctement pour qu'on t'entende dans le micro.

– Mais j'ai déjà tout dit.

– Il se peut que j'aie d'autres questions à te poser.

– Je n'ai pas envie de tout redire encore une fois.

Wallander se sentit brièvement pris de court. Il ne comprenait pas cette absence totale d'inquiétude ou de nervosité chez elle.

– Je crois que tu n'as pas le choix. Tu as été arrêtée pour un crime extrêmement grave. Et tu as avoué. Violences aggravées, ça va chercher loin. Et ça peut devenir encore bien pire. Le chauffeur est dans un état critique.

Lötberg lui jeta un regard réprobateur, mais ne dit rien. L'interrogatoire commença.

– Tu t'appelles Sonja Hökberg et tu es née le 2 février 1978.

– Je suis verseau. Et toi ?

– C'est hors sujet. Tu dois répondre à mes questions, rien d'autre. Compris ?

– Je ne suis pas idiote.

– Tu vis chez tes parents. Trastvägen 12, ici à Ystad.

– Oui.

– Tu as un frère plus jeune, Emil, né en 1982.

– C'est lui qui devrait être ici, pas moi.

Wallander lui jeta un regard surpris.

– Pourquoi ?

– On se dispute sans arrêt, il fouille dans mes affaires.

– Ce n'est pas évident d'avoir un frère, mais ce n'est pas ce qui nous occupe dans l'immédiat.

Elle paraissait toujours aussi calme. L'impassibilité de cette fille le mettait mal à l'aise.

– Bon. Peux-tu nous dire maintenant ce qui s'est passé mardi soir ?

– Ça me fait chier de devoir répéter les mêmes choses deux fois de suite.

– Tant pis. Eva Persson et toi, vous étiez donc sorties ?

– Il n'y a rien à faire dans ce bled. Je voudrais habiter à Moscou.

Wallander fut complètement décontenancé. Même Lötberg parut surpris.

– Pourquoi Moscou ?

– J'ai lu quelque part que c'est une ville excitante où il se passe plein de choses. Tu es déjà allé à Moscou ?

– Non. Réponds à mes questions. Vous êtes donc sorties…

– Tu le sais déjà, non ?

– Vous êtes amies, Eva et toi ?

– Pourquoi on serait sorties ensemble, sinon ? Tu crois que je passe mon temps avec des gens que je n'aime pas ?

Pour la première fois, Wallander crut déceler une faille chez elle, un signe d'impatience.

– Vous vous connaissez depuis longtemps ?

– Pas très.

– Combien ?

– Quelques années.

– Elle a cinq ans de moins que toi.

– Elle me respecte.

– Que veux-tu dire ?
– C'est elle qui le dit. Elle me respecte.
– Pourquoi ?
– T'as qu'à lui demander.
C'est bien mon intention, pensa Wallander. Je vais lui demander plein de choses.
– Peux-tu me dire maintenant ce qui s'est passé ?
– Merde à la fin !
– Il faudra me le dire, que tu le veuilles ou non. On peut rester jusqu'à ce soir si nécessaire.
– On a été prendre une bière.
– Mais Eva Persson n'a que quatorze ans !
– Elle en paraît plus.
– Ensuite ?
– On a pris une autre bière.
– Ensuite ?
– On a commandé un taxi. Mais tu le sais déjà, alors pourquoi tu me le demandes ?
– Vous aviez donc décidé d'agresser un chauffeur de taxi ?
– On avait besoin d'argent.
– Pourquoi faire ?
– Rien de spécial.
– Vous aviez besoin d'argent, sans raison particulière. C'est bien ça ?
– Oui.
Il crut percevoir une hésitation dans sa voix.
– En général, on a besoin d'argent pour une raison précise.
– Là, c'était pas le cas.
Bien sûr que si, pensa Wallander. Il décida de laisser tomber cette question dans l'immédiat.
– Comment avez-vous eu l'idée de vous en prendre à un chauffeur de taxi ?
– On en avait discuté avant.
– Au restaurant ?
– Oui.
– Et avant cela ? Vous n'en aviez pas parlé ?
– Pourquoi on l'aurait fait ?
Lötberg contemplait ses mains en silence.

– Si je résume ce que tu viens de me dire, vous n'aviez pas décidé d'agresser un chauffeur de taxi avant de venir boire des bières dans ce restaurant. Qui en a eu l'idée ?

– Moi.

– Eva n'y voyait pas d'objection ?

– Non.

Ça ne colle pas, pensa Wallander. Elle ment. Mais elle le fait bien.

– Vous avez appelé le taxi du restaurant. Et vous êtes restées sur place jusqu'à son arrivée. Exact ?

– Oui.

– Où avez-vous pris le marteau et le couteau, si vous n'aviez pas prémédité votre coup ?

Sonja Hökberg planta son regard dans celui de Wallander.

– J'ai toujours un marteau dans mon sac. Et Eva a toujours un couteau.

– Pourquoi ?

– On ne sait jamais.

– Que veux-tu dire ?

– Les rues sont pleines de dingues. Il faut pouvoir se défendre.

– Tu as donc toujours un marteau sur toi ?

– Oui.

– T'est-il déjà arrivé de t'en servir ?

L'avocat tressaillit.

– Cette question n'a aucune pertinence.

– Ça veut dire quoi ?

– Que ce n'est pas une question importante, expliqua Wallander.

– Je peux répondre quand même. Je ne me suis jamais servie du marteau. Eva a donné un coup de couteau dans le bras d'un type une fois, parce qu'il commençait à la tripoter.

Wallander eut une idée et changea momentanément de piste :

– Avez-vous rencontré quelqu'un au restaurant ? Aviez-vous rendez-vous avec quelqu'un ?

– Avec qui ?

– C'est à toi de me le dire.

– Non.

– Par exemple un garçon que vous deviez retrouver là-bas ?

– Non.

– Tu n'as pas de petit ami ?

– Non.

Trop rapide, cette réponse. Il en prit note intérieurement.

– Quand le taxi est arrivé, vous êtes sorties ?

– Oui.

– Qu'avez-vous fait ?

– Qu'est-ce qu'on fait, en général ? On monte dans le taxi et on dit où on veut aller.

– Vous avez dit que vous vouliez aller à Rydsgård. Pourquoi ?

– Je ne sais pas. On a dit ça au hasard. Fallait bien qu'on trouve quelque chose.

– Eva est montée à l'avant et toi à l'arrière. Vous aviez décidé ça à l'avance ?

– Ça faisait partie du plan.

– Quel plan ?

– On allait dire au type de s'arrêter parce que Eva voulait monter à l'arrière. On l'attaquerait à ce moment-là.

– Vous aviez donc décidé à l'avance que vous vous serviriez des armes ?

– Pas s'il avait été plus jeune.

– Qu'auriez-vous fait s'il avait été plus jeune ?

– On lui aurait proposé des trucs.

Wallander remarqua qu'il transpirait. Cette fille l'angoissait avec son cynisme imperturbable.

– Quel genre de trucs ?

– À ton avis ?

– Vous auriez essayé de le piéger par des avances sexuelles ?

– Putain, comment tu parles.

Lötberg se pencha vivement.

– Tu n'es pas obligée de jurer sans arrêt.

Sonja Hökberg toisa son avocat.

– Je parle comme je veux.

Lötberg battit en retraite. Entre-temps, Wallander avait pris la décision d'avancer vite.

– En l'occurrence, dit-il, c'était un homme âgé. Vous lui avez demandé de s'arrêter. Que s'est-il passé ensuite ?

– Je l'ai frappé à la tête. Eva lui a donné un coup de couteau.

– Combien de fois as-tu frappé ?

– Je ne sais pas, j'ai pas compté.

– Tu n'avais pas peur de le tuer ?

– On avait besoin d'argent.

– Ce n'était pas ma question. Je t'ai demandé si tu n'avais pas conscience du fait qu'il pouvait mourir.

Sonja Hökberg haussa les épaules. Wallander attendit. Rien. Il n'eut pas la force de répéter sa question.

– Tu dis que vous aviez besoin d'argent. Pourquoi faire ?

De nouveau, il perçut une légère hésitation.

– Rien de spécial, je l'ai déjà dit.

– Que s'est-il passé ensuite ?

– On a pris le portefeuille et le portable et on est rentrées.

– Qu'avez-vous fait du portefeuille ?

– On s'est partagé l'argent. Eva l'a jeté après.

Wallander feuilleta le rapport de Martinsson. Johan Lundberg avait à peu près six cents couronnes sur lui. On avait retrouvé le portefeuille dans une poubelle sur les indications fournies par Eva Persson. Sonja Hökberg avait pris le portable, qu'on avait retrouvé à son domicile.

Wallander éteignit le magnétophone. Sonja Hökberg suivait tous ses gestes du regard.

– Je peux partir maintenant ?

– Non. Tu es majeure. Tu as commis un crime grave. Tu vas être écrouée.

– Qu'est-ce que ça veut dire ?

– Que tu restes ici.

– Pourquoi ?

Wallander jeta un regard à Lötberg. Puis il se leva.

– Je crois que ton avocat pourra te l'expliquer.

Il sortit. Il avait la nausée. Sonja Hökberg ne donnait pas le change ; elle était réellement impassible. Il se dirigea vers le bureau de Martinsson, qui parlait au téléphone et lui indiqua d'un geste le fauteuil des visiteurs. Wallander s'assit et attendit. Il sentit brusquement le besoin de fumer une cigarette. Cela lui arrivait rarement. Mais l'entrevue avec Sonja Hökberg avait été pénible.

Martinsson raccrocha.

– Comment ça s'est passé ?

– Elle avoue tout. Elle est complètement glaciale.

– Eva Persson aussi. Et elle n'a que quatorze ans.

Wallander jeta à Martinsson un regard presque implorant.

– Qu'est-ce qui se passe ?

– Je ne sais pas.

– Merde ! Ce sont deux petites filles.

– Je sais. Elles n'ont pas l'air d'avoir de remords.

Ils restèrent silencieux. Wallander se sentait complètement vide.

– Tu comprends maintenant pourquoi je pense si souvent à changer de métier ?

– Tu comprends maintenant pourquoi il faut que tu restes ?

Il se leva et s'approcha de la fenêtre.

– Comment va Lundberg ?

– Toujours pareil. État critique.

– Il faut qu'on aille au fond de cette affaire. Elles l'ont agressé parce qu'elles avaient besoin d'argent dans un but précis. À moins qu'il n'y ait une autre raison.

– Ah oui ? Laquelle ?

– Je ne sais pas, c'est juste une intuition. Que ça va peut-être chercher plus loin.

– Le plus probable, c'est quand même qu'elles avaient trop bu et qu'elles ont décidé de se procurer de l'argent sans réfléchir aux conséquences.

– Je veux parler à Eva Persson demain. Et à ses parents. Ni l'une ni l'autre n'avait de petit ami ?

– Eva Persson a dit qu'elle avait quelqu'un.

– Mais pas Hökberg ?

– Non.

– Je crois qu'elle ment. Il y a quelqu'un. On va le trouver.

Martinsson prenait des notes.

– Qui s'en charge ? Toi ou moi ?

Wallander répondit sans réfléchir :

– Moi. Je veux comprendre ce qui se passe dans ce pays.

– Franchement, ça me soulage de ne pas avoir à m'en occuper.

– Tu devras t'en occuper quand même. Comme Hansson, comme Ann-Britt. On doit découvrir ce qui se cache derrière cette histoire. C'était une tentative d'homicide. Si Lundberg meurt, ce sera carrément un homicide volontaire.

Martinsson montra d'un geste la paperasse entassée sur son bureau.

– J'ai des dossiers qui traînent depuis deux ans ou plus. Parfois, j'ai envie de tout envoyer au patron et de lui demander où je vais trouver le temps de régler tout ça.

– Il te répondra que c'est de la fainéantise et de la mauvaise organisation. En ce qui concerne l'organisation, je suis prêt à lui donner raison en partie.

– D'accord. Mais ça fait du bien de se plaindre.

– Je sais, on n'a plus le temps de faire notre boulot correctement. Vu la situation, il faut s'en tenir aux priorités. Je vais parler à Lisa.

– J'ai pensé à quelque chose hier soir avant de m'endormir. Quand t'es-tu entraîné au tir pour la dernière fois ?

Wallander réfléchit.

– Ça fera bientôt deux ans.

– Moi aussi. Hansson s'entraîne de son côté. Comme tu sais, il est membre d'une association de tir. Je ne sais pas ce qu'il en est d'Ann-Britt, sinon qu'elle doit encore avoir peur après ce qui lui est arrivé il y a trois ans. Mais le règlement prévoit qu'on s'entraîne de façon régulière. Sur nos heures de travail.

Wallander comprit où il voulait en venir. « De façon régulière », c'était plus qu'une fois tous les deux ans. Dans une situation critique, le manque d'entraînement pouvait se révéler dangereux.

– Je n'y avais pas pensé. Tu as raison, il faut faire quelque chose.

– Je doute fort de réussir à viser un mur.

– On a trop de travail. Même le plus important, on n'est pas sûr de bien le faire.

– Dis-le à Lisa.

– Elle a sûrement conscience du problème. Les moyens d'y remédier, c'est une autre affaire.

– Je n'ai même pas quarante ans, et je me surprends déjà à regretter l'ancien temps. J'ai l'impression que c'était mieux avant. En tout cas, pas un enfer comme maintenant.

Wallander ne trouva rien à répondre. Les jérémiades de Martinsson le fatiguaient. Il retourna dans son bureau. Dix-sept heures trente. Il se posta à la fenêtre et scruta l'obscurité en pensant à Sonja Hökberg et à la raison pour laquelle les deux filles avaient eu un besoin d'argent si impérieux. Et s'il existait un autre mobile. Le visage d'Anette Fredman lui apparut de nouveau.

Soudain, il sentit qu'il n'avait pas la force de rester au commissariat, malgré le travail qui l'attendait. Il prit sa veste et sortit. Le vent d'automne le cingla. Il mit le contact ; de nouveau, le bruit suspect du moteur. Il devait s'acheter de quoi manger. Son réfrigérateur était vide, à part une bouteille de champagne gagnée à la suite d'un pari avec Hansson. Il ne se souvenait plus de l'enjeu. Sur un coup de tête, il décida de faire un détour par le distributeur bancaire devant lequel un homme s'était écroulé la veille au soir. Il en profiterait pour faire quelques courses.

Il s'approcha du distributeur après avoir garé la voiture ; une femme flanquée d'un landau retirait de l'argent. L'asphalte était dur, irrégulier. Wallander jeta un regard autour de lui. Pas d'habitations à proximité. En pleine nuit, l'endroit était sûrement désert. Personne n'aurait entendu un homme crier, personne ne l'aurait vu tomber.

Wallander entra dans le magasin le plus proche et partit à la recherche du rayon alimentation. Comme d'habitude, l'ennui le saisit au moment de choisir. Il remplit un panier, paya et reprit sa voiture, avec l'impression que le bruit suspect s'intensifiait. De retour chez lui, il ôta son costume sombre et prit une douche. Il ne restait presque plus de savon. Il se prépara une soupe aux légumes et la trouva bonne, à son grand étonnement. Il fit du café et emporta la tasse dans le séjour. Il était fatigué. Après avoir zappé un moment entre les différentes chaînes, il prit le téléphone et composa le numéro de Linda à Stockholm. Elle partageait un appartement sur l'île de Kungsholmen avec deux amies que Wallander ne connaissait que de nom, et travaillait provisoirement comme serveuse dans un restaurant du quartier. Wallander y avait dîné lors de sa dernière visite. On y mangeait bien, mais comment faisait-elle pour supporter le volume de la musique ?

Linda avait vingt-six ans. Sa relation avec sa fille était bonne, mais l'éloignement lui pesait. Il regrettait le contact quotidien d'autrefois.

Un répondeur se déclencha ; le message était répété en anglais. Wallander laissa son nom en précisant qu'il n'y avait pas d'urgence.

Il resta assis dans le canapé. Le café avait refroidi.

Je ne peux pas continuer à vivre comme ça. J'ai cinquante ans, mais je me fais l'effet d'un vieillard à bout de forces.

Il se dit qu'il devait faire sa promenade du soir. Chercha un bon prétexte pour ne pas y aller. Pour finir, il se leva, enfila ses chaussures de sport et sortit.

Il était vingt heures trente lorsqu'il revint chez lui ; la promenade avait dissipé sa mauvaise humeur.

Quand le téléphone sonna, il décrocha en pensant que ce serait Linda, mais c'était Martinsson.

– Lundberg est mort. Ils ont appelé à l'instant de l'hôpital.

Wallander resta debout en silence, le combiné à la main.

– Ça veut dire que Hökberg et Persson sont coupables de meurtre, poursuivit Martinsson.

– Oui. Ça veut dire aussi qu'on se retrouve avec une sale histoire sur les bras.

Ils convinrent de se retrouver le lendemain matin à huit heures. Il n'y avait rien à ajouter.

Wallander se rassit dans le canapé et suivit distraitement le journal télévisé. Il nota que le cours du dollar remontait. Le seul sujet qui capta réellement son attention fut l'histoire de la société Trustor : ainsi, il était apparemment facile de vider une entreprise de ses avoirs sans que quiconque réagisse.

Linda ne rappelait pas. À vingt-trois heures, il décida d'aller se coucher. Il mit longtemps à trouver le sommeil.

5

En se réveillant à six heures du matin, le mardi 7 octobre, Wallander constata qu'il transpirait et avait du mal à avaler sa salive. Il s'attarda sous les couvertures en pensant qu'il devrait se faire porter malade. Mais la pensée du chauffeur de taxi décédé la veille le tira du lit. Il prit une douche, avala un café et deux comprimés, glissa les autres comprimés dans sa poche. Avant de sortir, il s'obligea aussi à manger un yaourt. Le lampadaire oscillait sur son fil, de l'autre côté de la fenêtre. Le temps était couvert, quelques degrés au-dessus de zéro. Wallander alla chercher un gros pull dans la penderie. En revenant, il posa la main sur le téléphone ; mais il était trop tôt pour appeler Linda. Dans la voiture, il se souvint du mot qu'il avait griffonné la veille au soir dans la cuisine à sa propre intention. Il devait penser à acheter quelque chose, mais quoi ? Il n'eut pas le courage de remonter pour vérifier. Il décida qu'à l'avenir il laisserait ce genre de message sur son répondeur du commissariat.

Il fit le trajet habituel, en passant par Österleden – avec mauvaise conscience, comme d'habitude, il aurait dû aller à pied. Le début de grippe n'était pas un prétexte suffisant.

Si j'avais un chien, il n'y aurait pas de problème. Mais je n'ai pas de chien. Il y a deux ans, j'ai visité un élevage de labradors du côté de Sjöbo. Mais ça n'a rien donné. Pas de maison, pas de labrador et pas de Baiba. Ça n'a rien donné du tout.

Il laissa la voiture au parking. En s'asseyant dans son bureau, il se souvint brusquement de ce qu'il avait noté sur le bloc de la cuisine : *acheter du savon*. Il griffonna deux mots sur un Post-it.

Il consacra les minutes suivantes à résumer la situation. Un chauffeur de taxi assassiné ; l'aveu des deux filles ; une arme aux mains de la police ; une fille mineure ; l'autre, en garde à vue, serait écrouée dans la journée.

Le malaise de la veille lui revint, en pensant à la froideur absolue de Sonja Hökberg. Il tenta de se convaincre qu'elle avait exprimé un semblant de remords qu'il n'avait pas su déceler. En vain. Son expérience lui disait qu'il ne se trompait malheureusement pas. Il se leva, alla chercher un café et partit en quête de Martinsson, qui était aussi matinal que lui. La porte de son bureau était ouverte. Il se demanda comment Martinsson pouvait travailler dans ces conditions. Pour Wallander, c'était une nécessité absolue de fermer sa porte s'il voulait se concentrer. Martinsson leva la tête.

– Je t'attendais, pour ne rien te cacher.

– Je ne me sens pas très bien.

– Enrhumé ?

– J'attrape toujours mal à la gorge en octobre.

Martinsson avait une peur maladive des microbes.

– Tu aurais pu rester chez toi. L'affaire est pour ainsi dire réglée.

– En partie seulement. Nous n'avons pas de mobile. Ce vague besoin d'argent, je n'y crois pas une seconde. Est-ce qu'on a retrouvé le couteau ?

– Nyberg s'en occupe. Je ne lui ai pas encore parlé.

– Appelle-le.

Martinsson fit la grimace.

– Il n'est pas commode le matin.

– Passe-moi le téléphone.

Wallander composa le numéro du domicile de Nyberg. Après une courte attente, l'appel fut transféré à un portable. Nyberg répondit, mais on l'entendait mal.

– C'est Kurt. Je me demandais juste si vous aviez retrouvé le couteau.

– Ah oui ? Et comment on aurait fait, dans le noir ?

– Je croyais qu'Eva Persson vous avait fourni des indications.

– Elle a dit qu'elle l'avait jeté quelque part dans l'ancien cimetière. Ça fait quand même plusieurs centaines de mètres carrés.

– Pourquoi ne l'emmenez-vous pas là-bas ?

– S'il y est, on le trouvera.

Wallander raccrocha.

– J'ai mal dormi, dit Martinsson. Ma fille Terese voit très bien qui est Eva Persson, elles ont pratiquement le même âge. Je pense à ses parents. Si j'ai bien compris, elle est enfant unique.

Ils méditèrent quelques instants là-dessus. Puis Wallander éternua et sortit sans conclure la conversation.

À huit heures, les enquêteurs se rassemblèrent dans l'une des salles de réunion du commissariat. Wallander s'assit à sa place habituelle en bout de table. Hansson et Ann-Britt Höglund étaient déjà arrivés. Martinsson, debout à la fenêtre, parlait au téléphone à voix basse et par monosyllabes, autrement dit à sa femme. Wallander se demanda une fois de plus comment ils pouvaient avoir tant à se dire alors qu'ils venaient de prendre leur petit déjeuner ensemble. Peut-être Martinsson exprimait-il sa crainte d'attraper le rhume de Wallander ? L'ambiance autour de la table était morose. Lisa Holgersson entra. Martinsson raccrocha, Hansson se leva pour fermer la porte.

– Nyberg ?

– Il cherche le couteau.

Wallander jeta un regard à Lisa Holgersson, qui hocha la tête. Il avait la parole.

Combien de fois avait-il vécu cette situation ? Tôt le matin, salle de réunion, ses collègues rassemblés autour de lui, début d'enquête. Au fil des ans, ils avaient changé de locaux, de meubles, de rideaux, de téléphones, de rétroprojecteurs, tout avait été informatisé. Pourtant, c'était comme s'ils étaient autour de cette table depuis toujours. Et lui-même depuis plus longtemps que les autres.

– Johan Lundberg est mort, commença-t-il. Au cas où quelqu'un ne serait pas encore au courant.

Il indiqua l'exemplaire du quotidien *Ystads Allehanda* posé sur la table ; le meurtre du chauffeur de taxi occupait la première page.

– Ça veut dire que ces deux filles, Hökberg et Persson, ont commis un meurtre. Un crime crapuleux, il n'y a pas d'autre mot. Hökberg en particulier s'est montrée très claire dans ses explications. Elles avaient prévu leur coup, elles s'étaient armées en conséquence. Elles avaient l'intention d'agresser le chauffeur de taxi que le hasard leur enverrait. Eva Persson est mineure, son cas relève donc d'autres instances. Nous avons le marteau, le portefeuille de Lundberg et le portable. Le seul élément qui manque, c'est le couteau. Les deux filles ont avoué. Aucune ne rejette la responsabilité sur l'autre. Je pense que nous pourrons remettre le dossier au procureur demain au plus tard. L'expertise médico-légale n'est pas achevée, mais en ce qui nous concerne, il s'agit presque d'une affaire classée. Une affaire extrêmement regrettable.

Il se tut. Personne ne réagit.

– Pourquoi ont-elles fait ça ? demanda enfin Lisa Holgersson. Ça paraît tellement incroyable, tellement... absurde.

Wallander avait espéré cette question, pour ne pas avoir à la formuler lui-même.

– Sonja Hökberg s'est exprimée très clairement à ce sujet au cours des deux interrogatoires, avec Martinsson puis avec moi. Elles avaient besoin d'argent.

– Pour quoi faire ?

La question venait de Hansson.

– Elle ne l'a pas précisé. À l'en croire, elles ne le savaient pas elles-mêmes.

Wallander jeta un regard circulaire avant de poursuivre :

– Je ne crois pas à cette explication. Hökberg ment. L'argent devait servir à un but précis. Je n'ai pas encore parlé à Eva Persson. Je soupçonne qu'elle obéissait à Hökberg. Cela ne diminue pas sa culpabilité, mais ça donne quand même une image de leur relation.

– Est-ce que ça a de l'importance ? intervint Ann-Britt. Savoir si elles voulaient s'acheter des vêtements ou autre chose ?

– Pas vraiment. Le procureur aura plus d'éléments qu'il n'en faut pour condamner Hökberg. Quant à Eva Persson, comme je l'ai dit, son cas ne concerne pas que nous.

– Elles n'ont jamais eu affaire à la police auparavant, dit Martinsson. J'ai fait des recherches. Rien à signaler, aucun problème à l'école.

Wallander eut de nouveau le sentiment qu'ils faisaient peut-être fausse route. Mais il ne dit rien, son intuition était encore trop vague. Dans l'immédiat, ils avaient un travail à accomplir.

Le téléphone sonna. Hansson écouta quelques instants avant de raccrocher.

– C'était Nyberg. Ils ont trouvé le couteau.

Wallander rassembla ses papiers.

– Il faut bien entendu parler aux parents et en apprendre plus sur ces deux filles. Mais on peut d'ores et déjà constituer le dossier à l'intention du procureur.

Lisa Holgersson leva la main.

– On n'échappera pas à une conférence de presse. Les médias font pression. Deux jeunes filles qui commettent un crime violent, ce n'est pas banal.

Wallander jeta un regard à Ann-Britt, qui fit non de la tête. Au cours des dernières années, elle avait souvent épargné à Wallander ces conférences de presse qu'il détestait. Là, elle ne voulait pas. Il la comprenait.

– Je m'en occupe, dit-il. À quelle heure ?

– Treize heures, si ça te convient.

Wallander prit note.

La réunion était presque finie. Ils se répartirent les tâches, avec le sentiment partagé qu'il fallait clore l'enquête policière au plus vite. Personne n'avait envie de patauger plus longtemps que nécessaire dans cette affaire oppressante. Wallander rendrait visite aux parents de Sonja Hökberg. Martinsson et Ann-Britt se chargeraient d'Eva Persson et de sa famille.

La salle se vida. Son rhume avait empiré. Au mieux je contaminerai un journaliste, pensa-t-il en fouillant ses poches à la recherche d'un mouchoir.

Dans le couloir, il croisa Nyberg, vêtu d'une épaisse combinaison et de bottes, hirsute et de mauvaise humeur.

– Alors, vous avez retrouvé le couteau ?

– Les types de la commune n'ont plus assez d'argent pour entretenir les cimetières. Ou alors ils ont la flemme. On a dû fouiller sous des montagnes de feuilles mortes, mais on a fini par le retrouver.

– C'était quoi ?

– Un couteau de cuisine. Assez long. Elle a dû y aller fort : la pointe s'est cassée, sans doute contre une côte. C'était un couteau de mauvaise qualité, de toute façon.

Wallander secoua la tête.

– C'est dingue, dit Nyberg. Un tel mépris pour la vie. Combien ça leur a rapporté ?

– Dans les six cents couronnes. Lundberg venait de prendre son service, il n'avait pas beaucoup d'argent sur lui.

Nyberg marmonna une phrase inaudible. Wallander retourna dans son bureau et s'assit, en proie à l'indécision. Il avait mal à la gorge. Avec un soupir, il rouvrit le dossier. Sonja Hökberg habitait le secteur ouest de la ville. Il nota l'adresse, se leva, prit sa veste. Il était déjà dans le couloir lorsque le téléphone sonna. C'était Linda. À l'arrière-plan, il perçut des bruits de cuisine.

– J'ai trouvé ton message en rentrant ce matin.

Wallander eut la présence d'esprit de ne pas demander où elle avait passé la nuit. Elle lui aurait sans doute raccroché au nez.

– Je voulais juste savoir comment tu allais, dit-il.

– Bien. Et toi ?

– Un peu enrhumé. Pour le reste, c'est comme d'habitude. Je me demandais si tu viendrais me rendre visite bientôt.

– Je n'ai pas le temps.

– Mais je peux te payer le voyage.

– J'ai dit que je n'avais pas le temps. Ce n'est pas une question de sous.

Pas la peine d'essayer de la convaincre, elle était aussi têtue que lui.

– Comment ça va ? insista-t-elle. Tu as des nouvelles de Baiba ?

– C'est une histoire terminée, Linda. Il faut que tu le comprennes.

– Ça ne te réussit pas de traîner tout seul.

– Que veux-tu dire ?

– Tu le sais très bien. Tu commences à geindre. Ça ne t'arrivait jamais avant.

– Ce n'est pas très gentil de me dire ça.

– Tu vois ? La preuve ! J'ai une idée. Tu devrais prendre contact avec une agence.

– Une quoi ?

– Pour te donner une chance de rencontrer quelqu'un. Sinon, tu vas finir dans la peau d'un papy geignard qui se demande pourquoi sa fille ne dort pas chez elle la nuit.

Et voilà, pensa Wallander avec résignation. Je ne peux rien lui cacher.

– Tu trouves que je devrais passer une annonce dans le journal, c'est ça ?

– Oui. Ou prendre contact avec une agence.

– Impossible.

– Pourquoi ?

– Je n'y crois pas.
– Pourquoi ?
– Je n'en sais rien.
– C'était juste un conseil. Il faut que je retourne travailler.
– Où es-tu ?
– Au restaurant. On ouvre à dix heures.

Wallander raccrocha en se demandant où elle avait passé la nuit. Il se souvenait d'un garçon kenyan qui étudiait la médecine à Lund, mais leur rupture remontait à quelques années déjà. Depuis, il ne savait pas grand-chose des petits amis de Linda, sinon qu'elle en changeait souvent. Il ressentit un pincement d'irritation et de jalousie mêlées. Puis il sortit de son bureau. L'idée de passer une petite annonce ou de contacter une agence lui avait, de fait, déjà traversé l'esprit. Mais il l'avait toujours repoussée, comme une initiative indigne de lui.

Le vent le heurta de plein fouet à peine franchi le seuil du commissariat. Il mit le contact et écouta le bruit inquiétant du moteur. Puis il fit le trajet jusqu'au lotissement où vivaient les parents de Sonja Hökberg. Dans le rapport de Martinsson, le père était qualifié d'« indépendant », sans plus de précisions. Il descendit de voiture, traversa un jardinet bien entretenu, sonna. Un homme lui ouvrit après quelques instants. Aussitôt, Wallander pensa qu'il l'avait déjà rencontré. Il avait une bonne mémoire des visages. L'autre aussi l'avait visiblement reconnu.

– C'est toi ? Je savais que la police viendrait, mais je ne m'attendais pas à te voir.

Il s'effaça pour laisser passer Wallander. Un poste de télévision était allumé quelque part dans la maison.

– Tu ne me reconnais pas ?
– Si. Mais dans quelles circonstances…
– Erik Hökberg.

Wallander chercha dans sa mémoire.

– Et Sten Widén.

Bien sûr ! Autrefois, Sten Widén et lui étaient fous d'opéra, et Erik, l'ami d'enfance de Sten, était souvent là quand ils écoutaient du Verdi sur le gramophone.

– Ça y est. Mais tu ne t'appelais pas Hökberg à l'époque ?
– J'ai pris le nom de ma femme. Avant, je m'appelais Eriksson.

Erik Hökberg était d'une stature imposante. Le cintre qu'il tendit à Wallander paraissait minuscule entre ses mains. Et il avait pris beaucoup de poids. Wallander se souvenait d'un type maigre ; c'était la raison pour laquelle il ne l'avait pas reconnu d'emblée.

Il le suivit dans le salon. Il y avait bien un téléviseur, mais éteint ; le son venait d'une autre pièce. Ils prirent place. Wallander se sentait oppressé, face à Erik. Sa mission était assez difficile comme ça.

– C'est terrible, commença Hökberg. Je n'y comprends rien. Qu'est-ce qui lui a pris ?

– Elle n'avait jamais commis d'acte violent auparavant ?

– Jamais.

Derrière son visage bouffi, Wallander en devina un autre – visage d'une époque qui lui paraissait infiniment lointaine.

– Ta femme ? Elle est là ?

– Elle est partie chez sa sœur, à Höör, en emmenant Emil. Elle ne supportait plus les journalistes qui appellent sans le moindre égard, en pleine nuit quand ça les arrange.

– Je dois malheureusement lui parler.

– Bien sûr. Je lui ai expliqué que la police nous contacterait, elle est prévenue.

Wallander se demanda comment poursuivre.

– Vous avez dû parler, tous les deux ?

– Elle est comme moi, elle n'y comprend rien. C'est un choc.

– Tu t'entends bien avec Sonja ?

– Il n'y a jamais eu de problème.

– Et sa mère ?

– Même chose. Elles se disputent parfois, mais pour des choses normales, sans importance. Depuis que je connais Sonja, il n'y a jamais eu de problème.

– Pardon ?

– Sonja est ma belle-fille, tu ne le savais pas ?

Ce détail n'était pas mentionné dans le dossier ; il s'en serait souvenu.

– J'ai un fils avec Ruth, poursuivit Hökberg. C'est Emil. Sonja avait deux ans quand j'ai rencontré Ruth, ça fera dix-sept ans en décembre. Ruth et moi, on a fait connaissance autour d'un repas de Noël.

– Qui est le père de Sonja ?

– Un certain Rolf. Il ne s'est jamais occupé d'elle. Ruth n'était pas mariée avec lui.

– Sais-tu où il se trouve ?

– Il est mort il y a quelques années. Tué par l'alcool.

Wallander chercha un crayon dans ses poches – il avait déjà constaté que ses lunettes et son bloc étaient restés dans son bureau. La table basse en verre était encombrée de journaux.

– Je peux arracher un bout de papier journal ?

– La police n'a plus les moyens de se payer des blocs-notes ?

– On se le demande. En l'occurrence, je l'ai oublié.

Wallander prit un deuxième journal en guise de support. Une revue financière en langue anglaise.

– Puis-je te demander quelle est ta profession ?

La réponse le prit au dépourvu :

– Je spécule.

– Dans quoi ?

– Actions, options, devises. Des paris aussi, cricket anglais essentiellement. Un peu de base-ball américain.

– Tu joues ?

– Pas les chevaux. Même pas au tiercé. Mais j'imagine qu'on peut considérer la Bourse comme un jeu.

– Tu travailles chez toi ?

Hökberg se leva et lui fit signe de le suivre. Sur le seuil de la pièce voisine, Wallander s'immobilisa, interdit. Il n'y avait pas un seul téléviseur, mais trois ; des colonnes de chiffres défilaient sur les écrans. Plusieurs ordinateurs aussi, des imprimantes. Au mur, des horloges indiquaient l'heure dans différentes villes du monde. Il eut le sentiment d'être entré dans une tour de contrôle.

– Certains prétendent que la nouvelle technologie rétrécit le monde. Ça se discute. Mon monde à moi s'est infiniment agrandi. Sans bouger de mon bureau, dans cette maison mal fichue d'un banal lotissement d'Ystad, je suis présent sur tous les marchés. Je peux me connecter à des bookmakers à Paris, à Londres ou à Rome, je peux acheter des options à la Bourse de Hong Kong et vendre des dollars américains à Djakarta.

– Est-ce vraiment si simple ?

– Pas tout à fait. Il faut des autorisations, des contacts et des connaissances. Mais ici, dans cette pièce, je suis à tout moment au centre du monde. C'est une grande force et une grande vulnérabilité, les deux sont liées.

– J'aimerais voir la chambre de Sonja si c'est possible.

Hökberg le précéda dans l'escalier. Ils passèrent devant une porte fermée, la chambre d'Emil sans doute. Hökberg en indiqua une autre.

– Je t'attends en bas. À moins que tu n'aies besoin de moi ?

– Non, ça ira.

Le pas lourd de Hökberg s'éloigna. Wallander ouvrit la porte. Une chambre mansardée à la fenêtre entrouverte. Un mince rideau bougeait dans le vent. Wallander, parfaitement immobile, parcourut la pièce du regard. Il savait par expérience que la première impression était décisive. Les observations ultérieures pouvaient dévoiler une scénographie invisible de prime abord ; mais il en reviendrait toujours à sa toute première impression.

Dans cette chambre vivait une personne. C'était elle qu'il lui fallait découvrir. Le lit était fait. Partout des coussins roses et fleuris, d'innombrables peluches alignées sur des étagères. Un miroir sur la porte de la penderie, un épais tapis. Sous la fenêtre, un bureau vide. Wallander ne bougeait toujours pas. Cette chambre était celle de Sonja Hökberg. Il fit deux pas, s'agenouilla et jeta un coup d'œil sous le lit. Une trace dans la poussière le fit réagir malgré lui. Le marteau, sans doute. Il se redressa et s'assit sur le lit, d'une dureté surprenante. Il se toucha le front. La fièvre avait repris, il avait mal à la gorge. Les comprimés étaient encore dans sa poche. Il se releva et ouvrit les tiroirs du bureau. Aucun n'était fermé à clé. Il n'y avait d'ailleurs pas de clé. Il ignorait ce qu'il cherchait, peut-être un journal intime, ou une photographie. Mais rien ne retint son attention. Il se rassit sur le lit en repensant à son entrevue avec Sonja Hökberg.

Le sentiment lui était venu aussitôt, dès le seuil. Quelque chose clochait ; cette chambre ne correspondait absolument pas à son occupante. Il ne pouvait pas l'imaginer dans ce lieu, au milieu des peluches roses. Pourtant, c'était sa chambre. Où fallait-il chercher la vérité ? Du côté de la personne impassible rencontrée au commissariat ? Ou dans cette chambre rose où elle avait caché un marteau ensanglanté ?

Rydberg lui avait autrefois appris à écouter. *Chaque chambre a sa respiration. Il faut prêter l'oreille. Une chambre raconte bien des secrets sur la personne qui l'habite.*

Au début, Wallander avait accueilli ce conseil avec scepticisme. Peu à peu, cependant, il avait su y voir un enseignement capital.

Le mal de tête empirait, pulsation sourde dans les tempes. Il se leva et ouvrit la penderie. Des vêtements suspendus à des cintres, une rangée de chaussures. Et un ours cassé. À l'intérieur de la porte, une affiche de film, *L'Associé du diable*, avec Al Pacino. Wallander se souvenait de lui dans *Le Parrain*. Il referma la penderie et se rassit sur la chaise du bureau. De là, il avait une perspective différente sur la pièce.

Il manquait quelque chose. Il tenta de revoir intérieurement la chambre de Linda adolescente. Les animaux en peluche y avaient leur place, bien sûr, beaucoup moins importante toutefois que les images des idoles sacrées, variables mais toujours présentes sous une forme ou une autre.

Dans la chambre de Sonja Hökberg, il n'y avait rien. À part une affiche de film cachée dans une penderie.

Wallander s'attarda encore quelques minutes. Puis il redescendit l'escalier. Erik Hökberg l'attendait au salon. Il lui demanda un verre d'eau et prit ses comprimés.

– Tu as trouvé quelque chose ?

– Je voulais juste jeter un coup d'œil.

– Que va-t-il lui arriver ?

Wallander écarta les mains.

– Elle est majeure et elle a avoué. Ce ne sera pas facile.

Hökberg ne dit rien. Wallander perçut sa souffrance.

Il nota le numéro de téléphone de la belle-sœur à Höör. Lorsqu'il ressortit dans la rue, le vent soufflait par rafales. Il reprit la route du commissariat. Il ne se sentait pas bien ; il rentrerait se coucher immédiatement après la conférence de presse.

Dès son entrée, Irene lui fit signe. Elle était pâle.

– Qu'est-ce qu'il y a ?

– Je ne sais pas. On a cherché à te joindre et tu avais oublié ton portable, comme d'habitude.

– Qui me cherche ?

– Tout le monde.

Wallander perdit patience.

– Comment ça, tout le monde ? Tu ne peux pas être un peu plus précise ?

– Martinsson. Et Lisa.

Wallander se rendit tout droit dans le bureau de Martinsson. Hansson y était déjà.

– Que se passe-t-il ?

– Sonja Hökberg s'est enfuie.

Wallander le dévisagea, incrédule.

– Enfuie ?

– Ça s'est passé il y a une heure à peine. Toutes les voitures disponibles sont à sa recherche. Elle a disparu.

Wallander regarda ses collègues. Puis il enleva sa veste et s'assit.

6

En quelques minutes, Wallander eut une image assez claire de ce qui s'était passé.

Quelqu'un avait fait preuve de négligence. Quelqu'un avait enfreint les règles élémentaires du métier. Mais surtout, quelqu'un avait oublié que Sonja Hökberg n'était pas seulement une jolie fille au visage innocent. Elle avait tué un homme.

L'enchaînement était facile à reconstituer. Sonja Hökberg avait eu une conversation avec son avocat. Elle devait ensuite retourner en garde à vue. Elle avait demandé à se rendre aux toilettes. En sortant, elle s'était aperçue que le policier censé la surveiller lui tournait le dos et parlait à quelqu'un dans un bureau. Elle était partie. Personne n'avait tenté de la retenir. Elle était sortie tout droit par la porte principale. Personne ne l'avait vue. Ni Irene, ni quiconque. Au bout de cinq minutes environ, le gardien s'était rendu aux toilettes et avait découvert qu'elle n'y était plus. Il était alors retourné dans la salle où s'était déroulée l'entrevue avec l'avocat. À ce moment-là seulement, il avait donné l'alerte. Sonja Hökberg avait alors dix minutes d'avance. Et c'était assez.

Wallander sentit que la migraine revenait.

– J'ai mis tout le personnel disponible sur le coup, dit Martinsson. Et j'ai appelé son père. Tu venais de repartir de chez lui. Tu as une idée de l'endroit où elle a pu aller ?

– La maman se trouve chez sa sœur, à Höör.

Il tendit à Martinsson le papier portant le numéro de téléphone.

– On imagine mal qu'elle soit allée là-bas à pied, intervint Hansson.

– Elle a son permis, dit Martinsson en composant le numéro. Elle a pu faire du stop, ou voler une voiture.

– Nous devons avant tout parler à Eva Persson. Tout de suite. Je me fiche qu'elle soit mineure, maintenant elle va nous dire ce qu'elle sait.

Hansson sortit et faillit entrer en collision avec Lisa Holgersson, qui revenait d'une réunion à l'extérieur et venait d'apprendre la disparition de Sonja Hökberg. Pendant que Martinsson parlait au téléphone avec la maman, Wallander expliqua à Lisa les circonstances de l'évasion.

– C'est inadmissible, dit-elle lorsqu'il eut fini.

Elle était en colère. Tant mieux. Leur ancien chef, Björk, se serait immédiatement fait du souci pour sa propre réputation.

– Oui. Pourtant c'est arrivé. L'urgence, c'est de la retrouver. Ensuite, on verra où était la faute. Et qui devra en subir les conséquences.

– Tu penses qu'elle peut repasser à l'acte ?

Wallander réfléchit. Il revoyait intérieurement la chambre rose avec sa collection de peluches.

– Ce n'est pas exclu. Nous en savons trop peu sur elle.

Martinsson raccrocha.

– J'ai parlé à sa mère et aux collègues de Höör. Ils savent à quoi s'en tenir.

– Personne ne le sait. Mais je veux qu'on la retrouve le plus vite possible.

– L'évasion était-elle préméditée ? demanda Lisa Holgersson.

– Non, je crois qu'elle a simplement saisi l'occasion qui se présentait.

Wallander regarda Martinsson.

– À mon avis, c'était prémédité. Elle cherchait une occasion. Elle voulait partir d'ici. Quelqu'un a-t-il parlé à l'avocat ? Peut-il nous aider ?

– On n'y a pas pensé. Il est parti dès la fin de son entretien avec elle.

Wallander se leva.

– Je vais lui parler.

– La conférence de presse. Qu'est-ce qu'on fait ?

Il était onze heures vingt.

– On la maintient comme prévu. Mais il faudra leur livrer la nouvelle. Même si ça fait mal.

– Je serai là, dit Lisa Holgersson.

Wallander sortit sans répondre. La migraine lui martelait les tempes, chaque déglutition lui coûtait.

Je devrais être au lit, pensa-t-il. Au lieu de courir après des adolescentes qui tuent des chauffeurs de taxi.

Il trouva quelques mouchoirs en papier dans un tiroir de son bureau et essuya la sueur sous sa chemise. Puis il appela l'avocat et lui résuma la situation.

– C'est une surprise, dit Lötberg.

– C'est surtout une tuile. Peux-tu nous aider ?

– Je ne crois pas. On a parlé de ce qui l'attendait maintenant, qu'elle devait prendre patience.

– Et alors ? Elle était prête à patienter ?

Lötberg réfléchit.

– Honnêtement, je n'en sais rien. Elle est d'un contact difficile. En apparence, elle était calme. Mais ça ne signifie rien.

– Elle n'a rien dit d'un éventuel petit ami ? Quelqu'un dont elle souhaitait la visite ?

– Non.

– Personne ?

– Elle a demandé des nouvelles d'Eva Persson.

– Elle n'a pas parlé de ses parents ?

– Non.

Bizarre. Aussi bizarre que sa chambre. Il sentait de plus en plus que quelque chose clochait chez cette fille.

– Si elle prend contact avec moi, je te préviens tout de suite, conclut Lötberg.

Wallander raccrocha. Il avait encore la vision de sa chambre. Une chambre d'enfant. Elle s'était pétrifiée à un moment donné, tandis que Sonja Hökberg continuait de grandir.

Son intuition manquait de clarté. Mais il savait qu'elle était importante.

Il avait fallu moins d'une demi-heure à Martinsson pour convoquer Eva Persson. Wallander n'en crut pas ses yeux en la voyant. Elle paraissait à peine douze ans. Il la regarda, incapable d'imaginer que ces mains enfantines aient pu tenir un couteau et l'enfoncer dans la poitrine d'un autre être humain. Très vite pourtant, il découvrit une ressemblance avec Sonja Hökberg. Il ne l'avait pas identifiée d'emblée.

C'était les yeux. La même indifférence.

Martinsson les avait laissés seuls. Wallander aurait aimé qu'Ann-Britt participe à l'interrogatoire. Mais elle se trouvait quelque part en ville pour coordonner les recherches.

La mère d'Eva Persson avait les yeux rouges. Wallander eut pitié d'elle, à la pensée de ce qu'elle devait endurer en ce moment.

Il se tourna vers la fille.

– Sonja s'est évadée. Je veux savoir si tu as une idée de l'endroit où elle peut être. Je veux que tu réfléchisses soigneusement. Et que tu dises la vérité. Compris ?

Eva Persson hocha la tête.

– Où a-t-elle pu aller, à ton avis ?

– Elle a dû rentrer chez elle. Ça paraît évident, non ?

Wallander se demanda si elle était sincère ou ironique. La migraine le rendait impatient.

– Si elle était rentrée on l'aurait déjà retrouvée.

Il avait élevé la voix. La maman se recroquevilla sur sa chaise.

– Je ne sais pas où elle est.

Wallander prit un bloc-notes.

– Qui sont ses amis ? Qui fréquente-t-elle ? Connaît-elle quelqu'un qui a une voiture ?

– D'habitude, on n'est que toutes les deux.

– Elle doit bien avoir d'autres amis ?

– Kalle.

– Nom de famille ?

– Ryss.

– Il s'appelle donc Kalle Ryss ?

– Oui.

– Je ne veux pas un mot de mensonge. Compris ?

– Arrête de hurler, espèce de vieux nase !

Wallander faillit perdre son sang-froid. Il n'aimait pas se faire traiter de vieux.

– Qui est-ce ?

– Il fait du surf. En général, il est en Australie. En ce moment, il est chez lui, il travaille pour son père.

– Où ça ?

– Ils ont une quincaillerie.
– Kalle est donc un ami de Sonja ?
– Ils étaient ensemble avant.

Wallander poursuivit l'interrogatoire. Mais Eva Persson ne lui donna aucun autre nom. Dans une dernière tentative, il se tourna vers la mère.

– Je ne la connaissais pas, dit celle-ci à voix si basse que Wallander dut se pencher pour l'entendre.
– Tu devais bien connaître la meilleure amie de ta fille ?
– Je ne l'aimais pas.

Eva Persson se tourna brusquement vers sa mère et la frappa au visage. Wallander n'eut pas le temps de réagir. La maman se mit à crier pendant qu'Eva Persson continuait de la frapper en hurlant des insultes. Il voulut s'interposer, mais elle lui mordit la main. Elle était déchaînée.

– Sortez-la ! Je ne veux plus la voir, cette sale bonne femme !

Wallander lui balança une gifle. Elle trébucha. Wallander sortit, hagard. Dans le couloir, il tomba sur Lisa Holgersson qui accourait.

– Qu'est-ce qui se passe ?

Wallander ne répondit pas. Il regardait sa main.

Nul ne remarqua le journaliste arrivé en avance pour la conférence de presse, qui s'était faufilé dans le couloir en profitant du tumulte. Il avait pris des photos et noté tous les détails de la scène ; un gros titre prenait déjà forme dans son esprit. Sans demander son reste, il se hâta vers la sortie.

La conférence de presse commença avec une demi-heure de retard. Jusqu'au bout, Lisa Holgersson avait espéré qu'une patrouille retrouverait Sonja Hökberg. Wallander, qui n'entretenait aucune illusion à cet égard, aurait préféré respecter l'horaire. En plus, son rhume s'aggravait de minute en minute.

Il réussit enfin à la convaincre qu'il ne valait plus la peine d'attendre. Ça ne ferait qu'énerver les journalistes, et la situation était assez difficile comme ça. Lisa était tendue.

– Que dois-je leur dire ?
– Rien. Je m'en charge. Mais je veux que tu sois là.

Wallander fit un détour par les toilettes et se rinça le visage à l'eau froide. En entrant dans la salle, il tressaillit, les journalistes étaient plus nombreux que prévu. Il monta sur l'estrade, suivi de près par son chef. Ils s'assirent. Wallander jeta un regard circulaire. Il connaissait quelques journalistes par leur nom ; d'autres visages lui semblaient familiers, mais la plupart lui étaient inconnus.

Que vais-je leur raconter ? On ne dit jamais toute la vérité, même quand on en a l'intention.

Lisa Holgersson souhaita à tous la bienvenue et laissa la parole à Wallander.

J'ai horreur de ça, pensa-t-il avec désespoir. Ce n'est pas seulement que ça me déplaît ; je hais ces confrontations avec les médias, même si elles sont nécessaires.

Il compta jusqu'à trois avant de se lancer.

– Voici quelques jours, un chauffeur de taxi a été agressé, ici, à Ystad. Comme vous le savez, il est malheureusement décédé de ses blessures. Deux auteurs ont été identifiés, et ont avoué. L'un des deux est mineur ; nous ne livrerons donc pas son nom.

Quelqu'un leva la main.

– Pourquoi parles-tu au masculin alors qu'on sait qu'il s'agit de deux femmes ?

– J'y viens. Si tu veux bien te calmer un peu.

Le journaliste était jeune et têtu.

– La conférence de presse devait débuter à treize heures. Il est treize heures trente passées. Vous croyez qu'on n'a pas d'horaires à tenir ?

Wallander choisit de passer outre.

– Il s'agit en d'autres termes d'un meurtre. Crime crapuleux, d'un caractère particulièrement brutal. On espère donc l'élucider dans les plus brefs délais.

Puis il prit son élan, avec la sensation de plonger au milieu des récifs.

– Malheureusement, la situation se complique du fait que l'un des auteurs s'est enfui. Mais nous espérons la retrouver au plus vite.

Il y eut un bref silence. Puis ce fut un déluge de questions.

– Comment s'appelle-t-elle ?

Wallander jeta un regard à Lisa Holgersson, qui hocha la tête.

– Sonja Hökberg.

– D'où s'est-elle enfuie ?

– Du commissariat.

– Comment est-ce possible ?
– Nous sommes en train de l'établir.
– Que veux-tu dire ?
– Ce que je dis. Nous sommes en train d'établir dans quelles conditions Sonja Hökberg a pu s'enfuir du commissariat.
– C'est en d'autres termes une femme dangereuse qui se promène en liberté.
Wallander hésita un instant.
– Peut-être.
– Soit elle est dangereuse, soit elle ne l'est pas. Alors ?
Pour la énième fois depuis le début de cette journée, Wallander perdit patience. Il avait envie d'en finir au plus vite et de rentrer se coucher.
– Question suivante.
Le journaliste refusa de lâcher prise.
– Est-elle dangereuse, oui ou non ?
– Tu as eu la réponse que je pouvais te donner. Question suivante.
– Est-elle armée ?
– Pas à notre connaissance.
– Comment le chauffeur de taxi a-t-il été tué ?
– Avec un couteau et un marteau.
– Que vous avez retrouvés ?
– Oui.
– Pouvons-nous les voir ?
– Non.
– Pourquoi ?
– Pour des raisons techniques liées à l'enquête. Question suivante.
– Un avis de recherche a-t-il été lancé ?
– À l'échelle régionale seulement. Nous n'avons rien d'autre à dire pour l'instant.
Cette manière de signifier la fin de la séance se heurta à de vives protestations. Il restait une quantité de questions plus ou moins importantes. Mais Wallander se leva et invita d'autorité Lisa Holgersson à le suivre.
– Ça suffit, murmura-t-il.
– On ne devrait pas rester encore un peu ?
– Dans ce cas, je te laisse. Ils ont appris ce qu'ils avaient besoin de savoir. Le reste, ils peuvent l'ajouter eux-mêmes.

Les journalistes de la télévision et de la radio voulaient une interview. Wallander se fraya un chemin entre les caméras et les micros.

– Je te laisse t'en occuper, dit-il à Lisa. Ou demande à Martinsson. Il faut que je rentre.

– Quoi ?

– Si tu veux, tu as le droit de poser la main sur mon front. Je suis malade. J'ai de la fièvre. Il y a d'autres policiers qui peuvent retrouver Hökberg. Et répondre à ces satanées questions.

Il la planta là sans attendre de réponse. Je commets une erreur, pensa-t-il. Je devrais rester pour mettre de l'ordre dans ce chaos. Mais je n'en ai pas la force.

Il retourna dans son bureau, enfila sa veste ; un message posé sur la table attira son attention. L'écriture était celle de Martinsson :

Conclusion des légistes à propos de Tynnes Falk : mort naturelle. On peut classer l'affaire.

Wallander mit quelques secondes à comprendre qu'il s'agissait de l'homme retrouvé mort devant le distributeur bancaire, près des grands magasins. Ça faisait un souci en moins.

Il quitta le commissariat en passant par le garage, pour éviter les journalistes. Il lutta contre le vent, trouva ses clés de voiture et mit le contact. Rien. Il recommença plusieurs fois. Le moteur était complètement mort. Il défit la ceinture de sécurité et partit sans prendre la peine de verrouiller les portières. Sur le chemin de Mariagatan, il se rappela le livre qu'il devait passer prendre à la librairie. Ça attendrait. Tout attendrait. Dans l'immédiat, il voulait seulement dormir.

Il se réveilla en sursaut au milieu d'un rêve.

Il était de nouveau à la conférence de presse, mais celle-ci se déroulait dans la maison de Sonja Hökberg. Il n'avait pu répondre à aucune question. Soudain, il découvrit son père au dernier rang ; impassible au milieu des caméras de télévision, il peignait son éternel paysage d'automne.

Wallander prêta l'oreille. Le vent soufflait de l'autre côté de la fenêtre. Il tourna la tête vers le réveil. Dix-huit heures trente. Il avait dormi près de quatre heures. Il avala sa salive avec précaution. Il avait encore mal à la gorge, mais la fièvre avait baissé. Sonja Hökberg n'avait sans doute pas été retrouvée ; dans le cas contraire, quelqu'un l'aurait prévenu. Dans la cuisine, il aperçut le message lui rappelant qu'il devait acheter du savon. Il ajouta qu'il fallait passer à la librairie. Puis il se fit du thé. Chercha en vain un citron. Dans le bac du réfrigérateur, il ne restait que quelques tomates d'une couleur bizarre et un concombre à moitié pourri qu'il jeta. Il emporta sa tasse dans le séjour. Il y avait plein de poussière dans les coins. Il retourna dans la cuisine et nota qu'il devait acheter de nouveaux sacs pour l'aspirateur.

Le mieux, évidemment, aurait été d'acheter un nouvel aspirateur.

Il appela le commissariat. Le seul collègue disponible était Hansson.

– Du nouveau ?

– Elle reste introuvable.

La fatigue de Hansson était perceptible.

– Personne ne l'a vue ?

– Non. Le patron a téléphoné pour faire part de sa stupeur.

– Je n'en doute pas une seconde. Mais je propose qu'on s'en batte l'œil dans l'immédiat.

– Il paraît que tu es malade ?

– Je serai là demain.

Hansson lui expliqua l'organisation des recherches. Wallander écouta sans formuler d'objection. On envisageait d'élargir l'avis de recherche. Hansson promit de l'appeler dès qu'il y aurait du nouveau.

Wallander raccrocha et prit la télécommande dans l'idée de regarder les actualités régionales. L'évasion de Sonja Hökberg constituait sûrement la nouvelle du jour. Peut-être serait-elle même mentionnée dans l'édition nationale ? Puis il se ravisa, posa la télécommande et mit un CD. *La Traviata* de Verdi. Il s'allongea sur le canapé et ferma les yeux. Pensa à Eva Persson et à sa mère. À la rage incontrôlée de la fille et à son regard indifférent. Le téléphone sonna. Il se redressa et baissa le son de la stéréo.

– Kurt ?

Il reconnut aussitôt la voix de Sten Widén – le plus ancien de ses rares amis.

– Ça faisait longtemps.

– Comme d'habitude. Ça va ? Au commissariat, on m'a dit que tu étais malade.

– Mal à la gorge, rien de spectaculaire.

– On peut se voir ?

– Difficile en ce moment. Tu as peut-être écouté les infos ?

– Je ne regarde pas la télévision, je ne lis pas le journal, sauf les résultats du tiercé et la météo.

– On a une évasion sur les bras. Je dois retrouver cette fille, ensuite je viendrai chez toi.

– Je voulais juste te dire au revoir.

Wallander sentit son ventre se nouer. Sten était-il malade ? S'était-il détruit le foie à force de boire ?

– Pourquoi ?

– Je vends la ferme, je pars.

Ça faisait des années qu'il en parlait. L'élevage de chevaux, hérité de son père, s'avérait de plus en plus difficile et de moins en moins rentable. Wallander avait passé de longues soirées à l'écouter parler de son rêve, commencer une nouvelle vie avant qu'il ne soit trop tard. Il ne l'avait pas pris au sérieux – pas plus qu'il ne prenait au sérieux ses propres rêves. Il avait eu tort, apparemment. Quand Sten était ivre, et il l'était souvent, il avait tendance à exagérer. Là, il paraissait tout à fait sobre, et plein d'énergie. Sa voix, d'habitude si traînante, était transformée.

– C'est sérieux ?

– Oui. Je m'en vais.

– Où ?

– Je n'en sais rien encore. Mais je pars bientôt.

Le nœud à l'estomac avait disparu, remplacé par un sentiment d'envie. Les rêves de Sten Widén se révélaient tout compte fait plus solides que les siens.

– Je passe te voir dès que possible. Dans quelques jours, si tout va bien.

– Je serai là.

Après avoir raccroché, Wallander resta un long moment immobile dans le canapé. Il était jaloux, pas la peine de le nier. Son propre rêve de quitter la police lui paraissait soudain infiniment lointain. Ce que Sten s'apprêtait à faire – il n'en serait jamais capable.

Il finit son thé et déposa la tasse dans l'évier de la cuisine. Le thermomètre extérieur indiquait un degré au-dessus de zéro. Plutôt froid pour un début d'octobre.

Il retourna s'asseoir dans le canapé, prit la télécommande et monta le son.

Au même instant, tout s'éteignit.

Il crut que le compteur avait sauté. Mais, en s'approchant de la fenêtre, il vit que les lampadaires étaient éteints, eux aussi.

Il retourna s'asseoir dans l'obscurité et attendit. Il ignorait qu'une grande partie de la Scanie se trouvait depuis quelques instants plongée dans le noir.

7

Olle Andersson fut réveillé par la sonnerie du téléphone. Il voulut allumer la lampe. Rien. Il comprit immédiatement, chercha sa torche de secours à tâtons et décrocha. Comme prévu, l'appel venait de Sydkraft, où le personnel se relayait vingt-quatre heures sur vingt-quatre. Il reconnut la voix de Rune Ågren, qui était de garde cette nuit-là. Ågren était originaire de Malmö et devait partir à la retraite l'année suivante.

– Un quart de la Scanie est privé de jus.

– Quoi ?

Le vent soufflait fort depuis quelques jours, mais il n'y avait pas eu d'avis de tempête.

– On ne sait pas trop ce qui se passe, poursuivit Ågren, mais le transformateur d'Ystad a cessé de fonctionner. Tu n'as pas le choix, tu t'habilles en quatrième vitesse et tu y vas.

Il n'y avait pas de temps à perdre. Dans le réseau complexe qui fournissait la région en électricité, le poste d'alimentation d'Ystad était un carrefour névralgique. Une panne à cet endroit, et une grande partie de la Scanie pouvait en effet se retrouver dans le noir.

– Je dormais. Ça s'est passé quand ?

– Il y a un quart d'heure. On a mis un moment à localiser le problème. En plus, la police de Kristianstad a un souci de groupe électrogène, leur système d'alarme ne fonctionne plus. Dépêche-toi.

Olle Andersson savait ce que cela impliquait. Il raccrocha et commença à s'habiller. Sa femme, Berit, s'était réveillée entre-temps.

– Qu'est-ce qui se passe ?

– Je dois y aller. La Scanie est dans le noir.

– Ça souffle tant que ça ?

– Non. Il doit y avoir une autre raison. Dors maintenant.

Il prit sa torche électrique et descendit l'escalier. De sa maison de Svarte, il lui fallait vingt minutes en voiture pour rejoindre le transformateur. Il mit sa veste et ses chaussures en se demandant ce qui avait bien pu arriver.

Il y avait un risque qu'il ne parvienne pas à résoudre le problème seul. Si la coupure était importante, il fallait rétablir la tension le plus vite possible.

Ça soufflait fort, dans la cour. Pourtant, il était certain que le vent ne pouvait être en cause. Il monta dans sa voiture, véritable atelier roulant, alluma sa radio et informa Ågren qu'il était en route.

La campagne était plongée dans le noir. Chaque fois qu'il se dirigeait ainsi vers le lieu d'un incident, il pensait que, un siècle plus tôt seulement, cette obscurité compacte était l'évidence même. L'électricité avait tout changé. Aucune personne vivante ne gardait le souvenir de cette époque-là. Il pensait aussi, dans ces moments, à quel point la société était devenue vulnérable. Dans les cas graves, un problème simple survenant dans l'un des points névralgiques du réseau suffisait à interrompre toute activité dans une région entière.

– Je suis arrivé, rapporta-t-il à Ågren.

– Dépêche-toi.

Le poste de transformation se trouvait au milieu d'un champ, isolé par une haute clôture. Partout, des panneaux signalaient que l'accès était interdit et synonyme de danger mortel. Il avança en luttant contre le vent, son trousseau de clés à la main. Il avait mis une paire de lunettes de sa propre fabrication – deux petites torches électriques très puissantes fixées à la monture. Devant le portail, il s'immobilisa net. La serrure avait été fracturée. Il jeta un regard circulaire. Aucune voiture, aucun être humain en vue. Il prit la radio et rappela Ågren.

– La serrure du portail est fracturée.

Ågren avait du mal à l'entendre à cause du vent. Il dut répéter.

– On dirait qu'il n'y a personne. J'entre.

Ce n'était pas la première fois, dans son expérience, qu'un portail était malmené. La police parvenait quelquefois à retrouver les auteurs – des jeunes en mal de distractions, la plupart du temps. Mais que se passerait-il si quelqu'un décidait sérieusement de saboter le réseau ? Il leur arrivait d'en parler, entre collègues. Pas plus tard qu'en septembre, il avait lui-même participé à une réunion de travail où l'un des responsables de la sécurité leur avait exposé les nouvelles mesures qui entreraient bientôt en vigueur.

Il se retourna vers la grille. Le triple faisceau lumineux des lunettes et de la torche joua sur le squelette d'acier du transformateur. Il le dirigea vers le cœur de l'installation, un petit bâtiment gris dont la porte blindée s'ouvrait à l'aide de deux clés différentes – ou alors par une puissante charge d'explosifs. Il avait marqué ses clés à l'aide de bouts de scotch colorés. La rouge était celle du portail ; la jaune et la bleue ouvraient la porte blindée. Il se retourna. Tout était désert. Seul le vent sifflait. Il se remit en marche. Soudain, quelque chose capta son attention. Quoi ? La voix éraillée d'Ågren lui parvenait de l'émetteur qu'il avait fixé à sa veste. Il ne répondit pas. Pourquoi s'était-il arrêté ? Il n'y avait rien. Par contre, une odeur. Ça devait venir des champs, un agriculteur avait répandu ses engrais. Il s'approcha du bâtiment. L'odeur était encore là. Soudain, il recula. La porte blindée était ouverte. Il s'empara de l'émetteur.

– La porte est ouverte. Tu m'entends ?

– Je t'entends. Qu'est-ce que tu veux dire ?

– Ce que je dis. La porte est ouverte.

– Il y a quelqu'un ?

– Je ne sais pas. Mais on ne dirait pas une effraction.

– Alors comment peut-elle être ouverte ?

– Je n'en sais rien.

Silence. Il se sentait brusquement très seul. La voix d'Ågren revint :

– Tu veux dire qu'on l'aurait ouverte avec les clés ?

– On dirait. En plus, il y a une odeur bizarre.

– Va voir. On n'a pas de temps à perdre. Les chefs n'arrêtent pas d'appeler en me demandant ce qui se passe.

Olle Andersson inspira profondément, poussa la porte et éclaira l'intérieur du bâtiment. Tout d'abord il ne comprit pas ce qu'il voyait. La puanteur était atroce. Il y avait une masse calcinée au milieu des câbles nus. Un corps humain. C'était un corps humain qui avait provoqué la panne.

Il recula en trébuchant et rappela Ågren.

– Il y a un mort là-dedans.

Silence.

– Tu peux répéter ?

– Il y a un cadavre. À l'intérieur. C'est lui qui a provoqué la panne.

– C'est sérieux ?

– Puisque je te le dis !

– Alors on prévient la police. Ne bouge pas. On va essayer de reconnecter le réseau à partir d'ici.

Olle Andersson s'aperçut qu'il tremblait de tout son corps. Comment quelqu'un avait-il pu faire une chose pareille ? S'introduire dans un transformateur et se jeter contre les câbles à haute tension. Ça revenait à s'asseoir sur une chaise électrique.

La nausée le submergea. Il sortit pour ne pas vomir et se réfugia dans sa voiture.

Le vent soufflait par rafales. Il s'était mis à pleuvoir.

L'alerte parvint peu après minuit au commissariat d'Ystad plongé dans le noir. Le policier de garde prit note de ce que lui racontait le responsable de Sydkraft et évalua rapidement la situation. En présence d'un cadavre, il choisit de prévenir Hansson, qui était de garde pour la brigade criminelle. Hansson alluma une bougie à côté de son téléphone et appela Martinsson. Il dut attendre longtemps, car Martinsson dormait et ne s'était aperçu de rien. Après l'avoir écouté en silence, Martinsson raccrocha et composa à tâtons un numéro qu'il connaissait par cœur.

Wallander s'était endormi sur le divan en attendant que la lumière revienne. Quand la sonnerie le réveilla, le séjour était encore dans l'obscurité. En décrochant, il fit tomber le téléphone.

– C'est Martinsson. Hansson vient de m'appeler.

Wallander retint son souffle.

– On a retrouvé un corps sur l'un des sites de Sydkraft, près d'Ystad.

– C'est ça qui a provoqué la panne ?

– Je ne sais pas. Mais j'ai pensé qu'il fallait t'informer, même si tu es malade.

Wallander avala sa salive. Il avait encore la gorge enflée, mais plus de fièvre.

– Ma voiture est en rade. Tu peux passer me prendre ?

– Dans dix minutes.

– Cinq.

Wallander s'habilla à tâtons et descendit dans la rue. Il pleuvait. Martinsson arriva au bout de sept minutes. Ils traversèrent la ville plongée dans le noir. Hansson les attendait à un rond-point. Ils le suivirent.

– C'est le transformateur qui se trouve au nord du centre de tri des ordures, dit Martinsson.

Wallander connaissait l'endroit. Il s'était promené avec Baiba dans une forêt voisine.

– Que s'est-il passé exactement ?

– Je n'en sais rien. On a été alertés par Sydkraft. Ils ont trouvé un corps en se rendant sur place pour réparer la panne.

– C'est grave ?

– Selon Hansson, un quart de la Scanie est dans le noir.

Wallander lui jeta un regard incrédule. Une panne de cette ampleur pouvait survenir, de façon exceptionnelle, au cours d'une tempête d'hiver très violente. Ou après l'ouragan de l'automne 1969. Mais pas dans les conditions météo de cette nuit.

Ils quittèrent la route principale sous une pluie battante. Wallander suivait le mouvement rapide des essuie-glaces en regrettant de ne pas avoir pris de veste imperméable – sans parler des bottes en caoutchouc qui se trouvaient dans le coffre de sa voiture, sur le parking du commissariat.

Hansson freina. Des lampes torches brillaient dans le noir. Un homme en combinaison de travail s'approcha avec de grands signes.

– C'est un poste à haute tension, dit Martinsson. Si quelqu'un s'est vraiment tué là-dedans, ça ne sera pas beau à voir.

Ils sortirent sous la pluie. Le vent soufflait encore plus fort ici, en plein champ. L'homme qui venait vers eux paraissait bouleversé. La gravité de la situation ne faisait plus aucun doute.

Ils se mirent en marche. Wallander en tête, avec la pluie qui lui fouettait le visage et brouillait sa vision, Martinsson et Hansson derrière, suivis par l'homme effaré.

Ils s'arrêtèrent devant le bâtiment.

– Il y a encore du courant ?

– Non, vous pouvez y aller.

Wallander emprunta la torche de Martinsson et éclaira l'intérieur. L'odeur lui parvint. Une puanteur de chair humaine brûlée. Il n'avait jamais pu s'y habituer, malgré sa longue expérience des incendies. Il pensa de façon fugitive que Hansson vomirait sûrement ; il ne supportait pas l'odeur des cadavres. Puis il entra, suivi de Martinsson.

Le corps était complètement calciné. Il n'y avait plus de visage. Rien qu'une carcasse charbonneuse coincée au milieu des câbles et des raccords.

Il s'écarta. Martinsson gémit.

– Et merde.

Wallander cria à Hansson d'appeler Nyberg et de mettre tout le personnel disponible sur le coup.

– Dis-leur d'apporter un groupe électrogène, qu'on y voie quelque chose.

Il se tourna vers Martinsson.

– Comment s'appelle le type qui a découvert le corps ?

– Olle Andersson.

– Que faisait-il ici ?

– Envoyé par Sydkraft. Ils ont des techniciens qui se relaient jour et nuit.

– Parle-lui, essaie de préciser un horaire. Et ne restez pas à piétiner ici, ça énerverait Nyberg.

Martinsson entraîna Andersson vers l'une des voitures. Wallander se retrouva brusquement seul. Il s'accroupit et dirigea le faisceau de la torche vers le corps. Il ne restait aucune trace de vêtements. Wallander eut la sensation qu'il contemplait une momie. Ou un corps découvert après mille ans dans un champ de tourbe. Mais c'était un transformateur moderne. Il essaya de réfléchir. L'électricité avait été coupée vers vingt-trois heures. Il était près d'une heure du matin. Si cet être humain était responsable du couvre-feu, cela signifiait qu'il était mort deux heures plus tôt.

Wallander se redressa, laissant sa torche posée sur le sol en ciment. Que s'était-il passé ? Quelqu'un s'introduit dans un poste de transformation isolé et se suicide en provoquant une panne générale. Il fit la grimace. Ce ne pouvait pas être aussi simple. Les questions se bousculaient déjà. Il se pencha, ramassa la torche et promena le faisceau autour de lui. Ce qui restait à faire dans l'immédiat, c'était attendre Nyberg.

Il braqua de nouveau le faisceau lumineux sur le corps. Il ignorait d'où lui venait cette sensation, comme si quelque chose avait disparu. Quelque chose manquait.

Il ressortit et examina la robuste porte blindée. Deux serrures impressionnantes. Aucune trace d'effraction. Il retourna vers la clôture, inspecta le portail. Il avait été forcé. Qu'est-ce que cela signifiait ? Un portail fracturé, une porte blindée intacte. Martinsson avait pris place dans le véhicule du technicien. Hansson téléphonait de sa propre voiture. Wallander secoua la pluie de sa veste et monta dans la voiture de Martinsson. Le moteur était allumé, les essuie-glaces fonctionnaient. Il monta le chauffage. Il avait mal à la gorge. En allumant la radio, il tomba sur un bulletin d'information spécial. La gravité de la situation ne tarda pas à lui apparaître.

Un quart de la Scanie était privé d'électricité. L'obscurité régnait de Trelleborg à Kristianstad. Les hôpitaux utilisaient leurs groupes électrogènes, mais partout ailleurs la coupure était totale. Un responsable de Sydkraft, interrogé par téléphone, affirmait que le problème avait été localisé et que le courant serait rétabli dans la demi-heure, sauf dans certaines localités, qui devraient attendre un peu plus longtemps.

Ici, le courant ne sera pas rétabli dans une demi-heure, pensa Wallander. Il se demanda si le directeur connaissait l'origine de la panne.

Il fallait informer Lisa Holgersson. Il prit le portable de Martinsson et composa son numéro. Elle mit longtemps à répondre.

– C'est Wallander. On est dans le noir, tu as remarqué ?

– Non, je dormais.

Wallander lui résuma la situation. L'attention de Lisa Holgersson s'aiguisa tout de suite.

– Tu veux que je vienne ?

– Je crois que tu devrais contacter Sydkraft et leur expliquer que leur panne implique une enquête policière.

– C'est un suicide ?

– Je ne sais pas.

– Est-ce que ça peut être un sabotage ? Un acte de terrorisme ?

– On ne peut rien exclure pour l'instant.

– Je les appelle. Tiens-moi au courant.

Wallander raccrocha. Hansson approchait en courant sous la pluie. Il ouvrit sa portière.

– Nyberg est en route. C'était comment, là-dedans ?

– Il ne restait rien. Même plus de visage.

Hansson ne répondit pas. Il disparut sous la pluie vers sa propre voiture.

Vingt minutes plus tard, Wallander aperçut les lumières de la voiture de Nyberg dans son rétroviseur et alla à sa rencontre. Nyberg paraissait fatigué.

– C'est quoi, cette histoire ? Hansson m'a raconté des trucs confus comme d'habitude, je n'ai rien compris.

– Il y a un mort là-dedans. Calciné. Il n'en reste rien.

– C'est ce qui se passe en général quand quelqu'un touche une ligne à haute tension. C'est pour ça qu'on n'a plus de lumière ?

– Sans doute.

– Alors la moitié de la Scanie devra attendre que j'aie fini de travailler ?

– Si c'est le cas, on n'y peut rien. Mais je crois qu'ils sont en train de rétablir le courant partout ailleurs.

– Nous vivons dans une société vulnérable.

Nyberg s'éloigna pour distribuer des ordres à ses techniciens.

Wallander pensa à ce que venait de dire Nyberg. Erik Hökberg avait tenu des propos similaires. Ses ordinateurs venaient sans doute de s'éteindre – à supposer qu'il passe ses nuits à pianoter pour gagner de l'argent.

Nyberg travaillait vite et bien. Bientôt, les projecteurs furent montés et reliés à un générateur bruyant. Martinsson et Wallander étaient retournés dans la voiture. Martinsson feuilletait ses notes.

– Il a donc été contacté par un responsable du nom d'Ågren. Ils avaient localisé la panne. Andersson habite à Svarte. Il a mis vingt minutes pour venir ici. Il a immédiatement constaté que le portail était fracturé. La porte blindée en revanche avait été ouverte avec les clés. En jetant un coup d'œil à l'intérieur, il a compris.

– D'autres observations ?

– Il n'y avait personne quand il est arrivé, et il n'a croisé personne.

– Il faut qu'on comprenne cette histoire de clés.

Andersson était au téléphone avec Ågren lorsque Wallander monta dans sa voiture. Il se dépêcha de conclure.

– Je comprends que tu sois secoué, commença Wallander.

– J'ai jamais vu un truc pareil. C'est horrible. Que s'est-il passé ?

– On n'en sait rien. Quand tu es arrivé, le portail était fracturé et la porte blindée ouverte et intacte. Comment expliques-tu ça ?

– Je ne l'explique pas.

– Qui a les clés, à part toi ?

– Un autre monteur, qui s'appelle Moberg. Il habite à Ystad. Au siège de l'entreprise, il y a aussi des clés, évidemment. Tout ça est très surveillé.

– Mais quelqu'un a ouvert la porte.

– On dirait.

– Je suppose qu'on ne peut pas copier ces clés ?

– Les serrures sont fabriquées aux États-Unis. En principe, on ne peut pas les forcer avec de fausses clés.

– C'est quoi, le prénom de Moberg ?

– Lars.

– Quelqu'un a-t-il pu oublier de fermer la porte ?

Andersson secoua la tête.

– Ça équivaudrait à un renvoi immédiat. Le contrôle est sévère, pour des raisons de sécurité évidentes. Les mesures ont même été renforcées ces dernières années.

– Il vaut mieux que tu attendes ici, au cas où on aurait d'autres questions. Je veux que tu appelles Lars Moberg.

– Pourquoi ?

– Tu peux par exemple lui demander de vérifier qu'il a bien ses clés.

Wallander quitta la voiture. Il pleuvait un peu moins fort. La conversation avec Andersson avait aiguisé son inquiétude. Ce pouvait naturellement être un hasard si un candidat au suicide avait choisi ce transformateur plutôt qu'un autre. Mais c'était peu probable. Rien que le fait que la porte ait été ouverte avec les bonnes clés indiquait tout autre chose. Un meurtre. Quelqu'un avait été assassiné, puis coincé entre les câbles nus pour empêcher l'identification du corps.

Wallander retourna dans le bâtiment. Le photographe avait pris ses clichés et terminait l'enregistrement vidéo. Nyberg était agenouillé près du corps. Wallander eut le malheur de s'interposer entre le projecteur et lui. Nyberg grommela entre ses dents.

– Qu'est-ce que tu en dis ? fit Wallander en s'écartant de la lumière.

– Que le légiste met des plombes à arriver. Je dois déplacer le corps pour voir s'il y a quelque chose derrière.

– Que s'est-il passé, à ton avis ?

– Tu sais bien que je n'aime pas jouer aux devinettes.

– On ne fait que ça. Alors, ton avis ?

Nyberg réfléchit avant de répondre :

– Si quelqu'un a choisi ce moyen de se suicider, le moins qu'on puisse dire, c'est que c'est tordu. S'il s'agit d'un meurtre, c'est d'une violence inouïe. Ça équivaut à la chaise électrique.

C'est ça, pensa Wallander. Cela nous conduit à l'hypothèse d'une vengeance. Une variante très spéciale de la chaise électrique.

Nyberg se remit au travail. Un technicien avait commencé à fouiller le périmètre de la clôture. Le légiste arriva ; une femme que Wallander avait rencontrée plusieurs fois ; elle s'appelait Susann Bexell et parlait peu. Elle se mit immédiatement au travail. Nyberg alla chercher sa bouteille Thermos et se servit un café. Il en proposa à Wallander, qui accepta. Il ne dormirait plus cette nuit, de toute façon. Martinsson se joignit à eux. Il était trempé et frigorifié, Wallander lui tendit son gobelet.

– Ils ont commencé à rétablir le courant. La lumière est déjà revenue tout autour d'Ystad. Je me demande comment ils s'y prennent.

– Est-ce qu'Andersson a parlé à son collègue, au sujet des clés ?

Martinsson partit se renseigner. Wallander sortit lui aussi et aperçut Hansson tout seul, immobile, au volant de sa voiture. Il le rejoignit et lui dit de retourner au commissariat, il se rendrait plus utile là-bas ; la ville elle-même était encore plongée dans le noir. Hansson hocha la tête avec gratitude et démarra. Wallander s'approcha du médecin.

– Peux-tu nous dire quelque chose ?

– En tout cas, ce n'est pas un homme. C'est une femme.

– Tu en es sûre ?

– Oui. Mais je n'ai pas l'intention de répondre à d'autres questions.

– Était-elle déjà morte, ou est-ce le courant qui l'a tuée ?

– Je n'en sais rien encore.

Wallander se détourna, pensif. Depuis le début, il s'était imaginé un homme.

Au même instant, il vit que le technicien chargé de fouiller le périmètre extérieur apportait quelque chose à Nyberg. Il les rejoignit.

C'était un sac à main. Wallander le contempla fixement. D'abord, il crut s'être trompé ; puis il acquit la certitude qu'il avait déjà vu ce sac. La veille, plus précisément.

– Je l'ai trouvé là-bas contre la clôture, côté nord.

– C'est une femme ? demanda Nyberg, surpris.

– Oui, dit Wallander. En plus, on la connaît.

Il avait vu ce sac la veille, posé sur la table de la salle d'interrogatoire. La boucle imitait une feuille de chêne. Il ne se trompait pas.

– Ce sac appartient à Sonja Hökberg.

Il indiqua le corps carbonisé.

– C'est elle.

Il était deux heures dix. La pluie tombait toujours.

8

La lumière revint à Ystad peu après trois heures du matin.

Wallander se trouvait encore sur le site de Sydkraft avec les techniciens. Hansson l'appela du commissariat pour lui annoncer la nouvelle. Wallander vit de loin l'éclairage extérieur d'une grange s'allumer dans la plaine.

Susann Bexell avait fini son travail ; on avait emporté le corps ; Nyberg poursuivait ses investigations techniques. Il avait demandé l'aide d'Olle Andersson pour se faire expliquer les détails du fonctionnement du réseau. Pendant ce temps, on continuait de rechercher des empreintes et d'éventuels indices sur le site. La pluie rendait le travail difficile. Martinsson avait glissé dans la boue et s'était fait mal au coude. Wallander tremblait de froid et regrettait plus que jamais ses bottes en caoutchouc.

Peu après le rétablissement du courant, Wallander entraîna Martinsson vers l'une des voitures de police pour faire le point. Sonja Hökberg s'était enfuie du commissariat treize heures avant de trouver la mort dans le transformateur. Elle aurait eu le temps de s'y rendre à pied. Mais c'était peu probable. Le site était malgré tout à huit kilomètres d'Ystad.

– Quelqu'un l'aurait vue, dit Martinsson. On avait beaucoup de voitures sur le coup.

– Il faut vérifier ce point, savoir si une patrouille a fait ce trajet.

– Quelles sont les autres possibilités ?

– Quelqu'un a pu la conduire jusqu'ici et repartir en voiture.

Ils savaient tous deux ce que cela impliquait. La question était décisive. Sonja Hökberg s'était-elle suicidée ou avait-elle été assassinée ?

– Les clés, reprit Wallander. Le portail a été forcé, mais pas la porte. Pourquoi ?

Ils cherchèrent en silence une explication possible.

– Nous devons établir la liste de tous ceux qui ont accès à ces clés. Je veux une justification détaillée pour chacune d'entre elles. Savoir qui les détient et où se trouvaient ces gens hier soir.

– J'ai du mal à y croire. Sonja Hökberg commet un meurtre, et elle serait assassinée à son tour ? Le suicide me paraît malgré tout plus plausible.

Wallander réfléchit. Les idées lui venaient pêle-mêle, sans qu'il puisse en tirer de conclusion cohérente. Il se repassait sans cesse le film de son unique conversation avec Sonja Hökberg.

– C'est toi qui lui as parlé le premier, dit-il. Quelle impression elle t'a faite ?

– Pareil qu'à toi. Elle n'avait pas de remords. Elle avait tué un vieux chauffeur de taxi, mais ç'aurait pu aussi bien être un insecte.

– Ça contredit l'idée du suicide.

Martinsson interrompit le va-et-vient des essuie-glaces. Par le pare-brise, ils apercevaient Olle Andersson, immobile dans sa voiture, et, à l'arrière-plan, Nyberg en train de déplacer un projecteur avec des gestes brusques.

– Et si c'était un meurtre ? reprit Martinsson. Quels sont les arguments ?

– Il n'y en a pas. Aussi peu que pour le suicide. On doit garder les deux possibilités présentes à l'esprit. Mais on peut laisser tomber l'hypothèse de l'accident.

La conversation retomba. Après un moment, Wallander demanda à Martinsson de réunir le groupe d'enquête pour huit heures. Il sortit de la voiture. La pluie avait cessé. Il était épuisé. Frigorifié. Il avait mal à la gorge. Il rejoignit Nyberg qui achevait le travail dans le bâtiment.

– Tu as trouvé quelque chose ?

– Non.

– Andersson avait-il un avis sur le sujet ?

– Quel sujet ? Ma façon de travailler ?

Wallander compta en silence jusqu'à dix. Nyberg était de très mauvaise humeur. Si on le poussait à bout, tout dialogue devenait impossible.

– Il m'a expliqué ce qui s'est passé d'un point de vue technique, dit Nyberg. Le corps a bien provoqué la panne. Mais était-ce un cadavre ou une personne vivante ? Seuls les légistes peuvent répondre à cela. Et ce n'est même pas sûr.

Wallander regarda sa montre. Trois heures et demie. Inutile de s'attarder plus longtemps.

– J'y vais. On se réunit à huit heures.

Nyberg marmonna une réponse inaudible. Wallander crut comprendre que ça signifiait qu'il serait là. Puis il retourna à la voiture, où Martinsson prenait des notes.

– On s'en va. Tu peux me reconduire chez moi ?

– Qu'est-ce qu'elle a, ta voiture ?

– Le moteur est mort.

Ils retournèrent à Ystad en silence. Chez lui, Wallander fit couler un bain. Il avala ses derniers comprimés et griffonna un mot sur la liste déjà longue posée sur la table de la cuisine. Il se demanda, résigné, quand il aurait le temps d'aller à la pharmacie.

Son corps se détendit peu à peu dans l'eau chaude. Pendant quelques minutes, il somnola, la tête vide. Puis les images revinrent. Sonja Hökberg. Et Eva Persson. En pensée, il déroulait le film des événements. Il avançait avec d'infinies précautions, pour n'oublier aucun détail. Rien ne collait, dans cette histoire. Pourquoi Johan Lundberg avait-il été tué ? Quel était le mobile de Sonja Hökberg ? Pourquoi Eva Persson avait-elle accepté d'être sa complice ? Il était convaincu qu'il ne s'agissait pas d'un vague besoin d'argent. Cet argent devait servir à un but précis. À moins que la vérité ne soit très différente…

Dans le sac à main de Sonja Hökberg retrouvé contre la clôture, il n'y avait pas plus de trente couronnes. L'argent volé à Lundberg avait été confisqué par la police.

Elle s'enfuit du commissariat en profitant d'une occasion fortuite. Il est dix heures du matin. Elle n'a rien pu prévoir. Elle disparaît pendant treize heures. Son corps est retrouvé à huit kilomètres de la ville.

Comment est-elle parvenue jusque-là ? Elle a pu faire du stop. Mais elle peut aussi avoir pris contact avec quelqu'un, qui vient la chercher. Que se passe-t-il ensuite ? Demande-t-elle à être conduite sur les lieux où elle a décidé de commettre son suicide ? Ou bien est-elle tuée ? Qui détient les clés de la porte – mais pas celle du portail ?

Wallander sortit de la baignoire. Il y a deux questions décisives dans l'immédiat qui indiquent deux directions différentes. Si elle a décidé de se suicider, pourquoi avoir choisi un transformateur ? Comment s'est-elle procuré les clés ? Et, si elle a été tuée : pour quel motif ?

Wallander se coucha. Il était quatre heures et demie du matin. Ses pensées tourbillonnaient. Il était trop épuisé pour réfléchir, il devait dormir. Avant d'éteindre la lampe, il programma le réveil et le poussa le plus loin possible par terre, de manière à être obligé de se lever pour l'éteindre.

Au réveil, il lui sembla n'avoir dormi que quelques minutes. Il essaya d'avaler sa salive. Pénible, mais moins que la veille. Il se toucha le front. La fièvre avait disparu. Par contre, il avait le nez bouché. Il alla à la salle de bains et se moucha en évitant de se regarder dans la glace. La fatigue lui vrillait le corps. Pendant que l'eau du café chauffait, il regarda par la fenêtre. Le vent soufflait encore, mais les nuages chargés de pluie avaient disparu. Cinq degrés au-dessus de zéro. Il se demanda vaguement quand il trouverait le temps de faire réparer sa voiture.

Peu après huit heures, ils étaient rassemblés dans l'une des salles de réunion du commissariat. En contemplant les visages blêmes de Martinsson et de Hansson, il pensa que lui non plus ne devait pas être beau à voir. Lisa Holgersson, elle, était impassible, malgré le manque de sommeil. Elle prit la parole :

– Nous devons garder à l'esprit que la coupure de courant qui a frappé la Scanie cette nuit est l'une des plus importantes qui se soient produites à ce jour. Elle met en évidence notre vulnérabilité. Ce qui s'est produit aurait dû être impossible ; pourtant, ça s'est produit. Du coup, les autorités, les entreprises d'électricité et la défense civile doivent s'atteler une fois de plus à la question de la sécurité, et à la manière de l'améliorer. Ceci en guise d'introduction.

Elle fit signe à Wallander, qui commença par une courte synthèse.

– En un mot, nous ignorons ce qui s'est passé. A priori il peut s'agir d'un accident, d'un suicide ou d'un meurtre. Nous pouvons d'ores et déjà exclure l'hypothèse de l'accident. Le portail a été forcé, par Sonja Hökberg ou par quelqu'un d'autre. Cette personne avait par ailleurs accès aux clés du bâtiment proprement dit. Tout cela est pour le moins étrange.

Il marqua une pause. Martinsson en profita pour signaler qu'au cours des recherches plusieurs patrouilles avaient à différentes reprises parcouru la route menant au poste de transformation.

– Ça fait une incertitude en moins. Quelqu'un l'a conduite là-bas. Qu'en est-il des traces de pneus ?

La question s'adressait à Nyberg, assis à l'autre bout de la table, hirsute et les yeux rouges.

– À part nos propres véhicules et celui du monteur Andersson, on a retrouvé deux traces différentes. Mais il n'a pas arrêté de pleuvoir cette nuit. Les empreintes n'étaient pas nettes.

– Deux autres voitures seraient donc venues ?

– D'après Andersson, l'une des deux pouvait bien être celle de son collègue Moberg. On est en train de vérifier.

– Resterait alors une voiture au conducteur inconnu ?

– Oui.

– On ne peut évidemment pas savoir à quelle heure cette voiture serait arrivée là-bas ?

Nyberg le dévisagea.

– Comment pourrait-on le savoir ?

– Je me fais une haute idée de tes compétences.

– Il y a des limites.

Ann-Britt Höglund leva la main.

– Peut-il s'agir d'autre chose que d'un meurtre ? J'ai autant de peine que vous à imaginer un suicide. Si elle avait décidé d'en finir, elle n'aurait jamais choisi de se faire brûler vive.

Wallander repensa à un événement survenu quelques années auparavant. Une jeune fille originaire d'Amérique centrale s'était immolée par le feu dans un champ de colza, après s'être inondée d'essence. Cette scène faisait partie de ses pires souvenirs. Il était présent. Il avait vu la fille brûler comme une torche. Et il n'avait rien pu faire.

– Les femmes prennent des médicaments, poursuivit Ann-Britt. Elles se tirent rarement une balle dans la tête. Quant à se jeter contre des câbles nus…

– Je pense que tu as raison. Mais il faut attendre les conclusions des légistes.

Il regarda ses collaborateurs. Personne ne prit la parole.

– Les clés, poursuivit-il. C'est le plus important. Vérifier qu'aucun jeu de clés n'a été volé. C'est le premier point. Ensuite, nous avons une enquête en cours sur le meurtre du chauffeur de taxi. Sonja Hökberg est morte. Mais Eva Persson est toujours là et il faut boucler le dossier.

Martinsson prit sur lui de vérifier la question des clés. Ils se séparèrent. Wallander se rendit dans son bureau, en se servant un café au passage. Le téléphone sonna.

– Tu as de la visite, dit la voix d'Irene.

– Qui est-ce ?

– Un médecin. Il s'appelle Enander.

– Qu'est-ce qu'il veut ?

– Te parler.

– De quoi ?

– Il n'a pas voulu me le dire.

– Envoie-le chez quelqu'un d'autre.

– J'ai essayé. Mais c'est à toi qu'il veut parler. Et c'est urgent.

Wallander soupira.

– J'arrive.

L'homme qui l'attendait à la réception avait une cinquantaine d'années, les cheveux en brosse et une poignée de main vigoureuse. Il portait un survêtement.

– David Enander.

– Je suis occupé, dit Wallander. De quoi s'agit-il ?

– Je n'en ai pas pour longtemps. C'est important.

– La coupure de courant de cette nuit a causé pas mal de désordre. Je te donne dix minutes. Tu veux déposer une plainte ?

– Seulement corriger un malentendu.

Wallander attendit la suite. Silence. Il précéda son visiteur jusqu'à son bureau. L'accoudoir céda lorsque Enander s'assit dans le fauteuil.

– Ce n'est rien, le fauteuil est cassé.

Enander prit la parole :

– C'est au sujet de Tynnes Falk, qui est mort il y a quelques jours.

– En ce qui nous concerne, c'est une affaire classée.

– C'est précisément le malentendu que je voudrais corriger, dit Enander en caressant ses cheveux ras.

Il paraissait sûr de son fait.

– Je t'écoute.

David Enander prit son temps, choisissant ses mots avec soin.

– J'étais son médecin depuis 1981. Plus de quinze ans, autrement dit. Au départ, il est venu pour des éruptions d'origine allergique, sur les mains. À l'époque, je travaillais au service de dermatologie de l'hôpital. Quand j'ai ouvert mon propre cabinet, en 1986, Tynnes Falk m'a suivi. Il n'était pour ainsi dire jamais malade. Les problèmes d'allergie avaient disparu, mais je lui faisais régulièrement un bilan de santé. Tynnes Falk était un homme qui voulait savoir précisément où il en était. D'ailleurs, il avait une hygiène de vie exemplaire. Il mangeait correctement, prenait de l'exercice, évitait toute forme d'excès.

Où voulait-il en venir ? Wallander sentait monter l'impatience.

– J'étais en déplacement lors de son décès, poursuivit Enander. J'ai appris la nouvelle hier en rentrant.

– Comment l'as-tu apprise ?

– Son ex-femme m'a téléphoné.

Wallander lui fit signe de poursuivre.

– D'après elle, il serait mort d'un infarctus.

– C'est en effet ce qui a été établi.

– Mais c'est impossible.

Wallander haussa les sourcils.

– Pourquoi donc ?

– Pour une raison très simple. Je venais de lui faire un bilan de santé approfondi, il y a à peine dix jours de cela. Son cœur était en parfait état. Sa condition physique était celle d'un homme de vingt ans.

– Que veux-tu dire au juste ? Que les médecins légistes se sont trompés ?

– Je sais qu'un infarctus peut, dans certains cas très rares, frapper une personne en pleine santé. Mais, dans le cas de Falk, je refuse de le croire.

– Alors, de quoi serait-il mort, d'après toi ?

– Je n'en sais rien. Mais je veux corriger le malentendu. Ce n'était pas le cœur.

– Je vais transmettre ton témoignage. Y avait-il autre chose ?

– Si j'ai bien compris, il avait une blessure à la tête. Je pense qu'il a été agressé. Tué.

– Rien ne l'indique. On ne lui a rien volé.

– Ce n'était pas le cœur, répéta Enander avec conviction. Je ne suis pas légiste, je ne peux pas te dire de quoi il est mort. Mais ce n'était pas le cœur. Ça, j'en suis certain.

Wallander nota l'adresse et le numéro de téléphone d'Enander. Puis il se leva pour signifier que l'entretien était clos. Il raccompagna son visiteur dans le hall.

– Je suis certain de ce que j'avance, insista Enander.

De retour dans son bureau, Wallander rangea les notes concernant Tynnes Falk dans un tiroir et consacra l'heure suivante à rédiger un rapport sur les événements de la nuit.

Un an plus tôt, comme tous ses collaborateurs, Wallander avait reçu un ordinateur et une journée de formation spéciale. Mais il avait mis longtemps à pouvoir se servir tant bien que mal de la machine. Un mois plus tôt, il la considérait encore avec méfiance. Puis un jour il avait compris qu'elle facilitait son travail. Son bureau ne débordait plus de bouts de papier épars où il griffonnait en vrac pensées et observations. Grâce à l'ordinateur, il était devenu plus ordonné. Mais il tapait encore avec deux doigts et faisait beaucoup de fautes de frappe. D'un autre côté, il n'était plus obligé de corriger ses erreurs au blanc correcteur. Rien que ça, c'était un soulagement.

À onze heures, Martinsson apparut avec la liste des gens ayant accès aux clés du poste de transformation. Ils étaient six en tout. Wallander parcourut les noms du regard.

– Tous ont les clés en leur possession. Personne ne s'en est séparé au cours des dernières vingt-quatre heures. En dehors de Moberg, personne ne s'est rendu sur le site ces derniers jours. Dois-je vérifier leur emploi du temps pendant les treize heures de la disparition de Sonja Hökberg ?

– Ça peut attendre. Avant d'avoir eu les conclusions des légistes on ne peut pas faire grand-chose, de toute façon.

– Qu'est-ce qu'on fait d'Eva Persson ?

– Il faut mener un interrogatoire approfondi.

– Tu t'en charges ?

– Non, merci. J'ai pensé qu'on pouvait laisser ce travail à Ann-Britt. Je vais lui parler.

À midi, Ann-Britt et lui avaient fini de passer en revue le dossier du meurtre de Lundberg. Il avait un peu moins mal à la gorge. La fatigue ne le quittait pas. Après avoir tenté de faire démarrer sa voiture sans succès, il appela le garage et demanda qu'on lui envoie une dépanneuse. Il laissa ses clés de voiture à Irene et se rendit à pied dans le centre-ville pour déjeuner. Aux tables voisines, on commentait la coupure de courant de la nuit. Ensuite, il acheta du savon et de l'aspirine à la pharmacie. Il venait de revenir au commissariat lorsqu'il se rappela qu'il devait passer à la librairie. Il envisagea brièvement d'y retourner, mais le vent était trop dur ; il laissa tomber. Sa voiture n'était plus sur le parking. De retour dans son bureau, il rappela le garage, mais on n'avait pas encore découvert l'origine de la panne. Lorsqu'il s'enquit du prix probable de la réparation, il n'obtint pas de réponse claire. En raccrochant, il pensa que cela ne pouvait plus durer, il devait changer de voiture.

Puis il resta un long moment immobile, comme figé dans son fauteuil. Soudain, il eut la certitude que Sonja Hökberg ne s'était pas retrouvée dans ce transformateur par hasard. Et ce n'était pas non plus un hasard si celui-ci était l'un des carrefours stratégiques du réseau scanien.

Les clés. Quelqu'un l'avait conduite là-bas. Quelqu'un qui avait les clés.

Mais alors : pourquoi le portail avait-il été forcé ?

Il parcourut de nouveau la liste que lui avait remise Martinsson. Cinq personnes, cinq jeux de clés :

Olle Andersson, monteur.

Lars Moberg, monteur.

Hilding Olofsson, responsable technique.

Artur Wahlund, responsable de la sécurité.

Stefan Molin, directeur technique.

Ces noms ne lui disaient rien. Il composa le numéro du poste de Martinsson.

– Les détenteurs des clés. Tu n'aurais pas vérifié si l'un d'entre eux figure dans le fichier ?

– Pourquoi, j'aurais dû ?

– Pas du tout. Mais tu as l'habitude de faire les choses à fond.

– Je peux m'en occuper maintenant.

– Ça peut attendre. Rien de neuf du côté des légistes ?

– À mon avis, on n'aura rien avant demain matin.

– Alors, va pour le fichier.

Contrairement à Wallander, Martinsson adorait les ordinateurs. Quand on avait un problème informatique au commissariat, c'était à lui qu'on s'adressait.

Wallander se replongea dans le dossier du meurtre du chauffeur de taxi. À quinze heures, il retourna se chercher un café. Il n'avait presque plus mal à la gorge. Hansson lui apprit qu'Ann-Britt interrogeait Eva Persson. Ça roule, pensa Wallander. Pour une fois, on a le temps de faire les choses correctement.

Il était de nouveau penché sur ses papiers lorsque Lisa Holgersson apparut sur le seuil, un tabloïd à la main. Wallander soupçonna immédiatement un problème.

– Tu as vu ? fit-elle en dépliant le journal.

Wallander écarquilla les yeux. La photo montrait Eva Persson, à terre, dans la salle d'interrogatoire. Il sentit son estomac se nouer.

Un policier connu maltraite une adolescente.

– Qui a pris cette photo ? Il n'y avait pas de journaliste sur place, pourtant ?

– Il faut croire que si.

Wallander se souvint vaguement d'une porte entrebâillée et d'une silhouette vite disparue.

– C'était juste avant la conférence de presse, dit Lisa Holgersson. Un photographe a pu arriver en avance et se faufiler dans le couloir, ça n'a rien d'impossible.

Wallander était comme paralysé. Au cours de ses trente années de carrière, il y avait souvent eu des bagarres. Mais il s'agissait toujours d'arrestations difficiles. Jamais au grand jamais il ne s'en était pris physiquement à quelqu'un au cours d'un interrogatoire, même quand il était hors de lui.

Sauf une fois. Et, ce jour-là, un photographe était présent.

– Il va y avoir du grabuge. Pourquoi n'as-tu rien dit ?

– Elle frappait sa mère. Je me suis interposé pour protéger la maman.

– L'image ne le montre pas.

– Pourtant, c'est la vérité.

– Pourquoi n'as-tu rien dit ?

Wallander ne trouva rien à répondre.

– On est obligé d'ouvrir une enquête. J'espère que tu le comprends ?

Wallander perçut sa méfiance. La colère le submergea.

– Tu as peut-être l'intention de me retirer la direction de l'enquête ?

– Non. Mais je veux savoir ce qui s'est passé.

– Je te l'ai déjà dit.

– Eva Persson a affirmé tout autre chose à Ann-Britt. Elle dit que tu l'as frappée sans raison.

– Elle ment. Demande à sa mère.

Lisa Holgersson hésita un instant avant de répondre :

– C'est déjà fait. Elle nie que sa fille l'ait frappée.

Wallander resta muet. Je démissionne, pensa-t-il. Je quitte la police. Je m'en vais. Je ne reviens plus jamais.

Lisa Holgersson attendit. Wallander ne répondait toujours pas. Elle sortit du bureau.

9

Wallander quitta le commissariat.

Avait-il pris la fuite, ou cherchait-il simplement à se calmer ? Il n'en savait rien. Bien entendu, il avait dit la vérité à Lisa Holgersson. Mais elle ne l'avait pas cru, et c'était cela qui le mettait hors de lui.

Sur le parking, il jura tout haut en se rappelant qu'il n'avait plus de voiture. Sa méthode habituelle, lorsqu'il était énervé pour une raison ou pour une autre, était de rouler au hasard sur les petites routes jusqu'à ce qu'il soit calmé. Mais il n'avait plus de voiture.

Il prit à pied la direction du magasin d'État, acheta une bouteille de whisky, rentra tout droit chez lui, débrancha le téléphone et s'attabla dans la cuisine. Les premières gorgées avaient mauvais goût. Tant pis, il en avait besoin. S'il y avait une chose au monde capable de lui ôter tous ses moyens, c'était les accusations injustifiées. Lisa Holgersson n'avait rien exprimé clairement. Mais sa méfiance sautait aux yeux. Hansson a peut-être raison, pensa-t-il hargneusement. Avoir une bonne femme pour chef, c'est la fin des haricots. Il but une autre gorgée. Il regrettait déjà d'être rentré chez lui. Cela pouvait être interprété comme un aveu. Il rebrancha le téléphone et s'exaspéra aussitôt, comme un enfant, de ne recevoir aucun appel. Il composa le numéro du commissariat. Irene répondit.

– Je voulais seulement dire que je suis rentré chez moi. Je suis enrhumé.

– Hansson te cherche. Et Nyberg. Et plusieurs journaux.

– Qu'est-ce qu'ils veulent ?

– Les journaux ?

– Non, Hansson et Nyberg.

– Ils ne me l'ont pas dit.

Elle a sûrement le journal sous les yeux, pensa Wallander, et tous les autres aussi. Ils ne doivent parler que de ça, au commissariat. Et j'en connais qui ne sont sûrement pas mécontents que Wallander morde la poussière.

Il demanda à Irene de lui passer Hansson, qui mit un temps fou à décrocher. Wallander l'imaginait, absorbé dans l'un de ses raisonnements complexes qui devaient infailliblement lui rapporter le tiercé dans l'ordre et qui, en réalité, lui permettaient tout juste de ne pas perdre trop d'argent.

– Comment vont les chevaux ? demanda-t-il lorsque Hansson répondit enfin.

C'était pour le désarmer. Pour bien lui montrer qu'il n'était pas déstabilisé par l'article paru dans le journal.

Il y eut un silence.

– Quels chevaux ?

– Tu ne joues pas au tiercé ?

– Pas maintenant. Pourquoi ?

– Laisse tomber. Qu'est-ce que tu me voulais ?

– Tu es dans ton bureau ?

– Non, chez moi. Je suis enrhumé.

– Je me suis renseigné pour savoir à quelle heure nos patrouilles se trouvaient sur cette fameuse route. J'ai interrogé tout le monde. Personne n'a vu Sonja Hökberg. Ils ont parcouru cette route quatre fois, aller et retour.

– Dans ce cas, on peut être sûrs qu'elle n'est pas allée là-bas à pied. Quelqu'un l'y a conduite. La première chose qu'elle a dû faire en quittant le commissariat, c'est trouver un téléphone. Ou alors elle est allée chez quelqu'un. J'espère qu'Ann-Britt a pensé à poser la question à Eva Persson.

– Quelle question ?

– Qui sont les autres amis de Sonja Hökberg. Qui a pu l'emmener là-bas.

– Tu as parlé à Ann-Britt ?

– Je n'en ai pas eu le temps.

Il y eut un silence. Wallander décida soudain de prendre l'initiative :

– Ce n'était pas une jolie photo, dans le journal.

– Non.

– Comment un journaliste a-t-il réussi à se faufiler dans le couloir ? Pour les conférences de presse, on les fait entrer en troupeau, en général.

– C'est bizarre que tu n'aies pas vu le flash.

– Les appareils actuels n'ont pas besoin de flash.

– Qu'est-ce qui s'est passé, au juste ?

Wallander lui dit la vérité. Les mêmes mots exactement qu'il avait employés avec Lisa, sans ajouter ni retrancher quoi que ce soit.

– Il n'y avait aucun témoin ?

– Non, à part le journaliste, qui va s'empresser de mentir, évidemment. Autrement, sa photo n'a aucune valeur.

– J'imagine que tu devras dire simplement ce qu'il en est.

– Mais c'est ce que je fais !

– Au journal, je veux dire.

– La parole d'un vieux flic contre celle d'une mère et de sa fille ? Laisse tomber !

– Tu oublies que la fille a quand même commis un meurtre.

Wallander se demanda si l'argument porterait. Un policier usant de brutalité, c'était une chose grave. Il en était lui-même convaincu. Les circonstances atténuantes ne pesaient pas lourd, dans ce cas.

– Je vais y réfléchir. Tu peux me passer le poste de Nyberg ?

Lorsque Nyberg répondit enfin, plusieurs minutes s'étaient écoulées. Entre-temps, Wallander avait bu quelques gorgées de plus. Il commençait à être ivre. Mais la pression intérieure avait diminué.

– Nyberg, dit Nyberg.

– Tu as vu le journal ?

– Quel journal ?

– La photo d'Eva Persson.

– Je ne lis pas ce genre de canards, mais on m'a raconté l'histoire. Si j'ai bien compris, elle avait frappé sa mère.

– La photo ne le montre pas.

– Quel rapport ?

– Je vais avoir des ennuis. Lisa veut ouvrir une enquête.

– Et alors ? La vérité sera faite, ce n'est pas plus mal.

– Je me demande seulement si les journaux vont l'accepter. Que vaut un vieux flic à leurs yeux, comparé à une jeune meurtrière toute fraîche ?

Nyberg parut surpris.

– Tu ne t'es jamais soucié de ce que racontaient les journaux jusqu'ici.

– Peut-être. Mais ils ne m'ont jamais accusé d'avoir frappé une gamine.

– Elle a commis un meurtre.

– Ça ne change rien.

– Tu verras que ça va se calmer tout seul. À part ça, je voulais juste te confirmer qu'une des traces de pneus provient bien de la voiture de Moberg. Ça signifie qu'on a identifié toutes les empreintes sauf une. Mais la voiture inconnue a des pneus standard.

– En tout cas, on peut être sûrs que quelqu'un l'a conduite là-bas.

– Autre chose. Le sac à main…

– Oui ?

– J'ai essayé de comprendre pourquoi on l'a retrouvé à cet endroit. Contre la clôture.

– Il a dû le jeter là.

– Mais pourquoi ? Il ne s'imaginait quand même pas qu'on ne le retrouverait pas ?

Wallander comprit que c'était important.

– Tu veux dire, pourquoi ne l'a-t-il pas emporté s'il voulait éviter l'identification du corps ?

– À peu près.

– Et quelle est ta réponse ?

– C'est ton boulot, pas le mien. Je te dis juste ce qu'il en est. Le sac se trouvait à quinze mètres de l'entrée du transformateur.

– Autre chose ?

– Non. On n'a rien trouvé.

La conversation était terminée. Wallander prit la bouteille, mais la reposa. Ça suffisait. S'il continuait à boire, il franchirait une limite, et il ne le voulait pas. Il alla dans le séjour. C'était une sensation bizarre de se trouver chez soi au milieu de la journée. Était-ce ça, l'effet de la retraite ? Cette idée le fit frissonner. Il s'approcha de la fenêtre. Le crépuscule tombait sur Mariagatan. Il pensa au médecin qui lui avait rendu visite et à l'homme retrouvé mort devant un distributeur bancaire. Il prit note d'appeler le légiste dès le lendemain pour lui faire part de la visite d'Enander et de son opinion sur l'impossibilité d'un infarctus. Ça ne changerait rien ; mais il aurait du moins transmis l'information. Il ne fallait pas attendre.

Puis il réfléchit à ce que Nyberg venait de dire sur le sac à main de Sonja Hökberg. Au fond, il n'y avait qu'une conclusion possible à tirer de cette trouvaille. Et celle-ci ranima d'un coup ses réflexes d'enquêteur. *Quelqu'un voulait qu'on retrouve le sac.*

Cela n'expliquait pas pourquoi il se trouvait si loin du bâtiment.

Wallander examina une fois de plus l'enchaînement des faits. Mais le placement du sac restait une énigme. Il abandonna provisoirement cette piste, en se disant qu'il avançait trop vite. Tout d'abord, il fallait obtenir confirmation du fait que Sonja Hökberg avait réellement été assassinée.

Il retourna à la cuisine et fit du café. Le téléphone restait silencieux. Seize heures déjà. Il s'attabla avec sa tasse et rappela Irene. Les journaux et la télévision continuaient de vouloir le joindre, mais elle ne leur avait pas donné son numéro privé. Depuis quelques années, il était sur liste rouge.

Wallander songea de nouveau que son absence serait interprétée comme un aveu de culpabilité, tout au moins de malaise. J'aurais dû rester là-bas, pensa-t-il ; j'aurais dû prendre les appels et expliquer à tous ces journalistes qu'Eva Persson et sa mère mentent toutes les deux.

Son moment de faiblesse était passé. La colère reprenait le dessus. Il demanda à Irene de lui passer Ann-Britt. En réalité, il aurait dû commencer par Lisa Holgersson et lui dire clairement sa façon de voir.

Soudain, il raccrocha. Là, tout de suite, il ne voulait parler à aucun de ses collègues. Il composa le numéro de Sten Widén. Une fille répondit. Les grooms, toujours des filles, changeaient sans cesse à Stjärnsund. Wallander avait souvent pensé avec méfiance que Sten ne les laissait peut-être pas toujours tranquilles. Le temps que son ami arrive au téléphone, il regrettait presque de l'avoir appelé. D'un autre côté, Sten n'avait probablement pas eu l'occasion de voir la photo dans le journal.

– Je pensais te rendre visite, mais ma voiture est en panne.

– Je viens te chercher, si tu veux.

Ils convinrent que Sten passerait le prendre vers dix-neuf heures. Wallander jeta un regard à la bouteille de whisky, mais ne la toucha pas.

Au même moment quelqu'un sonna à la porte. Il sursauta. Il n'avait pour ainsi dire jamais de visite. C'était sûrement un journaliste qui avait réussi à dénicher son adresse. Il rangea la bouteille de whisky dans le placard et alla ouvrir. C'était Ann-Britt.

– Je te dérange ?

Il la fit entrer en tournant la tête pour qu'elle ne sente pas son haleine chargée. Ils s'assirent dans le séjour.

– Je suis enrhumé, je n'ai pas la force de travailler.

Elle hocha la tête. Elle n'en croyait pas un mot, sûrement. La fièvre n'avait jamais empêché Wallander de travailler.

– Comment ça va ?

Sa faiblesse était passée. Et même si elle était encore là, tout au fond, il n'avait pas l'intention de la montrer.

– Si tu penses à la photo dans le journal, c'est mauvais, bien sûr. Comment un photographe peut-il se faufiler jusque dans nos salles d'interrogatoire sans être repéré ?

– Lisa est très soucieuse.

– Elle devrait m'écouter. Elle devrait me soutenir, au lieu de croire immédiatement à des bobards de journaliste.

– L'image est difficile à nier.

– Je ne nie rien. Je l'ai frappée parce qu'elle agressait sa mère.

– Ce n'est pas leur version des faits. J'imagine que tu es au courant ?

– Elles mentent. Mais toi, tu les crois peut-être ?

– Non. Mon unique question c'est : comment le prouver ?

– Qui est à l'initiative du mensonge ?

Ann-Britt répondit sans hésiter :

– La mère. Je crois qu'elle est rusée, elle a vu une possibilité de détourner l'attention de la culpabilité de sa fille. Si en plus Sonja Hökberg est morte, elles peuvent tout rejeter sur elle.

– Pas le couteau.

– Si, le couteau aussi. Même si nous l'avons retrouvé d'après ses indications, elle pourra toujours dire que c'est Sonja qui a poignardé Lundberg.

Elle avait raison. Les morts étaient réduits au silence. Et une grande photo en couleurs montrait un policier debout et une jeune fille à terre. L'image était floue, mais aucun doute quant à ce qu'elle représentait.

– Le procureur a demandé une enquête express.

– Lequel ?

– Viktorsson.

Wallander ne l'aimait pas. Viktorsson n'était à Ystad que depuis le mois d'août, mais il s'était déjà plusieurs fois heurté à lui.

– Ce sera leur parole contre la mienne.

– Non. Deux paroles contre une.

– Eva Persson n'aime pas sa mère. C'était évident quand je leur ai parlé.

– Elle a dû comprendre qu'elle se trouvait dans une mauvaise passe, même si elle est mineure et qu'elle ne risque pas la prison. Elle a sans doute conclu une trêve provisoire avec sa mère.

Wallander sentit brusquement qu'il n'avait pas la force de parler de ça. Pas tout de suite.

– Pourquoi es-tu venue ?

– J'ai entendu dire que tu étais malade.

– Je ne vais pas mourir. Je retourne au boulot demain matin. Raconte-moi plutôt ce qu'a donné ta conversation avec Eva Persson.

– Elle est revenue sur ses aveux.

– Elle ne pouvait pas savoir que Sonja Hökberg était morte, pourtant ?

– Justement, c'est bizarre.

Il fallut un instant à Wallander pour comprendre ce que venait de dire Ann-Britt. Il la regarda droit dans les yeux.

– Tu penses à quelque chose ?

– Pourquoi change-t-on une histoire ? Elle a avoué un crime. Tous les morceaux du puzzle coïncident. Les témoignages concordent parfaitement. Alors pourquoi se met-elle soudain à raconter tout autre chose ?

– Pourquoi ou à quel moment ?

– C'est pour ça que je suis venue. Au début de l'interrogatoire, Eva Persson ne pouvait pas savoir que Sonja Hökberg était morte. Mais elle a changé ses déclarations du tout au tout. Maintenant, c'est Sonja Hökberg qui a tout fait, Eva Persson est innocente. Elles n'avaient pas du tout l'intention d'agresser un chauffeur de taxi pour lui voler de l'argent. Elles n'allaient pas à Rydsgård. Sonja avait suggéré de rendre visite à un oncle à Bjäresjö.

– Il existe, cet oncle ?

– Je lui ai téléphoné. Il prétend ne pas avoir vu Sonja depuis six ans.

Wallander réfléchit.

– Dans ce cas, il n'y a qu'une explication. Eva Persson n'inventerait pas une histoire de toutes pièces si elle n'était pas certaine que Sonja Hökberg est hors d'état de la contredire.

– C'est aussi mon avis. Je lui ai bien sûr demandé pourquoi elle avait avoué auparavant.

– Qu'a-t-elle répondu ?

– Qu'elle ne voulait pas faire porter toute la responsabilité à Sonja.

– Parce qu'elles étaient amies ?

– C'est ça.

L'un et l'autre comprenaient ce que cela impliquait. Eva Persson savait que Sonja Hökberg était morte.

– Qu'en penses-tu ? demanda Wallander.

– Il y a deux possibilités. Sonja a pu téléphoner à Eva après son évasion et lui dire qu'elle avait l'intention de se suicider.

– Ça ne paraît pas plausible.

– Non. Je crois qu'elle a appelé quelqu'un d'autre.

– Qui aurait ensuite téléphoné à Eva Persson pour lui apprendre la mort de Sonja ?

– C'est possible.

– Dans ce cas, ça signifie qu'Eva Persson sait qui a tué Sonja Hökberg, à supposer que ce soit un meurtre.

– Tu penses que ce pourrait être autre chose ?

– Pas vraiment. Mais on doit attendre le rapport des légistes.

– J'ai essayé de leur soutirer des conclusions préliminaires. Mais, apparemment, le travail sur les corps calcinés prend du temps.

– Ils ont compris que c'était urgent, au moins ?

– C'est toujours urgent.

Elle regarda sa montre et se leva.

– Je dois rentrer, mes gosses m'attendent.

Wallander pensa qu'il devait dire quelque chose. Il savait par expérience à quel point c'était dur de rompre un mariage.

– Comment va le divorce ?

– Tu es passé par là. Alors tu sais que c'est un cauchemar du début à la fin.

Wallander la raccompagna jusqu'à la porte.

– Bois un coup, dit-elle. Ça te fera du bien.
– C'est déjà fait.

À dix-neuf heures, il entendit klaxonner dans la rue et aperçut par la fenêtre de la cuisine la camionnette rouillée de Sten Widén. Il rangea la bouteille de whisky dans un sac plastique et descendit.

À Stjärnsund, comme d'habitude, Wallander voulut commencer par une tournée des écuries. Plusieurs boxes étaient vides. Une fille de dix-sept ou dix-huit ans finissait de desseller. Après son départ, Wallander s'assit sur un ballot de foin. Sten Widén s'appuya contre le mur.

– La ferme est à vendre.
– Qui l'achètera, à ton avis ?
– Quelqu'un d'assez cinglé pour croire que ça peut encore rapporter quelque chose.
– Tu en tireras un bon prix ?
– Non, mais suffisant, je pense. Si je fais un peu attention, je pourrai vivre des intérêts.

Wallander aurait voulu savoir à combien s'élevait une telle somme, dans l'esprit de Sten, mais il n'osa pas lui poser la question.

– Tu sais où tu vas aller ?
– D'abord, je vends. Ensuite, je me décide.

Wallander déballa la bouteille et la tendit à Sten.

– Tu ne t'en sortiras jamais sans les chevaux. Qu'est-ce que tu vas faire ?
– Je ne sais pas.
– Moi, je sais. Picoler jusqu'à ce que mort s'ensuive.
– Ou le contraire. J'arrêterai peut-être de boire.

Ils sortirent des écuries et traversèrent la cour. Il faisait froid. Wallander sentit de nouveau un pincement de jalousie. Son vieil ami Per Åkeson, le procureur, se trouvait depuis plusieurs années en Ouganda. Wallander était de plus en plus convaincu qu'il ne reviendrait jamais. Et maintenant Sten s'en allait. Vers une vie inconnue, mais différente. Wallander, de son côté, avait sa photo dans un tabloïd, sous un gros titre expliquant qu'il avait frappé une adolescente de quatorze ans.

La Suède est devenue un pays dont on s'échappe. Ceux qui en ont les moyens le font, et ceux qui ne les ont pas essaient de gagner suffisamment d'argent pour le faire. Comment en est-on arrivé là ? Que s'est-il passé ?

Ils s'installèrent dans le séjour en désordre qui faisait aussi office de bureau. Sten Widén se servit un cognac.

– J'envisage de devenir machino.

– Quoi ?

– Tu m'as entendu. Je pourrais aller à la Scala de Milan et leur demander de m'engager comme ouvreur de rideaux.

– On n'ouvre quand même plus les rideaux à la main, merde ?

– Il doit bien y avoir des décors à transporter. Imagine ça, être dans les coulisses tous les soirs et entendre les chanteurs sans payer un centime. Je pourrais me proposer comme bénévole.

– C'est ce que tu as décidé ?

– Non. J'ai plein d'idées. Parfois, je me demande si je ne devrais pas partir dans le Norrland et m'enterrer sous un tas de neige vraiment froid, vraiment désagréable. Je ne sais pas encore. Tout ce que je sais, c'est que je vais vendre la ferme et partir. Et toi ?

Wallander haussa les épaules. Il avait déjà trop bu. Il se sentait la tête lourde.

– Tu continues à chasser les bouilleurs de cru ?

Le ton était ironique. Wallander sentit monter la colère.

– Je chasse les tueurs. Les gens qui tuent d'autres gens. À coups de marteau dans le crâne. Je suppose que tu as entendu parler du chauffeur de taxi ?

– Non.

– Deux petites filles ont tué un chauffeur de taxi l'autre soir, avec un marteau et un couteau. Alors, ne me parle pas de bouilleurs de cru.

– Je ne comprends pas où tu trouves la force.

– Moi non plus. Mais quelqu'un doit le faire, et je ne suis peut-être pas le pire.

Sten Widén le regarda en souriant.

– Calme-toi. Je ne doute pas que tu sois un bon flic. J'ai même toujours pensé que tu l'étais. Je me demande seulement si tu auras le temps de faire autre chose un jour, dans ta vie.

– Je ne suis pas quelqu'un qui prend la tangente.

– Quelqu'un comme moi ?

Wallander ne répondit pas. Une faille venait d'apparaître entre eux ; soudain, il se demanda depuis combien de temps elle existait, à leur insu. Ils étaient très proches autrefois. Puis chacun avait suivi son chemin. En se retrouvant bien des années plus tard, ils avaient tablé sur l'amitié ancienne, sans jamais s'apercevoir que tout avait changé. Wallander le comprenait pour la première fois. Sten Widén aussi, probablement.

– L'une des deux filles a un beau-père qui s'appelle Erik Hökberg.

– Erik ? C'est sérieux ?

– Oui. Et cette fille est morte hier soir, probablement assassinée. Alors je ne pense pas avoir le temps de partir, même si j'en avais envie.

Il rangea la bouteille dans le sac.

– Tu peux m'appeler un taxi ?

– Tu rentres déjà ?

– Je crois, oui.

Une ombre de déception passa sur le visage de Sten Widén. Wallander éprouvait la même chose. Une amitié venait de prendre fin. Plus exactement : ils venaient de découvrir qu'elle était finie depuis longtemps.

– Je te ramène.

– Non, tu as bu.

Sten Widén prit le téléphone sans un mot et commanda un taxi.

– Il arrive dans dix minutes.

Ils sortirent. La nuit d'automne était limpide. Pas de vent, pour une fois.

– Qu'est-ce qu'on croyait ? demanda soudain Sten Widén. Quand on était jeunes ?

– J'ai oublié. J'ai assez à faire avec le présent. Et assez de souci pour l'avenir.

Le taxi arriva.

– Écris-moi, dit Wallander. Pour me raconter comment ça s'est passé.

– D'accord.

Wallander monta à l'arrière. Le taxi démarra dans le noir, en direction d'Ystad.

Il venait d'ouvrir la porte de l'appartement quand le téléphone sonna. C'était Ann-Britt.

– Ça y est, tu es rentré ? Il faudrait penser à brancher ton portable de temps en temps.

– Que se passe-t-il ?

– J'ai fait une nouvelle tentative auprès des légistes de Lund. J'ai parlé à celui qui a effectué l'autopsie. Il ne voulait pas s'engager, mais il a trouvé quelque chose. Sonja Hökberg avait une fracture à l'arrière du crâne.

– Elle était donc morte quand elle a été électrocutée ?

– Inconsciente tout au moins.

– Elle n'a pas pu se blesser en tombant ?

– Pas d'après lui. Il paraissait assez sûr de son fait.

– Ça fait une incertitude en moins. Elle a été assassinée.

– On le savait déjà, non ?

– Non. On le soupçonnait. Maintenant, on le sait.

Wallander entendit un enfant crier. Ann-Britt se dépêcha de conclure. Ils convinrent de se retrouver le lendemain matin à huit heures.

Wallander s'assit à la table de la cuisine. Il pensa à Sten Widén. Et à Sonja Hökberg. Mais surtout, il pensa à Eva Persson.

Elle devait savoir. Elle savait qui avait tué Sonja Hökberg.

10

Wallander se réveilla en sursaut à cinq heures. Il comprit ce qui l'avait tiré du sommeil : la promesse faite à Ann-Britt de prendre la parole le soir même devant une association féminine. Il avait complètement oublié.

Il resta allongé immobile dans le noir. Il n'avait rien préparé, même pas quelques notes.

Son estomac se noua. Ces femmes avaient forcément vu la photo dans le journal. Et Ann-Britt avait dû les prévenir qu'il la remplacerait.

Je n'y arriverai pas. Elles ne verront en moi qu'un type brutal qui maltraite les femmes.

Comment faire, comment se dérober ? Hansson ! Mais c'était impossible. Hansson ne savait parler que d'un sujet, les chevaux. Pour le reste, il passait sa vie à marmonner, seuls ceux qui le connaissaient bien étaient capables de le comprendre.

À cinq heures et demie, il se leva. Il n'y avait aucune échappatoire. Il s'assit à la table de la cuisine, prit son bloc-notes et écrivit en haut de la page : *Conférence.* Il se demanda ce que Rydberg aurait raconté à un groupe de femmes. Mais Rydberg ne se serait sans doute jamais laissé convaincre de faire ça.

À six heures, il n'avait toujours pas écrit un mot. Il était sur le point de laisser tomber lorsqu'il entrevit soudain la solution. Il leur parlerait de ce qui le préoccupait en ce moment même : l'enquête sur le meurtre du chauffeur de taxi. Peut-être même pourrait-il commencer par l'enterrement de Stefan Fredman ? Quelques jours dans la vie d'un policier… La réalité toute nue, sans périphrases. Il nota deux ou trois repères. Il ne pourrait pas éviter d'aborder l'épisode du journaliste. Ce serait interprété comme une plaidoirie, à juste titre. D'un autre côté, il était seul à pouvoir leur dire ce qui s'était réellement passé. À six heures et quart, il posa son crayon. Le malaise était toujours là. Mais il se sentait un peu moins démuni. En s'habillant, il vérifia qu'il lui restait une chemise propre pour la soirée. Il y en avait une, tout au fond de la penderie. Les autres gisaient en vrac par terre. Ça faisait longtemps qu'il n'avait pas fait de lessive.

Vers sept heures, il appela le garage. Ce fut déprimant. Ils envisageaient de démonter le moteur. Le garagiste s'engagea à lui transmettre un devis dans la journée. Le thermomètre de la fenêtre indiquait sept degrés au-dessus de zéro. Un peu de vent, des nuages, mais pas de pluie. Wallander suivit du regard un vieil homme qui avançait lentement. Devant une poubelle, il s'arrêta et la fouilla d'une main sans rien trouver. Wallander repensa à la soirée de la veille. Le sentiment envieux avait disparu, remplacé par une mélancolie vague. Sten Widén allait disparaître de son existence. Qui restait-il, de sa vie d'avant ? Bientôt plus personne.

Il pensa à Mona, la mère de Linda. Elle était partie, elle aussi. À l'époque, quand elle lui avait annoncé son intention de le quitter, il était tombé des nues. Même si, tout au fond de lui, ce n'était pas réellement une surprise. Elle était remariée depuis un an. Avant cela, Wallander avait passé des années à tenter de la convaincre de revenir. Avec le recul, il ne se comprenait pas lui-même. Il n'avait pas envie qu'elle revienne. C'était la solitude qu'il ne supportait pas. Il n'aurait jamais pu vivre de nouveau avec Mona. Leur rupture était nécessaire, elle aurait même dû se produire beaucoup plus tôt. Maintenant, elle était remariée avec un joueur de golf, un consultant qui travaillait dans les assurances. Wallander ne l'avait jamais rencontré, seulement entendu sa voix deux ou trois fois au téléphone. Linda ne paraissait pas très emballée, elle non plus. Mais Mona, apparemment, était contente de sa nouvelle vie. Il y avait une maison quelque part en Espagne. Le mari semblait avoir de l'argent, ce qui n'avait jamais été le cas de Wallander.

Il abandonna ces pensées et quitta l'appartement. Sur le chemin du commissariat, il pensa de nouveau à ce qu'il dirait ce soir-là. Une patrouille s'arrêta et proposa de l'emmener. Il dit qu'il préférait marcher.

Un homme attendait devant les portes du commissariat. Il lui sembla vaguement le reconnaître.

– Kurt Wallander, tu as deux minutes ?

– Ça dépend. Qui es-tu ?

– Harald Törngren.

Wallander secoua la tête.

– C'est moi qui ai pris la photo.

Wallander se rappela alors l'avoir vu à la conférence de presse. C'était pour ça qu'il lui avait semblé le reconnaître.

– Tu veux dire que c'est toi qui t'es faufilé dans le couloir ?

Harald Törngren avait une trentaine d'années, un visage tout en longueur, les cheveux très courts.

– En fait, dit-il avec un sourire, je cherchais les toilettes et personne ne m'a arrêté.

– Qu'est-ce que tu veux ?

– Te demander de commenter la photo. Une interview, en quelque sorte.

– Pour quoi faire ? Tu déformeras mes propos.

– Comment peux-tu le savoir ?

Wallander envisagea de lui demander de disparaître. D'un autre côté, c'était peut-être une ouverture.

– Dans ce cas, je veux que quelqu'un assiste à l'entretien.

Törngren souriait toujours.

– Un témoin ?

– J'ai une mauvaise expérience des journalistes.

– Dix témoins, si tu veux.

Wallander regarda sa montre. Sept heures vingt-cinq.

– Je te donne une demi-heure.

– Quand ?

– Tout de suite.

Ils entrèrent. Irene l'informa que Martinsson était arrivé. Wallander dit à Törngren d'attendre. Il trouva Martinsson dans son bureau, devant l'ordinateur. Il lui expliqua rapidement la situation.

– Tu veux que j'apporte le magnéto ?

– Non, ta présence suffira. À condition que tu m'écoutes et que tu te souviennes de mes paroles.

Martinsson parut soudain hésiter.

– Tu ne sais pas ce qu'il va te demander ?

– Non. Mais je sais ce qui s'est passé.
– J'espère juste que tu sauras te contrôler.
Wallander fut surpris.
– Pourquoi, j'ai l'habitude de tenir des propos incontrôlés ?
– Ça arrive.
– J'y penserai. Viens, on y va.
Ils prirent place dans une petite salle de réunion. Törngren installa son magnétophone sur la table. Martinsson s'était placé en retrait.
– J'ai parlé à la mère d'Eva Persson hier soir, commença Törngren. Elles ont décidé de porter plainte contre toi.
– À quel sujet ?
– Maltraitance. Qu'en dis-tu ?
– Il n'était absolument pas question de maltraitance.
– Ce n'est pas leur point de vue. De plus, il y a ma photo.
– Veux-tu savoir ce qui s'est passé ?
– Je veux entendre ta version.
– Ce n'est pas ma version. C'est la vérité.
– Ce sera leur parole contre la tienne.
Wallander comprit soudain l'absurdité de la situation et regretta d'avoir accepté. Mais il était trop tard. Il raconta l'épisode, une fois de plus. Eva Persson avait brusquement agressé sa mère. Il s'était interposé. La fille était hors d'elle. Il l'avait giflée.
– La mère et la fille nient que les choses se soient passées comme ça.
– Pourtant, c'est la vérité.
– Est-ce que ça te paraît plausible qu'une fille frappe sa mère ?
– Eva Persson venait d'avouer un meurtre. La situation était extrêmement tendue. Dans ce cas, il peut y avoir des réactions imprévisibles.
– Eva Persson m'a dit hier qu'elle avait avoué sous la contrainte.
Wallander et Martinsson échangèrent un regard incrédule.
– Quelle contrainte ?
– C'est ce qu'elle a dit.
– Qui l'aurait contrainte ?
– Ceux qui l'interrogeaient.
– C'est quoi, ces conneries ? intervint Martinsson. On n'a jamais pratiqué ce genre de méthode, ici.
– C'est ce qu'elle affirme, pourtant. Elle est revenue sur ses aveux. Elle dit qu'elle est innocente.

Wallander jeta un regard à Martinsson, qui resta silencieux. Pour sa part, il était maintenant parfaitement calme.

– L'enquête préliminaire est loin d'être achevée. Eva Persson est liée à ce crime. Le fait qu'elle se mette en tête de revenir sur ses aveux n'y change rien.

– Tu affirmes donc qu'elle ment ?

– Je ne souhaite pas répondre à cette question.

– Pourquoi ?

– Parce que cela me conduirait à révéler certaines données de l'enquête en cours, qui ne peuvent être divulguées pour l'instant.

– Mais tu affirmes qu'elle ment ?

– Ce sont tes propos, pas les miens. Je me contente de te dire ce qui s'est réellement passé.

Wallander voyait déjà les gros titres étalés en première page. Mais il avait trouvé la riposte. La ruse d'Eva Persson et de sa mère ne les aiderait en rien. Pas plus que le renfort inespéré que leur offrait la presse à sensation.

– La fille est très jeune, reprit Törngren. Elle prétend avoir été entraînée par son amie plus âgée. N'est-ce pas le plus vraisemblable ?

Wallander réfléchit très vite. Fallait-il annoncer la vérité, à propos de Sonja Hökberg ? Sa mort n'avait pas encore été rendue publique, il n'avait donc pas le droit d'en parler. En même temps, ça lui donnait un avantage.

– Que veux-tu dire par là ?

– Qu'Eva Persson dit la vérité. Qu'elle a été embobinée par son amie.

– Ce n'est pas toi qui es chargé de l'enquête sur le meurtre de Lundberg. Maintenant, si tu veux tirer tes propres conclusions et rendre ton verdict, personne ne peut t'en empêcher. La vérité se révélera sans doute très différente. Mais je pense que tu lui accorderas moins de place dans tes colonnes.

Wallander laissa retomber ses mains sur la table pour signifier que l'entretien était clos. Törngren éteignit son magnétophone.

– Merci d'avoir répondu à mes questions.

– Martinsson te raccompagnera, dit Wallander en se levant.

Il ne lui serra pas la main, quitta simplement la pièce. En allant chercher son courrier, il essaya d'évaluer le résultat objectif de l'échange avec Törngren. Avait-il omis quelque chose ? Aurait-il dû s'exprimer autrement ? Le courrier sous le bras, un café à la main, il alla dans son bureau. Il était parvenu à la conclusion que l'entretien s'était bien passé. Même s'il ne pouvait en aucune façon prévoir quel en serait le résultat dans le journal. Il s'assit et parcourut son courrier. Rien d'urgent. Soudain, il se rappela le médecin qui lui avait rendu visite la veille. Il récupéra ses notes dans le tiroir et téléphona à l'institut de Lund. Par chance, on lui passa directement le praticien qui avait pratiqué l'autopsie. Il lui raconta en peu de mots la visite d'Enander. Le médecin nota toutes les informations et s'engagea à le rappeler au cas où celles-ci devaient modifier d'une manière ou d'une autre les conclusions de l'expertise.

À huit heures, Wallander se leva et se rendit dans la salle de réunion. Ses collaborateurs s'y trouvaient déjà, ainsi que Lisa Holgersson et le procureur Lennart Viktorsson. À sa vue, Wallander sentit une décharge d'adrénaline. Quelqu'un d'autre, dans sa situation, aurait adopté un profil bas. Mais Wallander avait eu son accès de faiblesse la veille, en quittant le commissariat. Maintenant, il était sur le pied de guerre. Il s'assit et prit aussitôt la parole :

– Comme vous le savez tous, un journal à grand tirage a publié hier soir une photographie d'Eva Persson que je venais de gifler. La fille et sa mère ont beau prétendre le contraire, la vérité est que je me suis interposé pour l'empêcher de frapper encore sa mère. La gifle n'était pas très forte, mais elle a trébuché et elle est tombée. C'est ce que j'ai dit au journaliste qui a pris cette photo après avoir réussi à se faufiler dans nos couloirs. Je l'ai rencontré ce matin, en présence de Martinsson.

Il marqua une pause et jeta un regard circulaire avant de poursuivre. Lisa Holgersson paraissait mécontente. Il devina qu'elle aurait préféré aborder le sujet elle-même.

– On m'a informé qu'une enquête interne était prévue. Ça ne me dérange pas. Si vous le voulez bien, j'aimerais qu'on passe maintenant au sujet qui nous occupe, le meurtre de Lundberg et ce qui est arrivé à Sonja Hökberg.

Il se tut. Lisa Holgersson en profita pour prendre la parole, avec une expression qui déplut profondément à Wallander. Il eut de nouveau l'impression qu'elle le trahissait.

– Il va de soi que tu n'interrogeras plus Eva Persson.

– Ça, même moi je suis capable de le comprendre.

J'aurais dû dire autre chose, pensa-t-il. Que le premier devoir d'un commissaire est de soutenir ses collaborateurs. Pas de façon inconditionnelle, pas à tout prix. Mais tant qu'une parole s'oppose à une autre, c'est son devoir. Or elle préfère un mensonge à une vérité inconfortable.

Viktorsson leva la main.

– Bien entendu, je vais suivre cette enquête avec la plus grande attention. Concernant Eva Persson, il est possible que nous devions prendre très au sérieux ses nouvelles déclarations. Les choses se sont probablement passées comme elle le dit. C'est Sonja Hökberg qui a prémédité et exécuté le crime.

Wallander n'en croyait pas ses oreilles.

Son regard fit le tour de la table, pour chercher le soutien de ses collègues. Hansson, vêtu de sa chemise de flanelle à carreaux, paraissait perdu dans de lointaines pensées. Martinsson se frottait le menton, Ann-Britt était rencognée dans son fauteuil. Personne ne croisa son regard. Il crut néanmoins pouvoir interpréter leur silence comme une forme de soutien.

– Eva Persson ment, dit-il. Et nous pourrons le démontrer si nous faisons un effort.

Viktorsson voulait poursuivre, mais Wallander ne lui en laissa pas l'occasion. Les autres n'étaient probablement pas informés de ce que lui avait appris Ann-Britt au téléphone la veille au soir.

– Sonja Hökberg a bien été assassinée. L'institut de Lund nous a signalé l'existence de lésions attestant qu'elle a été frappée à l'arrière du crâne. Le coup a pu être mortel. Ensuite, on l'a balancée dans les installations électriques. Il ne subsiste aucun doute quant à la réalité du meurtre.

La nouvelle surprit en effet tout le monde.

– Je précise qu'il s'agit là d'une conclusion préliminaire. Nous pouvons nous attendre à de nouvelles informations. Mais celle-ci est d'ores et déjà indiscutable.

Personne ne prit la parole. Il sentit qu'il dominait la situation. La photo parue dans le journal l'irritait et décuplait son énergie. Mais le pire, à ses yeux, était la méfiance déclarée de Lisa Holgersson.

Le moment était venu de faire le point.

– Johan Lundberg a été assassiné dans son taxi. En apparence, il s'agit d'un crime crapuleux, prémédité et exécuté à la va-vite. Les filles affirment qu'elles avaient besoin d'argent, sans raison précise. Elles ne font aucun effort pour dissimuler leur crime. Au moment de leur arrestation, elles passent très vite aux aveux. Leurs récits concordent et elles ne manifestent aucun remords. De plus, nous retrouvons les deux armes. Ensuite, Sonja Hökberg disparaît du commissariat. Selon toute vraisemblance, elle a profité d'une occasion fortuite. Treize heures plus tard, on la retrouve assassinée dans un transformateur à huit kilomètres de la ville. Comment est-elle allée là-bas ? C'est une question décisive, à laquelle nous n'avons pas encore de réponse. Nous ignorons également pour quel motif elle a été tuée. En parallèle, il se produit un événement qui doit retenir toute notre attention. Eva Persson revient sur ses aveux. Elle rejette maintenant toute la responsabilité sur Sonja Hökberg. Ses nouvelles allégations ne peuvent être vérifiées dans la mesure où Sonja Hökberg est morte. Comment Eva Persson pouvait-elle le savoir ? Sa mort n'a pas encore été rendue publique. Seul un très petit nombre de gens est au courant. Et ce nombre était encore plus réduit hier, au moment où Eva Persson a modifié ses déclarations.

Wallander se tut. L'attention de ses collaborateurs s'était aiguisée. Il avait cerné les questions décisives.

Hansson prit la parole :

– Qu'a fait Sonja Hökberg après avoir quitté le commissariat ?

– Nous savons qu'elle ne s'est pas rendue à pied sur le site de Sydkraft. On ne peut pas le prouver de façon irréfutable, mais l'hypothèse la plus vraisemblable est qu'elle y est allée en voiture.

– N'est-ce pas une conclusion un peu rapide ? objecta Viktorsson. Elle était peut-être déjà morte en arrivant là-bas.

– Je n'ai pas fini. Cette possibilité existe, naturellement.

– Y a-t-il un élément qui contredise cette hypothèse ?

– Non.

– N'est-ce pas le plus vraisemblable, dans ce cas ? Hökberg était déjà morte. Pourquoi se serait-elle rendue là-bas de son plein gré ?

– Elle connaissait peut-être la personne qui l'y a conduite.

Viktorsson secoua la tête.

– Que diable serait-elle allée faire dans un transformateur en plein champ, alors qu'il pleuvait en plus, si je me souviens bien ? Tout indique qu'elle a été tuée ailleurs.

– Là, il me semble que c'est vous qui tirez des conclusions hâtives. Nous essayons d'envisager les possibilités. Ce n'est pas le moment de choisir. Pas encore.

– Qui l'a conduite là-bas ? intervint Martinsson. Si on répond à cette question, on saura qui l'a tuée. Quant au mobile...

– On verra ça plus tard, coupa Wallander. Mon idée est qu'Eva Persson n'a pu être informée de la mort de Sonja que par le meurtrier lui-même. Ou par quelqu'un qui connaissait la vérité.

Il regarda Lisa Holgersson.

– Cela signifie qu'Eva Persson est désormais un témoin clé. Elle est mineure, et elle ment. Mais là, il faut lui mettre la pression. Je veux savoir comment elle a appris la mort de Sonja Hökberg.

Il se leva.

– Mais comme ce n'est pas moi qui vais l'interroger, je vais m'occuper d'autre chose entre-temps.

Il quitta la salle de réunion, très satisfait de sa sortie. C'était puéril, d'accord. Mais, sauf erreur, ça leur ferait de l'effet. Ann-Britt serait chargée d'interroger Eva Persson. Elle savait quelles questions lui poser ; inutile de préparer l'interrogatoire avec elle. Wallander prit sa veste. De son côté, il allait essayer d'obtenir une réponse à une autre question. Grâce à laquelle il espérait pouvoir cerner doublement le meurtrier de Sonja Hökberg. Avant de quitter son bureau, il prit deux photographies dans le dossier de l'enquête et les fourra dans sa poche.

Il prit la direction du centre-ville. Dans toute cette histoire, un détail étrange continuait de l'inquiéter. Pourquoi Sonja Hökberg avait-elle été tuée ? Pourquoi sa mort avait-elle plongé un quart de la Scanie dans le noir ? Était-ce vraiment une coïncidence ?

Il traversa la place centrale et s'engagea dans Hamngatan. Le restaurant où Sonja Hökberg et Eva Persson avaient bu des bières le soir du crime n'était pas encore ouvert. Il jeta un coup d'œil à l'intérieur. Il y avait quelqu'un derrière le comptoir. Il frappa à la fenêtre. Pas de réaction. Il frappa plus fort ; l'homme leva la tête et approcha. En reconnaissant Wallander, il sourit et ouvrit la porte.

– Il n'est même pas neuf heures. Tu as déjà envie d'une pizza ?

– Un café ne serait pas de refus. J'ai besoin de te parler.

István Kecskeméti était arrivé de Hongrie en 1956. Il avait tenu plusieurs restaurants successifs à Ystad. Quand Wallander n'avait pas la force de se préparer à dîner, il allait chez István. Il était très bavard, mais Wallander l'aimait bien. En plus, il était au courant pour le diabète et lui proposait des menus en conséquence.

István était seul en salle. On entendait le bruit d'un battoir à viande dans la cuisine, le service commençait à onze heures. Wallander s'attabla au fond du local. En attendant qu'István revienne avec le café, il se demanda où les deux filles avaient été assises ce soir-là, juste avant de commander un taxi. István posa deux tasses sur la table.

– Tu ne viens plus très souvent. Et maintenant que tu viens, le restaurant est fermé. Autrement dit, tu viens me demander quelque chose.

István ouvrit les bras et poussa un soupir.

– Tout le monde demande quelque chose à István. Les gens n'arrêtent pas d'appeler, les clubs sportifs, les associations humanitaires, des types qui veulent créer un cimetière pour animaux. Tout le monde a besoin d'argent, tout le monde veut qu'István participe, en disant que ça lui fera de la réclame. Mais comment faire la pub d'une pizzeria dans un cimetière pour chiens ?

Il soupira de nouveau.

– Qu'est-ce que tu veux ? Qu'István fasse un don à la police suédoise ?

– Si tu pouvais répondre à quelques questions, ce serait bien. Mercredi dernier, tu étais là ?

– Je suis toujours là. Mais mercredi dernier, c'est loin.

Wallander posa les deux photographies sur la table. Il n'y avait pas beaucoup de lumière au fond du restaurant.

– Tu les reconnais ?

István emporta les deux photos, les posa sur le comptoir et les examina longuement avant de revenir.

– Je crois.

– Tu as entendu parler du meurtre du chauffeur de taxi ?

– C'est terrible que des choses pareilles puissent arriver. Des jeunes, en plus.

István parut soudain comprendre.

– C'était ces deux-là ?

– Oui. Et elles étaient ici ce soir-là. C'est très important. Si tu pouvais te souvenir de l'endroit où elles étaient assises, et s'il y avait quelqu'un avec elles…

Wallander vit qu'István faisait un gros effort de mémoire. Il attendit. István prit les deux photos et commença à faire le tour des tables. Il avançait lentement, comme à tâtons. Il cherche ses clients, pensa Wallander. Il fait exactement comme moi à sa place. Mais ce n'est pas sûr qu'il les retrouve.

István s'arrêta devant une table près de la fenêtre. Wallander se leva et le rejoignit.

– Je crois qu'elles étaient là.

– Tu en es sûr ?

– À peu près.

– Qui était où ?

István hésita. Wallander attendit pendant qu'il faisait le tour de la table une fois, puis deux. Comme s'il avait disposé des menus, il plaça la photo de Sonja Hökberg et celle d'Eva Persson.

– Tu en es sûr ?

– Oui.

István fronçait les sourcils. Wallander comprit qu'il cherchait autre chose.

– Il s'est passé quelque chose au cours de la soirée. Je me souviens d'elles parce que je me suis demandé si l'une des deux avait vraiment dix-huit ans.

– Non. Mais oublie ça.

István se tourna vers la cuisine.

– Laila ! Viens voir !

Une jeune femme obèse approcha.

– Assieds-toi, dit István.

La fille était blonde. Il la fit asseoir à la place d'Eva Persson.

– Qu'est-ce qu'il y a ?

L'accent scanien de la fille était si prononcé que même Wallander dut faire un effort pour la comprendre.

– Ne bouge pas, dit István.

Wallander attendit.

– Il s'est passé quelque chose au cours de la soirée, répéta-t-il.

Soudain, son visage s'illumina. Il demanda à Laila de s'asseoir sur l'autre chaise.

– C'est ça ! Elles ont changé de place à un moment donné.

Laila retourna dans la cuisine. Wallander s'assit à la place qui avait été celle de Sonja Hökberg au début de la soirée. Il voyait un mur, et la fenêtre donnant sur la rue. Les autres tables du restaurant se trouvaient derrière lui. En changeant de place, il se retrouva face à la porte d'entrée. Le reste du restaurant, à l'exception d'une table pour deux, était caché par un pilier et un box.

– Y avait-il quelqu'un là ? demanda-t-il en indiquant la table du doigt. Quelqu'un qui serait arrivé à peu près au moment où les filles ont changé de place.

István réfléchit.

– Oui. Quelqu'un est entré et s'est assis à cette table. Mais je ne sais pas si c'était à ce moment-là.

Wallander retint son souffle.

– Tu peux le décrire ? Tu le connais ?

– Je ne l'avais jamais vu. Mais c'est facile de le décrire.

– Pourquoi ?

– Parce qu'il avait les yeux bridés.

– Quoi ?

– Un Chinois. Du moins un Asiatique.

Wallander réfléchit. Il sentait qu'il était au bord d'une découverte importante.

– Il est resté après le départ des deux filles ?

– Oui. Une heure au moins.

– Est-ce qu'ils se sont parlé ?

István secoua la tête.

– Je ne sais pas, je n'ai rien remarqué. Mais c'est possible.

– Tu te souviens comment cet homme a payé ?

– Par carte, je crois. Mais je n'en suis pas sûr.

– Parfait. Je veux que tu me montres le reçu.

– Je l'ai déjà envoyé. Je crois que c'était American Express.

– Dans ce cas, on va retrouver ta copie.

Le café avait refroidi. Wallander sentit qu'il y avait urgence. Sonja Hökberg a vu quelqu'un arriver, dans la rue. Elle a changé de place pour être face à lui. Il était asiatique.

– Qu'est-ce que tu cherches au juste ? demanda István.

– J'essaie juste de comprendre ce qui s'est passé. C'est tout pour l'instant.

Il prit congé et quitta le restaurant. Un homme aux yeux bridés…

L'inquiétude revint. Il accéléra le pas. Il était vraiment pressé maintenant.

11

Wallander arriva essoufflé au commissariat. Il avait marché vite, sachant qu'Ann-Britt était en train d'interroger Eva Persson. Il fallait lui communiquer les observations d'István et obtenir une réponse aux nouvelles questions qui venaient de surgir. Irene lui tendit une pile de messages téléphoniques. Il les fourra dans sa poche sans les lire et composa le numéro de poste du bureau où se trouvait Ann-Britt avec Eva Persson.

– J'ai presque fini, dit-elle.

– Non. Il y a d'autres questions. Fais une pause. J'arrive.

Elle accepta sans discuter. Lorsqu'elle apparut dans le couloir, Wallander l'attendait déjà avec impatience. Il lui raconta l'échange de places au restaurant et la présence de l'homme à la seule table que pouvait voir Sonja Hökberg. Ann-Britt ne parut pas convaincue.

– Un Asiatique, dis-tu ?

– Oui.

– Tu crois vraiment que c'est important ?

– Sonja Hökberg a changé de place. Elle voulait avoir ce type en face d'elle. Ça doit signifier quelque chose.

Ann-Britt haussa les épaules.

– Je vais lui en parler. Que veux-tu que je lui demande au juste ?

– Pourquoi elles ont changé de place. Et à quel moment. Essaie de voir si elle ment. A-t-elle remarqué l'homme assis derrière elle ?

– C'est difficile, elle ne laisse presque rien paraître.

– Elle maintient sa nouvelle version des faits ?

– Sonja Hökberg a frappé Lundberg avec le marteau et le couteau. Eva Persson n'était au courant de rien.

– Que dit-elle quand tu lui rappelles ses précédents aveux ?

– Qu'elle avait peur de Sonja.
– Pour quelle raison ?
– Elle ne le dit pas.
– Tu crois qu'elle avait peur ?
– Non. Elle ment.
– Comment a-t-elle réagi quand tu lui as annoncé la mort de Sonja ?
– Elle n'a rien dit. Mais c'était un silence mal joué. En fait, je crois que la nouvelle l'a prise de court.
– Elle n'était donc pas au courant ?
– Je ne crois pas.

Ann-Britt se leva. Au moment d'entrer dans le bureau, elle se retourna.

– Sa mère lui a trouvé un avocat. Il a déjà rédigé la plainte contre toi. Il s'appelle Klas Harrysson.

Wallander ne connaissait pas ce nom.

– Un jeune type de Malmö, avide de reconnaissance. Il paraît certain d'emporter le morceau.

Wallander ressentit brusquement une immense fatigue. Puis la colère reprit le dessus ; le sentiment d'être accusé à tort.

– Tu as réussi à lui soutirer quelque chose de neuf ?
– Franchement, je crois qu'Eva Persson est un peu bête. Mais elle s'en tient mot pour mot à sa deuxième version. On dirait une machine.

Wallander secoua la tête.

– Ce meurtre va chercher plus loin qu'on ne le pensait. J'en suis convaincu.
– J'espère que tu as raison. Qu'elles n'ont pas tué ce chauffeur de taxi à cause d'un vague besoin d'argent.

Ann-Britt retourna auprès d'Eva Persson et Wallander alla dans son bureau. Il tenta de joindre Martinsson, sans succès. Hansson n'était pas là non plus. Il jeta un coup d'œil à ses messages téléphoniques. Des journalistes, pour la plupart. Mais il y avait eu aussi un appel de l'ex-femme de Tynnes Falk. Wallander le rangea à part, prit le téléphone et demanda à Irene de ne lui passer aucune communication. Puis il appela les renseignements et fut mis en relation avec American Express, où il exposa son affaire à une certaine Anita. Celle-ci demanda à le rappeler, histoire de vérifier son identité. Wallander raccrocha et attendit. Après quelques minutes, il se souvint qu'il avait demandé à Irene de ne lui passer aucune communication. Il jura tout haut et rappela American Express. Cette fois, l'opération de vérification réussit. Wallander transmit à Anita tous les éléments dont il disposait.

– Ça risque de prendre du temps, dit-elle.

– Du moment que vous comprenez que c'est très urgent.

– Je vais faire mon possible.

Wallander raccrocha et appela immédiatement le garage. Le patron mit longtemps à venir jusqu'au téléphone et annonça un prix qui le laissa sans voix. Mais la voiture serait prête pour le lendemain. C'étaient les pièces qui coûtaient cher, pas la main-d'œuvre. Wallander s'engagea à venir chercher sa voiture à midi.

Puis il resta un moment inactif. En pensée, il se trouvait dans la salle d'interrogatoire avec Ann-Britt. Cela l'énervait de ne pas y être en personne. Ann-Britt pouvait se montrer un peu faible quand il s'agissait de mettre la pression à quelqu'un. En plus, il avait été accusé à tort. Et Lisa Holgersson ne cherchait même pas à dissimuler sa défiance. Il ne le lui pardonnait pas. Pour passer le temps, il composa le numéro de la femme de Tynnes Falk. Elle décrocha très vite.

– Mon nom est Wallander, je voudrais parler à Marianne Falk.

– C'est moi. J'attendais ton appel.

Sa voix était claire, agréable. Comme celle de Mona. Une impression lointaine, de chagrin peut-être, le traversa fugitivement.

– Le docteur Enander a-t-il pris contact avec toi ?

– Je lui ai parlé.

– Alors, tu sais que Tynnes n'est pas mort d'un infarctus.

– Cette conclusion est peut-être un peu hâtive.

– Pourquoi ? Il a été agressé.

Elle paraissait sûre d'elle. L'intérêt de Wallander s'aiguisa malgré lui.

– On dirait que cela ne te surprend pas.

– Quoi donc ?

– Qu'il ait été agressé.

– Ça ne me surprend pas du tout. Tynnes avait beaucoup d'ennemis.

Wallander prit son bloc-notes et un crayon. Ses lunettes, il les avait déjà sur le nez.

– Quelle sorte d'ennemis ?

– Je n'en sais rien. Mais il était toujours inquiet.

Wallander fouilla sa mémoire. Quelque chose dans le rapport de Martinsson…

– Il était consultant en informatique, c'est cela ?

– Oui.

– Ça ne me paraît pas une occupation dangereuse.

– Ça dépend de ce qu'on fait.

– Et que faisait-il ?

– Je ne sais pas.

– Tu ne le sais pas ?

– Non.

– Cependant tu penses qu'il a été agressé.

– Je connaissais mon mari. Nous ne vivions plus ensemble. Mais, cette dernière année, il était inquiet.

– Il ne t'a pas dit pourquoi ?

– Tynnes n'était pas bavard.

– Tu as dit tout à l'heure qu'il avait des ennemis.

– Ce sont ses propres termes.

– Quels ennemis ?

La réponse se fit attendre :

– C'est étrange, je sais, mais je ne peux pas m'exprimer plus clairement.

– On n'emploie pas le terme d'« ennemis » à la légère.

– Tynnes voyageait beaucoup, dans le monde entier. Il l'a toujours fait. Je ne sais pas qui il a rencontré. Mais parfois, en rentrant, il était exalté. D'autres fois, quand j'allais le chercher à l'aéroport, il était soucieux.

– Il a dû te dire quelque chose, pourquoi il avait des ennemis, de qui il s'agissait.

– Il ne parlait pas beaucoup. Mais je voyais bien qu'il n'était pas tranquille.

Wallander commençait à penser que la femme à l'autre bout du fil était un peu nerveuse.

– Voulais-tu me dire autre chose ?

– Ce n'était pas un infarctus. Je veux que la police enquête sur ce qui est réellement arrivé.

– J'ai pris note de tes observations. Nous te rappellerons si nécessaire.

– Je m'attends à ce que vous fassiez la lumière sur ce qui s'est passé. Nous étions séparés, Tynnes et moi. Mais je l'aimais encore.

La conversation était terminée. Wallander se demanda distraitement si Mona, elle aussi, l'aimait encore. Il en doutait fort. La question était plutôt de savoir si elle l'avait jamais aimé. Il repoussa ces pensées avec irritation et tenta de saisir ce que venait de lui apprendre Marianne Falk. Son inquiétude paraissait sincère, mais ses arguments n'étaient pas très solides. La personnalité réelle de Tynnes Falk restait extrêmement floue. Il reprit le dossier et composa le numéro de l'institut de Lund, tout en guettant le pas d'Ann-Britt dans le couloir. Le résultat de l'interrogatoire d'Eva Persson, voilà ce qui l'intéressait. Tynnes Falk était mort d'un infarctus, malgré les affirmations d'une épouse inquiète qui voyait des ennemis imaginaires autour de son ancien mari. Il parla une nouvelle fois au médecin qui avait effectué l'autopsie et lui fit part de sa conversation avec Marianne Falk. Le médecin fut catégorique.

– Il n'est pas rare qu'un infarctus survienne sans aucun signe avant-coureur. L'homme qu'on nous a amené est mort de cela, l'autopsie l'a montré. Ces deux témoignages n'y changent rien.

– Et la fracture à la tête ?

– Il s'est blessé en heurtant le trottoir.

Wallander remercia et raccrocha. Un court instant, il fut rongé par un doute. Marianne Falk était convaincue que son mari avait des ennemis.

Puis il referma sèchement le rapport de Martinsson. Il n'avait pas le temps de ruminer les fantasmes des uns et des autres.

Il alla se chercher un café. Onze heures trente. Martinsson et Hansson n'étaient toujours pas revenus, personne ne savait où ils se trouvaient. Wallander retourna dans son bureau. Une fois de plus, il parcourut la pile de messages téléphoniques. Anita de l'American Express ne donnait pas signe de vie. Il se posta à la fenêtre et contempla le château d'eau où les corneilles menaient grand tapage. Il se sentait impatient, énervé. La décision de Sten Widén le tourmentait. Comme si lui-même avait raté un concours qu'il ne pensait peut-être pas pouvoir gagner, mais où il n'aurait tout de même pas cru qu'il arriverait bon dernier. Son idée était confuse. Mais il savait ce qui le gênait : la sensation que le temps passait très vite, et qu'il lui restait de moins en moins de marge.

– Ça ne peut pas continuer, dit-il à voix haute. Il faut que quelque chose change.

– À qui parles-tu ?

Il ne l'avait pas entendu approcher. Personne au commissariat n'avait une démarche aussi silencieuse que Martinsson.

– Je parle tout seul. Ça ne t'arrive jamais ?

– Ma femme prétend que je parle dans mon sommeil. C'est peut-être la même chose.

– Qu'est-ce que tu veux ?

– J'ai fait la recherche sur les détenteurs des clés du site de Sydkraft. Aucun ne figure dans le fichier.

– C'est bien ce qu'on pensait.

– J'ai essayé de comprendre pourquoi le portail avait été forcé. À mon avis, il n'y a que deux explications possibles. Soit la clé manquait. Soit quelqu'un a voulu donner le change pour une raison que nous ne comprenons pas encore.

– À mon sens, il y a une troisième possibilité : la personne qui a forcé le portail n'est pas celle qui a ouvert la porte.

Martinsson le dévisagea, perplexe.

– Comment l'expliquerais-tu ?

– Je n'explique rien. J'avance des hypothèses.

La conversation prit fin. Martinsson disparut. Il était midi. Wallander continua d'attendre. Ann-Britt arriva à midi vingt-cinq.

– On ne peut pas accuser cette fille d'être pressée. Comment quelqu'un d'aussi jeune peut-il parler aussi lentement ?

– Elle craignait peut-être de se contredire.

Ann-Britt s'était assise dans le fauteuil des visiteurs.

– Je lui ai posé la question. Elle n'a pas remarqué de Chinois.

– Je n'ai pas dit Chinois. J'ai dit Asiatique.

– En tout cas, elle n'a rien vu. Elles ont changé de place parce que Sonja se plaignait du courant d'air de la fenêtre.

– Comment a-t-elle réagi à la question ?

Ann-Britt prit un air soucieux.

– Comme tu t'y attendais. Elle a été prise au dépourvu. Et sa réponse était un pur mensonge.

Le poing de Wallander s'abattit sur la table.

– Très bien. Il y a un lien avec ce type qui est entré dans le restaurant.

– Quel lien ?

– On n'en sait rien encore. Mais ce n'était pas un crime crapuleux.

– Je ne vois pas où ça nous mène.

Wallander lui parla de la communication qu'il attendait de l'American Express.

– Ça nous donnera un nom. Et là, on aura fait un grand progrès. Entre-temps, je veux que tu rendes visite à la famille d'Eva Persson. Je veux que tu jettes un coup d'œil à sa chambre. Où se trouve son père ?

Ann-Britt feuilleta ses papiers.

– Il s'appelle Hugo Lövström. Ils ne sont pas mariés.

– Il habite en ville ?

– À Växjö, paraît-il.

– Comment ça, « paraît-il » ?

– D'après Eva Persson, c'est un alcoolique qui vit comme un clochard. Elle est pleine de haine, cette fille. Difficile de savoir lequel elle déteste le plus, de son père ou de sa mère.

– Ils n'ont aucun contact ?

– Apparemment, non.

Wallander réfléchit.

– Ce n'est pas le fond de l'histoire. On doit trouver ce qui se cache là-dessous. Soit je me trompe, et les jeunes d'aujourd'hui, pas seulement les garçons, considèrent réellement qu'un meurtre n'a rien d'extraordinaire. Dans ce cas, je me rends. Mais je crois qu'il s'agit d'autre chose. Elles avaient un mobile.

– C'est peut-être un drame triangulaire.

– Comment ça ?

– On devrait peut-être enquêter sur Lundberg ?

– Pourquoi ? Elles ne pouvaient pas savoir quel chauffeur viendrait les chercher.

– Tu as raison.

Wallander vit qu'elle réfléchissait. Il attendit.

– On peut retourner la question, dit-elle pensivement. Il y a peut-être, tout compte fait, un élément impulsif. Elles avaient commandé un taxi. Nous découvrirons peut-être où elles voulaient se rendre. Mais suppose que l'une d'entre elles – ou les deux – réagisse en découvrant que c'est précisément Lundberg qui est là.

– Tu as raison. C'est une possibilité.

– Les filles étaient armées, nous le savons. Un couteau, un marteau. Tu vas voir que ça fera bientôt partie de l'équipement de base des jeunes. Elles voient que c'est Lundberg. Et elles le tuent. Ça a pu se passer comme ça, même si ça paraît tiré par les cheveux.

– Pas plus que le reste. Essayons de voir si nous avons eu affaire à Lundberg auparavant.

Ann-Britt se leva et quitta le bureau. Wallander prit son bloc-notes et tenta de résumer par écrit ce qu'elle venait de lui apprendre, sans grand résultat. À treize heures, il sentit qu'il avait faim et se rendit à la cafétéria, au cas où il resterait des sandwiches. La cafétéria était déserte. Il enfila sa veste et quitta le commissariat. Cette fois, il avait pris son portable et demandé à Irene de lui transmettre tout appel de l'American Express. Il se rendit dans le restaurant le plus proche. Les gens le reconnaissaient. L'image parue dans le journal avait sûrement fait l'objet de nombreuses conversations en ville. Gêné, il se dépêcha de finir son repas. Il venait de ressortir lorsque le portable bourdonna. C'était Anita.

– On l'a retrouvé.

Wallander chercha en vain de quoi écrire.

– Je peux te rappeler dans dix minutes ?

Elle lui donna le numéro de sa ligne directe. Wallander se dépêcha de retourner au commissariat et la rappela de son bureau.

– La carte est au nom d'un certain Fu Cheng.

Wallander prit note.

– Elle a été délivrée à Hong Kong. Il y a une adresse à Kowloon.

Wallander lui demanda d'épeler.

– Le seul problème, c'est que la carte est fausse.

Wallander sursauta.

– Elle a été volée ?

– Non, elle est fausse. L'American Express n'a jamais établi de carte au nom de Fu Cheng.

– Qu'est-ce que cela signifie ?

– Que c'est une chance de l'avoir découvert aussi rapidement. Et que le propriétaire du restaurant ne verra jamais la couleur de son argent, à moins qu'il n'ait une assurance.

– Autrement dit, il n'existe pas de Fu Cheng ?

– Si, sûrement. Mais sa carte de crédit est fausse. Comme son adresse.

– Pourquoi ne me l'as-tu pas dit tout de suite ?

– J'ai essayé.

Wallander la remercia de son aide et conclut. Un homme – peut-être originaire de Hong Kong – avait surgi dans le restaurant d'István, à Ystad, avec une fausse carte de crédit. Et il y avait eu contact entre Sonja Hökberg et lui, du moins par le regard.

Il essaya de découvrir un lien susceptible de les faire avancer, mais ne trouva rien. Je me fais peut-être des idées. Sonja Hökberg et Eva Persson sont peut-être les monstres des temps nouveaux, qui considèrent la vie des autres avec une indifférence absolue.

Son propre langage le fit sursauter. Il les avait traitées de monstres. Une fille de dix-neuf ans et une autre qui en avait à peine quatorze.

Il écarta ses papiers. Bientôt, il ne pourrait plus repousser davantage la corvée de préparer la conférence qu'il devait tenir le soir même. Malgré sa décision de parler le plus simplement possible, il devait développer ses notes. Sinon, la nervosité prendrait le dessus.

Il commença à écrire, mais la concentration faisait défaut. L'image du corps brûlé de Sonja Hökberg surgissait sans cesse. Il prit le téléphone et appela Martinsson.

– Vois si tu peux trouver quelque chose sur le père d'Eva Persson. Hugo Lövström. Il habite Växjö, paraît-il. Alcoolique sans domicile fixe.

– Le plus simple est sans doute de contacter les collègues de Växjö. Je suis occupé à chercher Lundberg dans le fichier.

– C'est ton initiative ?

– Non, Ann-Britt m'en a chargé. Elle est chez les parents d'Eva Persson. Je me demande ce qu'elle espère trouver là-bas.

– J'ai un autre nom pour toi. Fu Cheng.

– Quoi ?

Wallander épela.

– C'est qui ?

– Je t'expliquerai plus tard. Je propose qu'on se retrouve à seize heures trente. Ça ne prendra pas beaucoup de temps. Préviens les autres.

– Il s'appelle vraiment Fu Cheng ?

Wallander consacra le reste de l'après-midi à réfléchir, avec une répulsion croissante, à ce qu'il dirait le soir. L'année précédente, il avait rendu visite à l'école de police et tenu une conférence, ratée d'après lui, sur son expérience d'enquêteur. Mais plusieurs élèves étaient venus ensuite le remercier, il n'avait jamais compris pourquoi.

À seize heures trente, il abandonna ses préparatifs. On verrait bien ce que ça donnerait. Il rassembla ses papiers et se rendit à la salle de réunion. Personne. Il tenta de faire le point, mentalement. Mais ses pensées s'égaraient.

Ça ne colle pas. Le meurtre de Lundberg ne colle pas avec les deux filles. Et les deux filles ne collent pas avec la mort de Sonja Hökberg dans le transformateur. Toute cette enquête manque de fond. On a une série d'événements, assortis d'un énorme point d'interrogation.

Hansson arriva en compagnie de Martinsson, bientôt suivis par Ann-Britt. Lisa Holgersson ne se montra pas, au grand soulagement de Wallander.

Ann-Britt avait rendu visite à la famille d'Eva Persson.

– Tout paraissait normal. Un appartement dans Stödgatan. La mère travaille comme cuisinière à l'hôpital. La chambre de la fille ressemblait à ce qu'on pouvait attendre.

– Il y avait des affiches au mur ?

– Des groupes pop que je ne connais pas, mais rien qui sorte de l'ordinaire. Pourquoi ?

Le décryptage de l'interrogatoire d'Eva Persson était prêt. Ann-Britt fit circuler les copies. Wallander leur fit part de sa visite chez István et de la découverte de la fausse carte de crédit.

– On va retrouver cet homme, conclut-il. Ne serait-ce que pour l'exclure une fois pour toutes de cette enquête.

Ils continuèrent à faire le point des résultats de la journée, Martinsson d'abord, puis Hansson, qui avait parlé à Kalle Ryss, l'ancien petit ami de Sonja Hökberg. Mais celui-ci n'avait rien à dire, sinon qu'il ne savait au fond pas grand-chose de Sonja.

– Il a dit qu'elle était secrète, conclut Hansson. Ne me demandez pas ce qu'il entendait par là.

Après vingt minutes, Wallander s'essaya à un bref résumé :

– Lundberg a été tué par l'une des deux filles, ou par les deux. Le mobile indiqué serait l'argent, mais je ne pense pas que ce soit aussi simple, c'est pourquoi nous allons continuer à chercher. Sonja Hökberg a été tuée. Il doit exister un lien entre ces événements. Un fond commun, que nous ignorons. Nous devons continuer à travailler sans a priori. Mais certaines questions sont plus importantes que d'autres. Qui a conduit Sonja Hökberg sur le site de Sydkraft ? Pourquoi a-t-elle été tuée ? Nous devons continuer à identifier toutes les personnes impliquées d'une façon ou d'une autre dans la vie de ces deux filles. Je crois que ça va prendre du temps.

La réunion prit fin peu après dix-sept heures. Ann-Britt lui souhaita bonne chance en prévision de la soirée.

– Elles vont m'accuser de maltraiter les femmes.

– Je ne crois pas. Tu as une bonne réputation.

– Ah ? Je croyais que ma réputation était cassée depuis longtemps.

Wallander rentra chez lui. Une lettre de Per Åkeson l'attendait. Il la posa sur la table de la cuisine ; il la lirait plus tard. Puis il prit une douche et se changea. À dix-huit heures trente, il quitta l'appartement et se rendit à l'adresse où il devait rencontrer toutes ces femmes inconnues. Il resta un moment dans le noir à regarder la villa éclairée. Puis il rassembla son courage et sonna à la porte.

Lorsque Wallander ressortit de la villa, il était vingt et une heures passées et il était en sueur. Il avait parlé plus longtemps que prévu. Les questions aussi avaient été plus nombreuses que prévu. Mais les femmes l'avaient inspiré. La plupart avaient son âge, et leur attention le flattait. Il serait volontiers resté un peu plus longtemps.

Il rentra chez lui sans se presser. Il ne se souvenait déjà plus de ce qu'il leur avait dit. Mais elles l'avaient écouté. C'était le plus important.

Il avait remarqué une femme en particulier. Il avait échangé quelques mots avec elle au moment de partir. Elle s'appelait Solveig Gabrielsson. Il dut faire un effort pour cesser de penser à elle.

En rentrant, il nota son nom sur le bloc de la cuisine. Pourquoi ?

Le téléphone sonna. Il décrocha sans prendre le temps d'enlever sa veste. C'était Martinsson.

– Comment s'est passée la conférence ?

– Bien. Mais j'imagine que tu ne m'appelles pas pour ça ?

Martinsson se laissa prier.

– Je suis au bureau. J'ai eu un coup de fil dont je ne sais trop que penser. C'était l'institut de Lund.

Wallander retint son souffle.

– Tynnes Falk. Tu te souviens de lui ?

– L'homme du distributeur. Bien sûr que je m'en souviens.

– Il semblerait que son corps ait disparu.

Wallander fronça les sourcils.

– Un cadavre ne peut disparaître qu'au fond d'un cercueil, non ?

– C'est un point de vue intéressant. Mais il semblerait que quelqu'un ait volé le corps.

Wallander ne trouva rien à dire. Il essayait de réfléchir.

– On a retrouvé quelque chose à sa place, dans le compartiment de la chambre froide.

– Quoi ?

– Un relais cassé.

Il n'était pas sûr de savoir ce qu'était un relais. Sinon que ça avait un rapport avec l'électricité.

– Ce n'était pas un petit relais ordinaire, poursuivit Martinsson. Il était d'une taille imposante.

Wallander devinait déjà la suite.

– Du genre de ceux qu'on trouve dans les postes de transformation. Par exemple celui où on a retrouvé Sonja Hökberg.

Wallander resta silencieux. Un lien venait de surgir. Mais pas celui qu'il attendait.

12

Martinsson l'attendait à la cafétéria.

Jeudi soir, vingt-deux heures. Dans le central, où parvenaient tous les appels nocturnes, une radio était allumée. À part ça, le commissariat était désert. Martinsson finit son thé et sa biscotte. Wallander prit place en face de lui sans enlever sa veste.

– Comment s'est passée la conférence ?

– Tu m'as déjà posé la question.

– Avant, j'aimais bien parler en public. Aujourd'hui, je ne sais plus si j'y arriverais.

– Mieux que moi, sûrement. Si tu tiens à le savoir, j'ai compté jusqu'à dix-neuf femmes entre quarante et cinquante ans qui ont écouté avec un mélange de fascination et de malaise les aspects les plus désagréables de notre engagement au service de la collectivité. Elles étaient très gentilles, elles ont posé des questions polies qui n'engageaient à rien, et j'y ai répondu d'une manière qui aurait sûrement obtenu l'aval du patron. Ça te va comme ça ?

Martinsson hocha la tête et chassa les miettes de la table avant de prendre son bloc-notes.

– Je reprends les choses depuis le début. À vingt heures cinquante, le central reçoit un coup de fil. Le policier de garde me transmet l'appel, puisqu'il n'est pas question d'intervenir et qu'il sait que je suis là. Sinon, l'interlocuteur aurait été prié de rappeler demain. Le type s'appelle Pålsson. Sture Pålsson. Je n'ai pas compris quelle était sa fonction exacte, mais il est plus ou moins responsable de la chambre froide à l'institut de Lund – ça ne s'appelle sans doute pas comme ça, mais tu vois ce que je veux dire, l'endroit où on garde les corps en attendant l'autopsie ou les pompes funèbres. Vers vingt heures, Pålsson remarque que l'un des tiroirs n'est pas bien fermé. Il s'approche et constate que le corps a disparu. À la place, sur la table réfrigérante, il y a un relais électrique. Il téléphone alors au gardien qui était de service dans la journée d'hier. Un certain Lyth, qui affirme que le corps était encore là vers dix-huit heures quand il a quitté la morgue pour rentrer chez lui. Le corps a donc disparu entre dix-huit et vingt heures. Il existe une porte de service qui donne sur une cour, à l'arrière du bâtiment. En examinant la porte, Pålsson s'aperçoit que la serrure a été forcée. Il contacte aussitôt la police de Malmö. Une patrouille se présente un quart d'heure plus tard. En apprenant que le corps disparu vient d'Ystad et qu'il a fait l'objet d'une expertise médico-légale, on conseille à Pålsson de prendre contact avec nous.

Martinsson posa son bloc.

– En principe, c'est aux collègues de Malmö de retrouver le corps. Mais on peut dire que ça nous concerne aussi.

Wallander réfléchit. Cette histoire était fort étrange. Et désagréable. Il se sentait de plus en plus inquiet.

– Espérons qu'ils penseront aux empreintes. « Enlèvement de cadavre », ça relève de quelle catégorie de délit ? Vol ou profanation ? À mon avis, ils ne vont pas nous prendre au sérieux. Nyberg a bien dû relever quelques empreintes sur le site du transformateur ?

– Je crois. Tu veux que je l'appelle ?

– Pas tout de suite. Mais ce serait bien si les collègues de Malmö pouvaient retrouver des empreintes sur ce relais ou ailleurs dans la chambre froide.

– Tout de suite ?

– Je crois que ça vaut mieux.

Martinsson partit téléphoner. Wallander se servit un café en essayant de comprendre. Un lien venait d'apparaître. Il pouvait s'agir d'une coïncidence singulière, ce ne serait pas la première fois. Mais son intuition lui disait que ce n'était pas le cas. Quelqu'un s'était introduit par effraction dans une morgue pour voler un corps. En échange, il avait laissé un relais électrique. Il pensa à une phrase de Rydberg, bien des années plus tôt, tout au début de leur collaboration. *Les criminels laissent souvent un message, une signature, sur le lieu du crime. Parfois, c'est délibéré. Mais, parfois, non.*

Là, ce n'était pas une erreur. On ne se promène pas par hasard avec un relais électrique sur soi. On ne l'oublie pas dans une morgue. L'intention est manifeste. Et le message ne s'adresse pas aux légistes. Il s'adresse à nous.

La deuxième question coulait de source. Pourquoi dérobe-t-on un cadavre ? Cela pouvait arriver dans le cadre de sectes marginales, mais il avait du mal à imaginer Tynnes Falk dans ce genre de contexte. Il ne restait qu'une seule explication. Le cadavre avait été volé parce qu'il risquait de révéler quelque chose.

Martinsson revint.

– On a de la chance. Le relais était rangé dans un sac en plastique.

– Alors ? Les empreintes ?

– Ils s'en occupent.

– Aucune nouvelle du corps ?

– Non.

– Pas de témoin ?

– Pas que je sache.

Wallander fit part de ses conclusions à Martinsson, qui tomba d'accord avec lui. Il lui fit part aussi de la visite d'Enander et de sa conversation avec l'ex-femme de Falk.

– Leur opinion me laisse sceptique. En principe, on fait confiance aux légistes.

– La disparition du corps ne signifie pas nécessairement que Falk ait été assassiné…

– C'est vrai, mais je ne vois pas quelle raison on peut avoir de faire disparaître un corps, sinon la peur que la cause réelle de la mort soit découverte.

– Il avait peut-être avalé quelque chose ?

Wallander haussa les sourcils.

– Quoi ?

– Des diamants, de la drogue, que sais-je ?

– On s'en serait aperçu à l'autopsie.

– Qu'est-ce qu'on fait ?

– On peut se demander qui était vraiment Tynnes Falk. Au départ, on n'avait aucune raison de s'en préoccuper. Mais Enander s'est donné la peine de venir jusqu'ici pour mettre en question la cause du décès. Et son ex-femme affirme que Falk était inquiet, qu'il avait des ennemis. Elle en a dit assez pour indiquer qu'il s'agissait d'un bonhomme complexe.

Martinsson grimaça.

– Un consultant en informatique entouré d'ennemis ?

– C'est ce qu'elle prétend. Et aucun d'entre nous n'a eu de conversation approfondie avec elle.

Martinsson avait apporté le mince dossier relatif à la mort de Tynnes Falk.

– On n'a pas pris contact avec ses enfants. On n'a parlé à personne, puisqu'on croyait à une mort naturelle.

– On y croit encore, dit Wallander. Au moins à titre d'hypothèse. Ce que nous devons admettre en revanche, c'est qu'il existe un lien avec Sonja Hökberg. Peut-être même avec Eva Persson.

– Pourquoi pas aussi avec Lundberg ?

– Tu as raison. Peut-être même avec le chauffeur de taxi.

– Ce qui est certain en tout cas, c'est que Tynnes Falk était mort lorsque Sonja Hökberg a été tuée. Il n'est donc pas le meurtrier.

– Mais si on admet que Falk a été tué lui aussi, le meurtrier est peut-être le même.

Wallander sentait croître son malaise. Ils effleuraient quelque chose qu'ils ne comprenaient pas du tout. Il faut continuer à creuser, pensa-t-il de nouveau. Sonder cette histoire en profondeur.

Martinsson bâilla. Il était en général couché à cette heure.

– Je ne vois pas ce qu'on peut faire de plus dans l'immédiat. Ce n'est pas à nous de retrouver ce cadavre.

– On devrait jeter un coup d'œil à l'appartement de Falk, dit Martinsson en étouffant un nouveau bâillement. Il vivait seul. On devrait commencer par là, et ensuite parler à sa femme.

– Son ex-femme. Il était divorcé.

Martinsson se leva.

– Je rentre. Où tu en es, avec ta voiture ?

– Elle sera réparée demain.

– Tu veux que je te ramène chez toi ?

– Je reste encore un moment.

Martinsson s'attarda, indécis.

– Je comprends que tu sois secoué. Par la photo dans le journal.

Wallander lui jeta un regard aigu.

– Quelle est ton opinion ?

– À quel sujet ?
– Suis-je coupable ou non ?
– La gifle paraît difficile à nier. Mais je pense que tu as dit la vérité, qu'elle avait agressé sa mère.
– Quoi qu'il en soit, j'ai pris ma décision. En cas de sanction, je démissionne.

Ses propres paroles le prirent au dépourvu. Cette idée ne l'avait encore jamais effleuré.

– Dans ce cas, on échangera les rôles.
– Comment ça ?
– Ce sera à moi de te convaincre de rester.
– Tu n'y arriveras pas.

Martinsson prit ses dossiers et sortit. Wallander resta assis à la table. Deux policiers de l'équipe de nuit entrèrent, ils échangèrent un signe de tête. Wallander écouta distraitement leur conversation. L'un des deux envisageait de s'acheter une nouvelle moto au printemps.

Ils sortirent avec leurs cafés. Wallander resta seul. Une décision commençait à prendre forme dans son esprit.

Vingt-trois heures trente. Il valait mieux attendre jusqu'au lendemain. Mais l'inquiétude était trop forte.

Peu avant minuit, il quitta le commissariat. Dans sa poche, il avait les passes qu'il conservait sous clé dans le dernier tiroir de son bureau.

Il lui fallut dix minutes pour se rendre à pied jusqu'à Apelbergsgatan. Peu de vent, quelques degrés au-dessus de zéro, ciel nuageux. La ville paraissait abandonnée. Quelques poids lourds passèrent en direction du terminal des ferries vers la Pologne. Wallander songea que Tynnes Falk avait trouvé la mort à cette heure-ci – du moins d'après le reçu sanglant qu'il tenait à la main.

Il s'immobilisa et scruta la façade du numéro 10. Le dernier étage n'était pas éclairé. L'appartement du dessous était lui aussi plongé dans le noir. Mais une fenêtre était éclairée au deuxième. Wallander frissonna. C'était là qu'il s'était endormi une nuit, complètement ivre, dans les bras d'une inconnue.

Il hésita. Ce qu'il s'apprêtait à faire était à la fois illégal et inutile. Il pouvait attendre le lendemain et se procurer les clés de l'appartement en toute légalité. Mais l'inquiétude le poussait. Elle lui signalait une urgence, et Wallander respectait ses intuitions.

Il n'y avait pas de code. Le hall d'entrée était plongé dans le noir. Par chance, il avait pensé à emporter une petite torche électrique. Il tendit l'oreille avant de monter prudemment l'escalier. Tenta en vain de se rappeler sa précédente visite, en compagnie de cette femme. Il arriva au palier du dernier étage. Il y avait deux portes. Celle de Falk était à droite. Il prêta l'oreille, s'approcha de la porte de gauche, écouta. Rien. Il logea la lampe de poche entre ses dents et sortit ses passes. Si Falk avait eu une porte blindée, il aurait été contraint de renoncer. Mais c'était une serrure ordinaire. Ça ne colle pas avec ce que dit sa femme. L'inquiétude de Falk, les ennemis… Elle a dû se faire des idées.

Il lui fallut plus de temps que prévu pour ouvrir la porte. Ce n'était pas seulement au tir qu'il manquait d'entraînement. Il était en sueur, ses doigts ne lui obéissaient pas. Pour finir, la serrure céda. Doucement, il ouvrit la porte. L'espace d'un instant, il crut entendre le bruit d'une respiration dans le noir. Puis plus rien. Il entra dans le vestibule et referma la porte avec précaution.

La première chose qu'il remarquait en entrant dans un logement inconnu, c'était toujours l'odeur. Mais ici, il n'y en avait pas. Comme si l'appartement avait été neuf, jamais habité. Il mémorisa cette sensation et se mit lentement en mouvement, la torche à la main, prêt à découvrir à tout instant la présence de quelqu'un. Quand il fut certain d'être seul, il enleva ses chaussures et tira tous les rideaux avant d'allumer.

Il se trouvait dans la chambre à coucher lorsque le téléphone sonna. Il sursauta, retint son souffle. Un répondeur se déclencha dans le séjour. Il se dépêcha d'y aller. Mais l'interlocuteur raccrocha sans laisser de message. Qui avait appelé ? En pleine nuit, chez un mort ?

Wallander s'approcha d'une fenêtre et jeta un coup d'œil entre les rideaux. La rue était déserte. Il scruta les ombres. Mais il n'y avait personne.

Il alluma une lampe sur le bureau et commença à explorer le séjour. Puis il se plaça au centre de la pièce et regarda autour de lui. Ici, pensa-t-il, vivait un homme du nom de Tynnes Falk. Un salon bien rangé. Des fauteuils en cuir, des marines aux murs. Des rayonnages.

Il retourna vers le bureau où trônait une ancienne boussole en cuivre. Un sous-main vert. Des stylos en rangée régulière à côté d'une antique lampe à huile en terre cuite.

Wallander se rendit à la cuisine. Une tasse à café était posée à côté de l'évier. Sur la table recouverte d'une toile cirée à carreaux, un bloc-notes. *Porte balcon.* Tynnes Falk et moi avons peut-être un point commun, pensa-t-il en retournant dans le séjour. Il ouvrit la porte du balcon et la referma avec difficulté. Tynnes Falk n'avait donc pas eu le temps de remédier au problème. Il alla dans la chambre à coucher. Le double lit était fait. Il s'agenouilla et jeta un coup d'œil dessous. Une paire de pantoufles. Il ouvrit la penderie et les tiroirs de la commode. Tout était bien rangé. Il retourna dans le séjour. Sous le répondeur téléphonique, il trouva un livret d'instructions. Il avait pensé à emporter une paire de gants jetables. Quand il eut la certitude de pouvoir écouter les messages sans les effacer, il enfonça le bouton *play.*

Un certain Jan avait appelé pour prendre des nouvelles de Falk, sans préciser ni la date ni l'heure. Ensuite, deux messages où l'on n'entendait qu'un bruit de respiration. Wallander eut l'impression que c'était la même personne dans les deux cas. Le quatrième message provenait d'un tailleur de Malmö, l'informant que son pantalon était prêt. Wallander nota le nom du tailleur. Puis un nouveau bruit de respiration – c'était le message qui venait d'être enregistré. Wallander réécouta la bande. Nyberg et ses techniciens seraient-ils capables de déterminer si ces trois séquences provenaient de la même personne ?

Il reposa le livret d'instructions à sa place. Il y avait trois photographies sur le bureau. Deux d'entre elles représentaient sans doute les enfants de Falk. Un garçon et une fille. Le garçon souriait, assis sur une pierre dans un paysage tropical. Il pouvait avoir dix-huit ans. Wallander retourna la photo. *Jan, 1996 Amazonie.* C'était donc lui qui avait laissé le premier message sur le répondeur. La fille était plus jeune. Elle était photographiée sur un banc, entourée de pigeons. Wallander retourna la photo. *Ina, Venise 1995.* La troisième représentait un groupe d'hommes debout devant un mur blanc. Le cliché était flou. Wallander le retourna, mais il n'y avait pas d'annotation. En ouvrant le premier tiroir du bureau, il trouva une loupe et examina le groupe de plus près. Ils étaient d'âges différents. À gauche, un homme aux traits asiatiques. Wallander reposa la photo et essaya de réfléchir. Il rangea la photo dans la poche intérieure de sa veste.

Puis il souleva le sous-main et découvrit une recette de cuisine découpée dans un journal. Fondue de poisson. Il commença à explorer les tiroirs. Partout, le même ordre exemplaire. Dans le troisième, un gros volume. Wallander le prit et examina la reliure en cuir où était gravé le mot *Logbook* en lettres d'or. Wallander l'ouvrit et le feuilleta. Le dimanche 5 octobre, Tynnes Falk avait noté les derniers mots de ce qui était manifestement son journal. Le vent a faibli. Le thermomètre affiche trois degrés. Ciel dégagé. Il a rangé l'appartement. Cela lui a pris trois heures et vingt-cinq minutes, soit dix minutes de moins que le dimanche précédent.

Wallander fronça les sourcils. Cette remarque était étrange. Puis il lut la dernière ligne : *Deuxième promenade dans la soirée.*

De nouveau, Wallander fut surpris. Il était un peu plus de minuit lorsque Falk était mort devant le distributeur bancaire. Avait-il fait une troisième promenade ?

Il lut les notes de la veille :

Samedi 4 octobre 1997. Le vent a soufflé par rafales toute la journée. De 8 à 10 m/seconde d'après la météo marine. Course de nuages déchiquetés dans le ciel. Température extérieure à six heures du matin : 7°. À quatorze heures : 8°. Dans la soirée : 5°. L'espace est désert aujourd'hui. Aucun message des amis. C. ne répond pas à l'appel. Tout est calme.

Wallander relut les dernières phrases. Qu'est-ce que cela pouvait bien signifier ? Il continua de feuilleter le livre de bord. Falk donnait chaque jour des détails de la météo. Et il parlait encore de « l'espace ». Tantôt cet espace était désert, tantôt il recevait des messages. Quels messages ?

De plus, l'auteur de ce journal ne mentionnait aucun nom. Pas même celui de ses enfants.

Le journal ne parlait de rien, sinon de l'état de la météo et des messages de l'espace, différés ou reçus. À part ça, il notait à la minute près combien de temps lui avait pris son ménage du dimanche…

Wallander rangea le livre. Il commençait à se demander si ce Tynnes Falk était sain d'esprit. On aurait dit les notations d'un maniaque, ou d'un individu qui n'avait pas toute sa tête.

Wallander se leva et se posta de nouveau à la fenêtre. Rue déserte. Il était plus d'une heure du matin.

Il se rassit et continua d'explorer les tiroirs. Tynnes Falk possédait une société anonyme dont il était le seul actionnaire. Dans une chemise, il trouva une copie des statuts. Tynnes Falk s'occupait de conseil et de suivi d'installation de systèmes informatiques. Le détail n'était pas précisé, ou alors en des termes incompréhensibles pour Wallander. Il nota cependant que plusieurs banques figuraient dans sa clientèle.

Il referma le dernier tiroir. Il n'avait pas fait d'autre découverte.

Tynnes Falk est quelqu'un qui ne laisse pas de traces. Tout est parfaitement rangé, impersonnel, d'une neutralité absolue. Je ne trouve l'homme nulle part.

Il se leva et entreprit d'examiner la bibliothèque ; un mélange de littérature et de livres techniques en suédois, en anglais et en allemand. Près d'un mètre de rayonnage était consacré à la poésie. Wallander prit un recueil au hasard. Le livre s'ouvrit de lui-même. Il avait été lu et relu. Il y avait aussi une série d'épais volumes consacrés à l'histoire des religions et à la philosophie. L'astronomie et la technique de la pêche au saumon l'avaient visiblement intéressé aussi. Wallander délaissa la bibliothèque et s'accroupit devant la chaîne stéréo. La collection de disques était hétéroclite. De l'opéra, des cantates de Bach, des compilations d'Elvis Presley et de Buddy Holly, des enregistrements en provenance de l'espace et des grands fonds marins. Dans un présentoir, à côté, il trouva un certain nombre de 33 tours. Siw Malmkvist et John Coltrane, entre autres. Quelques cassettes vidéo s'empilaient sur le magnétoscope. L'une était consacrée aux ours en Alaska et une autre, produite par la NASA, décrivait l'époque *Challenger* dans l'histoire américaine de l'exploration de l'espace. Il y avait aussi un film pornographique.

Wallander se leva. Genoux douloureux. Plus rien à faire là. Il n'avait pas trouvé de nouveau lien ; pourtant, il était convaincu que ce lien existait.

D'une manière ou d'une autre, le meurtre de Sonja Hökberg était lié à la mort de Tynnes Falk. Et à la disparition du corps de celui-ci.

Peut-être y avait-il aussi un lien avec Johan Lundberg ?

Wallander tira la photographie de sa poche et la reposa sur le bureau. Il ne voulait pas laisser de trace de sa visite nocturne. Si l'ex-femme de Falk possédait les clés, elle ne devait constater aucune anomalie.

Il fit le tour de l'appartement, éteignit les lampes et écarta les rideaux. Puis il prêta l'oreille avant d'ouvrir la porte d'entrée. Le passe n'avait pas laissé de marque visible.

Une fois dans la rue, il s'immobilisa et regarda autour de lui. Personne. Il prit la direction du centre-ville. Il était une heure vingt-cinq du matin. À aucun moment il ne remarqua l'ombre silencieuse qui le suivait à distance.

13

Wallander fut réveillé par le téléphone.

Il fut aussitôt sur le qui-vive, comme s'il n'avait fait qu'attendre cette sonnerie. Il jeta un coup d'œil au réveil. Cinq heures et quart. Il prit le combiné.

– Kurt Wallander ? Désolé de te réveiller.

– Je ne dormais pas.

Pourquoi mentir sur un sujet pareil ? Qu'y avait-il de honteux à dormir à cinq heures du matin ?

– Je voudrais te poser quelques questions concernant la bavure.

Il se redressa tout à fait. L'homme lui dit son nom et celui du journal pour lequel il travaillait. J'aurais dû comprendre tout de suite, pensa Wallander. J'aurais dû laisser sonner. En cas d'urgence, un collègue m'aurait rappelé sur le portable. Ce numéro-là, au moins, est encore secret.

Trop tard. Il était obligé de répondre.

– J'ai déjà expliqué qu'il ne s'agissait pas d'une bavure.

– Alors, d'après toi, une photographie peut mentir ?

– Elle ne dit pas toute la vérité.

– Tu peux me dire la vérité ?

– Pas aussi longtemps que l'enquête est en cours.

– Tu dois bien pouvoir dire quelque chose ?

– Je l'ai déjà fait. Ce n'était pas une bavure.

Il raccrocha et débrancha le téléphone. Il voyait déjà les gros titres : « Notre reporter se fait raccrocher au nez. Mutisme obstiné de la police. » Il se recoucha. Le lampadaire oscillait sur son fil de l'autre côté de la fenêtre. La lumière, dans la chambre, gagnait peu à peu du terrain.

La sonnerie du téléphone l'avait surpris en plein rêve. Les images lui revenaient à présent.

C'était un an plus tôt à l'automne, dans l'archipel de l'Östergötland. Il était l'invité de quelqu'un qu'il avait rencontré à l'occasion d'une enquête particulièrement dure. Le lendemain de son arrivée, son hôte l'avait emmené de très bonne heure sur un îlot à l'extrême pointe de l'archipel, là où les blocs rocheux émergent de l'eau comme des animaux préhistoriques pétrifiés. Il s'était promené sur l'île avec une étrange sensation de clairvoyance. Souvent, il revenait en pensée à cette heure de solitude, pendant que son hôte l'attendait sur le bateau. Plusieurs fois, il avait éprouvé le besoin impérieux de revivre l'expérience de ce matin-là.

Le rêve essaie de me dire quelque chose. Quoi ?

À six heures moins le quart, il se leva et rebrancha le téléphone. Le thermomètre extérieur indiquait trois degrés. Le vent soufflait fort. Tout en buvant son café, il déroula une fois de plus en pensée le film de l'enquête. Un lien inattendu avait surgi entre la mort de Sonja Hökberg et l'homme dont il avait fouillé l'appartement la veille au soir. Il repensa aux différents événements dans l'ordre. Qu'est-ce que je ne vois pas ? Le fond m'échappe. Quelles questions devrais-je poser ?

Il renonça. Le seul résultat de ses réflexions avait été de cerner la priorité immédiate : obtenir d'Eva Persson qu'elle commence à dire la vérité. Pourquoi avaient-elles changé de place au restaurant ? Qui était l'homme qui était entré peu après ? Pourquoi avaient-elles tué le chauffeur de taxi ? Comment pouvait-elle savoir que Sonja Hökberg était morte ? Quatre questions décisives.

Il se rendit à pied au commissariat. Le froid le surprit. Il ne s'était pas encore habitué à l'automne, il aurait dû enfiler un gros pull. Tout en marchant, il sentit que son pied gauche était mouillé. En examinant la chose de plus près, il constata que sa semelle était trouée. Cette découverte le mit hors de lui. Il dut se dominer pour ne pas arracher ses chaussures et continuer pieds nus.

Voilà ce qu'il me reste. Après toutes ces années dans la police. Une paire de chaussures bonnes à jeter.

Un passant lui jeta un regard perplexe. Wallander comprit qu'il avait parlé à haute voix.

À l'accueil, il demanda à Irene qui était arrivé.

– Martinsson et Hansson.

– Envoie-les-moi. Ou plutôt, non, dis-leur qu'on se retrouve en salle de réunion. Et transmets la consigne à Ann-Britt.

Martinsson et Hansson apparurent en même temps.

– Comment s'est passée la conférence ?

– On s'en fout.

Wallander regretta aussitôt d'avoir laissé sa mauvaise humeur retomber sur Hansson.

– Je suis fatigué, s'excusa-t-il.

– Qui ne l'est pas ? Surtout quand on lit des trucs pareils…

Hansson brandit un journal. Wallander pensa qu'il fallait l'arrêter tout de suite, ils n'avaient pas de temps à consacrer à un truc que Hansson venait de lire dans le journal. Mais il laissa tomber et s'assit sans un mot.

– La ministre de la Justice s'est exprimée à propos de la « nécessaire réorganisation de l'activité policière de ce pays », je cite. « Ce travail de réforme implique de grands sacrifices. Mais la police est maintenant sur la bonne voie. »

Hansson jeta le journal sur la table.

– La bonne voie ! Qu'est-ce que ça veut dire, merde ? On tourne comme des idiots sur un rond-point sans savoir quelle direction prendre. Ils nous bombardent de directives, en ce moment c'est les violences, les viols, les crimes impliquant des enfants et la criminalité en col blanc. Personne ne sait quelles nouvelles priorités ils vont nous inventer demain.

– Ce n'est pas le problème, intervint Martinsson. Les choses évoluent si vite que tout devient prioritaire. En même temps, ils n'arrêtent pas de réduire les effectifs. Ils devraient plutôt nous dire ce qu'on peut laisser tomber carrément.

– Je sais, dit Wallander. Nous avons ici, à Ystad, en ce moment même, mille quatre cent soixante-cinq affaires en attente. Je ne veux pas en avoir une de plus.

Il laissa tomber ses mains sur la table, signe que la minute de lamentation était close. Martinsson et Hansson avaient raison, il le savait mieux que quiconque. D'un autre côté, il existait en lui une volonté féroce de serrer les dents et de continuer le travail.

Peut-être commençait-il simplement à être usé au point qu'il n'avait plus la force de protester.

Ann-Britt Höglund ouvrit la porte.

– Ça souffle, dit-elle en enlevant sa veste.

– C'est l'automne. On peut commencer maintenant ?

Il fit un signe de tête à Martinsson, qui résuma l'épisode de la disparition du corps de Tynnes Falk.

– Au moins, dit Hansson quand Martinsson eut fini, ça change de l'ordinaire. Je me souviens d'un Zodiac, mais un cadavre…

Wallander grimaça. Lui aussi se souvenait du Zodiac qui, après s'être échoué à Mossby Strand, avait disparu du commissariat pour des raisons non encore élucidées.

Ann-Britt lui jeta un regard.

– Il y aurait donc un lien entre Sonja Hökberg et l'homme qui est mort devant le distributeur ? Ça paraît complètement incroyable.

– Oui. On pensait avoir affaire au meurtre d'un chauffeur de taxi, violent mais néanmoins assez simple. Tout a changé avec la découverte du corps de Sonja Hökberg dans le transformateur. Quant à l'homme qui s'est écroulé, victime d'un infarctus, devant un distributeur bancaire, rien n'indiquait une piste criminelle. Puis le corps disparaît. Et quelqu'un a posé un relais sur la table réfrigérante.

Wallander s'interrompit et réfléchit aux quatre questions qu'il avait formulées le matin même. Il s'apercevait soudain qu'il fallait attaquer par un autre biais.

– Quelqu'un s'introduit par effraction dans une morgue et fait disparaître un corps. Nous pouvons deviner, sans en être sûrs, que cet individu cherche à dissimuler quelque chose. En même temps, il laisse un relais. Celui-ci n'a pas été oublié, il n'est pas arrivé là par erreur. Celui qui a enlevé le corps voulait qu'on le retrouve.

– Ça ne peut signifier qu'une chose, dit Ann-Britt.

– Quelqu'un veut que nous fassions le lien entre Sonja Hökberg et Tynnes Falk.

– C'est peut-être une fausse piste ? objecta Hansson. Fabriquée par quelqu'un qui aurait lu un article dans le journal sur la mort de la fille.

– Si j'ai bien compris les collègues de Malmö, dit Martinsson, le relais était lourd. Pas du genre qu'on peut transporter dans une petite mallette.

– Il faut procéder par ordre. Nyberg doit d'abord établir si le relais provient de notre transformateur. Dans ce cas, les choses seront claires.

– Pas nécessairement, dit Ann-Britt. C'est peut-être une piste symbolique.

Wallander secoua la tête.

– Je ne le pense pas.

Martinsson téléphona à Nyberg pendant que les autres allaient se chercher un café. Wallander leur parla du journaliste qui l'avait réveillé.

– Ça va se tasser, dit Ann-Britt.

– Je l'espère. Mais je n'en suis pas sûr.

Ils retournèrent dans la salle de réunion.

– Autre chose, dit Wallander. Eva Persson. Le fait qu'elle soit mineure n'a plus d'importance, il faut l'interroger sérieusement. Ann-Britt, tu t'en charges. Tu sais quelles questions lui poser. Je ne veux pas que tu lâches le morceau avant d'avoir obtenu des réponses dignes de ce nom.

Ils passèrent encore une heure à organiser la suite du travail. Wallander s'aperçut soudain que son rhume était passé et que ses forces revenaient. À neuf heures et demie, ils se séparèrent. Hansson et Ann-Britt disparurent dans le couloir. Wallander et Martinsson allaient faire une visite à l'appartement de Tynnes Falk. Wallander fut tenté de révéler qu'il y était déjà allé, mais se retint. Il avait toujours eu cette faiblesse, de ne pas faire part à ses collègues de toutes ses initiatives, et il avait renoncé à y remédier.

Pendant que Martinsson tentait d'obtenir les clés de l'appartement, Wallander emporta dans son bureau le journal que Hansson avait laissé sur la table et le feuilleta pour voir si on parlait de lui. Il trouva un entrefilet faisant état d'un policier expérimenté soupçonné de maltraitance de mineure. Son nom n'était pas mentionné, mais il sentit l'indignation le reprendre.

Il s'apprêtait à ranger le journal lorsque son regard tomba sur les petites annonces. Il les parcourut distraitement. Une femme divorcée de cinquante ans disait se sentir seule, maintenant que ses enfants étaient partis. Elle s'intéressait aux voyages et à la musique classique. Wallander essaya de se la représenter, mais le visage qui lui apparut fut celui d'une autre femme, prénommée Erika. Il l'avait rencontrée un an plus tôt, elle tenait un café près de Västervik. Il lui arrivait encore de penser à elle, sans savoir pourquoi. Exaspéré, il jeta le journal dans la corbeille. Puis il le repêcha, arracha la page et la rangea dans un tiroir.

– Sa femme doit nous rejoindre là-bas avec les clés, dit Martinsson. On y va à pied ou en voiture ?

– En voiture. J'ai un trou dans ma semelle.

Martinsson le considéra avec intérêt.

– Qu'en penserait le patron, à ton avis ?

– On a déjà la police de proximité. L'étape suivante pourrait bien être la police aux pieds nus.

Ils prirent la voiture de Martinsson.

– Comment ça va ? demanda celui-ci après un silence.

– J'enrage. On croit qu'on s'habitue, mais ce n'est pas vrai. Pendant toutes ces années dans la police, on m'a accusé de presque tout. Sauf d'être feignant, et encore. On croit s'être forgé une carapace, mais ça ne marche pas. Du moins pas comme on voudrait.

– Tu parlais sérieusement, hier ?

– Pourquoi, qu'est-ce que j'ai dit ?

– Que tu démissionnerais en cas de sanction.

– Je ne sais pas. Pour l'instant, je n'ai pas la force d'y penser.

Ils s'arrêtèrent devant l'immeuble d'Apelbergsgatan. Une femme les attendait, debout à côté d'une voiture.

– Marianne Falk, dit Martinsson. Elle a gardé le nom après le divorce.

Il s'apprêtait à ouvrir la portière, mais Wallander le retint.

– Elle est au courant, pour la disparition du corps ?

– Quelqu'un a apparemment pensé à le lui dire.

– Elle t'a fait quel effet, quand tu lui as parlé au téléphone ? Elle était surprise de ton appel ?

– Je ne crois pas.

La femme qui les attendait, dans la rue balayée par le vent, était grande et mince, vêtue avec élégance. Wallander songea vaguement à Mona.

– L'a-t-on retrouvé ? Je ne comprends pas qu'il puisse arriver des choses pareilles.

– C'est très regrettable, évidemment.

– Regrettable ? C'est scandaleux.

– Nous en reparlerons tout à l'heure, si tu veux bien.

Ils montèrent l'escalier. Wallander s'inquiétait à l'idée d'avoir pu oublier quelque chose à l'appartement, malgré ses précautions.

Marianne Falk les précédait. Arrivée sur le palier du dernier étage, elle s'immobilisa net. Martinsson était juste derrière elle, Wallander l'écarta pour mieux voir. La porte de l'appartement était ouverte. La serrure qu'il avait eu tant de mal à faire jouer la nuit précédente avait été forcée avec un pied-de-biche. Martinsson était à côté de lui. Ni l'un ni l'autre n'était armé. Wallander hésita. Puis il fit signe aux autres de redescendre avec lui à l'étage du dessous.

– Il y a peut-être quelqu'un, dit-il à voix basse. Il vaut mieux appeler des renforts.

Martinsson prit son portable. Wallander se tourna vers Marianne Falk.

– Je veux que tu attendes dans la voiture.

– Que s'est-il passé ?

– Fais ce que j'ai dit. Attends-nous dans la voiture.

Elle disparut dans l'escalier.

– Ils arrivent, dit Martinsson en raccrochant.

Ils attendirent sans bouger. Aucun bruit ne leur parvenait du dernier étage.

– Je leur ai dit de ne pas mettre les sirènes.

Wallander hocha la tête.

Huit minutes plus tard, Hansson apparut dans l'escalier, suivi de trois autres policiers. Hansson avait son arme de service, Wallander emprunta celle d'un collègue.

– On y va, dit-il.

Ils se mirent en place. Wallander constata que sa main qui tenait le pistolet tremblait. Il avait peur, comme toujours au moment d'aborder une situation imprévisible. Il chercha le regard de Hansson. Puis il poussa la porte du pied en criant : « Police ! » Pas de réponse. Il cria une deuxième fois. L'autre porte s'ouvrit. Wallander sursauta. Une femme âgée le dévisageait timidement. Martinsson la repoussa à l'intérieur et ferma la porte. Wallander cria une troisième fois sans obtenir de réponse.

Ils entrèrent.

L'appartement était désert. Mais ce n'était pas celui auquel Wallander avait rendu visite la veille au soir, qui lui avait donné une impression d'ordre presque maniaque. Les tiroirs jonchaient le sol, leur contenu éparpillé, les tableaux pendaient de travers et la collection de CD gisait en pagaille.

– Appelle Nyberg. Dis-lui de venir le plus vite possible avec son équipe. En attendant, personne ne doit circuler ici.

Hansson et les autres disparurent. Martinsson partit interroger les voisins. Wallander s'attarda. Combien de fois s'était-il tenu ainsi, immobile, sur le seuil d'une pièce cambriolée ? Mais là, sans qu'il puisse se l'expliquer clairement, c'était différent. Son regard se déplaçait lentement à travers le séjour. Il manquait quelque chose. Quoi ? Lentement, il refit le tour de la pièce. Soudain, il comprit. Il retira ses chaussures et avança jusqu'au bureau.

La photo avait disparu. Celle qui représentait un groupe d'hommes, dont un Asiatique, devant un mur blanc inondé de soleil. Il se pencha, jeta un coup d'œil sous le bureau, chercha parmi les documents éparpillés. La photo avait disparu.

Il manquait un autre objet. Le livre de bord qu'il avait feuilleté la veille au soir.

Il recula d'un pas et inspira profondément. *Quelqu'un sait que je suis venu. Quelqu'un m'a vu arriver et repartir.*

Était-ce cette certitude instinctive qui lui avait fait à deux reprises s'approcher de la fenêtre et épier la rue entre les rideaux ? Il y avait eu quelqu'un, caché parmi les ombres.

Martinsson revint.

– La voisine est veuve et s'appelle Håkansson. Elle n'a rien vu, rien entendu.

Wallander pensa à la nuit qu'il avait passée, complètement ivre, au deuxième étage.

– Interroge tous les habitants de l'immeuble. Ils ont peut-être remarqué quelque chose.

– Tu ne peux pas demander ça à quelqu'un d'autre ? J'ai du pain sur la planche.

– Non, il faut s'en occuper à fond. Et les voisins ne sont pas nombreux.

Martinsson disparut. Wallander attendit. Un technicien arriva au bout de vingt minutes.

– Nyberg est en route. Il s'occupait d'un truc important sur le site du transformateur.

Wallander hocha la tête.

– Le répondeur. Je veux le plus de renseignements possible.

Le policier prit note.

– Ensuite, je veux une vidéo complète. De tout l'appartement, dans ses moindres détails.

– Les occupants sont en voyage ?

– Tu te souviens du type qui est mort devant le distributeur l'autre jour ? On est chez lui. Et il faut faire le travail à fond.

Il redescendit dans la rue. Le ciel était complètement dégagé. Marianne Falk fumait une cigarette dans sa voiture. En apercevant Wallander, elle ouvrit sa portière.

– Que s'est-il passé ?

– Cambriolage.

– C'est incroyable. Un culot pareil, cambrioler quelqu'un qui vient de mourir.

– Je sais que vous ne viviez pas ensemble. Mais connaissais-tu cet appartement ?

– On avait de bonnes relations. J'ai souvent rendu visite à Tynnes ici.

– Plus tard dans la journée, quand les techniciens auront fini, je veux que tu reviennes et que tu fasses le tour de l'appartement avec moi. Tu pourras peut-être me dire si quelque chose a disparu.

– Ça m'étonnerait.

– Pourquoi ?

– Au début de notre mariage, je pensais le connaître assez bien. Par la suite, non.

– Que s'est-il passé ?

– Rien. Il a changé.

– Comment ?

– Je ne savais plus du tout ce qu'il avait dans la tête.

Wallander la considéra pensivement.

– Tu devrais pourtant pouvoir me dire si un objet a disparu ? Tu as dit tout à l'heure que tu lui rendais souvent visite.

– Un tableau ou une lampe, peut-être. Mais c'est tout. Tynnes avait beaucoup de secrets.

– Que veux-tu dire ?

– Ça me semble assez clair pourtant. Je ne savais rien, ni de ses pensées, ni de ses occupations. J'ai déjà essayé de te l'expliquer au téléphone.

Soudain, Wallander eut une idée.

– Sais-tu si ton mari tenait un journal ?

– Je suis sûre que non.

– Jamais ?

– Jamais.

Jusque-là, pensa Wallander, ça colle. Elle ignore l'existence du livre de bord.

– S'intéressait-il à l'espace ?

– Et pourquoi donc ?

– C'est juste une question.

– Dans notre jeunesse, il nous est peut-être arrivé de regarder les étoiles. Mais jamais par la suite.

Wallander choisit d'aborder une autre piste.

– Tu m'as dit au téléphone que ton mari avait beaucoup d'ennemis et qu'il était inquiet.

– Ce sont ses propres termes.

– Qu'a-t-il dit exactement ?

– Que les gens comme lui avaient des ennemis.

– C'est tout ?

– Oui.

– « Les gens comme moi ont des ennemis » ?

– Oui.

– Qu'entendait-il par là ?

– Je t'ai déjà dit que je ne le connaissais plus depuis longtemps.

Une voiture freina à leur hauteur. C'était Nyberg. Wallander décida d'interrompre la conversation pour l'instant. Il nota son numéro de téléphone et prit congé, en disant qu'il la rappellerait dans la journée.

– Un dernier point. As-tu la moindre idée de la raison pour laquelle on aurait enlevé le corps de ton mari ?

– Non, bien sûr.

Elle remonta dans sa voiture et démarra. Nyberg rejoignit Wallander sur le trottoir.

– C'est quoi ?

– Un cambriolage.

– On a vraiment le temps de s'en occuper ?

– Oui. Mais d'abord, j'aimerais savoir ce que tu as trouvé là-bas.

Nyberg se moucha avant de répondre :

– Tu avais raison. Quand les collègues de Malmö sont arrivés avec le relais, les monteurs de Sydkraft l'ont tout de suite reconnu. Ils leur ont même montré son emplacement exact dans le transformateur.

Wallander sentit monter la tension.

– Aucun doute ?

– Aucun.

Nyberg se dirigea vers l'immeuble. La porte se referma derrière lui. Wallander contempla la rue déserte, en direction des grands magasins et du distributeur bancaire.

Le lien entre Sonja Hökberg et Tynnes Falk était avéré. Mais que signifiait-il ? Il n'en avait pas la moindre idée.

Lentement, il reprit la direction du commissariat. Puis il accéléra le pas. L'inquiétude l'avait repris.

14

De retour dans son bureau, Wallander tenta de mettre un ordre provisoire dans le chaos de détails qui s'accumulaient. Mais les événements semblaient pour ainsi dire en chute libre, s'entrechoquant avant de repartir dans des directions différentes.

Vers onze heures, il alla se rincer le visage. Ça aussi, c'était une habitude apprise de Rydberg. *Rien ne vaut l'eau froide quand l'impatience prend le dessus.* Puis il alla se chercher un café. Comme tant de fois auparavant, le distributeur était en panne. Martinsson avait proposé un jour de faire une collecte auprès des habitants de la ville, en leur expliquant qu'aucun travail policier digne de ce nom n'était possible sans un accès illimité à une source de café fiable. Wallander considéra le distributeur avec découragement. Il retourna dans son bureau et finit par dénicher un bocal de café instantané au fond d'un tiroir, à côté d'une brosse à chaussures et d'une paire de gants déchirés.

Puis il dressa un tableau chronologique, en notant dans la marge le jour et l'heure. Son objectif était de pénétrer sous la surface des événements. Il était maintenant convaincu qu'il existait un fond commun. Mais lequel ?

À la fin, il se retrouva face à une sorte de conte cruel et incompréhensible. Deux filles sortent un soir au restaurant et boivent des bières. L'une des deux est si jeune qu'on aurait dû refuser de la servir. Au cours de la soirée, elles changent de place. Au même moment, un inconnu de type asiatique entre et s'installe à une table. Cet homme utilise une fausse carte de crédit établie au nom d'un certain Fu Cheng, domicilié à Hong Kong.

Les filles commandent un taxi, demandent à être conduites à Rydsgård et agressent le chauffeur de taxi. Elles prennent son argent et rentrent chez elles. Arrêtées, elles avouent sur-le-champ, se déclarent complices et invoquent le mobile de l'argent. La plus âgée profite d'une minute d'inattention pour s'enfuir du commissariat. On la retrouve brûlée dans un transformateur des environs d'Ystad. Assassinée selon toute vraisemblance. Ce site est un carrefour stratégique du réseau scanien ; la mort de la jeune fille plonge une partie de la province dans le noir, de Trelleborg à Kristianstad. Au même moment, l'autre fille revient sur ses aveux.

Parallèlement, on a une action subsidiaire, ou peut-être décisive. Un consultant en informatique du nom de Tynnes Falk fait le ménage dans son appartement et sort se promener. On le retrouve mort devant un distributeur bancaire proche de son domicile. Après l'examen préliminaire des lieux et l'expertise médico-légale, tout soupçon est écarté. Plus tard, le corps disparaît de la morgue, et à sa place, sur la table réfrigérante, on trouve un relais électrique originaire du même transformateur. L'appartement de la victime est cambriolé ; un journal de bord et une photo, au moins, disparaissent.

À la périphérie de ces événements, on trouve un homme « de type asiatique ». Dans le restaurant et sur la photo volée.

Wallander relut ses notes. Il était beaucoup trop tôt pour en tirer la moindre conclusion, mais il le fit quand même. Une pensée venait de le frapper.

Si Sonja Hökberg avait été assassinée, c'était que quelqu'un voulait l'empêcher de parler. Le corps de Tynnes Falk avait été retiré de la morgue pour l'empêcher de révéler quelque chose. Il y avait là un dénominateur commun.

Il reprit son raisonnement très lentement, comme s'il se déplaçait en terrain miné. Il était à la recherche d'un centre, qui demeurait introuvable. Rydberg lui avait enseigné que les événements ne devaient pas nécessairement être interprétés en fonction de leur place chronologique. Le plus important pouvait être le premier, ou le dernier, ou un autre.

Il allait renoncer lorsqu'un détail lui revint soudain à l'esprit. Des propos tenus par Erik Hökberg, sur la société vulnérable… Il reprit ses notes et recommença depuis le début. Que se passait-il si on plaçait le transformateur au centre ? Quelqu'un avait, par l'intermédiaire d'un corps humain, privé de courant une partie de la Scanie. On pouvait y voir un acte de sabotage soigneusement calculé. Pourquoi avoir placé ce relais en lieu et place du corps ? Seule explication plausible : quelqu'un voulait faire apparaître un lien entre Sonja Hökberg et Tynnes Falk. Mais que signifiait ce lien ?

Exaspéré, Wallander repoussa ses notes. Il était trop tôt pour croire à une interprétation possible. Ils devaient continuer à chercher, systématiquement et sans a priori.

Il finit son café en se balançant distraitement dans son fauteuil. Puis il sortit du tiroir la page de journal arrachée et lut les autres petites annonces. À quoi ressemblerait la mienne, si je devais en écrire une ? Qui s'intéresserait à un flic diabétique de cinquante ans découragé par son travail, qui n'aime ni les promenades en forêt, ni la voile, ni les soirées au coin du feu ? Il posa la page de journal et prit un crayon.

La première tentative s'avéra en partie mensongère : *Policier, cinquante ans, divorcé avec fille adulte, cherche à rompre sa solitude. Âge et physique indifférents à condition d'aimer l'opéra et la vie de famille. Répondre à « Police 97 ».*

Mensonge, pensa-t-il. Le physique est tout sauf indifférent. De plus, je ne cherche pas à rompre ma solitude. C'est une complicité que je veux. Ce n'est pas du tout la même chose. Je veux quelqu'un avec qui coucher, qui soit là quand j'en ai envie et me fiche la paix le reste du temps.

Il déchira la feuille et recommença. Cette fois, le texte était trop brutal : *Policier, cinquante ans, diabétique, divorcé, fille adulte, cherche à passer moments agréables. La femme que je cherche doit être jolie, bien roulée et aimer l'érotisme. Répondre à « Vieux Chien ».*

Qui répondrait à une annonce pareille ? Aucun être sensé en tout cas.

Il prit une feuille vierge, mais fut interrompu presque aussitôt par l'arrivée d'Ann-Britt. La page de journal était toujours posée sur la table. Il s'en aperçut un peu tard et la jeta au panier. Ann-Britt avait sans doute eu le temps de la voir. Ça le mit de mauvaise humeur.

Je n'enverrai jamais de petite annonce. Le risque serait de recevoir une réponse de quelqu'un comme Ann-Britt.

Elle se laissa tomber dans le fauteuil des visiteurs. Elle paraissait fatiguée.

– Je viens d'interroger Eva Persson.

Wallander cessa de penser aux petites annonces.

– Comment était-elle ?

– Elle maintient que c'est Sonja Hökberg toute seule qui a tué Lundberg.

– Je t'ai demandé comment elle était.

Ann-Britt réfléchit.

– Différente. Elle paraissait mieux préparée.

– Qu'est-ce qui te fait dire ça ?

– Elle parlait plus vite. Ses réponses m'ont donné l'impression d'avoir été fabriquées à l'avance. C'est quand j'ai commencé à poser des questions inattendues que son espèce d'indifférence traînante est revenue. Elle se protège comme ça, se donne le temps de réfléchir. Je ne sais pas si elle est très intelligente, mais elle a les idées claires. Elle ne s'est pas contredite une seule fois en plus de deux heures d'interrogatoire. C'est assez remarquable.

Wallander prit son bloc-notes.

– Je veux juste l'essentiel pour l'instant. Tes impressions. Le reste, je le lirai dans le rapport.

– Pour moi, il est évident qu'elle ment. Sincèrement, j'ai du mal à comprendre comment une fille de quatorze ans peut être aussi endurcie.

– Parce que c'est une fille ?

– Même les garçons, c'est rare d'en voir d'aussi durs.

– Tu n'as pas réussi à la déstabiliser ?

– Pas vraiment. Elle maintient qu'elle n'était au courant de rien. Et qu'elle avait peur de Sonja Hökberg. J'ai essayé de lui faire dire pourquoi elle avait peur. Impossible. Elle s'est contentée de dire que Sonja était « balèze ».

– C'est sûrement vrai.

Ann-Britt feuilleta ses notes.

– Elle affirme ne pas avoir reçu de coup de fil de Sonja après son évasion du commissariat. Aucun autre appel non plus, d'ailleurs.

– Comment a-t-elle appris sa mort ?

– Erik Hökberg aurait appelé sa mère, qui le lui aurait répété.

– La nouvelle a dû la secouer ?

– C'est ce qu'elle prétend. Moi, je n'ai rien remarqué. Elle n'avait aucune idée de la raison pour laquelle Sonja se serait rendue sur le site d'un transformateur en pleine campagne. Et aucune idée de celui qui aurait pu l'emmener là-bas.

Wallander se leva et s'approcha de la fenêtre.

– Tu n'as vraiment rien décelé ? Aucune réaction de chagrin ou de douleur ?

– Non. Elle est contrôlée, froide. Beaucoup de réponses étaient fabriquées, comme je l'ai déjà dit, d'autres étaient de purs mensonges. Mais j'ai eu l'impression qu'elle n'était pas du tout surprise, même si elle affirmait le contraire.

Soudain, Wallander eut une idée.

– Avait-elle peur qu'il puisse lui arriver quelque chose, à elle aussi ?

– Non. J'y ai pensé. Ce qui est arrivé à Sonja ne semblait pas l'inquiéter pour elle-même.

Wallander retourna à son bureau.

– Supposons que ce soit vrai. Qu'est-ce que cela implique ?

– Qu'Eva Persson dit peut-être la vérité. Pas au sujet du meurtre de Lundberg, je suis convaincue qu'elle y a pris part. Mais elle ne savait peut-être pas grand-chose des autres activités de Sonja Hökberg.

– Quelles activités ?

– Je ne sais pas.

– Pourquoi ont-elles changé de place au restaurant ?

– Parce que Sonja se plaignait du courant d'air. Elle répète ça obstinément.

– Et l'homme ?

– Elle maintient qu'elle n'a rien vu. Et qu'à sa connaissance Sonja n'a eu de contact avec personne à part elle.

– N'a-t-elle rien remarqué quand elles ont quitté le restaurant ?

– Non. Et c'est peut-être la vérité. Je ne pense pas qu'on puisse accuser Eva Persson d'être très observatrice.

– Lui as-tu demandé si elle connaissait Tynnes Falk ?

– Elle prétend n'avoir jamais entendu ce nom.

– Tu la crois ?

Ann-Britt tarda à répondre :

– J'ai peut-être senti une hésitation. Je ne sais pas.

J'aurais dû l'interroger moi-même, pensa Wallander avec découragement. Si elle avait hésité, je l'aurais vu.

Ann-Britt sembla lire dans ses pensées.

– Je n'ai pas ton assurance dans ce domaine. Je regrette de ne pouvoir te donner une meilleure réponse.

– On le découvrira tôt ou tard. Si la porte est fermée, il faut entrer par la fenêtre.

– J'essaie de comprendre. Mais rien ne colle.

– Ça va prendre du temps. Je me demande si on n'aurait pas besoin d'aide. Cette affaire mobilise tout le monde, mais on n'est pas assez nombreux.

Ann-Britt lui jeta un regard surpris.

– Jusqu'ici tu as toujours dit qu'on travaillait mieux seuls. Tu as changé d'avis ?

– Peut-être.

– Quelqu'un sait-il en quoi consiste exactement la restructuration en cours ? Je n'y comprends rien.

– En tout cas, le district de police d'Ystad n'existe plus. Nous faisons maintenant partie de la « zone sud de Scanie ».

– Qui regroupe deux cent vingt policiers et huit communes, de Simrishamn à Vellinge. Personne ne sait comment ça va fonctionner. Ou si ça va améliorer quoi que ce soit.

– Ce n'est pas mon souci dans l'immédiat. Mon problème à moi, c'est la quantité de travail de terrain, les détails qui s'accumulent et dont il faut s'occuper dans cette enquête. Je vais en toucher deux mots à Lisa. Si elle ne me retire pas la direction de l'enquête, bien entendu.

– Au fait, Eva Persson maintient sa version. Que tu l'as frappée de façon gratuite.

– Bien sûr. Elle n'est pas à un mensonge près.

Wallander se leva. Il lui raconta brièvement le cambriolage de l'appartement de Tynnes Falk.

– A-t-on retrouvé le corps ?

– Pas que je sache.

Ann-Britt était encore assise.

– Tu y comprends quelque chose, toi ?

– Rien, dit Wallander. Mais je suis inquiet. N'oublie pas qu'une bonne partie de la Scanie a été privée de courant.

Il la suivit dans le couloir. Hansson passa la tête par la porte de son bureau et leur apprit que la police de Växjö avait retrouvé le père d'Eva Persson.

– D'après eux, il habite dans une cabane déglinguée entre Växjö et Vislanda. Ils veulent savoir ce qu'on cherche exactement.

– Rien dans l'immédiat. On a d'autres priorités.

Ils convinrent de se réunir à treize heures trente, après le retour de Martinsson. Wallander alla à son bureau et appela le garage. La voiture était prête. Il quitta le commissariat et prit par Fridhemsgatan, en direction de Surbrunnsplan. Le vent soufflait par rafales irrégulières.

Le patron du garage s'appelait Holmlund et s'occupait personnellement depuis des années des voitures successives de Wallander. Il avait un amour immodéré pour les motos, un accent scanien à couper au couteau, et presque pas de dents ; d'ailleurs, depuis qu'il le connaissait, Holmlund avait toujours la même tête. Wallander se demandait encore s'il avait plutôt la cinquantaine ou la soixantaine.

– Ça te revient cher, dit Holmlund avec son sourire édenté. Mais ça vaut le coup, si tu revends la bagnole tout de suite.

Wallander paya et repartit au volant. Le bruit du moteur avait disparu. La pensée d'une voiture neuve le mit de bonne humeur. Devait-il rester fidèle à Peugeot ou changer de marque ? Il résolut de demander conseil à Hansson, qui en savait aussi long sur les voitures que sur les chevaux.

Il s'arrêta à un grill d'Österleden et feuilleta distraitement un journal en attendant son déjeuner. Soudain, une pensée lui traversa l'esprit. Ils cherchaient un centre, dans cette enquête – sa dernière hypothèse avait tourné autour de la coupure d'électricité, l'idée que le meurtre du transformateur était aussi un acte de sabotage savant. Mais que se passait-il s'il plaçait au centre l'homme qui avait surgi dans le restaurant ? Sonja Hökberg avait changé de place pour mieux le voir. L'homme avait une fausse identité. Et cette photographie volée dans l'appartement de Tynnes Falk… Wallander se maudit de l'avoir replacée sur le bureau. István aurait peut-être reconnu l'homme aux traits asiatiques.

Il posa sa fourchette et appela Nyberg sur son portable. Il avait presque renoncé lorsque Nyberg décrocha.

– Une photo représentant un groupe d'hommes. Tu aurais trouvé ça ?

– Je vais me renseigner.

Wallander attendit en chipotant dans son assiette de poisson grillé insipide.

La voix de Nyberg revint :

– On a une photo de trois hommes brandissant des saumons. Prise en Norvège en 1983.

– Rien d'autre ?

– Non. Qu'est-ce qui te fait croire qu'il pourrait y avoir la photo que tu dis ?

Nyberg n'était pas idiot. Mais Wallander avait prévu la question.

– Rien. Je cherche des photos de gens qu'aurait fréquentés Tynnes Falk.

– On a bientôt fini dans l'appartement.

– Tu as trouvé quelque chose ?

– On dirait un cambriolage ordinaire. Peut-être des toxicos.

– Pas d'indices ?

– Pas mal d'empreintes. Mais ce sont peut-être celles de Falk. Ne me demande pas comment on va vérifier, maintenant que son corps a disparu.

– On le retrouvera tôt ou tard.

– J'en doute. Si on vole un cadavre, à mon avis, c'est pour l'enterrer.

Il avait raison, bien sûr. Aussitôt, une autre pensée lui traversa l'esprit. Mais Nyberg le devança :

– J'ai demandé à Martinsson de chercher Tynnes Falk dans le fichier, au cas où.

– Et alors ?

– Il y était. Mais sans empreintes.

– Qu'est-ce qu'il a fait ?

– D'après Martinsson, il aurait été condamné à une amende pour vandalisme.

– C'est-à-dire ?

– Demande-le-lui.

Il était treize heures dix. Wallander fit le plein d'essence et retourna au commissariat. Martinsson arriva en même temps que lui.

– Personne n'a vu ou entendu quoi que ce soit, dit Martinsson pendant qu'ils traversaient le parking. J'ai vu tous les voisins. Des retraités, pour la plupart, qui passent la journée chez eux. Et une kiné qui a à peu près ton âge.

Wallander changea de sujet :

– C'est quoi, cette histoire de vandalisme ?

– J'ai les papiers dans mon bureau. Une affaire de visons.

Wallander lui jeta un regard interrogateur mais ne dit rien.

Il prit connaissance du dossier dans le bureau de Martinsson. En 1991, Tynnes Falk avait été appréhendé au nord de Sölvesborg. Un éleveur de visons avait surpris des gens en train d'ouvrir les cages des animaux en pleine nuit. Il avait alerté la police, deux voitures étaient intervenues. Tynnes Falk n'était pas seul, mais les autres avaient réussi à prendre la fuite. À l'interrogatoire, il avait avoué aussitôt, affirmant qu'il s'opposait à ce qu'on tue les animaux pour leur fourrure. Il avait cependant nié toute appartenance à une organisation et refusé de livrer le nom de ses complices.

Wallander reposa les papiers.

– En 1991, Tynnes Falk avait plus de quarante ans. Je croyais que c'étaient les jeunes qui se livraient à ce genre d'action.

– On devrait sympathiser avec eux. Ma fille est membre de l'association des biologistes amateurs.

– Entre observer les oiseaux et pourrir la vie des éleveurs de visons, il y a de la marge.

– On leur enseigne le respect des animaux.

Wallander ne voulait pas se laisser entraîner dans une discussion où il aurait sans doute eu le dessous. Mais la nouvelle que Tynnes Falk avait été impliqué dans une opération de libération de visons le surprenait beaucoup.

Peu après treize heures trente, ils étaient de nouveau réunis. Wallander, qui avait pensé présenter à ses collègues le fruit de ses réflexions, résolut en définitive d'attendre. Il était trop tôt. Ils se séparèrent après trois quarts d'heure. Hansson devait parler au procureur. Martinsson retourna à ses ordinateurs, tandis qu'Ann-Britt s'apprêtait à faire une nouvelle visite à la mère d'Eva Persson. Wallander appela Marianne Falk de son bureau. Il tomba sur un répondeur, mais lorsqu'il se fut présenté, elle décrocha. Ils convinrent de se retrouver à l'appartement d'Apelbergsgatan à quinze heures. Wallander arriva un peu en avance. Nyberg et ses hommes étaient déjà partis. Une voiture de police stationnait devant l'immeuble. Il monta l'escalier. Au deuxième étage, une porte s'ouvrit. Il crut reconnaître la femme qui se tenait sur le seuil.

– Je t'ai vu arriver par la fenêtre, dit-elle en souriant. Alors j'ai voulu te dire bonjour. Si tu te souviens de moi.

– Bien sûr.

– Tu avais promis que tu donnerais de tes nouvelles.

Wallander n'en avait aucun souvenir. Mais ce n'était pas exclu. Quand il était suffisamment ivre et attiré par une femme, il était capable de promettre n'importe quoi.

– J'ai été très occupé. Tu sais ce que c'est.

– Ah bon ?

Wallander marmonna une phrase inaudible.

– Je peux t'inviter à prendre un café ?

– Comme tu sais, il y a eu un cambriolage au-dessus. Je n'ai pas le temps.

Elle indiqua sa porte d'un geste.

– J'ai fait installer une porte blindée il y a plusieurs années. Presque tout le monde l'a fait dans l'immeuble. Sauf Falk.

– Tu le connaissais ?

– Il n'était pas très causant. On se saluait dans l'escalier, c'est tout.

Wallander eut aussitôt le sentiment qu'elle ne disait peut-être pas la vérité. Mais il n'insista pas. Tout ce qu'il voulait dans l'immédiat, c'était s'éloigner au plus vite.

– Une autre fois, dit-il. Pour le café.

– On verra bien.

La porte se referma. Wallander constata qu'il transpirait. Il se dépêcha de monter les dernières volées de marches. Elle avait fait une observation importante. La plupart des habitants de l'immeuble avaient fait poser une porte blindée. Mais pas Tynnes Falk – pourtant décrit par sa femme comme un homme inquiet entouré d'ennemis.

La porte n'était pas encore réparée. Il entra. Nyberg et ses techniciens avaient laissé le désordre en l'état.

Il s'assit sur une chaise dans la cuisine et attendit. Il régnait un grand silence dans l'appartement. Il regarda sa montre. Trois heures moins dix. Il lui sembla entendre un pas dans l'escalier.

Il se peut que Tynnes Falk ait été un type avare. Une porte blindée, ça vaut entre dix et quinze mille. Je n'arrête pas de recevoir des publicités dans ma boîte aux lettres. Mais il se peut aussi que Marianne Falk se trompe. Il n'y avait pas d'ennemis. Pourtant… Il se rappela les étranges annotations du livre de bord. Le corps de Tynnes Falk disparaît de la morgue. À peu près au même moment, son appartement est cambriolé. Le journal de bord et la photographie disparaissent.

Soudain, les choses lui apparurent très clairement. Quelqu'un ne souhaitait pas qu'on le reconnaisse, ou que le livre de bord soit examiné de trop près.

Une fois de plus, il se reprocha de ne pas avoir emporté la photo. Les annotations du journal étaient étranges, comme rédigées par un homme en pleine confusion. Mais il aurait peut-être changé d'avis en l'étudiant plus à fond.

Les pas approchaient. Wallander se leva pour accueillir Marianne Falk. Il se dirigea vers l'entrée.

D'instinct, il perçut le danger et se retourna.

Trop tard. Le bruit de la déflagration résonna dans l'appartement.

15

Wallander s'était rejeté sur le côté.

Ce fut après coup seulement qu'il comprit que ce geste instinctif lui avait sauvé la vie. À ce moment-là, Nyberg et ses techniciens avaient déjà retiré la balle, logée dans le mur à côté de la porte d'entrée. L'emplacement de la balle et l'examen de la veste de Wallander avaient permis de reconstituer l'incident avec précision. Wallander était allé dans l'entrée pour accueillir Marianne Falk. Il était tourné vers la porte au moment où son instinct l'avait averti d'une menace derrière lui. Il s'était jeté sur le côté, en trébuchant sur le bord du tapis. Cela avait suffi pour que la balle qui visait sa poitrine passe entre son thorax et son bras gauche. La balle avait effleuré sa veste en laissant une petite trace bien visible.

Le soir même, de retour chez lui, il avait déniché un mètre ruban. La veste était restée au commissariat pour un examen approfondi. Mais il avait mesuré la distance entre la manche de sa chemise et l'endroit où, présumait-il, commençait son cœur. Sept centimètres. La conclusion qu'il en tira, tout en se versant un verre de whisky, fut que ce tapis lui avait sauvé la vie. Une fois de plus, il se rappela la nuit où il s'était pris un coup de couteau, alors qu'il était tout jeune policier à Malmö. La lame avait pénétré dans sa poitrine à huit centimètres du cœur. Cette nuit-là, il s'était fabriqué une formule de conjuration. *Il y a un temps pour vivre et un temps pour mourir.* Maintenant, trente ans plus tard, il avait la sensation inquiétante que sa marge d'espoir avait diminué d'un centimètre exactement.

Que s'était-il passé en réalité ? Qui l'avait visé ? Il n'en savait rien. Une ombre volatile, qui avait disparu dans le chaos de la détonation et de sa propre chute au milieu des manteaux de Tynnes Falk.

Il s'était cru blessé. Entendant un cri, alors que le coup de feu lui résonnait encore aux oreilles, il pensa que c'était lui qui hurlait. Mais c'était Marianne Falk, bousculée par l'ombre en fuite. Elle non plus n'avait pas eu le temps de distinguer quoi que ce soit. Interrogée par Martinsson, elle dit qu'elle regardait toujours ses pieds lorsqu'elle montait un escalier. Elle avait entendu la détonation, mais cru qu'elle provenait de l'étage du dessous. Elle s'était donc retournée. Au même moment, elle avait perçu une présence dans l'escalier et fait volte-face ; frappée au visage, elle était tombée.

Le plus étrange cependant était que les deux policiers en faction devant l'immeuble n'avaient rien vu. L'homme avait pourtant dû quitter l'immeuble par l'entrée principale. La porte du sous-sol était fermée à clé. Les policiers avaient remarqué l'entrée de Marianne Falk. Puis ils avaient entendu le coup de feu, sans comprendre sur le moment de quoi il s'agissait. Mais ils n'avaient vu personne sortir de l'immeuble.

Martinsson, pourtant incrédule, avait fait fouiller tout l'immeuble, contraint des retraités terrorisés et une kinésithérapeute plutôt calme à lui ouvrir leur porte, et ordonné aux policiers présents de regarder dans chaque penderie, sous tous les lits. Aucune trace de l'agresseur. S'il n'y avait eu la balle logée dans le mur, Wallander lui-même aurait commencé à douter.

Pourtant, il savait. Il savait aussi autre chose, qu'il décida de garder pour lui jusqu'à nouvel ordre. Il avait plus d'une raison de remercier le tapis. Parce qu'il l'avait fait trébucher, mais aussi parce que cette chute avait convaincu son agresseur qu'il avait été touché. La balle logée dans le béton du mur était de celles qui provoquent des blessures en forme de cratère. Quand Nyberg la délogea et la lui fit voir, Wallander comprit pourquoi l'homme n'avait tiré qu'une fois. Elle aurait amplement suffi à le tuer.

Passé la première confusion, la chasse avait commencé. La cage d'escalier était remplie de policiers armés conduits par Martinsson. Pas plus Marianne Falk que Wallander n'avaient pu fournir le moindre signalement. Les voitures sillonnaient la ville, on avait lancé un avis de recherche régional en sachant par avance que ça ne donnerait rien. Martinsson et Wallander avaient établi leur QG dans la cuisine de Falk pendant que Nyberg et ses hommes relevaient les empreintes et récupéraient la balle écrasée. Marianne Falk était rentrée chez elle. Wallander avait abandonné sa veste aux techniciens. Il avait encore mal aux oreilles. Lisa Holgersson arriva en compagnie d'Ann-Britt, et Wallander fut obligé de récapituler une fois de plus les événements.

– Pourquoi a-t-il tiré ? dit Martinsson. L'appartement avait déjà été cambriolé.

– On peut évidemment se demander si c'est le même homme. Pourquoi est-il revenu ? Je ne vois qu'une explication. Il cherche quelque chose, qu'il n'a pas trouvé la première fois.

– Il y a une autre question, dit Ann-Britt. Qui visait-il ?

Wallander s'était d'emblée posé la même question. L'incident pouvait-il être relié à sa première visite nocturne à l'appartement ? Il pensa qu'il devait leur dire la vérité. Mais quelque chose l'en empêcha.

– Quelle raison pourrait-on avoir de me tirer dessus ? On devrait plutôt se demander ce qu'il cherchait. Il faut que Marianne Falk revienne ici le plus vite possible.

Martinsson quitta Apelbergsgatan en compagnie de Lisa Holgersson. Les techniciens finissaient leur travail. Ann-Britt s'attarda dans la cuisine avec Wallander en attendant Marianne Falk.

– Comment ça va ? demanda Ann-Britt.

– Mal. Tu en sais quelque chose.

Quelques années plus tôt, Ann-Britt avait été touchée par une balle dans un champ. C'était en partie la faute de Wallander, qui lui avait donné l'ordre d'attaquer sans savoir que la femme qu'ils s'apprêtaient à arrêter avait réussi à s'emparer de l'arme de Hansson. Ann-Britt avait été grièvement blessée. Après une longue convalescence, elle était revenue au commissariat changée. Elle avait plusieurs fois confié à Wallander que la peur la hantait jusque dans ses rêves.

– Je l'ai échappé belle, dit-il. Une fois, je me suis pris un coup de couteau. Mais aucune balle jusqu'ici.

– Tu devrais en parler à quelqu'un. Il y a des groupes pour ça.

Wallander eut un geste d'impatience.

– Pas besoin. D'ailleurs, je ne veux plus en parler.

– Je ne comprends pas pourquoi tu t'obstines. Tu es un bon flic, mais ça ne t'empêche pas d'être un homme comme les autres. Fais le malin, si ça te chante. Mais tu as tort.

Wallander fut surpris par cette sortie inattendue. Elle avait raison, bien sûr. Le rôle de policier qu'il endossait chaque jour cachait un être humain dont il avait presque oublié l'existence.

– Rentre chez toi, au moins.

– Qu'est-ce que ça changerait ?

L'arrivée de Marianne Falk fournit à Wallander l'occasion de se débarrasser d'Ann-Britt et de ses questions indiscrètes.

– Je préfère lui parler moi-même. Merci pour ton aide.

– Quelle aide ?

Ann-Britt partit. En se levant à son tour, Wallander eut un instant de vertige.

– Que s'est-il passé ? demanda Marianne Falk.

Wallander vit qu'elle avait la joue gauche enflée.

– Je suis arrivé en avance. J'ai entendu un pas dans l'escalier, j'ai cru que c'était toi. Mais il y avait quelqu'un d'autre.

– Qui ?

– Je ne sais pas. Toi non plus, apparemment.

– Je n'ai pas eu le temps de voir à quoi il ressemblait.

– Mais tu êtes certaine que c'était un homme ?

Elle réfléchit avant de répondre :

– Oui. C'était un homme.

Wallander était intuitivement du même avis.

– Commençons par le séjour, dit-il. Je veux que tu en fasses le tour et que tu me dises si quelque chose a disparu. Prends ton temps. Tu peux ouvrir les tiroirs et regarder derrière les rideaux.

– Tynnes ne l'aurait jamais permis. C'était un homme plein de secrets.

– On parlera tout à l'heure. Commence par le séjour.

Il vit qu'elle faisait un réel effort. Il suivait ses déplacements depuis le seuil. Plus il la regardait, plus elle lui paraissait belle. Il se demanda comment formuler une petite annonce capable de faire répondre Marianne Falk. Elle passa dans la chambre à coucher. Il la surveillait, guettant le moindre signe d'hésitation. Quand ils s'attablèrent à la cuisine, il s'était écoulé plus d'une demi-heure.

– Tu n'as pas ouvert ses armoires, dit Wallander.

– Je ne savais pas ce qu'il y rangeait. Comment aurais-je pu voir si un objet avait disparu ?

– T'a-t-il semblé qu'il manquait quelque chose ?

– Non, rien.
– Cet appartement t'était-il familier ?
– Il a emménagé après notre divorce. Il nous arrivait de dîner ensemble.
Wallander essaya de se rappeler ce qu'avait dit Martinsson la première fois qu'il lui avait parlé de la découverte du corps devant le distributeur bancaire.
– Votre fille vit à Paris, n'est-ce pas ?
– Ina n'a que dix-sept ans, elle travaille comme jeune fille au pair à l'ambassade du Danemark. Elle veut apprendre le français.
– Et votre fils ?
– Jan étudie à Stockholm. Il a dix-neuf ans.
Wallander revint au sujet principal :
– S'il manquait un objet dans l'appartement, l'aurais-tu remarqué ?
– Seulement si je l'avais déjà vu.
Wallander hocha la tête et s'excusa. Dans le séjour, il retira l'un des trois coqs en porcelaine qui ornaient l'appui d'une fenêtre. Puis il lui demanda d'examiner la pièce une fois de plus.
Elle remarqua très vite l'absence du coq. Wallander comprit qu'il n'en apprendrait pas davantage. La mémoire visuelle de Marianne Falk était bonne, mais elle ne connaissait même pas le contenu des armoires.
Ils retournèrent dans la cuisine. Il était dix-sept heures. La nuit d'automne tombait sur la ville.
– Que faisait-il exactement ? Si j'ai bien compris, il travaillait dans l'informatique.
– Il était consultant.
– C'est-à-dire ?
Elle lui jeta un regard surpris.
– Ce sont les consultants qui dirigent la Suède, de nos jours. Bientôt, même les chefs de parti seront remplacés par des consultants. Des experts très bien payés qui volent d'un endroit à un autre et proposent des solutions. En cas de problème, ils endossent le rôle de bouc émissaire. Moyennant finances.
– Ton mari était donc consultant en informatique ?
– J'aimerais que tu ne l'appelles pas mon mari. Il ne l'était plus.
Wallander sentit l'impatience le gagner.

– Peux-tu me parler plus en détail de ses activités ?

– Il était très fort pour mettre au point des systèmes de contrôle interne.

– Qu'est-ce que cela veut dire ?

Pour la première fois, elle lui sourit.

– Je ne pense pas pouvoir te l'expliquer si tu ne maîtrises pas les bases de l'informatique.

– Qui étaient ses clients ?

– À ma connaissance, il travaillait beaucoup avec les banques.

– Une banque en particulier ?

– Je ne sais pas.

– Qui pourrait me renseigner là-dessus ?

– Il avait un comptable.

Wallander chercha un papier, mais ne trouva que la facture du garage.

– Il s'appelle Rolf Stenius, il a son bureau à Malmö. Je ne connais pas l'adresse.

Wallander reposa son crayon. Un doute venait de l'effleurer ; la sensation d'avoir omis quelque chose, mais quoi ? Marianne Falk avait sorti un paquet de cigarettes.

– Ça te dérange si je fume ?

– Pas du tout.

Elle se leva, prit une soucoupe à côté de l'évier et alluma une cigarette.

– Tynnes se retournerait dans sa tombe. Il détestait le tabac. Pendant tout notre mariage, il m'a obligée à sortir dans la rue pour fumer. Maintenant, je me venge.

Wallander saisit l'occasion pour orienter l'entretien dans un autre sens :

– Lors de notre première conversation, tu as dit qu'il avait des ennemis. Et qu'il était inquiet.

– C'est l'impression qu'il donnait.

– Tu comprends bien sûr que c'est un point très important.

– Si j'en savais plus, je te le dirais. Mais la vérité, c'est que je ne sais rien.

– Quand quelqu'un est inquiet, ça se voit. Mais des ennemis ? Il a bien dû te dire quelque chose.

La réponse se fit attendre. Elle tira une bouffée de sa cigarette en regardant par la fenêtre. Il faisait noir au-dehors. Wallander attendait.

– Ça a commencé il y a quelques années. Il était inquiet. Excité en même temps. Comme s'il était devenu maniaque. Puis il s'est mis à tenir des propos étranges. Quand je venais prendre un café ici, il me disait soudain : Si les gens étaient au courant, ils me tueraient. Ou bien : On ne peut jamais savoir à quelle distance se trouvent les poursuivants.

– Il a vraiment dit ça ?

– Oui.

– Sans explication ?

– Non.

– Tu ne l'as pas interrogé ?

– Il s'énervait facilement quand on lui posait des questions.

Wallander réfléchit avant de poursuivre :

– Parlons de vos enfants.

– Ils sont informés de sa mort, bien entendu.

– Crois-tu qu'ils aient pu avoir la même impression que toi ? Qu'il était devenu inquiet ? Qu'il parlait d'ennemis ?

– J'en doute. Ils n'avaient pas de liens étroits avec leur père. Ils vivaient avec moi. Et Tynnes n'aimait pas les avoir trop souvent chez lui. Jan et Ina te le confirmeront, je ne cherche pas à médire.

– Il devait avoir des amis ?

– Très peu. J'ai compris peu à peu que j'avais épousé un solitaire.

– Qui le connaissait, en dehors de toi ?

– Je sais qu'il fréquentait une femme qui était, elle aussi, consultante en informatique. Elle s'appelle Siv Eriksson. Je n'ai pas son numéro de téléphone, mais son bureau se trouve dans Skansgränd, à côté de Sjömansgatan. Il leur arrivait d'effectuer des missions ensemble.

Wallander prit note. Marianne Falk écrasa son mégot dans la soucoupe.

– J'ai une dernière question. Il y a quelques années, Tynnes Falk a été arrêté alors qu'il libérait des visons. Il a été condamné à une amende.

Elle le considéra avec une surprise sincère.

– C'est la première fois que j'en entends parler.

– Mais peux-tu le comprendre ?

– Qu'il ait libéré des visons ? Pourquoi, au nom du ciel, aurait-il fait une chose pareille ?

– Tu ne sais pas s'il était en relation avec une organisation ?

– Quelle organisation ?

– Des écologistes militants. Des amis des animaux.

– Cela me paraît complètement incroyable.

Elle se leva.

– Je te recontacterai certainement, conclut Wallander.

– Mon ex-mari m'a accordé une pension généreuse au moment de notre divorce. Je suis donc dispensée de faire ce que je déteste le plus au monde.

– Quoi donc ?

– Travailler. Je passe mes journées à lire. Et à broder des roses sur des serviettes en lin.

Wallander se demanda si elle se payait sa tête, mais ne dit rien. Il la raccompagna jusqu'à la porte. Elle considéra le trou dans le mur.

– Les cambrioleurs tirent sur les gens, maintenant ?

– Ça arrive.

Elle le toisa.

– Et vous n'avez pas d'arme pour vous défendre ?

– Non.

Elle secoua la tête et lui tendit la main.

– Encore une chose, dit Wallander. Tynnes Falk s'intéressait-il à l'espace ?

– Que veux-tu dire ?

– Les vaisseaux spatiaux, l'astronomie.

– Tu m'as déjà posé cette question. Je t'ai répondu. S'il lui arrivait de lever la tête, c'était sûrement pour vérifier que les étoiles étaient encore à leur place. C'était quelqu'un de peu romantique.

Elle s'était attardée sur le palier.

– Qui va faire réparer cette porte ?

– Il n'y a pas de syndic ?

– Ce n'est pas à moi qu'il faut le demander.

Après son départ, Wallander se rassit dans la cuisine. À l'endroit précis où il avait eu la sensation, un peu plus tôt, d'omettre quelque chose. Rydberg lui avait appris à se fier à ses signaux d'alarme intérieurs. Dans le monde technique et rationaliste où ils vivaient par la force des choses, l'élément intuitif conservait une importance décisive.

Il resta quelques minutes sans bouger. Puis il comprit. Une fois de plus, il fallait renverser la perspective pour la remettre à l'endroit. Marianne Falk n'avait pas décelé d'objet manquant. Cela pouvait-il signifier que l'homme n'était pas venu pour prendre, mais pour laisser quelque chose ? Ça paraissait difficile à croire. Wallander s'apprêtait à se lever lorsqu'un bruit le fit tressaillir. On venait de frapper à la porte. Son cœur se mit à battre. On frappa de nouveau. Alors seulement il comprit que le risque que cette personne soit venue pour le tuer était infime. Il alla ouvrir. Un homme d'un certain âge se tenait sur le palier, une canne à la main.

– Je cherche M. Falk. Je viens pour me plaindre.

– Qui es-tu ?

– Je m'appelle Carl-Anders Setterkvist, je suis le propriétaire de cet immeuble. J'ai reçu plusieurs plaintes concernant le tapage occasionné par des militaires qui courent dans les escaliers. Si M. Falk est là, je voudrais lui parler personnellement.

– M. Falk est mort, répliqua Wallander avec une brutalité inutile.

– Pardon ?

– Je suis de la brigade criminelle. L'appartement a été cambriolé. Ce ne sont pas des militaires qui courent, mais des policiers. Quant à Tynnes Falk, il est mort lundi dernier.

Setterkvist le dévisagea avec méfiance.

– Je voudrais voir un insigne.

– Les insignes ont disparu il y a longtemps. Mais je peux te montrer ma carte.

Setterkvist l'examina longuement.

– Très regrettable, dit-il enfin. Que va-t-il arriver aux appartements ?

Wallander haussa les sourcils.

– Quels appartements ?

– À mon âge, c'est toujours un souci de prendre de nouveaux locataires. On préfère savoir à qui on a affaire, surtout dans un immeuble comme celui-ci où l'on a surtout des personnes âgées.

– Tu vis ici ?

Setterkvist parut vexé.

– J'habite une villa en dehors de la ville.

– Tu as parlé des appartements au pluriel ?

– Bien sûr.

– Tynnes Falk louait-il un logement en dehors de celui-ci ?

Setterkvist fit signe avec sa canne qu'il voulait entrer. Wallander s'effaça.

– Je tiens à te rappeler que l'appartement a été cambriolé. Ne sois donc pas choqué par le désordre.

– J'ai été cambriolé moi aussi, répondit Setterkvist avec insouciance, je sais à quoi ça ressemble.

Wallander le fit entrer dans la cuisine.

– M. Falk était un locataire exemplaire. Il payait ses loyers rubis sur l'ongle. À mon âge, on ne s'étonne plus de rien. Mais je dois dire que les plaintes qui me sont parvenues m'ont surpris. C'est pour ça que je suis venu.

– Il avait donc un autre logement ?

– Je possède un bien très élégant sur la place Runnerström. Falk louait un petit appartement sous les combles. Pour son travail, si j'ai bien compris.

Cela peut expliquer l'absence d'ordinateurs, pensa Wallander. Cet endroit-ci ne donne pas l'impression d'une activité débordante.

– Je voudrais visiter cet appartement.

Setterkvist réfléchit un instant. Puis il tira de sa poche le plus imposant jeu de clés que Wallander eût jamais vu. Il en détacha deux, sans une seconde d'hésitation, et les lui tendit.

– Je vais t'établir un reçu, bien sûr.

Setterkvist secoua la tête.

– On doit pouvoir se fier aux gens. Ou plutôt, à sa propre jugeote.

Le vieil homme repartit au pas de charge. Wallander appela le commissariat et demanda qu'on vienne mettre l'appartement sous scellés. Puis il se rendit directement place Runnerström. Il était dix-neuf heures. Le vent soufflait encore par rafales irrégulières. Wallander avait froid. La veste prêtée par Martinsson était trop mince. Il repensa au coup de feu auquel il avait échappé ; l'épisode lui paraissait encore irréel. Comment réagirait-il dans quelques jours, quand il comprendrait réellement à quel point il avait été près de mourir ?

L'immeuble à trois étages datait du début du siècle. Wallander observa la dernière rangée de fenêtres. Pas de lumière. Avant de traverser, il jeta un regard autour de lui. Un homme passa à vélo. Il entra dans le hall de l'immeuble. De la musique s'échappait d'un appartement. Arrivé au dernier étage, il ne trouva qu'une seule porte. Une porte blindée dépourvue de nom et de boîte aux lettres. Il prêta l'oreille. Silence. Il ouvrit avec la clé et s'immobilisa sur le seuil. L'espace d'un instant, il crut entendre un bruit de respiration. La panique le saisit. Je me fais des idées, pensa-t-il. Il alluma et referma la porte derrière lui.

La pièce était vaste et entièrement vide, à l'exception d'une table et d'une chaise. Sur la table, un grand ordinateur. Wallander s'avança. À côté de la machine, il découvrit quelque chose qui ressemblait à un dessin et alluma la lampe de bureau.

Il mit quelques instants à comprendre ce qu'il avait sous les yeux.

Les plans du transformateur où l'on avait retrouvé Sonja Hökberg.

16

Wallander retint son souffle.

Il pensa qu'il avait dû mal voir. Puis ses derniers doutes se dissipèrent. Il reposa doucement la feuille de papier à côté de l'écran noir où se reflétait son propre visage, à la lumière de la lampe. Un téléphone était posé sur la table. Il devait appeler quelqu'un, Martinsson ou Ann-Britt. Et Nyberg. Mais, au lieu de soulever le combiné, il commença à faire lentement le tour de la pièce. C'est ici que travaillait Tynnes Falk. À l'abri d'une porte blindée quasi inviolable. Consultant en informatique. Je ne sais rien encore de la nature exacte de son travail. Mais on l'a retrouvé mort devant un distributeur de billets. Son corps a disparu de la morgue. Et maintenant, je trouve à côté de son ordinateur les plans du transformateur.

L'espace d'un instant vertigineux, Wallander crut entrevoir une explication. Mais les détails étaient trop nombreux. Il fit le tour de la pièce. Qu'y avait-il ici ? Un ordinateur, une chaise, une table et une lampe. Un téléphone et un dessin. Mais pas de rayonnages. Aucun dossier, aucun livre. Pas même un stylo.

Il retourna vers le bureau, s'empara de la lampe, ôta l'abat-jour et éclaira les murs lentement, l'un après l'autre. La lumière était puissante. Mais il ne découvrit aucun signe d'une cachette. Il s'assit sur la chaise. Le silence était assourdissant. Les murs épais ne laissaient filtrer aucun son. Si Martinsson avait été là, Wallander lui aurait demandé d'allumer l'ordinateur. Martinsson s'en serait fait une joie. Mais, tout seul, Wallander n'osait même pas y toucher. De nouveau, il pensa qu'il devait appeler Martinsson. Mais il hésitait encore.

Je dois comprendre. C'est le plus important dans l'immédiat. En très peu de temps, un lien inespéré a surgi. Le problème, c'est que je n'arrive pas à interpréter ce que je vois.

Il était près de vingt heures quand il se résolut enfin à appeler Nyberg.

Celui-ci travaillait presque sans interruption depuis plusieurs jours, mais que faire ? Un autre aurait pensé que l'examen du bureau pouvait attendre jusqu'au lendemain, mais pas Wallander. Son sentiment d'urgence ne cessait de croître. Il composa le numéro du portable. Nyberg l'écouta sans commentaire et nota l'adresse. Wallander descendit l'attendre dans la rue.

Nyberg arriva seul. Wallander l'aida à porter ses mallettes jusqu'au dernier étage.

– Qu'est-ce que je dois chercher ?

– Empreintes. Cachettes.

– Alors je ne fais venir personne dans l'immédiat. Les photos et la vidéo peuvent attendre ?

– Jusqu'à demain, ça ira.

Nyberg hocha la tête, enleva ses chaussures et ouvrit une mallette d'où il tira une autre paire, en plastique. Il avait toujours été insatisfait des surchaussures qu'on trouvait sur le marché. Un an plus tôt, il avait imaginé un modèle entièrement personnel et pris contact avec un artisan. Wallander le soupçonnait d'avoir tout payé de sa poche.

– Tu t'y connais en ordinateurs ?

– Non. Mais je peux toujours faire démarrer celui-là, si tu veux.

– Il vaut mieux laisser ça à Martinsson. Sinon, il ne me le pardonnera pas.

Il montra à Nyberg le papier posé sur la table. Nyberg prit un air pensif.

– Qu'est-ce que ça veut dire ? C'est Falk qui a tué la fille ?

– Il était déjà mort à ce moment-là.

Nyberg hocha la tête.

– Je suis fatigué, je mélange les jours, les heures et les événements. J'attends la retraite.

Mensonge, pensa Wallander. Tu ne l'attends pas, tu la redoutes.

Nyberg choisit une loupe et s'assit. Pendant quelques minutes, il examina le dessin en détail. Wallander attendait en silence.

– Ce n'est pas une copie, dit Nyberg enfin. C'est l'original.

– Tu en es sûr ?

– Presque.

– Ça voudrait dire que ces plans manquent dans les archives de quelqu'un ?

– Je ne sais pas si j'ai bien compris. Mais j'ai pas mal discuté avec ce monteur, Andersson, à propos de leur système de sécurité. En principe, aucune personne extérieure à la boîte n'aurait pu copier ce dessin. Encore moins se procurer l'original.

Très important, pensa Wallander. Si les plans avaient été volés, cela pouvait leur fournir de nouveaux indices.

Nyberg commença à monter ses projecteurs. Wallander décida de le laisser tranquille.

– J'y vais. Si tu as besoin de moi, je suis au commissariat.

Nyberg ne répondit pas ; il était déjà au travail.

Une fois dans la rue, Wallander changea d'avis. Il n'allait pas se rendre au commissariat. Du moins pas directement. Marianne Falk lui avait parlé d'une femme qui pourrait lui dire en quoi consistait exactement le travail de Tynnes Falk, et son bureau était à deux pas. Wallander laissa la voiture, emprunta Långgatan vers le centre et prit à droite dans Skansgränd. La ville était déserte. Deux fois, il se retourna. Mais il n'y avait personne. Le vent soufflait toujours aussi fort, il avait froid. Tout en marchant, il repensa au coup de feu. Quand comprendrait-il réellement ce qui lui était arrivé ? Et quelle serait sa réaction à ce moment-là ?

En arrivant à la maison décrite par Marianne Falk, il aperçut immédiatement la plaque *SERCON*. « Siv Eriksson Consultant », ce devait être ça.

Il sonna à l'interphone. Si ce n'était qu'un bureau, il serait obligé de dénicher son adresse personnelle. On lui répondit presque aussitôt. Wallander se présenta. Il y eut un silence. Puis la porte bourdonna.

Elle l'attendait sur le seuil. Il la reconnut aussitôt.

Il l'avait rencontrée la veille au soir lors de sa conférence. Il lui avait même serré la main, mais ne s'était évidemment pas souvenu de son nom. Elle ne lui avait pas dit qu'elle travaillait avec Falk. Pourquoi ? Elle devait pourtant être informée de sa mort.

Il hésita. Peut-être ne savait-elle rien ?

– Désolé de te déranger, dit-il.

Elle le fit entrer. Il sentit une odeur de feu de bois. Il la regarda. Une quarantaine d'années, des cheveux bruns mi-longs et des traits accusés. La veille au soir, il avait été beaucoup trop nerveux pour prêter attention à son physique. Là, il eut un brusque accès de gêne, comme cela ne lui arrivait que lorsqu'une femme l'attirait.

– Je vais t'expliquer la raison de ma venue.

– Je sais que Tynnes est mort. Marianne m'a téléphoné.

Wallander remarqua qu'elle paraissait triste. Pour sa part, il était soulagé. Après toutes ces années passées dans la police, il ne s'était pas encore habitué à devoir annoncer une mort à quelqu'un.

– Vous deviez être proches…

– Oui et non. Nous étions très proches. Mais seulement dans le travail.

Wallander se demanda s'il n'y avait pas malgré tout autre chose. Un sentiment confus de jalousie le traversa.

– Si la police me rend visite le soir, dit-elle en lui tendant un cintre, je suppose que c'est important.

Il la suivit dans un séjour meublé avec goût. Un feu brûlait dans la cheminée. Wallander eut l'impression que les meubles et les tableaux valaient beaucoup d'argent.

– Je peux te proposer quelque chose ?

Whisky, pensa Wallander. J'en aurais besoin.

– Ce n'est pas nécessaire.

Il s'assit dans l'angle d'un canapé bleu foncé. Elle prit place dans le fauteuil en face de lui. Elle avait de belles jambes. En levant la tête, il vit qu'elle avait suivi son regard.

– Je reviens du bureau de Tynnes Falk, dit-il. En dehors d'un ordinateur, il n'y avait rien du tout.

– Tynnes était d'un tempérament ascétique. Il voulait avoir de l'espace quand il travaillait.

– C'est pour cela que je suis venu. Pour te demander ce qu'il faisait. Ou ce que vous faisiez ensemble.

– Nous collaborions. Mais pas toujours.

– Commençons par ce qu'il faisait lorsqu'il travaillait seul.

Wallander regretta de ne pas avoir proposé à Martinsson de venir. Il y avait un risque sérieux qu'il ne comprenne rien aux réponses qu'elle lui ferait. D'ailleurs, il n'était pas trop tard pour l'appeler. Mais, pour la troisième fois de la soirée, il ne le fit pas.

– Je ne suis pas très calé en informatique. Je te demanderai donc d'être très claire. Sinon, je ne comprendrai rien.

– Ça m'étonne, dit-elle avec un sourire. Hier soir à la conférence, j'ai eu l'impression que la police considérait les ordinateurs comme ses meilleurs alliés.

– Pas moi. Certains d'entre nous doivent encore aller voir les gens et leur parler.

Elle se leva pour tisonner le feu. Il la regardait. Lorsqu'elle se retourna, il baissa vivement la tête.

– Que veux-tu savoir ? Et pourquoi ?

Wallander décida de répondre d'abord à la deuxième question :

– Nous ne sommes plus certains de la cause de la mort de Tynnes Falk. Même si les médecins ont au départ conclu à un infarctus.

– Un infarctus ?

Sa surprise paraissait absolument sincère. Wallander pensa au médecin qui lui avait rendu visite au commissariat.

– Ça m'étonne. Tynnes avait une santé exceptionnelle.

– Ce n'est pas la première fois que j'entends ça. C'est une des raisons pour lesquelles nous nous interrogeons. Que s'est-il passé, dans ce cas ? On pense naturellement à une agression. Ou à un accident. Il a pu trébucher et faire une mauvaise chute…

– Tynnes n'aurait jamais laissé quelqu'un s'approcher de lui.

– Que veux-tu dire ?

– Il était toujours sur ses gardes. Il disait souvent qu'il ne se sentait pas en sécurité dans la rue. Il était prêt à tout. Et il était très rapide. En plus, il avait appris une technique de combat orientale dont j'ai oublié le nom.

– Il cassait des briques à mains nues ?

– Quelque chose comme ça.

– Tu penses donc qu'il s'agirait d'un accident ?

– A priori, oui.

Wallander acquiesça en silence, avant de poursuivre :

– Je suis aussi venu pour d'autres raisons, dont je ne peux malheureusement pas te faire part pour l'instant.

Elle se servit un verre de vin et posa le verre avec précaution sur l'accoudoir.

– Tu éveilles ma curiosité.

– Désolé, je ne peux rien dire.

Mensonge, pensa-t-il. Rien ne m'en empêche. Je me laisse juste aller à un jeu de pouvoir idiot.

– Que veux-tu savoir ?

– Ce qu'il faisait.

– C'était un créateur de systèmes extrêmement doué.

Wallander leva la main.

– Je t'arrête déjà. Qu'est-ce que cela signifie ?

– Il mettait au point des programmes pour différentes entreprises. Dans d'autres cas, il adaptait et améliorait les programmes existants. Quand je dis qu'il était doué, c'est sincère. On lui a proposé plusieurs fois des missions hautement qualifiées, en Asie comme aux États-Unis. Mais il a toujours dit non, alors même qu'il aurait pu gagner beaucoup d'argent.

– Pourquoi ce refus ?

– Je n'en sais rien.

– Mais vous en parliez ensemble ?

– Il me parlait de ces propositions, oui. On lui offrait beaucoup d'argent. À sa place, j'aurais dit oui sans hésiter. Mais pas lui.

– T'a-t-il dit pourquoi ?

– Il ne voulait pas. Il ne pensait pas en avoir besoin.

– Il était riche ?

– Non, je ne crois pas. Cela lui arrivait de m'emprunter de l'argent.

Wallander fronça les sourcils. Ils approchaient d'un point important.

– Il ne t'a rien dit d'autre ?

– Rien. Il ne pensait pas devoir accepter, c'est tout. Si j'insistais, il me coupait la parole. Il pouvait être brusque parfois. C'était lui qui fixait les limites, pas moi.

Alors pourquoi ? pensa Wallander. Pourquoi refusait-il ces propositions ?

– Qu'est-ce qui motivait votre collaboration ?

– Le degré d'ennui.

– J'ai peur de ne pas bien comprendre.

– Il y a toujours des parties de routine dans ce travail. Tynnes était d'une nature impatiente. Il me laissait la routine. Pour mieux se consacrer à ce qui était difficile et excitant. De préférence quelque chose d'entièrement neuf, auquel personne n'avait encore pensé.

– Et tu t'en contentais ?

– Il faut bien reconnaître ses limites. Pour moi, ce n'était pas si ennuyeux. Je n'avais pas ses capacités intellectuelles.

– Comment vous êtes-vous rencontrés ?

– Jusqu'à l'âge de trente ans, j'étais femme au foyer. Puis j'ai divorcé et j'ai repris mes études. Tynnes est venu donner une conférence un jour. Il m'a fascinée. Je lui ai demandé si je pouvais lui être utile. Il a dit non. Un an plus tard, il m'a rappelée. Notre première mission concernait le système de sécurité d'une banque.

– Qu'est-ce que cela impliquait ?

– De nos jours, l'argent circule à une vitesse vertigineuse. Entre particuliers et entreprises, entre banques dans différents pays… Il y a toujours des gens désireux de s'infiltrer dans ces systèmes. La seule manière de leur tenir tête, c'est de garder toujours une longueur d'avance. C'est une lutte perpétuelle.

– Ça me paraît très calé.

– Oui, c'est vrai.

– D'un autre côté, je dois dire que ça me paraît étrange qu'un consultant solitaire d'Ystad puisse s'acquitter de tâches aussi complexes.

– L'un des grands avantages de la nouvelle technologie, c'est que, où qu'on soit, on se trouve au centre du monde. Tynnes discutait avec des entreprises, des fabricants de composants et d'autres programmeurs dans le monde entier.

– De son bureau, ici, à Ystad ?

– Oui.

Wallander se demanda comment poursuivre. Il n'avait pas le sentiment d'avoir bien compris en quoi consistait le travail de Tynnes Falk. En même temps, il ne lui servirait à rien de continuer sur ce terrain sans la présence de Martinsson. Et il fallait prévenir la cellule informatique de la direction de la PJ à Stockholm.

Il décida de changer de piste :

– Tynnes Falk avait-il des ennemis ?

Il l'observait attentivement. Mais il ne put rien déceler, sinon la surprise.

– Pas à ma connaissance.

– As-tu observé un changement chez lui, ces derniers temps ?

Elle réfléchit avant de répondre :

– Il était comme d'habitude.

– C'est-à-dire ?

– Capricieux. Et il travaillait toujours beaucoup.

– Où vous rencontriez-vous ?

– Ici. Jamais dans son bureau.

– Pourquoi ?

– Je crois qu'il avait un peu la terreur des microbes, pour dire les choses franchement. Et il ne supportait pas qu'on vienne salir chez lui. Je crois qu'il avait la manie du ménage.

– Il me fait l'effet d'un monsieur assez compliqué.

– Pas une fois qu'on s'y était habitué. Il était comme les hommes en général.

Wallander la dévisagea avec intérêt.

– Comment sont les hommes en général ?

Elle sourit.

– Est-ce une question privée, ou liée à Tynnes ?

– Je ne pose pas de questions privées.

Elle m'a percé à jour, pensa-t-il. Tant pis.

– Les hommes peuvent être puérils et vaniteux. Bien qu'ils affirment résolument le contraire.

– Cela me paraît un propos très général.

– Je parle sérieusement.

– Et Tynnes Falk était ainsi ?

– Oui. Mais il pouvait aussi être généreux. Il me payait plus que mon dû. Mais il était d'humeur vraiment imprévisible.

– Il avait des enfants…

– On ne parlait jamais de la famille. J'ai attendu au moins un an avant d'apprendre qu'il avait été marié.

– Avait-il des centres d'intérêt, en dehors de son travail ?

– Pas à ma connaissance.

– Rien du tout ?

– Non.

– Mais il devait avoir des amis ?

– Ils communiquaient par mail. Je ne l'ai jamais vu recevoir ne serait-ce qu'une carte postale au cours des quatre années de notre collaboration.

– Comment peux-tu le savoir si tu ne lui rendais jamais visite ?

Elle mima un applaudissement.

– Bonne question ! Son courrier arrivait chez moi. Le problème, c'est qu'il n'en recevait aucun.

– Rien du tout ?

– Littéralement rien. Pendant toutes ces années, il n'y a jamais eu la moindre enveloppe à son nom. Pas même une facture.

Wallander fronça les sourcils.

– J'ai du mal à comprendre. Le courrier arrivait chez toi, mais il ne recevait rien ?

– Très rarement, de la publicité personnalisée. Mais c'est tout.

– Il devait avoir une autre adresse postale ?

– Peut-être.

Wallander pensa aux deux appartements de Falk. Place Runnerström, il n'avait rien trouvé. Il ne se rappelait pas non plus avoir vu du courrier à Apelbergsgatan.

– Il va falloir s'en occuper, dit-il. Tynnes Falk donne indéniablement l'impression d'être un homme très secret.

– Certaines personnes n'aiment peut-être pas recevoir du courrier. Alors que d'autres adorent ça.

Wallander n'avait soudain plus de questions. Tynnes Falk apparaissait comme un véritable mystère. J'avance trop vite, pensa-t-il. Il faut d'abord découvrir ce qui se cache dans son ordinateur. S'il avait une vie digne de ce nom, c'est là qu'on devrait la trouver.

Elle remplit son verre et lui en proposa. Wallander fit non de la tête.

– Tu as dit que vous étiez proches. Mais, si je t'ai bien comprise, il n'était proche de personne, au fond. Ne te parlait-il vraiment jamais de sa femme ou de ses enfants ?

– Non.

– Et quand il lui arrivait de le faire, par exception, que disait-il ?

– C'étaient des commentaires soudains, inattendus. Par exemple, on était en train de travailler et il m'annonçait tout à trac que c'était l'anniversaire de sa fille. Mais il ne fallait surtout pas l'interroger. Il coupait court directement.

– Lui as-tu jamais rendu visite chez lui ?

– Jamais.

La réponse avait fusé un peu trop vite. N'y avait-il pas malgré tout quelque chose entre Tynnes Falk et son assistante ?

Il consulta sa montre. Vingt et une heures déjà. Les bûches finissaient de se consumer dans la cheminée.

– Je suppose qu'il n'a pas reçu de courrier ces derniers jours ?

– Non, rien.

– Que s'est-il passé, à ton avis ?

– Je ne sais pas. Je pensais que Tynnes vivrait vieux. C'était en tout cas son ambition. Je pense qu'il a dû être victime d'un accident.

– Ne pouvait-il pas être malade à ton insu ?

– Bien sûr, mais j'ai du mal à le croire.

Wallander se demanda s'il devait lui parler de la disparition du corps. Il décida d'attendre et de tester une autre piste.

– On a trouvé les plans d'un transformateur dans son bureau. Ça te dit quelque chose ?

– Je sais à peine ce que c'est.

– L'une des installations de Sydkraft, dans les environs d'Ystad.

Elle réfléchit.

– Je sais qu'il a accompli plusieurs missions pour Sydkraft. Mais sans ma participation.

Une pensée venait de frapper Wallander.

– Je voudrais que tu me fasses une liste des projets auxquels vous avez collaboré, et de ceux qu'il exécutait seul.

– Depuis combien de temps ?

– Cette dernière année, dans un premier temps.

– Il peut y avoir des missions que j'ignore.

– Je vais parler à son comptable. Il y a forcément des traces. Mais je veux quand même que tu me donnes cette liste.

– Tout de suite ?

– Demain, ça suffira.

Elle se leva et tisonna les braises. Wallander tenta rapidement de formuler une annonce susceptible de faire répondre Siv Eriksson.

– Tu as faim ? demanda-t-elle en se rasseyant.

– Non. Je vais partir.

– Mes réponses ne t'ont pas beaucoup aidé, je crois.

– J'en sais plus sur Tynnes Falk maintenant que lorsque j'ai sonné à ta porte. Le travail policier est une affaire de patience.

Il pensa qu'il devait partir sur-le-champ.

– Je te recontacterai, dit-il en se levant. Mais je te serais reconnaissant de me faxer cette liste demain au commissariat.

– Je ne peux pas te l'envoyer par e-mail ?

– Sûrement, oui. Mais je ne sais pas comment on fait, s'il y a un numéro spécial ou une adresse.

– Je peux me renseigner.

Elle le raccompagna jusqu'à la porte. Wallander enfila sa veste.

– Tynnes Falk t'a-t-il jamais parlé de visons ?

– De visons ? Jamais de la vie.

Elle ouvrit la porte. Wallander pensa confusément qu'il aurait préféré rester.

– La conférence était bien, dit-elle. Mais tu étais vraiment nerveux.

– Ce sont des choses qui arrivent. Surtout quand on est seul, exposé sans défense à un public de femmes.

Elle lui serra la main. Wallander sortit. Au moment où il ouvrait la porte de l'immeuble, son portable bourdonna. C'était Nyberg.

– Où es-tu ?

– Pas loin. Pourquoi ?

– Je crois qu'il vaut mieux que tu viennes.

Nyberg raccrocha. Wallander sentit les battements de son cœur s'accélérer. Nyberg n'appelait jamais, sauf en cas d'urgence.

17

Il lui fallut moins de cinq minutes pour retourner place Runnerström. Nyberg avait allumé une cigarette sur le palier. Ça ne lui arrivait que dans une seule situation : quand il était sur le point de s'évanouir d'épuisement. Wallander se souvenait encore de la dernière fois, pendant l'enquête autour de Stefan Fredman, Nyberg était debout sur un ponton, au bord d'un lac où l'on venait de repêcher un cadavre. Soudain, il était tombé. Wallander crut qu'il venait de mourir d'une crise cardiaque, mais au bout de quelques secondes il avait rouvert les yeux et demandé une cigarette qu'il avait fumée en silence. Puis il avait repris le travail sans un mot.

Nyberg écrasa le mégot sous sa semelle.

– J'ai examiné les murs. Ils avaient un air bizarre. C'est souvent le cas dans les vieilles maisons, quand le projet initial de l'architecte a été détruit par les réaménagements successifs. Mais j'ai quand même pris des mesures. Voilà ce que j'ai trouvé.

Il l'entraîna vers un angle qui semblait avoir autrefois abrité un conduit de cheminée.

– J'ai frappé. Ça sonnait creux. Puis j'ai trouvé ça.

Il indiqua la plinthe. Wallander s'accroupit. Il y avait un raccord imperceptible. Et une fente, masquée par du ruban adhésif et une fine couche de peinture.

– Tu as regardé ce qu'il y avait derrière ?

– Je préférais t'attendre.

Wallander hocha la tête. Nyberg tira doucement le ruban adhésif, dévoilant une petite porte, haute d'un mètre cinquante environ. Il s'écarta. Wallander poussa la porte, qui s'ouvrit sans un bruit. Nyberg alluma sa lampe torche.

La pièce secrète était plus grande que prévu. Wallander se demanda si Setterkvist connaissait son existence. Il prit la lampe de Nyberg et trouva le commutateur. La pièce faisait huit mètres carrés environ. Il n'y avait pas de fenêtre, juste un ventilateur. Aucun meuble, à part une table. Un autel plutôt. Il y avait deux candélabres. Au mur, derrière la table, un portrait représentant Tynnes Falk. Wallander eut l'impression que la photo avait été prise dans cette même pièce. Il demanda à Nyberg de tenir la lampe pendant qu'il examinait le cliché. Tynnes Falk regardait l'appareil bien en face. Son visage était grave.

– Qu'est-ce qu'il tient à la main ?

Wallander chercha ses lunettes et examina le portrait de très près.

– Je ne sais pas ce que tu en penses, dit-il en se redressant. Mais pour moi, ça ressemble à une télécommande.

Ils échangèrent leurs places. Nyberg parvint à la même conclusion. Tynnes Falk tenait vraiment une télécommande ordinaire.

– Ne me demande pas de t'expliquer ce que je vois, dit Wallander.

– Il s'adressait des prières à lui-même ? C'était un dingue ?

– Je ne sais pas.

Ils regardèrent autour d'eux, mais il n'y avait rien en dehors du petit autel. Wallander enfila les gants en plastique que lui tendait Nyberg et décrocha la photo avec précaution. Aucune inscription au dos. Il tendit le portrait à Nyberg.

– Pour toi.

– C'est peut-être un emboîtement de poupées russes. La chambre cachée en cache peut-être une autre.

Ils examinèrent les murs. Mais ceux-ci étaient solides. Il n'y avait pas de porte dérobée.

Ils retournèrent dans le bureau.

– Tu as trouvé autre chose ?

– Rien. À croire que quelqu'un vient de faire le ménage.

– Tynnes Falk était un homme méticuleux.

Wallander se souvenait de ce que lui avait dit Siv Eriksson et des annotations dans le journal de bord.

– Je ne pense pas pouvoir faire grand-chose ce soir, dit Nyberg. Mais, à la première heure, on s'y remet.

– Avec Martinsson. Je veux savoir ce qu'il y a dans cet ordinateur.

Wallander l'aida à rassembler ses affaires.

– Comment peut-on s'adresser des prières à soi-même ? marmonna Nyberg.

Il paraissait indigné.

– Ce ne sont pas les exemples qui manquent.

– Quand je serai à la retraite, au moins, je ne serai plus obligé de voir des autels construits par des malades.

Dehors, le vent avait durci. Ils chargèrent les mallettes dans la voiture de Nyberg. Wallander lui fit un signe de tête et regarda la voiture s'éloigner. Vingt-deux heures trente. Il avait faim. La pensée de rentrer chez lui et de se préparer à manger était trop décourageante. Il prit sa voiture et s'arrêta devant un kiosque de la route de Malmö. Quelques garçons braillaient autour d'une machine à sous. Wallander faillit leur demander de se taire, mais ne dit rien. Il jeta un coup d'œil prudent aux gros titres. Rien sur lui. Mais il n'osa pas ouvrir un journal. Il y aurait sûrement un article. Il ne voulait rien savoir. Le photographe avait peut-être d'autres images en réserve. La mère d'Eva Persson avait peut-être inventé de nouveaux mensonges.

Il emporta sa barquette de saucisses et de purée dans la voiture. Dès la première bouchée, il renversa de la moutarde sur la veste de Martinsson. Sa première impulsion fut d'ouvrir sa portière et de tout jeter. Mais il se maîtrisa.

Lorsqu'il eut fini de dîner, il se demanda s'il devait rentrer chez lui ou retourner au commissariat. Il avait besoin de dormir. Mais l'inquiétude ne le lâchait pas. Il prit le chemin du commissariat, où il trouva la cafétéria déserte. La machine à café avait été réparée. Mais un mot rageur informait les personnes concernées qu'il ne fallait pas tirer trop fort sur les manettes.

Quelles manettes ? pensa Wallander, découragé. Tout ce que je fais, c'est poser ma tasse au bon endroit et appuyer sur un bouton. Je n'ai jamais vu de manette.

Il ressortit dans le couloir avec son café. Combien de soirées solitaires semblables avait-il passées au commissariat ?

Un soir – il n'était pas divorcé à l'époque, Linda était encore petite – Mona était arrivée hors d'elle, en disant qu'il devait choisir entre sa famille et son travail. Ce soir-là, il l'avait suivie sans un mot. Mais tant d'autres fois, il avait refusé.

Il passa aux toilettes et tenta d'effacer la tache sur la veste de Martinsson. Aucun succès. Puis il s'assit à son bureau et prit un bloc-notes. Pendant une demi-heure, il résuma de mémoire sa conversation avec Siv Eriksson. Lorsqu'il eut fini, il bâilla longuement. Vingt-trois heures trente. Il devrait rentrer chez lui. S'il voulait continuer, il fallait dormir. Mais il s'obligea à se relire. Puis il resta assis, pensif, à s'interroger sur l'étrange personnalité de Tynnes Falk. Et sur le fait que personne ne semblait savoir où il recevait son courrier. Puis il repensa à une réflexion de Siv Eriksson.

Tynnes Falk n'avait pas accepté une seule des missions lucratives qu'on lui proposait. Parce qu'il en avait, selon ses propres termes, déjà suffisamment.

Il regarda sa montre. Minuit moins vingt. C'était un peu tard pour téléphoner. Mais son intuition lui disait que Marianne Falk n'était pas encore couchée. Il fouilla dans ses papiers et composa le numéro. Il s'apprêtait à raccrocher lorsqu'il entendit sa voix. Il s'excusa de l'appeler si tard.

– Je ne me couche jamais avant une heure, dit-elle. Mais ce n'est pas tous les jours que quelqu'un me téléphone à minuit.

– Voici ma question. Tynnes Falk avait-il rédigé un testament ?

– Pas à ma connaissance.

– Ce testament pourrait-il exister sans que tu en aies connaissance ?

– Bien entendu. Mais je n'y crois pas.

– Pourquoi pas ?

– Notre divorce s'est fait largement à mon avantage. Presque comme une avance sur l'héritage que je ne toucherais jamais. Et les enfants vont hériter automatiquement.

– Bien, c'est tout ce que je voulais savoir.

– Avez-vous retrouvé le corps ?

– Pas encore.

– Et le type qui t'a tiré dessus ?

– Non plus. Le problème, c'est qu'on n'a aucun signalement. On ne sait même pas si c'est un homme. Même si toi et moi en sommes convaincus.

– Je regrette de n'avoir pu t'être utile.

– Nous allons vérifier le point du testament.

– J'ai touché beaucoup d'argent, dit-elle soudain. Beaucoup de millions. Et les enfants s'attendent sans doute à un bel héritage.

– Tynnes était riche ?

– Au moment du divorce, j'ai été stupéfaite qu'il puisse m'en donner autant.

– Comment l'a-t-il expliqué ?

– Il m'a dit qu'il avait eu quelques missions importantes aux États-Unis. Mais ce n'était pas vrai.

– Pourquoi pas ?

– Il n'est jamais allé aux États-Unis.

– Comment le sais-tu ?

– J'ai vu son passeport. Il n'y avait aucun visa. Aucun tampon.

Et alors ? Erik Hökberg faisait des affaires avec des pays lointains sans quitter son lotissement d'Ystad. Cela pouvait aussi valoir pour Tynnes Falk.

Il s'excusa une fois de plus, raccrocha et constata en bâillant qu'il était minuit moins deux. Il enfila la veste et éteignit la lumière. Au moment où il traversait la réception, un policier de garde passa la tête par la porte du central.

– Je crois que j'ai quelque chose pour toi.

Wallander ferma les yeux et fit une prière muette pour qu'il ne soit pas arrivé un événement qui l'obligerait à rester debout toute la nuit.

– Apparemment, quelqu'un aurait trouvé un cadavre.

Ah non, pensa Wallander. Pas un de plus. Pas maintenant. On n'y arrivera pas.

Il prit le téléphone.

– Kurt Wallander, j'écoute.

L'homme à l'autre bout du fil était bouleversé et criait si fort qu'il dut écarter le combiné de son oreille.

– Parle lentement. Et calmement. Sinon, nous ne pourrons rien faire. Ton nom ?

– Nils Jönsson. Il y a un type mort dans la rue.

– Où ça ?

– À Ystad. J'ai trébuché dessus. Il est tout nu et il est mort. C'est horrible à voir. Ça ne devrait pas être permis. Je suis cardiaque et…

– Lentement. Calmement. Tu dis qu'il y a un homme nu et mort dans la rue ?

– Tu es sourd ou quoi ?

– Je t'entends. Quelle rue ?

– Comment veux-tu que je sache comment il s'appelle, ce parking ?

– C'est un parking ou une rue ?

– Les deux.

– Où ?

– Je viens de Trelleborg, j'allais à Kristianstad, je me suis arrêté pour faire le plein. C'est là que je l'ai vu.

– Tu me parles d'une station-service ? D'où appelles-tu exactement ?

– Je suis dans ma voiture.

Wallander commença à espérer que l'homme avait trop bu. Mais son agitation était réelle.

– Que vois-tu par le pare-brise ?

– Un grand magasin.

– Il a un nom ?

– Je ne peux pas le voir. Mais il n'est pas loin de la bretelle d'autoroute.

– Quelle bretelle ?

– Celle qui va vers la ville, bien sûr.

– De Trelleborg ?

– De Malmö. J'étais sur l'autoroute.

Une idée l'effleura. Mais il avait du mal à y croire.

– Peux-tu voir un distributeur de billets de là où tu es ?

– Mais c'est là qu'il se trouve ! Par terre, sur le trottoir.

Wallander retint son souffle. Il regarda le policier, qui avait suivi la conversation avec curiosité. L'homme parlait encore dans le combiné.

– C'est l'endroit où est mort Tynnes Falk. Je me demande si on ne l'a pas retrouvé.

– Grosse intervention, alors ?

– Non. Réveille Martinsson. Et Nyberg. Il n'est sans doute pas couché encore. Combien de voitures sont en service ?

– Deux. Une à Hedeskoga pour une histoire de famille, un anniversaire qui aurait dégénéré.

– Et l'autre ?

– En ville.

– Dis-leur de se rendre au parking de Missunnavägen le plus vite possible. Je prends ma propre voiture.

Wallander quitta le commissariat en frissonnant. La veste était trop légère. Pendant les quelques minutes du trajet, il se demanda ce qui l'attendait. Mais, au fond de lui, il savait. Tynnes Falk était revenu sur le lieu de sa mort.

Il arriva presque en même temps que la patrouille. Un homme surgit d'une Volvo rouge et se précipita vers lui en criant. Nils Jönsson, de Trelleborg, sans doute. Wallander eut le temps de sentir qu'il avait mauvaise haleine.

– Attends là !

Il s'approcha du distributeur.

L'homme couché sur le bitume était effectivement nu. Et c'était bien Tynnes Falk. Il était couché sur le ventre, les mains sous lui, la tête tournée vers la gauche. Wallander ordonna aux collègues de dresser un périmètre de sécurité et de prendre tous les renseignements concernant Nils Jönsson. Lui-même n'en avait pas la force. D'ailleurs, Jönsson n'aurait rien à leur apprendre. Celui ou ceux qui avaient déposé le corps avaient sûrement choisi un moment où personne ne les regardait. Mais les grands magasins étaient surveillés. La première fois, c'était un vigile qui avait découvert le corps.

Il n'avait jamais été confronté à cela. Un cadavre qui resurgissait sur le lieu de sa mort.

Il n'y comprenait rien. Il fit le tour du corps avec précaution, comme s'il attendait à tout moment à ce que Tynnes Falk se lève et s'en aille.

C'est une idole que je vois, pensa-t-il. Tu t'adressais des prières à toi-même. D'après Siv Eriksson, tu avais l'intention de vivre très vieux. Mais tu n'as même pas atteint mon âge.

Nyberg arriva et descendit de voiture. Il considéra longuement le corps.

– Comment il a fait pour revenir ? Il veut être enterré au pied du distributeur ou quoi ?

Wallander ne répondit pas. Il ne savait pas quoi dire. Puis il aperçut la voiture de Martinsson et alla à sa rencontre.

Martinsson était en survêtement. Il jeta un regard réprobateur à la tache sur la veste, mais ne dit rien.

– Qu'est-ce qui se passe ?

– Tynnes Falk est revenu.

– Tu plaisantes ?

– Non. Il est couché à l'endroit où il est mort.

Ils s'approchèrent. Nyberg parlait dans son portable. Wallander crut comprendre qu'il réveillait l'un de ses techniciens et se demanda si Nyberg allait de nouveau s'évanouir de fatigue.

– Première question, dit-il à Martinsson. Était-il dans la même position quand on l'a trouvé la première fois ?

Martinsson fit lentement le tour du corps. Il avait une excellente mémoire.

– La première fois, il était plus loin du distributeur. Et il avait une jambe repliée.

– Tu en es sûr ?

– Oui.

Wallander réfléchit.

– Sa mort est officielle depuis une semaine. Je crois qu'on peut le retourner sans qu'on nous accuse de faute grave.

Martinsson hésita. Mais Wallander était sûr de lui. Il ne voyait aucune raison d'attendre. Nyberg prit quelques photos. Puis ils retournèrent le corps.

Martinsson recula. Wallander mit un instant à comprendre. Il manquait un doigt à chaque main. L'index de la main droite, le majeur de la main gauche. Il se redressa.

– C'est qui, ces gens ? marmonna Martinsson. Des profanateurs de cadavres ?

– Je ne sais pas. Mais ça veut dire quelque chose. Tout comme le fait qu'on l'ait enlevé et replacé au même endroit.

Martinsson était pâle. Wallander l'entraîna à l'écart.

– Il faut qu'on retrouve le vigile qui l'a découvert la première fois. Il faut reconstituer leur emploi du temps. À quel moment passent-ils à cet endroit ? Ça nous donnera une idée de l'heure à laquelle il a été déposé.

– Qui l'a trouvé cette fois-ci ?

– Un certain Nils Jönsson, de Trelleborg.

– Il voulait prendre de l'argent au distributeur ?

– Non, faire le plein d'essence. En plus, il est cardiaque.

– Ce serait bien qu'il ne nous claque pas entre les doigts là tout de suite. Je crois que je ne le supporterais pas.

Wallander parla au policier qui avait interrogé Nils Jönsson. Comme prévu, celui-ci n'avait pas eu d'observations intéressantes à communiquer.

– Qu'est-ce qu'on en fait ? demanda le policier.

– On le renvoie chez lui.

Jönsson démarra sur les chapeaux de roue. Wallander se demanda distraitement s'il arriverait à destination ou si son cœur le lâcherait avant Kristianstad.

Entre-temps, Martinsson avait parlé à l'entreprise de gardiennage.

– Le vigile est passé ici à vingt-deux heures trente.

Il était minuit et demie. Le coup de fil était parvenu au commissariat à minuit. Nils Jönsson affirmait avoir découvert le corps vers minuit moins le quart. Ça pouvait coller.

– Il est donc là depuis une à deux heures. À mon avis, ceux qui l'ont déposé là savaient à quel moment passerait le vigile.

– « Ceux » ?

– Ce n'était pas un homme seul. J'en suis convaincu.

– Tu penses qu'il a pu y avoir des témoins ?

– Pas vraiment. Il n'y a pas d'habitations à proximité. Et qui viendrait traîner par ici à cette heure ?

– Des gens qui promènent leur chien.

– Peut-être.

– Quelqu'un pourrait avoir remarqué une voiture. Les propriétaires de chiens ont des habitudes fixes, ils font souvent le même tour chaque jour à la même heure. Ils auraient sûrement remarqué un détail inhabituel.

Wallander était d'accord.

– On enverra quelqu'un demain soir.

– Hansson aime beaucoup les chiens.

Moi aussi, pensa Wallander. Mais ce n'est pas pour autant que j'aurais envie de revenir traîner ici demain soir.

Une voiture freina devant le périmètre de sécurité. Un jeune homme vêtu d'un survêtement presque identique à celui de Martinsson en descendit. Wallander se demanda s'il commençait à être cerné par une équipe de football.

– Le vigile de dimanche soir, commenta Martinsson. Il était de congé ce soir.

Il s'éloigna pour lui parler. Wallander retourna auprès de Nyberg.

– On lui a tranché deux doigts. C'est de pire en pire.

– Je sais que tu n'es pas médecin. Mais tu as dit « tranché » ?

– L'entaille est nette. On peut aussi imaginer une grosse pince. Le médecin le dira. Il est en route.

– Susann Bexell ?

– Sais pas.

Le médecin arriva au bout d'une demi-heure. C'était bien Bexell, Wallander lui expliqua la situation. Un maître-chien, contacté par Nyberg, arriva au même moment. Il était censé chercher les doigts manquants.

– Je ne sais pas ce que je fais là, dit Bexell quand Wallander eut fini. Il était mort l'autre jour, ça n'a pas changé.

– Je veux que tu regardes ses mains. On lui a tranché deux doigts.

Nyberg avait allumé une cigarette. Wallander lui-même s'étonna de ne pas se sentir plus fatigué que ça. Le chien était déjà au travail. Wallander se rappela vaguement un autre chien, qui avait découvert un jour un doigt noir. Quand était-ce ? Il ne s'en souvenait plus. Cinq ans plus tôt, dix ans peut-être.

Susann Bexell se redressa.

– Je crois qu'ils ont été coupés avec une pince. Mais je ne peux pas vous dire si ça s'est passé ici ou ailleurs.

– Ça ne s'est pas passé ici, affirma Nyberg.

Personne ne lui demanda comment il pouvait être aussi catégorique.

Le médecin avait fini. Le fourgon réfrigéré venait d'arriver. On s'apprêta à emporter le corps.

– J'aimerais qu'il ne disparaisse pas de la morgue une nouvelle fois, dit Wallander. Ce serait bien si on pouvait l'enterrer maintenant.

Le médecin et le fourgon disparurent. Le maître-chien avait entretemps abandonné les recherches.

– S'il y avait eu des doigts dans le coin, on les aurait déjà trouvés.

Wallander pensait au sac à main de Sonja Hökberg.

– Je crois quand même qu'on va fouiller le périmètre à fond demain matin. On les a peut-être jetés plus loin, pour nous compliquer la tâche.

Il était deux heures moins le quart. Le vigile était rentré chez lui.

– Il est du même avis que moi, dit Martinsson. La position du corps était différente dimanche dernier.

– Ça peut signifier deux choses. Soit ils n'ont pas pris la peine d'arranger le corps à l'identique. Soit ils ne savaient pas dans quelle position il était la première fois.

– Mais pourquoi l'ont-ils ramené ?

– Je n'en sais rien. Et ça ne vaut pas la peine qu'on s'éternise ici. On a besoin de dormir.

Nyberg rangea ses mallettes pour la deuxième fois de la soirée. Le périmètre de sécurité resterait en place jusqu'au lendemain.

– À demain, huit heures.

Ils se séparèrent. De retour chez lui, Wallander se prépara un thé qu'il ne finit pas. En se couchant, il constata qu'il avait mal au dos et aux jambes. Le lampadaire oscillait sur son fil de l'autre côté de la fenêtre.

Sur le point de s'endormir, il sursauta et prêta l'oreille. Puis il comprit que l'avertissement venait de l'intérieur.

Quelque chose à propos de ces doigts coupés.

Il se redressa dans le lit. Deux heures vingt.

Il voulait en avoir le cœur net. Ça ne pouvait pas attendre jusqu'au lendemain.

Il se leva, se rendit à la cuisine. L'annuaire était posé sur la table. En moins d'une minute, il trouva le numéro qu'il cherchait.

18

Siv Eriksson dormait.

Wallander attendit en espérant qu'il ne venait pas interrompre un rêve agréable. Elle décrocha à la onzième sonnerie.

– C'est Kurt Wallander.

– Qui ?

– Je t'ai rendu visite hier soir.

Il lui laissa le temps de reprendre ses esprits.

– Ah, la police. Quelle heure est-il ?

– Deux heures et demie du matin. Je ne t'aurais pas dérangée si ce n'était pas important.

– Il est arrivé quelque chose ?

– On a retrouvé le corps.

Il y eut un bruit confus à l'autre bout du fil. Il pensa qu'elle venait de s'asseoir dans le lit.

– Tu peux répéter ?

– On a retrouvé le corps de Tynnes Falk.

Au même moment, il comprit qu'elle ignorait tout de sa disparition. Il était épuisé au point d'oublier qu'il ne lui en avait pas parlé la veille.

Il lui raconta tout. Elle l'écouta sans l'interrompre.

– C'est vrai ? demanda-t-elle lorsqu'il eut fini.

– Je me rends compte que ça paraît absurde. Mais c'est absolument vrai.

– Qui aurait fait une chose pareille ? Et pourquoi ?

– C'est la question que je me pose, moi aussi.

– Et vous avez retrouvé le corps au même endroit ?

– Oui.

– C'est invraisemblable. Comment a-t-il pu se retrouver là ?
– On ne le sait pas encore. Je t'appelle parce que j'ai une question.
– Tu as l'intention de passer chez moi ?
– Non, on peut le faire par téléphone.
– Que veux-tu savoir ? Tu ne dors donc jamais ?
– On n'en a pas toujours le temps. Ma question te paraîtra peut-être étrange.
– C'est toi qui me parais étrange. Si tu me permets d'être franche, comme ça en pleine nuit.
Wallander fut complètement décontenancé.
– Je ne comprends pas très bien.
Elle éclata de rire.
– Ce n'est pas la peine de prendre un ton dramatique. Mais je trouve étrange quelqu'un qui refuse de boire quoi que ce soit alors qu'il en meurt d'envie. Et qui ne veut rien manger, alors qu'il est visiblement affamé.
– Je n'étais ni assoiffé ni affamé. Si c'est à moi que tu penses.
– À qui, sinon toi ?
Wallander se demanda pourquoi il s'obstinait. De quoi avait-il peur, au juste ? Elle ne croyait pas un mot de ses dénégations.
– Je t'ai vexé ?
– Pas du tout. Puis-je poser ma question maintenant ?
– Je t'écoute.
– Pourrais-tu me dire comment Tynnes Falk se servait du clavier de son ordinateur ?
– C'est ça, ta question ?
– Oui. Et j'aimerais avoir une réponse.
– Il s'en servait comme tout le monde, je dirais.
– C'est très variable selon les gens. Les policiers, par exemple, on les représente souvent en train de taper avec un seul doigt sur une vieille machine.
– Ah, je comprends mieux.
– Il se servait de tous ses doigts ?
– Très peu de gens font ça, à l'ordinateur.
– Il n'en utilisait donc que certains ?
– Oui.
Wallander retint son souffle. Restait à savoir s'il avait vu juste.
– Quels doigts ?

– Il faut que je réfléchisse.

Wallander attendit.

– Il utilisait les deux index, dit-elle.

Il sentit la déception l'envahir.

– Tu en es absolument certaine ?

– Pas vraiment.

– C'est très important.

– J'essaie de me le représenter.

– Prends ton temps.

Elle était bien réveillée maintenant. Il devina qu'elle faisait de son mieux.

– Je peux te rappeler ? Je ne suis pas tout à fait sûre de moi. Je crois que ce serait plus facile si je m'asseyais devant mon ordinateur.

Wallander lui donna son numéro personnel. Puis il s'assit à la table de la cuisine et attendit. Il avait un mal de crâne lancinant. Demain soir, pensa-t-il, quoi qu'il arrive je me couche de bonne heure et je dors toute la nuit. Il se demanda distraitement si Nyberg dormait en ce moment ou s'il se retournait entre ses draps.

Elle le rappela au bout de dix minutes. La sonnerie le fit sursauter. La peur que ce puisse être un journaliste le reprit. Mais les journalistes appelaient rarement avant quatre heures du matin. Elle alla droit au but :

– L'index de la main droite et le majeur de la main gauche.

Wallander sentit la tension intérieure monter d'un cran.

– Tu en es sûre ?

– Oui. C'est très inhabituel. Mais c'est comme ça qu'il faisait.

– Bien. Cette réponse est très importante pour moi.

– Mais est-ce la bonne ?

– Elle confirme un soupçon.

– Tu dois comprendre ma curiosité.

Wallander faillit lui parler des doigts manquants, mais se ravisa.

– Je ne peux malheureusement pas t'en dire davantage. Plus tard peut-être.

– Que s'est-il passé au juste ?

– C'est ce que nous essayons de découvrir. N'oublie pas la liste que je t'ai demandée. Bonne nuit.

– Bonne nuit.

Wallander se leva et s'approcha de la fenêtre. La température avait un peu monté. Sept degrés au-dessus de zéro. Le vent soufflait encore et une pluie fine tombait sur la ville. Trois heures moins quatre minutes. Wallander retourna se coucher. Les doigts coupés dansèrent un long moment devant ses yeux avant qu'il trouve le sommeil.

*

L'homme dissimulé dans l'ombre de la place Runnerström compta lentement ses inspirations. C'était un truc qu'il avait appris dans l'enfance. Le souffle et la patience étaient liés. Savoir à quel moment il était primordial d'attendre.

C'était aussi une façon de garder l'inquiétude sous contrôle. Trop d'événements imprévus s'étaient accumulés. On ne pouvait se prémunir contre tout, bien sûr ; mais la mort de Falk représentait un sérieux accroc. Il avait fallu se réorganiser. Le temps commençait à manquer. Mais si aucun nouvel incident ne survenait, le plan se déroulerait malgré tout comme prévu.

Il pensa à l'homme qui se trouvait quelque part, très loin, dans la nuit tropicale. Celui qui tirait les ficelles. Qu'il n'avait jamais rencontré. Mais qui lui inspirait une crainte mêlée de respect.

Rien ne devait dérailler. Cet homme ne le tolérerait pas.

Mais il n'y avait pas de danger. Personne n'était capable de s'introduire dans l'ordinateur qui était le cerveau de l'organisation. Son inquiétude était injustifiée. Une faiblesse.

C'était une erreur de ne pas avoir réussi à tuer le policier dans l'appartement de Falk. Mais ça ne remettait pas en cause le système de sécurité. Ce policier ne savait probablement rien. Même s'ils ne pouvaient en être sûrs à cent pour cent.

C'était une expression de Falk. *Rien n'est absolument sûr.* Maintenant, Falk était mort. Et sa mort confirmait son propos. Rien n'était jamais tout à fait sûr.

Ils devaient être prudents. L'homme auquel toutes les décisions revenaient, seul désormais, lui avait ordonné d'attendre. La mort du flic susciterait une émotion inutile. Rien n'indiquait d'ailleurs que la police eût la moindre idée de ce qui se passait.

Il avait donc continué à surveiller l'immeuble d'Apelbergsgatan. Il avait suivi le flic jusqu'à la place Runnerström. Sans surprise, le bureau de Falk avait été découvert. Ensuite, un autre policier avait débarqué avec des mallettes. Le premier flic était sorti de l'immeuble pour y retourner une heure plus tard. Ils avaient quitté le bureau ensemble peu avant minuit.

Il avait continué d'attendre. Il était maintenant trois heures du matin. La rue était déserte. Il avait froid. Il lui paraissait peu vraisemblable que quelqu'un revienne désormais. Avec précaution, il se détacha de l'ombre, traversa la rue, monta silencieusement jusqu'au dernier étage et enfila des gants avant d'ouvrir avec ses clés. Il alluma sa lampe torche. Ils avaient trouvé la porte de la chambre secrète. Il n'en fut pas surpris. Sans savoir pourquoi, il avait acquis un certain respect pour ce flic qui avait réagi vite, dans l'appartement, alors qu'il n'était plus très jeune. Ça aussi, il l'avait appris dans l'enfance. Le fait de sous-estimer un adversaire était un péché mortel, aussi grave que la convoitise.

Il dirigea le faisceau de la torche vers l'ordinateur et le fit démarrer. L'écran s'éclaira. Il fit apparaître la date et l'heure de la dernière mise en service. Celle-ci remontait à six jours. Les policiers n'avaient donc pas même pris la peine de l'allumer.

Ils avaient peut-être l'intention de faire appel à un spécialiste. L'inquiétude revint. Pourtant, tout au fond de lui, il savait qu'ils ne parviendraient jamais à craquer les codes. Même en y travaillant pendant mille ans. La seule possibilité était que l'un des flics fasse preuve d'une intuition proprement prodigieuse. Ou une d'acuité d'esprit inouïe. Mais c'était peu probable – d'autant plus qu'ils ne savaient pas quoi chercher. Même dans leurs rêves les plus fous, ils ne pouvaient imaginer ce qui se cachait dans cette machine, l'ampleur des forces attendant d'être libérées.

Il quitta l'immeuble aussi silencieusement qu'il était venu.

L'instant d'après, il avait disparu parmi les ombres.

*

Wallander se réveilla avec le sentiment d'avoir trop dormi. Il n'était que six heures pourtant. Il se laissa retomber sur l'oreiller. Le manque de sommeil lui donnait la migraine. Encore dix minutes. Ou sept. Je n'ai pas la force de me lever.

Il tituba jusqu'à la salle de bains. Il avait les yeux injectés de sang. Sous la douche, il s'appuya contre le mur, aussi lourd qu'un cheval. Peu à peu, il sentit qu'il se réveillait.

À sept heures moins cinq, il freinait sur le parking du commissariat. La pluie fine de la nuit n'avait pas cessé. Hansson, pour une fois matinal, feuilletait un journal dans le hall d'accueil. Et il avait mis un costume et une cravate. D'habitude, il se présentait en pantalon de velours chiffonné et ne repassait jamais ses chemises.

– C'est ton anniversaire ?

Hansson leva la tête.

– Je me suis aperçu dans la glace l'autre jour, ce n'était pas beau à voir. J'ai pensé que je pouvais faire un effort. On est samedi, en plus. On verra bien combien de temps ça dure.

Ils prirent le chemin de la cafétéria et des obligatoires tasses de café. Wallander lui résuma les événements de la nuit.

– Ça ne paraît pas croyable, dit Hansson lorsqu'il eut fini. Pourquoi irait-on recoucher un mort dans la rue ?

– C'est pour répondre à ce genre de question qu'on nous paie. D'ailleurs, tu vas chercher des chiens ce soir.

– Quoi ?

– C'est une idée de Martinsson. Quelqu'un a pu remarquer quelque chose du côté du distributeur hier soir. On se disait que tu pourrais y aller ce soir et parler aux gens qui promènent leurs chiens, s'il y en a.

– Pourquoi moi ?

– Tu aimes bien les chiens.

– Je suis invité ce soir. On est samedi, comme je l'ai dit tout à l'heure.

– Ça n'empêche pas. Si tu y es pour vingt-trois heures, ça suffit.

Hansson hocha la tête sans protester. Même s'il n'avait pas spécialement d'amitié pour son collègue, Wallander ne pouvait mettre en cause sa bonne volonté lorsque la situation l'exigeait.

– Réunion à huit heures, dit Wallander. On doit faire le point.

– On passe notre temps à ça. Mais ce n'est pas pour autant qu'on avance.

Wallander s'assit à son bureau. Après un moment, il repoussa son bloc. Il ne savait même plus ce qu'il avait l'intention de noter. Dans quel sens fallait-il orienter l'enquête ? Jamais encore il ne s'était senti aussi démuni. Ils avaient sur les bras : un chauffeur de taxi assassiné, une meurtrière tout aussi morte, un consultant terrassé devant un distributeur de billets, un cadavre qui jouait les prestidigitateurs et auquel il manquait deux doigts. Une importante coupure de courant en Scanie et un relais électrique reliaient ces différentes morts. Pourtant, rien ne collait. D'autre part, quelqu'un lui avait tiré dessus. Dans l'intention évidente de le tuer.

Tout se dérobe dans cette affaire, pensa Wallander. Je ne sais pas où est le début, ni la fin, ni pourquoi ces gens sont morts. Pourtant, il doit y avoir une cohérence cachée.

Il se leva et se posta à la fenêtre, son café à la main.

Qu'aurait fait Rydberg à sa place ? Quel conseil lui aurait-il donné ? Aurait-il été aussi perdu que lui ?

Pour une fois, il n'obtint aucune réponse. Rydberg gardait le silence.

Il se rassit. Il devait préparer la réunion. C'était malgré tout son rôle d'orienter le travail du groupe d'enquête. Il refit le point intérieurement, en essayant de voir les choses sous un autre angle. Quels étaient les événements principaux ? Quels éléments pouvaient être considérés comme secondaires ? C'était comme de construire un système planétaire où des satellites décrivaient des trajectoires différentes autour d'un même centre. Mais là, il n'y avait pas de centre. Seulement un grand trou.

Il y a toujours un personnage principal, pensa-t-il. Tous les rôles ne sont pas aussi importants. Mais qui est qui, parmi ces morts ? Et dans quel jeu ?

Il était de retour à son point de départ. La seule certitude pour l'instant, c'était que la tentative de meurtre dirigée contre lui n'était pas centrale. Pas plus sans doute que le meurtre du chauffeur de taxi.

Restait Tynnes Falk. Il existait un lien entre lui et Sonja Hökberg : un relais et les plans d'un transformateur. Voilà à quoi ils devaient se tenir. Le lien était ténu et incompréhensible. Mais il existait.

Il repoussa le bloc. Je ne sais pas ce que je vois, pensa-t-il avec découragement.

Il s'attarda encore quelques minutes. Le rire d'Ann-Britt lui parvint du couloir. Ça faisait longtemps qu'il ne l'avait pas entendue rire. Il rassembla ses papiers et se dirigea vers la salle de réunion.

La réunion dura près de trois heures, au cours desquelles l'atmosphère de fatigue et d'abattement se dissipa peu à peu.

Nyberg fit son apparition à huit heures trente et s'assit sans un mot à sa place en bout de table. Wallander l'interrogea du regard, mais il n'avait rien d'urgent à communiquer.

Ils testèrent différentes pistes, différentes approches possibles. Mais le terrain se dérobait sans cesse. Ils décidèrent de faire une pause pour aérer. Ann-Britt était songeuse.

– Avons-nous affaire à quelqu'un qui sème des fausses pistes de façon délibérée ? Tout cela est peut-être extrêmement simple, si seulement nous pouvions découvrir le mobile.

– Quel mobile ? fit Martinsson. Une fille qui tue un chauffeur de taxi ne peut pas avoir le même mobile que celui qui électrocute cette même fille en provoquant une énorme panne dans toute la région. En plus, on ne sait même pas si Tynnes Falk a été tué. Moi, je crois encore à un accident.

– En fait, ce serait plus simple s'il avait été tué, dit Wallander. Dans ce cas, on aurait la certitude d'avoir affaire à un enchaînement criminel.

Ils avaient refermé les fenêtres et repris place autour de la table.

– Le plus grave, dit Ann-Britt, c'est malgré tout qu'on ait tiré sur toi. C'est très rare qu'un cambrioleur soit prêt à tuer quelqu'un.

– Je ne sais pas si c'est plus grave que le reste. Ça montre en tout cas qu'il existe un grand cynisme chez les gens qui sont à l'origine de tout ceci. Quel que soit leur but.

Ils continuèrent à retourner en tous sens les éléments dont ils disposaient. Wallander parla peu, mais écouta ses collègues avec attention. Il était arrivé plusieurs fois qu'une enquête difficile se débloque d'un coup à la suite de quelques mots jetés en l'air, sous la forme d'un commentaire ou d'une remarque insignifiante. Ils cherchaient pour l'instant des accès possibles, et un centre capable de remplacer ce qui n'était pour l'instant qu'un trou noir. C'était rébarbatif, comme de gravir une côte sans fin. Mais ils n'avaient pas le choix.

La dernière heure fut consacrée à la répartition des tâches. Chacun, à tour de rôle, cocha sa liste personnelle de priorités. Peu avant onze heures, Wallander comprit qu'il était temps de conclure.

– Ça va prendre du temps. Il faudra peut-être envisager des renforts. Je vais en parler à Lisa. Dans l'immédiat, on n'accomplira plus rien autour de cette table. Malheureusement, il faudra travailler tout le week-end. On doit avancer, coûte que coûte.

Hansson se rendit chez le procureur, qui voulait un rapport détaillé sur l'état de l'enquête. Martinsson partit téléphoner – Wallander lui avait demandé pendant la pause s'il pouvait l'accompagner au bureau de Falk à la fin de la réunion. Nyberg resta quelques instants assis à se triturer les cheveux. Puis il se leva et sortit sans un mot. Restait Ann-Britt. Wallander comprit qu'elle désirait lui parler en tête à tête et referma la porte.

– J'ai pensé à quelque chose. L'homme qui t'a tiré dessus.

– Quoi ?

– Il t'a vu. Et il a tiré sans hésiter.

– Je préfère ne pas y penser.

– Tu devrais.

Wallander la considéra attentivement.

– Comment cela ?

– Tu devrais peut-être faire attention. Le plus vraisemblable, c'est que tu l'as surpris. Mais on ne peut pas complètement exclure qu'il croie que tu sais quelque chose. Et qu'il essaiera de nouveau.

Wallander s'étonna de n'y avoir pas pensé lui-même. La peur revint.

– Je ne veux pas t'effrayer, dit-elle. Mais je devais te le dire.

Il hocha la tête.

– Que pense-t-il que je sais, dans ce cas ?

– Si ça se trouve, il a raison. Tu as peut-être vu quelque chose à ton insu.

Wallander venait de penser à un autre détail.

– On devrait peut-être mettre Apelbergsgatan et la place Runnerström sous surveillance. Discrètement. Par mesure de sécurité.

Elle partit s'en occuper. Wallander resta seul avec sa peur. Il pensa à Linda. Puis il se ressaisit et alla attendre Martinsson dans le hall.

Ils entrèrent dans l'appartement de la place Runnerström peu avant midi. Martinsson s'intéressa immédiatement à l'ordinateur, mais Wallander voulut d'abord lui montrer la cachette avec l'autel. Martinsson grimaça.

– L'espace cybernétique tourne la tête des gens. Tout cet appartement me rend malade.

Wallander ne répondit pas. Martinsson venait d'utiliser un mot. *L'espace*. Le même mot que Falk dans son journal de bord.

L'espace était désert, écrivait-il. Aucun message des amis.

Quel genre de message ? Il aurait donné cher pour le savoir.

Martinsson avait ôté sa veste et allumé l'ordinateur. Wallander s'approcha.

– Il contient quelques programmes très calés, déclara Martinsson d'emblée. Et il est sans doute terriblement rapide. Je ne suis pas certain de m'en sortir.

– Essaie. Si ça ne marche pas, on fera appel à la cellule informatique de Stockholm.

Martinsson contemplait l'écran en silence. Puis il se leva et examina l'arrière de l'appareil sous le regard attentif de Wallander. L'écran s'était entre-temps allumé. Une myriade de symboles tourbillonna un instant. Puis un ciel étoilé apparut.

Martinsson se rassit.

– On dirait qu'il se connecte automatiquement à un serveur dès qu'on l'allume. Tu veux que je t'explique ce que je fais ?

– Je n'y comprendrai riens, de toute façon.

Martinsson ouvrit le disque dur. Une liste de codes apparut. Wallander mit ses lunettes et se pencha par-dessus l'épaule de Martinsson, mais ne vit que des alignements de chiffres et de lettres. Martinsson cliqua sur le premier nom de la liste. Soudain, il tressaillit.

– Qu'est-ce qui se passe ?

Martinsson indiqua un point clignotant qui venait de s'allumer à droite.

– Je ne sais pas si j'ai raison, dit-il lentement. Mais je crois que quelqu'un vient d'être averti qu'on essaie d'ouvrir un dossier sans autorisation.

– Comment est-ce possible ?

– Cet ordinateur est relié à d'autres.

– Quelqu'un verrait en ce moment même qu'on essaie d'ouvrir un dossier ?
– À peu près.
– Où se trouve cet individu ?
– N'importe où. Dans une ferme en Californie. Sur une île au large de l'Australie. Ou dans l'appartement du dessous.
– C'est difficile à comprendre.
– Avec un ordinateur relié au Net, tu es au centre du monde où que tu sois.
– Tu penses pouvoir l'ouvrir ?
Martinsson se mit au travail. Après une dizaine de minutes, il repoussa sa chaise.
– Tout est verrouillé, dit-il. Protégé par des codes complexes, eux-mêmes protégés par des systèmes de sécurité.
– Tu laisses tomber ?
Martinsson sourit.
– Pas encore. Pas tout à fait.
Il se remit à pianoter. Soudain, il poussa une exclamation.
– Qu'est-ce qu'il y a ?
– Je n'en suis pas absolument certain. Mais je crois que quelqu'un s'est servi de cet ordinateur il y a quelques heures à peine.
– Comment tu peux voir ça ?
– Je sais pas si ça vaut la peine que j'essaie de t'expliquer.
– Tu es sûr ?
– Attends.
Wallander attendit. Après dix minutes, Martinsson se leva.
– J'avais raison. Quelqu'un a allumé l'ordinateur cette nuit.
– Tu en es certain ?
– Oui.
– Autrement dit, quelqu'un en dehors de Falk y a accès.
– Et il n'est pas entré ici par effraction.
Wallander acquiesça en silence.
– Comment faut-il l'interpréter ?
– Je ne sais pas. C'est encore trop tôt.
Martinsson se rassit devant l'ordinateur. Le travail continua.

À seize heures trente, ils décidèrent de faire une pause. Martinsson invita Wallander à venir manger chez lui. À dix-huit heures trente, ils étaient de retour. La présence de Wallander était parfaitement inutile, mais il ne voulait pas laisser son collègue seul.

Vers vingt-deux heures, Martinsson renonça.

– Je n'y arrive pas. Je n'ai jamais vu des systèmes de sécurité pareils. Des barbelés électroniques sur des milliers de kilomètres. Et des murs impossibles à franchir.

– Très bien, dit Wallander. Il faudra faire appel à Stockholm.

– Peut-être.

– On n'a pas le choix.

– Si. Robert Modin. Il habite à Löderup, pas très loin de la maison de ton père.

– Qui est-ce ?

– Un garçon de dix-neuf ans, qui est sorti de prison il y a quelques semaines.

– Et alors ?

– Il a réussi à s'introduire dans les superordinateurs du Pentagone l'année dernière. Il est considéré comme l'un des meilleurs hackers d'Europe.

Wallander hésita. Mais la proposition de Martinsson le séduisait. Il ne réfléchit pas longtemps.

– Va le chercher. Pendant ce temps, je vais voir où en est Hansson avec ses chiens.

Martinsson partit pour Löderup. Wallander jeta un regard autour de lui. Une voiture était stationnée un peu plus loin. Il salua ses occupants d'un signe de la main.

Soudain, il pensa à ce qu'avait dit Ann-Britt. Il devait faire attention.

Il se retourna. Puis il prit, à pied, la direction de Missunnavägen. La pluie fine avait cessé.

19

Hansson avait garé sa voiture devant le bâtiment des impôts. Wallander le reconnut de loin, en train de lire le journal sous un réverbère. Un flic, à l'évidence. Dans l'exercice de ses fonctions, sans aucun doute possible. Mais quelles fonctions ? On se le demande. Il n'est pas assez couvert. La deuxième règle d'or de la police – la première étant de rentrer chez soi vivant à la fin de la journée –, c'est de s'habiller chaudement quand on doit planquer en plein air.

Hansson, complètement absorbé par sa lecture, s'aperçut in extremis de la présence de Wallander. Ce dernier crut comprendre qu'il s'agissait d'une revue hippique.

– Je ne t'ai pas entendu venir. Je me demande si je deviens dur de la feuille.

– Comment vont les chevaux ?

– Je vis de mes illusions. Mais si tu crois que les chevaux se conforment aux pronostics, tu crois n'importe quoi. Ça n'arrive jamais.

– Et comment vont les chiens ?

– Je viens d'arriver. Je n'ai encore vu personne.

Wallander regarda autour de lui.

– Quand je suis arrivé à Ystad, il y avait des champs à cet endroit. Rien de tout ceci n'existait encore.

– Svedberg disait souvent ça. À quel point la ville avait changé. Mais lui, il était né ici.

Ils pensèrent en silence à leur collègue mort. Wallander croyait encore entendre le gémissement de Martinsson dans son dos à l'instant où ils l'avaient découvert, la tête à moitié arrachée, sur le tapis du salon.

– Il aurait eu cinquante ans bientôt, dit Hansson. Et toi, c'est pour quand ?

– Je les ai eus en janvier.

– Je ne me rappelle pas avoir été invité.

– Je n'ai jamais eu l'intention de faire une fête.

Il raconta à Hansson les tentatives de Martinsson pour s'introduire dans l'ordinateur de Tynnes Falk. Entre-temps, ils étaient arrivés devant le distributeur.

– On s'habitue vite, dit Hansson. Je me souviens à peine de l'époque où ces machines n'existaient pas. Et je ne sais toujours pas comment elles fonctionnent. Je m'imagine encore qu'il y a un petit bonhomme assis à l'intérieur qui compte les billets et vérifie que tout se passe bien.

Wallander repensa à ce qu'avait dit Hökberg, à propos de la société vulnérable. La coupure d'électricité survenue quelques nuits plus tôt confirmait ses paroles.

Ils retournèrent à la voiture de Hansson. Toujours pas de chien en vue.

– J'y vais. Comment était ton dîner ?

– Je n'y suis pas allé. Quel intérêt de dîner dehors si on ne peut pas boire un coup ?

– Tu aurais pu demander à une patrouille de passer te prendre.

Hansson le dévisagea avec intérêt.

– Alors, d'après toi, j'aurais pu venir ici et interroger les gens en puant l'alcool ?

– Un verre, dit Wallander avec patience. Je ne te parle pas d'être ivre mort.

Sur le point de partir, il se rappela quelque chose.

– Comment ça s'est passé avec Viktorsson ? Il a fait des commentaires ?

– Pas vraiment.

– Il a bien dû te dire quelque chose ?

– Il ne voyait pas de raison d'orienter l'enquête dans une direction précise pour l'instant. On doit continuer à ratisser large, sans a priori.

– La police ne travaille jamais sans a priori, il devrait le savoir.

– C'est ce qu'il a dit, en tout cas.

– Rien d'autre ?

– Non.

Wallander eut soudain l'impression que Hansson se dérobait. Qu'il lui cachait quelque chose. Il attendit, mais Hansson n'ajouta rien.

– Passé minuit trente, je pense qu'il ne vaut pas la peine d'insister. Bon, j'y vais. À demain.

– J'aurais dû mieux me couvrir. Il fait froid.

– C'est l'automne.

Wallander reprit la direction du centre. Plus il y réfléchissait, plus il était convaincu que Hansson lui cachait quelque chose. Arrivé place Runnerström, il avait acquis la certitude que Viktorsson avait fait un commentaire sur lui, Wallander. À propos de la « bavure ». Et de l'enquête interne.

Il s'irrita du silence de son collègue. Mais il n'était pas surpris. Hansson vivait dans un effort perpétuel pour être l'ami de tout le monde. Soudain, il sentit à quel point tout cela le fatiguait. Le déprimait, peut-être.

Il regarda autour de lui. La voiture banalisée était toujours là. Pour le reste, la rue était déserte. Il s'apprêtait à démarrer lorsque son portable bourdonna. C'était Martinsson.

– Où es-tu ?

– Chez moi.

– Tu n'as pas trouvé Molin ?

– Modin. Robert Modin. J'ai eu un scrupule tout à coup.

– Pourquoi ?

– Tu connais le règlement aussi bien que moi. On ne peut pas faire appel à n'importe qui, n'importe comment. Après tout, Modin a été condamné.

Et voilà. Martinsson avait les jetons. Ce n'était pas la première fois, ils s'étaient même heurtés à ce sujet. Wallander le trouvait beaucoup trop prudent, dans certains cas. Il n'aurait pas utilisé le mot *lâche*, même si, tout au fond de lui, c'était ce qu'il pensait.

– Il faut demander l'accord du procureur, poursuivit Martinsson. Ou du moins en parler à Lisa.

– Tu sais que j'endosse la responsabilité.

– N'empêche.

Wallander comprit qu'il ne reviendrait pas sur sa décision.

– Donne-moi son adresse. Comme ça, tu ne seras même pas impliqué.

– On devrait attendre.

– Pas le temps. Je veux savoir ce qu'il y a dans cet ordinateur.

– Si tu veux mon avis personnel, tu devrais dormir. Tu t'es regardé dans un miroir ?

– Je sais. Donne-moi l'adresse.

Il trouva un crayon dans la boîte à gants bourrée de papiers et de barquettes en carton provenant des différents kiosques à saucisses de la ville. Wallander nota l'adresse au dos d'une facture d'essence.

– Il est presque minuit, dit Martinsson.

– Je sais. On se voit demain.

Wallander posa le portable sur le siège du passager. Il commença à mettre le contact, mais suspendit son geste. Martinsson avait raison. Ce qu'il lui fallait avant tout, c'était une nuit de sommeil. Quel intérêt de se rendre à Löderup ? Robert Modin dormait sans doute. Ça pouvait attendre jusqu'au matin.

Puis il quitta la ville.

Il conduisait vite, pour calmer son énervement à l'idée qu'il n'était même plus capable de mettre en œuvre ses propres décisions.

L'adresse de Modin était posée sur le siège à côté du portable. Mais il connaissait l'endroit ; c'était à quelques kilomètres à peine de la maison où avait vécu son père. Il pensait même avoir déjà rencontré le père de Robert Modin, même si le nom n'était pas resté gravé dans sa mémoire. Il baissa la vitre. L'air froid lui rafraîchit le visage. Il était énervé à la fois contre Hansson et contre Martinsson. Ils rampent, pensa-t-il. Ils courbent l'échine. Vis-à-vis d'eux-mêmes et vis-à-vis des chefs.

Il était minuit et quart lorsqu'il quitta la route principale. Le risque, évidemment, était de tomber sur une maison endormie. Mais la colère et l'exaspération avaient chassé toute fatigue. Il voulait rencontrer Robert Modin et l'emmener place Runnerström.

Il parvint à une ferme démembrée entourée d'un grand jardin. Un cheval solitaire, immobile dans une prairie, apparut dans la lumière des phares. Une Jeep et une voiture plus petite étaient stationnées devant la maison blanchie à la chaux. Il y avait de la lumière au rez-de-chaussée.

Wallander coupa le moteur et descendit. Une lampe s'alluma aussitôt sur le perron et un homme apparut sur le seuil. Wallander le reconnut ; il ne s'était pas trompé.

Il le salua. Modin père avait une soixantaine d'années. Il était maigre et voûté, mais ses mains n'étaient pas celles d'un agriculteur.

– Je te reconnais. Ton père habitait par ici.

– On s'est déjà rencontrés, mais dans quelles circonstances…

– Ton père se baladait dans un champ, une valise à la main.

Wallander se souvint. Une nuit, dans un accès de confusion passagère, son père avait décidé de se rendre en Italie. Il avait fait sa valise et il était parti à pied. Modin l'avait découvert dans un champ ; il avait appelé le commissariat.

– Je ne pense pas que nous nous soyons revus depuis qu'il nous a quittés, poursuivit Modin.

– Gertrud a emménagé chez sa sœur à Svarte. Je ne sais même pas qui a racheté la maison.

– Un gars du nord du pays. Il se prétend homme d'affaires, mais je le soupçonne d'être plutôt bouilleur de cru.

Wallander n'eut aucun mal à imaginer la scène, l'atelier de son père transformé en distillerie.

– Je suppose que tu viens pour Robert. Je croyais qu'il avait déjà assez payé ?

– Sûrement. Mais tu as raison, c'est pour lui que je viens.

– Qu'est-ce qu'il a encore fait ?

Wallander perçut son angoisse.

– Rien du tout. Mais il peut nous aider.

Modin le fit entrer.

– La mère dort, dit-il. Elle a ses boules Quiès.

Au même instant, Wallander se rappela que Modin était expert géomètre. D'où tenait-il cette information ?

– Robert fait la fête chez des amis. Mais il a un portable.

Modin le fit entrer dans le séjour. Wallander sursauta en reconnaissant, au-dessus du canapé, un tableau de son père. Un paysage sans coq de bruyère. Modin avait suivi son regard.

– Il me l'a donné. Quand il y avait beaucoup de neige, je lui déblayais son chemin. Et je passais parfois causer un peu. C'était un homme étonnant, à sa manière.

– Ce n'est rien de le dire.

– Je l'aimais bien. Il n'y en a plus beaucoup, des comme lui.

– Il n'était pas facile tous les jours. Mais il me manque. Et c'est vrai que les gens comme lui se font de plus en plus rares. Un jour, il n'y en aura plus.

– Tu es quelqu'un de facile, toi ? Qui est facile ? Pas moi en tout cas. Demande à ma femme.

Wallander prit place sur le canapé. Modin prit une pipe et commença à la vider tout en parlant.

– Robert est un bon gars. J'ai trouvé la peine un peu lourde. Un mois, ce n'est pas le bout du monde, mais quand même. Pour lui, c'était un jeu, pas un crime.

– Je ne sais pas ce qui s'est passé au juste. Sinon qu'il a réussi à s'introduire dans les ordinateurs du Pentagone.

– Il se débrouille bien avec ces engins-là. Le premier, il l'a acheté quand il avait neuf ans, avec l'argent gagné en cueillant les fraises. Du jour au lendemain, il a disparu dans le monde des ordinateurs. Tant qu'il continuait à travailler à l'école, moi, je n'y trouvais rien à redire. Mais ma femme était contre. Et maintenant, elle pense évidemment qu'elle avait raison depuis le début.

Wallander eut l'impression que Modin était un homme très seul. Il aurait volontiers bavardé un peu. Mais il n'en avait pas le temps.

– J'ai besoin de parler à Robert, dit-il. Ses compétences pourraient éventuellement nous aider.

Modin tira sur sa pipe.

– Peut-on demander de quelle façon ?

– Tout ce que je peux te dire, c'est qu'il s'agit d'un problème informatique complexe.

Modin hocha la tête et se leva.

– Je ne pose plus de questions.

Il disparut dans l'entrée. Wallander l'entendit parler au téléphone. Il leva les yeux vers le paysage peint par son père. Où sont passés les messieurs en costume de soie, qui arrivaient dans leurs autos rutilantes et lui achetaient ses toiles pour une bouchée de pain ? Peut-être ont-ils un cimetière spécial, rien que pour eux, où on les enterre avec leurs beaux costumes, leurs portefeuilles bien remplis et leurs voitures américaines…

Modin reparut.

– Il arrive. Mais il est à Skillinge, alors ça va prendre un moment.

– Que lui as-tu dit ?

– La vérité. Qu'il n'avait pas de souci à se faire, mais que la police avait besoin d'aide.

Modin se rassit. Sa pipe s'était éteinte.

– Ce doit être urgent, si tu débarques comme ça en pleine nuit.

– Certaines choses ne peuvent attendre.

– Je peux t'offrir quelque chose ?

– Un café ne serait pas de refus.

– En pleine nuit ?

– Je vais sans doute travailler encore quelques heures. Mais ce n'est pas important.

– Bien sûr que si. Viens.

Ils étaient attablés à la cuisine lorsqu'une voiture freina dans la cour. La porte s'ouvrit et Modin apparut.

Wallander lui aurait donné treize ans. Il était petit de taille, les cheveux coupés court, des lunettes rondes. Sûrement, avec les années, il ressemblerait de plus en plus à son père. Il portait un jean, une chemise et une veste en cuir. Wallander se leva et lui serra la main.

– Désolé de t'avoir dérangé en pleine fête.

– On allait partir, de toute façon.

Modin se leva.

– Je vous laisse. Si vous avez besoin de moi, je suis dans le séjour.

– Tu es fatigué ? demanda Wallander quand ils furent seuls.

– Pas spécialement.

– J'ai pensé qu'on pourrait faire un tour à Ystad.

– Pourquoi ?

– Je voudrais que tu jettes un coup d'œil à quelque chose. Je t'expliquerai dans la voiture.

Le garçon était sur ses gardes. Wallander essaya un sourire.

– Il n'y a pas de raison de t'inquiéter, dit-il.

– Je vais juste changer de lunettes.

Robert Modin monta à l'étage. Wallander alla dans le séjour et remercia le père pour le café.

– J'emmène Robert à Ystad, pas pour longtemps.

– C'est vraiment sûr qu'il n'a rien fait ?

– Promis. J'ai dit la vérité.

Il était une heure vingt lorsqu'ils quittèrent la maison. Le garçon monta à côté de Wallander et jeta un regard au portable abandonné sur le siège.

– Quelqu'un t'a appelé.

Wallander écouta le message. C'était Hansson. J'aurais dû garder le portable avec moi, pensa-t-il en composant le numéro. Hansson décrocha après plusieurs sonneries.

– Je te réveille ?

– Qu'est-ce que tu crois ? Je suis resté là-bas jusqu'à minuit et demi. J'ai cru que j'allais tomber d'épuisement.

– Tu as cherché à me joindre.

– Figure-toi que ça a donné quelque chose.

– Vas-y, je t'écoute.

– Une femme avec un berger allemand. Si j'ai bien compris, elle avait vu Tynnes Falk le soir de sa mort.

– Bien. Alors ?

– Elle a bonne mémoire. Alma Högström, dentiste à la retraite. Elle m'a dit qu'elle voyait souvent Tynnes Falk. Il avait apparemment l'habitude de se promener.

– Et le soir où le corps a reparu ?

– Il lui a semblé voir une camionnette. Si les horaires collent, ce devait être vers vingt-trois heures trente. Le véhicule stationnait devant le distributeur. Elle l'a remarqué parce qu'il se trouvait à cheval sur deux places de parking.

– Elle a vu quelqu'un ?

– Elle a cru voir un homme.

– *Cru* voir ?

– Elle n'en était pas certaine.

– Pourrait-elle identifier la camionnette ?

– Je lui ai demandé de venir au commissariat demain matin.

– Bien. Ça peut donner quelque chose.

– Tu es chez toi ?

– Pas tout à fait. On se voit demain.

Il était deux heures du matin lorsqu'il freina devant l'immeuble de la place Runnerström. Une nouvelle voiture banalisée était garée au même endroit que la précédente. Wallander regarda autour de lui.

S'il arrivait quelque chose, Robert Modin serait aussi exposé que lui. Mais la rue était déserte. La pluie avait cessé.

Pendant le trajet de Löderup à Ystad, Wallander avait expliqué à Robert qu'il devait tout simplement essayer de s'introduire dans l'ordinateur de Falk.

– L'histoire du Pentagone, je m'en fiche. C'est cet ordinateur qui m'intéresse.

– En fait, je n'aurais jamais dû me faire pincer. C'était ma faute.

– Pourquoi ?

– Je n'ai pas pris la peine de camoufler mes traces.

– C'est-à-dire ?

– Quand on entre en territoire interdit, on laisse des traces. C'est comme découper une clôture. Quand on s'en va, on doit la réparer. Je ne l'ai pas fait avec assez de soin. C'est pour ça qu'ils m'ont repéré.

– Les gens du Pentagone ont réussi à voir que c'était un type de Löderup qui leur avait rendu visite ?

– Pas un type de Löderup. Son ordinateur.

Wallander aurait dû se souvenir de l'affaire, puisque Löderup appartenait à l'ancien district de police d'Ystad. Mais ça ne lui disait rien.

– Qui t'a arrêté ?

– Deux types de la brigade criminelle de Stockholm.

– Que s'est-il passé ensuite ?

– J'ai été interrogé par les Américains.

– Pourquoi ?

– Ils voulaient savoir comment je m'y étais pris. Je le leur ai dit.

– Et après ?

– J'ai été condamné.

Wallander lui aurait volontiers posé d'autres questions. Mais le garçon ne semblait pas enclin à répondre.

Ils montèrent l'escalier. Wallander était constamment aux aguets. Avant d'ouvrir la porte blindée, il s'immobilisa et prêta l'oreille. Robert Modin le dévisageait derrière ses lunettes, mais ne dit rien. Ils entrèrent. Wallander alluma et indiqua l'ordinateur. Robert s'assit et le fit démarrer sans hésitation. Les symboles tourbillonnèrent. Wallander se tenait un peu en retrait. Robert pianota un moment

– comme un soliste avant un concert. Son visage était tout près de l'écran, comme s'il cherchait un indice invisible.

Puis il se mit au travail. Après une minute, il éteignit brusquement l'ordinateur et se retourna.

– Je n'ai jamais rien vu de pareil. Je n'arriverai pas à l'ouvrir.

– Tu en es sûr ?

La déception était cruelle.

– Ou alors, il faut que je dorme d'abord. Et qu'on me laisse beaucoup de temps.

Wallander comprit soudain toute l'absurdité d'avoir fait venir Robert Modin en pleine nuit. À contrecœur, il s'avoua que son entêtement n'était dû qu'aux tergiversations de Martinsson.

– Demain ? Tu auras le temps ?

– Toute la journée.

Wallander éteignit, ferma la porte à clé, escorta le garçon jusqu'à la voiture banalisée et demanda qu'une patrouille le raccompagne chez lui. Il fut convenu que quelqu'un passerait le chercher à Löderup à midi, pour lui laisser le temps de dormir.

Wallander prit la direction de Mariagatan. Il était près de trois heures du matin lorsqu'il se glissa entre les draps. Il s'endormit presque aussitôt, avec la ferme intention de ne pas aller travailler avant onze heures le lendemain.

*

La femme s'était présentée au commissariat le vendredi peu avant treize heures, et avait timidement demandé un plan de la ville. Irene l'avait renvoyée à l'office du tourisme ou à la librairie. La femme avait remercié poliment et demandé où étaient les toilettes. Irene lui avait indiqué les toilettes des visiteurs. Elle s'y était enfermée et avait ouvert le verrou de la fenêtre, en le remplaçant par du ruban adhésif discret. La femme de ménage n'avait rien remarqué lors de son passage le vendredi soir.

Dans la nuit du dimanche au lundi, peu après quatre heures du matin, une ombre se faufila le long du mur du commissariat et disparut par la fenêtre des toilettes. Les couloirs étaient déserts. Une radio solitaire s'entendait du central. L'homme tenait à la main un plan du commissariat, qu'il s'était procuré très simplement en pillant l'ordinateur d'un architecte. Il savait exactement où il devait aller.

Il ouvrit la porte du bureau de Wallander. Une veste maculée d'une grosse tache jaune était suspendue à un cintre.

L'homme examina l'ordinateur un instant en silence avant de l'allumer.

Il lui fallait vingt minutes. Mais le risque que quelqu'un survienne à cette heure était infime. Il n'eut aucun problème pour accéder aux documents et à la correspondance de Wallander.

Lorsqu'il eut fini, il entrouvrit la porte avec précaution. Le couloir était désert.

Il disparut sans bruit par le même chemin.

20

Dimanche 12 octobre. Wallander se réveilla à neuf heures. Six heures de sommeil seulement, mais il se sentait reposé. Il fit une promenade avant de se rendre au commissariat. La pluie avait cessé. C'était une journée d'automne limpide, neuf degrés au-dessus de zéro. À dix heures et quart, il s'arrêta devant le central et demanda comment s'était passée la nuit. À part une effraction dans l'église Sankta Maria, où les voleurs avaient été effrayés par le déclenchement de l'alarme, il avait régné un calme inhabituel. Les policiers qui surveillaient Apelbergsgatan et la place Runnerström n'avaient rien signalé.

– Martinsson est là, poursuivit le policier de garde. Hansson devait passer chercher quelqu'un. Je n'ai pas vu Ann-Britt.

– Je suis ici, dit une voix dans le dos de Wallander. J'ai manqué quelque chose ?

– Non. Tu peux venir dans mon bureau ?

– Le temps d'enlever ma veste.

Wallander expliqua au policier de garde que quelqu'un devait aller chercher Robert Modin à Löderup à midi. Il lui indiqua le chemin.

– Une voiture banalisée, conclut-il. C'est important.

Quelques minutes plus tard, Ann-Britt le rejoignait dans son bureau. Elle paraissait moins fatiguée que ces derniers jours. Comme d'habitude, il n'était pas sûr que ce soit le bon moment pour lui demander comment elle allait. Il dit simplement que Hansson était parti chercher un témoin. Et il lui parla de Robert Modin.

– Je me souviens de lui, dit-elle lorsque Wallander eut fini.

– Il prétend avoir été interrogé par des types de la PJ de Stockholm. Pourquoi ?

– Ils devaient être inquiets. Le gouvernement n'a pas vraiment envie que ce genre de chose s'ébruite. Un citoyen suédois qui pianote sur son ordinateur, chez lui, et qui parvient à s'introduire dans les secrets de la défense américaine…

– Tout de même, c'est bizarre que je n'en aie pas entendu parler.

– Tu étais peut-être en vacances ?

– C'est bizarre.

– Je ne pense pas qu'il se passe des choses importantes ici sans que tu en sois informé.

Wallander repensa à son sentiment de la veille au soir. Hansson lui cachait-il quelque chose ? Il faillit interroger Ann-Britt, mais renonça. Il ne se faisait aucune illusion. Les flics étaient solidaires, en général, mais si un collègue se prenait les pieds dans le tapis, il pouvait vite se retrouver très isolé.

– Tu crois donc que la solution se trouve dans cet ordinateur ? continua Ann-Britt.

– Je ne crois rien. Mais nous devons comprendre de quoi s'occupait exactement Tynnes Falk. Qui il était. Ces temps-ci, on dirait que l'identité réelle de certains se cache dans leur disque dur.

Il lui parla ensuite de la femme au berger allemand, qui n'allait pas tarder à arriver.

– Ce serait la première à avoir vu quelque chose, dit-elle.

– Espérons-le.

Ann-Britt se tenait appuyée contre le montant de la porte. C'était une habitude récente. Jusque-là, quand elle venait dans le bureau de Wallander, elle s'asseyait dans le fauteuil.

– J'ai essayé de réfléchir hier soir. Je regardais une émission de variétés à la télé. Les gosses étaient endormis.

– Et ton mari ?

– Mon ex-mari. Il est au Yémen. Enfin, je crois. Bref, j'ai éteint la télé et je me suis assise à la cuisine avec un verre de vin. J'ai essayé de faire le point. Le plus simplement possible, sans détails superflus.

– Alors ?

– Certaines choses peuvent être considérées comme acquises. Tout d'abord, le lien entre Tynnes Falk et Sonja Hökberg est avéré.

Mais il existe une possibilité que nous n'avons pas vraiment envisagée jusqu'ici.

– Laquelle ?

– Tynnes Falk et Sonja Hökberg n'étaient peut-être pas reliés directement.

– Tu penses à une tierce personne ?

– Tynnes Falk était mort au moment où Sonja Hökberg a été électrocutée. Mais la personne qui a tué Sonja Hökberg peut très bien avoir déplacé le corps de Falk.

– Nous ne savons toujours pas ce que nous cherchons. Il n'y a pas de mobile qui relie ces deux événements. Aucun dénominateur commun. Sinon que l'obscurité a été la même pour tout le monde au moment de la panne.

– Une panne survenue à un endroit stratégique du réseau. Est-ce un hasard ?

Wallander indiqua la carte de Scanie suspendue au mur.

– C'est la zone la plus proche d'Ystad. Et Sonja Hökberg est partie du commissariat.

– Mais nous avons déjà établi qu'elle avait pris contact avec quelqu'un. Qui a choisi de la conduire là-bas.

– À moins qu'elle ne l'ait demandé elle-même. Après tout, c'est une possibilité.

Ils contemplèrent la carte en silence.

– Je me demande si on ne devrait pas commencer par Lundberg, dit Ann-Britt pensivement. Le chauffeur de taxi.

– On a trouvé quelque chose dans le fichier ?

– Non, il n'y est pas. J'ai parlé à certains de ses collègues. Et à sa veuve. Apparemment, il n'y a que du bien à dire de lui. Un homme qui conduisait son taxi et consacrait ses loisirs à sa famille. Une vie suédoise belle et banale. Hier, dans ma cuisine, j'ai pensé que c'était presque trop beau. Si tu es d'accord, j'ai l'intention de continuer à fouiller un peu dans la vie de Lundberg.

– D'accord. Avait-il des enfants ?

– Deux fils. L'un habite à Malmö, l'autre est encore ici. J'avais pensé leur parler aujourd'hui.

– Fais-le. Ne serait-ce que pour établir une fois pour toutes qu'il s'agit bien d'un crime crapuleux.

– Y a-t-il une réunion prévue aujourd'hui ?

– Je te préviendrai.

Elle disparut. Wallander médita ses paroles. Puis il alla se chercher un café. Un journal du matin traînait sur une table. Il l'emporta dans son bureau et le feuilleta distraitement. Soudain, une annonce retint son attention. Une agence de contact vantait la qualité de ses services. Elle s'intitulait sans originalité *Cyber-rencontres*. Sans réfléchir, il alluma son ordinateur et rédigea un petit texte. S'il ne le faisait pas maintenant, il ne le ferait jamais. D'ailleurs, personne n'en saurait rien. Il resterait anonyme aussi longtemps qu'il le voudrait. Les éventuelles réponses arriveraient chez lui sans mention de l'expéditeur. Il essaya de s'exprimer le plus simplement possible : *Policier, cinquante ans, divorcé, un enfant, cherche rencontre. Pas mariage. Mais amour.* Signé non pas « Vieux Chien », mais « Labrador ». Il fit une copie papier, sauvegarda le texte dans l'ordinateur, prit une enveloppe et un timbre dans le premier tiroir de son bureau, nota l'adresse, scella l'enveloppe et la rangea dans la poche de sa veste. Quand ce fut fait, il éprouva malgré lui une certaine excitation. Il n'aurait sûrement aucune réponse. Ou alors, le genre de réponse qu'il déchirerait aussitôt. Mais l'excitation était là. Il ne pouvait le nier.

Hansson apparut à la porte.

– Elle est là. Alma Högström, dentiste à la retraite. Notre témoin.

Wallander se leva et suivit Hansson dans l'une des petites salles de réunion. Alma Högström attendait sur une chaise ; à ses pieds, un berger allemand considérait son entourage d'un regard vigilant. Wallander la salua. Il eut l'impression qu'elle s'était habillée avec soin pour sa visite au commissariat.

– Je te suis reconnaissant d'avoir pris le temps de venir jusqu'ici, bien qu'on soit dimanche.

Il se maudit intérieurement. Comment pouvait-il encore être aussi raide, après toutes ces années dans le métier ?

– J'estime qu'il faut accomplir son devoir de citoyen.

Elle est pire que moi, pensa Wallander, découragé. On se croirait dans un vieux film.

Il laissa à Hansson le soin de l'interroger, se contentant de prendre des notes. Alma Högström avait l'esprit clair et ses réponses étaient réfléchies. Lorsqu'elle avait un doute, elle le précisait. Surtout, elle semblait avoir une bonne idée de l'heure.

Elle avait vu une camionnette de couleur sombre. Elle savait, pour avoir jeté un regard à sa montre quelques instants plus tôt, qu'il était vingt-trois heures trente.

– C'est une vieille manie que j'ai. Un patient dans le fauteuil, sous anesthésie, la salle d'attente pleine de monde. Le temps passait toujours trop vite.

Hansson essaya de lui faire préciser l'aspect de la camionnette. Il avait apporté un dossier constitué par ses soins quelques années plus tôt, avec différents modèles de voitures et un échantillon de coloris offert par un droguiste. Tout cela existait évidemment sur ordinateur. Mais Hansson, tout comme Wallander, avait du mal à renoncer à ses vieilles habitudes.

Ils finirent par établir qu'il s'agissait probablement d'un minibus Mercedes. Et qu'il devait être noir ou bleu nuit.

Elle n'avait pas remarqué le numéro d'immatriculation, ni le conducteur. En revanche, elle avait entrevu une ombre derrière le véhicule.

– En fait, ce n'est pas moi qui l'ai remarquée, mais mon chien, Loyal. Il a dressé les oreilles dans cette direction.

– C'est difficile de décrire une ombre, dit Hansson. Mais peux-tu nous en dire un peu plus ? Était-ce un homme ou une femme ?

Elle réfléchit.

– En tout cas, il ne portait pas de jupe. Et je crois bien que c'était un homme. Mais je ne peux pas en être certaine.

– As-tu entendu quoi que ce soit ? intervint Wallander. Un bruit quelconque ?

– Non. Mais il y avait pas mal de circulation sur la route de Malmö.

– Que s'est-il passé ensuite ?

– J'ai fait mon tour habituel.

Hansson étala sur la table un plan de la ville. Elle lui indiqua son itinéraire.

– Tu es donc repassée par le même endroit au retour. Le véhicule avait-il disparu à ce moment-là ?

– Oui.

– Quelle heure était-il ?

– Minuit dix environ.

– Comment peux-tu le savoir ?

– Je suis arrivée chez moi à minuit vingt-cinq. Ça me prend à peu près un quart d'heure pour rentrer, en partant des grands magasins.

Elle montra son domicile sur la carte. Wallander et Hansson étaient d'accord. Ça devait coller.

– Mais tu n'as rien vu sur le trottoir ? Et le chien n'a pas réagi ?

– Non.

– N'est-ce pas étrange ? dit Hansson en se tournant vers Wallander.

– Le corps devait être congelé. Dans ce cas, il ne dégage peut-être pas d'odeur. On peut poser la question à Nyberg ou à un maître-chien.

– Je suis contente de n'avoir rien vu, dit Alma Högström avec fermeté. C'est terrible d'imaginer des choses pareilles, des gens qui transportent des cadavres en pleine nuit.

Hansson lui demanda si elle avait vu quelqu'un en passant devant le distributeur. Elle secoua la tête.

Ils parlèrent ensuite de ses précédentes rencontres avec Tynnes Falk au cours de ses promenades du soir. Wallander pensa soudain à une question essentielle, qui ne l'avait pas effleuré jusque-là.

– Savais-tu qu'il s'appelait Falk ?

La réponse le prit au dépourvu :

– Je l'ai eu comme patient autrefois. Il avait de bonnes dents, il venait très rarement. Mais j'ai la mémoire des noms et des visages.

– Il avait donc l'habitude de se promener le soir ? dit Hansson.

– Je le croisais plusieurs fois par semaine.

– Lui arrivait-il d'être accompagné ?

– Jamais. Il était toujours seul.

– Est-ce que vous vous adressiez la parole ?

– Une fois, je l'ai salué. Mais c'était évident qu'il voulait être tranquille.

Hansson n'avait plus de questions. Il jeta un regard à Wallander.

– Avais-tu remarqué quelque chose d'inhabituel chez lui ces derniers temps ?

– Quoi, par exemple ?

Wallander lui-même n'était pas très sûr de sa question.

– Semblait-il avoir peur ? Regardait-il autour de lui ?

Elle réfléchit.

– S'il y avait un changement, je dirais que c'était plutôt le contraire.

– Comment cela ?

– Il paraissait de bonne humeur et plein d'énergie ces derniers temps. Avant, il paraissait souvent… un peu abattu peut-être.

Wallander fronça les sourcils.

– Tu en es sûre ?

– Comment peut-on être sûr de ce qui se trame chez un autre être humain ? Je livre simplement mon impression.

Wallander hocha la tête.

– Ce sera tout. Il se peut que nous te recontactions. Si un détail te revenait, préviens-nous sans attendre.

Hansson la raccompagna dans le hall. Wallander resta assis en pensant à ce qu'elle venait de dire. Au cours des derniers temps de sa vie, Tynnes Falk avait paru d'une bonne humeur inhabituelle… Tout devenait de plus en plus incohérent.

Hansson revint.

– J'ai bien entendu ? Le chien s'appelait vraiment Loyal ?

– Oui.

– C'est dingue.

– Je ne sais pas. Un chien loyal. J'ai entendu pire.

– On ne peut pas appeler un chien comme ça, si ?

– Apparemment, elle l'a fait. Ce n'est quand même pas interdit.

Hansson secoua la tête.

– Un minibus Mercedes noir ou bleu. Je suppose qu'il faut commencer à s'intéresser aux véhicules volés.

– Pose aussi la question à un maître-chien, à propos de l'odeur. En tout cas, on dispose maintenant d'un horaire fiable. C'est déjà beaucoup.

Wallander retourna dans son bureau. Midi moins le quart. Il composa le numéro de poste de Martinsson et lui raconta les événements de la nuit. Martinsson l'écouta sans un mot. Wallander sentit monter son irritation, mais il se domina et lui demanda simplement de se rendre place Runnerström pour accueillir Robert Modin.

Ils se retrouvèrent à la réception ; Wallander lui remit les clés de l'appartement.

– Ça peut être instructif de voir un maître à l'œuvre, dit Martinsson.

– Je te promets que ta responsabilité n'est pas engagée. Mais je ne veux pas qu'il soit là-bas tout seul.

Martinsson perçut immédiatement le sous-entendu ironique.

– Tout le monde ne peut pas se permettre de mépriser le règlement.

– Je sais, répondit Wallander avec patience. Tu as entièrement raison. Mais je n'ai pas l'intention d'aller voir le procureur ou Lisa pour leur demander une autorisation.

Martinsson disparut en direction du parking. Wallander avait faim. Il se rendit à pied dans le centre. Il faisait toujours aussi beau. Il déjeuna à la pizzeria, mais István était très occupé et ils n'eurent pas l'occasion de reparler de Fu Cheng et de la fausse carte de crédit. Sur le chemin du retour, Wallander s'arrêta à la poste et déposa la lettre contenant sa petite annonce. Puis il retourna au commissariat, avec la certitude tranquille qu'il n'obtiendrait pas une seule réponse.

Il venait d'enlever sa veste lorsque le téléphone sonna. C'était Nyberg. Wallander descendit à l'étage inférieur, où se trouvait son bureau. Dès le seuil, il aperçut sur la table le marteau et le couteau qui avaient tué Lundberg. Nyberg était d'une humeur exécrable.

– Aujourd'hui, ça fait pile quarante ans que je suis dans la police. J'ai commencé un lundi matin. Mais c'est évidemment un dimanche que je fête mon jubilé absurde.

– Si tu en as marre à ce point, je ne comprends pas pourquoi tu ne démissionnes pas tout de suite.

Son agressivité le surprit lui-même. Il ne s'était jamais emporté contre Nyberg. Au contraire, il respectait ses compétences et son mauvais caractère, et prenait toujours des gants avec lui.

Nyberg le dévisagea avec une pointe de curiosité.

– Je croyais que j'étais le seul à avoir du tempérament, ici.

– Excuse-moi, marmonna Wallander.

– Merde ! Je ne comprends pas pourquoi tout le monde a tellement peur de dire ce qu'il pense. Tu as raison, je suis insupportable, je passe mon temps à geindre.

– C'est peut-être tout ce qui nous reste à la fin.

Nyberg s'empara avec brusquerie du sac en plastique contenant le couteau.

– J'ai reçu les conclusions, à propos des empreintes. On a trouvé les deux.

Wallander s'intéressa immédiatement à la question.

– Eva Persson et Sonja Hökberg ?

– Oui.

– Persson n'a donc peut-être pas menti sur ce point ?

– En tout cas, c'est une possibilité.

– Hökberg aurait agi seule ?

– Je n'ai pas dit ça. J'ai dit que c'était une possibilité.

– Et le marteau ?

– Il ne porte que les empreintes de Hökberg.

Wallander hocha la tête.

– Ça fait une incertitude en moins.

– Deux incertitudes, dit Nyberg en feuilletant les papiers entassés sur son bureau. Parfois, les légistes se surpassent. Ils affirment que ça s'est fait en deux fois. D'abord le marteau. Puis le couteau.

– Pas l'inverse ?

– Non. Et pas au même moment.

– Comment peuvent-ils l'affirmer ?

– Je crois le savoir dans les grandes lignes. Mais ça prendrait du temps à expliquer.

– Dans ce cas, Hökberg aurait pu changer d'arme ?

– C'est ce que je pense. Eva Persson avait peut-être son couteau dans son sac. Hökberg le lui a demandé, et elle le lui a donné.

– Comme au bloc opératoire, le chirurgien demandant qu'on lui passe les instruments.

Ils méditèrent un instant cette comparaison désagréable.

– Autre chose. J'ai repensé au sac à main, qu'on a trouvé à un endroit improbable.

Wallander attendait la suite. Nyberg était avant tout un technicien de haut vol, mais il lui arrivait aussi de faire preuve d'une intuition surprenante.

– Je suis retourné là-bas. J'avais emporté le sac et j'ai essayé de le jeter contre la clôture en me plaçant à différents endroits. C'était très difficile.

– Pourquoi ?

– Tu te souviens de l'endroit, des pylônes, des barbelés, des grands socles en béton. Chaque fois, le sac se coinçait. Je n'ai réussi qu'après vingt-cinq tentatives.

– Cela voudrait dire que quelqu'un aurait pris la peine d'aller le déposer à cet endroit ?

– C'est possible. Mais pourquoi ?

– Tu as une idée ?

– L'hypothèse la plus vraisemblable, c'est évidemment que le sac a été placé là pour qu'on le retrouve. Mais peut-être pas tout de suite.

– Quelqu'un aurait voulu que le corps soit identifié, mais pas immédiatement ?

– C'est ça. Mais ensuite, j'en ai découvert plus. L'endroit où se trouvait le sac est particulièrement bien éclairé. Pile dans le faisceau d'un projecteur.

Wallander comprit où il voulait en venir, mais ne dit rien.

– J'ai pensé que quelqu'un avait peut-être fouillé dans le sac en profitant de la lumière.

– Et il aurait peut-être trouvé quelque chose ?

– Oui. Mais c'est ton boulot de tirer les conclusions.

Wallander se leva.

– Bien. Si ça se trouve, tu as vu juste.

Il remonta l'escalier et entra dans le bureau d'Ann-Britt, qui était penchée sur un dossier.

– La mère de Sonja Hökberg. Je veux que tu lui demandes si elle sait ce que contenait d'habitude le sac de sa fille.

Il lui fit part de l'idée de Nyberg. Ann-Britt hocha la tête et chercha le numéro de téléphone.

Wallander se sentait trop agité pour attendre. Il reprit le chemin de son bureau en se demandant combien de dizaines de kilomètres il avait parcouru dans ce couloir. Puis il perçut la sonnerie du téléphone et accéléra. C'était Martinsson.

– Je crois qu'il est temps que tu viennes.

– Pourquoi ?

– Robert Modin est un jeune homme plein de ressources.

– Que s'est-il passé ?

– Ce qu'on espérait. On a réussi à entrer dans l'ordinateur.

Wallander raccrocha.

On y est, pensa-t-il. La percée décisive. On a mis le temps, mais on y est arrivés.

Il prit sa veste et quitta le commissariat. Il était treize heures quarante-cinq, le dimanche 12 octobre.

II

Le mur

21

Carter fut réveillé à l'aube par le brusque silence du climatiseur. Il prêta l'oreille dans l'obscurité. Le chant des cigales. Un chien qui aboyait au loin. Encore une coupure de courant. Ça arrivait une nuit sur deux, à Luanda. Les bandits de Savimbi cherchaient sans cesse de nouveaux moyens de suspendre l'approvisionnement de la capitale. Et alors, plus d'air conditionné. Il resta parfaitement immobile sous le drap. D'ici quelques minutes, la chaleur serait suffocante. Mais il n'avait pas la force de se lever, de descendre à l'office et de mettre en marche le groupe électrogène. Qu'est-ce qui était le pire, le raffut du générateur ou la chaleur moite ?

Il tourna la tête vers le réveil. Cinq heures et quart. L'un des gardes de nuit ronflait devant la maison, il l'entendait de sa chambre. Ce devait être José. Tant que l'autre, Roberto, restait éveillé, ce n'était pas trop grave. En bougeant la tête, il sentit la crosse du pistolet qu'il gardait toujours sous l'oreiller. Au-delà de tous les vigiles et de toutes les clôtures, c'était en définitive sa seule sécurité, au cas où l'un des innombrables voleurs cachés dans l'ombre se déciderait à frapper. Il les comprenait parfaitement. Il était blanc, il était riche. Dans un pays pauvre comme l'Angola, la criminalité était une évidence. À leur place, il aurait fait pareil.

Soudain, le climatiseur se remit en route. Parfois, les coupures étaient de courte durée. Dans ce cas, ce n'était pas les bandits, mais un problème technique. Le réseau était vétuste. Les Portugais l'avaient installé à l'époque coloniale. Combien d'années de négligence depuis ?

Carter resta allongé, les yeux ouverts. Il fêterait bientôt ses soixante ans. Au fond, c'était curieux qu'il soit encore là, avec la vie qu'il avait menée. Mouvementée et intéressante. Dangereuse aussi.

Il repoussa le drap et laissa l'air frais caresser sa peau. Il n'aimait pas se réveiller à l'aube. Les heures précédant le lever du soleil étaient celles où il se sentait le plus vulnérable. Il n'y avait alors que lui, l'obscurité et les souvenirs. Il se mettait parfois dans tous ses états en pensant à toutes les injustices. La seule façon de se calmer alors, c'était de se concentrer sur la vengeance imminente. Mais ça pouvait prendre des heures.

Les gardes bavardaient entre eux. Bientôt, il entendrait le bruit des cadenas signalant que Celina s'apprêtait à entrer dans la cuisine pour lui préparer son petit déjeuner.

Il se couvrit de nouveau avec le drap. Son nez le démangeait ; l'éternuement n'était pas loin. Il détestait cela. Il détestait ses allergies, une faiblesse méprisable. Il lui était déjà arrivé de devoir interrompre un discours parce que les éternuements l'empêchaient de poursuivre.

Parfois, c'était des éruptions cutanées. Ou ses yeux qui coulaient sans raison.

Il remonta le drap et se couvrit la bouche. Cette fois, il fut le plus fort. Le besoin d'éternuer disparut. Il se mit à penser aux années écoulées. Tous les événements qui avaient conduit à sa présence dans cette chambre d'une maison de la capitale angolaise.

Tout avait commencé trente ans plus tôt, à ses débuts en tant que jeune économiste à la Banque mondiale, en poste à Washington. Il était, à l'époque, plein de confiance. La Banque pouvait contribuer à améliorer le monde ou, du moins, à le rendre plus juste. Les gros emprunts nécessaires aux pays pauvres, que les nations ou les banques privées ne pouvaient garantir à elles seules, avaient justifié sa création lors des accords de Bretton Woods. Ses amis de faculté, en Californie, pensaient qu'il avait tort, qu'aucune solution raisonnable aux problèmes économiques du monde ne pourrait sortir des bureaux de la Banque mondiale, mais il s'était accroché à sa décision. Il n'était pas moins gauchiste que les autres. Il avait participé aux mêmes manifestations contre la guerre du Vietnam. Mais il n'avait jamais réussi à se convaincre de l'efficacité de la désobéissance civile. Il ne croyait pas non plus aux partis socialistes, trop petits et trop conservateurs. Sa conclusion à lui, c'était qu'il fallait agir au sein des structures existantes. Pour ébranler le pouvoir, il fallait se tenir dans son voisinage immédiat.

De plus, il avait un secret. C'était la raison pour laquelle il avait quitté New York et l'université de Columbia pour la Californie. Il avait passé un an au Vietnam. Et ça lui avait plu. Il avait été incorporé dans une unité combattante stationnée presque sans interruption près d'An Khe, le long d'une importante voie de communication à l'ouest de Qui Nhon. Au cours de cette année-là, il avait tué plusieurs soldats ennemis, et il ne l'avait jamais regretté. Pendant que ses camarades se droguaient, lui s'était soumis à la discipline militaire. Et il avait toujours su qu'il survivrait ; il ne ferait pas le voyage du retour dans un sac en plastique. C'était à cette époque, au cours des nuits suffocantes passées en mission quelque part dans la jungle, qu'il était parvenu à cette certitude : pour ébranler le pouvoir, on devait se tenir dans sa proximité immédiate. Maintenant, dans la nuit angolaise, il lui arrivait de retrouver cette sensation : la chaleur étouffante, et la certitude d'avoir eu raison, à trente ans de distance.

Peu de temps après son entrée à la Banque mondiale, il avait su qu'un poste de responsable national allait se libérer en Angola, et il s'était mis à apprendre le portugais. Sa carrière avait jusque-là été rapide et rectiligne. Ses chefs reconnaissaient ses mérites. Malgré le grand nombre de postulants, dont beaucoup avaient plus d'expérience que lui, il avait obtenu le poste sans discussion.

C'était la première fois qu'il se rendait en Afrique. La première fois qu'il mettait le pied dans un pays pauvre de l'hémisphère Sud. Son expérience de soldat au Vietnam ne comptait pas. Là-bas, il avait été un ennemi indésirable. En Angola, il était le bienvenu. Au début, il n'avait fait qu'écouter. Regarder et apprendre. Il s'était étonné de la joie et de la dignité si fortes là-bas, malgré la misère.

Il avait mis presque deux ans à comprendre que la Banque faisait n'importe quoi. Au lieu de faciliter la reconstruction d'un pays dévasté par la guerre et de soutenir son accès à l'indépendance, elle ne contribuait au fond qu'à enrichir les riches. En vertu de sa position, il rencontrait partout des gens prudents, obséquieux et faux. Derrière les discours progressistes, il découvrait la corruption, la lâcheté, l'intérêt personnel à peine voilé. Certains, des intellectuels indépendants, l'un ou l'autre ministre, voyaient les choses du même œil que lui. Mais ceux-là occupaient toujours une position marginale. Personne ne les écoutait. Personne, à part lui.

Son rôle lui devint peu à peu insupportable. Il avait tenté d'expliquer à ses chefs que la stratégie de la Banque était complètement erronée. Ses allers et retours répétés par-dessus l'Atlantique pour tenter d'influencer le bureau central n'avaient aucun effet. Il rédigea d'innombrables notes soulignant la gravité de la situation. Mais il se heurtait systématiquement à une indifférence bienveillante. Au cours de l'une de ces réunions, il sentit pour la première fois qu'il devenait indésirable. Un soir, il avait parlé au plus âgé de ses mentors, un analyste financier du nom de Whitfield, qu'il connaissait depuis l'université et qui avait contribué à sa nomination. Ils s'étaient retrouvés dans un petit restaurant de Georgetown, et Carter l'avait interrogé sans détour : n'y avait-il vraiment personne pour comprendre qu'il avait raison et que la Banque avait tort ? Whitfield lui avait répondu que la question était mal posée. Il ne s'agissait pas de savoir qui avait raison. La banque avait décidé d'une politique. Erronée ou non, elle devait être suivie.

Carter reprit l'avion pour Luanda. Au cours du voyage, dans son siège confortable de première classe, une idée inouïe commença à prendre forme dans son cerveau.

D'innombrables nuits sans sommeil furent ensuite nécessaires pour préciser son désir et imaginer sa mise en œuvre.

À la même époque, il rencontra l'homme qui allait le convaincre de la légitimité de son projet.

Après coup, il lui arriva de penser que les événements importants d'une vie reposaient toujours sur une étrange combinaison de décisions conscientes et de hasards. Les femmes qu'il avait aimées lui étaient venues par les biais les plus surprenants. Et l'avaient quitté de même.

C'était un soir de mars, au milieu des années 1970. Il était au cœur de sa période insomniaque, cherchant désespérément une issue à son dilemme. Un soir qu'il se sentait particulièrement agité, il avait dîné au Métropole, l'un des restaurants du port. Il y allait assez souvent, car il ne risquait pas d'y croiser des employés de la Banque, ni aucun représentant des élites du pays. Il avait la paix. La table voisine était occupée par un homme qui parlait très mal le portugais. Le serveur ne comprenait pas l'anglais ; Carter se proposa comme interprète.

Ils avaient engagé la conversation. L'homme était un Suédois de passage à Luanda pour accomplir une mission de consultant dans le secteur complètement arriéré des télécommunications d'État. Il ne put jamais établir ce qui avait retenu son intérêt, chez cet homme. En temps normal, il gardait ses distances. Quand il rencontrait quelqu'un, il partait du principe que c'était un ennemi.

Très vite cependant, il décela chez cet homme – qui, après un moment, le rejoignit à sa table – une intelligence peu commune. De plus, ce n'était pas un technicien ordinaire, aux centres d'intérêt limités, mais un homme cultivé, bien informé de l'histoire coloniale de l'Angola et de la situation politique complexe du moment.

L'homme s'appelait Tynnes Falk. Il lui avait dit son nom lorsqu'ils s'étaient séparés, tard cette nuit-là. Ils étaient les derniers clients, un serveur solitaire somnolait derrière le comptoir. Leurs chauffeurs les attendaient devant le restaurant. Falk logeait à l'hôtel Luanda. Ils convinrent de se retrouver le lendemain soir.

Falk devait rester trois mois en Angola. À la fin de cette période, Carter lui proposa une nouvelle mission, un prétexte qui lui donnerait la possibilité de revenir, afin qu'ils poursuivent leur conversation.

Falk était revenu deux mois plus tard. Il avait alors confié qu'il était célibataire. Carter non plus n'avait jamais été marié. Mais il avait vécu avec plusieurs femmes différentes et il avait quatre enfants, trois filles et un garçon, qu'il ne voyait presque jamais. À Luanda, il avait deux maîtresses noires qu'il fréquentait en alternance. L'une était professeur à l'université, l'autre divorcée d'un ministre. Fidèle à ses habitudes, il tenait ses liaisons secrètes ; seuls ses domestiques étaient au courant. Il évitait aussi toute aventure avec des femmes travaillant pour la Banque. Sensible à la solitude de Falk, il lui dénicha une femme, une certaine Rosa, fille d'un marchand portugais et de la servante noire de celui-ci.

Falk commença à se plaire en Afrique. Carter lui avait procuré une maison avec jardin et vue sur la mer, dans la jolie baie de Luanda. De plus, il lui avait établi un contrat qui lui garantissait des honoraires élevés en échange d'un travail minime.

Ils avaient continué à parler. Quel que soit le sujet, au cours des longues nuits brûlantes, ils avaient vite constaté la convergence de leurs opinions politiques et morales. Pour la première fois, Carter avait trouvé quelqu'un à qui se confier. Même chose pour Falk. Ils s'écoutaient avec un intérêt croissant, étonnés l'un et l'autre de se découvrir si semblables. Ce n'était pas seulement le gauchisme déçu qui les rapprochait. Ni l'un ni l'autre n'avait cédé à la passivité ou à l'amertume. Jusqu'à l'instant où le hasard les avait réunis, chacun avait cherché une issue de son côté. Maintenant, ils pouvaient continuer ensemble. Ils formulèrent quelques axiomes simples, qu'ils pouvaient accepter l'un et l'autre sans réserve. Que restait-il, après la faillite des idéologies ? Dans cette multitude innombrable de gens et d'idées, dans un univers qui leur semblait de plus en plus corrompu ? Était-il même envisageable de construire autre chose tant que les vieilles fondations resteraient en place ? Ils comprirent après coup, peut-être s'étaient-ils mutuellement entraînés vers cette conclusion, que rien ne pourrait être entrepris à moins d'un préalable absolu : la destruction des fondements mêmes de l'ordre mondial.

Ce fut au cours de ces conversations nocturnes que le projet prit forme peu à peu. Ils cherchaient lentement le point de convergence de leurs connaissances et de leur expérience respectives. Carter avait écouté avec une fascination croissante ce que lui racontait Falk sur l'univers informatique où il vivait. Falk lui avait fait comprendre que rien n'était impossible. Ceux qui maîtrisaient les communications électroniques étaient les détenteurs du pouvoir réel. Falk avait évoqué les guerres du futur. Le rôle joué par les tanks dans la Première Guerre mondiale et par la bombe dans la Seconde reviendrait, dans les conflits de l'avenir proche, aux techniques de l'information. Des bombes à retardement, uniquement constituées de virus qu'il suffisait d'inoculer dans l'arsenal de l'ennemi potentiel pour détruire ses systèmes de communication et ses places financières. La lutte pour la suprématie ne se jouerait plus sur les champs de bataille, aussi raffinés soient-ils, mais devant des claviers d'ordinateurs et dans des laboratoires. Le temps des sous-marins nucléaires serait bientôt révolu. Les véritables menaces se cachaient désormais dans les câbles en fibre optique qui tissaient autour de la planète un réseau de plus en plus serré.

Le grand projet commençait à prendre forme. Dès le départ, ils avaient décidé de prendre leur temps. Pas de précipitation. Mais un jour, au moment venu, ils passeraient à l'action.

Ils se complétaient admirablement. Carter avait des contacts. Il connaissait intimement le fonctionnement de la Banque, le détail des systèmes financiers et la fragilité réelle de l'économie mondialisée. L'imbrication de plus en plus étroite des économies, généralement considérée comme une puissance, ou plutôt comme une source de puissance, pouvait être transformée en son contraire. Falk de son côté était le technicien, capable de mettre en pratique ces différentes idées.

Pendant plusieurs mois, ils passèrent presque toutes leurs soirées ensemble à affiner leur grand projet.

Et pendant les vingt années qui suivirent, ils gardèrent un contact régulier. Ils avaient compris d'emblée que l'époque n'était pas encore mûre. Un jour, elle le serait – quand l'outil électronique serait suffisamment performant, et le monde de la finance mondiale si unifié qu'un seul coup porté au bon endroit suffirait à le détruire. Alors, ils agiraient.

Carter fut arraché à ses pensées. D'un geste instinctif, il tendit la main vers son arme. Mais ce n'était que Celina, qui peinait à ouvrir les cadenas de la cuisine. Il aurait dû la renvoyer depuis longtemps. Elle faisait trop de bruit en préparant son petit déjeuner. Elle n'arrivait jamais à cuire ses œufs comme il les aimait. Celina était laide, grosse et bête. Elle ne savait ni lire ni écrire, elle avait neuf enfants. Et un mari qui passait le plus clair de son temps à palabrer sous un arbre, quand il n'était pas ivre mort.

Autrefois, Carter pensait que c'étaient ces gens-là qui construiraient le monde de demain. Il n'y croyait plus. Alors autant tout démolir. Tout détruire de fond en comble.

Le soleil s'était levé, mais Carter s'attarda sous le drap. Il pensait aux événements récents. Tynnes Falk était mort. Ce qui n'aurait jamais dû se produire s'était produit. Ils avaient toujours été conscients de cette dimension : la part d'inattendu, d'incontrôlable. Ils l'avaient intégrée dans leurs estimations, ils avaient construit des systèmes de protection et imaginé des alternatives. Mais jamais ils n'avaient envisagé que l'un des deux puisse être frappé personnellement. Que l'un des deux puisse mourir, de façon complètement absurde et imprévisible. Pourtant, cela s'était produit. En recevant l'appel de Suède, Carter avait d'abord refusé d'y croire. Son ami était mort. Tynnes Falk n'était plus. Cela lui causait de la douleur. Cela bousculait tous leurs projets. Et cela intervenait au pire moment, juste avant le déclenchement de l'opération. Désormais, il serait seul à l'instant décisif. Mais la vie ne consistait pas seulement en décisions conscientes et en projets soigneusement élaborés. Le hasard y jouait aussi un rôle.

Dans son esprit, l'opération avait un nom : *Marais de Jakob.*

Il se souvenait encore du soir où Falk, par exception, avait trop bu et s'était soudain mis à parler de son enfance. Il avait grandi dans une ferme où son père était régisseur – l'équivalent d'un contremaître dans les grandes plantations portugaises en Angola. Il y avait un bois et, derrière, ce marais dont la flore était, au dire de Falk, déconcertante, chaotique et belle. Il y avait joué, enfant, il avait regardé les libellules voler. Cela faisait partie des meilleurs souvenirs de sa vie. Et il connaissait l'histoire du lieu : voici très longtemps, un certain Jakob s'y était rendu une nuit en proie à un chagrin d'amour, et s'y était noyé.

Pour Falk, le marais de Jakob avait pris une dimension nouvelle après sa rencontre avec Carter, lorsqu'il avait découvert qu'ils partageaient un sentiment essentiel par rapport à la nature de la vie. Le marais était devenu un symbole de ce monde chaotique où il ne restait d'autre solution, à la fin, que de se noyer – ou de noyer le monde.

Marais de Jakob. C'était un beau nom, à supposer que l'opération en ait besoin. Comme un hommage, dont Carter serait seul à comprendre la portée.

Il pensa à Falk encore quelques instants mais s'aperçut qu'il devenait sentimental. Il se leva, prit une douche et descendit prendre son petit déjeuner.

Puis il alla au salon et écouta un quatuor à cordes de Beethoven, jusqu'au moment où le vacarme de Celina dans la cuisine le mit hors de lui. Il prit sa voiture jusqu'à la plage et fit une promenade. Son chauffeur, Alfredo, qui faisait aussi office de garde du corps, marchait quelques pas derrière lui. Chaque fois que Carter traversait Luanda en voiture et qu'il voyait la décrépitude, les immondices, la misère, son sentiment d'avoir raison se confirmait. Falk l'avait accompagné presque jusqu'au bout. Maintenant, il devait accomplir le reste seul.

Il marchait sur la plage, face à la ville en décomposition, avec un sentiment de grand calme intérieur. Le monde qui naîtrait des cendres, après l'incendie qu'il s'apprêtait à déclencher, ne pourrait jamais être pire que celui-là.

Peu avant onze heures, il était de retour à la villa. Celina était rentrée chez elle. Il but un café et un verre d'eau et monta à son bureau du deuxième étage. La vue sur la mer était magnifique, mais il ferma les rideaux. Il préférait le crépuscule. Ou les doubles rideaux qui écartaient le soleil de ses yeux sensibles. Puis il alluma l'ordinateur et se livra distraitement aux procédures routinières.

Quelque part dans ce monde électronique, il existait une horloge invisible, créée par Falk selon ses instructions. On était maintenant le dimanche 12 octobre, J moins huit.

À onze heures et quart, il avait achevé ses opérations de vérification.

Soudain, il tressaillit. Un point lumineux clignotait dans un coin de l'écran. Deux impulsions courtes, une longue, deux courtes. Il chercha le code dans le manuel de Falk.

D'abord, il crut s'être trompé. Quelqu'un venait de franchir la toute première barrière de sécurité. Dans la petite ville d'Ystad, que Carter n'avait jamais vue qu'en photo.

Il regardait l'écran, incrédule. Falk lui avait garanti que personne ne pourrait déjouer son système de verrouillage.

Apparemment, quelqu'un avait pourtant réussi.

Carter constata qu'il transpirait. Il fallait rester calme. Le cœur du système, les missiles invisibles étaient protégés par des murailles infranchissables. Personne ne pouvait y accéder.

Pourtant, quelqu'un essayait de le faire.

Après la mort de Falk, il avait aussitôt dépêché quelqu'un à Ystad pour surveiller la situation et le tenir informé. Plusieurs incidents regrettables s'étaient produits. Jusqu'à présent, Carter avait pourtant cru que tout était sous contrôle, puisqu'il avait chaque fois réagi très vite et sans hésiter.

Il analysa rapidement la nouvelle donne. La situation était encore sous contrôle, conclut-il. Mais il fallait réagir sans attendre.

Il réfléchissait intensément. Qui s'était introduit dans l'ordinateur ? Il avait du mal à imaginer que ce puisse être l'un des policiers qui, d'après ses rapports, s'employaient discrètement à enquêter sur la mort de Falk et certains événements annexes.

Alors qui ?

Il ne trouva pas de réponse. Lorsque le crépuscule tomba sur Luanda, il était encore devant son écran. Quand il se leva enfin, il était calme.

Mais que s'était-il passé ? Il devait en avoir le cœur net le plus rapidement possible pour réagir.

Peu avant minuit, il était de nouveau devant son ordinateur. Falk lui manquait plus que jamais. Il lança son appel dans l'espace électronique. Après une minute d'attente, on lui répondit.

*

Wallander s'était placé à côté de Martinsson. Robert Modin était assis devant l'écran saturé de colonnes de chiffres qui défilaient à une vitesse vertigineuse. Quelques séries de 1 et de 0 apparurent. Puis ce fut le noir. Robert Modin jeta un regard à Martinsson, qui hocha la tête. Il continua de pianoter. De nouveaux essaims de chiffres tourbillonnèrent. Soudain, tout s'immobilisa. Martinsson et Wallander se penchèrent pour mieux voir.

– Je ne sais pas ce que c'est, dit Modin. Je n'ai jamais rien vu de pareil.

– Ce sont peut-être simplement des calculs ? proposa Martinsson.

– Je ne crois pas. On dirait un système de chiffres qui attendent une commande supplémentaire.

– C'est-à-dire ?

– Ça ressemble à un code.

Wallander était déçu. Il ne savait pas à quoi il s'attendait, mais pas à un essaim de chiffres dénué de sens.

– Je croyais que les messages codés avaient pris fin après la Seconde Guerre mondiale ?

Personne ne lui répondit.

– Ça a un rapport avec le nombre 20, dit soudain Robert Modin.

Martinsson se pencha. Wallander s'abstint ; il commençait à avoir mal au dos. Robert Modin se lança dans des explications que Martinsson écouta avec intérêt tandis que Wallander pensait à autre chose.

– L'an 2000 peut-être ? demanda Martinsson. Le grand bug informatique de l'an 2000 ?

– Non. C'est bien le nombre 20. D'ailleurs, un ordinateur ne perd pas les pédales, il n'y a que les humains pour faire ça.

– Dans huit jours, dit Wallander pensivement, sans vraiment savoir pourquoi.

Robert Modin et Martinsson continuèrent à discuter. De nouveaux chiffres apparurent. Wallander en profita pour apprendre en détail ce qu'était un modem. Jusque-là, il savait juste que c'était un engin qui reliait un ordinateur au reste du monde par l'intermédiaire du réseau téléphonique. Il sentait croître son impatience. Mais Robert Modin tenait peut-être une piste.

Son portable bourdonna dans sa poche. Il s'éloigna pour répondre. C'était Ann-Britt.

– J'ai peut-être trouvé quelque chose.

Wallander sortit sur le palier.

– Quoi ?

– J'avais l'intention de parler aux fils Lundberg, si tu t'en souviens. L'aîné s'appelle Carl-Einar. Soudain, j'ai eu l'impression d'avoir déjà entendu ce nom-là.

– Ah ?

– J'ai consulté le fichier.

– Je croyais que seul Martinsson savait faire ça.

– Disons plutôt que tu es le seul à ne pas savoir le faire.

– Alors ?

– Carl-Einar Lundberg a été jugé il y a quelques années. Je crois que c'était pendant ton congé maladie prolongé.

– Qu'avait-il fait ?

– Rien, apparemment, puisqu'il a été acquitté. Mais il était soupçonné de viol.

Wallander réfléchit.

– Ça vaut peut-être le coup de s'y intéresser. Mais j'ai du mal à voir le rapport avec Falk. Et avec Sonja Hökberg.

– Je continue de chercher, dit Ann-Britt.

Wallander retourna auprès des autres.

On n'arrive à rien, pensa-t-il dans un brusque accès de découragement. On ne sait pas ce qu'on cherche. On est dans un trou noir, sans aucun repère.

22

Robert Modin déclara forfait à dix-huit heures. Il se plaignait de maux de tête et n'avait plus la force de poursuivre. Il plissa les yeux derrière ses lunettes.

– Je veux bien continuer demain. Je dois juste réfléchir, mettre au point une stratégie. Et consulter quelques amis.

Martinsson veilla à ce que quelqu'un le raccompagne à Löderup.

– Que voulait-il dire ? demanda Wallander lorsqu'ils furent de retour au commissariat.

– Ce qu'il a dit. Il a besoin de réfléchir et de mettre au point une stratégie, exactement comme nous.

– On aurait dit un vieux docteur confronté à un patient plein de symptômes bizarres. C'est quoi, ces amis qu'il doit consulter ?

– D'autres hackers sans doute. Par le Net ou par téléphone. La comparaison avec le toubib n'est pas mal.

Martinsson semblait s'être remis du fait qu'ils n'avaient pas demandé l'autorisation de recourir aux services de Robert Modin. Wallander préféra ne pas aborder la question.

Ann-Britt et Hansson étaient là. Pour le reste, il régnait dans le commissariat une paix dominicale trompeuse. Wallander pensa à la quantité de dossiers en attente qui ne faisait que croître. Puis il rassembla son équipe afin de clore, au moins symboliquement, la semaine de travail. L'avenir proche était plein d'incertitudes.

– J'ai parlé à Norberg, l'un des maîtres-chiens, dit Hansson. D'ailleurs, il est en train de changer de chien. Hercule devient trop vieux.

– Il n'est pas mort ? demanda Martinsson. Il me semble qu'il est là depuis toujours, ce chien.

– C'est la fin, apparemment. Il commence à être aveugle.

Martinsson eut un rire las.

– Ce serait un bon sujet d'article. Les chiens aveugles de la police…

Wallander ne trouvait pas ça drôle. Le vieux chien allait lui manquer. Peut-être même plus que certains de ses collègues.

– J'ai réfléchi à la question des noms de chiens, poursuivit Hansson. À la rigueur, je peux comprendre qu'on appelle un clébard Hercule. Mais *Loyal* ?

– Pourquoi ? fit Martinsson, surpris. On a un chien qui s'appelle comme ça ?

Le poing de Wallander s'abattit sur la table – le geste le plus autoritaire dont il se sentît capable dans l'immédiat.

– On s'en fout. Qu'a dit Norberg ?

– Qu'il est bien possible que les objets ou les corps congelés n'aient pas d'odeur. Par exemple, les chiens peuvent avoir du mal à trouver un corps en hiver quand il fait très froid.

Wallander enchaîna sans attendre les commentaires :

– Et la Mercedes ? Tu as eu le temps de t'en occuper ?

– Un minibus Mercedes noir a été volé à Ånge il y a quelques semaines.

– Ånge ? C'est où ?

– À côté de Luleå, dit Martinsson.

– N'importe quoi, répliqua Hansson. C'est près de Sundsvall.

Ann-Britt se leva et consulta la carte punaisée au mur. Hansson avait raison.

– C'est possible que ce soit celui-là, poursuivit Hansson. La Suède est un petit pays.

– D'autres voitures peuvent avoir été volées sans qu'on en soit informé encore. Il faut continuer à s'en occuper.

Ann-Britt prit la parole :

– Lundberg a deux fils, aussi différents que possible, semble-t-il. Celui qui habite à Malmö, Nils-Emil, travaille comme surveillant dans un lycée. J'ai essayé de le joindre au téléphone mais sa femme m'a dit qu'il était à l'entraînement, il fait partie d'une équipe de course d'orientation. Elle était très bavarde. Son mari est bouleversé par la mort de son père, m'a-t-elle dit. Si j'ai bien compris, Nils-Emil est très croyant. Ce serait donc plutôt le cadet, Carl-Einar, qui pourrait nous intéresser. En 1993, il a été inculpé pour viol. Une fille de la ville, qui s'appelle Englund. Mais on n'a jamais pu le prouver.

– Je m'en souviens, dit Martinsson. C'était une histoire horrible.

Wallander se rappelait seulement qu'à cette époque il errait le long des plages de Skagen, au Danemark. Ensuite, un assassinat avait été commis et, à sa propre surprise, il avait repris le travail.

– C'est toi qui étais chargé de l'enquête ?

Martinsson fit une grimace.

– C'était Svedberg.

Silence. Tous pensaient à leur collègue assassiné.

– Je n'ai pas eu le temps de lire le rapport, reprit Ann-Britt. Je ne sais pas pourquoi il a été acquitté.

– Personne n'a été condamné, dit Martinsson. L'auteur du viol s'en est tiré. On n'a jamais réussi à trouver un autre suspect. Je crois me souvenir que Svedberg était convaincu que c'était bien Lundberg, malgré tout. Mais je n'avais pas imaginé que ce puisse être le fils de Johan Lundberg.

– Supposons que ce soit lui. De quelle manière cela peut-il nous aider à comprendre le meurtre de son père ? Ou la mort de Sonja Hökberg ? Ou les doigts coupés de Tynnes Falk ?

– Le viol était extrêmement brutal, dit Ann-Britt. Le fait d'un homme qui ne recule devant rien, ou presque. La fille Englund est restée longtemps à l'hôpital. Elle était grièvement blessée, à la tête et ailleurs.

– On va y regarder de plus près. Mais j'ai du mal à croire qu'il soit lié à cette affaire.

La transition était toute trouvée, et il se mit à parler de Robert Modin et de l'ordinateur de Falk. Ni Hansson ni Ann-Britt ne réagirent au fait qu'ils avaient recouru à quelqu'un qui venait d'être condamné à une peine de prison.

– Je ne comprends pas bien, dit Hansson quand Wallander eut fini. Que penses-tu trouver exactement dans cet ordinateur ? Une confession ? Un compte rendu des événements qui nous intéressent ?

– Je n'en sais rien, dit Wallander avec simplicité. Mais on doit essayer de comprendre ce que fabriquait ce Tynnes Falk. Il va falloir se plonger dans son passé. J'ai le sentiment que c'était un type très étrange.

Hansson ne paraissait pas convaincu, mais il ne dit rien. Wallander comprit qu'il fallait clore la réunion au plus vite. Ils avaient besoin de repos.

– On doit continuer à chercher comme on l'a fait jusqu'à présent, en largeur comme en profondeur. Isoler les différents événements, y travailler chacun de notre côté et confronter nos informations pour découvrir de nouveaux dénominateurs communs. Il faut en apprendre plus sur Sonja Hökberg. Qui était-elle ? Elle a travaillé à l'étranger, elle a touché un peu à tout. Ce n'est pas suffisant comme information.

Il s'interrompit et se tourna vers Ann-Britt.

– Et le sac à main ?

– J'avais oublié, excuse-moi. Sa mère pense qu'il y manquait peut-être un carnet d'adresses.

– Peut-être ?

– Je crois qu'elle m'a dit la vérité. Apparemment, Sonja Hökberg ne laissait personne s'approcher d'elle, en dehors d'Eva Persson, et encore. La mère pense que Sonja avait dans son sac un petit carnet noir où elle notait des numéros de téléphone. Dans ce cas, ce carnet aurait disparu. Mais elle n'en était pas certaine.

– Si c'est exact, c'est une information importante. Eva Persson devrait pouvoir nous renseigner là-dessus.

Wallander réfléchit avant de poursuivre :

– Je crois qu'il faut revoir un peu la répartition des tâches. À compter de maintenant, je veux qu'Ann-Britt se consacre exclusivement à Sonja Hökberg et à Eva Persson. Il doit y avoir un petit ami à l'arrière-plan. Quelqu'un qui a pu emmener Sonja en voiture. Je veux aussi que tu explores sa personnalité et son passé. Qui était-elle ? Martinsson de son côté va continuer de tenir compagnie à Robert Modin. Quelqu'un d'autre peut s'occuper du fils Lundberg. Moi, par exemple. Et je vais essayer d'en apprendre un peu plus sur Falk. Hansson continue à s'occuper de la coordination, à tenir Viktorsson au courant et à organiser l'arrière-garde – en particulier retrouver d'éventuels témoins et une explication au fait qu'un corps ait pu disparaître de la morgue de Lund. Par ailleurs, quelqu'un doit aller à Växjö et parler au père d'Eva Persson.

Il jeta un regard circulaire avant de conclure.

– Ça va prendre du temps. Mais tôt ou tard, on va bien finir par trouver le dénominateur commun.

– On n'oublierait pas quelque chose ? intervint Martinsson. Quelqu'un a quand même essayé de te tuer…

– Non, on ne l'a pas oublié. Ça montre seulement qu'on a affaire à des gens qui ne plaisantent pas. Ce qui laisse deviner un arrière-plan nettement plus complexe qu'on ne l'imaginait.

– Si ça se trouve, c'est très simple au contraire, objecta Hansson. C'est juste qu'on ne le voit pas encore.

Ils se séparèrent. Wallander voulait quitter le commissariat le plus vite possible. Dix-neuf heures trente. Il n'avait presque rien mangé de la journée, mais il n'avait pas faim. Il rentra chez lui en voiture. Le vent avait presque disparu. Température inchangée. Il jeta un regard derrière lui avant d'ouvrir la porte de l'immeuble.

Il consacra l'heure suivante à faire un ménage approximatif et à rassembler son linge sale. De temps à autre, il jetait un coup d'œil aux informations télévisées. Un sujet retint son attention. On interrogeait un commandant de l'armée américaine sur le visage que pourrait prendre une guerre future. Presque tout se ferait par ordinateur, répondait-il. Les forces terrestres n'auraient bientôt plus qu'un rôle marginal.

Une pensée le frappa. Vingt et une heures vingt ; il pouvait encore téléphoner. Il s'assit à la cuisine après avoir cherché le numéro.

Erik Hökberg décrocha tout de suite.

– Où en êtes-vous ? Ici, c'est la maison du deuil. On n'en peut plus, de ne pas savoir exactement ce qui est arrivé à Sonja.

– On fait notre possible.

– Mais vous obtenez des résultats ? Qui l'a tuée ?

– On ne le sait pas encore.

– Je ne comprends pas que ce soit si difficile de retrouver quelqu'un qui a fait brûler une pauvre fille dans un transformateur.

Wallander changea de sujet :

– Je t'appelle parce que j'ai une question. Sonja savait-elle se servir d'un ordinateur ?

– Bien sûr, comme tous les jeunes.

– S'intéressait-elle à l'informatique ?

– Elle surfait sur le Net. Elle se débrouillait. Mais moins bien qu'Emil.

Wallander se sentait démuni. En fait, c'était Martinsson qui aurait dû aborder ce sujet avec Hökberg. Il décida de changer de piste :

– Tu as dû réfléchir. Te demander comment Sonja avait pu tuer ce chauffeur de taxi, et pourquoi elle avait été tuée à son tour.

Erik Hökberg ne répondit pas tout de suite.

– Je vais souvent dans sa chambre, dit-il ensuite, d'une voix changée. Je m'assieds, je regarde autour de moi. Et je ne comprends rien.

– Comment décrirais-tu Sonja ?

– Elle était forte, volontaire, indépendante. Pas commode. Elle s'en serait bien sortie, dans la vie. Comment dit-on déjà ? Une personne pleine de ressources.

Wallander pensa à sa chambre. La chambre d'une petite fille. Pas de la personne que décrivait à présent son beau-père.

– Elle n'avait pas de petit ami ?

– Pas à ma connaissance.

– Ça ne te paraît pas bizarre ?

– Pourquoi ?

– Elle avait quand même dix-neuf ans, elle était jolie.

– En tout cas, elle ne ramenait personne à la maison.

– Elle ne recevait pas de coups de fil ?

– Elle avait sa propre ligne. Elle l'avait demandée pour ses dix-huit ans. Son téléphone sonnait souvent. Mais je ne sais pas qui l'appelait.

– Avait-elle un répondeur ?

– Je l'ai écouté. Il n'y avait pas de message.

– Si jamais il en venait un, j'aimerais l'entendre.

Wallander songea soudain à l'affiche de film dans la penderie. Le seul élément, en dehors des vêtements, qui suggérait la présence d'une adolescente. D'une jeune femme presque adulte. Il se souvint du titre. *L'Associé du diable*.

– Tu vas être contacté par l'inspecteur Höglund. Elle aura beaucoup de questions à te poser, ainsi qu'à ta femme. Si vous voulez vraiment qu'on découvre ce qui est arrivé à Sonja, il faudra répondre de votre mieux.

– Ce n'est pas ce que je fais ?

Wallander ne comprenait que trop bien son agressivité.

– Si, dit-il. Et je ne vais pas te déranger davantage.

Il raccrocha et resta assis, sans pouvoir lâcher la pensée de l'affiche dans la penderie. Il regarda sa montre. Vingt et une heures trente. Il composa le numéro du restaurant de Stockholm où travaillait Linda. Un homme pressé lui répondit dans un suédois approximatif et accepta d'aller la chercher. Plusieurs minutes s'écoulèrent. En reconnaissant la voix de son père, Linda s'énerva.

– Tu sais que tu ne peux pas m'appeler à cette heure-ci, ça les stresse si on téléphone pendant le coup de feu.

– Je sais. Juste une question.

– Vite, alors.

– Est-ce que tu as vu un film qui s'appelle *L'Associé du diable*, avec Al Pacino ?

– C'est pour ça que tu me déranges ?

– Je n'avais personne d'autre à qui la poser.

– Je raccroche.

Ce fut au tour de Wallander de s'énerver.

– Tu dois quand même pouvoir me répondre ! Tu l'as vu, oui ou non ?

– Oui.

– De quoi ça parle ?

– Je rêve !

– Ça parle de Dieu ?

– Si on veut. Ça parle d'un avocat qui, en fait, est le diable.

– C'est tout ?

– Ça ne te suffit pas ? Pourquoi tu veux savoir ça ? Tu as des cauchemars ?

– Je suis chargé d'une enquête pour meurtre. Pourquoi une fille de dix-neuf ans aurait-elle l'affiche de ce film punaisée dans sa chambre ?

– Sans doute parce qu'elle trouve qu'Al Pacino est beau. Ou parce qu'elle est amoureuse du diable. Comment veux-tu que je le sache, merde ?

– Tu es obligée de parler comme ça ?

– Oui.

– Bon, il parle d'autre chose, à part ça ?

– Regarde-le toi-même. Il existe sûrement en vidéo.

Wallander se sentit complètement idiot. Il aurait dû y penser. Il pouvait louer la cassette dans n'importe quelle boutique, plutôt que d'énerver Linda.

– Désolé de t'avoir dérangée.

Elle n'était plus fâchée.

– Ça ne fait rien. Il faut que j'y aille maintenant.

– Je sais. Salut.

Il raccrocha. Le téléphone sonna aussitôt. Il prit le combiné avec méfiance. S'il y avait une chose qu'il n'avait pas le courage d'affronter à l'instant, c'était bien un journaliste.

Il reconnut la voix de Siv Eriksson.

– J'espère que je ne te dérange pas, dit-elle.

– Pas du tout.

– J'ai réfléchi. J'ai essayé de trouver quelque chose qui pourrait t'aider.

Invite-moi, pensa Wallander. Si tu veux vraiment m'aider. J'ai faim, j'ai soif, j'en ai marre d'être assis dans cet appartement.

– Et tu as trouvé quelque chose ?

– Malheureusement, non. Je suppose que la personne qui le connaît le mieux c'est sa femme. Ou peut-être ses enfants.

– Si j'ai bien compris, ses missions pouvaient être très variées, en Suède comme à l'étranger. C'était quelqu'un de très recherché. Il n'a jamais fait de réflexion, à propos de son travail, qui t'aurait surprise ?

– Il parlait peu. Il était prudent dans ses paroles. Il était prudent en tout.

– Peux-tu m'en dire plus ?

– Parfois, j'avais l'impression qu'il était complètement ailleurs. Nous discutions d'un problème, il m'écoutait, il me répondait. Pourtant, il n'était pas là.

– Où était-il, alors ?

– Je ne sais pas. Il était très secret, je m'en rends compte maintenant. À l'époque, je le croyais timide, ou distrait, mais ce n'était pas ça. L'opinion qu'on a de quelqu'un se transforme après sa mort.

Wallander pensa très vite à son propre père ; mais il aurait menti en disant que celui-ci lui paraissait très différent depuis sa mort.

– Et tu n'as aucune idée de ce à quoi il pensait en réalité ?

– Pas vraiment…

La réponse resta en suspens. Wallander attendit la suite.

– Au fond, je n'ai qu'un seul souvenir un peu déviant. Ce n'est pas beaucoup, quand on pense que je l'ai fréquenté pendant des années.

– Dis toujours.

– C'était il y a deux ans, en octobre, ou début novembre. Il est arrivé ici un soir, très secoué. On avait un travail urgent, pour l'Union des agriculteurs, je crois. Je l'ai interrogé. Il m'a dit avoir été témoin d'une scène entre quelques jeunes et un vieil homme soûl. L'homme avait tenté de se défendre ; les jeunes l'avaient bousculé et lui avaient donné des coups de pied alors qu'il était à terre.

– C'est tout ?

– Ça ne suffit pas ?

Wallander réfléchit. Tynnes Falk avait réagi à un acte de violence. Comment l'interpréter ? Cela avait-il un intérêt pour l'enquête ?

– Il n'est pas intervenu ?

– Non. Il était juste indigné.

– Qu'a-t-il dit ?

– Que c'était le chaos. Que le monde était livré au chaos. Que ça ne valait plus le coup.

– Quoi donc ?

– Je ne sais pas. J'ai eu le sentiment qu'il visait l'humanité en bloc. Que c'était l'humain qui ne valait plus le coup, en quelque sorte, à partir du moment où la bestialité prenait le dessus. Quand j'ai voulu en savoir plus, il a changé de sujet. On n'en a jamais reparlé.

– Comment interprètes-tu son indignation ?

– Elle m'a paru assez naturelle. N'aurais-tu pas réagi de même ?

Peut-être, pensa Wallander. Mais je n'aurais peut-être pas tiré la conclusion que le monde était livré au chaos.

– Tu ne sais pas qui étaient ces jeunes ? Ou le vieil homme ?

– Comment diable veux-tu que je le sache ?

– Je suis policier. Je pose des questions.

– Désolée de ne pas pouvoir t'aider mieux que ça.

Wallander sentit qu'il avait envie de la retenir au téléphone. Mais elle s'en serait aperçue, bien sûr.

– Tu as bien fait de m'appeler, dit-il simplement. N'hésite pas à me joindre si tu penses à autre chose. De mon côté, je te téléphonerai sûrement demain.

– Je fais un travail de programmation pour une chaîne de restaurants. Je serai à mon bureau toute la journée.

– Que va-t-il t'arriver maintenant, d'un point de vue professionnel ?

– Je ne sais pas. J'espère que ma réputation est suffisamment établie pour survivre sans Tynnes. Sinon, il faudra que je trouve autre chose.

– Quoi ?

Elle éclata de rire.

– Tu as vraiment besoin de savoir ça pour l'enquête ?

– Simple curiosité.

– Il est possible que je parte à l'étranger.

Tout le monde s'en va, pensa Wallander. À la fin, il ne restera plus dans ce pays que les bandits associés et moi.

– Ça m'arrive d'y penser moi aussi, dit-il. Mais je suis coincé, comme tout le monde.

– Moi non, répliqua-t-elle sur un ton léger. On décide soi-même.

Après avoir raccroché, Wallander pensa à ce qu'elle venait de dire. *On décide soi-même*. Elle avait évidemment raison. De la même manière que Per Åkeson et Sten Widén.

Soudain, il se sentit content d'avoir envoyé sa petite annonce. Même s'il n'attendait pas de réponse, il aurait quand même fait une tentative.

Il enfila une veste, se rendit à la boutique vidéo de Stora Östergatan et découvrit que le magasin fermait à vingt et une heures le dimanche soir. Il continua vers la place centrale, en s'arrêtant de temps à autre devant une vitrine.

Soudain, il se retourna. À part quelques jeunes et un vigile, la rue était déserte. Il repensa à ce qu'avait dit Ann-Britt. Qu'il devait faire attention.

Je me fais des idées. Personne n'est bête au point de s'en prendre à un flic deux fois de suite.

Sur la place, il tourna dans Hamngatan avant de rentrer par Österleden. L'air était frais. Ça lui faisait du bien de marcher. Il en avait besoin.

À vingt-deux heures quinze, il était de retour à l'appartement. Il trouva une canette de bière dans le frigo et se prépara quelques sandwiches. Puis il s'assit devant la télévision et regarda un débat sur l'économie suédoise. La seule chose qu'il crut comprendre, c'est que cette économie allait bien et mal en même temps. Il s'aperçut qu'il somnolait et se réjouit de la perspective d'une vraie nuit de sommeil.

L'enquête lui laissait un court répit.

À vingt-trois heures trente, il se coucha et éteignit la lumière. Il venait de s'endormir lorsque le téléphone sonna.

Il compta jusqu'à neuf sonneries. Puis il débrancha le téléphone et attendit. Si c'était un collègue qui cherchait à le joindre, son portable ne tarderait pas à sonner. Il espérait que non.

Au même instant, le portable bourdonna. L'appel venait de la patrouille de nuit qui surveillait Apelbergsgatan. Le policier s'appelait Elofsson.

– Je ne sais pas si c'est important. Mais une voiture est passée plusieurs fois au cours de la dernière heure.

– Vous avez vu le conducteur ?

– C'est pour ça que j'appelle. À cause des instructions.

Wallander attendit en retenant son souffle.

– Il pourrait bien être chinois. Mais c'est difficile d'en être sûr.

La nuit de sommeil venait de prendre fin.

– J'arrive.

Il regarda le réveil. Il était un peu plus de minuit.

23

Wallander quitta la route de Malmö, dépassa Apelbergsgatan et laissa sa voiture dans Jörgen Krabbes Väg. De là, il lui fallait à peine cinq minutes pour rejoindre l'immeuble de Falk. Le vent était complètement tombé. Ciel limpide. Wallander sentit que le froid s'installait. Octobre, en Scanie, c'était toujours un mois instable du point de vue de la météo.

La voiture d'Elofsson et de son collègue stationnait en face de l'immeuble. La portière arrière s'ouvrit, il monta. Ça sentait le café. Il pensa à toutes les nuits de planque désespérantes qu'il avait lui-même passées à lutter contre le sommeil dans une voiture ou, pire encore, sur un trottoir balayé par le vent.

Ils se saluèrent. Le collègue d'Elofsson – El Sayed, originaire de Tunisie – n'était à Ystad que depuis six mois. C'était le premier agent d'origine immigrée que l'école de police envoyait à Ystad. Wallander s'était inquiété à l'avance. Il n'avait aucune illusion sur ce que penseraient nombre de ses collègues de l'arrivée d'un collaborateur arabe. Et ses craintes s'étaient avérées. Il y avait eu des commentaires, détournés mais malveillants. Quant à savoir à quel point El Sayed en était conscient et dans quelle mesure il y était préparé, il n'en avait pas la moindre idée. Parfois, lui-même éprouvait des remords de ne l'avoir pas invité chez lui, au moins une fois. À sa connaissance, personne d'autre ne l'avait fait. Mais le jeune homme au sourire amical s'était fait une place, tant bien que mal, dans l'équipe. Même si cela avait pris du temps. Wallander se demandait parfois ce qui serait arrivé si El Sayed avait réagi aux commentaires au lieu de rester toujours aimable.

– Il est arrivé par le nord, dit Elofsson. De Malmö, en direction du centre. Il est passé trois fois.

– Quand était la dernière ?

– Juste avant que je t'appelle. J'ai d'abord essayé ton téléphone. Tu as le sommeil lourd.

Wallander laissa passer le commentaire.

– Alors ?

– Tu sais ce que c'est. Ce n'est que lorsque quelqu'un passe pour la deuxième fois qu'on y prête attention.

– La voiture ?

– Une Mazda bleu foncé.

– Il a ralenti en passant devant l'immeuble ?

– La première fois, je ne sais pas. La deuxième, oui, c'est sûr.

– Il a ralenti dès la première fois, intervint El Sayed.

Wallander nota la réaction d'Elofsson. Ça lui déplaisait que son collègue en ait vu plus que lui.

– Mais il ne s'est pas arrêté ?

– Non.

– Il vous a vus ?

– La première fois, je ne crois pas. La deuxième, oui, sans doute.

– Ensuite ?

– Il est repassé vingt minutes plus tard. Mais sans ralentir.

– C'était sans doute pour vérifier si vous étiez encore là. Vous avez pu voir s'il était seul ?

– On en a parlé. On ne peut pas en être sûrs, mais on croit que oui.

– Vous avez parlé aux collègues de la place Runnerström ?

– Ils ne l'ont pas vu.

Wallander fut surpris. Quelqu'un qui s'intéressait à Falk aurait normalement dû passer aussi par son bureau.

Il réfléchit. Le conducteur de la Mazda ignorait peut-être l'existence du bureau. Ou alors, le policier de garde était endormi au moment de son passage. Wallander n'excluait pas du tout cette hypothèse.

Elofsson lui tendit un bout de papier portant le numéro d'immatriculation de la voiture.

– Je suppose que vous avez lancé une recherche ?

– Apparemment, il y a un problème informatique. On nous a demandé d'attendre.

Wallander prit le papier. MLR 331. Il le mémorisa.

– Quand l'ordinateur sera-t-il réparé ?

– Ils n'ont pas pu nous le dire.

– Ils ont bien dû vous répondre quelque chose.

– Peut-être demain.

– Ça veut dire quoi ?

– Qu'ils arriveront peut-être à le faire marcher demain.

Wallander secoua la tête.

– On a besoin d'une réponse le plus vite possible. Quand est la relève ?

– À six heures.

– Avant de rentrer chez vous, je voudrais que vous rédigiez un rapport et que vous le posiez sur le bureau de Hansson ou de Martinsson. Ils s'en occuperont.

– Qu'est-ce qu'on fait s'il revient ?

– Il ne reviendra pas. Pas tant qu'il sait que vous êtes là.

– Et s'il revient, on doit intervenir ?

– Non. Ce n'est pas un crime de conduire une voiture dans Apelbergsgatan. Mais rappelez-moi sur le portable.

Il leur souhaita bon courage, rejoignit sa propre voiture et prit la direction de la place Runnerström. C'était moins grave qu'il ne l'imaginait. Seul l'un des deux policiers dormait. Ni l'un ni l'autre n'avait remarqué une Mazda bleue.

– Ouvrez l'œil, dit Wallander en leur donnant le numéro d'immatriculation.

En revenant à sa voiture, il s'aperçut soudain qu'il avait dans sa poche les clés de Setterkvist. Il aurait dû les passer à Martinsson, c'était lui qui en aurait besoin le lendemain. Sans vraiment savoir pourquoi, il monta jusqu'au dernier étage et colla son oreille contre la porte. Une fois à l'intérieur, lorsqu'il eut allumé, il regarda autour de lui comme il l'avait fait la première fois. Quelque chose lui aurait-il échappé ? Il ne trouva rien. Il s'assit et contempla l'écran éteint.

Robert Modin avait évoqué le nombre 20. Là où Martinsson et lui-même ne voyaient qu'un tourbillon de chiffres, Modin avait décelé ce nombre, sans aucune hésitation. Pour sa part, Wallander voyait simplement que dans une semaine précise on serait le 20 octobre et que l'an 2000 n'était pas loin, comme l'avait dit Martinsson. Et alors ? Quel rapport avec l'enquête ?

Pendant toute sa scolarité, Wallander avait été un cancre en mathématiques. Ce n'était pas comme d'autres matières, où sa médiocrité tenait uniquement à la paresse. Il avait beau faire des efforts, le monde des chiffres restait pour lui impénétrable.

Soudain, le téléphone posé à côté de l'ordinateur sonna. Wallander sursauta. À la septième sonnerie, il souleva le combiné et l'appuya contre son oreille.

Il entendit un grésillement. Comme si l'appel venait de très loin.

« Allô ? » fit Wallander. Une fois, deux fois. Pas de réponse ; seulement un bruit de respiration, noyé dans le grésillement.

Puis il y eut un déclic, la ligne fut coupée. Wallander reposa le combiné, le cœur battant. Il avait déjà entendu ce grésillement. Sur le répondeur d'Apelbergsgatan.

Quelqu'un veut parler à Falk. Mais Falk est mort. Il n'existe plus.

Soudain, il comprit qu'il existait une autre possibilité. Quelqu'un l'aurait-il vu monter jusqu'au bureau de Falk ?

Une fois déjà dans la soirée, il s'était immobilisé en pleine rue avec la sensation d'être suivi.

L'inquiétude revint. Jusqu'à présent, il avait refoulé le souvenir de l'ombre qui, quelques jours plus tôt, avait tenté de le tuer. Les paroles d'Ann-Britt résonnaient dans son esprit. Il devait faire attention.

Il se leva, s'approcha de la porte, écouta. Tout était silencieux.

Il s'assit de nouveau devant l'ordinateur. Sans vraiment savoir pourquoi, il souleva le clavier.

Une carte postale.

Il ajusta le faisceau de la lampe et mit ses lunettes. La carte était ancienne, les couleurs avaient pâli. Un front de mer. Des palmiers, un quai. La mer avec de petits bateaux de pêche. Une rangée d'immeubles à l'arrière-plan. Il retourna la carte. Elle était adressée à Tynnes Falk, Apelbergsgatan. Siv Eriksson ne recevait donc pas tout son courrier. Avait-elle menti ? Ou bien ignorait-elle que Falk recevait aussi du courrier chez lui ? Le texte était court. Impossible de faire plus court. Une seule lettre : « C ».

Wallander tenta de déchiffrer le tampon de la poste. Le timbre était presque entièrement arraché. Il discerna un L et un D. La date était illisible. Aucune légende ne précisait le nom de la ville. Une tache recouvrait la moitié de l'adresse. Comme si quelqu'un avait mangé une orange tout en écrivant – ou en lisant – la carte. Wallander essaya de combiner les deux lettres L et D avec différentes voyelles, sans succès. Il examina de nouveau la photo. On distinguait des personnes réduites par la distance à de petits points. Impossible de voir la couleur de leur peau. Wallander pensa au voyage malheureux et chaotique qui l'avait conduit, quelques années plus tôt, aux Antilles. Les palmiers étaient les mêmes. Mais la ville à l'arrière-plan lui était étrangère.

Et puis ce « C » solitaire. Le même que dans le journal de Falk. Un nom. Falk savait qui lui avait envoyé la carte, et il l'avait gardée. Dans cette pièce austère où il n'y avait rien, en dehors de l'ordinateur et des plans d'un transformateur, Falk avait laissé une carte postale, salutation de Curt ou de Conrad. Wallander la rangea dans la poche de sa veste. Puis il essaya de soulever l'ordinateur proprement dit. Il n'y avait rien. Il souleva le téléphone. Rien.

Il s'attarda encore quelques minutes. Puis il se leva, éteignit la lumière et partit.

De retour à Mariagatan, la fatigue prit le dessus. Pourtant, il ne put s'empêcher de chercher une loupe et de s'asseoir à la table de la cuisine pour examiner une fois de plus la carte postale. Mais il ne découvrit rien.

Peu avant deux heures, il se coucha et s'endormit aussitôt.

Le lundi matin, Wallander ne fit qu'une courte visite au commissariat. Il laissa le jeu de clés à Martinsson et lui parla de la voiture observée au cours de la nuit. Le rapport portant le numéro d'immatriculation était déjà sur son bureau. Wallander ne dit rien de la carte postale, non qu'il voulût la garder secrète, mais parce qu'il était pressé. Il ne voulait pas s'embarquer dans des palabres inutiles. Avant de repartir, il passa deux coups de fil. Le premier à Siv Eriksson, pour lui demander si le nombre 20 lui évoquait quelque chose, et si Falk avait mentionné à l'occasion une personne dont le nom de famille ou le prénom commençait par la lettre C. Elle répondit qu'elle allait réfléchir. Ensuite, il lui parla de la carte postale, retrouvée place Runnerström, mais adressée à Apelbergsgatan. Elle fut surprise. Wallander ne remit pas en cause sa sincérité. Mais le mystérieux C. s'était servi de l'adresse d'Apelbergsgatan.

Wallander lui décrivit la carte. Mais ce paysage ne lui évoquait rien, pas plus que les lettres L et D.

– Il avait peut-être d'autres adresses encore, suggéra-t-elle.

Wallander décela une nuance de déception dans sa voix. Comme si Falk l'avait trahie.

– Tu as peut-être raison. On va s'en occuper.

Elle n'avait pas oublié la liste ; elle l'apporterait au commissariat dans le courant de la journée.

En raccrochant, Wallander s'aperçut qu'il était content d'avoir entendu sa voix. Mais il ne s'attarda pas sur ses états d'âme, composa immédiatement le deuxième numéro et informa Marianne Falk qu'il serait chez elle dans une demi-heure.

Il feuilleta la paperasse accumulée sur son bureau. Pas mal d'urgences. Mais il n'avait pas le temps. La montagne continuerait de grandir. À huit heures trente, il quitta le commissariat sans préciser où il allait.

Il passa les heures suivantes dans le canapé de Marianne Falk, à évoquer avec elle l'homme qui avait été son mari. Il commença par le début. Comment s'étaient-ils rencontrés ? Où ? Quand ? Marianne Falk avait bonne mémoire. Il lui arrivait rarement d'hésiter ou de chercher ses mots. Wallander avait pensé à emporter un bloc-notes, mais n'écrivit presque rien. Il en était encore à la toute première étape, où il tentait de se faire une image d'ensemble de la vie de Tynnes Falk.

Il avait donc grandi dans une ferme des environs de Linköping. Enfant unique. Après le bac, à Linköping, il avait fait son service militaire dans le régiment de blindés de Skövde, puis commencé de vagues études de droit et de littérature à l'université d'Uppsala. Un an plus tard, il déménageait et s'inscrivait à l'école supérieure de commerce de Stockholm. Marianne et lui s'étaient rencontrés à cette époque, au cours d'une soirée.

– Tynnes ne dansait pas. Mais il était là. Quelqu'un nous a présentés. Il m'a semblé ennuyeux, je m'en souviens. Ce n'était vraiment pas le coup de foudre, du moins pas de mon côté. Quelques jours plus tard, il m'a appelée, je ne sais même pas comment il avait obtenu mon numéro. Il voulait me revoir. Mais il n'a pas proposé de m'emmener au cinéma.

– Quoi alors ?

– Il voulait aller regarder les avions à l'aéroport de Bromma.

– Pourquoi ?

– Il aimait les avions. On y est allés. Il savait presque tout sur les appareils alignés devant les hangars. Je dois dire qu'il m'a paru un peu bizarre. Ce n'était peut-être pas ainsi que je m'étais imaginé l'homme de ma vie.

Ils s'étaient rencontrés en 1972. Tynnes était très insistant, au dire de Marianne Falk qui, de son côté, avait plutôt des doutes. Sa franchise à cet égard était même surprenante, pensa Wallander.

– Il ne tentait rien. Il s'est passé trois mois avant qu'il comprenne qu'il devait peut-être m'embrasser. J'envisageais de rompre, il a dû le sentir. Alors il y a eu ce baiser.

À cette époque, elle suivait des études d'infirmière. Son rêve était de devenir reporter. Mais elle n'avait pas réussi le concours d'entrée à l'école de journalisme. Ses parents vivaient à Spånga, près de Stockholm, où son père possédait un atelier de mécanique.

– Tynnes ne parlait jamais de sa famille, ni de son enfance. Il fallait tout lui soutirer mot par mot. La seule certitude, c'est qu'il n'avait pas de frères et sœurs. Moi, j'en avais cinq. Ça m'a pris un temps infini de le convaincre de rendre visite à mes parents. Il était très timide. Du moins, il faisait semblant.

– Que veux-tu dire ?

– Tynnes avait beaucoup d'assurance. Je crois au fond qu'il nourrissait un mépris intense pour une grande partie de l'humanité. Même s'il affirmait le contraire.

– Comment cela ?

– Quand j'y repense, notre histoire me paraît évidemment très curieuse. Il vivait dans une chambre louée, à Odenplan, dans le centre de Stockholm. Moi, j'habitais encore à Spånga. Je n'étais pas riche et je ne voulais pas emprunter trop d'argent pour mes études. Mais Tynnes n'a jamais proposé qu'on cherche un logement ensemble. On se voyait trois ou quatre soirs par semaine. Ce qu'il faisait – à part étudier et regarder les avions – je n'en savais trop rien. Jusqu'au jour où j'ai commencé à me poser des questions.

C'était un jeudi après-midi, dans son souvenir. Peut-être en avril, ou début mai, six mois environ après leur première rencontre. Ils ne devaient pas se voir ce jour-là, Tynnes avait un cours important qu'il ne voulait pas manquer. De son côté, elle avait fait quelques achats pour le compte de sa mère. En retournant à la gare, au moment de traverser Drottninggatan, elle avait croisé un cortège de manifestants. Les banderoles visaient la Banque mondiale et les guerres coloniales portugaises. Elle-même ne s'était jamais beaucoup intéressée à la politique. Dans sa famille, on était tranquillement social-démocrate, et elle n'avait pas été entraînée par la vague gauchiste. Tynnes de son côté n'avait jamais exprimé que des pensées socialistes bon teint. Mais, quel que soit le sujet, ses opinions étaient toujours très tranchées. Il avait aussi une certaine tendance à briller avec ses connaissances en science politique. Quoi qu'il en soit, elle l'avait soudain reconnu au milieu des manifestants. Elle n'en croyait pas ses yeux. Il tenait une banderole, « Viva Cabral ». Après, elle s'était renseignée ; Amílcar Cabral était le chef du mouvement indépendantiste en Guinée-Bissau. Sur le moment, elle avait été si surprise qu'elle avait reculé dans la foule. Il ne l'avait pas aperçue.

Par la suite, elle l'avait interrogé. En comprenant qu'elle l'avait vu, dans le cortège, il était devenu fou de rage, pour la première fois depuis qu'elle le connaissait. Il s'était vite calmé, et elle n'avait jamais compris les raisons de sa colère. Mais elle s'était aperçue ce jour-là qu'elle ignorait beaucoup de choses, au sujet de Tynnes Falk.

– J'ai rompu au mois de juin. Je n'avais pas rencontré quelqu'un d'autre. Simplement, je n'y croyais plus. Et son explosion de ce jour-là n'y était pas pour rien.

– Comment a-t-il réagi ?

– Je ne sais pas.

– Pardon ?

– Nous nous étions retrouvés dans un café du parc de Kungsträdgården à Stockholm. Je lui ai dit sans détour que je voulais mettre un terme à notre relation. Il m'a écoutée. Puis il s'est levé et il est parti.

– C'est tout ?

– Il n'a pas dit un mot. Je me rappelle que son visage était complètement inexpressif. Quand je me suis tue, il est parti. Mais il a d'abord posé de l'argent sur la table, pour le café.

– Et ensuite ?

– Je ne l'ai pas revu pendant des années.

– Combien ?
– Quatre ans.
– Qu'a-t-il fait pendant ce temps-là ?
– Je ne sais pas.
Wallander commençait à être franchement surpris.
– Tu veux dire qu'il a disparu pendant quatre ans ? Tu ne savais même pas où il était, ni ce qu'il faisait ?
– Ça paraît difficile à croire, mais c'est la vérité. Une semaine après le rendez-vous du parc, je me suis résolue à l'appeler. Il avait déménagé sans laisser d'adresse. Quelques semaines plus tard, j'ai réussi à retrouver ses parents, près de Linköping. Eux non plus n'avaient pas de nouvelles. Pendant quatre ans, il n'a donné aucun signe de vie. Il n'allait plus en cours. Personne ne savait rien. Jusqu'au jour où il a resurgi.
– Quand était-ce ?
– Le 2 août 1977. Je venais de prendre mon premier poste d'infirmière, à Sabbatsberg. Il m'attendait devant l'hôpital. Avec des fleurs. Et il souriait. Moi, je sortais d'une liaison qui n'avait rien donné. J'ai été contente de le revoir. J'étais assez seule et désemparée, je crois, à cette époque. Ma mère venait de mourir.
– Alors vous avez renoué ?
– Il voulait qu'on se marie. Il a commencé à en parler très vite, après quelques jours.
– Il a dû te dire ce qu'il avait fait pendant tout ce temps ?
– Non. Il a dit qu'il ne m'interrogerait pas sur ma vie, à condition que je ne l'interroge pas sur la sienne. Comme si ces quatre ans n'avaient pas existé.
Wallander la dévisagea, perplexe.
– Avait-il changé ?
– Non, à part qu'il était devenu brun.
– Tu veux dire bronzé ?
– Oui. Pour le reste, fidèle à lui-même. C'est par un pur hasard que j'ai appris où il avait passé ces quatre années.
Le portable de Wallander bourdonna, il répondit après une hésitation. C'était Hansson :
– Martinsson m'a refilé la Mazda. Les ordinateurs ne marchent pas, mais c'est un numéro volé.
– Quoi ? La voiture ou les plaques ?

– Les plaques. Volées à une Volvo stationnée place Nobel, à Malmö, la semaine dernière.

– Très bien. Elofsson et El Sayed avaient raison, cette voiture n'était pas là par hasard.

– Je ne sais pas très bien comment poursuivre.

– Préviens les collègues de Malmö. Je veux qu'on lance un avis de recherche régional.

– À quel titre ?

Wallander réfléchit.

– Le conducteur de cette voiture est soupçonné d'être lié au meurtre de Sonja Hökberg. Et au coup de feu tiré contre moi.

– C'était lui ?

– C'est peut-être un témoin.

– Où es-tu ?

– Chez Marianne Falk. À tout à l'heure.

Elle servit le café, dans une belle cafetière en porcelaine bleu et blanc. Wallander se souvint d'un service semblable, dans sa maison d'enfance.

– Alors, dit-il lorsqu'elle fut rassise, parlons un peu de ce hasard.

– C'était un mois environ après la réapparition de Tynnes. Il s'était acheté une voiture et venait souvent me chercher à l'hôpital. Un médecin de mon service l'a vu et m'a demandé le lendemain si cet homme était bien Tynnes Falk. Il a dit qu'il l'avait rencontré l'année précédente. En Afrique.

– Où ?

– En Angola. Il avait travaillé là-bas comme bénévole, après l'indépendance, et il l'avait croisé dans un restaurant, tard le soir. Au moment de payer, Tynnes avait sorti son passeport, où il rangeait son argent. Le médecin lui avait adressé la parole. Tynnes lui avait dit son nom, sans ajouter grand-chose. Le médecin se souvenait de lui à cause de sa réserve, comme s'il ne voulait pas être identifié en tant que Suédois.

– Tu as dû lui demander ce qu'il fabriquait là-bas ?

– Plusieurs fois, j'ai failli le faire. Mais c'était comme si nous nous étions mutuellement engagés à ne pas fouiller dans cette époque de notre vie. Alors, j'ai essayé d'en savoir plus par un autre biais.

– Lequel ?

– J'ai appelé différentes organisations d'aide humanitaire en Afrique. La Sida m'a répondu. En effet, Tynnes avait passé deux mois en Angola, pour installer des mâts radio.

– Mais il est resté absent quatre années, pas deux mois.

Elle garda le silence, plongée dans ses pensées. Wallander attendit.

– On s'est mariés, les enfants sont nés. En dehors de cette rencontre dans un restaurant de Luanda, je ne savais rien de sa vie durant ces années-là. Et je ne l'ai jamais interrogé à ce sujet. C'est maintenant seulement, alors qu'il est mort, que j'ai fini par obtenir la réponse.

Elle se leva et quitta la pièce. En revenant, elle tenait à la main un objet enveloppé dans un bout de toile cirée. Elle posa le paquet sur la table.

– Après sa mort, je suis descendue à la cave. Je savais qu'il avait un coffre-fort. Je l'ai forcé. Voilà ce que j'ai trouvé, à part la poussière.

Elle lui fit signe de l'ouvrir. Wallander déplia la toile et découvrit un album de photos en cuir marron. La couverture portait une inscription au feutre : *Angola, 1973-1977.*

– J'ai regardé les photos, dit-elle. J'ignore ce qu'elles racontent. Mais je crois comprendre que Tynnes est resté là-bas longtemps.

Wallander n'avait pas encore ouvert l'album. Une pensée venait de le frapper.

– Je suis inculte. Je ne sais même pas quelle est la capitale de l'Angola.

– Luanda.

Wallander acquiesça en silence. Dans la poche de sa veste, il avait encore la carte postale trouvée sous le clavier de l'ordinateur. Il avait identifié un L et un D.

La carte postale venait de Luanda. Que s'est-il passé là-bas ? Qui est l'homme ou la femme dont le nom commence par un C ?

Il s'essuya les mains sur une serviette en papier.

Puis il ouvrit l'album.

24

La première image représente une carcasse d'autobus calcinée, au bord d'une route rougie par le sable et peut-être aussi par le sang. La photo a été prise à distance. Le bus ressemble à une charogne. Une annotation au crayon : *Nord-est de Huambo, 1975*. Sous l'image, la même tache jaunâtre que sur la carte postale.

Il tourna la page. Un groupe de femmes noires rassemblées au bord d'un marigot. Paysage brûlé, desséché. Pas une ombre. Le soleil doit être au zénith. Aucune des femmes ne regarde le photographe. Le marigot est presque à sec.

Il considéra la photo. Tynnes Falk, à supposer que ce soit lui, a décidé de photographier ces femmes. Mais le marigot est au centre. C'est cela qu'il veut montrer. Des femmes qui n'auront bientôt plus d'eau.

Wallander tourna la page. Marianne Falk ne disait rien. Il perçut le tic-tac d'une horloge. Nouvelles images de sécheresse. Un village aux huttes rondes et basses. Des enfants et des chiens. La poussière rouge qui semble tourbillonner. Personne ne regarde le photographe.

Soudain, les villages cèdent la place à un champ de bataille abandonné. La végétation est plus dense, plus verte. Un hélicoptère gît renversé comme un insecte géant. Des canons pointés vers un ennemi invisible. C'est tout. Aucun être humain, vivant ou mort. La date et le nom du lieu, c'est tout. Suivent deux pages de mâts radio. Certains clichés sont flous.

Une photo de groupe. Neuf hommes alignés devant une sorte de bunker, avec un garçon et une chèvre que l'un des hommes tente visiblement de chasser au moment où la photo est prise. Le garçon regarde l'appareil bien en face. Il rit. Sept hommes noirs au visage joyeux, deux Blancs à l'expression fermée. Wallander tourna l'album vers Marianne Falk et lui demanda si elle les reconnaissait. Elle secoua la tête. Sous la photo, un nom de lieu illisible et une date : *Janvier 1976*. À cette époque, Falk a sûrement installé ses mâts depuis longtemps. Il est peut-être revenu en Angola pour s'assurer qu'ils sont encore en place. Ou alors, il n'a jamais quitté le pays. Rien ne contredit cette hypothèse. Sa mission reste inconnue. Personne ne sait de quoi il vit. Wallander tourna la page. Images de Luanda, un mois plus tard, février 1976. Quelqu'un prononce un discours dans un stade. Des gens agitent des banderoles rouges et des drapeaux – le drapeau angolais, sans doute. Falk ne semble pas s'intéresser aux individus. Ici, c'est une foule ; la photo est prise de si loin qu'on ne distingue aucun visage. Mais il a bien dû se rendre dans ce stade. Peut-être est-ce le jour de la fête nationale, célébrant le tout jeune État angolais. Pourquoi Falk a-t-il pris ces photos ? Mal cadrées, toujours prises de très loin. De quoi veut-il se souvenir ?

Puis quelques photos de ville. *Luanda, avril 1976*. Wallander tourna les pages. Puis il s'arrêta.

Une image interrompt la cohérence de l'ensemble. C'est une photo ancienne, en noir et blanc. Un groupe d'Européens solennels sont alignés devant l'appareil, les femmes assises, les hommes debout. Dix-neuvième siècle. Une grande maison à l'arrière-plan, paysage rural. On entrevoit des serviteurs noirs vêtus de blanc. Certains rient, mais les personnages au premier plan sont graves. *Missionnaires écossais, Angola, 1894*.

Que faisait-elle là ? Un bus calciné, un champ de bataille abandonné, des femmes qui n'ont presque plus d'eau, des mâts radio et, pour finir, un groupe de missionnaires.

Puis on revient à la période contemporaine. Pour la première fois, des personnages vus de près. Une fête. Photos prises au flash. Rien que des Blancs, le flash leur fait les yeux rouges. Beaucoup de bouteilles. Marianne Falk se pencha et lui indiqua un individu tenant un verre à la main, entouré d'hommes plus jeunes qui trinquent et s'adressent bruyamment, semble-t-il, au photographe. Mais Tynnes Falk paraît sérieux. C'est lui qu'elle vient de désigner. Il est maigre, sa chemise blanche est boutonnée jusqu'au col, alors que les autres sont débraillés, couperosés et en sueur. Wallander lui demanda de nouveau si elle reconnaissait quelqu'un. Mais elle secoua la tête.

Quelque part se trouve quelqu'un dont le nom commence par C. Falk est resté en Angola. Il a été abandonné par la femme qu'il aime – à moins que ce ne soit lui qui l'ait quittée ? Il trouve du travail à l'autre bout du monde. Pour oublier, peut-être. Ou pour préparer son retour. Quelque chose le fait rester là-bas. Wallander tourna la page. Tynnes Falk devant une église blanchie à la chaux. Il regarde le photographe. Il sourit, pour la première fois. Il a même déboutonné sa chemise. Qui se tient derrière l'objectif ? C. ?

Page suivante. Wallander se pencha pour mieux voir. Pour la première fois, un visage revient. L'homme se tient assez près de l'appareil. Il est grand, maigre, bronzé, le regard droit, les cheveux coupés court. Il pourrait être originaire d'Europe du Nord, Allemand peut-être, ou russe. Wallander examina l'arrière-plan. La photo a été prise dehors. On devine des montagnes couvertes d'une épaisse végétation. L'homme se tient devant quelque chose qui ressemble à une grande machine. Wallander crut vaguement reconnaître la construction. Mais il dut reculer pour comprendre ce qu'il voyait. Un transformateur. Des câbles à haute tension.

Un lien, pensa-t-il. Falk, à supposer que ce soit lui, a photographié un homme devant un transformateur pas très différent de celui où Sonja Hökberg a trouvé la mort. Et alors ? Il tourna lentement la page, comme s'il espérait une révélation. Mais c'est un éléphant qui le regarde. Et quelques lions somnolant contre un mur. La photo a été prise en voiture. *Parc Kruger, août 1976.* Il reste encore un an avant le retour de Falk en Suède et son apparition devant l'hôpital de Sabbatsberg. Lions qui somnolent. Falk disparu. Le parc Kruger se trouve en Afrique du Sud. Wallander s'en souvenait à cause d'une enquête qui l'avait entraîné là-bas, quelques années plus tôt.

Falk a donc quitté l'Angola. Il est dans une voiture et photographie des animaux par la vitre baissée. Huit pages d'oiseaux et d'animaux divers, parmi lesquels un groupe d'hippopotames bâilleurs. Des souvenirs de touriste. Falk fait rarement preuve d'inspiration dans ses photos. Fin des animaux. Falk est revenu en Angola. *Luanda, juin 1977.* De nouveau l'homme maigre au regard droit et aux cheveux en brosse, assis sur un banc face à la mer. Pour une fois, la composition est réussie. Les photos s'arrêtent là. L'album est inachevé. Pages blanches, pas de photos arrachées, pas de textes raturés. La dernière image est celle de l'homme assis sur un banc. À l'arrière-plan, la même ville que sur la carte postale.

Wallander referma l'album.

– Je ne sais pas ce que racontent ces images. Mais je dois te l'emprunter. Il se peut qu'on ait besoin d'agrandir certaines photos.

Elle le raccompagna dans l'entrée.

– Pourquoi veux-tu savoir ce qu'il a fait à cette époque ? C'était il y a si longtemps.

– Il s'est passé quelque chose là-bas qui a influencé le reste de sa vie.

– Mais quoi ?

– Je n'en sais rien.

– Qui a tiré sur toi à l'appartement ?

– On n'en sait rien. Ni qui il était, ni ce qu'il faisait là.

Il avait enfilé sa veste.

– On peut t'envoyer un reçu, pour l'album.

– Ce n'est pas nécessaire.

Wallander lui serra la main et ouvrit la porte.

– Une dernière chose, dit-elle d'une voix hésitante. Les policiers ne s'intéressent peut-être qu'aux faits. Ce à quoi je pense est très confus, même pour moi…

– Au point où on en est, tout peut avoir de l'importance.

– J'ai vécu longtemps avec Tynnes. Je croyais le connaître. L'épisode de sa disparition était comme une parenthèse. Je n'y pensais plus, puisqu'il était d'humeur égale et qu'il nous traitait bien, les enfants et moi.

Elle s'interrompit. Wallander attendit.

– Mais il m'est arrivé d'avoir la sensation que j'étais mariée à un fanatique. Un homme double.

– Comment cela ?

– Il exprimait parfois des opinions très bizarres.

– À quel sujet ?

– La vie, les gens, le monde, n'importe quoi. Il pouvait exploser en accusations violentes qui ne s'adressaient à personne en particulier. Comme s'il envoyait des messages sans destinataire.

– Il ne s'en expliquait pas ?

– Ça me faisait peur. Je n'osais pas l'interroger. Il paraissait rempli de haine. Et puis, ça passait d'un coup. J'avais parfois l'impression qu'il croyait s'être trahi, en avoir trop dit, je ne sais pas.

Wallander réfléchit.

– Tu maintiens qu'il n'a jamais eu d'engagement politique ?

– Il méprisait les politiciens. Je crois bien qu'il n'a jamais voté.

– Il n'était pas lié à un quelconque mouvement ?

– Non.

– Y avait-il des gens qu'il admirait ?

– Pas que je sache.

Puis elle se ravisa :

– Je crois qu'il avait un amour bizarre pour Staline.

Wallander fronça les sourcils.

– Ah bon. Pourquoi ?

– Je ne sais pas. Mais il m'a dit plusieurs fois que Staline détenait le pouvoir absolu. Plus exactement, qu'il s'était emparé du pouvoir pour régner de manière absolue.

– Ce sont ses propres termes ?

– Oui.

– Et il ne s'en est jamais expliqué ?

– Non.

Wallander hocha la tête.

– Si tu penses à autre chose, appelle-moi immédiatement.

Elle s'y engagea. Wallander remonta en voiture. L'album était posé sur le siège du passager. Un homme debout devant un transformateur en Angola, vingt ans plus tôt.

Était-ce lui qui avait envoyé la carte postale ? L'homme dont le nom commençait par un C ?

Sur une impulsion confuse, il quitta la ville et retourna à l'endroit où l'on avait retrouvé le corps de Sonja Hökberg. Le transformateur était désert, le portail fermé. Wallander jeta un regard autour de lui. Des champs labourés, des corneilles criardes. Tynnes Falk était mort ; il n'avait pas pu tuer Sonja Hökberg. D'autres fils, encore invisibles, reliaient les différents événements.

Il pensa aux doigts coupés. Quelqu'un voulait cacher quelque chose. Comme dans le cas de Sonja Hökberg. Il n'y avait pas d'autre explication. Elle avait été tuée parce que quelqu'un voulait l'empêcher de parler.

Wallander avait froid. Il retourna à la voiture, mit le chauffage et reprit la direction d'Ystad. À l'entrée de la ville, son portable bourdonna. Martinsson. Il s'arrêta au bord de la route.

– Modin est en plein travail.

– Comment ça se passe ?

– Ces chiffres sont comme une muraille qu'il essaie de franchir. Ce qu'il fabrique en réalité, je serais incapable de te le dire.

– Patience.

– Je suppose que la police lui paie son déjeuner ?

– N'oublie pas la facture. Je la ferai passer en note de frais.

– Je me demande si on ne devrait pas malgré tout contacter la cellule de Stockholm. Qu'est-ce qu'on gagne à repousser l'échéance ?

Martinsson avait raison. Mais Wallander préférait laisser un peu de temps à Robert Modin.

– On va le faire.

Il remit le contact. Arrivé au commissariat, il apprit par Irene que Gertrud avait téléphoné. Il la rappela immédiatement, de son bureau. Il lui arrivait parfois de prendre sa voiture et de lui rendre visite le dimanche. Mais pas souvent. Et ça lui donnait mauvaise conscience. Malgré tout, Gertrud s'était occupée de son lunatique de père pendant des années. Sans elle, il n'aurait sûrement pas vécu aussi vieux. Mais maintenant que son père n'était plus là, ils n'avaient plus rien à se dire.

Ce fut la sœur qui répondit. Elle était très bavarde et avait une opinion sur tout. Wallander tenta d'abréger. Après une éternité, elle alla chercher Gertrud. Il s'était inquiété pour rien.

– Je voulais juste prendre de tes nouvelles.

– Beaucoup de travail. Sinon, ça va.

– Ça fait longtemps que tu n'es pas venu me voir.

– Je sais. Je passerai dès que je pourrai.

– Un jour il sera peut-être trop tard. À mon âge, on ne sait jamais.

Gertrud avait à peine soixante ans. Mais on voyait qu'elle avait subi l'influence de Wallander père. C'était le même chantage affectif.

– Je vais venir, dit-il avec gentillesse. Dès que je pourrai.

Puis il s'excusa en prétextant une réunion importante et alla se chercher un café. Il tomba sur Nyberg qui buvait son infusion spéciale, extrêmement difficile à se procurer. Pour une fois, Nyberg paraissait reposé. Il s'était même peigné.

– Les chiens n'ont pas retrouvé de doigts, dit-il. Mais on a les empreintes d'Apelbergsgatan. On les a passées dans le fichier.

– Et alors ?

– Falk ne figure pas dans le registre suédois.

– Transmets à Interpol. Tu sais si l'Angola est membre, au fait ?

– Comment veux-tu que je le sache ?

– C'était juste une question.

Nyberg prit sa tasse et se leva. Wallander vola quelques biscottes dans le paquet personnel de Martinsson et retourna dans son bureau. Il était midi. La matinée avait passé vite. L'album était posé devant lui. Il ne savait pas trop comment poursuivre. Il en savait un peu plus sur Falk. Mais rien quant à son lien énigmatique avec Sonja Hökberg.

Il composa le numéro de poste d'Ann-Britt. Personne. Hansson n'était pas là non plus. Et Martinsson travaillait avec Robert Modin. Il tenta d'imaginer ce qu'aurait fait Rydberg à sa place. Cette fois, il entendit nettement sa voix. Rydberg aurait réfléchi. *Ce qu'un flic a de mieux à faire, à part rassembler des informations.* Wallander posa les pieds sur sa table et ferma les yeux. Une fois de plus, il passa mentalement en revue tout ce qui s'était passé, en choisissant différents points de départ. La mort de Lundberg. Celle de Sonja Hökberg. La panne d'électricité.

Lorsqu'il rouvrit les yeux, ce fut avec le même sentiment que quelques jours plus tôt. La solution était là, toute proche. Mais il ne la voyait pas.

Le téléphone sonna. C'était Irene. Siv Eriksson l'attendait à la réception. Il se leva d'un bond, se peigna avec les doigts et alla à sa rencontre. C'était vraiment une femme attirante. Il lui proposa d'aller dans son bureau, mais elle n'avait pas le temps. Elle lui tendit une enveloppe.

– Voilà la liste.

– J'espère que ça ne t'a pas pris trop de temps.

– Du temps, oui. Trop, je ne sais pas.

Elle déclina le café qu'il lui proposait.

– Tynnes a laissé quelques missions inachevées. J'essaie d'assurer le suivi.

– Il en avait peut-être d'autres, à ton insu ?

– Je ne pense pas. Ces derniers temps, il a refusé beaucoup de propositions. Je le sais parce qu'il me chargeait d'y répondre à sa place.

Wallander n'avait pas d'autres questions. Siv Eriksson disparut par les portes vitrées. Un taxi l'attendait. Quand le chauffeur lui ouvrit la portière, Wallander vit qu'il portait un brassard noir.

Il retourna dans son bureau et ouvrit l'enveloppe. La liste des entreprises pour lesquelles avaient travaillé Falk et Eriksson était longue. Certaines lui étaient inconnues, mais toutes étaient domiciliées en Scanie, sauf une, qui avait son adresse au Danemark. D'après ce qu'il crut comprendre, elle fabriquait des grues de chantier. Il identifia plusieurs banques. Sydkraft n'y figurait pas en revanche, pas plus que d'autres fournisseurs d'électricité. Wallander repoussa la liste et retomba dans ses pensées.

Tynnes Falk était sorti se promener, une femme l'avait vu, il s'était arrêté devant le distributeur et avait demandé un relevé de compte, sans effectuer de retrait. Puis il était tombé, mort. Wallander eut soudain la sensation d'avoir négligé quelque chose. Si ce n'était pas un infarctus ou une agression, qu'est-ce que cela pouvait être ?

Après un temps de réflexion, il appela l'agence de la Nordbanken à Ystad. Il lui était arrivé d'emprunter de l'argent, au moment de changer de voiture, et il avait à cette occasion fait la connaissance d'un conseiller du nom de Winberg. Sa ligne directe était occupée. Il raccrocha et décida de se rendre à l'agence à pied. Winberg était avec un client. Il fit signe à Wallander de patienter.

– Je t'attendais, dit-il après le départ du client. C'est le moment de changer de voiture ?

Wallander ne cessait de s'étonner de la jeunesse des employés de banque. La première fois, il s'était même demandé si ce Winberg qui lui accordait un crédit avait l'âge de conduire.

– Je viens dans le cadre de mon travail. La voiture attendra.

Le sourire de Winberg se figea.

– Il s'est passé quelque chose à la banque ?

– Dans ce cas, je me serais adressé à la hiérarchie. Non, j'ai besoin de renseignements concernant vos distributeurs.

– Je ne peux pas en dire grand-chose, pour des raisons de sécurité évidentes.

Ce Winberg avait beau être jeune, il s'exprimait avec autant de raideur que lui.

– Mes questions sont d'ordre technique. La première est très simple. Quelle est la marge d'erreur lorsque la machine enregistre un retrait ou délivre un relevé de compte ?

– Cela arrive très rarement. Mais je n'ai pas de statistiques.

– Pour moi, « très rarement » signifie pour ainsi dire jamais.

– Pour moi aussi.

– Peut-il y avoir une erreur sur l'heure indiquée sur un relevé ?

– Je n'en ai jamais entendu parler. Je suppose que ça peut arriver. Mais, en principe, non. Les règles de sécurité sont draconiennes.

– On peut donc faire confiance aux distributeurs ?

– Il t'est arrivé une mésaventure ?

– Non. Mais j'avais besoin de réponses à ces questions.

Winberg fouilla dans un tiroir et posa sur la table un dessin humoristique représentant un homme en train de se faire avaler par un distributeur de billets.

– On n'en est pas là, sourit-il. Mais le dessin n'est pas mal. Et les ordinateurs des banques sont aussi vulnérables que les autres.

Encore quelqu'un qui me parle de vulnérabilité, pensa Wallander en regardant le dessin qui, en effet, n'était pas mal.

– La Nordbanken a un client du nom de Tynnes Falk, poursuivit-il. J'ai besoin d'avoir accès à tous les mouvements enregistrés sur son compte au cours de l'année écoulée, y compris ses retraits bancaires.

– Dans ce cas, il faudra t'adresser plus haut. Je ne peux pas me permettre de toucher au secret bancaire.

– À qui dois-je parler ?

– Martin Olsson. Il est au premier étage.

– Tu penses qu'il pourrait me recevoir maintenant ?

Winberg disparut. Wallander redoutait une longue procédure bureaucratique mais, quand Winberg l'eut escorté au premier étage, il tomba sur un chef étonnamment jeune, lui aussi, qui s'engagea à l'aider tout de suite moyennant une demande officielle de la police. Apprenant que le titulaire du compte venait de décéder, il précisa que la demande pouvait être faite par la veuve.

– Il était divorcé.

– Un papier de la police suffit. Je m'engage à faire au plus vite.

Wallander le remercia et retrouva Winberg au rez-de-chaussée. Il avait encore une question :

– Pourrais-tu vérifier si ce client, Tynnes Falk, avait un coffre à l'agence ?

– Je ne sais pas si j'en ai le droit.

– Martin Olsson a donné son feu vert, mentit Wallander.

Winberg disparut et revint après quelques minutes.

– Nous n'avons pas de coffre à ce nom.

Wallander se leva. Puis il se rassit. Puisqu'il était là, autant s'occuper tout de suite de l'emprunt pour la voiture.

– Combien veux-tu ?

Wallander réfléchit rapidement. Il n'avait pas d'autres dettes.

– Cent mille. Si c'est possible.

– Pas de problème, dit Winberg en s'emparant d'un formulaire.

À treize heures trente, tout était réglé. Winberg avait consenti au prêt sans même passer par la hiérarchie. Wallander quitta l'agence avec la sensation douteuse d'être devenu riche. En passant devant la librairie, il se rappela le livre pour Linda, qu'il aurait dû aller chercher depuis plusieurs jours. Son portefeuille était vide ; il rebroussa chemin. Quatre personnes attendaient déjà devant le distributeur de la poste. Une femme avec une poussette, deux adolescentes et un homme âgé. Wallander regarda distraitement la femme insérer sa carte et retirer l'argent, puis le reçu. Il repensa à Tynnes Falk. Les deux adolescentes retirèrent un billet de cent couronnes en discutant avec animation à propos du reçu. L'homme âgé jeta un regard derrière lui avant d'insérer sa carte et de composer son code. Il retira cinq cents couronnes et rangea le reçu dans sa poche sans le lire. Wallander demanda mille couronnes et consulta le reçu. Tout semblait coller. La somme, la date, l'heure. Il chiffonna le papier et le jeta dans une poubelle. Soudain, il s'immobilisa. La coupure d'électricité. Quelqu'un connaissait l'un des points faibles du réseau. Il repensa aux plans retrouvés à côté de l'ordinateur de Falk. Ce n'était pas une coïncidence. Pas plus que le relais retrouvé à la morgue.

La pensée le frappa instantanément. Elle n'impliquait rien de neuf. Mais il venait de comprendre pleinement un point qui était resté flou jusque-là.

Rien, dans ces événements, ne relevait de la coïncidence. Les plans se trouvaient sur le bureau parce que Tynnes Falk s'en était servi. Cela impliquait à son tour que Sonja Hökberg n'avait pas été tuée à cet endroit par hasard.

Tynnes Falk cachait un autel dans sa chambre secrète. Sonja Hökberg n'avait pas été simplement tuée. Elle avait été sacrifiée. Pour révéler la vulnérabilité, le point faible. La panne : on avait jeté une cagoule sur la Scanie, et tout s'était arrêté.

Cette pensée le fit frissonner. Il avait de plus en plus le sentiment de tâtonner dans le vide.

Il considéra les gens qui attendaient pour retirer de l'argent. Si l'on peut paralyser le réseau électrique, pensa-t-il, on peut sûrement aussi paralyser un réseau de distributeurs, et Dieu sait quoi encore. Tours de contrôle, aiguillage ferroviaire, système de distribution de l'eau, tout peut être manipulé, à une seule condition : qu'on en connaisse le point faible. L'endroit où la fragilité cesse d'être une menace et devient réalité.

Wallander retourna au commissariat sans passer par la librairie. Irene voulait lui parler mais il passa sans s'arrêter, avec un signe de la main, jeta sa veste sur le fauteuil des visiteurs, attrapa un bloc-notes et s'assit à son bureau. En quelques minutes de concentration intense, il fit le point dans une perspective entièrement nouvelle. Pouvait-on malgré tout imaginer une forme de sabotage minutieusement orchestré ? Était-ce là le dénominateur commun qui se dérobait sans cesse ? Falk avait été arrêté pour avoir libéré des visons. Cet incident dissimulait-il un projet infiniment plus ambitieux ? Était-ce un exercice, une répétition en vue d'autre chose ?

Lorsqu'il jeta son crayon sur la table, il n'était pas du tout certain d'avoir trouvé la clé qui leur permettrait enfin d'entamer la surface des événements ; mais il envisageait un scénario possible. Le meurtre de Lundberg n'entrait pas dans ce nouveau contexte. C'est pourtant là que ça a commencé, pensa-t-il. Peut-on imaginer qu'un mouvement incontrôlable se soit déclenché à ce moment-là ? À cause d'un événement complètement imprévu, mais qui exigeait une riposte immédiate ? On devine déjà maintenant, du moins on croit deviner, que Sonja Hökberg est morte parce qu'on voulait l'empêcher de parler. Pareil pour le corps de Falk. Il s'agissait de cacher quelque chose.

Puis il comprit qu'il existait une autre possibilité. Dans l'hypothèse d'un sacrifice, les deux doigts coupés de Falk pouvaient avoir, eux aussi, une signification rituelle.

Il reprit tout depuis le début, avec un autre présupposé. Que se passait-il si on imaginait que le meurtre de Lundberg n'était pas lié aux autres événements ? Si le meurtre de Lundberg était au fond une erreur ?

Le découragement le saisit au bout d'une demi-heure. C'était trop tôt. Ça ne tenait pas debout.

Mais il avait malgré tout la sensation d'avoir accompli un progrès. Les interprétations possibles étaient plus nombreuses qu'il ne l'avait cru jusque-là.

Il venait de se lever pour se rendre aux toilettes lorsque Ann-Britt frappa à la porte. Elle alla droit au but :

– Tu avais raison. Sonja Hökberg avait bien un petit ami. Je sais comment il s'appelle, mais pas où il se trouve.

– Comment cela ?

– On dirait qu'il a disparu.

Wallander se rassit lentement dans son fauteuil.

Il était quatorze heures quarante-cinq.

25

Après coup, Wallander penserait toujours qu'il avait commis l'une des plus grandes erreurs de sa carrière cet après-midi-là en écoutant Ann-Britt. Il aurait dû comprendre tout de suite que certains détails clochaient dans cette histoire de petit ami. Les informations d'Ann-Britt n'étaient qu'une demi-vérité. Et les demi-vérités, il le savait bien, avaient tendance à se muer en mensonge pur et simple. Il ne décela donc pas ce qu'il aurait dû voir, mais autre chose, qui ne le mit que partiellement sur la bonne piste.

L'erreur fut coûteuse. Dans ses moments sombres, Wallander pensait qu'elle avait causé la mort de quelqu'un. Et qu'elle aurait pu mener tout droit à une autre catastrophe.

Le lundi 13 octobre au matin, Ann-Britt s'était donc attelée à la tâche de retrouver le petit ami qui évoluait dans l'entourage de Sonja Hökberg. Elle avait commencé par en parler, une fois de plus, avec Eva Persson, dont le mode de détention restait problématique. Pour l'instant, le procureur et les services sociaux s'étaient mis d'accord pour une surveillance à domicile, entre autres à cause de l'incident de la salle d'interrogatoire et de la fameuse photo. Certains auraient crié au scandale si Eva Persson avait été enfermée, au commissariat ou ailleurs. Ann-Britt lui avait donc parlé à son domicile, en lui expliquant clairement qu'elle n'avait rien à craindre. Mais Eva Persson avait persisté à dire – avec un peu moins de froideur, cependant – qu'elle ne connaissait pas de petit ami, à part Kalle Ryss, mais c'était de l'histoire ancienne. Ann-Britt finit par laisser tomber. Avant de partir, elle échangea quelques mots avec la mère dans la cuisine. La mère s'exprimait d'une voix inaudible ; Ann-Britt devina qu'Eva écoutait derrière la porte. En tout cas, elle n'était pas au courant de l'existence d'un petit ami. Et tout était la faute de Sonja Hökberg. C'était elle qui avait tué le pauvre chauffeur de taxi. Sa fille était innocente et elle avait été brutalement agressée par l'horrible Wallander.

Ann-Britt coupa court avec brusquerie et quitta la maison. Elle imaginait sans peine le contre-interrogatoire serré auquel la mère devait être soumise en ce moment même.

Elle se rendit tout droit à la quincaillerie où travaillait Kalle Ryss. Il la conduisit dans la réserve et lui parla au milieu des paquets de clous et des scies électriques. À l'inverse d'Eva Persson, qui semblait mentir presque tout le temps, Kalle Ryss répondait de manière simple et directe. Elle eut le sentiment qu'il aimait encore beaucoup Sonja. Il était très affecté par sa mort, effrayé aussi. Mais il en savait peu sur la vie qu'elle avait menée depuis leur séparation, un an plus tôt. Ystad avait beau être une petite ville, on ne croisait pas ses connaissances tous les jours. En plus, il passait presque tous ses week-ends à Malmö. Il avait une nouvelle petite amie là-bas.

– Mais je crois qu'il y avait quelqu'un. Un type avec qui elle est sortie.

Kalle Ryss savait juste qu'il s'appelait Jonas et qu'il vivait seul dans une villa de Snapphanegatan. Quel numéro ? C'était à l'angle de Friskyttegatan, sur le trottoir de gauche en venant du centre-ville. Nom de famille : Landahl. Mais il ne savait rien de ses occupations.

Ann-Britt s'y rendit immédiatement. Une belle villa moderne. Elle sonna à la porte. La maison donnait l'impression d'être abandonnée. Elle sonna plusieurs fois avant d'en faire le tour. Elle frappa à la porte de service, jeta un coup d'œil par les fenêtres. En revenant, elle vit qu'un homme la dévisageait depuis le trottoir. Il portait un peignoir et de grandes bottes. C'était une vision étrange : un homme en peignoir dans la rue par une froide matinée d'automne. Il se présenta. Il habitait en face et il l'avait vue venir.

– Je m'appelle Yngve, dit-il sans préciser son nom de famille. Et il n'y a personne dans la villa. Même pas le garçon.

La conversation fut courte mais instructive. Apparemment, Yngve ne cessait jamais de surveiller ses voisins. Il lui apprit aussitôt que, avant sa retraite, il avait été responsable de la sécurité d'un hôpital à Malmö. Les Landahl étaient de drôles d'oiseaux qui s'étaient installés dans le quartier avec leur fils une dizaine d'années plus tôt. Ils avaient racheté la maison à un ingénieur employé par la commune, qui avait de son côté déménagé à Karlstad. Quelle était la profession de Landahl ? Yngve l'ignorait. Ils n'avaient même pas pris la peine de se présenter à leurs voisins en arrivant. Ils avaient fourré leurs meubles et leur fils dans la maison, et ils avaient refermé la porte. Ils ne se montraient presque jamais. Le garçon, qui n'avait que douze ou treize ans à l'époque, restait souvent seul. Les parents partaient pour de longs voyages, Dieu sait où. De temps en temps, ils revenaient, avant de disparaître de nouveau en laissant le garçon seul. Celui-ci saluait poliment, faisait ses courses lui-même, récupérait le courrier et se couchait beaucoup trop tard. L'une des maisons voisines appartenait à un professeur de son école. D'après elle, Jonas se débrouillait bien. Les choses avaient continué ainsi. Le garçon grandissait et les parents voyageaient. À une époque, une rumeur avait circulé comme quoi ils auraient gagné au Loto. Ni l'un ni l'autre ne semblait travailler. Et de l'argent, visiblement, il y en avait. On les avait revus pour la dernière fois à la mi-septembre. Et le garçon, devenu adulte, s'était retrouvé seul une fois de plus. Mais un taxi était venu le chercher quelques jours plus tôt.

– La maison est vide ?

– Il n'y a personne.

– Quand le taxi est-il passé le prendre ?

– Mercredi dernier dans l'après-midi.

Ann-Britt n'imaginait que trop bien le retraité Yngve épiant de sa cuisine les déplacements de la famille Landahl.

– Tu te souviens du nom de l'entreprise de taxis ?

– Non.

Pas vrai, pensa-t-elle. Tu te souviens peut-être même du numéro d'immatriculation. Mais tu ne veux pas dévoiler ce que j'ai déjà compris : que tu espionnes tes voisins.

– Si jamais il revient, je veux que tu prennes immédiatement contact avec nous.

– Qu'a-t-il fait ?

– Rien. On a juste besoin de lui parler.

– De quoi ?

La curiosité d'Yngve n'avait aucune limite. Elle secoua la tête. Il n'insista pas, mais elle vit bien qu'il était contrarié. Comme si elle venait de rompre une complicité.

De retour au commissariat, elle eut de la chance. Il lui fallut moins d'un quart d'heure pour identifier l'entreprise et le chauffeur qui avait pris la course. Il s'engagea à venir tout de suite. Elle sortit pour l'attendre ; il freina devant le commissariat et elle monta à côté de lui. Il s'appelait Östensson et avait une trentaine d'années. Il portait un brassard noir – après coup, elle comprit que c'était évidemment lié à Lundberg.

Östensson avait bonne mémoire.

– Peu avant quatorze heures. Le client s'appelait Jonas.

– Pas de nom de famille ?

– J'ai dû penser que c'était son nom de famille. Par les temps qui courent, les gens s'appellent n'importe comment.

– Il était seul ?

– Un jeune homme. Aimable.

– Des bagages ?

– Une petite valise à roulettes.

– Où allait-il ?

– Au ferry.

– Il allait en Pologne ?

– Pourquoi, il y a des ferries qui vont ailleurs ?

– Quelle impression t'a-t-il faite ?

– Aucune. Mais aimable, comme je l'ai déjà dit.

– Il ne paraissait pas inquiet ?

– Non.

– A-t-il dit quelque chose ?

– Il est monté à l'arrière, et il a passé le trajet à regarder par la fenêtre sans rien dire. Il m'a donné un pourboire.

Östensson n'avait pas d'autres informations. Ann-Britt le remercia pour le dérangement. Puis elle alla voir le procureur, qui l'écouta et lui donna l'autorisation nécessaire pour pénétrer dans la villa.

Elle s'apprêtait à y retourner lorsqu'elle reçut un appel de la crèche. Son enfant avait vomi plusieurs fois, elle devait venir. Elle passa les heures suivantes à la maison. Tout rentra dans l'ordre. Sa voisine, bénie soit-elle, avait accepté de prendre le relais.

– On a les clés ? demanda Wallander.

– J'ai pensé qu'on pouvait emmener un serrurier.

– N'importe quoi. C'était une porte blindée ?

– Non, des serrures ordinaires.

– Je devrais y arriver.

– Je te préviens qu'un homme en peignoir et en bottes vertes surveille tout depuis sa cuisine.

– Tu iras lui parler. Invente une jolie petite conspiration. Dis-lui que sa vigilance nous a déjà beaucoup aidés, mais qu'il doit continuer et veiller à ce que personne ne nous dérange. Et pas un mot à quiconque, bien entendu. Un voisin curieux peut en cacher d'autres.

Elle éclata de rire.

– Il va marcher à fond ! C'est tout à fait son genre.

Ils prirent la voiture d'Ann-Britt. Comme d'habitude, il pensa qu'elle conduisait mal, sans aucune souplesse. Il avait pensé lui parler de l'album photos, mais la crainte de l'accident l'obnubila pendant tout le trajet et il ne dit rien.

Wallander s'attaqua immédiatement aux serrures pendant qu'Ann-Britt allait parler au voisin. Il eut le même sentiment qu'elle : la maison était abandonnée. Il venait d'ouvrir la porte lorsqu'elle reparut.

– L'homme au peignoir fait désormais partie du groupe d'enquête.

– Tu ne lui as pas dit que c'était lié au meurtre de Sonja Hökberg, j'espère.

– Quelle idée te fais-tu de moi, au juste ?

– La meilleure.

Ils refermèrent la porte derrière eux.

– Il y a quelqu'un ?

L'appel de Wallander résonna dans le silence.

Ils parcoururent méthodiquement la maison. Tout était bien rangé, le ménage avait été fait. Rien n'indiquait un départ précipité. Les meubles et les tableaux avaient un air impersonnel, comme si tout avait été acheté d'un coup, dans le simple but de remplir les pièces. En dehors de quelques photos d'un couple jeune avec un nouveau-né, il n'y avait aucun objet un peu personnel. Un répondeur clignotait sur une table. Wallander enfonça la touche de lecture. Un message d'une entreprise de Lund signalant que le modem était arrivé ; puis un faux numéro ; puis un appel de quelqu'un qui ne précisait pas son nom.

Enfin ce que Wallander espérait depuis le début : la voix de Sonja Hökberg.

Il la reconnut immédiatement. Ann-Britt mit quelques secondes à l'identifier.

Je te rappelle. C'est important. Je te rappelle.

Wallander réussit à rembobiner la bande ; ils réécoutèrent le message.

– Bien. Sonja avait vraiment un lien avec le garçon qui habite ici. Elle ne dit même pas son nom.

– Tu penses que c'est l'appel sur lequel on s'interroge ? Juste après son évasion ?

– Sans doute.

Wallander traversa la buanderie et ouvrit la porte du garage. Il y avait une voiture. Une Golf bleu nuit.

– Appelle Nyberg. Je veux qu'on passe cette voiture au crible.

– C'est celle qui l'a conduite sur le site de Sydkraft ?

– Peut-être.

Ann-Britt prit son portable. Wallander monta l'escalier. Sur les quatre chambres, deux seulement semblaient être utilisées. Wallander ouvrit la penderie de la chambre des parents. Les vêtements s'y alignaient en rangées impeccables. Il entendit le pas d'Ann-Britt dans l'escalier.

– Nyberg arrive.

Elle jeta un coup d'œil aux vêtements.

– Ils ont du goût. Et de l'argent.

– Un goût un peu particulier, dit-il pensivement en lui montrant une laisse de chien et un petit fouet en cuir qu'il venait de trouver au fond de la penderie.

– Très tendance, dit Ann-Britt sur un ton léger. Il paraît qu'on baise mieux quand on s'enfile des sacs en plastique sur la tête et qu'on flirte un peu avec la mort.

Wallander sursauta devant ce vocabulaire. Il se sentait gêné. Mais il ne dit rien.

Ils entrèrent dans la chambre du garçon, étonnamment spartiate. Un lit, des murs blancs. Et une grande table où trônait un ordinateur.

– On va demander à Martinsson d'y jeter un coup d'œil.

– Si tu veux, je peux le faire démarrer.

– Pas maintenant.

Ils retournèrent au rez-de-chaussée. Wallander se mit à ouvrir des tiroirs dans la cuisine.

– Je ne sais pas si tu as remarqué, mais il n'y avait pas de nom sur la porte, ce qui est assez inhabituel. En tout cas, voici quelques publicités adressées à Harald Landahl.

– On lance un avis de recherche ?

– Pas tout de suite. On doit d'abord en savoir un peu plus.

– C'est lui qui l'a tuée ?

– Pas sûr. Mais son départ ressemble à une fuite.

Ils examinèrent le contenu des placards en attendant Nyberg. Ann-Britt trouva quelques photographies d'une maison récente, développées et tirées en Corse.

– C'est là que vont les parents ?

– Peut-être.

– D'où vient l'argent ?

– Pour l'instant, c'est le fils qui nous intéresse.

Nyberg arriva avec ses techniciens, Wallander les escorta jusqu'au garage.

– Je veux des empreintes. Et savoir si on les retrouve ailleurs, par exemple sur le sac à main de Sonja Hökberg, dans l'appartement de Falk ou dans le bureau de la place Runnerström. Mais surtout, je veux que tu cherches d'éventuelles traces indiquant que cette voiture est allée sur le site de Sydkraft. Et que Sonja Hökberg était à bord.

– Alors on commence par les pneus. C'est le plus rapide.

Wallander attendit. Il fallut moins de dix minutes à Nyberg pour lui fournir la réponse qu'il espérait.

– Ça colle, dit-il après avoir comparé le dessin des pneus avec celui des photos prises devant l'installation de Sydkraft.

– Tu en es absolument certain ?

– Bien sûr que non. Il y a des milliers de dessins de pneus presque identiques. Mais, comme tu peux le voir toi-même, le pneu arrière gauche est un peu sous-gonflé. Il y a aussi une usure de la face interne, puisque les roues ne sont pas parfaitement équilibrées. Ça augmente très sérieusement la possibilité que ce soit bien cette voiture-là.

– Tu es sûr de toi, autrement dit ?

– Assez, oui.

Wallander quitta le garage. Ann-Britt s'affairait dans le séjour. Fallait-il lancer un avis de recherche immédiatement ? Mû par une brusque inquiétude, il remonta au premier étage, s'assit devant le bureau du garçon et regarda autour de lui. Puis il se leva et ouvrit la penderie. Rien ne retint son attention. Il se haussa sur la pointe des pieds et inspecta les étagères supérieures. Retourna devant le bureau, souleva impulsivement le clavier. Rien. Il appela Ann-Britt et lui indiqua l'ordinateur.

– Tu veux que je l'allume ?

Il hocha la tête.

– On n'attend plus Martinsson ?

Son ironie était perceptible. Peut-être l'avait-il vexée tout à l'heure mais, dans l'immédiat, il n'en avait rien à faire. Combien de fois ne s'était-il pas lui-même senti humilié au cours de sa carrière ? Par des collègues, des criminels, des procureurs et des journalistes, sans oublier le « public ».

Ann-Britt s'était assise. Il y eut un bruit de clochette, et l'écran s'éclaira. Elle ouvrit le disque dur. Plusieurs icônes apparurent.

– Que dois-je chercher ?

– Je ne sais pas.

Elle cliqua sur une icône au hasard. Contrairement à celui de Falk, cet ordinateur n'offrait aucune résistance. Mais le dossier était vide.

Wallander mit ses lunettes et se pencha par-dessus son épaule.

– Essaie le dossier « Correspondance ».

Elle cliqua sur l'icône. Rien.

– Qu'est-ce que ça veut dire ?

– Que le dossier est vide.

– Ou qu'on l'a vidé. Continue.

Elle cliqua sur chaque icône, l'une après l'autre.

– C'est un peu étrange. Il n'y a rien du tout dans cet ordinateur.

Wallander se mit à la recherche d'éventuelles disquettes ou d'un disque dur externe, mais ne trouva rien. Ann-Britt cliqua sur l'icône d'information sur le contenu de l'ordinateur.

– Il a servi pour la dernière fois le 9 octobre.

– C'était jeudi.

Ils échangèrent un regard perplexe.

– Le lendemain de son départ pour la Pologne ?

– À moins que le détective au peignoir ne se soit trompé. Mais ça m'étonnerait.

Wallander s'assit sur le lit.

– Explique-moi.

– Ça peut signifier deux choses. Soit il est revenu. Soit quelqu'un d'autre est venu.

– Et cette personne aurait pu vider le disque dur ?

– Sans problème, puisqu'il n'est pas verrouillé.

Wallander rassembla ses pauvres connaissances informatiques.

– Est-ce que le verrouillage qui existait éventuellement a pu être enlevé ?

– Oui. Mais, dans ce cas, il y a des traces.

– Comment ça ?

– C'est un truc que Martinsson m'a expliqué.

– Alors ?

– Imagine une maison dont on aurait enlevé les meubles. Il peut y rester des marques. Des pieds de chaise ont rayé le parquet, le bois s'est éclairci ou assombri à cause du soleil.

– Quand un tableau est resté longtemps accroché au mur et qu'on l'enlève, ça se voit. C'est ce que tu veux dire ?

– Martinsson parlait de la « cave » des ordinateurs. Rien ne disparaît entièrement, tant que le disque dur n'est pas détruit. Il est possible de reconstituer des éléments, bien qu'ils soient effacés en principe.

Wallander secoua la tête.

– Je comprends sans comprendre. Pour l'instant, ce qui m'intéresse, c'est que quelqu'un s'est servi de cet ordinateur jeudi dernier.

– Laisse-moi regarder les jeux.

Elle cliqua sur une icône.

– Tiens. Je n'ai jamais entendu parler de ce jeu-là. *Marais de Jakob.* Mais il est vide. On peut se demander pourquoi l'icône est toujours là.

Ils refouillèrent la chambre. Mais il n'y avait pas de disquettes. Wallander sentait intuitivement que l'accès à l'ordinateur le 9 octobre pouvait être décisif. Quelqu'un avait vidé le disque dur. Qui ?

Wallander retourna dans le garage et demanda à Nyberg de fouiller la maison à la recherche d'éventuelles disquettes. Ce serait la priorité, après la voiture.

Lorsqu'il revint dans la cuisine, Ann-Britt était au téléphone avec Martinsson. Elle lui tendit le portable.

– Comment ça va ?

– Robert Modin est un monsieur très énergique. À déjeuner, il a commandé une espèce de tarte bizarre et il a mangé comme quatre, mais j'en étais à peine au café qu'il a voulu s'y remettre.

– Ça donne des résultats ?

– Il s'obstine à dire que le nombre 20 est important. Mais il n'a pas encore escaladé la muraille.

– Qu'est-ce que ça veut dire ?

– C'est sa propre expression. Il n'a pas réussi à craquer le code, mais il prétend qu'il se compose de trois mots. Ou d'un nombre et d'un mot. Ne me demande pas pourquoi.

Wallander lui fit un bref compte rendu des événements, raccrocha et demanda à Ann-Britt de retourner parler au voisin. Était-il absolument certain de la date ? Avait-il vu quelqu'un à proximité de la maison le jeudi 9 ?

Il s'assit dans le canapé pour réfléchir. Mais, au retour d'Ann-Britt vingt minutes plus tard, il n'avait fait aucun progrès.

– Il prend des notes, tiens-toi bien. C'est ça qui nous attend à la retraite ? Quoi qu'il en soit, il est absolument sûr de son fait. Le garçon est parti mercredi après-midi.

– Et le 9 ?

– Personne. Mais il admet qu'il ne passe pas tout son temps à sa fenêtre.

– Très bien. Ou bien le garçon est revenu, ou bien c'est quelqu'un d'autre.

Il était dix-sept heures. Ann-Britt partit chercher ses enfants, après avoir proposé de revenir dans la soirée. Wallander lui dit de rester chez elle ; il l'appellerait si nécessaire.

Pour la troisième fois, il retourna dans la chambre du garçon, s'agenouilla et regarda sous le lit. Ann-Britt l'avait déjà fait, mais il voulait s'assurer par lui-même qu'il n'y avait rien.

Puis il s'allongea sur le lit et examina la chambre de ce nouveau point de vue. Il allait se relever lorsqu'il constata que la bibliothèque à côté de la penderie penchait. Ça se voyait très nettement quand on était allongé sur le lit. Il se redressa. L'inclinaison disparut. Il s'approcha. Le socle de la bibliothèque avait été surélevé à l'aide de deux coins discrets. Il glissa la main dans la cavité et sentit immédiatement qu'un objet était fixé sous l'étagère du bas. Il comprit tout de suite, avant même de l'avoir regardé. Une disquette. Il fit le numéro de portable de Martinsson, qui nota l'adresse et dit qu'il arrivait tout de suite. Robert Modin resterait seul un moment devant l'ordinateur de Falk.

Quinze minutes plus tard, Martinsson introduisait la disquette dans l'ordinateur. L'icône apparut, Wallander se pencha pour lire le titre. *Marais de Jakob.* Il se rappela vaguement qu'Ann-Britt avait parlé d'un jeu, et sa déception fut immédiate. Martinsson cliqua sur l'icône. La disquette contenait un seul document, modifié pour la dernière fois le 29 septembre. Martinsson cliqua deux fois.

Perplexes, ils lurent le texte qui venait d'apparaître à l'écran.

Il faut libérer les visons.

– Qu'est-ce que c'est ? demanda Martinsson.

– Un lien supplémentaire. Entre Jonas Landahl et Tynnes Falk, cette fois.

– Je ne suis pas sûr de saisir.

– Tu ne te souviens pas ? L'arrestation de Falk chez un éleveur de visons. Je me demande si Jonas Landahl ne faisait pas partie de ceux qui ont disparu dans la nature cette nuit-là.

Martinsson était sceptique.

– Tu crois que c'est une histoire de visons ?

– Sûrement pas. Mais on ferait bien de retrouver Jonas Landahl le plus vite possible.

26

Le mardi 14 octobre à l'aube, Carter prit une décision importante. Il avait ouvert les yeux et écouté le sifflement de la climatisation. Il faudrait bientôt nettoyer le ventilateur. Il se leva, secoua ses pantoufles pour en chasser d'éventuels insectes, enfila son peignoir et descendit à la cuisine. Par les fenêtres grillagées, il vit l'un des gardes lourdement endormi dans le vieux fauteuil. Mais Roberto veillait, immobile à côté du portail. Bientôt Roberto attraperait un grand balai et commencerait à faire le ménage devant la maison. Le son régulier du balai donnait toujours à Carter un sentiment de sécurité. Une personne qui répétait les mêmes gestes, jour après jour, avait quelque chose d'immémorial, de profondément rassurant. Roberto et son balai étaient une image de la vie quand elle était au mieux. Sans surprise, sans tension. Rien qu'une série de gestes rythmés, tandis que le balai éloignait sable, gravier et branches mortes. Carter prit une bouteille d'eau bouillie dans le réfrigérateur et but lentement deux grands verres. Puis il remonta l'escalier et s'assit devant son ordinateur, qui était toujours allumé, relié à la fois à un régulateur, qui corrigeait les perpétuelles variations de tension du réseau, et à une batterie de secours de forte capacité.

Un e-mail de Fu Cheng l'attendait. Il l'ouvrit et le lut attentivement.

Ce n'était pas bien. Pas bien du tout. Cheng avait exécuté les ordres. Apparemment, les policiers persistaient à vouloir s'introduire dans l'ordinateur de Falk. Carter n'avait aucune inquiétude à ce sujet. Si, contre toute attente, ils parvenaient à leurs fins, ils ne sauraient pas à quoi ils avaient affaire, encore moins s'y opposer. Mais apparemment – selon l'inquiétante observation de Cheng –, ils avaient fait appel à un jeune homme.

Carter se méfiait absolument des jeunes gens à lunettes qui passaient leur temps devant les écrans lumineux. Plusieurs fois, il avait eu des conversations avec Falk à ce sujet. Les petits génies des temps nouveaux, capables de s'introduire dans les réseaux les plus secrets et de décoder les protocoles informatiques les plus complexes.

Ce jeune homme, un certain Modin, faisait apparemment partie du lot. Les hackers suédois, lui rappelait Cheng dans son courrier, avaient à plusieurs reprises forcé le secret-défense de pays étrangers.

Un hérétique d'aujourd'hui, pensa Carter. Qui ne respecte pas l'informatique et ses mystères. Autrefois, on l'aurait brûlé sur un bûcher.

Tout cela ne lui plaisait guère, pas plus que les autres événements survenus depuis quelque temps. Falk était mort trop tôt, le laissant seul face aux initiatives qui devaient être prises – et d'abord, faire le ménage autour de Falk lui-même. Le temps manquait pour réfléchir. Il n'avait pas pris une seule décision sans consulter le programme de logique volé à l'université de Harvard, mais, apparemment, ça n'avait pas suffi. C'était une erreur d'avoir récupéré le corps de Falk. Et peut-être aussi de tuer la jeune femme. Mais elle aurait pu parler. Comment savoir ? Et ces policiers ne semblaient pas vouloir lâcher le morceau.

Carter avait déjà vu ça. Un chasseur qui refusait de lâcher prise. Et un fauve blessé qui se cachait quelque part.

Il savait depuis plusieurs jours qu'il avait avant tout affaire à un dénommé Wallander. Les rapports de Cheng ne laissaient aucun doute à ce sujet. Ils avaient donc décidé de le supprimer. Ils avaient échoué. Et l'homme paraissait aussi obstiné qu'auparavant.

Carter se leva et s'approcha de la fenêtre. La ville dormait encore. La nuit africaine était saturée d'odeurs. Cheng était fiable. Il possédait ce dévouement fanatique que Falk et lui estimaient nécessaire. Mais était-ce assez ?

Il se rassit devant l'ordinateur. Il lui fallut une heure pour noter toutes les informations, définir les solutions qu'il envisageait et interroger le logiciel de Harvard. Celui-ci était inhumain au meilleur sens du terme. Aucune émotion ne troublait la clarté de son raisonnement.

La réponse arriva après quelques secondes. Carter avait intégré dans ses notes la faiblesse découverte chez Wallander. Une faiblesse synonyme d'opportunité pour eux. La possibilité de le détruire.

Tout le monde avait des secrets. Ce Wallander autant que les autres. Des secrets et des faiblesses.

Il se remit à écrire. L'aube pointait déjà, et Celina était arrivée depuis longtemps lorsqu'il mit un point final à son courrier. Il le relut trois fois avant d'en être satisfait. Puis il appuya sur « envoi ». Son message disparut dans l'espace électronique.

Qui avait formulé cette comparaison le premier ? Falk, probablement. Ils faisaient partie d'une nouvelle race d'astronautes, voyageant dans des espaces inédits. *Les amis de l'espace*, avait-il dit. *C'est nous.*

Carter descendit à la cuisine prendre son petit déjeuner. Chaque matin, il examinait Celina à la dérobée pour voir si elle était de nouveau enceinte. Il avait décidé de la renvoyer le cas échéant. Puis il lui remit la liste de ce qu'elle devait acheter au marché. Pour s'assurer qu'elle comprenait vraiment, il l'obligea à la lire à haute voix. Il lui donna de l'argent et se leva pour ouvrir les deux portes de la façade. Il avait compté jusqu'à seize serrures, qu'il fallait ouvrir tous les matins.

Celina partit. La ville était réveillée à présent ; mais la maison, construite autrefois pour un médecin portugais, avait des murs épais. Carter retourna au premier étage avec le sentiment d'être enveloppé par le silence qui existait toujours au cœur du vacarme, en Afrique. Un point clignotant signalait l'arrivée d'un e-mail.

C'était la réponse qu'il attendait. Dès le lendemain, ils commenceraient à exploiter la faiblesse découverte chez ce Wallander.

Il resta longtemps assis à contempler l'écran. Lorsque celui-ci s'éteignit, il se leva et s'habilla.

Dans une semaine à peine maintenant, le raz de marée déferlerait sur le monde.

*

Vers dix-neuf heures, ce lundi soir, Wallander et Martinsson eurent un passage à vide au même moment. Ils étaient revenus au commissariat. Nyberg travaillait encore dans le garage de Snapphanegatan en compagnie d'un technicien. Il le faisait à sa manière habituelle, méthodique, mais aussi avec une sorte de hargne silencieuse. Wallander pensait parfois à Nyberg comme à une explosion ambulante perpétuellement réprimée.

Ils avaient tenté de comprendre. Si Jonas Landahl était revenu pour vider son ordinateur, pourquoi avait-il laissé la disquette ? Il pensait peut-être avoir effacé aussi le contenu de la disquette. Mais, dans ce cas, pourquoi se serait-il donné la peine de la cacher ? Les questions étaient nombreuses, relativement simples pour la plupart, mais ils n'avaient aucune réponse. Martinsson lança prudemment une théorie selon laquelle le message absurde – *il faut libérer les visons* – était précisément destiné à les mettre sur une fausse piste. Quelle fausse piste ? pensa Wallander, découragé. On nage déjà en pleine confusion.

Ils avaient discuté longuement pour savoir s'il fallait lancer un avis de recherche le soir même. Mais Wallander hésitait. Il n'y avait pas de véritable motif, du moins tant que Nyberg n'avait pas fini d'examiner la Golf. Martinsson n'était pas d'accord. Ce fut à peu près à ce moment – alors qu'ils peinaient à définir un point de vue commun – qu'ils furent tous les deux submergés par une immense fatigue. Ou était-ce du découragement ? Wallander était angoissé par son échec à donner une direction à l'enquête et soupçonnait Martinsson d'être secrètement du même avis. Sur le chemin du retour, ils étaient passés par la place Runnerström. Wallander avait attendu dans la voiture pendant que Martinsson montait chercher Robert Modin. La voiture qui devait le raccompagner chez lui arriva peu après. Modin aurait volontiers passé toute la nuit devant l'écran, dit Martinsson en remontant dans la voiture. Il n'avait pas progressé, mais continuait d'affirmer que le nombre 20 était très important.

De retour au commissariat, Martinsson avait cherché Jonas Landahl dans le fichier – en relation avec les groupes d'activistes qui n'hésitaient pas à saboter des élevages de visons. Aucun résultat. Dans le couloir, il s'était heurté à un Wallander déprimé, un gobelet de café froid à la main.

Ils avaient décidé de rentrer chez eux. Wallander s'était attardé à la cafétéria, trop fatigué pour réfléchir, trop fatigué pour se lever. Sa dernière initiative fut de se renseigner sur la disparition de Hansson – on finit par l'informer qu'il était probablement parti pour Växjö dans l'après-midi – et de téléphoner à Nyberg, qui n'avait rien de neuf à signaler. Les techniciens travaillaient encore sur la voiture.

Il s'arrêta pour faire quelques courses. Au moment de payer, il s'aperçut qu'il avait oublié son portefeuille au commissariat. Mais le caissier, qui l'avait reconnu, accepta de lui faire crédit. Une fois rentré chez lui, Wallander commença par griffonner en grandes lettres de ne pas oublier d'aller payer le lendemain. Il déposa le mot sur son paillasson. Puis il se fit des spaghetti, qu'il mangea devant la télévision. Pour une fois, les pâtes étaient bien cuites. Il passa d'une chaîne à l'autre, finit par trouver un film passable, qui avait malheureusement commencé depuis un moment. Il pensa qu'il avait un autre film à regarder. Al Pacino dans le rôle du diable. À vingt-trois heures, il débrancha le téléphone et se coucha. Le lampadaire était immobile de l'autre côté de la fenêtre. Il s'endormit très vite.

Il se réveilla reposé peu avant six heures. Il avait rêvé. Son père marchait dans un étrange paysage minéral en compagnie de Sten Widén. Wallander les suivait, craignant de les perdre de vue. Même moi, pensa-t-il, je suis capable d'interpréter ce rêve. J'ai aussi peur qu'un petit enfant à l'idée d'être abandonné.

Le téléphone sonna. C'était Nyberg, qui alla droit au but, comme d'habitude. Il semblait partir du principe que les gens ne dormaient jamais, alors que lui-même se plaignait toujours d'être réveillé à des heures impossibles.

– Je reviens de Snapphanegatan. J'ai trouvé quelque chose que je n'avais pas vu hier. Coincé dans la fente de la banquette arrière.

– Quoi ?

– Un chewing-gum Spearmint, goût citron.

– Il était collé à la banquette ?

– Non, il était encore dans son emballage. Sinon, je l'aurais trouvé hier.

Wallander s'était levé. Il se tenait pieds nus sur le sol froid de la chambre.

– Bien. À tout à l'heure.

Une demi-heure plus tard, il était douché et habillé. Il prendrait son café au commissariat. Il avait décidé d'y aller à pied, mais changea d'avis et prit la voiture. Tant pis pour sa conscience. À sept heures, il entra et chercha Irene du regard. Personne. Ebba serait déjà là, pensa-t-il. Elle aurait senti intuitivement que je voulais lui parler. Mais c'était une réflexion injuste. Personne ne pouvait être comparé à Ebba de toute façon. Il alla se chercher un café à la cafétéria. Un grand contrôle routier devait avoir lieu ce jour-là et Wallander échangea quelques mots avec un agent qui se plaignit de ce que les gens conduisaient de plus en plus vite, alors qu'ils avaient bu et qu'ils n'avaient même pas le permis. Wallander l'écouta distraitement, en pensant que la police avait toujours été une corporation de geignards, et retourna à la réception. Irene enlevait son manteau.

– Tu te souviens du chewing-gum que je t'ai emprunté l'autre jour ?

– Un chewing-gum, ça ne s'emprunte pas, ça se donne.

– C'était quoi, comme marque ?

– La marque habituelle, Spearmint.

Wallander hocha la tête.

– C'est tout ?

– Ça ne te suffit pas ?

Il se dirigea vers son bureau en essayant de ne pas renverser son café. Il était pressé. Il voulait suivre son raisonnement jusqu'au bout. Il composa le numéro personnel d'Ann-Britt. Des cris d'enfants l'accueillirent.

– J'ai une mission pour toi. Peux-tu demander à Eva Persson si elle a une préférence en matière de chewing-gum, et si elle avait l'habitude d'en passer à Sonja ?

– Pourquoi ?

– Je t'expliquerai.

Elle le rappela dix minutes plus tard. Les cris ne s'étaient pas calmés.

– J'ai parlé à sa mère, qui m'a dit que sa fille changeait souvent de marque et de parfum. Je ne vois pas pourquoi elle mentirait sur un sujet pareil.

– Elle serait au courant du genre de chewing-gum que mâche sa fille ?

– Les mères en savent souvent très long sur leurs enfants.

– Ou alors rien du tout ?

– C'est ça.

– Et Sonja ?

– Eva Persson lui en donnait probablement. Pourquoi ?

– Je te le dirai tout à l'heure.

– C'est un chantier ici. Je ne sais pas pourquoi, le matin du mardi est toujours le pire.

Wallander raccrocha. Chaque matin est le pire, pensa-t-il. Sans exception. En tout cas quand on se réveille à cinq heures sans pouvoir se rendormir. Il alla dans le bureau de Martinsson. Personne. Il devait déjà se trouver place Runnerström avec Modin. Hansson aussi était absent. Il n'était probablement pas encore revenu de son voyage, complètement inutile sans doute, à Växjö.

Wallander retourna dans son bureau et tenta de faire le point tout seul. Il paraissait acquis que Sonja Hökberg avait fait son dernier trajet dans la Golf bleu nuit. Jonas Landahl l'avait conduite jusqu'au transformateur, après quoi il avait pris le ferry pour la Pologne.

Il y avait des failles, certes. Jonas Landahl n'était pas nécessairement au volant de la voiture. Ce n'était pas nécessairement lui qui avait tué Sonja. Mais de sérieux soupçons pesaient sur lui. Il fallait le retrouver et l'interroger au plus vite.

L'ordinateur posait problème. Si Jonas Landahl n'avait pas effacé le contenu lui-même, alors qui ? Et que penser de la disquette de sauvegarde cachée sous la bibliothèque ?

Wallander tenta de formuler une interprétation cohérente. Après quelques minutes, il s'aperçut qu'il y avait une autre possibilité : Jonas Landahl avait peut-être effacé lui-même le contenu du disque dur. Mais quelqu'un d'autre était venu contrôler que cela avait bien été fait.

Wallander ouvrit un bloc-notes, chercha un crayon et nota une suite de noms, dans l'ordre où ils étaient apparus au cours de l'enquête :

Lundberg, Sonja et Eva.

Tynnes Falk.

Jonas Landahl.

Un lien était avéré. Mais toujours pas de mobile discernable. On n'a pas touché le fond, pensa Wallander. On tâtonne encore.

Il fut interrompu dans ses pensées par l'arrivée de Martinsson.

– Robert est déjà au travail. Il a demandé qu'on vienne le chercher à dix-huit heures. Aujourd'hui, il a apporté son propre casse-croûte. Un thé bizarre et des biscottes biodynamiques cultivées à Bornholm.

Et un baladeur. Il dit qu'il travaille mieux en musique. J'ai noté les titres.

Martinsson tira un bout de papier de sa poche.

– *Le Messie* de Haendel et le *Requiem* de Verdi. Ça te dit quelque chose ?

– Ça me dit qu'il a bon goût.

Wallander lui résuma ses conversations avec Nyberg et Ann-Britt. Sonja avait vraisemblablement voyagé à bord de la Golf.

– Peut-être pas pour son dernier trajet, objecta Martinsson.

– Pour l'instant, c'est l'hypothèse qu'on retient. Et on la justifie par le départ de Landahl tout de suite après.

– Avis de recherche, alors ?

– Oui. Parles-en au procureur.

Martinsson fit la grimace.

– Hansson ne peut pas s'en charger ?

– Il n'est pas encore arrivé.

– Où se planque-t-il ?

– On m'a dit qu'il était parti à Växjö.

– Pour quoi faire ?

– Le père d'Eva Persson habite dans le coin. Alcoolique, à ce qu'il paraît.

– C'est vraiment important de parler à ce type ?

Wallander haussa les épaules.

– Je ne peux pas passer mon temps à fixer les priorités pour tout le monde.

Martinsson se leva.

– Je vais parler à Viktorsson. Et je vais voir ce que je peux obtenir sur Landahl. À supposer que les ordinateurs marchent.

Wallander le retint.

– Qu'est-ce qu'on sait, au juste, de ces groupes de militants écologistes ?

– Hansson prétend que ce sont des gangs de motards spécialisés dans le saccage des laboratoires où l'on fait des expériences sur les animaux.

– C'est un peu injuste, non ?

– Hansson n'a jamais eu le sens de la justice.

– Je croyais que c'était des gens inoffensifs. Désobéissance civile sans violence.

– Oui, la plupart du temps.

– Mais Falk était impliqué.

– Rien ne dit qu'il a été assassiné.

– Mais Sonja Hökberg, oui. Et Lundberg aussi.

– Ça veut seulement dire qu'on n'a aucune idée de ce qui se cache derrière tout ça.

– Robert Modin va-t-il réussir ?

– Je l'espère.

– Et il persiste à dire que le nombre 20 est important ?

– Oui. Il est sûr de lui. Je ne comprends que la moitié de ce qu'il m'explique. Mais il est très convaincant.

Wallander jeta un regard au calendrier.

– On est le 14 octobre. Le 20 est dans un peu moins d'une semaine.

– On ne sait pas s'il s'agit de cette date.

– Des nouvelles de Sydkraft ? Le portail fracturé ?

– C'est Hansson qui s'en occupe. Ils ne font pas les choses à moitié, on dirait. D'après lui, beaucoup de têtes vont tomber.

– Je me demande si nous avons pris cet aspect des choses suffisamment au sérieux, dit Wallander, pensivement. Comment Falk a-t-il pu se procurer les plans ? Pourquoi ?

– On ne peut pas exclure l'hypothèse du sabotage. Le pas n'est peut-être pas si grand entre libérer des visons et plonger une province dans le noir. Si on est suffisamment fanatique.

Wallander sentit l'inquiétude l'étreindre de nouveau.

– Ce fameux nombre 20. Supposons que ce soit bien le 20 octobre. Que va-t-il se passer ?

– Je partage tes craintes. Mais je n'ai pas de réponse.

– Ne devrait-on pas organiser une réunion avec Sydkraft ? Pour qu'ils se tiennent prêts au cas où.

Martinsson hocha la tête sans conviction.

– On peut voir les choses autrement. D'abord les visons, puis une installation électrique. Ensuite ?

Ni l'un ni l'autre ne répondit.

Martinsson quitta le bureau. Wallander consacra les heures suivantes à parcourir les éléments qui s'amoncelaient sur son bureau, en cherchant sans relâche un détail qu'il aurait négligé jusque-là.

Mais il ne trouva rien, sinon la confirmation du fait qu'ils tâtonnaient encore.

Le groupe d'enquête se réunit en fin d'après-midi. Martinsson avait parlé à Viktorsson. Jonas Landahl était maintenant recherché au niveau national et international. La police polonaise avait immédiatement répondu au télex d'Ystad. En effet, Landahl était entré dans le pays le jour où son voisin l'avait vu pour la dernière fois dans Snapphanegatan. Mais rien n'indiquait qu'il eût quitté le territoire depuis. Wallander n'était pas convaincu ; son intuition lui disait que Landahl n'était plus en Pologne. Juste avant la réunion, Ann-Britt avait eu une conversation avec Eva Persson sur le thème des chewing-gums. Sonja en prenait au goût citron, mais elle ne se souvenait pas de la dernière fois où ça s'était produit. Nyberg avait passé la voiture au crible et envoyé à Nyköping une quantité de sacs en plastique contenant des cheveux et des fibres diverses. Il ne restait plus qu'à attendre les conclusions du laboratoire pour acquérir la certitude que Sonja Hökberg avait vraiment voyagé dans la voiture de Landahl. Ce point précis donna lieu à une discussion extrêmement vive entre Martinsson et Ann-Britt. Si Sonja et Landahl sortaient ensemble, il était naturel qu'elle soit montée dans sa voiture. Ça ne prouvait rien, surtout pas qu'elle ait voyagé dans la Golf le jour de sa mort.

Wallander n'intervint pas. Martinsson et Ann-Britt étaient aussi fatigués l'un que l'autre ; la controverse retomba d'elle-même. Hansson avait effectivement fait un voyage inutile jusqu'à Växjö. En plus, il s'était trompé de route et s'en était aperçu trop tard. Il avait fini par dénicher le père d'Eva Persson dans un taudis improbable près de Vislanda. Le type était ivre et n'avait rien pu lui apprendre. De plus, il éclatait en sanglots chaque fois qu'il mentionnait le nom de sa fille et l'avenir qui l'attendait. Hansson était reparti le plus vite possible.

D'autre part, on n'avait pas retrouvé de minibus Mercedes susceptible de correspondre à celui qu'ils cherchaient. Et Wallander avait reçu, par l'intermédiaire de l'American Express, un fax de Hong Kong. Un chef de la police du nom de Wang l'informait qu'il n'y avait pas de Fu Cheng à l'adresse indiquée. Quant à Robert Modin, il continuait de se débattre avec l'ordinateur de Falk. Après une discussion fort longue et, selon Wallander, complètement inutile, ils décidèrent d'attendre encore un jour ou deux avant de prendre contact avec la cellule informatique de Stockholm.

Dix-huit heures ; le groupe d'enquête était à bout de forces. Wallander regarda les visages gris de fatigue qui l'entouraient et comprit qu'il fallait conclure. Ils convinrent de se retrouver à huit heures le lendemain. Wallander continua de travailler après la réunion. À vingt heures trente, il rentra chez lui. Après avoir mangé le reste des spaghetti de la veille, il s'allongea sur son lit avec un livre consacré aux guerres napoléoniennes. Mortellement ennuyeux. Il s'endormit très vite, le livre sur le visage.

Le portable bourdonna. Il mit un moment à reconnaître le lieu et l'heure. L'appel venait du central.

– On vient de recevoir une alerte en provenance d'un ferry.

– Qu'est-ce qui se passe ?

– Il y avait une gêne au niveau d'un arbre d'hélice. Ils sont allés voir.

– Alors ?

– Il y avait un cadavre dans la salle des machines.

Wallander inspira profondément.

– Où est le ferry ?

– Il sera à quai dans quelques minutes.

– J'arrive.

– Je dois prévenir quelqu'un d'autre ?

Il réfléchit.

– Martinsson et Hansson. Et Nyberg. Dis-leur qu'on se retrouve au terminal.

– À part ça ?

– Informe Lisa Holgersson.

– Elle est à une conférence à Copenhague.

– Je m'en fous. Appelle-la.

– Qu'est-ce que je dois lui dire ?

– Qu'un tueur présumé est rentré de Pologne. Mais qu'il est mort, malheureusement.

Vingt minutes plus tard, ils attendaient devant le bâtiment du terminal que l'énorme ferry finisse la manœuvre pour se mettre à quai.

27

En descendant l'échelle vers la salle des machines, Wallander eut la sensation qu'il descendait vers l'enfer. Le bateau était immobilisé, on n'entendait qu'un vague sifflement, mais l'enfer était là, sous lui. Ils avaient été accueillis à bord par un second bouleversé et deux machinistes très pâles. Le corps qu'on avait retrouvé dans l'eau mêlée d'huile était apparemment dans un sale état. Un légiste allait venir. Une voiture de pompiers et une équipe de secours étaient déjà sur place.

Wallander descendit le premier. Martinsson avait préféré s'abstenir. Wallander lui demanda d'interroger l'équipage ; Hansson l'aiderait dès son arrivée.

Il descendit les échelles l'une après l'autre, suivi de près par Nyberg. Le machiniste qui avait découvert le corps les conduisit vers l'arrière du bateau. Wallander fut impressionné par les dimensions de la salle des machines qui s'ouvrait sous lui. Il descendit la dernière échelle. Nyberg lui piétina la main ; il jura, faillit perdre l'équilibre et se rattrapa de justesse. Enfin, ils furent en bas. Sous l'un des deux gigantesques arbres d'hélice luisants, ils découvrirent le corps.

Le machiniste n'avait pas exagéré. Ce qu'il avait sous les yeux ne ressemblait pas à un être humain. On aurait dit un animal massacré. Il entendit Nyberg gémir et crut comprendre qu'il était question d'un départ à la retraite anticipé et immédiat. Lui-même fut surpris de ne pas avoir la nausée. Au fil des ans, il en avait beaucoup vu : des victimes d'accidents de la route, des corps découverts après plusieurs mois ou plusieurs années de décomposition. Cette vision-ci était pire. Dans la chambre à la bibliothèque inclinée, il y avait une photo de Jonas Landahl – un jeune homme au physique banal. Était-ce lui ? Le visage du mort n'était plus qu'une bouillie sanglante.

Le garçon de la photo était blond. Là, sur la tête presque arrachée au corps, il restait quelques mèches de cheveux qui n'avaient pas été imbibées d'huile. Des mèches blondes. Wallander était sûr de son fait. Il s'écarta pour faire de la place à Nyberg. Au même instant, il vit arriver Susann Bexell en compagnie de deux pompiers.

– Comment a-t-il atterri là ?

Les machines avaient beau tourner à vide, Nyberg dut crier pour se faire entendre. Wallander secoua la tête sans répondre. Il voulait remonter, sortir de là, quitter cet enfer le plus vite possible, pour réfléchir. Il laissa Nyberg, le médecin et les pompiers, remonta sur le pont et inspira plusieurs fois profondément. Martinsson surgit à ses côtés.

– Alors ?

– Pire que ce que tu peux imaginer.

– C'était Landahl ?

Ils n'en avaient pas parlé ensemble ; mais Martinsson avait eu la même idée que lui. Sonja Hökberg était morte dans un poste de transformation et Landahl dans les entrailles d'un ferry polonais.

– Il n'a plus de visage. Mais je crois que c'est lui.

Puis il fit un effort sur lui-même et commença à organiser le travail. Martinsson s'était renseigné : le ferry ne devait pas repartir avant le lendemain matin. D'ici là, les investigations techniques seraient achevées et le corps aurait été emporté.

– J'ai demandé une liste des passagers. Il n'y avait pas de Jonas Landahl à bord.

– Je m'en fous. C'est lui.

– Après l'*Estonia*, je croyais que les contrôles étaient devenus draconiens.

– Il a pu donner un autre nom. En tout cas, il nous faut une copie de cette liste. Et le nom de tous les membres de l'équipage. On verra bien si ça nous évoque quelque chose.

– Tu exclus l'accident ?

– Oui. Comme pour Sonja Hökberg. Et ce sont les mêmes auteurs.

Il demanda si Hansson était arrivé. Martinsson répondit qu'il interrogeait les machinistes.

Ils quittèrent le pont. Le ferry paraissait abandonné. Quelques employés nettoyaient le grand escalier central. Wallander fit entrer Martinsson dans la cafétéria déserte. Du bruit leur parvenait des cuisines. Par les hublots, ils apercevaient les lumières d'Ystad.

– Va voir si tu peux nous trouver du café. Il faut qu'on parle.

Martinsson disparut en direction des cuisines. Wallander s'assit à une table. Que signifiait la mort de Jonas Landahl ? Lentement, il formula les deux théories provisoires qu'il voulait présenter à Martinsson.

Un homme en uniforme surgit devant lui.

– Pourquoi n'as-tu pas quitté le bateau ?

Wallander le considéra. Une grande barbe dissimulait le bas de son visage couperosé. Des bandes jaunes sur les épaulettes. C'est grand, un ferry. Tout le monde n'est pas nécessairement au courant de ce qui s'est passé dans la salle des machines.

– Je suis de la police. Et toi ?

– Je suis second à bord de ce bateau.

– Bien. Va voir ton commandant et tu sauras pourquoi je suis là.

L'homme parut hésiter. Puis il disparut. Martinsson revint avec un plateau.

– Ils étaient en train de manger, dit-il en s'asseyant. Ils avaient remarqué que le bateau avançait à vitesse réduite depuis un moment, mais ils n'étaient au courant de rien.

– J'ai vu passer un officier. Il n'était pas non plus au courant.

– On n'aurait pas commis une erreur ?

– Laquelle ?

– Je me demande si on n'aurait pas dû retenir tout le monde à bord, le temps de vérifier les noms et de fouiller les voitures.

Martinsson avait raison. Mais ça représentait une opération de grande envergure, qui aurait requis énormément de monde et qui n'aurait pas forcément donné de résultat.

– Peut-être, dit-il simplement. Mais c'est trop tard.

– Je rêvais de la mer quand j'étais jeune.

– Moi aussi. Tout le monde, tu ne crois pas ?

Il revint au sujet de l'enquête :

– On commençait à croire que Landahl avait conduit Sonja Hökberg à l'installation de Sydkraft, qu'il l'avait tuée, et que c'était la raison de sa fuite. Voilà qu'il est tué à son tour. En quoi est-ce que cela modifie notre hypothèse ?

– Tu exclus toujours l'accident.

– Pas toi ?

Martinsson remua son café sans répondre.

– À mon sens, on peut formuler deux théories. La première, c'est que Jonas Landahl a effectivement tué Sonja Hökberg. Elle sait quelque chose, il ne veut pas qu'elle parle, il la tue et il s'en va – sous le coup de la panique ou de façon préméditée. Ensuite, il est tué à son tour. Soit il s'agit d'une vengeance, soit il est à son tour devenu dangereux pour quelqu'un.

Wallander se tut, mais Martinsson n'avait rien à dire.

– La deuxième possibilité est complètement différente. Un tiers inconnu aurait tué à la fois Sonja Hökberg et Landahl.

– Pourquoi, dans ce cas, Landahl serait-il parti si vite ?

– Il comprend ce qui est arrivé à Sonja et prend peur. Mais quelqu'un le rattrape.

Martinsson hocha la tête. Ça y est, il s'anime, pensa Wallander.

– Deux meurtres qui sont en même temps des actes de sabotage.

– Tu te souviens de ce qu'on disait hier après-midi ? D'abord les visons. Puis la coupure de courant. Maintenant un arbre d'hélice. Ensuite ?

Martinsson secoua la tête, découragé.

– Ça ne rime à rien. Je comprends l'histoire des visons, une bande de militants qui passe à l'offensive. Je peux aussi comprendre la coupure de courant, comme une manière de démontrer la vulnérabilité de notre société. Mais à quoi ça rime de semer la pagaille dans une salle des machines ?

– Imagine un jeu de dominos. Si un domino tombe, tous s'écroulent. Le domino, c'est Falk.

– Et le meurtre de Lundberg ?

– Justement, il ne cadre pas avec le reste. Du coup, j'entrevois une autre possibilité.

– Qu'il n'a effectivement rien à voir avec le reste ?

Martinsson réfléchissait vite quand il le voulait.

– Ce ne serait pas la première fois qu'on pense que tout se tient, alors qu'il s'agit d'une coïncidence.

– Tu crois qu'on devrait dissocier les enquêtes ? Mais Sonja Hökberg est au centre dans les deux cas.

– C'est bien le problème. Mais imagine que son rôle soit moins important qu'on ne le pensait.

Au même instant, Hansson fit son entrée. Il jeta un regard envieux aux tasses de café. Un homme aux cheveux gris, au regard aimable et aux épaulettes bardées de bandes jaunes l'accompagnait. Wallander se leva et fut présenté au capitaine Sund, qui s'exprimait avec un fort accent du Nord.

– C'est terrible, dit-il.

– Personne n'a rien vu, dit Hansson. Pourtant, il a bien dû y arriver, sous cet arbre d'hélice.

– Aucun témoin ?

– J'ai parlé aux deux machinistes de service. Mais ils n'ont rien remarqué.

Wallander se tourna vers le capitaine.

– Les portes de la salle des machines sont-elles fermées à clé ?

– Les règles de sécurité ne le permettent pas. Mais toutes les portes sont équipées de panneaux interdisant l'accès, et les machinistes sont tenus de réagir immédiatement en cas d'intrusion. Il est arrivé qu'un passager ivre s'égare dans la salle des machines. Mais une chose pareille…

– Je suppose que le ferry est vide maintenant. Auriez-vous repéré un véhicule abandonné ?

Sund contacta le pont des voitures sur son radiotéléphone.

– Le pont est vide.

– Qu'en est-il des cabines ? Un sac ? Une valise ?

Sund partit se renseigner. Hansson s'assit. Pour une fois, constata Wallander, il s'était montré très minutieux en rassemblant ses informations.

La traversée, au départ de Swinoujscie, durait environ sept heures. Les machinistes avaient-ils une idée du moment où le corps s'était retrouvé sous l'arbre d'hélice – pendant que le bateau était encore à quai en Pologne ou juste avant l'alerte ? Telle était la question de Wallander, et Hansson avait pensé à la poser aux machinistes. Leurs réponses concordaient. Le corps pouvait très bien être là depuis le départ du bateau.

En dehors de cela, il n'y avait pas grand-chose à dire. Si Landahl était encore en vie au début de la traversée, personne ne semblait l'avoir remarqué. Il y avait une centaine de passagers à bord, essentiellement des chauffeurs de poids lourds polonais, ainsi qu'une délégation de l'industrie suédoise du ciment, qui revenait de Pologne où elle avait discuté d'éventuels investissements.

– Nous devons découvrir s'il était accompagné. C'est le plus important. Il nous faut donc une photographie de Landahl. Quelqu'un devra prendre le ferry demain, faire le tour du personnel, montrer la photo à tout le monde et voir si quelqu'un le reconnaît.

– J'espère que ce ne sera pas moi. J'ai le mal de mer.

– Trouve quelqu'un d'autre, alors. En attendant, je veux que tu emmènes un serrurier à Snapphanegatan et que tu nous rapportes la photo du garçon. Vérifie auprès du quincaillier qu'elle est à peu près ressemblante.

– Ryss, tu veux dire ?

– C'est ça. Il a bien dû voir son rival au moins une fois.

– Le ferry part à six heures du matin.

– Alors il faut s'en occuper maintenant, dit Wallander sur un ton sans réplique.

Une autre question lui vint à l'esprit. Ils jetèrent un coup d'œil à la liste des passagers. Aucun nom asiatique.

– Celui qui fera l'aller-retour demain devra aussi poser cette question. Y avait-il un passager de type asiatique ?

Hansson disparut. Wallander et Martinsson restèrent assis. Susann Bexell les rejoignit. Elle était très pâle.

– Je n'ai jamais vu ça. D'abord une fille électrocutée, maintenant ceci.

– On peut supposer qu'il s'agit d'un homme jeune ?

– Oui.

– Cause de la mort ? Heure exacte ? Je suppose qu'il est trop tôt pour répondre.

– Vous l'avez vu. Il est en bouillie. L'un des pompiers a vomi, et je le comprends.

– Nyberg y est encore ?

– Je crois.

Susann Bexell s'éloigna. Le capitaine Sund n'était toujours pas revenu. Le portable de Martinsson bourdonna. Lisa Holgersson, de

Copenhague. Martinsson tendit le portable à Wallander, qui fit non de la tête.

– Parle-lui.

– Qu'est-ce que je dois lui dire ?

– La vérité, bien sûr.

Wallander se leva et se mit à arpenter la cafétéria déserte. Le décès de Landahl venait de leur barrer une piste. Mais ce qui l'angoissait réellement, c'était l'idée qu'ils auraient pu éviter sa mort. Que le garçon avait fui non parce qu'il avait commis un crime, mais parce qu'il avait peur.

Wallander s'adressait des reproches. Il avait mal réfléchi, et trop vite. Il s'était raccroché à une explication immédiate, au lieu d'envisager différentes hypothèses. Maintenant, Landahl était mort. Peut-être n'aurait-il rien pu faire ; mais il n'en était pas sûr.

Martinsson avait raccroché. Wallander retourna à la table.

– J'ai l'impression qu'elle avait bu.

– Normal, elle est à une fête. Maintenant, au moins, elle sait à quoi on consacre notre soirée.

Le capitaine Sund reparut.

– On a retrouvé une valise dans une cabine.

Wallander et Martinsson se levèrent en même temps. Le capitaine les précéda dans les couloirs interminables. Une femme portant l'uniforme de la compagnie des ferries les attendait. Elle était polonaise et parlait mal le suédois.

– D'après la liste des passagers, cette cabine était réservée au nom de Jonasson.

Wallander et Martinsson échangèrent un regard.

– Pourrait-elle le décrire ?

Il s'avéra que le capitaine maîtrisait le polonais presque aussi bien que son dialecte du Dalsland. La femme l'écouta, puis secoua la tête.

– Était-elle réservée pour une seule personne ?

– Oui.

Wallander entra. La cabine était étroite et n'avait pas de hublot. Il frissonna à l'idée de passer une nuit de grand vent enfermé dans un endroit pareil. Une valise à roulettes était posée sur la couchette. Wallander demanda à Martinsson de lui passer des gants en plastique. Puis il l'ouvrit. La valise était vide. Ils fouillèrent la cabine pendant dix minutes.

– Demande à Nyberg d'y jeter un coup d'œil, dit Wallander lorsqu'ils eurent abandonné tout espoir. Et décris la valise au chauffeur de taxi qui a conduit Landahl au terminal. Il la reconnaîtra peut-être.

Wallander ressortit dans le couloir pendant que Martinsson expliquait au capitaine que le ménage ne devait pas être fait jusqu'à nouvel ordre. Wallander examina les portes voisines. Des serviettes et des draps en boule. Elles portaient les numéros 309 et 311.

– Qui occupait ces cabines ? Il se peut qu'un voisin ait entendu du bruit, ou vu quelqu'un entrer ou sortir.

Martinsson prit note dans son carnet et commença à interroger la femme de chambre polonaise. Wallander lui avait souvent envié son anglais impeccable. Lui-même s'exprimait très mal, de son propre avis. Linda se moquait de sa prononciation lors de leurs voyages. Le capitaine Sund le suivit dans l'escalier. Il était près de minuit.

– Peut-être puis-je te proposer un grog après cette épreuve ?

– Malheureusement, non.

Le radiotéléphone grésilla. Sund écouta quelques instants et s'excusa. Wallander fut soulagé de se retrouver seul. Sa conscience le tourmentait. Landahl aurait-il encore été en vie s'il avait raisonné autrement ? Il n'avait pas de réponse. Seulement un remords lancinant contre lequel il ne pouvait rien.

Martinsson reparut au bout de vingt minutes.

– La cabine 309 était occupée par un Norvégien nommé Larsen, qui doit être sur la route en ce moment même. Mais j'ai son numéro de téléphone personnel, dans une ville qui s'appelle Moss. La cabine 311 était réservée par un couple, M. et Mme Tomander, d'Ystad.

– Parle-leur demain. On ne sait jamais.

– J'ai croisé Nyberg dans l'escalier. Il avait de l'huile partout. Il a dit qu'il allait changer de combinaison et jeter un coup d'œil à la cabine.

– Je crois qu'on n'a plus rien à faire ici.

Ils traversèrent le terminal désert. Quelques jeunes dormaient sur des bancs. Les caisses étaient fermées. Ils se séparèrent devant la voiture de Wallander.

– Il faudra tout reprendre à zéro demain matin. On se retrouve à huit heures.

– Tu parais inquiet.

– Oui. Je ne comprends pas ce qui se passe.

– Comment ça va, du côté de l'enquête interne ?

– Je n'ai pas de nouvelles. Les journalistes ne m'appellent plus, mais c'est peut-être parce que j'ai débranché le téléphone.

– C'est malheureux, cette histoire.

Wallander décela une ambiguïté dans la réplique de Martinsson. Immédiatement, il fut sur ses gardes.

– Que veux-tu dire ?

– N'est-ce pas ce que nous redoutons tous ? De perdre le contrôle et de nous mettre à frapper les gens ?

– Je l'ai giflée pour protéger sa mère.

– Oui. Mais quand même.

Il ne me croit pas, pensa Wallander après son départ. Si ça se trouve, personne ne me croit.

Cette idée lui vint comme un choc. Jamais encore il ne s'était senti trahi, ou du moins abandonné, par ses collègues les plus proches. Il resta assis, comme pétrifié, sans penser à mettre le contact. Soudain, ce sentiment domina tous les autres, effaçant même l'image du jeune homme massacré sous l'arbre d'hélice.

Pour la deuxième fois au cours de cette semaine, l'amertume l'envahit. Je démissionne, pensa-t-il. Je rédige ma lettre demain matin. Ils n'ont qu'à se débrouiller avec l'enquête, je n'en ai rien à foutre.

De retour chez lui, encore sous le coup de l'indignation, il poursuivit intérieurement une discussion houleuse avec Martinsson.

Il mit longtemps à s'endormir.

Le mercredi matin à huit heures, ils étaient de nouveau réunis, en présence de Viktorsson. Et de Nyberg, qui avait encore de l'huile sur les doigts. Wallander s'était réveillé un peu moins agité que la veille. Il n'allait pas démissionner sur-le-champ. Ni attaquer Martinsson de front. Dans un premier temps, il allait laisser l'enquête établir ce qui s'était réellement passé au cours de l'interrogatoire. Puis il choisirait une occasion appropriée pour dire à ses collègues ce qu'il pensait de leur attitude.

Ils firent un point approfondi des événements de la nuit. Martinsson avait déjà parlé aux Tomander, les voisins de cabine. Ils n'avaient rien vu, rien entendu. Le Norvégien n'était toujours pas rentré chez lui. Une femme, qui devait être Mme Larsen, avait dit au téléphone qu'elle l'attendait dans la matinée.

Puis Wallander exposa les deux théories auxquelles il était parvenu au cours de sa conversation avec Martinsson. Personne ne formula d'objection. La réunion se poursuivit mais, sous la concentration apparente, Wallander sentait bien que chacun était pressé de retourner à sa tâche.

Lorsqu'ils se séparèrent, Wallander avait pris la décision de se consacrer entièrement à Tynnes Falk. Tout tournait autour de lui ; il en était plus convaincu que jamais. Le meurtre du chauffeur de taxi resterait en suspens jusqu'à nouvel ordre. La priorité revenait à une question très simple : quelles forces avaient été mises en branle lors de la mort de Tynnes Falk ? Wallander rappela une fois de plus l'institut de Lund et insista jusqu'à ce qu'on lui passe le médecin qui avait réalisé l'autopsie. Avait-on réellement examiné toutes les possibilités ? Pouvait-il malgré tout s'agir d'une agression ? Il rappela aussi Enander, le médecin qui lui avait rendu visite au commissariat. Les avis divergeaient toujours. Mais au cours de l'après-midi, alors qu'il se sentait de plus en plus affamé, Wallander crut pourtant devoir se ranger du côté des légistes ; Falk était bien décédé de causes naturelles. Mais cette mort devant un distributeur avait déclenché différents événements. Il prit un bloc-notes.

Falk.

Visons.

Angola.

Après une hésitation, il ajouta :

Le nombre 20.

Il regarda fixement ce qu'il venait de noter. Les mots semblaient se refermer sur eux-mêmes. Qu'était-ce donc qu'il ne parvenait pas à voir ? Pour calmer son irritation et son impatience, il quitta le commissariat, fit une courte promenade et mangea dans une pizzeria avant de retourner au bureau. À dix-sept heures, il abandonna. Il ne voyait rien au-delà des faits. Aucun mobile, aucune piste. Il piétinait.

Il venait d'aller se chercher un café lorsque le téléphone sonna.

– Je suis place Runnerström, dit Martinsson.

– Alors ?

– Robert a franchi la muraille. Il est entré dans l'ordinateur de Falk. Et il se passe de drôles de choses sur l'écran.

Enfin ! pensa Wallander. On y est.

28

Il verrouilla les portières de la voiture et traversa la rue. S'il avait jeté un regard derrière lui, il aurait peut-être deviné l'ombre tapie dans le noir et compris qu'on ne se contentait pas de les suivre. Leur adversaire était informé à chaque instant de leurs déplacements, de leurs faits et gestes, voire de leurs pensées. Les patrouilles qui surveillaient nuit et jour Apelbergsgatan et la place Runnerström étaient impuissantes face à cette ombre.

Mais Wallander ne se retourna pas. Il monta l'escalier. À son entrée, Modin et Martinsson levèrent à peine la tête. Ils étaient rivés à l'écran. Wallander constata avec surprise que Martinsson avait apporté un petit siège pliant de chasseur. Et deux nouveaux ordinateurs avaient fait leur apparition sur la table. Modin et Martinsson parlaient à voix basse. Wallander eut l'impression d'avoir pénétré dans un bloc opératoire. Mais l'image d'un rituel était peut-être plus juste. Il pensa à l'autel de Falk, surmonté de son propre portrait.

Son bonjour resta sans réponse. Il s'approcha.

L'écran avait changé d'aspect. Les tourbillons de chiffres avaient disparu. Plutôt, ils s'étaient immobilisés. Robert Modin avait ôté son casque de baladeur et pianotait sur les trois claviers avec une dextérité de virtuose. Martinsson tenait un bloc et un stylo-bille. De temps à autre, Modin lui demandait de noter quelque chose. C'était à l'évidence lui qui contrôlait les opérations. Après une dizaine de minutes, il parut enfin s'apercevoir de la présence de Wallander. Le pianotage cessa.

– Que se passe-t-il ? Pourquoi y a-t-il de nouveaux ordinateurs ?

– Quand on ne peut pas escalader la montagne, il faut la contourner.

Modin était en sueur, mais paraissait content – comme un jeune homme qui aurait réussi à forcer une serrure interdite.

– Je n'ai pas identifié le code. Mais, en branchant mes ordinateurs sur celui-là, j'ai pu entrer par la porte de service.

C'était déjà trop abstrait pour Wallander. Il connaissait l'existence de fenêtres, en informatique. Mais des portes ?

– J'ai fait semblant de frapper à l'entrée. Pendant ce temps, je creusais un tunnel par-derrière.

– Comment cela ?

– C'est un peu difficile à expliquer. De plus, il y a une sorte de secret professionnel.

– Laisse tomber. Qu'avez-vous trouvé ?

Martinsson prit la parole :

– Dans un dossier qui porte un nom bizarre, on a trouvé une série de numéros de téléphone disposés dans un ordre particulier. Maintenant, il s'avère que ce ne sont pas des numéros de téléphone, mais des codes. Deux groupes. Un mot et une combinaison de chiffres. On essaie de comprendre de quoi il s'agit.

– En fait, intervint Modin, c'est à la fois des codes et des numéros de téléphone. En plus, il y a des groupes de chiffres superposés qui renvoient de façon codée à différentes institutions. Dans le monde entier, apparemment. Aux États-Unis, en Asie et en Europe. Il y a aussi quelque chose au Brésil. Et au Nigeria.

– Quel genre d'institutions ?

– C'est ce qu'on essaie de comprendre, dit Martinsson. Robert en a identifié une. C'est à ce moment-là que je t'ai appelé.

– Laquelle ?

– Le Pentagone.

Avait-il perçu une note de triomphe dans la voix de Modin ? Ou était-ce de la peur ?

– Qu'est-ce que ça signifie ?

– On n'en sait rien encore, dit Martinsson. Mais on peut déjà affirmer que cet ordinateur contient des informations capitales et probablement secrètes. Ça laisse penser que Falk avait accès à ces institutions.

– Ou alors c'était quelqu'un comme moi, dit Modin.

– Un hacker ?

– C'est un peu l'impression que ça donne.

Wallander comprenait de moins en moins. Mais l'inquiétude était revenue.

– À quoi peuvent servir ces informations ?

– C'est trop tôt pour le dire. Il faut d'abord identifier ces institutions. Ça prend du temps, et c'est compliqué – puisque tout est fait pour nous empêcher d'y accéder.

Il se leva de son siège pliant et tendit le bloc-notes à Wallander.

– Je dois rentrer, c'est l'anniversaire de Terese. Mais je serai de retour dans une heure.

– Dis-lui bonjour de ma part. Ça lui fait quel âge ?

– Seize ans.

Wallander l'avait connue toute petite. Pour ses cinq ans, il avait même mangé une part de gâteau chez les Martinsson. Il pensa qu'elle avait deux ans de plus qu'Eva Persson.

Martinsson sortit, mais revint aussitôt.

– J'ai oublié de te dire que j'ai parlé à Larsen, de Moss. Il a bien entendu du bruit dans la cabine voisine, les cloisons ne sont pas très épaisses. Mais il n'a vu personne. Il était fatigué, il a dormi pendant tout le trajet.

– Quel genre de bruit ?

– Rien qui indique du désordre ou une bagarre.

– Des voix ?

– Oui. Mais il n'a pas su me dire combien. Je lui ai demandé de nous rappeler s'il se souvenait d'autre chose.

Après son départ, Wallander s'assit avec précaution sur le siège pliant. Robert Modin continua de travailler. Wallander renonça à l'interroger et se mit à réfléchir. Au rythme où ça allait, avec ces ordinateurs, on aurait bientôt besoin d'une police complètement nouvelle. Comme d'habitude, les criminels avaient une longueur d'avance. La mafia américaine avait très tôt compris à quoi pouvait servir l'informatique. Et on disait, sans pouvoir le prouver, que les cartels de la drogue en Amérique du Sud étaient informés par satellite de l'état du contrôle aux frontières et de la surveillance de l'espace aérien des États-Unis. Quant aux téléphones portables, un numéro ne servait en général qu'une seule fois. Ainsi, il devenait presque impossible d'identifier l'auteur de l'appel.

Robert Modin enfonça une touche et recula sur sa chaise. Le modem posé à côté de l'ordinateur se mit à clignoter.

– Que fais-tu ?

– J'essaie d'envoyer un mail pour voir s'il arrive, et où. Mais je l'envoie de mon propre ordinateur.

– Pourtant tu as écrit l'adresse sur celui de Falk ?

– Je les ai reliés.

Un point lumineux apparut. Robert Modin sursauta et approcha son visage de l'écran. Puis il se remit à pianoter.

Soudain, tout disparut. Un court instant, il n'y eut que du noir. Puis, de nouveau, les tourbillons de chiffres. Robert Modin fronça les sourcils.

– Qu'est-ce qui se passe ?

– Je ne sais pas. Mais on m'a refusé l'accès. Je dois effacer mes traces. Ça va prendre quelques minutes.

Le pianotage continua. Wallander attendit avec une impatience croissante.

– Encore..., marmonna Modin.

Puis il tressaillit et s'immobilisa.

– La Banque mondiale, dit-il.

– Pardon ?

– L'une des institutions désignées par ces codes est la Banque mondiale. Si j'ai bien compris, il s'agirait d'un département qui s'occupe du contrôle des finances.

– Le Pentagone et la Banque mondiale. Pas l'épicier du coin, autrement dit.

– Je crois qu'il est temps de réunir une petite conférence. Mes amis sont prévenus.

– Où sont-ils ?

– L'un habite près de Rättvik, l'autre en Californie.

Wallander pensa qu'il était grand temps de contacter la brigade informatique de Stockholm. Modin avait beau être très fort, son initiative lui serait lourdement reprochée.

Pendant que Modin conférait avec ses amis, Wallander fit les cent pas en pensant à Jonas Landahl qui avait trouvé la mort dans la cale d'un ferry. Il pensa aussi au corps calciné de Sonja Hökberg, et à cet étrange bureau où il se trouvait à l'instant même. Il était rongé d'inquiétude à l'idée d'avoir égaré le groupe d'enquête sur une fausse piste. Sa mission était d'orienter leur travail. En avait-il encore la capacité ? Cette impression que ses collègues ne lui faisaient plus confiance comme avant... Ce n'était pas seulement cette histoire d'interrogatoire qui avait mal tourné. Ses collègues murmuraient peut-être dans son dos qu'il n'était plus tout à fait à la hauteur, qu'il était temps que Martinsson prenne la relève.

Il était blessé. Il se faisait l'effet d'être une victime. En même temps, il ressentait une sourde colère. Il n'avait pas l'intention de se rendre sans combat. D'autant plus qu'il n'avait pas de Soudan où commencer une nouvelle vie, pas de haras à vendre. L'avenir, pour lui, se réduisait à une pension d'État plutôt maigre.

Le pianotage avait cessé. Modin se leva et s'étira dans tous les sens.

– J'ai faim.

– Qu'ont dit tes amis ?

– On s'est donné une heure pour réfléchir.

Wallander proposa une pizza. Modin parut choqué.

– Je n'en mange jamais. C'est malsain.

– Qu'est-ce que tu veux, alors ?

– Des graines germées.

– C'est tout ?

– Des œufs au vinaigre.

Wallander prit un air résigné pendant que Modin fouillait dans ses sacs en plastique. Mais rien ne parut le tenter dans l'immédiat.

– D'accord pour une salade, dit-il. Exceptionnellement.

Ils sortirent de l'immeuble. Wallander lui demanda s'il voulait prendre la voiture, mais Modin préférait marcher. La voiture banalisée était à sa place.

– Qu'est-ce qu'ils attendent ? dit Modin lorsqu'ils l'eurent dépassée.

– On peut se le demander.

Ils s'arrêtèrent dans un bar à salade, le seul de la ville à la connaissance de Wallander. Lui-même mangea avec grand appétit, pendant que Robert Modin inspectait chaque feuille de laitue, chaque bout de légume avant de le porter à sa bouche. Wallander n'avait jamais vu quelqu'un mâcher aussi lentement.

– On peut dire que tu n'avales pas n'importe quoi.

– Je veux garder les idées claires.

Et le cul propre, pensa Wallander dans un élan d'amertume. Le sale boulot, ce n'est pas toi qui t'en charges.

Il tenta d'engager la conversation, mais comprit vite que Modin était encore plongé dans les essaims de chiffres et les secrets de l'ordinateur de Falk.

Peu après dix-neuf heures, ils étaient de nouveau place Runnerström. Martinsson n'était toujours pas revenu. Robert Modin reprit son conciliabule avec ses conseillers dans le nord de la Suède et en Californie. Wallander les imaginait très bien ; ils devaient avoir exactement la même tête que Modin.

– Personne n'a retrouvé ma trace, dit Modin après quelques manœuvres complexes sur le clavier.

– Comment peux-tu voir ça ?

– Je le vois.

Wallander essaya de se mettre à l'aise sur le siège pliant. C'est une chasse, pensa-t-il. Une chasse à l'élan électronique. Ils sont quelque part. Mais on ne sait pas d'où ils risquent de surgir.

Son portable bourdonna. Modin sursauta.

– Je déteste les portables.

Wallander sortit sur le palier. C'était Ann-Britt. Il lui expliqua où il était et ce que Modin avait tiré de l'ordinateur de Falk.

– La Banque mondiale et le Pentagone, dit-elle. Deux des principaux centres de pouvoir de ce monde.

– Le Pentagone, je sais ce que c'est. Mais la Banque mondiale ? Je me souviens que Linda m'en a parlé une fois, en termes très négatifs.

– La banque des banques. Elle octroie des prêts, essentiellement aux pays pauvres, mais elle peut aussi intervenir pour soutenir un État. Elle est très critiquée, à cause des conditions draconiennes qu'elle impose à ses débiteurs.

– Comment sais-tu tout cela ?

– Mon ex-mari avait souvent affaire à la Banque, quand il était en mission. Il m'en parlait.

– On ne sait toujours pas à quoi ça rime. Pourquoi m'appelais-tu ?

– J'ai pensé tout à coup que je devais reparler à ce type, Ryss. C'est lui, malgré tout, qui nous a mis sur la piste de Landahl. Je crois de plus en plus qu'Eva Persson idolâtrait Sonja Hökberg, mais qu'elle ne savait presque rien sur elle.

– Qu'a-t-il dit ? C'est quoi déjà, son prénom ?

– Kalle. Kalle Ryss. Je lui ai demandé pourquoi ils avaient rompu. Ça l'a pris au dépourvu, il n'avait pas envie de répondre. Mais j'ai insisté. Et c'est là que j'ai appris un truc surprenant. Il avait rompu avec elle parce qu'elle ne voulait jamais.

– Quoi ?

– Qu'est-ce que tu crois ? Coucher, bien sûr.

– Il a dit ça ?

– Tout est sorti d'un coup. Il l'a rencontrée, elle lui plaisait beaucoup, mais il s'est vite aperçu qu'elle refusait toute forme de sexualité. Et tu sais pourquoi ?

– Pourquoi ?

– Elle aurait été violée quelques années plus tôt. Et elle ne s'en était jamais remise.

– Sonja Hökberg, violée ?

– D'après lui, oui. J'ai cherché dans le fichier. Mais il n'y a absolument rien concernant Sonja Hökberg.

– Ça se serait passé ici, à Ystad ?

– Oui. Mais j'ai une idée.

Wallander comprit immédiatement :

– Le fils Lundberg, Carl-Einar ?

– C'est une hypothèse risquée, mais pas complètement absurde, j'imagine.

– Que vois-tu ?

– Carl-Einar Lundberg est suspecté de viol. Il est acquitté, mais il semblerait quand même bien que ce soit lui. Dans ce cas, rien n'empêche qu'il l'ait déjà fait auparavant. Mais Sonja Hökberg n'est pas allée au commissariat.

– Pourquoi ?

– Les femmes ont plein de raisons de ne pas porter plainte pour viol, tu devrais le savoir.

– Tu as tiré une conclusion ?

– Très provisoire.

– Vas-y.

– C'est un peu tiré par les cheveux, je l'admets. Mais Carl-Einar était malgré tout le fils de Lundberg.

– Elle se serait vengée sur le père ?

– Ça nous donnerait du moins un mobile. Et nous savons quelque chose de très important concernant Sonja Hökberg.

– Quoi ?
– Elle avait de la suite dans les idées. C'est ce qu'a dit son beau-père. Elle était très forte.
– J'ai du mal à y croire. Elle ne pouvait pas savoir que ce serait Lundberg qui viendrait les chercher, ni même que Carl-Einar était son fils.
– Ystad est une petite ville. Et nous ne savons presque rien de Sonja Hökberg. Si ça se trouve, elle était obsédée par l'idée d'une vengeance. Le viol est une chose terrible. Beaucoup de femmes essaient sans doute d'oublier. Mais il y a des exemples de victimes pour qui la vengeance devient une idée fixe.
Elle se tut avant de poursuivre :
– On en a rencontré une il n'y a pas si longtemps.
– Yvonne Ander ?
– Oui.
Il repensa à cette affaire. Une série de meurtres atroces, qui ressemblaient à des exécutions ; les victimes étaient sans exception des hommes coupables de violences à l'égard de femmes. C'était au cours de cette enquête qu'Ann-Britt avait été grièvement blessée.
Wallander comprit qu'elle avait peut-être malgré tout débusqué une information décisive. Qui concordait avec sa propre idée, selon laquelle le meurtre de Lundberg se situait à la périphérie d'une nébuleuse dont le centre était Falk, son journal de bord et son ordinateur.
– Bon. Il faudrait interroger Eva Persson là-dessus le plus vite possible.
– Et demander à la famille de Sonja si elle est rentrée un jour dans un sale état. Le viol dont était soupçonné Carl-Einar Lundberg était très brutal, si tu t'en souviens.
– Tu t'en charges ?
– D'accord.
– Ensuite, on prendra un moment pour examiner les faits à la lumière de cette nouvelle hypothèse.
Ann-Britt promit de le rappeler dès qu'elle aurait du nouveau. Wallander rangea le portable dans la poche de sa veste et s'attarda sur le palier plongé dans l'obscurité. Une pensée affleurait lentement à sa conscience. Ils étaient à la recherche d'un centre. Parmi toutes les pistes, ils en avaient peut-être négligé une. Pourquoi au fond

Sonja Hökberg s'était-elle enfuie du commissariat ? Ils n'avaient pas accordé beaucoup de temps à cette question. Ils s'en étaient tenus à une évidence superficielle. Elle ne voulait pas subir les conséquences de son acte – elle avait déjà avoué à ce moment-là. Mais il y avait peut-être une autre explication. Sonja Hökberg était partie parce qu'elle voulait cacher quelque chose. Quoi ? Intuitivement, Wallander sentit qu'il approchait d'un point décisif. Mais il y avait aussi autre chose. Un autre maillon de la chaîne…

Soudain, il comprit : Sonja Hökberg avait pu disparaître du commissariat dans le vain espoir d'échapper non pas à la police – à quelqu'un d'autre. Pour une tout autre histoire que celle du viol et de la vengeance.

Ça tient la route, pensa-t-il. Ça permet de caser Lundberg. Ça explique certains autres éléments. Quelqu'un veut à tout prix dissimuler quelque chose. Il soupçonne Sonja Hökberg de nous l'avoir révélé, ou de pouvoir nous le révéler plus tard. Elle est tuée. Et le meurtrier est tué à son tour. De la même manière que Robert Modin efface ses traces, des balayeurs sont intervenus après la mort de Falk.

Que s'est-il passé à Luanda ? Qui se cache derrière la lettre C ? Que signifie le nombre 20 ? Qu'y a-t-il dans cet ordinateur ?

La découverte d'Ann-Britt le tirait malgré lui de son abattement. Il retourna auprès de Modin avec une énergie renouvelée.

Martinsson revint un quart d'heure plus tard et décrivit en détail l'extraordinaire gâteau qu'il venait de manger. Wallander l'écouta avec impatience, puis demanda à Modin de raconter à Martinsson ce qu'il avait découvert en son absence.

– La Banque mondiale ? Quel rapport avec Falk ?

– C'est justement ce qu'on essaie de comprendre.

Martinsson ôta sa veste, reprit possession du siège pliant et mima le geste de cracher dans ses mains. Wallander lui résuma sa conversation avec Ann-Britt.

– C'est une piste, dit-il lorsque Wallander eut fini.

– Plus que ça. Ça nous donne un début d'enchaînement logique.

– En fait, je crois que je n'ai jamais rien vu de pareil, dit Martinsson, pensivement. En attendant, le filet est plein de trous. On ne s'explique toujours pas la présence du relais à la morgue. Ni la disparition du corps. On ne l'a tout de même pas enlevé simplement pour lui couper deux doigts...

– Je m'en vais, dit Wallander. Essayer de réparer le filet. Ou faire le point, tout au moins. Appelle-moi immédiatement s'il y a du nouveau.

– Jusqu'à vingt-deux heures, dit Robert Modin. Ensuite, il faudra que je dorme.

Dans la rue, Wallander hésita. Aurait-il réellement la force de travailler quelques heures encore ? Ou devait-il rentrer chez lui ?

L'un n'excluait pas l'autre. Rien ne l'empêchait de travailler à la table de sa cuisine. Ce qu'il lui fallait avant tout, c'était du temps pour digérer les informations d'Ann-Britt. Il prit sa voiture et rentra chez lui.

Après de longues recherches, il trouva un sachet de soupe à la tomate instantané. Il suivit scrupuleusement les instructions, mais la soupe n'avait aucun goût. Il ajouta du tabasco. Un peu trop. Il s'obligea à avaler la moitié du bol et jeta le reste. Puis il se fit un café fort et étala ses papiers sur la table. Lentement, il passa une nouvelle fois les événements au crible. Il parcourut le terrain de l'enquête en tous sens, en retourna chaque pierre, à l'écoute de son intuition. La théorie d'Ann-Britt reposait comme une grille invisible sur ses pensées. Aucun appel téléphonique ne le dérangea. À vingt-trois heures, il se leva et étira ses membres engourdis.

Les trous sont toujours là. Mais je me demande si Ann-Britt n'a pas flairé une piste décisive.

Peu avant minuit, il alla se coucher. Il s'endormit très vite.

À vingt-deux heures pile, Robert Modin déclara qu'il cessait le travail. Il remballa les deux ordinateurs, et Martinsson le raccompagna lui-même jusqu'à Löderup. Ils convinrent qu'il passerait le prendre le lendemain à huit heures. Ensuite, Martinsson rentra directement chez lui. Une part de gâteau l'attendait au réfrigérateur.

Robert Modin, lui, n'alla pas se coucher. Il savait qu'il valait mieux s'abstenir, sa mésaventure avec le Pentagone était encore cuisante. Mais la tentation était trop forte. Et il avait tiré les leçons de son erreur ; cette fois, il serait prudent, il effacerait toute trace de ses attaques.

Ses parents dormaient. Le silence régnait sur Löderup. Martinsson n'avait rien vu lorsque Modin avait copié certaines données de Falk sur son disque dur. Il reconnecta ses deux ordinateurs et se remit au travail. Il cherchait de nouvelles brèches. De nouvelles lézardes dans la muraille.

*

Un orage obscurcit le ciel de Luanda en début de soirée. Carter lisait un rapport sur les agissements du FMI dans quelques pays d'Afrique orientale. Les critiques étaient sévères et bien formulées. Lui-même n'aurait pas mieux fait. Et sa conviction n'en était que renforcée. Il n'y avait plus d'issue. Aucun réel changement n'était possible tant que les bases du système financier mondial seraient en place.

Il referma le rapport, s'approcha de la fenêtre, observa le jeu des éclairs dans le ciel. Les gardes s'étaient réfugiés sous leur abri de fortune.

Il s'apprêtait à se coucher. Par habitude, il fit un détour par son bureau. La climatisation bourdonnait.

Un regard à l'écran lui apprit que quelqu'un cherchait encore à s'introduire dans le serveur. Mais il y avait du nouveau. Il s'assit devant l'ordinateur. Après un certain temps, il comprit.

L'autre avait soudain renoncé à la prudence.

Carter s'essuya les mains sur un mouchoir. Puis il se mit en chasse.

29

Jeudi matin, Wallander resta chez lui jusqu'à dix heures. Il s'était réveillé de bonne heure, reposé. Son plaisir d'avoir dormi était tel que le contrecoup ne se fit pas attendre. Il aurait dû travailler. Se lever à cinq heures et entreprendre quelque chose d'utile. D'où lui venait cette attitude, par rapport au devoir ? Sa mère n'avait jamais travaillé à l'extérieur du foyer, et elle ne s'en était jamais plainte. Du moins pas en présence de Wallander. Quant à son père, il ne s'était vraiment pas tué à la tâche – à moins d'en avoir lui-même envie. Les rares fois où on lui passait de grosses commandes, il râlait. Et dès que les types en costume de soie étaient repartis avec les toiles, il reprenait son rythme indolent. Certes, il passait ses journées à l'atelier, il y restait jusque tard le soir, ne se montrant qu'aux repas. Mais Wallander, qui l'avait plus d'une fois espionné par la fenêtre, ne le voyait pas toujours devant son chevalet. Parfois, il lisait, ou dormait, allongé sur son matelas crasseux. Parfois, il était assis à la table bancale et faisait des patiences. Non, Wallander ne se retrouvait pas chez ses parents. Par le physique, il ressemblait de plus en plus à son père. Mais intérieurement, il était mû par un troupeau de furies insatisfaites.

Vers huit heures, il appela le commissariat. Seul Hansson était arrivé. Wallander comprit que les membres du groupe d'enquête travaillaient dur, chacun de son côté. En descendant à la buanderie de l'immeuble, il découvrit avec surprise qu'elle était vide et que personne ne s'était inscrit pour les heures à venir. Il monta vite à l'appartement rassembler une première cargaison de linge sale.

En remontant chez lui après avoir fait démarrer le lave-linge, il découvrit la lettre sur le tapis de l'entrée. Il n'y avait pas d'autre courrier. Son nom et son adresse étaient notés à la main. Pas de nom d'expéditeur. Il la posa sur la table de la cuisine. Une invitation, sans doute, ou alors un jeune qui voulait correspondre avec un policier. Ce n'était pas exceptionnel que quelqu'un passe déposer une lettre en personne. Il sortit sur le balcon pour aérer les draps. Il faisait plus froid que la veille, mais il ne gelait pas encore. Un mince écran nuageux masquait le ciel. Il se refit un café. Puis il ouvrit l'enveloppe. Elle en contenait une deuxième. Vierge, celle-ci. Il l'ouvrit. Tout d'abord, il ne comprit rien. Puis il se rendit à l'évidence. On avait répondu à son annonce. Il se leva, fit le tour de la table, se rassit et lut la lettre une deuxième fois.

Elle s'appelait Elvira Lindfeldt. Dans sa tête, il la rebaptisa aussitôt Elvira Madigan. Elle n'avait pas joint de photographie ; mais il décida aussitôt qu'elle était très belle. Son écriture était droite, décidée. Sans fioritures. L'agence lui avait envoyé l'annonce de Wallander. Elle avait répondu le jour même. Trente-neuf ans, divorcée elle aussi. Elle vivait à Malmö et travaillait pour une entreprise de transport, Heinemann & Nagel. Elle finissait sa lettre en donnant son numéro de téléphone, dans l'espoir, disait-elle, de le rencontrer bientôt.

Wallander se fit l'effet d'un loup affamé qui aurait enfin cerné une proie. Il voulut l'appeler tout de suite. Mais il se contrôla. Puis il faillit jeter la lettre. Elle serait sûrement déçue, elle devait l'imaginer complètement différent, ce serait une rencontre ratée.

En plus, il n'avait pas le temps. Il était plongé dans une enquête pour meurtre, l'une des plus difficiles de sa carrière. Il fit encore quelques tours de la table, en comprenant toute l'absurdité d'avoir écrit cette annonce. Il déchira la lettre et la jeta dans le sac poubelle. Puis il reprit son raisonnement de la veille, après le coup de fil d'Ann-Britt. Avant de se rendre au commissariat, il descendit au sous-sol, vida la machine et la remplit de nouveau. Arrivé dans son bureau, il commença par griffonner un mot à sa propre intention : *vider la machine avant midi.* Dans le couloir, il croisa Nyberg, un sac en plastique à la main.

– On doit recevoir plein de résultats aujourd'hui. Le croisement de toutes les empreintes digitales, entre autres.

– Que s'est-il passé au juste dans la salle des machines du ferry ?

– Je n'en sais rien, mais je n'envie pas la légiste. Il n'y avait pas un seul os intact, à mon avis.

– Sonja Hökberg était morte ou inconsciente quand on l'a jetée contre les fils à haute tension. Et Jonas Landahl, si c'est bien lui…

– C'est lui.

– C'est confirmé ?

– On aurait identifié une marque de naissance inhabituelle à la cheville.

– Qui s'en est occupé ?

– Ann-Britt, je crois. En tout cas, c'est elle qui m'en a parlé.

– Il n'y a aucun doute alors ?

– D'après ce que j'ai compris, non. On aurait aussi retrouvé les parents.

– Bien. D'abord Sonja Hökberg. Puis son petit ami.

Nyberg parut surpris.

– Je croyais que c'était lui qui l'avait tuée ? Dans ce cas, on penserait plutôt à un suicide. Même si la méthode est délirante.

– Il y a d'autres possibilités. Mais le plus important, dans l'immédiat, c'est qu'on sache que c'est bien lui.

Wallander alla à son bureau. Il venait de retirer sa veste, en regrettant amèrement d'avoir jeté la lettre d'Elvira Lindfeldt, lorsque le téléphone sonna. Lisa Holgersson voulait le voir immédiatement. Mû par un mauvais pressentiment, il reprit le couloir. D'habitude, il aimait bien parler avec elle ; mais, depuis une semaine, il faisait tout pour l'éviter.

Il la trouva assise derrière son bureau. Son sourire habituellement amical était crispé. Wallander prit place en face d'elle. Il était en colère ; manière de s'armer pour la riposte, quelle que soit l'attaque dont il allait être l'objet.

– Je vais aller droit au but. L'enquête interne destinée à faire la lumière sur ce qui s'est passé entre toi, Eva Persson et sa mère est ouverte.

– Qui s'en occupe ?

– Un homme de Hässleholm.

– On dirait le titre d'une série télé.

– C'est un inspecteur de la PJ. D'autre part, une plainte a été déposée contre toi. Et contre moi.

– Toi ? Tu ne l'as pas giflée, que je sache ?

– Je suis responsable de ce qui se passe ici.

– Qui a déposé plainte ?

– L'avocat d'Eva Persson. Il s'appelle Klas Harrysson.

– Très bien, dit Wallander en se levant.

Il était très en colère. Son énergie matinale commençait à s'épuiser ; il désirait en conserver un peu.

– Je n'ai pas tout à fait fini.

– On travaille sur une enquête difficile.

– J'ai vu Hansson ce matin. Il m'a informée des derniers événements.

Ça, pensa Wallander, il ne m'en a rien dit au téléphone. Le sentiment que ses collègues complotaient dans son dos le reprit.

Il se rassit lourdement.

– C'est une affaire très regrettable, poursuivit Lisa Holgersson.

– Non. Ce qui s'est passé entre Eva Persson, sa mère et moi s'est passé exactement de la manière que j'ai dite. Je n'ai pas changé un mot à ma version des faits. Ça devrait se voir, d'ailleurs, je ne transpire pas, je ne suis pas inquiet, je n'essaie pas de donner le change. Ce qui me met en colère, c'est que tu ne me crois pas.

– Que veux-tu que je fasse ?

– Je veux que tu me croies.

– La fille et sa mère affirment autre chose. Et elles sont deux.

– Elles pourraient être mille, tu devrais me croire quand même. En plus, elles ont des raisons de mentir.

– Toi aussi.

– Ah oui ?

– Oui, si tu l'as frappée sans raison.

Pour la deuxième fois, Wallander se leva. Brutalement, cette fois.

– Je n'ai pas l'intention de répondre à ce que tu viens de dire. Pour moi, c'est une insulte.

Elle tenta de protester, mais il l'interrompit :

– Autre chose ?

– Je n'ai toujours pas fini.

Wallander resta debout. L'ambiance était tendue. Il n'avait pas l'intention de céder. Mais il voulait quitter ce bureau le plus vite possible.

– La situation est suffisamment grave pour que je prenne des mesures. Pendant la durée de l'enquête interne, tu es suspendu de tes fonctions.

Wallander entendit ses paroles. Et il comprit ce qu'elles signifiaient. Deux collègues, Hansson et le défunt Svedberg, avaient déjà été suspendus le temps d'une enquête interne relative à de prétendues agressions. Dans le cas de Hansson, Wallander était convaincu que les accusations étaient fausses. Dans le cas de Svedberg, il s'était avéré qu'elles étaient fondées. Mais, dans les deux cas, il avait contesté la décision de leur chef de l'époque, Björk. Quel sens y avait-il à stigmatiser un collègue avant même que l'enquête ait abouti ?

Sa colère était retombée. Il était absolument calme.

– Libre à toi. Mais si je suis suspendu, je démissionne sur-le-champ.

– J'interprète ça comme une menace.

– Interprète ça comme tu veux. Mais c'est ce qui va se passer. Et je ne reviendrai pas sur ma décision après que l'enquête aura confirmé ma version des faits.

– La photo constitue une circonstance aggravante.

– Au lieu d'écouter Eva Persson, l'homme de Hässleholm et toi feriez mieux de découvrir si c'était bien légal, pour ce photographe, de rôder dans les couloirs du commissariat.

– J'aimerais que tu te montres coopératif, au lieu d'agiter cette menace de démission.

– Ça fait longtemps que je suis dans la police. Alors ce n'est pas la peine de me raconter d'histoires. Quelqu'un, là-haut, a pris peur à cause d'une photo parue dans un tabloïd. On veut faire un exemple, et tu as choisi de ne pas t'y opposer.

– Ce n'est pas du tout ça.

– Si, tu le sais aussi bien que moi. À quel moment avais-tu pensé faire intervenir la suspension ? À l'instant où je quitte ce bureau ?

– J'avais pensé la repousser à plus tard. À cause de l'affaire en cours.

– Pourquoi ? Laisse la direction de l'enquête à Martinsson. Il s'en acquittera parfaitement.

– Je pensais laisser cette semaine se dérouler normalement.

– Non. Rien n'est normal dans cette situation. Soit tu me suspends tout de suite. Soit tu ne me suspends pas du tout.

– Je ne comprends pas pourquoi tu me menaces. Je croyais que nous avions de bonnes relations.

– Moi aussi. Apparemment, je me trompais.

Il y eut un silence.

– J'attends. Je suis suspendu, oui ou non ?

– Non. Du moins pas tout de suite.

Wallander sortit. Une fois dans le couloir, il s'aperçut qu'il était en sueur. Il regagna son bureau, ferma sa porte à clé et laissa libre cours à son indignation. Autant écrire sa lettre de démission tout de suite, faire le ménage dans son bureau et quitter le commissariat une fois pour toutes. La réunion de l'après-midi aurait lieu sans lui. Il ne participerait plus jamais à aucune réunion.

D'un autre côté, s'il partait maintenant, ce serait interprété comme un aveu. Peu importait la conclusion du rapport d'enquête, il serait toujours considéré comme coupable.

Sa décision prit forme lentement. Il allait rester, jusqu'à nouvel ordre. Mais il profiterait de la réunion de l'après-midi pour informer ses collègues. Le plus important, c'était malgré tout d'avoir tenu tête à Lisa. Il n'avait pas l'intention de plier. De se soumettre. De demander grâce à quiconque.

Peu à peu, le calme revint. Il ouvrit la porte, la laissa ostensiblement grande ouverte, et se remit au travail. À midi moins le quart, il rentra chez lui en voiture, vida le lave-linge et suspendit ses chemises dans le séchoir. De retour à l'appartement, il récupéra dans le sac poubelle les fragments de la lettre déchirée. Pourquoi ? Il n'en savait rien. Mais Elvira Lindfeldt, du moins, n'était pas de la police.

Il déjeuna chez István, où il croisa l'un des rares amis encore vivants de son père : un droguiste à la retraite qui lui avait toujours fourni ses toiles, pinceaux et couleurs. Il bavarda un peu avec lui. Peu après treize heures, il était de retour au commissariat.

Il franchit les portes vitrées avec une curiosité mêlée d'appréhension. Lisa Holgersson avait peut-être changé d'avis. Comment devait-il réagir dans ce cas ? Tout au fond de lui, il savait que l'idée de démissionner était terrifiante. Il n'osait même pas imaginer à quoi ressemblerait sa vie après cela. Mais il ne trouva sur son bureau que quelques messages téléphoniques sans caractère d'urgence. Lisa Holgersson n'avait pas cherché à le joindre. Wallander respira et appela Martinsson sur son portable. Il était place Runnerström.

– Ça avance, lentement mais sûrement. Robert a décrypté deux autres codes.

Wallander entendit un bruit de paperasse. Puis de nouveau la voix de Martinsson :

– Le premier serait un courtier de Séoul et l'autre, une entreprise anglaise qui s'appelle Lonrho. J'ai appelé un collègue de la brigade financière, à Stockholm, qui sait tout ou presque sur les entreprises à l'étranger. Lonrho a des racines en Afrique. Entre autres, beaucoup de trafic illégal en Rhodésie à l'époque des sanctions.

– Mais qu'est-ce que ça veut dire ? Un courtier coréen, cette boîte anglaise… Comment tu interprètes ça ?

– D'après Robert, il y a au moins quatre-vingts stations dans ce réseau. Il faudra peut-être attendre un peu avant de comprendre ce qui les relie.

– D'accord, mais qu'en penses-tu, là tout de suite ? Que vois-tu ?

Martinsson ricana.

– L'argent. Voilà ce que je vois.

– Et à part ça ?

– Ça ne te suffit pas ? La Banque mondiale, un courtier coréen et une entreprise basée en Afrique ont du moins ce point commun. L'argent.

– Oui. Va savoir, le rôle principal, dans cette affaire, revient peut-être au distributeur devant lequel Falk est mort.

Martinsson éclata de rire. Wallander proposa de fixer la réunion à quinze heures.

Après avoir raccroché, il pensa à Elvira Lindfeldt. Essaya de l'imaginer, physiquement. Mais c'était Baiba qu'il voyait. Et Mona. Et une autre femme, croisée de façon fugitive l'année précédente dans un café des environs de Västervik.

Hansson se matérialisa sur le seuil. Wallander sursauta, comme si son collègue avait pu lire dans ses pensées.

– Les clés, dit Hansson. Elles existent.

Wallander le dévisagea. Quelles clés ? Apparemment, il aurait dû le savoir.

– J'ai reçu un mot de Sydkraft. Tous ceux qui avaient accès aux clés du transformateur les ont encore en leur possession.

– Bien. Toutes les questions qu'on peut éliminer sont les bienvenues.

– Je n'ai pas retrouvé le minibus Mercedes.

– Laisse tomber pour l'instant. On a d'autres priorités.

Hansson tira un trait dans son bloc-notes. Wallander l'informa qu'une réunion était prévue à quinze heures. Hansson s'éloigna.

Elvira Lindfeldt avait disparu de ses pensées. Il se pencha sur ses papiers et réfléchit à ce que venait de lui apprendre Martinsson. Le téléphone sonna. Viktorsson venait aux nouvelles.

– Je croyais que Hansson te tenait informé ?

– C'est tout de même toi qui diriges cette enquête.

Ce commentaire le désarçonna. Il avait cru que le discours de Lisa Holgersson était l'émanation directe de ses conciliabules avec Viktorsson. Mais, apparemment, celui-ci le considérait vraiment comme le responsable de l'enquête. Il lui parut tout de suite plus sympathique.

– Je passerai te voir demain matin.

– J'ai un créneau à huit heures trente.

Wallander prit note.

– Comment ça se passe, dans l'immédiat ?

– Lentement.

– Que savons-nous au sujet du ferry ?

– Que c'était bien Jonas Landahl. Et qu'il y a un lien entre lui et Sonja Hökberg.

– D'après Hansson, Landahl aurait vraisemblablement tué Hökberg. Cette opinion ne me paraît pas très étayée.

– Tu auras les arguments demain, éluda Wallander.

– Je l'espère. Mon impression personnelle, c'est que vous piétinez.

– Tu veux modifier les directives ?

– Non. Mais je veux un compte rendu digne de ce nom.

Wallander consacra la demi-heure suivante à préparer la réunion. À trois heures moins vingt, il alla se chercher un café. L'appareil était de nouveau en panne. Il repensa à la remarque d'Erik Hökberg à propos de la vulnérabilité. Cela lui donna une idée. Il retourna dans son bureau, sa tasse vide à la main. Hökberg décrocha immédiatement. Wallander lui fit un résumé prudent des événements, et lui demanda s'il avait déjà entendu le nom de Jonas Landahl. Hökberg répondit non sans hésiter :

– Tu en es absolument sûr ?

– C'est un nom inhabituel, je m'en serais souvenu. C'est lui qui a tué Sonja ?

– On n'en sait rien. Mais ils se connaissaient. On croit savoir qu'ils avaient une liaison.

Wallander hésita à lui faire part de l'histoire du viol. Mais l'occasion était mal choisie. On ne pouvait pas parler de ça au téléphone. Il passa directement au motif de son appel :

– Quand je suis venu chez toi, tu m'as dit que tu pouvais conclure toutes tes affaires sans quitter ta maison. J'ai eu l'impression qu'il n'y avait pas de limite réelle.

– À partir du moment où on est connecté aux grandes bases de données, on est toujours au centre du monde. Où qu'on soit.

– Si l'envie t'en prenait, tu pourrais conclure une affaire avec un courtier de Séoul ?

– En principe, oui.

– Qu'est-ce que ça suppose ?

– Tout d'abord, je dois connaître son adresse e-mail. Ensuite, il faut fixer les conditions de paiement. Il doit pouvoir m'identifier, et vice versa. À part ça, il n'y a pas de problème. Du moins pas technique.

– Que veux-tu dire ?

– Chaque pays a une législation concernant les transactions boursières. Il faut la connaître. À moins d'être dans l'illégalité.

– Vu les sommes dont il s'agit, la sécurité doit être impressionnante ?

– Oui.

– Impossible à contourner ?

– J'en sais trop peu là-dessus, il faudrait interroger quelqu'un d'autre. Mais toi, en tant que flic, tu devrais savoir qu'en gros on peut faire n'importe quoi, à condition d'être suffisamment motivé. Comment dit-on déjà ? Si quelqu'un veut réellement tuer le président des États-Unis, il peut le faire. Pourquoi ces questions ?

– Tu me parais très initié.

– En surface seulement. L'électronique est un monde incroyablement complexe, qui se développe très vite. Je doute fort qu'une personne seule puisse comprendre tout ce qui s'y passe. Encore moins le contrôler.

Wallander s'engagea à le rappeler dans la journée ou le lendemain. Puis il se rendit à la salle de réunion. Hansson et Nyberg parlaient de la machine à café, qui tombait en panne de plus en plus souvent. Wallander les salua d'un signe de tête et s'assit. Ann-Britt arriva en même temps que Martinsson. Wallander n'avait toujours pas décidé s'il leur parlerait de son entrevue avec Lisa au début ou à la fin de la réunion. Il résolut d'attendre. Malgré tout, il était là pour diriger une enquête difficile, et ses collègues travaillaient dur. Il ne voulait pas leur encombrer inutilement l'esprit.

Ils commencèrent par faire le point sur les événements entourant la mort de Jonas Landahl. Les témoignages étaient étonnamment clairsemés. Personne ne semblait avoir vu quoi que ce soit. Un policier avait fait l'aller et retour à bord du ferry, et remis son rapport à Ann-Britt. Une serveuse avait cru reconnaître le jeune homme de la photo. Dans son souvenir, il était arrivé juste après l'ouverture de la cafétéria et avait mangé un sandwich. Mais c'était tout.

– Personne ne l'aurait vu payer sa cabine, se déplacer à bord ou entrer dans la salle des machines ? Ça me paraît invraisemblable.

– Il était probablement accompagné, dit Ann-Britt. J'ai parlé à l'un des machinistes avant de revenir ici. D'après lui, il était impossible que Landahl se soit coincé sous l'arbre d'hélice de son propre gré.

– Cela veut dire qu'un tiers est impliqué. Un tiers que personne n'a vu, que ce soit en compagnie de Landahl ou après. On peut en conclure que Landahl l'a suivi de son plein gré. Sinon, quelqu'un l'aurait remarqué. D'ailleurs, il aurait été impossible de lui faire descendre les échelles.

Pendant près de deux heures, ils continuèrent de déblayer le terrain. Lorsque Wallander présenta ses réflexions, nourries par celles d'Ann-Britt, la discussion devint très vive. Mais la piste de Carl-Einar Lundberg, bien qu'hasardeuse, ne pouvait être écartée. Wallander insista cependant sur le fait que la clé des événements devait être cherchée du côté de Tynnes Falk. Il n'avait pas de réels arguments, seulement son intime conviction. À dix-huit heures, il estima qu'ils avaient fait le tour ; la fatigue était palpable et les pauses pour aérer devenaient de plus en plus fréquentes. Il décida de ne pas aborder son entrevue avec Lisa Holgersson. Il n'en avait tout simplement pas la force.

Martinsson retourna place Runnerström, où Robert Modin travaillait seul. Pendant la réunion, Hansson avait suggéré que la direction de Stockholm décerne une médaille à ce jeune homme. Ou, du moins, qu'elle lui paie des honoraires de consultant. Nyberg bâillait sur sa chaise ; il avait encore de l'huile sur les mains. Wallander conféra dans le couloir avec Ann-Britt et Hansson. Ils se répartirent quelques tâches. Puis il alla dans son bureau et ferma la porte.

Il resta longtemps assis devant le téléphone sans comprendre pourquoi il hésitait. Puis il prit le combiné, composa le numéro d'Elvira Lindfeldt à Malmö et compta sept sonneries.

– Lindfeldt.

Il raccrocha immédiatement. Il jura et attendit quelques minutes avant de refaire le numéro. Cette fois, elle décrocha tout de suite. Elle avait une belle voix.

Wallander se présenta. Ils parlèrent de choses et d'autres. Apparemment, il n'y avait pas plus de vent à Malmö qu'à Ystad ce soir-là. Elvira Lindfeldt se plaignit du nombre de collègues enrhumés au bureau. Wallander convint que l'automne était un mauvais moment à passer. Lui-même avait eu un peu mal à la gorge récemment.

– Cela me ferait plaisir de te voir, dit-elle.

– En fait, je ne crois pas tellement aux petites annonces.

Il se maudit intérieurement.

– Pourquoi ? On est adultes, après tout.

Puis elle ajouta quelque chose qui le décontenança complètement. Elle lui demanda ce qu'il faisait ce soir-là. Ils pouvaient peut-être se retrouver à Malmö.

Impossible, pensa Wallander. J'ai trop de travail. Ça va trop vite.

– D'accord.

Ils convinrent de se retrouver à vingt heures trente au bar de l'hôtel Savoy.

– Pas de fleurs, dit-elle avec un petit rire. Je pense qu'on se reconnaîtra.

Wallander se demanda dans quel pétrin il venait de se fourrer.

Dix-huit heures trente. Il n'avait pas de temps à perdre.

30

Wallander freina devant l'hôtel Savoy à vingt heures vingt-sept. Il avait conduit beaucoup trop vite. Et passé beaucoup trop de temps devant sa penderie. Elle s'attendait peut-être à voir débarquer un type en uniforme ? Il prit une chemise chiffonnée directement dans le panier de linge propre, hésita devant ses cravates, laissa finalement tomber l'idée de la cravate. Mais les chaussures avaient besoin d'un coup de cirage. Quand enfin il quitta Mariagatan, il était en retard.

Hansson avait téléphoné au dernier moment en demandant où était Nyberg. Que pouvait-il avoir de si urgent à lui dire ? Wallander répondit de façon tellement abrupte que Hansson lui demanda s'il était pressé. Oui, dit Wallander, sur un tel ton que Hansson n'osa pas l'interroger. Alors qu'il était enfin prêt à partir, le téléphone sonna de nouveau. Il hésita, décrocha quand même. C'était Linda. Il n'y avait pas grand monde au restaurant, son chef était en vacances, elle avait pour une fois le temps de parler. Wallander fut tenté de lui dire la vérité. C'était elle, malgré tout, qui lui avait donné l'idée de l'annonce. Et il était très difficile de lui mentir. Mais il prétexta une urgence liée au travail. Ils convinrent qu'elle le rappellerait le lendemain soir. Dans la voiture, alors qu'il avait déjà quitté la ville, il s'aperçut que la jauge était à zéro. Il avait sans doute de quoi aller jusqu'à Malmö, mais il ne voulait pas risquer de se retrouver en panne. Il jura, s'arrêta à une station-service près de Skurup, de plus en plus persuadé qu'il n'arriverait pas à l'heure au rendez-vous. Et pourquoi était-ce si important d'être à l'heure ? Il n'en savait rien. Mais il se souvenait encore de la fois où Mona était partie après l'avoir attendu dix minutes, alors qu'ils venaient de se rencontrer.

Il jeta un coup d'œil au rétroviseur. Il avait maigri. Les contours de son visage apparaissaient plus nettement qu'avant. Il ressemblait de plus en plus à son père – mais ça, elle n'était pas censée le savoir. Il ferma les yeux, inspira profondément, s'obligea à refouler tous ses espoirs. Même s'il n'était pas déçu, elle de son côté le serait sûrement. Ils se présenteraient, ils parleraient un moment, puis ce serait fini. Avant minuit, il serait au lit. Au réveil, il l'aurait déjà oubliée. Et il aurait obtenu la confirmation de ce qu'il soupçonnait depuis le début : qu'une femme susceptible de lui convenir ne croiserait jamais son chemin par l'intermédiaire d'une petite annonce.

Il était à l'heure. Du coup, il s'attarda dix minutes dans la voiture. À neuf heures moins vingt, il inspira profondément et traversa la rue.

Il l'aperçut tout de suite. Elle était assise au fond du bar. À part quelques hommes qui buvaient des bières au comptoir, il n'y avait pas beaucoup de monde. Et elle était la seule femme non accompagnée. Elle croisa son regard, sourit et se leva. Elle était très grande. Elle portait un tailleur bleu foncé. La jupe s'arrêtait juste au-dessus du genou. Elle avait de belles jambes.

– J'ai raison ?

– Si tu es Kurt Wallander, je suis Elvira.

– Lindfeldt.

– Elvira Lindfeldt.

Ils s'assirent.

– Je ne fume pas, dit-elle. Mais je bois.

– Comme moi. Sauf que j'ai pris la voiture.

Il aurait aimé prendre un verre de vin. Ou plusieurs. Mais il avait un mauvais souvenir. Un dîner avec Mona, alors qu'ils étaient déjà séparés. Il l'avait suppliée de revenir, elle avait dit non, et lorsqu'elle était partie, il avait vu, impuissant, qu'un homme l'attendait dehors. Wallander avait dormi dans sa voiture et c'est en rentrant chez lui le lendemain qu'il avait été intercepté par ses collègues Peters et Norén. Ils n'avaient rien dit, mais tous trois savaient que son état d'ivresse aurait pu motiver son renvoi. Ce souvenir comptait parmi les pires, dans la comptabilité privée de Wallander.

Le serveur s'approcha. Elvira Lindfeldt vida son verre de vin et en commanda un autre.

Wallander se sentait gêné. Depuis l'adolescence, il s'imaginait être plus à son avantage de profil que de face. Il fit pivoter sa chaise.

– Tu n'as pas de place pour tes jambes ? Je peux rapprocher la table.

– Pas du tout. Ça va très bien.

Qu'est-ce que je suis censé dire ? Que je suis tombé amoureux d'elle dès que j'ai franchi le seuil, ou plutôt dès que j'ai reçu sa lettre ? Elle prit les devants :

– Ça t'est déjà arrivé de faire ça ?

– Jamais.

– Moi si, dit-elle avec insouciance. Mais ça n'a rien donné.

Elle était vraiment directe. Contrairement à lui, qui s'inquiétait pour son profil.

– Pourquoi ?

– Pas la bonne attitude. Pas le bon humour. Pas les bonnes attentes. Pas la bonne manière de boire. Tant de choses peuvent mal tourner.

– Tu as peut-être déjà repéré plein de défauts chez moi ?

– En tout cas, tu as l'air gentil.

– En général, les gens ne me perçoivent pas comme le flic jovial. Mais pas non plus comme le flic méchant.

Au même instant, il pensa à la photo parue dans le journal. Le méchant policier d'Ystad qui se déchaînait contre les mineures sans défense.

Au cours des heures qu'ils passèrent ensemble dans le bar, elle n'y fit aucune allusion. Wallander commençait à croire qu'elle ne l'avait pas vue. Elvira Lindfeldt était peut-être quelqu'un qui n'ouvrait jamais, ou rarement, un tabloïd. Il buvait son eau minérale à petites gorgées, avec le désir intense de quelque chose de plus fort. Elle l'interrogea sur son travail. Il essaya de lui répondre le plus honnêtement possible, mais s'aperçut qu'il soulignait malgré lui les aspects difficiles du boulot. Comme s'il cherchait une compréhension qui n'avait pas de raison d'être.

Les questions qu'elle lui posait étaient réfléchies, parfois surprenantes. Il dut se concentrer pour lui donner de bonnes réponses.

Elle évoqua son propre travail. L'entreprise qui l'employait assurait entre autres le déménagement des missionnaires suédois qui partaient dans le monde. Il comprit peu à peu qu'elle occupait un poste important ; son chef était souvent en voyage. À l'évidence, son travail lui plaisait.

Le temps passa vite. Il était vingt-trois heures passées lorsque Wallander s'aperçut qu'il était en train de lui raconter le naufrage de son couple. Il avait compris beaucoup trop tard ce qui était en train d'arriver. Mona l'avait averti à plusieurs reprises, il s'était chaque fois engagé à remédier à la situation. Puis, un jour, ç'avait été fini. Il n'y avait plus eu de retour possible. Plus d'avenir à partager. Restait Linda. Et une quantité de souvenirs, douloureux pour certains, dont il n'était pas encore complètement quitte. Elle l'écoutait avec attention, l'encourageant à poursuivre.

– Et depuis ?

– Il y a eu de longues périodes de solitude plutôt triste. À un moment, il y a eu une femme en Lettonie, elle s'appelait Baiba. J'ai eu un espoir, et pendant un temps j'ai cru qu'elle le partageait. Mais ça n'a pas marché.

– Pourquoi ?

– Elle voulait rester à Riga. Je voulais qu'elle vienne ici. J'avais fait de grands projets, une maison à la campagne, un chien. Une autre vie.

– Le projet était peut-être trop ambitieux, dit-elle pensivement. Il y a toujours un prix à payer.

Wallander eut le sentiment d'en avoir trop dit. De s'être livré, et peut-être aussi d'avoir livré Mona et Baiba. Mais cette femme lui inspirait confiance.

Elle lui parla d'elle. Son histoire ne différait pas tellement de la sienne. Dans son cas, il y avait eu deux mariages ratés, et un enfant de chaque union. Sans qu'elle en parle directement, Wallander crut comprendre que son premier mari la battait – pas souvent peut-être, mais assez pour que la situation devienne invivable. Son deuxième mari était argentin. Elle lui raconta avec intelligence et ironie comment la passion l'avait mise sur le droit chemin avant de l'égarer complètement.

– Il a disparu il y a deux ans. Puis il m'a appelée de Barcelone, il était à court d'argent. Je l'ai aidé pour qu'il puisse au moins rentrer en Argentine. Là, ça fait un an que je n'ai pas de nouvelles. Et sa fille se pose naturellement des questions.

– Quel âge ont-ils, tes enfants ?

– Alexandra a dix-huit ans, Tobias vingt et un.

Il était vingt-trois heures trente lorsqu'ils demandèrent l'addition. Wallander voulait l'inviter, mais elle insista pour partager la note.

– Figure-toi que je ne suis jamais allée à Ystad, dit-elle lorsqu'ils furent dans la rue.

Il avait pensé lui demander s'il pouvait l'appeler. Mais cette simple réplique changeait tout. Il ne savait pas très bien ce qu'il ressentait ; mais, de son côté, elle n'avait apparemment pas détecté de défaut majeur chez lui. Et dans l'immédiat, c'était plus qu'assez.

– J'ai une voiture, ajouta-t-elle. Ou alors, je peux prendre le train. Si tu as le temps ?

– Même les policiers doivent se reposer parfois.

Elle habitait un quartier résidentiel du côté de Jägersro. Wallander proposa de la raccompagner. Mais elle voulait prendre l'air.

– Je fais souvent de longues promenades. Je déteste courir.

– Moi aussi.

Pas un mot sur la raison des promenades : son diabète.

Ils se serrèrent la main.

– Ça m'a fait plaisir de te voir, dit-elle.

– Moi aussi.

Il la vit tourner au coin de la rue. Puis il reprit sa voiture et fouilla dans la boîte à gants jusqu'à trouver une cassette. Jussi Björling. En dépassant la sortie de Stjärnsund où Sten Widén avait son haras, il sentit que sa jalousie était moins intense qu'avant.

Il était minuit et demi lorsqu'il arriva à Mariagatan. Il s'assit dans le canapé. Cela faisait très longtemps qu'il n'avait pas ressenti une joie semblable. La dernière fois devait remonter au jour où Baiba, contre toute attente, lui avait fait comprendre qu'elle partageait ses sentiments.

Lorsqu'il se coucha et s'endormit enfin, il n'avait pas pensé une seule fois à l'enquête en cours.

Pour la première fois, l'enquête pouvait attendre.

Vendredi matin, Wallander débarqua au commissariat avec une énergie démesurée. Sa première initiative fut de suspendre la surveillance d'Apelbergsgatan – mais pas de la place Runnerström. Puis il se rendit dans le bureau de Martinsson. Personne. Hansson non plus n'était pas arrivé. Dans le couloir, il croisa Ann-Britt, fatiguée et de mauvaise humeur. Il voulut lui dire une parole encourageante, mais n'en trouva aucune qui ne lui parût artificielle.

– Le carnet d'adresses de Sonja Hökberg reste introuvable, dit-elle.

– On est sûr qu'elle en avait un ?

– Eva Persson l'a confirmé. Un petit carnet bleu entouré d'un élastique.

– Alors, on peut penser que celui qui a jeté son sac l'a récupéré au passage. Quels numéros contenait-il ? Quels noms ?

Elle haussa les épaules. Wallander la regarda attentivement.

– Comment ça va ?

– Comme ça peut. Moins bien qu'on ne le mériterait.

Elle entra dans son bureau et ferma la porte. Wallander hésita. Puis il frappa deux coups discrets.

– On a encore des choses à se dire.

– Je sais. Excuse-moi.

– Pourquoi ? Tu l'as dit toi-même : on mérite mieux que ça.

Il s'assit dans le fauteuil des visiteurs. Comme d'habitude, le bureau d'Ann-Britt était parfaitement rangé.

– On doit mettre au clair cette histoire de viol. Et je n'ai toujours pas parlé à la mère de Sonja Hökberg.

– Elle est bouleversée par la mort de sa fille. En même temps, j'ai l'impression qu'elle avait peur d'elle.

– Comment ça ?

– Juste un sentiment.

– Et son frère ? Erik ?

– Emil. Il me paraît solide. Secoué, bien sûr, mais robuste.

– Je dois parler à Viktorsson à huit heures et demie. Ensuite, je pensais faire un tour chez eux. Je suppose que la maman est revenue de Höör ?

– Ils préparent l'enterrement. C'est assez terrible.

Wallander se leva.

– Si jamais tu as envie de parler, tu sais que je suis là.

– Pas maintenant.

– Que va-t-il arriver à Eva Persson ?

– Je ne sais pas.

– Même si Sonja Hökberg est reconnue seule coupable, sa vie sera détruite.

Ann-Britt fit la grimace.

– Je ne sais pas. Elle me fait l'effet d'être indifférente à tout. Il y a des gens comme ça. Moi, ça me dépasse.

Wallander médita ses paroles en silence. Il n'était pas sûr de bien comprendre.

– Tu as vu Martinsson ? Il n'était pas dans son bureau tout à l'heure.

– Je l'ai vu entrer chez Lisa.

– Lisa ? À cette heure ? Elle n'est jamais là.

– Ils avaient rendez-vous.

Quelque chose dans la voix d'Ann-Britt le fit réagir. Il se retourna. Elle lui jeta un regard, parut hésiter. Puis elle lui fit signe de refermer la porte.

– Parfois, tu m'étonnes. Tu vois tout, tu entends tout, tu es un bon policier, tu sais motiver tes collègues. En même temps, c'est comme si tu ne voyais rien.

Wallander sentit un pincement au creux de l'estomac. Il attendit.

– Tu n'as que du bien à dire de Martinsson. Et vous travaillez bien ensemble.

– Je m'inquiète toujours à l'idée qu'il démissionne.

– Il ne le fera pas.

– Ce n'est pas ce qu'il me dit. Et c'est un bon policier, c'est vrai.

Elle le regarda droit dans les yeux.

– Je ne devrais pas te dire ça, mais tant pis. Tu lui fais trop confiance.

– Que veux-tu dire ?

– Simplement qu'il trafique dans ton dos. Que crois-tu qu'ils font en ce moment, Lisa et lui ? Ils envisagent certains changements qui pourraient avoir lieu. Qui t'écarteraient et prépareraient la voie à Martinsson.

Wallander n'en croyait pas ses oreilles. Elle eut un geste d'impatience.

– J'ai mis du temps à m'en apercevoir, mais Martinsson est un intrigant. Rusé, habile. Il va voir Lisa et se plaint de la manière dont tu conduis cette enquête.

– Il pense que je fais mal mon boulot ?

– Il n'est pas aussi direct. Non, il fait état d'un vague mécontentement, il invoque des faiblesses, des priorités étranges. Quand tu as fait appel à Robert Modin, il est allé le lui raconter directement.

– Je n'arrive pas à le croire.

– Tu devrais. Et, s'il te plaît, souviens-toi que je t'ai dit ça en confidence.

Wallander hocha la tête. Il avait mal au ventre.

– Il m'a semblé que tu devais être mis au courant. C'est tout.

– Tu partages peut-être son opinion ?

– Dans ce cas, je l'aurais dit. À toi. Sans détour.

– Et Hansson ? Nyberg ?

– Non. C'est Martinsson. Il veut la place.

– Mais il n'arrête pas de dire qu'il envisage de quitter la police.

– Tu dis souvent qu'il faut chercher au-delà des apparences. Dans le cas de Martinsson, tu ne l'as jamais fait. Moi, oui. Et ce que je vois ne me plaît pas.

Wallander était comme paralysé. La joie qu'il ressentait au réveil avait disparu. Remplacée, lentement mais sûrement, par une énorme colère.

– Je vais me le payer. Tout de suite.

– Ce ne serait pas très malin.

– Ah oui ? Et comment vais-je continuer à travailler avec lui ?

– Je n'en sais rien. Mais si tu l'agresses maintenant, ça ne fera qu'apporter de l'eau à son moulin. Tu es déséquilibré, tu n'as pas giflé Eva Persson par hasard, etc.

– Toi qui es si renseignée, tu sais peut-être aussi que Lisa envisage de me suspendre ?

– Ce n'est pas Lisa. C'est une idée de Martinsson.

– Comment le sais-tu ?

– Il a un point faible. Il me fait confiance. Il croit que je suis de son côté, bien que je lui aie déjà dit de cesser de te doubler.

Wallander s'était levé.

– Ne l'agresse pas maintenant, répéta-t-elle. Ce que je viens de te dire te donne un avantage. Utilise-le à bon escient, le moment venu.

Wallander se rendit tout droit dans son bureau. Sa colère était nuancée de tristesse. Il aurait pu imaginer cela de la part de quelqu'un d'autre. Mais pas de Martinsson. N'importe qui, mais pas Martinsson.

Il fut interrompu par la sonnerie du téléphone. Viktorsson lui demanda ce qu'il fichait. Il se dirigea vers le service des procureurs, craignant sans cesse de croiser Martinsson. Mais celui-ci était sûrement déjà place Runnerström avec Robert Modin.

La conversation avec Viktorsson fut vite expédiée. Wallander refoula toute pensée relative à ce que lui avait appris Ann-Britt, et fournit un compte rendu succinct mais précis de l'état de l'enquête et des axes qu'ils avaient l'intention de suivre dans l'immédiat. Viktorsson posa quelques questions brèves, mais ne formula aucune objection.

– Si j'ai bien compris, il n'y a pas de suspect pour l'instant ?

– Non.

– Que pensez-vous pouvoir trouver dans l'ordinateur de Falk ?

– Au moins une indication quant au mobile.

– Falk a-t-il enfreint la loi ?

– Pas à notre connaissance.

Viktorsson se gratta le front.

– Êtes-vous vraiment capables de mener ces recherches seuls ?

– On a un expert local. Mais on a pris la décision d'informer la cellule informatique à Stockholm.

– Faites-le tout de suite. Sinon, ils vont râler. Qui est l'expert local ?

– Il s'appelle Robert Modin.

– Et il est compétent ?

– Oui.

Wallander pensa qu'il venait de commettre une faute grave. Il aurait dû dire que Robert Modin avait été condamné. Trop tard. En choisissant de protéger l'enquête, il s'engageait sur une voie qui pouvait mener tout droit à une catastrophe personnelle. À supposer que la suspension n'ait pas été justifiée jusque-là, la limite venait d'être franchie. Martinsson aurait alors tous les atouts en main pour l'éliminer.

Viktorsson changea brusquement de sujet :

– Tu sais naturellement qu'une enquête interne est en cours, après le regrettable incident de l'interrogatoire. Il y a une plainte contre toi.

– La photo ne donne pas une image véridique des faits. Je protégeais la mère, quoi qu'elle dise.

Viktorsson ne répondit pas.

Qui me croit ? pensa Wallander. À part moi ?

Il était neuf heures. Wallander se rendit tout droit chez les Hökberg, sans les prévenir de son arrivée. Le plus important, dans l'immédiat, était de s'éloigner des couloirs où il risquait de croiser Martinsson. La rencontre aurait lieu tôt ou tard. Mais, tout de suite, il n'était pas certain de pouvoir se maîtriser.

Il venait de laisser la voiture lorsque son portable bourdonna. C'était Siv Eriksson.

– J'espère que je ne te dérange pas.

– Qu'y a-t-il ?

– J'ai besoin de te parler.

– Je suis occupé.

– Ça ne peut pas attendre.

Elle n'était pas dans son état normal. Il pressa instinctivement le portable contre son oreille et se plaça dos au vent.

– Qu'y a-t-il ?

– Je ne peux pas en parler au téléphone.

Il s'engagea à venir tout de suite. La conversation avec la mère de Sonja Hökberg attendrait. Il reprit la direction du centre et laissa la voiture dans Lurendrejargränd. Le vent d'est s'était levé, aigre et froid. Il sonna à l'interphone. Elle l'attendait. Il constata tout de suite qu'elle avait peur. Lorsqu'ils furent au salon, elle alluma une cigarette avec des mains tremblantes.

– Que s'est-il passé ?

Il lui fallut un moment pour réussir à allumer sa cigarette. Elle en tira une bouffée et l'écrasa dans le cendrier.

– Ma mère vit encore, commença-t-elle. Je suis allée la voir hier, à Simrishamn. Il était tard, j'ai passé la nuit là-bas. C'est en rentrant ce matin que j'ai vu…

Elle se leva. Wallander la suivit dans le bureau. Elle indiqua l'ordinateur.

– J'ai voulu me mettre au travail. Rien. Au début, j'ai cru que l'écran était débranché. Puis j'ai compris.

– Je ne suis pas tout à fait sûr de bien suivre.

– Quelqu'un a vidé le disque dur. Mais ce n'est pas tout.

Elle ouvrit un caisson de rangement.

– Toutes mes disquettes ont disparu. Il ne reste rien. Rien. J'avais un disque dur externe. Il a disparu aussi.

Wallander regarda autour de lui.

– Il y aurait eu un cambriolage ici cette nuit ?

– Mais il n'y a aucune trace d'effraction. Et qui pouvait savoir que je passerais la nuit chez ma mère ?

– Tu n'avais pas laissé une fenêtre ouverte ?

– Non. J'ai vérifié.

– Et tu es seule à avoir les clés ?

Il y eut un silence.

– Oui et non, dit-elle enfin. Tynnes avait un double.

– Pourquoi ?

– Au cas où il arriverait quelque chose. Au cas où je ne serais pas chez moi. Mais il ne s'en servait jamais.

Il comprenait son désarroi. Quelqu'un s'était introduit chez elle. Et la seule personne qui détenait les clés était un mort.

– Sais-tu où il les gardait ?

– Chez lui. D'après ce qu'il m'en avait dit, du moins.

Wallander hocha la tête, en pensant à l'homme qui lui avait tiré dessus avant de disparaître.

Il venait peut-être d'apprendre ce que cherchait cet homme dans l'appartement.

Un double des clés de Siv Eriksson.

31

Pour la première fois depuis le début de l'enquête, Wallander eut le sentiment de distinguer un enchaînement très clair. Après avoir examiné la porte d'entrée et les fenêtres, il s'était rangé à l'avis de Siv Eriksson. La personne qui avait vidé l'ordinateur disposait d'un jeu de clés. Il en tira une conclusion supplémentaire : Siv Eriksson était, d'une manière ou d'une autre, surveillée. La personne qui avait accès aux clés avait attendu le moment opportun. De nouveau, Wallander devina la présence de l'ombre qui s'était enfuie après le coup de feu dans l'appartement. Ann-Britt lui avait dit d'être prudent. L'inquiétude le reprit.

Ils retournèrent dans le séjour. Elle continuait d'allumer des cigarettes et de les éteindre aussitôt. Wallander décida d'attendre un peu avant d'appeler Nyberg. Il prit place en face d'elle dans le canapé.

– As-tu une idée de qui a pu faire ça ?

– Non. C'est incompréhensible.

– Tes ordinateurs valent sûrement de l'argent. Mais le voleur n'était intéressé que par le contenu.

– Tout a disparu. Absolument tout. Mon gagne-pain disparu en fumée. J'avais tout sauvegardé sur un disque dur externe, mais il a disparu aussi.

– Tu n'avais pas de mot de passe ? Pour empêcher ce genre de chose ?

– Bien sûr que oui.

– Le voleur le connaissait donc ?

– Il a dû s'en passer.

– Dans ce cas, ce n'était pas un voyou ordinaire.

Elle leva la tête.

– Je n'avais pas poussé le raisonnement aussi loin. J'étais bouleversée.

– C'est normal. Quel était ton mot de passe ?

– *Cerise*. Mon surnom quand j'étais petite.

– Quelqu'un le connaissait-il ?

– Non.

– Pas même Tynnes Falk ?

– Non.

– Tu en es certaine ?

– Oui.

– L'avais-tu noté quelque part ?

– Pas sur un bout de papier. Ça, j'en suis certaine.

Wallander poursuivit prudemment :

– Qui était au courant de ce surnom de l'enfance ?

– Ma mère. Mais elle est presque sénile.

– Quelqu'un d'autre ?

– J'ai une amie qui vit en Autriche. Elle le connaissait.

– Étiez-vous en correspondance ?

– Oui. Ces dernières années, ça se passait surtout par e-mail.

– Tu signais de ton surnom ?

– Oui.

Wallander réfléchit.

– Je suppose que ces lettres étaient sauvegardées dans ton ordinateur ?

– Oui.

– Quelqu'un aurait donc pu lire ces lettres, découvrir ton surnom et deviner qu'il pouvait servir de mot de passe.

– Impossible. Il faut avoir le code pour lire les lettres.

– Justement. Suppose que quelqu'un se soit introduit dans ton ordinateur pour copier des informations.

– Pourquoi quelqu'un ferait-il ça ?

– Toi seule peux répondre à cette question. Qu'y avait-il dans cet ordinateur ?

– Je n'ai jamais travaillé sur des dossiers confidentiels.

– C'est important. Réfléchis.

– Ce n'est pas la peine de le répéter sans cesse.

Wallander attendit. Elle faisait visiblement un effort. Puis elle secoua la tête.

– Il n'y avait rien.

– Quelque chose dont tu aurais peut-être même ignoré la nature confidentielle ?

– Quoi, par exemple ?

– Encore une fois, tu es seule à pouvoir répondre.

– J'ai toujours mis un point d'honneur à avoir de l'ordre dans ma vie. Ça vaut aussi pour mon travail. Je faisais souvent le ménage dans l'ordinateur. Et mes tâches n'étaient pas très complexes techniquement, je te l'ai déjà dit.

Wallander réfléchit encore.

– Parlons de Tynnes Falk. Vous travailliez parfois ensemble, parfois séparément. Lui arrivait-il de se servir de ton ordinateur ?

– Pourquoi aurait-il fait ça ?

– Je dois te poser la question. Peut-il l'avoir fait sans que tu en sois informée ? Après tout, il avait les clés de l'appartement.

– Je m'en serais aperçue.

– Comment ?

– Différents indices.

– Mais Falk était très fort, tu l'as souligné toi-même.

– Pourquoi aurait-il agi de la sorte ?

– Il voulait peut-être dissimuler quelque chose. Le coucou dépose ses œufs dans le nid des autres.

– Mais pourquoi ?

– Du moins, quelqu'un a pu croire qu'il l'avait fait. Et maintenant que Falk est mort, cet individu souhaite vérifier qu'il n'y avait rien dans ton ordinateur que tu aurais pu découvrir tôt ou tard.

– Qui donc ?

– Je me le demande aussi.

Les choses ont dû se passer ainsi, pensa-t-il, il n'y a pas d'autre explication. Falk est mort. Et quelqu'un est très occupé à faire le ménage. Quelque chose doit à tout prix être dissimulé.

Il répéta la phrase intérieurement. *Quelque chose doit à tout prix être dissimulé.* Voilà. C'était le nœud. S'ils parvenaient à le défaire, tout apparaîtrait en pleine lumière.

– Falk t'a-t-il jamais parlé du nombre 20 ?

– Et pourquoi donc ?

– Réponds, s'il te plaît.

– Je ne crois pas.

Wallander composa le numéro de Nyberg. Personne. Il demanda à Irene de se renseigner.

Siv Eriksson le raccompagna dans l'entrée.

– Tu vas recevoir la visite de techniciens. Je te demanderai de ne toucher à rien dans ton bureau. Il y a peut-être des empreintes.

– Je ne sais pas quoi faire. Tout a disparu, toute ma vie professionnelle anéantie en une nuit.

Wallander n'avait aucun réconfort à lui offrir. De nouveau, il pensa à ce qu'avait dit Erik Hökberg à propos de la vulnérabilité.

– Sais-tu si Tynnes Falk était croyant ?

Elle écarquilla les yeux.

– En tout cas, il ne m'en a jamais rien dit.

Wallander n'avait pas d'autre question. Une fois dans la rue, il hésita. Le plus urgent était de contacter Martinsson. Mais devait-il suivre le conseil d'Ann-Britt ? Ou l'attaquer de front tout de suite ? Une immense fatigue le submergea. La trahison était trop énorme, trop inattendue. Il avait encore du mal à y croire. Mais, au fond de lui, il savait qu'Ann-Britt avait dit la vérité.

Il n'était pas encore onze heures. Il allait commencer par rendre visite à la famille Hökberg. Avec un peu de chance, sa colère retomberait et sa jugeote s'en porterait mieux. Il se rendit là-bas en voiture. Soudain, il songea à un oubli et retourna à la boutique vidéo. Cette fois, il réussit à se procurer le film avec Al Pacino.

La porte s'ouvrit au moment où il s'apprêtait à sonner.

– Je t'ai vu arriver et repartir tout à l'heure, dit Erik Hökberg.

– Un appel imprévu.

Ils entrèrent. Un silence absolu régnait dans la maison.

– En fait, je voulais parler à ta femme.

– Elle se repose là-haut. Elle pleure, plus exactement. Ou les deux.

Erik Hökberg lui-même était gris de fatigue. Il avait les yeux injectés de sang.

– Emil a repris l'école. Ça vaut mieux pour lui.

– Nous ne savons pas encore qui a tué Sonja. Mais on a bon espoir de le retrouver.

– Je me croyais opposé à la peine de mort. Maintenant, je ne sais plus. Promets-moi une chose. Ne me laisse jamais approcher de lui. Sinon, je ne garantis rien.

Il le lui promit. Hökberg alla chercher sa femme. Wallander attendit près d'un quart d'heure dans le silence oppressant. Erik Hökberg reparut, seul.

– Elle est très fatiguée. Mais elle va venir.

– Je regrette de ne pas pouvoir remettre cette conversation à plus tard.

– Elle le comprend aussi bien que moi.

Ils attendirent en silence. Soudain, elle fut sur le seuil. Pieds nus, vêtue de noir. Elle paraissait petite à côté de son mari. Wallander lui serra la main et lui offrit ses condoléances. Elle eut un vacillement imperceptible. Wallander pensa malgré lui à Anette Fredman. Une autre mère qui avait perdu son enfant. En la regardant, il se demanda combien de fois il s'était retrouvé dans cette situation. Contraint de poser des questions qui n'étaient qu'une manière de retourner le couteau dans la plaie.

Cette fois, c'était encore pire. Par où allait-il commencer ?

– Si nous voulons arrêter le coupable, nous devons remonter dans le passé. J'ai besoin d'en savoir plus sur un événement. Vous êtes probablement les seuls à pouvoir me répondre.

Hökberg et sa femme le dévisageaient attentivement.

– Il y a trois ans, en 1994 ou 1995. Avez-vous remarqué quelque chose d'inhabituel chez Sonja à cette époque ?

La femme vêtue de noir murmura quelques mots. Wallander fut obligé de se pencher pour l'entendre.

– Que se serait-il passé ?

– L'avez-vous vue rentrer dans un état inhabituel ? Comme si elle avait eu un accident ?

– Elle s'est cassé la cheville une fois.

– Foulé, dit Erik Hökberg. Pas cassé.

– Je pensais plutôt à des bleus au visage ou sur d'autres parties du corps.

La réponse de Ruth Hökberg le désarçonna :

– Ma fille ne se montrait jamais nue dans cette maison.

– Elle était peut-être secouée, bouleversée. Ou déprimée.

– Elle était d'humeur très changeante.

– Vous n'avez pas un souvenir particulier ?

– Je ne comprends pas le sens de ces questions.

– Il est obligé, dit Erik Hökberg. C'est son travail.

Wallander lui jeta un regard reconnaissant.

– Je ne me souviens pas de l'avoir jamais vue rentrer avec des bleus.

Wallander comprit qu'il ne pourrait pas tourner en rond éternellement.

– Certaines informations indiqueraient que Sonja aurait été victime d'un viol à peu près à cette époque. Mais elle n'a jamais porté plainte.

La femme tressaillit.

– Ce n'est pas vrai !

– Vous en a-t-elle jamais parlé ?

– Jamais. Qui affirme des choses pareilles ? C'est un mensonge.

Wallander eut le sentiment qu'elle savait, malgré tout.

– Nous avons de fortes raisons de croire que ce viol a bel et bien eu lieu.

– Qui l'affirme ? Qui répand des mensonges sur Sonja ?

– Je ne peux malheureusement pas vous le dire.

– Pourquoi ?

La question, véhémente, venait d'Erik Hökberg. Wallander devina toute l'agressivité refoulée en lui.

– Pour des raisons techniques liées à l'enquête.

– Qu'est-ce que ça signifie ?

– Que, jusqu'à nouvel ordre, la ou les personnes qui nous ont informés doivent être protégées.

– Et ma fille ? cria la femme. Qui la protège ? Elle est morte. Qui l'a protégée ?

Wallander sentit que la situation commençait à lui échapper. Il regretta de ne pas avoir confié cette mission à Ann-Britt. Erik Hökberg tentait d'apaiser sa femme qui pleurait. C'était épouvantable.

Après quelques instants, il reprit :

– Elle ne vous a jamais dit qu'elle avait été violée ?

– Jamais.

– Et vous n'avez rien noté dans son comportement ?

– Elle n'était pas toujours d'un abord facile.

– Comment cela ?

– Elle était spéciale. Souvent en colère. Mais ça fait peut-être partie de l'adolescence.

– Et sa colère retombait sur vous ?

– Sur son petit frère, en général.

Wallander se rappela l'unique conversation qu'il avait eue avec Sonja Hökberg. Elle s'était plainte de ce que son frère fouillait dans ses affaires.

– Revenons à l'année 1994, ou 1995, après son retour d'Angleterre. Vous n'avez rien remarqué ?

Erik Hökberg se leva si brusquement que sa chaise se renversa.

– Si. Elle est rentrée une nuit, le nez et la bouche en sang. C'était au mois de février 1995. On lui a demandé ce qui s'était passé, mais elle a refusé de nous répondre. Ses vêtements étaient sales et elle était en état de choc. On n'a jamais su ce qui lui était arrivé. Elle nous a dit qu'elle était tombée. Je comprends tout maintenant. Pourquoi le cacher ?

La femme vêtue de noir s'était remise à pleurer. Elle murmura quelques mots que Wallander ne comprit pas. Erik Hökberg lui fit signe de le suivre dans son bureau.

– Ma femme ne te dira rien, dans l'état où elle est.

– Pour les questions qui restent, tu peux me répondre aussi bien qu'elle.

– Savez-vous qui l'a violée ?

– Non.

– Vous avez des soupçons ?

– Oui. Mais si tu me demandes un nom, je ne te le donnerai pas.

– C'est lui qui l'a tuée ?

– Je ne crois pas. Mais ça peut nous aider à comprendre.

Il y eut un silence.

– C'était à la fin du mois de février. Il avait neigé, je m'en souviens. Tout était blanc. Elle est rentrée, elle saignait. Le lendemain matin, les traces de sang étaient encore visibles dans la neige.

Il paraissait soudain vaincu. La même impuissance que chez la femme vêtue de noir qui pleurait dans le séjour.

– Je veux que vous arrêtiez celui qui a fait ça. Il faut qu'il soit puni.

– On fait ce qu'on peut. On va l'arrêter, mais on a besoin d'aide.

– Tu dois la comprendre. Elle a perdu sa fille. Comment veux-tu qu'elle supporte en plus l'idée que Sonja a été soumise à une chose pareille ?

Wallander ne le comprenait que trop bien.

– Fin février 1995. Avait-elle un petit ami à cette époque ?
– Elle ne nous disait rien.
– Y avait-il des voitures qui passaient la chercher ? L'as-tu jamais vue en compagnie d'un homme ?
Une lueur dangereuse traversa le regard de Hökberg.
– Un homme ? Tout à l'heure tu parlais de petit ami ?
– C'est la même chose.
– C'est un homme plus âgé qui l'aurait violée ?
– Je ne peux pas répondre à ce genre de question.
Hökberg leva les mains comme pour se défendre.
– Je t'ai dit tout ce que je savais. Il faut que je retourne auprès de ma femme.
– Avant de partir, j'aimerais revoir la chambre de Sonja.
– Vas-y. Rien n'a bougé depuis l'autre jour.
Hökberg alla dans le séjour. Wallander monta l'escalier. Il eut exactement la même impression que la première fois. Ce n'était pas la chambre d'une jeune fille presque adulte. Il ouvrit la porte de la penderie. L'affiche était toujours là. Qui est le diable ? Tynnes Falk avait un autel à sa propre effigie. Et cette affiche… Mais il n'avait jamais entendu parler d'un groupe de jeunes satanistes à Ystad.
Il n'y avait rien d'autre à voir. Il s'apprêtait à sortir lorsqu'un garçon apparut sur le seuil.
– Qui es-tu ?
Wallander se présenta. Le garçon le considéra avec répugnance.
– Si tu es flic, tu devrais arrêter celui qui a tué ma sœur.
– On fait notre possible.
Le garçon n'avait pas bougé. Wallander se demanda s'il avait peur ou s'il voulait autre chose.
– Tu es Emil, n'est-ce pas ?
Pas de réponse.
– Tu devais beaucoup aimer ta sœur ?
– Parfois.
– C'est tout ?
– Ça ne suffit pas ? On doit aimer les gens tout le temps ?
– Non, ce n'est pas une obligation.
Il sourit. Le garçon gardait les dents serrées.
– Je crois savoir qu'il y a eu un jour où tu l'as beaucoup aimée.
– Ah bon ? Quand ?

– Il y a quelques années. Elle est rentrée à la maison, elle saignait.

Le garçon tressaillit.

– Comment le sais-tu ?

– C'est mon métier. Elle ne t'a jamais dit ce qui s'était passé ?

– Non. Mais quelqu'un lui avait tapé dessus.

– Je croyais qu'elle ne t'avait rien raconté ?

– Ce n'est pas ce que j'ai dit.

Wallander réfléchit intensément. S'il le brusquait, le garçon risquait de se fermer complètement.

– Tu m'as demandé tout à l'heure pourquoi on n'avait pas arrêté celui qui a tué ta sœur. Pour y arriver, on a besoin d'aide. Comment sais-tu que quelqu'un l'avait frappée ?

– Elle a fait un dessin.

– Elle dessinait ?

– Elle était douée pour ça. Elle ne montrait ses dessins à personne, elle les déchirait. Mais moi, parfois, j'allais dans sa chambre quand elle n'était pas là.

– Et tu as trouvé quelque chose ?

– Elle avait dessiné ce qui s'était passé.

– C'est ce qu'elle t'a dit ?

– Elle avait fait un dessin. Un type qui la frappait au visage.

– Tu ne l'aurais pas gardé, par hasard ?

Le garçon ne répondit pas. Il disparut et revint après quelques instants, une feuille de papier à la main.

– Il faudra me le rendre.

– Je te le promets.

Wallander examina la feuille à la lumière de la fenêtre. Un dessin au crayon noir, qui le mit très mal à l'aise. Il reconnut le visage de Sonja Hökberg, dominé par un homme gigantesque. Le poing de l'homme s'abattait sur sa bouche. Wallander examina son visage. S'il était aussi ressemblant que l'autoportrait, il devrait être possible de l'identifier. Il avait aussi quelque chose au poignet. Wallander crut d'abord qu'il s'agissait d'une sorte de bracelet. Puis il vit que c'était un tatouage. Il plia soigneusement le dessin et le rangea dans la poche de sa veste.

– Tu as bien fait de le garder. Et je te promets de te le rendre.

Il le suivit dans l'escalier. On entendait des sanglots dans le séjour. Le garçon s'immobilisa.

– Elle ne va jamais s'arrêter ?

Wallander sentit sa gorge se nouer.

– Ça va prendre du temps. Mais ça passera, tôt ou tard.

Il ne prit pas congé de Hökberg et de sa femme. Il effleura les cheveux du garçon et referma doucement la porte d'entrée. Il pleuvait. Wallander se rendit tout droit au commissariat. Le bureau d'Ann-Britt était désert. Il essaya de la joindre sur son portable. Enfin Irene l'informa qu'elle avait dû rentrer chez elle. Un enfant malade, de nouveau. Wallander reprit sa voiture. Il pleuvait plus fort. Il pensa à protéger la poche contenant le dessin. Ann-Britt lui ouvrit, un enfant dans les bras.

– Je ne t'aurais pas dérangée si ce n'était pas important.

– Ça ne fait rien. C'est juste un peu de fièvre, mais ma voisine ne sera libre que dans quelques heures.

Wallander entra. Cela faisait longtemps qu'il n'était pas venu chez Ann-Britt. Quelques masques japonais avaient disparu. Elle suivit son regard.

– Il a emporté ses souvenirs de voyages.

– Il habite toujours en ville ?

– Non, à Malmö.

– Tu vas garder la maison ?

– Je ne sais pas si j'en ai les moyens.

La fillette était presque endormie. Ann-Britt la déposa doucement sur le canapé.

– Je veux te montrer un dessin. Mais d'abord, j'ai une question concernant Carl-Einar Lundberg. Tu ne l'as pas rencontré, mais tu as vu des photos et tu as lu les rapports d'enquête. Peux-tu me dire s'il avait un tatouage au poignet droit ?

– Oui. Un serpent.

Le poing de Wallander s'abattit sur la table basse. L'enfant sursauta et se mit à pleurer, mais se rendormit presque aussitôt. Enfin quelque chose qui tenait la route. Il posa le dessin devant Ann-Britt.

– C'est Carl-Einar Lundberg, dit-elle. Sans aucun doute possible. Où as-tu trouvé ça ?

Wallander lui parla d'Emil et des talents insoupçonnés de Sonja Hökberg pour le dessin.

– On n'arrivera sans doute jamais à le traîner en justice. Mais on a la preuve que tu avais raison. Ce n'est plus une théorie provisoire.

– J'ai quand même du mal à comprendre pourquoi elle aurait tué le père…

– On ne sait pas tout encore. Mais on peut d'ores et déjà faire pression sur Lundberg. Et supposer qu'elle s'est vraiment vengée sur le père. Eva Persson disait peut-être la vérité malgré tout. C'est Sonja Hökberg qui a tout fait. La froideur effrayante d'Eva Persson est un mystère auquel on pourra réfléchir plus tard.

Ils méditèrent quelques instants sur ce qu'ils venaient d'apprendre.

– Quelqu'un craignait que Sonja Hökberg ne soit au courant de quelque chose et qu'elle nous en parle. Dès lors, on a trois questions décisives. Que savait-elle ? En quoi cela concernait-il Tynnes Falk ? Et qui a pris peur ?

La fillette se mit à geindre. Wallander se leva.

– Tu as vu Martinsson ? demanda Ann-Britt.

– Non. Mais je vais le voir maintenant. Et j'ai l'intention de suivre ton conseil.

Wallander quitta la maison et prit la route de la place Runnerström sous une pluie battante. Il s'attarda un long moment dans la voiture pour rassembler ses forces. Puis il monta l'escalier pour parler à Martinsson.

32

Martinsson l'accueillit avec son plus large sourire.

– J'ai essayé de te joindre. Il se passe plein de choses ici.

Wallander ressentait une tension extrême dans tout le corps. Il aurait voulu lui envoyer son poing dans la figure. Et ensuite lui dire en face ce qu'il pensait de ses manières de conspirateur et de faux jeton. Mais Martinsson attira aussitôt son attention sur l'ordinateur. Tant mieux. Ça lui laissait un répit. Le temps des règlements de comptes viendrait bien assez vite. Devant le sourire de Martinsson, il eut même un doute. Ann-Britt avait-elle mal interprété la situation ? Martinsson pouvait avoir des raisons tout à fait légitimes de s'enfermer avec Lisa. Il lui arrivait aussi de manquer de finesse, certains propos avaient pu prêter à confusion.

Mais, au fond de lui, il savait. Ann-Britt n'avait pas exagéré. Elle lui avait parlé sans détour car elle était elle-même indignée.

Le règlement de comptes aurait lieu, le jour où il ne serait plus possible, ni nécessaire, de le repousser davantage. Entre-temps, il avait besoin d'issues de secours. Il salua Robert Modin.

– Alors ?

– Robert avance dans les tranchées, dit Martinsson d'un air satisfait. Je peux te dire que le monde de Falk est à la fois bizarre et fascinant.

Il lui proposa le siège pliant, mais Wallander préféra rester debout. Martinsson feuilleta ses notes pendant que Modin buvait au goulot quelque chose qui ressemblait à du jus de carotte.

– On a identifié quatre autres institutions. La première est la Banque centrale d'Indonésie. Robert se fait jeter chaque fois qu'il leur demande de confirmer leur identité. Mais on sait quand même qu'il s'agit de la banque de Djakarta, ne me demande pas comment. Robert est un sorcier.

Il continua de feuilleter ses notes.

– Ensuite, nous avons une banque du Liechtenstein qui s'appelle Lyders Privatbank. Après, ça se complique. Si on a bien compris, il y aurait une entreprise de télécoms française et une boîte de satellites commerciaux basée à Atlanta.

– Qu'est-ce que ça veut dire ?

– Notre idée de départ, qu'il s'agit d'une histoire d'argent, tient le coup. Quant à savoir de quelle manière les télécoms français et les satellites d'Atlanta sont impliqués, c'est une autre affaire.

– Rien n'est là par hasard, intervint Robert Modin.

Wallander se tourna vers lui.

– Tu peux m'expliquer ça en suédois ordinaire ?

– Chacun a sa méthode pour ranger les livres. Dans une bibliothèque, je veux dire. C'est pareil pour les ordinateurs. Celui qui a rangé celui-ci est quelqu'un de méticuleux. Rien de superflu. Et rien de convenu, aucune suite ordinaire de lettres ou de chiffres.

– C'est-à-dire ?

– En général, les gens choisissent un ordre alphabétique ou numérique. A vient avant B, B avant C. 1 vient avant 2, 5 avant 7, etc. Rien de tel ici.

– Quoi alors ?

– Autre chose. Les chiffres et les lettres n'ont pas d'importance en eux-mêmes.

– Il y aurait un autre schéma ?

– Deux éléments n'arrêtent pas de surgir. Le premier que j'ai découvert est le nombre 20. J'ai essayé d'ajouter quelques zéros, ou d'inverser les chiffres. Il se passe alors quelque chose d'intéressant. Regardez.

Modin sélectionna les chiffres 2 et 0. Ils disparurent aussitôt.

– Comme des animaux farouches. Quand je braque la lumière sur eux, ils se cachent. Mais quand je leur fiche la paix, ils reviennent. Au même endroit.

– Comment interprètes-tu cela ?

– Ces chiffres sont importants. Or, il y a un autre élément qui se comporte de la même manière.

Modin montra de nouveau l'écran. Cette fois, il s'agissait d'une combinaison de lettres : M J.

– C'est pareil. Quand j'essaie de les caresser, ils disparaissent.

Wallander acquiesça en silence. Jusque-là, il suivait.

– Ils surgissent sans arrêt, dit Martinsson. Chaque fois qu'on parvient à identifier une nouvelle institution. Mais Robert a découvert autre chose, de vraiment intéressant pour le coup.

Wallander leur demanda d'attendre pendant qu'il essuyait ses lunettes.

– Quand on les laisse tranquilles, dit Modin, on s'aperçoit qu'ils se déplacent.

Il indiqua l'écran.

– La première institution dont on a décrypté le code était aussi la première dans l'organisation de Falk. À ce moment-là, les animaux de nuit se trouvaient en haut à gauche de la première colonne.

– Les animaux de nuit ?

– On a trouvé que ce nom leur allait bien.

– Continue.

– La deuxième se trouvait un peu plus bas, dans la deuxième colonne. Entre-temps, les animaux de nuit se sont déplacés vers la droite. Quand on parcourt la liste, on s'aperçoit qu'ils suivent un mouvement régulier. Comme s'ils avaient un but. Ils se dirigent vers le bas et vers la droite.

Wallander s'étira.

– Ça ne nous apprend toujours pas…

– On n'a pas fini, dit Martinsson. C'est là que ça devient vraiment intéressant. Et assez sinistre.

– J'ai découvert une impulsion rythmée, reprit Modin. Ces animaux se déplacent depuis hier. Ça signifie qu'une horloge invisible s'est déclenchée. Je me suis amusé à faire un calcul. Si on part du principe que le coin en haut à gauche représente 0, qu'il existe 74 stations en tout dans le réseau et que le nombre 20 représente une date – par exemple le 20 octobre –, voici ce qu'on obtient.

Modin pianota. Un texte apparut à l'écran. Wallander lut le nom de l'entreprise de satellites d'Atlanta.

– Celui-ci est le quatrième, en partant de la fin. Nous sommes aujourd'hui le vendredi 17 octobre.

Wallander hocha lentement la tête.

– Tu veux dire que les animaux auront atteint la fin de leur voyage lundi ?

– C'est en tout cas envisageable.

– Mais l'autre élément ? M J ?

Personne n'avait de réponse.

– Le lundi 20 octobre, reprit Wallander. Que va-t-il se passer ?

– Je ne sais pas, dit Modin avec simplicité. Mais il est évident qu'un processus est enclenché. Un compte à rebours.

– On devrait peut-être débrancher cet ordinateur.

– Ça ne sert à rien, dit Martinsson. Ce n'est qu'un terminal. On n'a pas accès au réseau, on ne sait pas si c'est un ou plusieurs serveurs qui fournissent l'information.

– Imaginons que quelqu'un ait l'intention de faire exploser une sorte de bombe. D'où partent les ordres ?

– D'ailleurs. N'importe où.

– Autrement dit, on commence à entrevoir quelque chose, mais on ne sait pas quoi.

– Oui. Il faut découvrir le lien qui existe entre ces banques et ces boîtes de télécoms.

– Il ne s'agit pas nécessairement du 20 octobre, dit Modin. Ce n'était qu'une proposition.

Wallander eut soudain le sentiment qu'ils faisaient complètement fausse route.

La solution n'était peut-être pas du tout dans l'ordinateur de Falk. Le meurtre de Lundberg pouvait très bien être une vengeance aussi désespérée que déplacée. Tynnes Falk était peut-être mort de sa belle mort. Tout le reste, y compris le décès de Landahl, pouvait avoir une explication inconnue pour l'instant mais parfaitement naturelle.

Wallander hésitait. Le doute qui venait de l'assaillir était dévastateur.

– Nous devons tout reprendre à zéro.

Martinsson lui jeta un regard stupéfait.

– Tu veux qu'on arrête ?

– On doit revoir l'éclairage de l'enquête. Il s'est passé des choses dont on n'a pas eu le temps de t'informer.

Ils sortirent sur le palier. Wallander résuma les conclusions concernant Carl-Einar Lundberg. Il se sentait extrêmement mal à l'aise face à Martinsson.

– Nous devons donc revoir le rôle de Sonja Hökberg, conclut-il. Je pense de plus en plus que quelqu'un craignait ce qu'elle pouvait éventuellement nous révéler à propos d'un tiers.

– Comment expliques-tu la mort de Landahl, dans ce cas ?

– Ils avaient eu une liaison. Ce que savait Sonja Hökberg, Landahl pouvait le savoir aussi. D'une manière ou d'une autre, c'est lié à Falk.

Il lui raconta ce qui s'était passé chez Siv Eriksson.

– Ça collerait avec le reste, dit Martinsson.

– Mais ça n'explique pas le relais, ni la disparition du corps de Falk. Ni le meurtre de Hökberg et de Landahl. Il y a quelque chose de désespéré dans tout cela. De froidement calculateur en même temps. Un mélange de cynisme et de prudence. Qui se comporte de cette manière ?

Martinsson réfléchit.

– Des fanatiques. Des gens qui ont perdu le contrôle de leurs convictions. Des sectes.

Wallander indiqua le bureau de Falk.

– Il y a un autel là-dedans. Nous avons déjà évoqué l'aspect sacrificiel de la mort de Sonja Hökberg.

– Cela nous reconduit malgré tout à l'ordinateur. Un processus est en cours. Il va se passer quelque chose.

– Robert Modin a fait un excellent travail. Mais imagine qu'il arrive quelque chose lundi, qui aurait pu être prévu par les gens de Stockholm. Nous ne pouvons pas prendre ce risque. Le moment est venu de faire appel à eux.

– Et de remercier Robert ?

– Je crois que ça vaut mieux. Appelle-les immédiatement. Demande-leur de nous envoyer quelqu'un. Aujourd'hui, de préférence.

– Mais on est vendredi ?

– On s'en fout. Lundi, on sera le 20. C'est ça qui compte.

Ils retournèrent dans le bureau. Wallander expliqua à Modin qu'on lui était très reconnaissant, mais qu'on n'avait plus besoin de ses services. La déception de Modin fut manifeste. Mais il ne dit rien et se mit aussitôt à rassembler ses affaires.

Wallander et Martinsson lui tournaient le dos et évoquaient à voix basse la question de sa rétribution. Wallander s'engagea à s'en occuper.

Ni l'un ni l'autre ne vit Modin copier les données disponibles sur son disque dur.

Ils se séparèrent sous la pluie. Martinsson allait raccompagner Modin à Löderup.

Wallander lui serra la main et le remercia une fois de plus. Puis il prit la direction du commissariat. Elvira Lindfeldt lui rendrait visite le soir même. Il se sentait à la fois excité et plein d'appréhension. Avant cela, le groupe d'enquête devait reprendre le dossier à zéro, en fonction de cette nouvelle donnée : la confirmation du viol.

Dans le hall d'accueil, Wallander aperçut un homme assis sur la banquette qui se leva à son entrée et se présenta sous le nom de Rolf Stenius. Ce nom lui était vaguement familier. Quand l'homme ajouta qu'il était le comptable de Tynnes Falk, il le situa tout à fait.

– J'aurais dû te prévenir de ma venue, dit Stenius. Mais j'avais un rendez-vous ici, à Ystad, qui a été reporté.

– Je n'ai malheureusement pas beaucoup de temps à t'accorder. Suis-moi.

Ils s'installèrent dans son bureau. Rolf Stenius était un homme de son âge, maigre, les cheveux clairsemés. Wallander avait vu quelque part sur un Post-it que Hansson avait été en relation avec lui. Stenius tira de sa serviette une chemise plastifiée contenant des documents.

– J'étais déjà informé de la mort de Falk lorsque vous m'avez contacté.

– Qui t'en a informé ?

– Son ex-femme.

Wallander lui fit signe de poursuivre.

– Je vous ai apporté un résumé des deux derniers bilans. Et quelques autres documents susceptibles de vous intéresser.

Wallander prit la chemise sans la regarder.

– Falk était-il un homme riche ?

– Ça dépend de ce qu'on entend par là. Ses avoirs s'élevaient à dix millions de couronnes environ.

– À mes yeux, cela fait de lui un homme riche. Avait-il des dettes ?

– Insignifiantes. Et pas beaucoup de frais fixes.

– Si j'ai bien compris, ses revenus provenaient de ses activités de consultant ?

– Tu trouveras ça dans les papiers que je t'ai remis.

– Avait-il un client privilégié ?

– Il effectuait pas mal de missions aux États-Unis. Bien payées, sans plus.

– Quelles missions ?

– Pour une chaîne publicitaire, Moseson and Sons. Il a amélioré certains programmes graphiques.

– Et à part ça ?

– Un importateur de whisky qui s'appelle Du Pont. Si je m'en souviens bien, il s'agissait de construire un programme complexe de gestion des stocks.

Wallander avait du mal à se concentrer.

– Et au cours de la dernière année ? Ses ressources ont-elles diminué ?

– Pas vraiment. Il veillait à ne pas mettre tous ses œufs dans le même panier. Des fonds de placement en Suède, dans le reste de la Scandinavie et aux États-Unis. Une bonne réserve de liquidités. Des actions, Ericsson surtout.

– Qui s'occupait des placements ?

– Lui-même.

– Avait-il quelque chose en Angola ?

– Où ?

– En Angola.

– Pas à ma connaissance.

– Et à ton insu, c'est possible ?

– Bien sûr. Mais je ne le crois pas.

– Pourquoi ?

– Tynnes Falk était d'une honnêteté scrupuleuse. D'après lui, il fallait payer ses impôts. Je lui ai suggéré un jour de se faire domicilier à l'étranger, pour échapper à la pression fiscale suédoise. L'idée ne lui a pas plu.

– Qu'a-t-il dit ?

– Il s'est fâché. Il m'a menacé de changer de comptable si je lui refaisais ce genre de proposition.

Wallander sentit qu'il n'avait pas la force de poursuivre.

– Je vais regarder ces papiers dès que j'en aurai le temps.

– Une regrettable disparition, dit Stenius en refermant sa serviette. Falk était un homme sympathique. Réservé, mais sympathique.

Wallander le raccompagna. Soudain, une idée lui traversa l'esprit.

– Une société anonyme a forcément une direction. Qui en faisait partie ?

– Lui-même, naturellement. Ainsi que le chef du bureau pour lequel je travaille. Et ma secrétaire.

– Ils se retrouvaient donc régulièrement ?

– J'organisais tout par téléphone.

– Il n'est donc pas nécessaire de se réunir ?

– Non, il suffit de faire circuler papiers et signatures.

Stenius sortit. Wallander le vit ouvrir son parapluie ; puis il retourna dans son bureau, en se demandant si quelqu'un avait trouvé le temps de parler aux enfants de Falk.

On n'arrive même pas à s'occuper des priorités. Alors qu'on se tue au travail. La société de droit suédoise est en train de devenir un entrepôt moisi croulant sous les dossiers de crimes non élucidés.

À quinze heures trente en ce vendredi après-midi, Wallander réunit le groupe d'enquête. Nyberg s'était excusé ; selon Ann-Britt, il avait eu un accès de vertige. L'ambiance était morose. Quelqu'un demanda à haute voix qui le premier serait victime d'un infarctus. Puis ils firent un point approfondi des conséquences, pour l'enquête, du fait que Sonja Hökberg avait vraisemblablement été violée par Carl-Einar Lundberg quelques années plus tôt. Viktorsson, qui participait à la réunion à la demande expresse de Wallander, écouta sans poser de questions et acquiesça lorsque Wallander demanda que Lundberg soit convoqué au plus vite pour interrogatoire. Ann-Britt devait se consacrer en priorité à découvrir si Lundberg père avait pu être mêlé aux événements. Hansson s'indigna.

– Lui aussi s'en serait pris à elle ? C'est quoi, cette famille ?

– C'est extrêmement important. On doit être sûrs de notre coup.

– Une vengeance par procuration ? intervint Martinsson. Excusez-moi, mais j'ai du mal à digérer cette idée.

– On ne parle pas de ta digestion, on parle de ce qui a pu se produire.

Wallander avait haussé le ton et cela n'échappa à personne autour de la table. Il se dépêcha de reprendre, d'une voix plus aimable :

– La brigade informatique de Stockholm. Où en est-on ?

– Ils n'ont pas apprécié que je leur demande de nous envoyer quelqu'un dès demain. Mais il arrive à neuf heures, par avion.

– Il a un nom ?

– Hans Alfredsson.

Une certaine hilarité se répandit dans la salle[1]. Martinsson s'engagea à accueillir Alfredsson à l'aéroport et à le mettre au courant.

– Tu vas te débrouiller, avec l'ordinateur ?

– Je n'ai pas arrêté de prendre des notes.

La réunion se poursuivit jusqu'à dix-huit heures. Le dossier restait confus, contradictoire et fuyant, mais Wallander sentit néanmoins que le groupe d'enquête gardait le moral. La découverte concernant le passé de Sonja Hökberg était importante ; c'était l'ouverture dont ils avaient désespérément besoin. Sans le dire, ils plaçaient sans doute aussi beaucoup d'espoir dans la venue de l'expert Alfredsson.

Ils conclurent en évoquant Jonas Landahl. Hansson s'était acquitté de la lourde tâche consistant à prévenir les parents, qui se trouvaient effectivement en Corse. Ils étaient attendus à l'aéroport d'un moment à l'autre. Nyberg avait laissé un mot à Ann-Britt l'informant en peu de mots qu'il était certain que Sonja Hökberg avait voyagé à bord de la Golf, et que c'était bien cette voiture qui avait laissé les traces de pneus devant le site de Sydkraft. D'autre part, quelqu'un avait vérifié le fait que Jonas Landahl n'avait jamais eu affaire à la police. Il n'était cependant pas exclu, fit remarquer Wallander, qu'il fût impliqué dans l'affaire des visons.

Mais entre libérer des visons et commettre ou subir un meurtre, il y avait un abîme. Wallander insista à plusieurs reprises sur ce qu'il croyait déceler dans ces événements : le mélange de brutalité et de maîtrise. Et l'image du sacrifice, de la victime sacrificielle. Vers la fin, Ann-Britt demanda s'ils ne devaient pas aussi faire appel à Stockholm pour obtenir des renseignements sur les groupes extrémistes de défense de l'environnement. Martinsson, dont la fille était végéta-

1. Hans Alfredsson est le nom d'un célèbre comique suédois.

rienne et membre des Biologistes amateurs, répliqua que ces gens-là ne pouvaient être mis en cause. Pour la deuxième fois, Wallander lui répondit sur un ton sec. On ne pouvait rien exclure. Tant qu'on n'avait pas défini avec précision un centre et un mobile, il ne fallait négliger aucune piste.

À ce point de la réunion, l'inspiration collective parut s'épuiser d'un coup. Wallander laissa retomber ses mains sur la table, et ce fut le signal de la dispersion. Le groupe se réunirait de nouveau le lendemain. Wallander était pressé de partir, pour faire le ménage dans l'appartement avant l'arrivée d'Elvira Lindfeldt. Il prit quand même le temps d'appeler Nyberg, qui mit un temps fou à décrocher. Il commençait à se faire du souci lorsque Nyberg répondit enfin, de mauvaise humeur comme toujours. Le malaise était passé, il reprendrait le travail le lendemain. Avec toute son énergie de râleur.

Wallander avait juste eu le temps de tout ranger et de se rendre présentable lorsque le téléphone sonna. Elvira Lindfeldt l'appelait de sa voiture. Elle venait de dépasser la sortie vers Skurup. Wallander, qui avait réservé une table dans un restaurant de la ville, lui expliqua comment se rendre sur la place centrale. Au moment de raccrocher, il eut un geste si brusque que l'appareil tomba. Il le ramassa en jurant et se souvint que Linda devait l'appeler dans la soirée. Après beaucoup d'hésitation, il enregistra un message donnant le numéro du restaurant. Le risque était qu'un journaliste essaie de le joindre. Mais c'était peu probable. L'histoire de la gifle semblait avoir provisoirement perdu de son intérêt pour les médias.

Puis il se mit en route, à pied. Il ne pleuvait plus. Le vent était tombé. Il se sentait vaguement déçu. Elle avait pris sa voiture ; cela indiquait qu'elle avait l'intention de retourner à Malmö. Ce qu'il avait espéré en secret, de son côté, était clair, pas besoin d'épiloguer. Mais c'était une déception relative. Pour une fois, il s'apprêtait quand même à dîner avec une femme.

Il se posta devant la librairie pour l'attendre. Au bout de cinq minutes, il l'aperçut, venant de Hamngatan. Sa gêne de la veille lui revint. Il se sentait perdu devant ses manières directes. Alors qu'ils remontaient Norregatan, elle glissa son bras sous le sien. Pile au moment où ils passaient devant l'immeuble où avait vécu Svedberg.

Wallander lui raconta en peu de mots ce qui s'était passé cette fois-là. Elle l'écouta attentivement.

– Que ressens-tu maintenant ?

– Je ne sais pas. C'est irréel. Comme si je l'avais rêvé.

Le restaurant avait ouvert un an plus tôt. Wallander n'y était jamais allé, mais Linda disait qu'on y mangeait bien. Ils entrèrent. Wallander pensait que ce serait complet, mais seules quelques tables étaient occupées.

– Ystad n'est pas une ville où l'on sort beaucoup, dit-il sur un ton d'excuse. Mais il paraît qu'on mange bien ici.

Une serveuse que Wallander reconnut de l'hôtel Continental les précéda jusqu'à leur table.

– Tu es venue en voiture, dit-il en regardant la carte des vins.

– Et je rentre en voiture.

– Alors c'est mon tour de boire ce soir.

– Que dit la police ? Je peux en prendre aussi ?

– Le mieux est de s'abstenir. Mais un verre, à la rigueur. Si tu veux, on pourra toujours passer au commissariat souffler dans le ballon.

La cuisine était soignée. Wallander hésita pour la forme avant de commander un verre de vin supplémentaire. La conversation tourna beaucoup autour de son travail. Pour une fois, il constata que ça ne lui déplaisait pas. Il lui raconta ses débuts à Malmö, le coup de couteau qui avait failli lui coûter la vie, et la formule de conjuration qui le suivait depuis ce jour. Elle l'interrogea sur ses occupations du moment ; sa conviction qu'elle ignorait tout de la photo publiée dans le journal se renforça. Il lui parla de l'étrange meurtre dans le transformateur, de l'homme retrouvé mort devant le distributeur bancaire et du garçon broyé sous l'arbre d'hélice d'un ferry polonais.

Ils venaient de commander le café lorsque la porte du restaurant s'ouvrit.

Robert Modin entra.

Wallander l'aperçut aussitôt. Modin, voyant qu'il n'était pas seul, hésita. Mais Wallander lui fit signe d'approcher et lui présenta Elvira. Robert Modin dit son nom. Il était visiblement inquiet.

– Je crois avoir trouvé quelque chose.

– Si vous voulez parler en tête à tête, dit Elvira, je peux faire un tour.

– Ce n'est pas nécessaire.

– J'ai demandé à mon père de me conduire ici. J'ai eu le numéro par ton répondeur.

– Tu disais que tu as trouvé quelque chose ?

– C'est difficile à expliquer, mais je crois que j'ai découvert un moyen de passer outre aux codes qu'on n'a pas réussi à craquer jusqu'à présent.

Il paraissait convaincu.

– Appelle Martinsson demain. Je vais le prévenir de mon côté.

– Je suis assez sûr de mon coup.

– Ce n'était pas la peine de venir jusqu'ici. Tu aurais pu laisser un message sur mon répondeur.

– J'étais peut-être un peu remonté. Ça m'arrive, des fois.

Modin adressa un signe de tête hésitant à Elvira. Wallander pensa qu'il devait avoir une conversation approfondie avec le garçon. Mais il ne pouvait de toute façon rien faire avant le lendemain. Et, dans l'immédiat, il voulait être tranquille. Robert Modin comprit le message et disparut. La conversation n'avait duré que deux minutes.

– Un jeune homme très doué, dit Wallander. Un petit génie de l'informatique. Il nous aide, pour une partie de l'enquête.

– Il m'a semblé nerveux, dit Elvira Lindfeldt avec un sourire. Mais il est sûrement très fort.

Ils quittèrent le restaurant vers minuit et remontèrent en flânant vers la place centrale. Elle avait garé sa voiture dans Hamngatan.

– J'ai passé une très bonne soirée, dit-elle au moment de le quitter.

– Ça veut dire que tu ne t'es pas encore lassée de moi ?

– Non. Et toi ?

Wallander voulut la retenir. Mais il sentait bien que ça ne marcherait pas. Ils convinrent de se reparler au cours du week-end.

Il la serra contre lui un bref instant. Elle monta dans sa voiture et démarra. Wallander reprit le chemin de son appartement. Soudain, il s'immobilisa. Est-ce vraiment possible ? J'ai fini par rencontrer quelqu'un, alors que je n'y croyais plus du tout.

Il se remit en marche. Peu après une heure du matin, il s'endormit.

Elvira Lindfeldt avait pris la route de Malmö. À hauteur de Rydsgård, elle s'arrêta sur un parking, prit son portable dans son sac et composa le numéro de Luanda.

Elle dut s'y reprendre à trois fois, la communication était mauvaise. Lorsque Carter décrocha enfin, elle avait préparé ce qu'elle devait dire.

– Fu Cheng avait raison. Le garçon s'appelle Robert Modin. Il habite près d'Ystad, à Löderup.

Elle répéta deux fois ces informations. L'homme de Luanda avait bien reçu le message. La communication fut interrompue.

Elvira Lindfeldt reprit la route de Malmö.

33

Le samedi matin, Wallander commença par passer un coup de fil à Linda.

Comme d'habitude, il s'était réveillé tôt. Mais il avait réussi à se rendormir et ne s'était levé qu'à huit heures. En l'appelant, après avoir pris son petit déjeuner, il la réveilla. Elle demanda aussitôt où il avait passé la soirée. Elle avait essayé de le joindre deux fois au numéro qu'il indiquait sur le répondeur, mais c'était toujours occupé. Wallander se décida très vite à lui dire la vérité. Elle l'écouta sans l'interrompre.

– Je n'aurais jamais cru que tu aurais assez de plomb dans la cervelle pour suivre mon conseil.

– J'ai beaucoup hésité.

Elle le questionna sur Elvira Lindfeldt. Ce fut une longue conversation. Elle se réjouissait, même s'il faisait de son mieux pour minimiser l'événement. Pour lui, c'était déjà beaucoup d'avoir échappé à la solitude le temps d'un dîner.

– Tu mens, dit-elle sans hésiter. Je te connais, tu espères bien autre chose. Et moi aussi.

Puis elle changea brusquement de sujet :

– Je veux que tu saches que j'ai vu la photo dans le journal. Ça m'a choquée, bien sûr. Quelqu'un au restaurant me l'a montrée en demandant si tu étais mon père.

– Qu'as-tu répondu ?

– J'ai failli dire non. Mais je me suis ravisée.

– C'est gentil.

– Je me suis dit que ce ne pouvait pas être vrai, tout simplement.

– En effet.

Il lui raconta l'incident tel qu'il s'était réellement produit. Une enquête interne était en cours, il espérait que la vérité s'imposerait.

– C'est important pour moi, dit-elle. En ce moment précis.

– Pourquoi ?

– Je ne peux pas te le dire. Pas encore.

La curiosité de Wallander s'aiguisa. Ces derniers mois, il avait une fois de plus eu l'impression que Linda s'apprêtait à changer de voie, et il l'avait interrogée sur ses projets, sans résultat.

Il lui demanda si elle pensait lui rendre visite prochainement. Pas avant la mi-novembre, dit-elle.

En raccrochant, Wallander se souvint du livre qui l'attendait à la librairie. Il se demanda si elle avait réellement l'intention de suivre une formation et de s'établir à Ystad.

Elle a d'autres projets. Pour une raison ou pour une autre, elle ne veut pas m'en parler.

Avec un soupir, il endossa son uniforme invisible et redevint policier. Huit heures vingt. Martinsson devait déjà être à l'aéroport de Sturup pour accueillir le dénommé Alfredsson. Il repensa à l'irruption de Robert Modin dans le restaurant la veille au soir. Il paraissait vraiment sûr de lui. Wallander réfléchit.

Il ne voulait pas avoir affaire à Martinsson au-delà du strict nécessaire. Il se demandait encore dans quelle mesure ce que lui avait appris Ann-Britt était vrai. Il espérait se tromper. S'il devait perdre l'amitié de Martinsson, leur collaboration deviendrait presque impossible ; la trahison serait trop lourde à porter. En même temps, il ne pouvait nier son inquiétude à l'idée qu'il se tramait quelque chose qui pouvait remettre en cause de façon spectaculaire sa position au commissariat. Cette idée le remplissait d'indignation et d'amertume. Et de fierté blessée. Il avait tout appris à Martinsson. Comme Rydberg l'avait fait pour lui, en son temps. Mais lui n'avait jamais mis en cause l'autorité évidente de Rydberg, et encore moins songé à comploter contre lui.

La police est un nid de serpents, pensa-t-il. C'est jalousie, malveillance, intrigues et compagnie. Je croyais m'en être tiré à bon compte. Et tout à coup, on dirait que je suis au centre. Comme un prince entouré de prétendants pressés.

Il surmonta sa répulsion et composa le numéro du portable de Martinsson. Après tout, Modin avait obligé son père à le conduire jusqu'à Ystad, il fallait le prendre au sérieux. Peut-être avait-il déjà pris contact avec Martinsson. Dans le cas contraire, Wallander lui demanderait de l'appeler. Martinsson décrocha aussitôt. Il venait de laisser sa voiture sur le parking de l'aéroport. Modin ne l'avait pas appelé. Wallander lui expliqua la situation en peu de mots.

– Ça me paraît bizarre. Comment a-t-il pu découvrir quelque chose s'il n'a pas accès à l'ordinateur ?

– C'est à toi de le lui demander.

– Il est malin. Va savoir s'il n'a pas copié des informations.

Martinsson s'engagea à prendre contact avec Modin. Ils convinrent de se rappeler dans la matinée.

Martinsson paraissait égal à lui-même. Soit c'est un comédien consommé, pensa Wallander en raccrochant. Soit Ann-Britt se trompe.

Il prit sa voiture. Au commissariat, il trouva un message sur son bureau. Hansson désirait lui parler immédiatement. « Il s'est passé quelque chose », disait le message rédigé en lettres pointues. Wallander soupira. Hansson n'avait jamais été un as de la précision.

La machine à café était réparée. Nyberg mangeait du fromage blanc, assis à une table. Wallander s'installa en face de lui.

– Si c'est pour me parler de mon malaise, dit Nyberg, je m'en vais.

– Alors, je n'en parlerai pas.

– Je vais bien. Mais j'attends la retraite. Même si je sais déjà que je ne toucherai presque rien.

– Qu'est-ce que tu comptes faire ?

– Nouer des tapis à la main. Lire des livres. Marcher en Laponie.

À d'autres, pensa Wallander. Il ne doutait pas une seconde de l'épuisement réel de Nyberg. Mais la perspective de la retraite l'effrayait sans doute terriblement.

– Des nouvelles des légistes, concernant Landahl ?

– Il est mort trois heures environ avant l'arrivée au port. Autrement dit, le meurtrier se trouvait encore à bord à l'arrivée. À moins qu'il n'ait sauté à l'eau.

– J'ai fait une erreur. On aurait dû contrôler tout le monde, passagers et équipage.

– On aurait dû choisir un autre métier. Parfois, la nuit, j'essaie de calculer le nombre de pendus que j'ai décrochés dans ma vie. Rien que ça. Pas ceux qui se sont tiré une balle dans la tête, ceux qui se sont noyés ou empoisonnés, ceux qui ont sauté du haut d'un toit, ceux qui se sont fait sauter à la dynamite. Rien que les pendus. Avec une corde, du fil de fer, une corde à linge, même des barbelés une fois. Je n'y arrive pas. Je sais que j'en oublie plein. Puis je me dis que c'est de la folie. Pourquoi devrais-je passer mes nuits à me souvenir de la misère où on me fait patauger ?

– Ce n'est pas bien. On risque de devenir blasé, à ce compte.

Nyberg posa sa cuillère et dévisagea Wallander.

– Tu veux me dire que tu ne l'es pas encore ?

– J'espère que non.

Nyberg hocha la tête, mais ne dit rien. Il valait mieux le laisser tranquille. D'autant plus qu'il n'était jamais nécessaire de se mêler de son travail. Nyberg était parfaitement organisé. Quelle que soit la situation, il savait ce qui était urgent et ce qui pouvait attendre.

– J'ai réfléchi, dit-il soudain.

Wallander leva la tête. Nyberg était capable d'une acuité d'esprit étonnante, y compris sur des sujets qui ne touchaient pas sa spécialité. Plus d'une fois, ses réflexions avaient suffi à orienter une enquête dans la bonne direction.

– Je t'écoute.

– Le relais qu'on a retrouvé dans la chambre froide. Le sac à main près de la clôture. Le corps rapporté devant le distributeur, deux doigts en moins. Nous cherchons à faire coller ces détails avec le reste. Je me trompe ?

– On essaie, mais on n'y arrive pas très bien.

Nyberg finit son assiette avant de poursuivre :

– Ann-Britt m'a raconté la réunion d'hier. Apparemment, tu aurais parlé d'un aspect double ou ambigu, comme chez quelqu'un qui essaierait de parler deux langues à la fois. Un côté calculateur et en même temps hasardeux. Un côté brutal et un côté prudent. J'ai bien compris ?

– C'est à peu près ça.

– Moi, ça me paraît l'idée la plus sensée qui ait été formulée jusqu'à présent. Que se passe-t-il si on la prend au sérieux ? Le côté double, le calcul et le hasard ?

Wallander secoua la tête. Il préférait écouter.

– On fait peut-être trop d'efforts d'interprétation. On découvre soudain que le meurtre du chauffeur de taxi n'a peut-être rien à voir avec l'affaire, en dehors du fait que c'est Sonja Hökberg qui l'a tué. En réalité, c'est nous, la police, qui commençons à tenir le rôle principal.

– À cause de ce qu'elle aurait pu nous dire ?

– Pas seulement. Imagine qu'on fasse un tri, en se demandant si certains événements pourraient être de fausses pistes délibérément entretenues.

– À quoi tu penses ?

– Tout d'abord, naturellement, au relais.

– Tu veux dire que Falk n'aurait rien à voir avec le meurtre de Hökberg ?

– Pas forcément. Mais quelqu'un veut nous faire croire qu'il est beaucoup plus impliqué qu'il ne l'est en réalité.

Wallander était de plus en plus intéressé.

– Ou le corps qui resurgit soudain avec deux doigts en moins. On se pose peut-être trop de questions. Supposons que ça ne veuille rien dire. Qu'est-ce que ça donne ?

Wallander réfléchit.

– Ça donne un marécage où on ne sait pas où mettre les pieds.

– La comparaison est bonne. On se balade donc dans un marécage où quelqu'un veut nous voir patauger.

– On devrait retrouver la terre ferme ? C'est ce que tu veux dire ?

– Je pense à la clôture, là-bas, sur le site de Sydkraft. Le portail avait été forcé. On devient fou à force de se demander pourquoi, alors que la porte blindée était intacte.

Nyberg touchait vraiment un point important. Il aurait dû y penser lui-même depuis longtemps.

– Tu veux dire que celui qui s'est introduit dans la station avait accès à toutes les clés, et qu'il a abîmé le portail après coup pour simuler une effraction ?

– C'est une explication toute simple.

– Bien vu. J'aurais dû y penser moi-même.

– Tu ne peux pas penser à tout, éluda Nyberg.

– Tu as d'autres détails en tête qu'on pourrait voir comme des fausses pistes délibérées ?

– Il faut être prudent.

– Tous les exemples peuvent avoir leur importance.

– C'était surtout ces deux-là. Et je ne prétends pas avoir raison. Je réfléchis à haute voix, c'est tout.

– Ça nous donne au moins une idée neuve. Une nouvelle tour d'observation.

– Parfois, je me dis qu'on est comme un peintre devant son chevalet. On trace quelques traits, on ajoute un peu de couleur, on recule d'un pas pour juger de l'effet. Puis on continue. Je me demande si ce pas en arrière n'est pas le moment le plus important. Celui où on voit réellement ce qu'on a devant les yeux.

– L'art de voir ce qu'on voit. Tu devrais leur en parler, à l'école de police.

Nyberg eut une grimace de mépris.

– Tu crois que les jeunes ont quelque chose à faire de ce que peut leur raconter un vieux technicien à moitié mort ?

– Plus que tu ne crois. Quand j'y suis allé il y a un an, ils m'ont écouté.

– Je vais partir à la retraite, dit Nyberg sur un ton sans réplique. Je vais nouer des tapis et marcher en Laponie, un point c'est tout.

À d'autres, pensa Wallander une fois de plus. Mais il ne dit rien. Nyberg se leva et entreprit de laver son assiette dans l'évier. Au moment de sortir, Wallander l'entendit jurer à cause du produit vaisselle qui ne valait rien.

Il se mit en quête de Hansson. La porte de son bureau était entrebâillée. Hansson remplissait une grille de tiercé, comme d'habitude. Hansson vivait dans l'attente du jour où l'un de ses systèmes de prévision complexes finirait par le rendre riche. Le jour où les chevaux courraient selon son désir, Hansson serait touché par la grâce qu'il attendait depuis longtemps.

Wallander frappa discrètement et laissa à Hansson le temps de faire disparaître son coupon de jeu avant de pousser la porte du pied.

– J'ai trouvé ton mot, dit-il.

– Le minibus Mercedes a resurgi.

Wallander s'appuya contre le montant de la porte pendant que Hansson fouillait dans le chaos de son bureau.

– J'ai suivi ton conseil. J'ai reconsulté le fichier. Hier, une petite boîte de location de Malmö a signalé le vol d'un véhicule. Un minibus Mercedes bleu nuit, qui aurait dû être restitué mercredi. La boîte s'appelle Auto Service Plus. Ils ont leurs bureaux et leurs garages dans le port de Frihamnen.

– Qui l'avait loué ?

– La réponse va te plaire. Un homme de type asiatique.

– Qui s'appelait Fu Cheng et qui a payé par American Express ?

– Exactement.

– Il a dû laisser une adresse ?

– L'hôtel Sankt Jörgen. Mais ils ont fait une vérification dès qu'ils ont eu des soupçons. L'hôtel n'a jamais eu de client à ce nom.

Wallander fronça les sourcils. Quelque chose clochait dans cette histoire.

– Ça ne te paraît pas bizarre ? Le dénommé Fu Cheng prendrait-il vraiment le risque qu'on s'aperçoive qu'il a donné une fausse adresse ?

– L'hôtel a eu un client du nom d'Andersen. Un Danois d'origine asiatique. D'après les signalements croisés donnés au téléphone, il pourrait s'agir du même homme.

– Comment a-t-il payé sa chambre ?

– En liquide.

– Quelle adresse a-t-il donnée ?

Hansson feuilleta ses papiers. Une autre grille de tiercé tomba par terre à son insu. Wallander fit semblant de rien.

– Voilà. Andersen a donné une adresse à Vedbaek.

– Elle a été vérifiée ?

– La boîte de location est pointilleuse. J'imagine que ce minibus vaut pas mal d'argent. La rue n'existe même pas.

– Fin de piste.

– Et on n'a pas retrouvé le véhicule. Qu'est-ce qu'on fait ?

Wallander répondit sans hésiter :

– On attend. Tu ne vas pas gaspiller ton énergie à essayer de le retrouver. Il y a d'autres priorités.

Hansson indiqua la paperasse d'un geste découragé.

– Je ne sais pas où je vais trouver le temps.

Wallander n'avait pas la force de s'engager dans une énième discussion sur les restrictions budgétaires.

– À plus tard, dit-il sans se retourner.

Après avoir feuilleté les papiers qui jonchaient son propre bureau, il prit sa veste. Il était temps de se rendre place Runnerström pour faire la connaissance d'Alfredsson. Il était également curieux de voir ce que donnerait la rencontre entre l'expert de Stockholm et Robert Modin.

Il ne mit pas le contact tout de suite. Ses pensées étaient revenues à la veille au soir. Cela faisait longtemps qu'il ne s'était pas senti aussi joyeux. Il n'osait pas encore croire qu'il s'était réellement passé quelque chose. Mais Elvira Lindfeldt existait. Ce n'était pas un mirage.

Soudain, il ne put résister à l'envie de lui téléphoner. Il prit son portable et composa le numéro qu'il connaissait déjà par cœur. Elle répondit après trois sonneries et parut contente de l'entendre. Mais Wallander eut aussitôt l'impression de l'avoir appelée à un mauvais moment. Pourquoi ? Impossible à dire. Mais il était certain de ne pas se tromper. Une vague de jalousie inattendue le submergea. Mais il parvint à contrôler sa voix.

– Je voulais juste te remercier pour hier soir.

– Ce n'était pas nécessaire.

– Le retour à Malmö s'est bien passé ?

– J'ai failli écraser un lièvre, c'est tout.

– Je suis au travail. J'essaie d'imaginer ce que tu fais, un samedi matin. Mais je suppose que je te dérange.

– Pas du tout. Je fais le ménage.

– Ce n'est peut-être pas le bon moment. Mais je me demandais si on pouvait se voir ce week-end.

– Le mieux pour moi serait demain. Tu peux me rappeler plus tard ? Cet après-midi ?

Après avoir raccroché, Wallander resta assis, le portable à la main. Il était certain de l'avoir dérangée. Quelque chose dans le ton de sa voix. Je me fais des idées, pensa-t-il. Une fois, j'ai fait la même erreur avec Baiba. Je suis même allé à Riga sans la prévenir pour en avoir le cœur net, savoir s'il y avait un autre homme. Mais ce n'était pas le cas.

Il prit le parti de la croire. Elle faisait le ménage. Lorsqu'il la rappellerait dans l'après-midi, tout serait différent.

Il prit la direction de la place Runnerström. Il venait de s'engager dans Skansgatan lorsqu'il dut freiner et donner un brusque coup de volant. Une femme avait trébuché sur le bord du trottoir. Il réussit à l'éviter, mais heurta un lampadaire de plein fouet. Il tremblait. Il descendit de voiture. Il était certain de ne pas l'avoir touchée, mais elle paraissait inerte. En se penchant sur elle, il vit qu'elle était très jeune, quatorze ou quinze ans, pas plus. Et elle était dans un sale état. Droguée ou ivre. Wallander essaya de lui parler, mais n'obtint que quelques syllabes sans suite. Entre-temps une voiture s'était arrêtée. Le conducteur accourut en demandant s'il y avait eu un accident.

– Non. Mais tu peux m'aider à la remettre debout.

Ce fut impossible. Ses jambes pliaient sous elle.

– Elle est ivre ? demanda l'homme avec dégoût.

– Aide-moi à la porter jusqu'à ma voiture. Je vais la conduire à l'hôpital.

Ils réussirent à l'installer tant bien que mal sur la banquette arrière. Wallander remercia l'homme pour son aide et démarra. La fille poussa un gémissement. Puis elle vomit. Wallander lui-même avait mal au cœur. Les adolescents ivres avaient depuis longtemps cessé de l'indigner. Mais cette fille-ci était trop mal en point. Il s'arrêta à l'entrée des urgences et se retourna. Elle avait vomi sur sa veste et sur la moitié de la banquette. Elle se mit à secouer la poignée de la portière.

– Reste où tu es ! Je vais chercher quelqu'un.

Il sonna à la porte. Une ambulance arriva au même instant. Il reconnut le conducteur, qui s'appelait Lagerbladh, un vieux de la vieille. Ils se saluèrent.

– Tu as un client ou tu vas chercher quelqu'un ?

Le collègue de Lagerbladh les avait rejoints. Wallander lui fit un signe de tête. Il ne l'avait jamais vu.

– On va chercher quelqu'un, dit Lagerbladh.

– Alors aidez-moi d'abord.

Ils le suivirent. La fille avait réussi à ouvrir la portière, mais pas à s'extirper de la voiture. Le haut de son corps dépassait de la banquette. Wallander n'avait jamais rien vu de pareil. Les cheveux sales qui traînaient sur l'asphalte mouillé, la veste couverte de vomissures.

– Tu l'as trouvée où ?

– J'ai failli l'écraser.

– D'habitude, ils ne sont pas ivres avant le soir.

– Je ne suis pas sûr qu'elle soit ivre.

– Ça peut être n'importe quoi. On trouve de tout en ville, héroïne, cocaïne, ecstasy, tout ce qu'on veut.

Le collègue était parti chercher une civière.

– J'ai l'impression de la reconnaître, dit Lagerbladh. Je me demande si je ne l'ai pas déjà emmenée une fois.

Il se pencha et ouvrit la veste de la fille sans ménagement. Elle protesta à peine. Lagerbladh finit par trouver une carte d'identité.

– Sofia Svensson. Ça ne me dit rien. Mais je la reconnais. Elle a quatorze ans.

L'âge d'Eva Persson, pensa Wallander. Qu'est-ce qui se passe, au juste ?

Le collègue revint avec la civière. Ils la soulevèrent. Lagerbladh jeta un coup d'œil à la banquette et fit la grimace.

– Bonne chance pour le nettoyage.

– Appelle-moi. Je veux être tenu au courant. Et savoir ce qu'elle a avalé.

Lagerbladh promit de l'appeler. Les deux ambulanciers s'éloignèrent avec la civière. La pluie avait augmenté d'intensité. Wallander contempla les dégâts dans sa voiture. Puis il vit les portes vitrées des urgences se refermer. Une fatigue infinie le submergea. Je vois une société se décomposer autour de moi. Autrefois, Ystad était une petite ville entourée de cultures prospères. Il y avait un port, quelques ferries qui nous reliaient au continent, mais pas trop. Malmö était loin. Ce qui arrivait là-bas n'arrivait jamais ici. Cette époque-là est révolue. Il n'y a plus de différence entre eux et nous. Ystad est au centre de la Suède. Bientôt au centre de l'univers. Erik Hökberg fait des affaires dans le monde entier sans quitter son bureau, une fille de quatorze ans erre dans les rues complètement ivre ou droguée à neuf heures du matin. Je ne sais pas ce que je vois. Mais c'est un pays où les gens sont exposés, sans abri, une société de part en part vulnérable. Une coupure d'électricité, et tout s'arrête. La vulnérabilité s'est insinuée en profondeur dans chaque individu. Sofia Svensson en est une image. Comme Eva Persson. Et Sonja Hökberg. Et moi. Qu'est-ce que je peux faire ? À part les charger dans ma voiture et les conduire à l'hôpital ou au commissariat ?

Il s'approcha d'un container, trouva quelques journaux trempés avec lesquels il essuya tant bien que mal la banquette. Puis il fit le tour de la voiture et considéra sa calandre enfoncée. Il pleuvait à verse. Mais il s'en fichait.

Il remonta en voiture. Soudain, il pensa à Sten Widén. La Suède est devenu un pays que les gens fuient. Ceux qui le peuvent s'en vont. Restent les gens comme moi, comme Sofia Svensson, comme Eva Persson. Il était indigné. Pour elles, mais aussi pour lui-même. On est en train de trahir toute une génération. On leur vole leur avenir. Les jeunes quittent des écoles où les profs luttent en vain, avec des classes trop nombreuses et des moyens insuffisants. Des jeunes qui n'auront jamais accès à un travail digne de ce nom. Qui ne se sentent pas seulement superflus, mais carrément indésirables dans leur propre pays.

Arrivé place Runnerström, il coupa le contact, toujours perdu dans ses pensées. Quelqu'un frappa à la vitre, il sursauta. C'était Martinsson, tout sourire, un sachet de viennoiseries à la main. Wallander fut malgré lui content de le voir. En temps normal, il lui aurait parlé de la fille qu'il venait de conduire à l'hôpital. Là, il ne dit rien, se contenta de descendre de voiture.

– Je croyais que tu dormais.

– Je réfléchissais. Alfredsson est arrivé ?

Martinsson rit.

– Figure-toi qu'il ressemble vraiment à l'autre Alfredsson. Sauf qu'on ne peut pas franchement l'accuser d'être drôle.

– Robert Modin est arrivé ?

– Je dois aller le chercher à treize heures.

Ils montèrent l'escalier.

– Un certain Setterkvist s'est pointé ce matin. Un vieux monsieur plutôt autoritaire. Il voulait savoir qui paierait le loyer de Falk à partir de maintenant.

– Je l'ai rencontré. C'est lui qui m'a appris l'existence de ce bureau.

Wallander pensait à la fille qu'il avait transportée aux urgences. Il se sentait abattu. Ils s'arrêtèrent sur le palier.

– Alfredsson prend son temps, dit Martinsson. Mais il est sûrement très fort. Il est en train d'analyser les résultats qu'on a obtenus jusqu'à présent. Sa femme n'arrête pas d'appeler pour se plaindre qu'il soit ici et pas à la maison.

– Je vais juste lui dire bonjour. Puis je vous laisse jusqu'à l'arrivée de Modin.

– Que croit-il avoir trouvé au juste ?

– Je ne sais pas. Mais il était persuadé d'avoir découvert un moyen de s'infiltrer dans les secrets de Falk.

Ils entrèrent. L'homme de Stockholm ressemblait vraiment à son célèbre homonyme. Wallander ne put s'empêcher de sourire et en oublia même un instant ses pensées moroses. Ils se saluèrent.

– Nous te sommes très reconnaissants d'avoir accepté de venir si vite.

– Pourquoi ? J'avais le choix ?

– J'ai acheté des viennoiseries, dit Martinsson. J'espère que tu aimes ça.

Wallander décida de s'en aller sans attendre. Sa présence n'avait d'intérêt que si Modin était là.

– Appelle-moi quand il sera arrivé, dit-il à Martinsson. J'y vais.

Alfredsson s'était rassis devant l'ordinateur. Soudain, il poussa une exclamation. Wallander et Martinsson se rapprochèrent. Un point clignotant signalait l'arrivée d'un e-mail.

– C'est pour toi, dit Alfredsson, surpris, en se tournant vers Wallander.

Wallander mit ses lunettes. Le message était de Robert Modin :

Ils m'ont repéré. J'ai besoin d'aide. Robert.

Oh non, pensa Wallander avec désespoir. Pas un de plus. Je n'y arriverai pas.

Il était déjà dans l'escalier.

La voiture de Martinsson était la plus proche. Wallander mit le gyrophare.

Il était dix heures du matin lorsqu'ils quittèrent la ville. Il pleuvait toujours à verse.

34

En arrivant à Löderup, après un trajet défiant toutes les règles de sécurité, Wallander rencontra pour la première fois la mère de Robert Modin – une grosse dame qui paraissait très nerveuse. Elle était allongée sur le canapé, du coton hydrophile dans les narines, une serviette mouillée sur le front. Le père leur avait ouvert en annonçant que Robert avait pris la voiture. Il le répéta plusieurs fois.

– Il a pris la voiture et il n'a même pas son permis.

– Il sait conduire ? demanda Martinsson.

– À peine.

Il leur expliqua à voix basse que sa femme était au salon.

– Elle saigne du nez. Ça lui arrive toujours quand elle est bouleversée.

Wallander et Martinsson entrèrent pour la saluer. Elle fondit en larmes lorsque Wallander lui apprit qu'ils étaient de la police.

– Il vaut mieux qu'on aille à la cuisine, dit Axel Modin. Ma femme est d'un tempérament un peu nerveux.

Wallander devina quelque chose de lourd, de douloureux peut-être, dans sa façon de parler de sa femme. Ils allèrent à la cuisine. Modin laissa la porte entrebâillée. Il semblait guetter le moindre bruit venant du salon.

Il leur proposa un café, qu'ils refusèrent. À présent, Wallander avait vraiment peur. Il ignorait ce qui se tramait, mais Robert Modin était en danger, sans aucun doute possible. Deux jeunes avaient été tués, et Wallander sentait bien qu'il n'en supporterait pas un de plus. Il serait métamorphosé en monument d'incompétence s'il ne parvenait pas à protéger le jeune homme qui avait mis ses extraordinaires capacités à leur service. Au cours du trajet jusqu'à Löderup, il avait été terrorisé par la vitesse à laquelle Martinsson conduisait. À la fin seulement, lorsque l'état de la route l'avait contraint à ralentir, il avait posé quelques questions.

– Comment pouvait-il savoir qu'on était place Runnerström ? Et comment a-t-il pu envoyer ce mail à l'ordinateur de Falk ?

– Il a peut-être essayé de t'appeler. Tu as branché ton portable ?

Wallander avait sorti l'appareil. Éteint. Il jura à haute voix.

– Il a dû deviner où nous étions, continuait Martinsson. Et l'adresse e-mail de Falk, il l'avait évidemment notée. On ne peut pas dire que ce garçon ait un problème de mémoire.

À présent, dans la cuisine, Wallander se tourna vers le père.

– Que s'est-il passé ? Nous avons reçu une sorte d'appel au secours de Robert.

Axel Modin le dévisagea sans comprendre.

– Un appel au secours ?

– Par ordinateur. Mais le plus urgent, c'est que tu nous dises en peu de mots ce qui s'est passé.

– Je ne sais rien. Je ne savais même pas que vous alliez venir. Mais ces derniers temps, j'ai entendu du bruit dans sa chambre, la nuit. Je ne sais pas ce qu'il fabriquait. Ces ordinateurs de malheur, j'imagine. En me réveillant ce matin vers six heures, j'ai entendu qu'il y était encore. Faut croire qu'il n'avait pas dormi de la nuit. J'ai frappé à la porte pour lui demander s'il voulait un café. Il a dit oui. Je l'ai appelé du rez-de-chaussée quand le café était prêt. Il a mis presque une demi-heure à venir. Mais il n'a rien dit. Il paraissait plongé dans ses pensées.

– Ça lui arrive souvent ?

– Oui. Et j'ai bien vu qu'il n'avait pas dormi.

– Il t'a dit à quoi il était occupé ?

– Non, il ne m'en parlait jamais. Ça n'aurait servi à rien. Je suis un vieil homme qui ne comprend rien aux ordinateurs.

– Que s'est-il passé ensuite ?

– Il a bu son café et il est remonté dans sa chambre avec un verre d'eau.

– Je croyais qu'il ne buvait pas de café, dit Martinsson. Seulement des boissons très spéciales.

– C'est vrai. Il est végétalien. Le café est la seule exception.

Wallander n'était pas sûr de savoir ce qu'était un végétalien. Linda avait essayé de lui expliquer le rapport entre la conscience écologique, le sarrasin et les lentilles. Pour l'instant, cela n'avait pas d'importance. Il poursuivit :

– Il est donc remonté dans sa chambre. Quelle heure était-il ?

– Sept heures moins le quart.

– Sais-tu si quelqu'un l'a appelé ?

– Il a un portable. Je ne peux pas entendre s'il sonne.

– Que s'est-il passé ensuite ?

– À huit heures, j'ai apporté son petit déjeuner à ma femme. En passant devant la chambre de Robert, je n'ai rien entendu. J'avoue que je me suis arrêté pour deviner s'il s'était endormi.

– Et c'était le cas ?

– Je n'ai rien entendu. Mais je crois qu'il réfléchissait.

Wallander fronça les sourcils.

– Comment peux-tu le savoir ?

– Ce sont des choses qui se sentent, non ? Quand quelqu'un réfléchit derrière une porte fermée.

Martinsson hocha la tête d'un air entendu, ce qui exaspéra Wallander.

– Et ensuite ? Une fois que tu as apporté à ta femme son petit déjeuner au lit ?

– Pas au lit. Elle mange à une petite table, dans la chambre. Elle est nerveuse le matin, elle doit prendre son temps.

– Ensuite ?

– Je suis descendu laver la vaisselle, nourrir les chats et les poules. On a aussi quelques oies. Je suis allé chercher le journal dans la boîte aux lettres. Puis je me suis refait un café et j'ai feuilleté le journal.

– Toujours pas de bruit à l'étage ?

– Non. C'est après que c'est arrivé.

Martinsson et Wallander se raidirent imperceptiblement. Axel Modin se leva et ferma la porte donnant sur le séjour.

– Soudain, j'ai entendu la porte de Robert s'ouvrir à toute volée. Il a déboulé dans la cuisine. J'étais assis au même endroit que maintenant. On aurait dit qu'il avait vu un fantôme. Il s'est précipité vers la porte d'entrée et l'a fermée à clé. Puis il m'a demandé en hurlant si j'avais vu quelqu'un.

– Ce sont ses propres mots ? Si tu avais vu quelqu'un ?

– Oui, il paraissait hors de lui. Je lui ai demandé ce qui se passait. Mais il n'a rien voulu entendre. Il allait de la cuisine au séjour en regardant par les fenêtres. Ma femme s'est mise à crier là-haut. Elle avait peur. C'était le chaos. Après, c'est devenu pire.

– Que s'est-il passé ?

– Il est revenu dans la cuisine avec mon fusil de chasse en me criant de lui donner des cartouches. J'ai pris peur, je lui ai redemandé ce qui n'allait pas. Il n'a rien voulu me dire. Il voulait des cartouches. Mais je ne lui en ai pas donné.

– Ensuite ?

– Il a jeté le fusil sur le canapé et il a pris les clés de la voiture. J'ai essayé de l'en empêcher, mais il m'a bousculé et il est parti.

– Quelle heure était-il ?

– Je ne sais pas. Ma femme criait dans l'escalier. J'ai dû m'occuper d'elle. Il devait être neuf heures et quart environ.

Wallander regarda sa montre. Cela faisait un peu plus d'une heure. Robert Modin avait lancé un appel au secours et il était parti.

Il se leva.

– Dans quelle direction est-il parti ?

– Vers le nord.

– As-tu vu quelqu'un quand tu es sorti chercher le journal et nourrir les poules ?

– Et qui ça serait ? Par ce temps ?

– Une voiture peut-être. Stationnée quelque part. Ou qui serait passée sur la route.

– Il n'y avait personne.

– Il faut qu'on jette un coup d'œil à sa chambre.

Axel Modin était effondré.

– Quelqu'un peut-il m'expliquer ce qui se passe ici ?

– Pas dans l'immédiat. Mais nous allons essayer de retrouver Robert.

– Il avait peur. Je ne l'ai jamais vu dans cet état. Comme sa mère est capable d'avoir peur, ajouta-t-il après un silence.

Martinsson et Wallander montèrent l'escalier. Martinsson indiqua le fusil appuyé contre la balustrade. Deux ordinateurs étaient allumés dans la chambre de Robert. Des vêtements gisaient, éparpillés. La corbeille à papier débordait.

– Peu avant neuf heures, il se passe quelque chose, résuma Wallander. Robert prend peur, il nous lance un appel et s'en va. Il est désespéré, terrifié. Il veut des cartouches. Il regarde par les fenêtres, puis il prend la voiture.

Martinsson indiqua le portable posé sur la table.

– Quelqu'un a pu l'appeler. Ou bien il a lui-même passé un appel et appris quelque chose qui lui a fait très peur. Dommage qu'il n'ait pas pris le portable.

– Il a peut-être reçu un mail. Il nous a écrit qu'on l'avait repéré.

– Mais il ne nous a pas attendus.

– Cela indique qu'il a pu se passer autre chose après ce message. Ou alors il n'a pas osé attendre.

Martinsson s'était assis devant les ordinateurs.

– On laisse tomber celui-là pour l'instant, dit-il en montrant le plus petit des deux.

Wallander ne lui demanda pas comment il pouvait savoir lequel des deux était le plus important. Dans l'immédiat, il avait besoin de lui. Situation inhabituelle : l'un de ses collaborateurs en savait plus que lui.

Martinsson pianota sur le clavier. La pluie fouettait les vitres. Wallander jeta un regard autour de lui. Au mur, une affiche représentant une carotte géante. À part cela, tout dans cette chambre tournait autour de l'électronique. Livres, disquettes, accessoires, câbles enroulés comme des nids de serpents, modem, imprimante, poste de télévision, deux magnétoscopes. Wallander se plaça à côté de Martinsson et plia les genoux. Que pouvait voir Robert Modin par la fenêtre lorsqu'il travaillait à son bureau ? Des champs, un chemin de traverse au loin. Une voiture avait pu surgir… Il parcourut de nouveau la chambre du regard. Martinsson marmonnait devant l'écran. Wallander souleva un tas de papiers avec précaution. Des jumelles. Il les dirigea vers le chemin noyé de pluie. Une pie traversa son champ de vision. Wallander sursauta malgré lui. À part ça, rien. Une clôture à moitié effondrée, quelques arbres. Et le chemin qui serpentait à travers champs.

– Tu trouves quelque chose ?

Martinsson grommela. Wallander mit ses lunettes et examina le bloc posé près de l'ordinateur. Robert Modin avait une écriture indéchiffrable. Des calculs, des phrases griffonnées, souvent incomplètes.

Un mot revenait plusieurs fois. *Le retard.* Suivi d'un point d'interrogation, ou souligné. *Le retard.* Wallander continua de feuilleter les notes. Un chat noir avec de longues oreilles pointues et une queue qui finissait en gribouillis – comme lorsqu'on réfléchit ou qu'on écoute quelqu'un au téléphone. Sur la page suivante, il avait écrit : *Programmation achevée quand ?* Puis ces deux mots : *Insider nécessaire ?* Beaucoup de points d'interrogation, pensa Wallander. Il cherche des réponses. Comme nous.

– Ici ! s'exclama Martinsson. Il a reçu un mail juste avant de nous envoyer le sien.

Wallander se pencha et lut :

You have been traced.

Rien d'autre. « Tu es repéré. »

– Autre chose ?

– Non. C'est le dernier message qu'il ait reçu.

– Qui l'envoie ?

– Une combinaison aléatoire de chiffres et de lettres. Quelqu'un qui ne souhaite pas livrer son identité.

– Mais d'où vient le message ?

– Le serveur s'appelle Vésuve. On peut le localiser, mais ça risque de prendre du temps.

– Ce n'est pas en Suède ?

– Je ne crois pas.

– Le Vésuve est un volcan en Italie. Peut-il venir de là-bas ?

– Tu n'obtiendras pas de réponse immédiate. Mais on peut essayer. Que dois-je écrire ?

Wallander réfléchit.

– « Veuillez répéter le message. »

Martinsson acquiesça en silence et nota le message en anglais.

– Signé Robert Modin ?

– Oui.

Martinsson nota la combinaison de chiffres et de lettres à la place du destinataire et appuya sur « envoi ». Le texte disparut dans l'espace cybernétique. Un message s'afficha indiquant que l'adresse était incorrecte.

– Très bien, dit Wallander.

– Que veux-tu que je cherche maintenant ? Où se trouve Vésuve ?

– Envoie la question sur le Net. Ou à quelqu'un qui s'y entend.

Puis il se ravisa.

– Pose-la autrement. Le serveur Vésuve se trouve-t-il en Angola ?

– Ah bon ? Tu crois encore que cette carte postale de Luanda signifie quelque chose ?

– Pas en soi. Mais Tynnes Falk a rencontré quelqu'un là-bas il y a longtemps. Je suis convaincu que c'est important. Décisif, même.

Martinsson lui jeta un regard.

– Parfois, j'ai l'impression que tu surestimes ton intuition. Si je puis me permettre.

Wallander dut se faire violence pour ne pas exploser. La pensée de ce qu'avait fait Martinsson… Il se domina. Le plus important dans l'immédiat, c'était Robert Modin. Mais il mémorisa soigneusement la réplique. Il pouvait se montrer très rancunier au besoin.

Il y avait aussi autre chose. Une pensée qui l'avait frappé au moment même où Martinsson faisait son commentaire.

– Il a demandé conseil à des amis. L'un se trouvait en Californie, l'autre à Rättvik. Est-ce que tu as noté leur adresse e-mail ?

– J'ai tout noté, dit Martinsson, visiblement vexé de ne pas y avoir pensé lui-même.

Cela réjouit Wallander. Comme une petite vengeance anticipée.

– Ils devraient pouvoir nous répondre. Si tu précises bien qu'on fait ça pour Robert. Pendant ce temps, je vais me mettre à sa recherche.

– Il n'a pas camouflé ses traces, tout compte fait. Comment est-ce possible ?

– C'est toi qui t'y connais en informatique, pas moi. Mais j'ai l'impression que quelqu'un est parfaitement informé de nos faits et gestes. Ça n'a rien à voir avec mon intuition, seulement avec les faits.

– Quelqu'un a surveillé Apelbergsgatan et la place Runnerström. Quelqu'un t'a tiré dessus dans l'appartement de Falk.

– Ce n'est pas ça. Je ne parle pas d'un homme au type asiatique, etc. Je pense à une fuite, à l'intérieur du commissariat.

Martinsson éclata de rire. Wallander ne put déceler s'il était ironique ou non.

– Tu ne penses pas sérieusement que l'un d'entre nous serait impliqué ?

– Non. Mais je me demande s'il peut y avoir une faille. Une fuite. Dans les deux sens.

Il indiqua l'ordinateur d'un geste.

– Je me demande tout simplement si quelqu'un fait la même chose que nous. Si quelqu'un s'amuse à copier des informations.

– Les fichiers de la police sont couverts par des systèmes de sécurité performants.

– Mais nos propres machines ? Ann-Britt et toi, vous rédigez tous vos rapports sur ordinateur. Hansson, je ne sais pas. Moi, ça m'arrive de temps en temps. Nyberg se bagarre avec le sien. Les protocoles des légistes nous arrivent par le Net. Quelqu'un ne pourrait-il pas intercepter ces informations ?

– Ça ne me paraît pas vraisemblable.

– C'était juste une idée.

Il quitta Martinsson et descendit l'escalier. Par la porte entrouverte du séjour, il aperçut Modin qui tenait dans ses bras son énorme femme, aux narines pleines de coton hydrophile. Cette image le remplit de pitié et d'une joie confuse – il ne savait pas quel sentiment l'emportait. Il frappa doucement à la porte. Axel Modin le rejoignit.

– J'ai besoin de téléphoner.

– Que s'est-il passé ?

– C'est ce qu'on essaie de comprendre. Mais tu ne dois pas t'inquiéter.

Wallander fit une prière muette pour que ce soit vrai. Il s'assit près du téléphone dans le hall d'entrée et réfléchit à ce qu'il allait dire. Son inquiétude était-elle fondée ? C'était la première question. Mais le message avait bien été envoyé. De plus, c'était un leitmotiv de toute cette enquête : la nécessité de dissimuler quelque chose à tout prix – pour des gens qui n'hésitaient pas à tuer. Wallander prit sa décision. La menace contre Robert Modin était réelle ; il n'osait pas sous-estimer le danger. Il composa le numéro du commissariat. Cette fois, il eut de la chance. Ann-Britt était là et prit aussitôt son appel. Il lui expliqua la situation. Il fallait en tout premier lieu envoyer des voitures pour fouiller les alentours de Löderup. Si Robert Modin était mauvais conducteur, il n'était peut-être pas très loin. Sans compter le risque d'un accident. Wallander demanda à Axel Modin de décrire la voiture et de préciser le numéro d'immatriculation. Ann-Britt prit note. Wallander remonta au premier étage. Toujours pas de nouvelles des conseillers de Modin.

– J'ai besoin de ta voiture.

– Les clés sont dans le contact, dit Martinsson sans quitter l'écran des yeux.

Wallander courut sous la pluie jusqu'à la voiture. Il avait décidé de jeter un coup d'œil au chemin que Robert Modin voyait de sa fenêtre. Selon toute vraisemblance, ça ne donnerait rien. Mais il voulait s'en assurer. Il quitta la cour de la ferme. Un détail ne cessait d'affleurer à sa conscience, une pensée cherchant une issue.

Quelques mots qu'il avait dits lui-même, à propos d'un câble clandestin branché sur le réseau du commissariat. Il comprit au moment même où il découvrait l'entrée du chemin de terre.

Il venait de fêter ses dix ans. Ou ses douze ans peut-être. C'était un nombre pair, et à huit ans, il aurait été trop jeune. Son père lui avait offert des livres. Il ne se souvenait pas du cadeau qu'il avait reçu de sa mère, ni de sa sœur Kristina. Mais les livres étaient posés sur la table du petit déjeuner, enveloppés de papier vert. Il avait tout de suite ouvert le paquet et constaté que c'était presque parfait. Pas tout à fait. Mais presque. Il avait demandé Les Enfants du capitaine Grant, *de Jules Verne. Le titre l'attirait. Et son père lui avait offert* L'Île mystérieuse, *en deux tomes. Les vrais, avec la couverture rouge et les illustrations originales. Il avait commencé à les lire le soir même. Un mystérieux bienfaiteur s'approchait des naufragés solitaires sur l'île. Qui les aidait ainsi, dans leur détresse extrême ? Alors que le jeune Pencroff se mourait de la malaria et qu'aucune puissance au monde n'aurait pu lui sauver la vie, la quinine était apparue. Et le chien Top grondait au bord du puits profond, tandis que les autres se demandaient ce qui le rendait si inquiet. Pour finir, alors que le volcan tremblait déjà, ils avaient retrouvé le bienfaiteur inconnu. Ils avaient suivi le câble secret connecté au fil télégraphique qui reliait la grotte au récif de corail. Le câble s'enfonçait dans la mer. Et là, dans le sous-marin, ils avaient enfin rencontré le capitaine Nemo…*

Wallander s'était arrêté sur le chemin boueux. La pluie tombait un peu moins fort, mais le brouillard prenait la relève, venant de la mer. Le bienfaiteur tapi dans les profondeurs… Si j'ai raison, pensa-t-il, une oreille invisible est collée à nos murs et écoute nos conversations. Pas un bienfaiteur qui apporte de la quinine, au contraire. Quelqu'un qui nous dérobe ce dont nous avons le plus besoin.

Il démarra, beaucoup trop vite, mais c'était la voiture de Martinsson. Dans l'immédiat, elle lui servirait de défouloir. Arrivé à l'endroit qu'il pensait avoir repéré grâce aux jumelles, il s'arrêta et descendit. À moins que le brouillard ne soit déjà trop épais, Martinsson apercevrait sa voiture en levant la tête. Avec les jumelles, il pourrait même distinguer le visage de Wallander. Le chemin portait des traces de pneus. Il crut voir qu'une voiture s'était arrêtée à cet endroit. Les traces étaient indistinctes, à cause de la pluie. N'empêche, quelqu'un avait pu s'arrêter ici. En même temps qu'un message était envoyé à l'ordinateur de Modin.

Wallander sentit la peur le reprendre. Si quelqu'un montait la garde sur le chemin, il avait forcément vu Robert Modin quitter la maison.

C'est ma faute, pensa-t-il. Je n'aurais jamais dû mêler Robert Modin à cette histoire. C'était trop dangereux, complètement irresponsable.

Il s'obligea à réfléchir calmement. Robert Modin avait paniqué. Il voulait emporter le fusil. Puis il avait pris la voiture. Où était-il allé ?

Il regarda une dernière fois autour de lui. Puis il reprit le chemin de la maison. Axel Modin l'interrogea du regard.

– Je n'ai pas trouvé Robert. Mais il n'y a pas de raison de s'inquiéter.

Axel Modin détourna la tête, comme si son scepticisme pouvait être perçu comme une offense. Aucun bruit ne leur parvenait du séjour.

– Elle va mieux ? demanda Wallander.

– Elle dort. C'est le mieux pour elle. Elle a peur du brouillard qui s'insinue partout.

Wallander montra la cuisine d'un signe de tête. Modin le suivit. Un grand chat noir couché sur l'appui de la fenêtre observa Wallander de son regard vigilant. Il se demanda si c'était lui qu'avait dessiné Robert ; le chat dont la queue se transformait en fil électrique.

– Où a-t-il pu aller ?

Axel Modin écarta les mains.

– Je ne sais pas.

– Mais il a des amis. Quand je suis venu la première fois, il était à une fête.

– J'ai téléphoné à ses amis. Personne ne l'a vu. Ils ont promis de m'appeler au cas où.

– Tu as sûrement réfléchi. C'est ton fils. Il a peur, il s'en va. Où a-t-il pu se cacher ?

Modin réfléchit. Le chat ne quittait pas Wallander du regard.

– Il aime bien se balader sur les plages, vers Sandhammaren, ou alors dans les champs autour de Backåkra. Je ne connais pas d'autre endroit.

Wallander hésita. La plage était un lieu trop exposé, tout comme les champs de Backåkra. Mais là, il y avait le brouillard. Pas de meilleure cachette que le brouillard scanien.

– Réfléchis encore. Avait-il un refuge quand il était enfant ?

Il s'excusa, alla dans le hall d'entrée et appela Ann-Britt. Les patrouilles étaient en route vers Österlen. La police de Simrishamn avait été informée et les assistait. Wallander lui transmit les informations d'Axel Modin.

– Je me charge de Backåkra, dit-il. Il faut que tu envoies une voiture à Sandhammaren.

– D'accord. J'arrive.

En raccrochant, il vit Martinsson débouler dans l'escalier.

– J'ai eu une réponse de Rättvik. Tu avais raison. Le serveur Vésuve se trouve à Luanda.

Wallander hocha la tête. Il n'était pas surpris. Mais sa peur n'en était que plus forte.

35

Wallander avait le sentiment de se trouver face à une forteresse imprenable dont les murs étaient à la fois gigantesques et invisibles. Les murailles électroniques, pensa-t-il. Les murs coupe-feu. Tout le monde parle de la nouvelle technologie comme d'un espace inexploré aux possibilités infinies. Mais pour moi, dans l'immédiat, c'est un camp retranché que je ne sais par où attaquer.

Martinsson avait déniché quelques informations supplémentaires concernant le serveur domicilié en Angola. L'installation et la maintenance étaient assurées par des entrepreneurs brésiliens. Mais le correspondant de Falk restait anonyme, même si Wallander avait de bonnes raisons de soupçonner que son nom commençait par un C. D'après Martinsson, qui était mieux informé que lui de la situation en Angola, le pays était plus ou moins livré au chaos. Depuis le départ des Portugais et l'accès à l'indépendance, au milieu des années 1970, il s'y livrait une guerre civile presque ininterrompue. L'existence d'une police opérationnelle était peu probable. En plus, la lettre C pouvait aussi bien désigner un groupe qu'une personne. Pourtant, Wallander avait le sentiment de repérer une cohérence, bien qu'il n'eût aucune idée de ce qu'elle impliquait. Il ignorait encore tout de ce qui s'était passé à Luanda pendant les quatre ans de la disparition de Falk. Pour l'instant, ils avaient seulement réussi à donner un coup de pied dans une fourmilière. Les fourmis couraient en tous sens mais que se cachait-il à l'intérieur de la fourmilière elle-même ?

En attendant, dans l'entrée de la famille Modin, face à Martinsson, avec la peur qui grandissait à chaque seconde, il n'avait qu'une certitude : il fallait à tout prix retrouver Robert Modin avant qu'il ne soit trop tard. L'image des restes carbonisés de Sonja Hökberg et celle du corps réduit en bouillie de Jonas Landahl étaient imprimées sur sa rétine. Il aurait voulu se précipiter dehors, fouiller le brouillard sans attendre. Mais tout était vague et incertain. Robert Modin avait peur, il était en fuite – de la même manière que Jonas Landahl avait pris le ferry pour la Pologne. Mais il avait été coincé sur le chemin du retour. Rattrapé, plutôt.

Pendant qu'ils attendaient Ann-Britt, il tenta de faire pression sur Axel Modin. N'avait-il vraiment aucune idée de l'endroit où avait pu se rendre son fils ? Ses amis étaient prévenus. Mais n'y avait-il personne d'autre ? Aucun endroit ? Aucune cachette ? Tandis que Wallander tentait d'extorquer un sésame à Modin, Martinsson était retourné auprès des ordinateurs. Wallander l'avait chargé de reprendre contact avec les amis inconnus de Rättvik et de Californie. Peut-être seraient-ils au courant d'une cachette ?

Modin répétait les noms de Sandhammaren et Backåkra. Wallander ne le regardait pas ; il regardait au-delà, par la fenêtre, le brouillard à présent très dense. L'étrange silence qui l'accompagnait n'existait qu'en Scanie, à cette époque précise de l'année, en octobre et en novembre, où tout semblait retenir son souffle avant l'hiver qui rôdait déjà, attendant son heure.

Wallander entendit une voiture freiner dans la cour et alla ouvrir. Ann-Britt salua Modin pendant que Wallander allait chercher Martinsson. Axel Modin retourna auprès de sa femme aux narines pleines d'ouate, à la peur secrète.

Pour Wallander, la situation était simple. Il fallait retrouver Robert Modin. Rien d'autre n'avait d'importance. Les voitures de police sillonnant le brouillard ne suffisaient pas. Il chargea Martinsson de lancer une alerte régionale. Tous les districts de police du sud de la Scanie devaient être mis sur le coup.

– Il est parti dans un état de panique. On ne sait pas si le message qu'il a reçu était une simple menace. On ne sait pas si la maison était surveillée, mais on doit partir de cette hypothèse.

– Ils doivent être très forts, dit Martinsson qui se tenait sur le seuil, le portable collé à l'oreille. Je suis certain qu'il a camouflé ses traces.

– Ça n'a peut-être pas suffi, s'il a copié des informations et continué le travail ici…

– Je n'ai rien trouvé. Mais tu as peut-être raison.

Une fois l'avis de recherche lancé, il fut convenu que Martinsson resterait dans la maison des Modin, transformée en QG provisoire. Robert essaierait peut-être de prendre contact avec sa famille. Ann-Britt se chargerait de la plage de Sandhammaren avec une patrouille, tandis que Wallander se rendrait à Backåkra.

Alors qu'ils se dirigeaient vers les voitures, Wallander vit qu'Ann-Britt était armée. Après son départ, il retourna à la cuisine.

– Le fusil, dit-il. Et des cartouches.

L'angoisse se peignit sur le visage de Modin.

– Simple précaution, ajouta trop tard Wallander.

Modin quitta la pièce et revint avec le fusil et une boîte de cartouches.

Il conduisait de nouveau la voiture de Martinsson. La circulation sur la route était très ralentie à cause du brouillard. Wallander n'avait qu'une pensée : où était Robert Modin ? Comment avait-il raisonné ? Avait-il un projet ou était-il parti sous le coup de la panique ? Wallander finit par comprendre qu'il ne trouverait pas de réponse. Il ne connaissait pas Robert Modin.

Il faillit dépasser la sortie. Une fois sur la petite route, il accéléra, malgré le rétrécissement de la voie. Il ne s'attendait pas à croiser des voitures. Il n'y avait rien à Backåkra, en dehors de la maison de l'Académie suédoise, sûrement déserte à cette époque de l'année. Il laissa la voiture sur le parking. Une corne de brume résonna, il perçut l'odeur de la mer. Il n'y voyait pas à plus d'un mètre. Il fit le tour du parking. Pas d'autres voitures. Il se dirigea vers le quadrilatère de la ferme. Fermé, verrouillé. Pas âme qui vive. Qu'est-ce que je fais là ? Pas de voiture, pas de Robert Modin. Pourtant, il prit à droite à travers champs, vers le cercle de pierres et le lieu de méditation. Un oiseau poussa un cri au loin – ou peut-être tout près. Le brouillard empêchait d'évaluer les distances. Il avait le fusil sous le bras, la boîte de cartouches dans sa poche. Il entendait à présent le ressac. Il arriva devant le cercle de pierres. Personne. Il prit son portable et appela Ann-Britt, qui lui répondit de la plage de Sandhammaren. Aucune trace de la voiture de Modin. Mais elle avait parlé à Martinsson ; d'après lui, tous les districts de police de Scanie étaient désormais impliqués dans les recherches.

– Le brouillard est localisé, dit-elle. À Sturup, les avions décollent et atterrissent normalement. Au nord de Brösarp, la vue est dégagée.

– Il n'est pas allé jusque-là. Il est dans les parages, j'en suis convaincu.

Il raccrocha. Soudain, il leva la tête. Une voiture approchait du parking. Il écouta intensément. Modin avait disparu à bord d'une voiture ordinaire, une Golf. Le bruit de ce moteur était différent. Sans vraiment savoir pourquoi, il chargea le fusil avant de continuer. Le bruit du moteur cessa. Une portière s'ouvrit. Wallander était certain que ce n'était pas Modin. Probablement quelqu'un qui avait à faire dans la maison, ou qui désirait jeter un coup d'œil à la voiture de Wallander au cas où il s'agirait d'un cambrioleur. Il scruta le brouillard, flairant le danger. Il quitta le sentier et décrivit un grand arc de cercle pour rejoindre le parking. Si quelqu'un avait ouvert la porte de la maison, il l'aurait entendu. Tout était silencieux. Bizarre.

Soudain, il aperçut la maison et recula de quelques pas ; elle disparut. Il la contourna, escalada la clôture avec difficulté. Il explora le parking. La visibilité était encore plus réduite que tout à l'heure. Mieux valait ne pas s'approcher de la voiture de Martinsson. Il reprit sa progression lente, la main contre la clôture pour ne pas perdre le sens de l'orientation.

Il était presque parvenu à l'entrée lorsqu'il s'arrêta net. Une voiture. Une camionnette plutôt. Puis il comprit. C'était un minibus Mercedes bleu nuit.

Il recula vivement, le brouillard l'engloutit. Son cœur battait à se rompre. Il tâta le cran de sûreté du fusil. Se souvint du bruit, une portière qu'on ouvrait. Il n'y avait aucun doute possible. C'était la même voiture qui avait rapporté le corps de Falk devant le distributeur. Quelqu'un était à la recherche de Modin.

Mais Modin n'était pas là.

Au même instant, il comprit qu'il existait une autre possibilité. Ce n'était peut-être pas Modin qu'ils cherchaient, mais lui, Wallander.

S'ils avaient vu Modin quitter la maison, ils avaient très bien pu le voir, lui aussi. Comment savoir si quelqu'un l'avait suivi ? Il y avait eu des phares dans le brouillard. Mais personne ne l'avait dépassé.

Son portable bourdonna. Il sursauta et répondit à voix basse. Mais ce n'était ni Martinsson ni Ann-Britt. C'était Elvira Lindfeldt.

– J'espère que je ne te dérange pas. Je pensais qu'on pourrait se voir demain. Si tu en as encore envie.

– Je préfère te rappeler.

Elle lui demanda de parler plus fort, elle avait du mal à l'entendre.

– Je suis occupé. Je préférerais te rappeler.

– Pardon ? Je t'entends mal.

– Je ne peux pas te parler maintenant. Je te rappelle.

– Je suis chez moi.

Wallander éteignit le portable. C'est de la folie. Elle doit penser que je lui fais la tête. Pourquoi appelle-t-elle juste au moment où je ne peux pas lui parler ?

Soudain, une pensée fugitive et vertigineuse lui traversa l'esprit. Elle disparut aussitôt, il n'eut même pas le temps de la comprendre ; mais il l'avait sentie, comme un courant froid. *Pourquoi avait-elle téléphoné à cet instant précis ?*

C'était absurde. Un effet de la fatigue et de son sentiment croissant d'être victime d'une conspiration. Il se demanda s'il devait la rappeler. Au moment où il allait le ranger dans sa poche, le portable lui glissa des mains et tomba sur l'asphalte mouillé. Cela lui sauva la vie. Il se baissa pour le ramasser. Au même instant, un coup de feu partit derrière lui. Il se retourna, fusil levé, et crut voir une ombre bouger dans le brouillard. Il s'éloigna aussi vite qu'il le put, en trébuchant. Le portable était resté là-bas. Son cœur cognait. Il a entendu ma voix, c'est comme ça qu'il m'a repéré. Si je n'avais pas laissé tomber le portable, je ne serais plus là. Cette pensée le bouleversa. Le fusil tremblait entre ses mains. Pas la peine d'essayer de retrouver le portable. Où était la voiture ? Il avait perdu tout sens de l'orientation. La clôture n'était plus visible. Il ne voulait qu'une chose : s'éloigner le plus vite possible. Il s'accroupit, prêt à tirer. L'homme était là, dans le brouillard. Wallander écouta intensément. Mais tout était silencieux. Il n'osait pas rester là. Il prit une décision rapide, ôta le cran de sûreté et tira en l'air. Le coup de feu fut assourdissant. Il s'éloigna de quelques mètres en courant, s'arrêta, écouta. La clôture était de nouveau visible. Il savait dans quel sens il devait la suivre pour quitter le parking.

Puis il entendit autre chose. Le bruit caractéristique de sirènes de police qui approchaient. Les routes sont pleines de patrouilles, ils ont entendu le premier coup de feu. Il se mit à courir en direction de la route. À mesure que le soulagement le gagnait, la peur se transforma en rage. Pour la deuxième fois en peu de temps, quelqu'un avait essayé de le tuer. Il tenta de réfléchir. Le minibus Mercedes était encore là. Et il n'y avait qu'une seule sortie. Si l'homme choisissait de repartir en voiture, ils l'arrêteraient. S'il disparaissait à pied, ce serait plus compliqué.

Il était parvenu à l'embranchement. Les sirènes approchaient. Il y en avait plus d'une ; deux, peut-être trois. En apercevant les gyrophares, il se mit à gesticuler. Hansson se trouvait à bord de la première voiture. Wallander n'avait jamais de sa vie été aussi heureux de le voir.

– Qu'est-ce qui se passe ? On nous parle de coups de feu et Ann-Britt a dit que tu étais là.

Wallander s'expliqua en peu de mots.

– Personne ne sort sans équipement pare-balles. Il faut faire venir des chiens. Mais d'abord, il faut bloquer la route.

En très peu de temps, le barrage fut établi ; les policiers avaient enfilé des gilets pare-balles et des casques. Ann-Britt était arrivée sur les lieux, suivie de près par Martinsson.

– Le brouillard va bientôt se lever, dit Martinsson. J'ai parlé aux types de la météo, il est très localisé.

Il était treize heures, samedi 18 octobre. Wallander s'éloigna après avoir emprunté le portable de Hansson. Il composa le numéro d'Elvira Lindfeldt, mais se ravisa avant qu'elle ait eu le temps de répondre.

Ils attendirent. Ann-Britt repoussa quelques journalistes curieux qui avaient trouvé le chemin du barrage. Aucune nouvelle de Robert Modin ni de sa voiture. Wallander tenta de parvenir à une conclusion cohérente. Était-il arrivé malheur à Modin ? Ou bien avait-il réussi jusque-là à s'en sortir ? Il n'avait pas de réponse. Un homme armé se cachait dans le brouillard. On ignorait tout de lui, qui il était et pourquoi il avait tiré.

Le brouillard commença à se dissiper vers treize heures trente. Très vite, le soleil apparut. Le minibus Mercedes était encore là, tout comme la voiture de Martinsson. Personne en vue. Wallander ramassa son portable.

– Il est parti à pied.

Hansson appela Nyberg, qui s'engagea à venir sur-le-champ. Ils fouillèrent le véhicule. Rien d'intéressant, en dehors d'une boîte aluminium entamée contenant quelque chose qui ressemblait à du poisson. Une étiquette raffinée affirmait qu'elle venait de Thaïlande et qu'elle contenait du Plakapong Pom Poi.

– On a peut-être trouvé le fameux Fu Cheng, dit Hansson.

– Peut-être. Mais ce n'est pas sûr.

– Tu n'as vraiment rien vu ?

La question venait d'Ann-Britt. Wallander se sentit immédiatement agressé.

– Non. À ma place, tu n'aurais rien vu non plus.

– On a le droit de poser des questions, quand même.

On est fatigués, pensa Wallander avec découragement. Ann-Britt, moi, pour ne pas parler de Nyberg. Tous sauf Martinsson, qui a encore la force de conspirer dans les couloirs.

Ils commencèrent les recherches. Les deux chiens flairèrent aussitôt une piste, qui aboutissait à la plage. Entre-temps, Nyberg était arrivé avec ses techniciens.

– Empreintes, dit Wallander. À comparer avec celles qu'on a retrouvées chez Falk, sur le site du transformateur, sur le sac de Sonja Hökberg, dans l'appartement de Siv Eriksson et dans le bureau de la place Runnerström.

Nyberg jeta un regard par le pare-brise du minibus.

– Je suis très reconnaissant chaque fois que j'arrive dans un endroit qui n'est pas rempli de cadavres massacrés. Et où on ne patauge pas dans le sang.

Il flaira l'air de la cabine.

– Ça sent la fumée. Marijuana.

Wallander écarquilla les narines, mais ne sentit rien.

– Il faut un bon nez, dit Nyberg avec satisfaction. On leur apprend ça de nos jours, à l'école ?

– Ça m'étonnerait. Mais je maintiens que tu devrais leur faire une conférence. Sur la technique du flair.

– Et puis quoi encore ?

Robert Modin restait introuvable. Vers quinze heures, les maîtres-chiens revinrent. Ils avaient longé la plage vers le nord et perdu la piste.

– Ceux qui cherchent Robert Modin doivent rester extrêmement vigilants. S'ils aperçoivent un homme de type asiatique, ils doivent prendre toutes les précautions avant d'intervenir. Cet homme est dangereux. Il n'hésite pas à tirer. Qu'on nous signale aussi d'urgence toute voiture volée.

Wallander rassembla ses plus proches collaborateurs. Le soleil brillait, pas un souffle de vent. Il les entraîna jusqu'au lieu de méditation.

– Il y avait des flics à l'âge de bronze ? demanda Hansson.

– Sûrement. Mais pas de grand patron à Stockholm, à mon avis.

– Ils soufflaient dans des cornes, dit Martinsson. Je suis allé à un concert cet été au tombeau viking d'Ales Stenar. On aurait dit des cornes de brume. Mais c'était peut-être les sirènes de l'époque.

– L'âge de bronze attendra. Essayons de faire le point. Robert Modin reçoit un e-mail. Il se sent menacé, il s'enfuit. Cela fait maintenant cinq ou six heures. Quelqu'un est à sa recherche. Ce quelqu'un en a visiblement aussi après moi. Ça vaut donc pour vous tous.

Il se tut et jeta un regard circulaire pour souligner la gravité du propos.

– Il n'y a qu'une explication plausible. Quelqu'un redoute que nous ayons fait une découverte. Pire encore, que nous soyons en état d'empêcher quelque chose. Je suis absolument persuadé que tous ces événements sont liés à la mort de Falk. Et à ce qui se cache dans son ordinateur.

Il se tourna vers Martinsson.

– Où en est Alfredsson ?

– Il trouve tout cela très étrange.

– Nous aussi, tu peux le lui dire de ma part. Autre chose ?

– Il est impressionné par Modin.

– Nous aussi. C'est tout ?

– Je lui ai parlé il y a deux heures. Il n'avait rien à dire que Modin ne nous ait déjà appris. Une horloge invisible, un compte à rebours. Quelque chose doit se produire. Pour le moment, il essaie de découvrir un schéma directeur. Il est en contact permanent avec les cellules informatiques d'Interpol. Au cas où d'autres pays auraient une expérience similaire. Il me fait l'effet d'être à la fois compétent et consciencieux.

– Alors, on lui fait confiance.

– Mais que va-t-il se passer ? Le 20, c'est lundi. Dans moins de trente-quatre heures.

La question venait d'Ann-Britt.

– Ma réponse honnête est que je n'en ai aucune idée. Mais quelqu'un n'hésite pas à tuer pour garder le secret.

– Peut-il s'agir d'autre chose que d'une action terroriste ? intervint Hansson. N'aurions-nous pas dû informer la Säpo depuis longtemps ?

La proposition de Hansson suscita une certaine hilarité. Wallander pas plus que ses collègues n'avait la moindre confiance dans les services de sécurité. Mais Hansson avait raison. Il aurait dû le faire, ne serait-ce que pour se protéger lui-même. S'il se produisait quelque chose, sa tête serait la première à tomber.

– Appelle-les. À supposer qu'ils travaillent le week-end.

– La coupure d'électricité, dit Martinsson. Ceux qui ont fait ça savaient exactement où frapper. Quelqu'un aurait-il décidé de détruire le réseau national ?

– Tout est envisageable. Au fait, savons-nous comment les plans du transformateur ont atterri sur le bureau de Falk ?

– D'après l'enquête interne de Sydkraft, dit Ann-Britt, l'original que nous avons trouvé chez Falk a été échangé contre une copie. Ils m'ont donné une liste des gens qui avaient accès aux archives. Je l'ai remise à Martinsson.

Martinsson écarta les mains dans un geste d'impuissance.

– Je n'ai pas eu le temps de m'en occuper. Mais je vais voir si l'un d'entre eux figure dans le fichier.

– Il faudrait le faire immédiatement. Ça peut nous donner un indice.

Le vent s'était mis à souffler sur les champs. Ils évoquèrent les tâches les plus urgentes, à part retrouver Robert Modin. Martinsson partit le premier. Il devait emporter les ordinateurs de Modin au commissariat et s'occuper de la liste de Sydkraft. Wallander chargea Hansson de coordonner les recherches. Pour sa part, il avait le plus grand besoin de faire le point avec Ann-Britt. Auparavant, il aurait choisi Martinsson. Maintenant, c'était au-dessus de ses forces.

Ils revinrent ensemble vers le parking.

– Tu as parlé à Martinsson ? demanda-t-elle.

– Pas encore. Le plus important, c'est de retrouver Robert Modin et de démêler cette histoire.

– C'est la deuxième fois en une semaine que tu as failli être tué. Je ne comprends pas comment tu fais pour rester si calme.

Wallander s'immobilisa.

– Qui te dit que je suis calme ?

– C'est en tout cas l'impression que tu donnes.

– C'est une impression fausse.

Ils se remirent en marche.

– Dis-moi ce que tu vois. Prends ton temps. Que s'est-il passé ? À quoi pouvons-nous nous attendre ?

Ann-Britt serra sa veste autour d'elle.

– Je ne peux pas en dire beaucoup plus que toi.

– Tu peux le dire à ta façon. Si j'entends ta voix, c'est autre chose que mes propres pensées.

– Sonja Hökberg a sûrement été violée. Pour l'instant, je ne vois pas d'autre explication au meurtre de Lundberg. Si on creuse davantage, je crois qu'on découvrira une jeune femme aveuglée par la haine. Sonja Hökberg n'est pas la pierre qu'on a jetée à l'eau, mais seulement l'un des cercles concentriques. Le plus important est peut-être le moment où ça s'est passé.

– Explique-toi.

– Que serait-il arrivé si elle n'avait pas été arrêtée pratiquement au moment de la mort de Tynnes Falk ? Imaginons qu'il se soit écoulé quelques semaines entre les deux événements. Et qu'on n'ait pas été aussi près du 20 octobre, à supposer que cette date soit décisive.

Wallander hocha la tête. Le raisonnement était juste.

– L'inquiétude augmente et conduit à des actes incontrôlés. C'est ce que tu veux dire ?

– Il n'y a pas de marge. Sonja Hökberg est détenue par la police. Quelqu'un croit qu'elle sait quelque chose et risque de parler. Ce qu'elle sait est lié aux gens qu'elle fréquente, Jonas Landahl en particulier. Il est tué à son tour. Tout cela est une guerre pour protéger un secret dissimulé dans un ordinateur. Quelques animaux de nuit farouches, pour reprendre l'expression de Modin, veulent à tout prix continuer à œuvrer en silence. Si l'on écarte un certain nombre de détails, les choses peuvent s'être déroulées ainsi. Ce qui expliquerait les menaces contre Robert Modin. Et les attaques contre toi.

– Pourquoi moi ? Pourquoi pas l'un d'entre vous ?

– Tu étais à l'appartement. Tu es toujours visible.

– Il y a beaucoup de lacunes. Mais je pense comme toi. Ce qui me cause le plus de souci, c'est cette oreille collée à nos murs, qui semble toujours informée de nos faits et gestes.

– Tu devrais peut-être ordonner un silence radio absolu. Aucune information importante par ordinateur ni par téléphone.

Wallander donna un coup de pied à un caillou.

– Ça n'arrive pas. Pas ici, en Suède.

– Tu dis toi-même qu'il n'y a plus de périphérie. Qu'on est au centre du monde, où qu'on soit.

– Si j'ai dit ça, j'ai exagéré.

Ils continuèrent en silence. Ann-Britt luttait contre le vent.

– Autre chose, dit-elle. Que nous savons et qu'ils ne savent pas.

– Quoi ?

– Sonja Hökberg ne nous a jamais rien dit. De ce point de vue, elle est morte pour rien.

Wallander hocha la tête. Elle avait raison.

– Qu'est-ce qui se cache dans cet ordinateur ? dit-il après un silence. Martinsson et moi en sommes arrivés à un seul dénominateur commun, assez douteux. L'argent.

– C'est peut-être un énorme coup qui se prépare. N'est-ce pas ainsi que les choses se passent maintenant ? Une banque se met à agir n'importe comment, en transférant des sommes faramineuses sur un compte dont personne n'avait jamais entendu parler.

– Peut-être. Nous ne savons rien du tout.

Ils étaient revenus sur le parking. Ann-Britt indiqua la maison.

– Je suis venue écouter une conférence ici cet été. Un chercheur qui s'intéresse à l'avenir, j'ai oublié son nom. Mais il a parlé de la fragilité croissante de la société moderne. En surface, les communications sont de plus en plus denses et de plus en plus rapides. Mais il existe un sous-sol invisible. Par le biais duquel un seul ordinateur peut à terme paralyser le système entier.

– C'est peut-être précisément le cas de l'ordinateur de Falk.

Elle sourit.

– D'après ce chercheur, on n'en est pas encore tout à fait là.

Elle allait ajouter quelque chose, mais Wallander ne sut jamais quoi. Hansson accourait.

– On l'a retrouvé !

– Modin ou le type qui a tiré ?

– Modin. Il est à Ystad. L'une des patrouilles a découvert la voiture.

– Où ?

– Au croisement de Surbrunnsvägen et d'Aulingatan. À côté du parc.

– Où est-il maintenant ?

– Au commissariat.

Wallander le regarda avec une expression d'immense soulagement.

– Il est indemne, poursuivit Hansson. On est arrivés à temps.

Il était quinze heures quarante-cinq.

36

L'appel qu'attendait Carter lui parvint à dix-sept heures, heure locale. La ligne était mauvaise, il eut du mal à comprendre ce que lui disait Cheng. C'était comme dans les lointaines années 1980, où les communications avec l'Afrique étaient encore difficiles. Il se souvenait d'une époque où le simple fait d'envoyer ou de recevoir un fax posait problème.

Entre l'écho, les grésillements et le fort accent de Cheng en anglais, il avait cependant saisi l'essentiel du message. Il sortit au jardin pour réfléchir. Celina était repartie chez elle. Le dîner qu'elle lui avait préparé l'attendait dans le réfrigérateur.

Il réprima son irritation. Cheng ne s'était pas montré à la hauteur de la tâche. Rien ne le contrariait tant que de devoir admettre l'insuffisance de quelqu'un qu'il avait chargé d'une mission. Le rapport de Cheng l'inquiétait. Il devait prendre une décision.

La chaleur, dehors, était écrasante. Deux lézards filèrent comme des flèches entre ses pieds. Un oiseau le contemplait du haut du jacaranda. En contournant la maison, il découvrit José endormi. Il lui balança un coup de pied rageur.

– La prochaine fois, je te vire.

José voulut répondre, mais Carter leva la main. Il n'avait pas la force d'écouter ses explications. Il retourna derrière la maison. La sueur coulait déjà sous sa chemise – moins à cause de la moiteur que de l'inquiétude. Il tenta de réfléchir de façon absolument claire et calme. La femme, contrairement à Cheng, avait agi conformément aux prévisions. Mais sa capacité d'agir était limitée. Parfaitement immobile, Carter observait un lézard accroché tête en bas sur le dossier d'un fauteuil. Il n'avait plus le choix. Mais rien n'était encore trop tard. Il consulta sa montre. L'avion de nuit pour Lisbonne décollait à vingt-trois heures ; il avait six heures devant lui. Il devait y aller. Il n'osait pas prendre de risque.

Il rentra, s'assit devant l'ordinateur, envoya un mail pour annoncer sa venue et donner les instructions indispensables.

Puis il appela l'aéroport. Il ne restait plus de place dans l'avion. Mais le problème fut vite réglé après une conversation avec l'un des chefs de la compagnie.

Il mangea le dîner préparé par Celina. Puis il prit une douche et fit sa valise – avec un frisson d'appréhension à l'idée de retrouver l'automne et le froid.

Peu après vingt et une heures, il prit la route de l'aéroport.

À vingt-trois heures dix, avec un retard de dix minutes, le vol de la TAP à destination de Lisbonne disparut dans le ciel nocturne.

*

Ils étaient revenus au commissariat vers seize heures. Pour une raison inconnue, Robert Modin avait été placé dans l'ancien bureau de Svedberg, qui servait désormais aux policiers en mission de passage à Ystad. À l'entrée de Wallander, il esquissa un sourire qui dissimulait mal sa peur.

– On va dans mon bureau.

Modin prit son gobelet de café et le suivit. Lorsqu'il s'assit dans le fauteuil des visiteurs, l'accoudoir tomba. Modin se releva d'un bond.

– Ça arrive tout le temps, laisse tomber.

Wallander s'assit à son tour et repoussa la masse de papiers épars.

– Tes ordinateurs vont arriver tout à l'heure. Martinsson est parti les chercher.

Modin suivait ses gestes d'un regard vigilant.

– Tu as copié une partie des données de l'ordinateur de Falk pendant qu'on avait le dos tourné. Je me trompe ?

– Je veux parler à un avocat.

– Pas la peine. Tu n'as rien fait d'illégal, du moins pas à mes yeux. Mais je dois savoir ce qui s'est passé exactement.

Modin ne lui faisait pas confiance. Pas encore.

– Tu es ici pour qu'on puisse te protéger. C'est l'unique raison. Tu n'es ni retenu ni soupçonné de quoi que ce soit.

Modin paraissait encore hésiter. Wallander attendit.

– Tu peux me mettre ça par écrit ? demanda Modin enfin.

Il attrapa un bloc-notes et écrivit qu'il garantissait la véracité de ses paroles. Puis il signa de son nom.

– Je ne peux pas te mettre de tampon, mais voilà ma parole écrite.

– Ça ne vaut rien.

– Ça vaut entre nous. Le risque, autrement, c'est que je me ravise.

Modin parut comprendre.

– Que s'est-il passé ? Tu as reçu une menace par e-mail. Je l'ai lue moi-même. Ensuite, tu as découvert par ta fenêtre qu'il y avait une voiture sur le chemin de traverse. C'est ça ?

– Comment peux-tu le savoir ?

– Je le sais. Tu as pris peur et tu es parti. Pourquoi ?

– Ils m'ont retrouvé.

– Tu n'avais pas effacé tes traces ? Tu as commis la même erreur que la première fois ?

– Ils sont très forts.

– Toi aussi.

Modin haussa les épaules.

– Le problème, je pense, est que tu as laissé tomber la prudence à un moment donné. Tu as copié des données de l'ordinateur de Falk. La tentation était trop forte. Tu as continué à travailler pendant la nuit. D'une manière ou d'une autre, ils ont suivi ta trace jusqu'à Löderup.

– Pourquoi m'interroger si tu sais déjà tout ?

– La situation est extrêmement grave.

– Je sais. Pourquoi serais-je parti sinon, moi qui ne sais même pas conduire ?

– Alors, on est d'accord. Tu comprends le danger. À partir de maintenant, tu fais ce que je te dis. Tu as appelé tes parents pour leur dire que tu étais ici ?

– Je croyais que vous l'aviez déjà fait.

Wallander indiqua le téléphone.

– Appelle-les. Dis-leur que ça va bien, que tu es chez nous et que tu restes ici jusqu'à nouvel ordre.

– Papa a peut-être besoin de la voiture.

– Alors, on la lui renverra.

Wallander quitta le bureau. Mais il écouta la conversation derrière la porte. Dans l'immédiat, il n'osait prendre aucun risque. Le coup de fil dura longtemps. Robert demanda des nouvelles de sa mère. Wallander devina que la vie de la famille Modin tournait autour d'une femme qui souffrait de problèmes psychologiques profonds. Il attendit quelques instants avant de retourner dans le bureau.

– On t'a donné à manger ? Je sais que tu n'avales pas n'importe quoi.

– Une tarte au soja, ce ne serait pas mal. Et un jus de carotte.

Wallander appela le poste d'Irene.

– J'ai besoin d'une tarte au soja. Et d'un jus de carotte.

– Tu peux répéter ?

Ebba, elle, n'aurait pas posé de questions.

– Une part de tarte au soja.

– C'est quoi ?

– De la nourriture. Pour végétariens. Le plus tôt serait le mieux.

Il raccrocha sans attendre la réponse.

– Commençons par ce que tu as vu de ta fenêtre. C'était une voiture ?

– Il n'y a jamais de voiture sur ce chemin-là.

– Alors tu as pris tes jumelles pour mieux voir ?

– Tu sais tout !

– Non. Une partie seulement. Qu'as-tu vu ?

– Une voiture bleu foncé.

– Une Mercedes ?

– Je ne connais rien aux voitures.

– Grande ? Presque comme un bus ?

– Oui.

– Et quelqu'un debout à côté, en train d'observer la maison ?

– C'est sans doute ça qui m'a fait peur. J'ai réglé la vision, et alors, j'ai vu que le type me regardait lui aussi avec des jumelles.

– Tu as vu son visage ?

– J'ai eu peur.

– Je comprends. Son visage ?

– Il avait les cheveux noirs.

– Comment était-il habillé ?

– Un imperméable noir. Je crois.

– Tu avais déjà vu cet homme ?

– Non.

– Tu es parti. Est-ce qu'il t'a suivi ?

– Je ne crois pas. Derrière chez nous, il y a un chemin que presque personne ne connaît.

– Qu'as-tu fait ensuite ?

– Je t'avais envoyé le mail, mais je n'osais pas aller place Runnerström. Je ne savais pas quoi faire. D'abord, j'ai pensé aller à Copenhague. Mais j'avais peur de traverser Malmö en voiture, je ne conduis pas très bien.

– Alors, tu es allé à Ystad. Et après ? Tu as fait quoi ?

– Rien.

– Tu es resté dans la voiture jusqu'à ce que la patrouille te trouve ?

– Oui.

Wallander réfléchit. Comment fallait-il poursuivre ? Il aurait voulu que Martinsson soit là. Et Alfredsson. Il se leva et sortit. Irene secoua la tête en l'apercevant.

Il prit un air sévère.

– Où est ma tarte ?

– Parfois, je me dis que vous êtes cinglés.

– Sûrement. Mais j'ai un garçon dans ce bureau qui ne mange pas de hamburgers. Et il a faim.

– J'ai appelé Ebba. Elle a promis de s'en occuper.

Wallander se radoucit. Si elle avait parlé à Ebba, tout s'arrangerait.

– Je voudrais que Martinsson et Alfredsson viennent ici le plus vite possible. Tu peux t'en charger ? Merci.

Au même instant, Lisa Holgersson franchit les portes vitrées.

– Qu'est-ce que j'apprends ? Il y a encore eu des coups de feu ?

Wallander n'avait aucune envie de lui parler, mais elle ne lui laissait pas le choix. Il lui résuma les événements.

– Avis de recherche ?

– C'est fait.

– Quand pourrai-je avoir un point détaillé de la situation ?

– Dès que tout le monde sera là.

– J'ai l'impression que cette enquête déraille.

– Pas tout à fait encore, dit Wallander sans chercher à dissimuler sa hargne. Mais tu peux me remplacer quand tu veux. C'est Hansson qui dirige les recherches.

Elle avait d'autres questions. Wallander était déjà reparti.

Martinsson et Alfredsson débarquèrent ensemble à dix-sept heures. Wallander emmena Modin dans l'une des petites salles de réunion. Hansson avait téléphoné ; les recherches ne donnaient encore aucun résultat. Quant à Ann-Britt, elle avait purement et simplement disparu. Wallander ferma la porte. Les ordinateurs de Modin étaient allumés. Il n'y avait pas de nouveaux messages.

– Alors, dit Wallander une fois qu'il fut assis, on reprend tout à zéro. Depuis le début.

– Ça me paraît difficile, répliqua Alfredsson. On n'en sait pas très long encore.

Wallander se tourna vers Robert Modin.

– Tu disais que tu avais découvert quelque chose ?

– J'ai peur de ne pas pouvoir m'expliquer. Et j'ai faim.

Pour la première fois, Wallander s'aperçut que Modin l'irritait. Ses connaissances dans le monde magique des ordinateurs ne le rendaient pas irréprochable.

– La nourriture arrive. Si tu ne peux pas attendre, tu devras te contenter de biscottes suédoises ordinaires. Ou d'une pizza.

Modin se leva et s'installa devant ses écrans. Les autres se rassemblèrent derrière lui.

– Je me suis longtemps posé des questions. Le plus vraisemblable, c'était que ce nombre récurrent, 20, était lié à l'an 2000. On dit que certains systèmes informatiques risquent d'avoir des problèmes à ce moment-là, si on ne s'en occupe pas à temps. Mais je n'ai jamais réussi à trouver les zéros manquants. En plus, la programmation semble faite de telle sorte que le processus, quel qu'il soit, se déclenche assez vite. J'en suis arrivé à la conclusion qu'il s'agissait malgré tout du 20 octobre.

Alfredsson voulut protester, mais Wallander leva la main.

– Continue.

– J'ai cherché d'autres détails en rapport avec celui-là. On a constaté un déplacement de haut en bas et de gauche à droite. Il y a donc une sortie en bas à droite. Ça nous dit que quelque chose va se produire. Mais quoi ? Alors j'ai cherché des renseignements sur la toile à propos des institutions qu'on a réussi à identifier. La Banque centrale d'Indonésie, la Banque mondiale, le courtier de Saigon. J'ai tenté de voir s'il y avait un dénominateur commun. Le fameux point de rupture qu'on cherche toujours.

– Quel point ?

– L'endroit où la glace cède facilement. Où l'on peut envisager de lancer une attaque sans que ça se remarque.

– Les systèmes de sécurité sont impressionnants, objecta Martinsson. Y compris les protections anti-virus.

– Les États-Unis ont déjà la capacité de mener une guerre informatisée, dit Alfredsson. Avant, on parlait de missiles dirigés par ordinateur. Ou d'yeux électroniques dirigeant des robots vers leur cible. Maintenant, ces trucs-là sont à peu près aussi démodés que la cavalerie. On envoie dans le réseau de l'ennemi des composants téléguidés qui détruisent les systèmes de commande militaires. Ou alors, on les réoriente vers des cibles qu'on a soi-même choisies.

Wallander était sceptique.

– C'est vrai ?

– On ne sait pas grand-chose. Ils en sont sans doute déjà beaucoup plus loin.

– Revenons à l'ordinateur de Falk. Tu as trouvé le point faible ?

– Je ne sais pas. Mais si on veut, on peut voir toutes ces institutions comme les grains d'un chapelet. Elles ont en tout cas un point commun.

– Lequel ?

Modin secoua la tête comme si sa propre conclusion le laissait perplexe.

– Ce sont des pierres angulaires du monde de la finance internationale. En semant le chaos à ce niveau, on peut provoquer une crise de taille à mettre hors jeu toutes les places financières de la planète. Les cours s'effondreraient. La panique s'installerait. Les devises se retrouveraient dans un état de flottement tel que personne ne pourrait plus leur attribuer de valeur stable.

– Qui aurait intérêt à susciter une chose pareille ?

– Beaucoup de monde, dit Alfredsson. Ce serait l'acte de sabotage ultime, de la part d'un groupe qui aurait déclaré la guerre à l'ordre mondial.

– On relâche des visons, ajouta Martinsson. Ici, ce serait l'argent qui sortirait de sa cage. Le reste, tu peux l'imaginer tout seul.

Wallander tenta de réfléchir.

– On doit imaginer une sorte de gang d'écologistes de la finance ?

– À peu près. Certains libèrent des visons, d'autres s'emploient à détruire des avions de chasse. À la limite, on peut les comprendre. Mais, dans le prolongement de tout ça, il y a aussi une folie qui rôde. Ce serait évidemment l'acte de sabotage suprême. Détruire le système financier mondial.

– Sommes-nous d'accord pour dire que c'est réellement un projet de cet ordre auquel nous avons affaire ? Et qu'il pourrait avoir son origine dans un ordinateur d'Ystad ?

– En tout cas, dit Modin, je n'ai jamais vu un verrouillage aussi performant.

– Plus performant que celui du Pentagone ?

Modin dévisagea Alfredsson en plissant les yeux.

– Pas moins, en tout cas.

– Je ne suis pas sûr de savoir comment poursuivre, dit Wallander.

Alfredsson se leva.

– Je vais parler à Stockholm. Et leur envoyer un rapport, à distribuer partout, et en particulier aux institutions qu'on a réussi à identifier, pour qu'elles puissent prendre des mesures.

– S'il n'est pas trop tard, murmura Modin.

Tout le monde entendit son commentaire. Personne ne le releva. Alfredsson quitta la pièce précipitamment.

– J'ai du mal à y croire, reprit Wallander.

– Difficile d'imaginer ce que ça pourrait être d'autre.

– Il s'est passé quelque chose à Luanda il y a vingt ans. Falk a fait une expérience qui l'a transformé. Il a dû rencontrer quelqu'un.

– Quel que soit le contenu de cet ordinateur, il y a des gens prêts à tuer pour le protéger.

– Jonas Landahl savait quelque chose. Et Sonja Hökberg est morte parce qu'elle avait eu une relation avec lui.

– La coupure d'électricité était peut-être une répétition générale. Et on a essayé de te tuer deux fois.

Wallander fit un geste en direction de Modin pour signifier à Martinsson de surveiller ses paroles.

– Que pouvons-nous faire ?

– On peut imaginer une rampe de lancement, dit soudain Modin. Quelqu'un doit appuyer sur un bouton. Si on infecte un système informatique, c'est ainsi qu'on s'y prend en général. On cache le virus dans une commande innocente, souvent utilisée. Il faut effectuer certaines manœuvres, ou une manœuvre unique à une certaine heure, d'une manière bien précise.

– Tu peux nous donner un exemple ?

– Ça peut être n'importe quoi.

– Le mieux qu'on puisse faire, dit Martinsson, c'est continuer d'identifier les institutions et de les prévenir, pour qu'elles revoient leurs procédures de sécurité. Le reste, Alfredsson s'en charge.

Martinsson s'assit et griffonna quelques lignes sur un bout de papier qu'il tendit à Wallander. *Il faut prendre au sérieux la menace contre Modin.*

Wallander acquiesça en silence. L'homme aux jumelles savait que Modin était important. Pour l'instant, celui-ci était dans la même situation que Sonja Hökberg au commissariat.

Son portable bourdonna. L'homme n'était toujours pas retrouvé, dit Hansson. Les recherches continuaient.

– Et Nyberg ?

– Il compare déjà les empreintes.

Hansson se trouvait encore dans la zone de Backåkra et comptait y rester. Où était Ann-Britt ? Il n'en savait rien.

Wallander essaya de la joindre de nouveau, mais elle avait débranché son portable.

On frappa à la porte. C'était Irene, portant un carton.

– La nourriture. Qui paie ? J'ai avancé l'argent.

– Donne-moi le reçu.

Modin changea de place et entama son dîner. Wallander et Martinsson le regardaient en silence. Le portable de Wallander bourdonna. Elvira Lindfeldt. Il alla dans le couloir et referma la porte derrière lui.

– J'ai entendu à la radio qu'il y avait eu des coups de feu près d'Ystad. Des policiers étaient impliqués. J'espère que ce n'était pas toi ?

– Pas directement. Mais on a beaucoup de travail.

– Je m'inquiétais. Maintenant, je suis curieuse, mais je ne poserai pas de questions.

– Je ne peux pas dire grand-chose.

– J'imagine que tu n'auras pas le temps de me voir ce week-end.

– Je n'en sais rien encore. Je te rappellerai.

Après avoir raccroché, Wallander pensa que cela faisait très longtemps que quelqu'un s'était réellement soucié de lui. Au point de s'inquiéter.

Il retourna dans la salle de réunion. Dix-sept heures quarante. Modin mangeait. Martinsson parlait à sa femme. Wallander s'assit et évalua une fois de plus la situation. Il repensa au journal de Falk. *L'espace est désert.* Il avait cru qu'il s'agissait de l'espace au sens astronomique. Mais c'était évidemment l'espace cybernétique que Falk avait en tête. Falk parlait aussi d'amis qui n'avaient pas envoyé de message. Quels amis ? Le journal avait disparu parce qu'il contenait une information décisive. Il avait disparu de la même façon que Sonja Hökberg était morte. Et Jonas Landahl. Derrière tout cela se cachait quelqu'un qui se faisait appeler « C. ». Tynnes Falk l'avait rencontré autrefois à Luanda.

Martinsson conclut sa conversation. Modin s'essuya la bouche et se consacra à son jus de carotte. Wallander et Martinsson allèrent chercher du café.

– J'ai passé le personnel de Sydkraft dans le fichier. Je n'ai rien trouvé.

– Le contraire aurait été surprenant.

Le distributeur de café était de nouveau en panne. Martinsson le débrancha, attendit quelques secondes et le rebrancha. L'appareil se remit en marche.

– Il y a un programme informatique là-dedans ?

– Ça m'étonnerait, dit Martinsson. Mais on peut imaginer des machines à café commandées par des petites puces portant des instructions détaillées.

– Si quelqu'un manipulait celui-ci, que se passerait-il ? On aurait du thé en appuyant sur « café » ? Du lait en appuyant sur « expresso » ?

– Ça pourrait arriver.

– Mais comment ? Qu'est-ce qui enclencherait le processus ?

– On peut imaginer qu'une date soit programmée, avec une plage horaire précise, d'une heure, admettons. Le processus s'enclenche au moment où quelqu'un appuie pour la onzième fois sur le bouton « expresso » au cours de cette heure-là.

– Pourquoi la onzième ?

– C'était un exemple.

– Ensuite ?

– On peut évidemment débrancher la machine, afficher un mot comme quoi elle est hors service, et changer le programme.

– C'est ce genre de chose que Modin a en tête ?

– Oui, en plus grand.

– Mais on n'a aucune idée de l'endroit où se trouve le « distributeur » de Falk ?

– Il peut être n'importe où.

– Ça veut dire que la personne qui enclenche le processus n'a pas nécessairement conscience de ce qu'elle fait ?

– Pour celui qui a tout organisé, il vaut mieux ne pas être présent bien sûr.

– Autrement dit, nous cherchons un distributeur à café symbolique.

– Si tu veux. Mais ce serait plus juste de dire qu'on cherche une aiguille dans une botte de foin. Sans savoir où est la botte de foin.

Wallander s'approcha de la fenêtre. Il faisait nuit déjà. Martinsson le rejoignit.

– Si on n'est pas complètement à côté de la plaque, on a affaire à un groupe de saboteurs extraordinairement soudés et efficaces. Ils sont très forts, ils n'ont aucun scrupule. Rien ne semble pouvoir les détourner de leur but.

– Mais que cherchent-ils au juste ?

– Modin a peut-être raison. Ils veulent déclencher un tremblement de terre financier.

– Je veux que tu retournes dans ton bureau et que tu rédiges un mémo sur tout ça. Demande l'aide d'Alfredsson. Envoie-le à Stockholm et à toutes les organisations de police étrangères qui te viennent à l'esprit.

– Si on se trompe, on va se couvrir de ridicule.

– Tant pis. Apporte-le-moi, je le signerai.

Martinsson s'éloigna. Wallander resta seul à la cafétéria, plongé dans ses pensées. Il ne s'aperçut pas de l'entrée d'Ann-Britt et sursauta lorsqu'elle fut devant lui.

– J'ai pensé à une chose. Tu m'as dit que tu avais vu une affiche dans la penderie de Sonja Hökberg.

– *L'Associé du diable*. J'ai loué la cassette, mais je n'ai pas encore eu le temps de la regarder.

– Je pensais à Al Pacino. C'est vrai qu'il y a une ressemblance.

– Avec quoi ?

– Le dessin.

– Quoi ?

– Carl-Einar Lundberg ressemble à Al Pacino. En beaucoup plus moche, mais quand même.

Wallander avait feuilleté le rapport et vu la photo de Lundberg. Sur le moment, il n'avait pas remarqué la ressemblance. Un nouveau détail venait de se mettre en place.

Ils s'assirent à une table. Ann-Britt était fatiguée.

– Je suis allée chez Eva Persson. Dans l'espoir idiot qu'elle aurait quelque chose de neuf à me dire.

– Comment allait-elle ?

– Le pire, c'est son air impassible. Si au moins elle donnait l'impression d'avoir pleuré ou mal dormi. Mais elle mâche ses chewing-gums, et la seule chose qui semble la contrarier au fond, c'est de devoir répondre à mes questions.

– Elle prend sur elle. Je suis de plus en plus convaincu qu'elle est en plein séisme intérieur.

– J'espère que tu as raison.

– Alors, avait-elle quelque chose à dire ?

– Rien.

Wallander lui résuma les événements de l'après-midi.

– Si c'est vrai, dit-elle, c'est du jamais vu.

– On le saura lundi. Si on n'a pas réussi à intervenir d'ici là.

– Tu crois qu'on y arrivera ?

– Peut-être. Le contact avec les autres polices pourra peut-être nous aider. Martinsson s'en occupe. Alfredsson est en train de prévenir les institutions qu'on a réussi à identifier.

– Le temps nous manque. Si c'est bien lundi. En plus, c'est le week-end.

– Le temps nous manque toujours.

À vingt et une heures, Robert Modin se déclara épuisé. Il avait été convenu qu'il ne retournerait pas à Löderup au cours des prochains jours. Martinsson lui proposa de dormir au commissariat, mais il refusa net. Wallander envisagea d'appeler Sten Widén. Puis il renonça à cette idée. Il paraissait également risqué de le faire dormir chez l'un ou l'autre collègue. Personne ne savait où s'arrêtait la menace. Wallander avait donné des consignes de prudence à tous.

Soudain, la solution lui apparut : Elvira Lindfeldt. Elle n'était pas impliquée dans l'histoire. Et cela lui donnerait, à lui, Wallander, une occasion de la rencontrer, même pour un bref moment.

Il ne mentionna pas son nom ; annonça seulement qu'il s'occupait de la question de l'hébergement de Robert Modin.

Il l'appela à vingt et une heures trente.

– J'ai un service un peu particulier à te demander.

– J'ai l'habitude des imprévus.

– Pourrais-tu héberger quelqu'un cette nuit ?

– Qui ?

– Tu te souviens du jeune homme qui est passé au restaurant l'autre soir ?

– Kolin, c'est cela ?

– À peu près. Modin.

– Il n'a pas d'endroit où dormir ?

– C'est juste pour une nuit ou deux.

– Bien sûr. Mais comment va-t-il venir jusqu'ici ?

– Je le conduis. Maintenant, tout de suite.

– Tu voudras manger quelque chose ?

– Je veux bien un café.

Ils quittèrent le commissariat peu avant vingt-deux heures. Après la sortie vers Skurup, Wallander eut la certitude que personne ne les avait suivis.

*

À Malmö, Elvira Lindfeldt raccrocha lentement. Elle était satisfaite. Plus que satisfaite. Elle avait une chance insolente. Elle pensa à Carter, qui quitterait bientôt l'aéroport de Luanda.

Il serait content. C'était exactement ce qu'il voulait.

37

La nuit du 18 au 19 octobre fut l'une des pires de l'existence de Wallander. Il avait eu un pressentiment funeste pendant tout le trajet. Juste après la sortie vers Svedala, une voiture l'avait doublé alors qu'un poids lourd approchait en sens inverse, beaucoup trop près de la ligne centrale. Wallander avait donné un brusque coup de volant et failli quitter la route. Robert Modin dormait à côté de lui, il n'avait rien vu. Mais le cœur de Wallander cognait à se rompre.

Un an plus tôt déjà, il avait frôlé la mort – il s'était endormi au volant, il ignorait alors qu'il était diabétique.

Quand il fut un peu calmé, son inquiétude se déplaça vers l'enquête, dont l'issue paraissait de plus en plus incertaine. Une fois de plus, il se reprocha d'avoir peut-être entraîné le groupe dans une impasse. Et si le contenu de l'ordinateur de Falk n'avait rien à voir avec l'affaire ? Et si la vérité était complètement ailleurs ?

Pendant la dernière partie du trajet, il tenta une fois de plus d'envisager d'autres hypothèses. Il était toujours convaincu qu'il s'était passé un événement capital en Angola, pendant les années de la disparition de Falk. Mais peut-être s'agissait-il de tout autre chose ? Une histoire de drogue par exemple. Que savait-il de l'Angola ? Rien du tout. C'était probablement un pays riche, avec des gisements de pétrole et de diamants. L'explication pouvait-elle être là ? Ou du côté d'un groupe de saboteurs fêlés qui s'apprêtaient à lancer une attaque contre le réseau électrique suédois ? Mais alors, pourquoi l'Angola ? Dans la pénombre de la voiture, rayée par la lumière intermittente des phares, il chercha en vain une explication. En même temps, il avait sans cesse à l'esprit les agissements rapportés par Ann-Britt, les intrigues de Martinsson, le sentiment d'être mis en cause, peut-être avec raison. Le doute l'assaillait de toute part.

Robert Modin se réveilla en sursaut dans le virage de la sortie vers Jägersro.

– On y est presque, dit Wallander.

– Je rêvais. Quelqu'un m'attrapait par la nuque.

Il n'eut pas trop de mal à trouver l'adresse, à l'angle d'une rue résidentielle. La villa avait dû être construite entre les deux guerres. Il freina et coupa le contact.

– Qui habite là ?

– Une amie. Elle s'appelle Elvira. Tu seras en sécurité ici cette nuit. Quelqu'un viendra te chercher demain matin.

– Je n'ai même pas de brosse à dents.

– Ça doit pouvoir s'arranger.

Il était vingt-trois heures. Wallander avait calculé qu'il resterait peut-être jusqu'à minuit ; il boirait un café, il regarderait les jambes d'Elvira et il reprendrait la route d'Ystad.

Mais les choses ne se déroulèrent pas comme prévu. À peine leur eut-elle ouvert que le portable de Wallander bourdonna. Hansson, très excité, lui apprit qu'ils croyaient avoir retrouvé la trace du fugitif. Un propriétaire de chien – une fois de plus – avait remarqué un homme au comportement étrange, qui semblait vouloir se cacher. Il avait vu toute la journée les voitures de police tourner dans Sandhammaren et cela lui avait donné l'idée d'appeler le commissariat pour faire part de ses observations. On lui avait passé Hansson ; l'homme lui avait très vite parlé d'un imperméable noir. Wallander n'eut que le temps de remercier Elvira, de lui présenter – pour la deuxième fois – Robert Modin et de reprendre la route. Décidément, beaucoup de gens promenaient leur chien, dans cette enquête. Peut-être était-ce une ressource qu'il faudrait exploiter plus activement à l'avenir ? Il conduisait beaucoup trop vite. Peu avant minuit, il parvint à l'endroit décrit par Hansson, au nord de Sandhammaren. Entre-temps, il s'était arrêté au commissariat pour prendre son arme.

Il pleuvait de nouveau. Martinsson venait d'arriver. Des policiers avec casque et gilet pare-balles étaient déjà sur les lieux, ainsi que deux maîtres-chiens. L'homme devait se trouver dans une zone boisée délimitée d'un côté par la route de Skillinge et de l'autre par quelques champs. Hansson avait mis sur pied la chaîne de surveillance en un temps record. L'homme avait cependant de grandes chances de leur échapper, dans le noir. Ils tentèrent de monter un plan d'action. D'emblée, il leur parut trop dangereux d'envoyer les chiens. Ils conférèrent, debout sous la pluie. Mais il n'y avait pas grand-chose à faire, à part maintenir la surveillance et attendre l'aube. La radio de Hansson grésilla. Une patrouille avait repéré quelque chose. Deux coups de feu retentirent. Un cri étouffé dans la radio – *Il tire, le salaud !* –, puis le silence. Wallander courut jusqu'à la voiture, suivi par Martinsson. Il leur fallut six minutes pour trouver l'endroit d'où avait été émis l'appel radio. En apercevant la lumière de la voiture de police, ils prirent leurs armes et continuèrent à pied. Le silence était assourdissant. Wallander lança un appel. À son immense soulagement, on lui répondit. Ils s'élancèrent. Deux policiers morts de peur étaient agenouillés dans la boue derrière la voiture, l'arme au poing. El Sayed et Elofsson. Ils avaient entendu un bruit de branche cassée, de l'autre côté de la route. Elofsson avait dirigé le faisceau de sa torche vers l'orée du bois pendant qu'El Sayed prenait contact avec Hansson. C'était à ce moment-là que l'homme avait tiré deux fois.

– Qu'y a-t-il derrière ce bois ?

– Un sentier qui descend vers la mer.

– Des maisons ?

Personne ne savait.

– On l'encercle, dit Wallander. Maintenant, au moins, on sait où il se cache.

Martinsson appela Hansson par radio et lui expliqua où ils étaient. Pendant ce temps, Wallander commanda à El Sayed et à Elofsson de s'éloigner de la voiture. Il s'attendait à le voir surgir à tout instant, l'arme levée.

– On fait venir un hélicoptère ? demanda Martinsson.

– Oui, en réserve. Avec de bons projecteurs. Mais pas avant que tout le monde soit en place.

Wallander jeta un regard par-dessus le capot. Rien. On n'entendait que le bruit du vent. Impossible de faire la part des sons réels et imaginaires. Il se souvint soudain de la nuit qu'il avait passée avec Rydberg dans un champ, à traquer un homme qui avait tué sa fiancée à coups de hache. C'était l'automne. Ils claquaient des dents, enfoncés dans la boue, et Rydberg lui avait expliqué l'importance de cette distinction entre les sons réels et imaginaires. Plusieurs fois, il avait eu l'occasion de s'en souvenir. Mais il ne pensait pas avoir réussi à maîtriser cet art.

Martinsson revint et s'accroupit.

– Ils sont en route. Hansson s'occupe de l'hélicoptère.

Wallander n'eut pas le temps de répondre. Un coup de feu retentit. Ils se recroquevillèrent.

Le tir venait de la gauche. Mais quelle était la cible ? Wallander appela Elofsson. El Sayed lui répondit. Puis il entendit aussi la voix d'Elofsson. Il fallait faire quelque chose. Il cria dans le noir :

– Police ! Rendez-vous !

Il répéta les mêmes mots en anglais.

Pas de réponse.

– Ça ne me plaît pas, murmura Martinsson. Pourquoi reste-t-il là à tirer ? Il doit bien comprendre qu'on attend des renforts.

Wallander se posait la même question. Soudain, il entendit les sirènes.

– Pourquoi tu ne leur as pas dit de fermer leur gueule ?

– Hansson aurait pu y penser.

– Il ne faut pas trop en demander.

Au même instant, El Sayed poussa une exclamation. Wallander crut voir une ombre traverser la route et disparaître dans le champ, à gauche de la voiture.

– Il se tire !

– Où ?

Il indiqua la direction dans le noir. C'était absurde, Martinsson ne pouvait rien voir. Il fallait faire vite. Sinon, l'homme atteindrait l'autre bois, où il serait beaucoup plus difficile de le cerner. Il cria à Martinsson de reculer, sauta dans la voiture et fit demi-tour sans aucun ménagement. Il heurta quelque chose. Pas le temps de s'en occuper. Les phares illuminèrent le champ.

Quand la lumière l'atteignit, l'homme fit volte-face. Son imperméable battait dans le vent. Wallander crut voir qu'il levait le bras et se jeta sur le côté. Le coup de feu fit voler le pare-brise en éclats. Wallander roula hors de la voiture en criant aux autres de rester à terre. Un deuxième coup de feu fit exploser l'un des phares. Comment avait-il pu viser avec une telle précision à cette distance ? Puis Wallander s'aperçut qu'il ne voyait plus rien. En tombant de la voiture, il s'était ouvert le front contre le gravier, le sang coulait. Il cria de nouveau aux autres de ne pas se lever. L'homme avançait en pataugeant dans la boue.

Et merde, pensa Wallander. Où sont les chiens ?

Les sirènes approchaient. Soudain, il prit peur à l'idée qu'une des voitures se retrouve dans le champ de tir du fuyard. Il cria à Martinsson de transmettre l'ordre par radio : aucune initiative avant d'avoir reçu le feu vert.

– J'ai perdu la radio, je ne la retrouve pas dans ce bourbier.

L'homme était en train de sortir du faisceau lumineux. Wallander le vit trébucher. Il fallait prendre une décision. Il se leva.

– Qu'est-ce que tu fous, merde ?

– On y va, on le prend.

– Il faut l'encercler d'abord.

– On n'a pas le temps.

Wallander crut voir Martinsson secouer la tête. Puis il partit.

La boue colla immédiatement à ses semelles. L'homme avait disparu. Wallander s'immobilisa pour vérifier que son arme était prête à tirer. Il entendit Martinsson crier quelque chose à Elofsson et à El Sayed. Il repartit, en essayant de se maintenir à l'extérieur du faisceau lumineux. L'une de ses chaussures se coinça dans la boue. De rage, il enleva aussi l'autre. Le froid humide pénétra immédiatement la plante de ses pieds. Au moins, il se déplaçait plus vite. Soudain, il aperçut l'homme devant lui. Il recula dans l'ombre, baissa la tête, s'aperçut qu'il portait un blouson blanc. Il étouffa un juron, arracha la veste et la jeta dans la boue. Son pull était vert foncé, moins visible. Mais, apparemment, l'homme ne s'était pas encore aperçu de sa présence.

Il n'osait pas tirer dans les jambes. La distance était trop grande. Soudain, il entendit un hélicoptère. Le bruit ne se rapprochait pas ; l'appareil attendait, quelque part à proximité. L'homme et lui se trouvaient en plein champ. La lumière du phare n'éclairait plus grand-chose. Il fallait agir, mais comment ? L'autre était sûrement meilleur tireur que lui, même s'il l'avait loupé deux fois. Fébrilement, il chercha une solution. L'homme serait bientôt avalé par l'obscurité. Pourquoi Martinsson ou Hansson ne lâchaient-ils pas l'hélicoptère ?

Soudain, l'homme trébucha. Wallander le vit se pencher. En une fraction de seconde, il comprit : il avait perdu son arme. Une trentaine de mètres les séparaient. Je n'y arriverai pas, pensa-t-il au moment même où il s'élançait sur les sillons durs et glissants. Il heurta quelque chose, faillit perdre l'équilibre. L'homme l'aperçut. Malgré la distance, Wallander vit qu'il était asiatique.

Puis il tomba. Son pied gauche dérapa comme sur une plaque de glace, il ne put rien faire. L'homme venait de retrouver son arme. Wallander se redressa à genoux. L'arme de l'homme était braquée sur lui. Wallander appuya sur la détente. Rien. Appuya de nouveau. Dans une dernière tentative désespérée pour échapper à la mort, il roula sur lui-même et s'incrusta dans la boue. Le coup de feu partit, assourdissant. Il n'était pas touché. Immobile, il attendit la détonation suivante. Rien. Il resta ainsi pendant un temps indéterminé. Intérieurement, il voyait une image : sa propre situation, vue de loin. C'était donc ainsi que ça se finissait. Une mort absurde, tout seul dans un champ. Il était parvenu jusque-là, avec ses rêves et ses projets. Jusque-là, pas davantage. Il disparaîtrait dans la grande nuit, le visage collé à la boue froide. Et il n'aurait même pas ses chaussures.

Ce ne fut qu'en reconnaissant le bruit de l'hélicoptère qu'il osa penser qu'il survivrait peut-être. Il tourna doucement la tête.

L'homme était couché sur le dos, les bras en croix. Wallander se leva et s'approcha lentement. Le projecteur de l'hélicoptère balayait le champ. Il entendit les chiens aboyer, et Martinsson qui l'appelait dans le noir.

Le coup de feu n'avait pas été dirigé contre lui. L'homme s'était tué d'une balle dans la tempe. Wallander fut pris de vertige. Il s'accroupit. Il avait la nausée. Il tremblait de froid.

C'était donc lui. D'où venait-il ? On n'en savait toujours rien. Mais c'était lui qui, quelques semaines plus tôt, avait poussé Sonja Hökberg à changer de place dans le restaurant d'István avant de payer avec une fausse carte de crédit établie au nom de Fu Cheng. Lui qui était entré dans l'appartement de Falk. Lui qui l'avait visé à deux reprises sans l'atteindre.

Il ignorait qui était cet homme et pourquoi il était venu jusqu'à Ystad. Mais sa mort était un soulagement. Maintenant, au moins, il n'avait plus de souci à se faire pour la sécurité de Robert Modin et celle de ses collègues.

C'était probablement lui aussi qui avait traîné Sonja Hökberg jusqu'au transformateur. Et Jonas Landahl sous l'arbre d'hélice de la salle des machines d'un ferry polonais.

Les lacunes restaient nombreuses. Mais là, accroupi dans la boue, Wallander pensa que quelque chose venait de prendre fin. Il allait bientôt découvrir l'étendue de son erreur.

Martinsson fut le premier à le rejoindre, suivi de près par Elofsson. Wallander lui demanda d'aller chercher ses chaussures et la veste qui traînaient quelque part dans la boue.

– Tu l'as tué ? fit Martinsson, incrédule.

– Non. Il l'a fait lui-même. Sinon, je serais mort à l'heure qu'il est.

Lisa Holgersson apparut. Wallander laissa Martinsson lui expliquer la situation. Elofsson lui apporta sa veste et ses chaussures. Wallander voulait s'éloigner le plus vite possible. Rentrer chez lui et se changer, mais surtout échapper à cette image de lui-même, couché dans la boue en train d'attendre la fin. Une fin minable.

Au fond de lui, il devait bien y avoir un immense soulagement. Mais, dans l'immédiat, il ne ressentait qu'un grand vide.

L'hélicoptère avait disparu, renvoyé par Hansson. L'équipe de recherche avait été démantelée. Ne restaient sur place que ceux qui allaient examiner les lieux et s'occuper du mort.

Hansson approcha. Il portait des bottes en caoutchouc orange et un bonnet de marin.

– Tu devrais rentrer chez toi, dit-il.

Wallander hocha la tête et prit le chemin des voitures, à la lumière oscillante des torches électriques. Il faillit tomber plusieurs fois.

Lisa Holgersson le rattrapa au bord de la route.

– Je crois avoir une assez bonne image de ce qui s'est passé. Il faudra faire un point approfondi demain matin. On a de la chance que ça se soit bien terminé.

– Nous saurons bientôt si c'est lui qui a tué Sonja Hökberg et Jonas Landahl.

– Tu ne penses pas qu'il puisse aussi être impliqué dans la mort de Lundberg ?

Wallander la dévisagea sans comprendre. Il avait souvent pensé qu'elle réfléchissait vite et posait de bonnes questions. Là, elle le surprenait pour les raisons inverses.

– C'est Sonja Hökberg qui a tué Lundberg. Il n'y a pas vraiment de doute à ce sujet.

– Pourquoi tout ceci ?

– On n'en sait rien encore. Mais ça tourne autour de Falk. De ce qui se cache dans son ordinateur, plus exactement.

– Ça me paraît une conclusion hâtive.

– Il n'y a pas d'autre explication.

Wallander sentit qu'il n'avait plus la force de continuer.

– Il faut que je me change. Avec ta permission, je vais rentrer chez moi.

– Juste une chose. C'était injustifiable de te lancer seul à sa poursuite. Tu aurais dû emmener Martinsson.

– Tout est allé très vite.

– Tu n'aurais pas dû l'empêcher de te suivre.

Wallander, qui essuyait la boue de ses vêtements, leva la tête.

– Quoi ?

– Tu n'aurais pas dû empêcher Martinsson de te suivre. C'est une règle de base, on n'intervient jamais seul. Tu devrais le savoir.

Wallander avait perdu tout intérêt pour ses vêtements boueux.

– Je n'ai jamais empêché quiconque de me suivre.

– C'est pourtant apparu clairement.

Il n'y avait qu'une seule explication. Cette affirmation venait de Martinsson lui-même. Elofsson et El Sayed se trouvaient trop loin.

– On pourra peut-être en parler demain, esquiva-t-il.

– J'étais obligée de le dire. La situation est suffisamment compliquée comme ça.

Elle s'éloigna le long de la route avec sa lampe torche. Il était hors de lui. Martinsson avait osé mentir sur un sujet pareil, alors que lui, Wallander, avait failli mourir. Alors qu'il venait de passer un temps indéfini, seul dans la boue, convaincu que c'était la fin.

Au même instant, il vit Martinsson et Hansson se diriger vers lui. Le faisceau lumineux dansait dans le noir. Il entendit Lisa Holgersson démarrer.

– Tu peux tenir la lampe de Martinsson ? demanda Wallander à Hansson.

– Pourquoi ?

– S'il te plaît, fais ce que je dis.

Il attendit pendant que Martinsson remettait sa torche à Hansson. Puis il lui balança son poing dans la figure. Mais il avait mal évalué la distance, dans l'obscurité. Le coup ne porta pas vraiment.

– Qu'est-ce que tu fous, bordel ?

– Et toi ? hurla Wallander.

Il se jeta sur Martinsson. Ils roulèrent dans la boue. Hansson voulut s'interposer, mais il trébucha avec les deux torches, dont une s'éteignit.

La rage de Wallander retomba aussi vite qu'elle était venue. Il ramassa la torche et éclaira Martinsson. Il saignait de la lèvre.

– Tu as dit à Lisa que je t'avais empêché de me suivre. Tu as menti !

Martinsson resta assis dans la boue. Hansson s'était relevé. Un chien aboya.

– Tu trafiques dans mon dos, ajouta-t-il d'une voix parfaitement calme.

– Je ne sais pas de quoi tu parles.

– Tu trafiques dans mon dos. Tu vas chez Lisa en douce quand tu crois que personne ne te voit.

Hansson toussa.

– Qu'est-ce que vous fabriquez, tous les deux ?

– On discute de la meilleure manière de travailler ensemble. S'il vaut mieux être honnête. Ou poignarder les gens dans le dos.

– Je ne comprends rien, dit Hansson.

Wallander n'avait pas la force de prolonger la discussion. Il jeta la torche aux pieds de Martinsson.

– C'est tout ce que j'avais à dire.

Il rejoignit la route et demanda à l'une des voitures de le ramener. Une fois chez lui, il prit un bain. Puis il s'assit à la table de la cuisine. Trois heures du matin. Il essaya de réfléchir, mais il avait la tête vide. Il alla se coucher. En pensée, il était de nouveau dans le champ. La peur, le visage enfoncé dans la boue. L'étrange honte d'avoir failli mourir sans ses chaussures. Puis le règlement de comptes avec Martinsson.

J'ai atteint ma limite, pensa-t-il. Et peut-être pas seulement par rapport à Martinsson.

Il lui était souvent arrivé de se sentir épuisé, usé par sa charge de travail. Mais jamais à ce point. Il pensa à Elvira Lindfeldt, pour retrouver un peu de courage. Elle dormait sûrement. Et Robert

Modin aussi, dans une chambre non loin d'elle. Robert Modin qui n'avait plus besoin de s'inquiéter de la présence d'un homme en imperméable qui l'observait avec des jumelles.

Puis il pensa à Martinsson. Il l'avait frappé. Quelles en seraient les conséquences ? Ce serait sa parole contre la sienne. Comme avec Eva Persson et sa mère. Lisa Holgersson avait déjà montré qu'elle faisait plus confiance à Martinsson qu'à lui. En moins de quinze jours, Wallander avait eu recours deux fois à la force physique. Contre une mineure au cours d'un interrogatoire et contre l'un de ses plus anciens collaborateurs.

Il se posa la question, là, dans son lit : regrettait-il d'être passé à l'acte ? Non. En dernier recours, il s'agissait de sa dignité. C'était une réaction nécessaire à la trahison de Martinsson. Ce qu'Ann-Britt lui avait raconté de façon confidentielle serait tôt ou tard révélé au grand jour.

Il resta longtemps éveillé en pensant à cette limite qu'il pensait avoir atteinte. Il en existait peut-être une semblable au niveau de la société tout entière. Et alors ? Rien. Sinon que les policiers de l'avenir, El Sayed et les autres, devraient recevoir une formation complètement différente de la sienne, s'ils voulaient faire face à tout ce qui se profilait dans le sillage des nouvelles techniques de l'information. Je ne suis pas très vieux. Mais je suis un vieux chien. Et les vieux chiens ont du mal à apprendre de nouveaux tours.

Il se releva pour boire un verre d'eau. Il s'attarda à la fenêtre de la cuisine et contempla longuement la rue déserte.

Il était quatre heures du matin lorsqu'il s'endormit. Dimanche 19 octobre.

*

Le vol 553 de la TAP atterrit à Lisbonne à six heures trente précises. L'avion pour Copenhague décollait à huit heures quinze. Carter ressentit l'inquiétude familière qui s'emparait toujours de lui sur le sol européen. En Afrique, il se sentait à l'abri. L'Europe était pour lui un territoire étranger.

Il avait fait un choix, la veille, parmi ses passeports. Il franchit la zone de contrôle sous le nom de Lukas Habermann, citoyen allemand, né à Kassel en 1939. Il mémorisa le visage du contrôleur.

Puis il se rendit tout droit aux toilettes, découpa le passeport et fit soigneusement disparaître les fragments en tirant la chasse d'eau. Il prit dans son bagage à main le passeport britannique établi au nom de Richard Stanton, né à Oxford en 1940. Il changea de veste et se peigna. Puis il procéda à l'enregistrement et se dirigea vers la zone d'embarquement. Il choisit un guichet éloigné de celui où il avait montré son passeport allemand une demi-heure plus tôt. Aucun problème. Il chercha un lieu isolé ; découvrit une zone en travaux dans le hall des départs. On était dimanche, le chantier était désert. Quand il fut certain d'être seul, il prit son portable.

Elle décrocha presque immédiatement. Il n'aimait pas le téléphone. Ses questions étaient toujours extrêmement brèves, et il s'attendait à recevoir des réponses tout aussi brèves et précises.

Elle ignorait où se trouvait Cheng. Celui-ci aurait dû l'appeler la veille au soir. Mais il ne l'avait pas fait.

Puis elle lui annonça la nouvelle. Il en fut abasourdi. Une chance pareille, ça n'arrivait jamais.

Robert Modin s'était rendu, ou avait été conduit, droit dans le piège.

Il raccrocha et resta quelques instants immobile, le téléphone à la main. Le fait que Cheng n'ait pas donné de nouvelles était inquiétant. D'un autre côté, il allait pouvoir neutraliser le dénommé Modin, qui représentait son principal souci.

Carter rangea le portable dans son sac et tâta son pouls.

Un peu au-dessus de la normale. Sans plus.

Il se rendit dans le salon réservé aux passagers de la classe affaires, mangea une pomme et but une tasse de thé.

L'avion à destination de Copenhague décolla à huit heures vingt.

Carter avait le siège 3D, du côté de l'allée. Il détestait être coincé contre le hublot.

Il informa l'hôtesse qu'il ne voulait pas de petit déjeuner. Puis il ferma les yeux et s'endormit.

38

Dimanche matin, Wallander arriva au commissariat à huit heures. Par hasard, Martinsson et lui se retrouvèrent face à face dans le couloir désert. L'image d'un duel lui traversa l'esprit. Mais rien n'arriva. Ils échangèrent un signe de tête et entrèrent ensemble dans la cafétéria, où le distributeur de café était encore en panne. Martinsson avait un hématome sous l'œil ; sa lèvre inférieure était enflée.

– Tu vas me le payer. Mais d'abord on doit finir le travail en cours.

– J'ai eu tort de te frapper. Mais c'est mon seul regret.

Ils n'en dirent pas plus. Hansson venait d'entrer. Il leur jeta un regard prudent.

– Autant rester là puisqu'il n'y a personne, dit Wallander.

Hansson fit chauffer de l'eau et leur proposa de partager son café personnel. Ann-Britt entra. Wallander se demanda si Hansson l'avait appelée ; il s'avéra que c'était Martinsson qui lui avait appris la mort de l'homme dans le champ. Apparemment, il n'avait rien dit de leur altercation. Et il lui battait froid, ce qui ne pouvait signifier qu'une chose : il avait passé la nuit à réfléchir sur l'origine de la délation.

Alfredsson se présenta quelques minutes plus tard ; le groupe était au complet, à l'exception de Nyberg qui, au dire de Hansson, se trouvait dans le champ de Sandhammaren.

– Encore ? Que croit-il pouvoir trouver là-bas ?

– Il est rentré chez lui pendant quelques heures pour dormir. Il pense en avoir fini là-bas d'ici une heure.

La réunion fut brève. Wallander chargea Hansson de parler à Viktorsson. Le procureur devait désormais être informé en continu. Il fallait sans doute aussi prévoir une conférence de presse dans la journée ; mais ce serait l'affaire de Lisa Holgersson. Ann-Britt la seconderait si elle en avait le temps.

– Mais je n'étais pas là cette nuit !

– Je veux juste que tu sois présente. Au cas où elle se mettrait en tête de faire un commentaire déplacé.

Un silence d'étonnement suivit ses paroles. Personne n'avait jamais entendu Wallander critiquer ouvertement leur chef. Il s'était exprimé sans arrière-pensée précise. C'était un simple prolongement de ses ruminations nocturnes. Le sentiment d'être usé. De se faire vieux. Et d'être traité de façon injuste. Mais s'il était réellement vieux, il pouvait se permettre de dire le fond de sa pensée. Sans égard pour les conséquences.

Sans transition, il passa aux priorités de l'enquête :

– Il faut se concentrer sur l'ordinateur de Falk. Si quelque chose doit effectivement se déclencher le 20, il nous reste moins de seize heures pour comprendre quoi.

– Où est Modin ?

Wallander vida sa tasse et se leva.

– Je vais le chercher. Il est temps de se mettre au travail.

Ann-Britt voulut lui parler, mais il leva la main.

– Pas le temps.

– Où est-il ?

– Chez un ami.

– Quelqu'un pourrait peut-être y aller à ta place ?

– Sûrement. Mais j'ai besoin de réfléchir. Comment utiliser cette journée au mieux ? Qu'implique la mort de cet homme dans le champ ?

– C'est de ça que je voulais te parler.

Wallander se retourna.

– Cinq minutes.

– J'ai l'impression que personne n'a posé la question la plus importante.

– Laquelle ?

– Pourquoi il s'est suicidé au lieu de te tuer.

Wallander était exaspéré et ne fit aucune tentative pour s'en cacher.

– Qu'est-ce qui te fait croire que je n'y ai pas pensé ?

– Tu en aurais parlé en réunion.

J'en ai marre de toutes ces bonnes femmes qui veulent avoir le dernier mot, pensa-t-il. Mais il ne dit rien. Il existait malgré tout une frontière invisible qu'il n'osait pas franchir.

– Alors ?

– Je n'étais pas là, je ne sais même pas ce qui s'est passé exactement. Mais il en faut quand même beaucoup pour que quelqu'un comme lui se suicide.

– Ah bon. Qu'est-ce qui te permet de l'affirmer ?

– J'ai acquis un peu d'expérience, malgré tout.

– Je me demande si cette expérience vaut quelque chose dans ce cas précis. Cet homme-là a sans doute tué au moins deux personnes, et il n'aurait pas hésité à en tuer une troisième. Aucun scrupule, beaucoup de sang-froid. Il a entendu l'hélicoptère. Il a compris qu'il n'en réchapperait pas. On soupçonne ces gens d'être des fanatiques. À la fin, ça s'est peut-être retourné contre lui.

Ann-Britt ouvrit la bouche pour répondre, mais Wallander était déjà sorti.

– Je dois aller chercher Modin. On parlera après. Si le monde est encore là.

Neuf heures moins le quart. Il était pressé. Il prit la route de Malmö, déserte en ce dimanche matin. Il conduisait beaucoup trop vite. La pluie avait cessé, les nuages se dissipaient. Le vent soufflait fort. Entre Rydsgård et Skurup, il écrasa un lièvre, malgré ses efforts pour l'éviter. Il constata dans le rétroviseur que l'animal n'était pas mort. Mais il ne freina pas pour autant.

Il ne s'arrêta que devant la villa de Jägersro. Dix heures moins vingt. Elvira Lindfeldt ouvrit immédiatement. Wallander aperçut Robert Modin assis à la table de la cuisine. Elle était habillée, mais paraissait fatiguée. Il la trouva changée par rapport à la dernière fois. Mais son sourire était le même. Elle lui proposa un café. Rien ne lui aurait fait plus plaisir, mais il n'avait pas le temps. Elle insista, le prit par le bras. Wallander crut la voir jeter un regard discret à sa montre. Sa méfiance s'éveilla immédiatement. Elle veut que je reste, mais pas trop longtemps. Elle a prévu quelque chose ensuite. Quelque chose, ou quelqu'un. Il dit à Modin de rassembler ses affaires.

– Je n'aime pas les gens pressés, dit-elle lorsque Modin fut sorti. Ça m'inquiète.

– Alors tu as trouvé mon premier défaut. En l'occurrence, ce n'est pas ma faute. On a besoin de lui à Ystad.

– Pourquoi cette urgence ?

– Pas le temps de te l'expliquer. Disons seulement qu'on s'inquiète un peu pour le 20 octobre. Et c'est demain.

Malgré son épuisement, Wallander nota son changement d'expression. Comme une ombre de souci. Ou de la peur ? Elle avait retrouvé son sourire. Je me fais des illusions, pensa-t-il.

Modin reparut en haut de l'escalier, un petit ordinateur sous chaque bras. Il était prêt.

– Je revois mon invité ce soir ?

– Ce ne sera pas nécessaire.

– Et toi ?

– Je ne sais pas encore. Je t'appellerai.

Il reprit la route d'Ystad, à peine moins vite qu'à l'aller.

– Je me suis réveillé tôt ce matin, dit Modin. J'ai eu quelques idées que j'aimerais vérifier.

Wallander se demanda s'il devait l'informer des événements de la nuit, mais décida d'attendre. Dans l'immédiat, le plus important était que Modin reste concentré. Pas la peine de l'interroger sur ses nouvelles idées. Il choisit de garder le silence.

À l'endroit où il avait écrasé le lièvre, il y avait maintenant une nuée de corneilles qui s'égaillèrent à l'approche de la voiture. Le lièvre était déjà déchiqueté, méconnaissable. Wallander dit à Modin que c'était lui qui l'avait écrasé, à l'aller.

– On en voit des centaines par ici. Mais ce n'est que lorsqu'on en tue un soi-même qu'on le voit réellement.

Modin se tourna vers lui.

– Tu peux répéter ?

– Ce n'est que lorsqu'on écrase soi-même un lièvre qu'on le voit vraiment. Bien qu'on ait déjà vu des centaines de lièvres morts sur la route.

– C'est ça, dit Modin, pensivement. Bien sûr.

Wallander attendit la suite.

– C'est peut-être comme ça qu'on doit le voir. Quelque chose qu'on aurait déjà vu plein de fois sans le remarquer…

– Je ne te suis pas tout à fait.

– On fouille peut-être à des profondeurs inutiles. Si ça se trouve, ce qu'on cherche est sous notre nez.

Modin s'absorba dans ses pensées. Wallander n'était pas certain d'avoir bien compris.

À onze heures, il freina devant l'immeuble de la place Runnerström. Modin grimpa l'escalier avec ses ordinateurs, suivi par Wallander, essoufflé. À partir de maintenant, il le savait, il lui faudrait faire confiance à Modin et à Alfredsson. La seule chose qu'il pouvait faire pour sa part, c'était tenter de garder une vision d'ensemble. Surtout, ne pas croire qu'il était capable de nager dans l'océan électronique avec les autres. Il éprouva cependant le besoin de leur rappeler la situation – ce qui était important et ce qui pouvait attendre. Martinsson et Alfredsson auraient peut-être le bon sens de ne pas raconter à Modin les événements de la nuit. En fait, il aurait dû les prendre à part et leur expliquer que Modin ne devait rien savoir jusqu'à nouvel ordre. Mais il lui était impossible d'échanger plus que le strict minimum avec Martinsson.

– Il est onze heures, dit-il lorsqu'il eut repris son souffle. Ça signifie qu'on a une marge de treize heures. Très peu de temps, autrement dit…

– Nyberg a appelé, coupa Martinsson.

– Alors ?

– Pas grand-chose. L'arme était un Makarov, 9 mm. Probablement le même que celui qui a servi à l'appartement.

– Il avait des papiers sur lui ?

– Trois passeports. Un coréen, un thaïlandais et, curieusement, un passeport roumain.

– Rien en rapport avec l'Angola ?

– Non.

– Je vais parler à Nyberg.

Wallander entreprit de faire un point général. Modin attendait impatiemment devant ses écrans.

– Dans treize heures, on sera le 20 octobre, répéta-t-il. Dans l'immédiat, trois questions nous intéressent. Tout le reste doit attendre.

Wallander jeta un regard circulaire. Martinsson regardait droit devant lui d'un air inexpressif. Sa lèvre enflée commençait à bleuir.

– Est-ce réellement la date du 20 octobre qui nous intéresse ? Si oui, que va-t-il se passer ? Comment l'empêcher ? Rien d'autre n'a d'importance.

– On n'a encore aucune réponse d'Interpol, dit Alfredsson.

Wallander se rappela le papier qu'il aurait dû signer. Martinsson parut lire dans ses pensées.

– J'ai signé moi-même. Pour gagner du temps.

– Très bien. Les institutions que nous avons identifiées. Des réactions ?

– Rien pour l'instant. Mais elles viennent à peine d'être informées. Et on est dimanche.

– Ça veut dire qu'on est seuls, dans l'immédiat.

Il indiqua Modin.

– Robert m'a dit dans la voiture qu'il avait quelques idées. Espérons qu'elles nous mettront sur la voie.

– Je suis convaincu que c'est le 20.

– Alors, il faut nous faire partager cette conviction.

– Laissez-moi une heure.

Wallander sortit. La meilleure chose à faire dans l'immédiat était de les laisser tranquilles. Arrivé au commissariat, il se rendit aux toilettes. Depuis quelques jours, il avait un besoin constant d'uriner et la bouche sèche, signes qu'il avait recommencé à négliger son diabète.

Il s'assit à son bureau et réfléchit.

Qu'est-ce que j'ai oublié ? Y a-t-il un détail qui pourrait nous donner d'un coup la cohérence qui nous échappe ?

Sa réflexion tournait à vide. L'espace d'un instant, il revint en pensée à sa visite à Malmö. Elvira Lindfeldt était changée. Comment ? Impossible à dire, mais il était sûr de son fait. Et ça le rendait inquiet. Il ne voulait surtout pas qu'elle commence à lui trouver des défauts. Peut-être l'avait-il mêlée trop vite, de façon trop abrupte, à sa vie professionnelle en lui demandant d'héberger Robert ?

Il repoussa ces pensées et se rendit dans le bureau de Hansson, qui consultait des fichiers en fonction d'une liste que lui avait remise Martinsson. Wallander lui demanda comment ça allait. Hansson secoua la tête d'un air abattu.

– Rien ne colle. C'est comme d'assembler les pièces de différents puzzles en espérant qu'elles s'ajusteront par miracle. Le seul dénominateur commun, c'est qu'il s'agit d'institutions financières. Plus une entreprise de télécoms et un opérateur de satellites.

Wallander tressaillit.

– Qu'est-ce que tu viens de dire ?

– Un opérateur de satellites à Atlanta. Telsat Communications.

– Ce n'est donc pas un fabricant ?

– Si j'ai bien compris, il s'agit d'une boîte qui loue de l'espace sur un certain nombre de satellites de communication.

– Dans ce cas, ça colle avec l'entreprise de télécoms.

– Et même avec le reste. De nos jours, l'argent circule par voie électronique. Du moins les transactions importantes.

– Est-il possible de voir si l'un des satellites de cette boîte couvre l'Angola ?

Hansson pianota sur son clavier. Wallander nota qu'il allait nettement moins vite que Martinsson.

– Leurs satellites couvrent le monde entier, y compris les cercles polaires.

– Ça peut vouloir dire quelque chose. Appelle Martinsson et dis-le-lui.

Hansson saisit l'occasion au vol.

– Qu'est-ce qui s'est passé entre vous, au juste, la nuit dernière ?

– Martinsson raconte des bobards. Mais ce n'est pas le moment d'en parler.

Wallander passa le reste de la journée à consulter sa montre. Au début, il avait attendu le coup de fil miraculeux de la place Runnerström qui répondrait en bloc à toutes les questions. À quatorze heures, Lisa Holgersson tint une conférence de presse improvisée. Elle avait voulu parler à Wallander ; celui-ci s'était rendu invisible et avait donné des instructions strictes à Ann-Britt disant qu'il n'était pas au commissariat. Il passa de longs moments immobile à sa fenêtre à regarder le château d'eau. Les nuages avaient disparu. C'était une journée d'octobre limpide et froide.

Vers quinze heures, à bout de patience, il retourna place Runnerström, où se déroulait une discussion intense sur la manière correcte d'interpréter une certaine combinaison de chiffres. Modin voulut l'impliquer dans l'échange, mais il secoua la tête.

À dix-sept heures, il sortit manger un hamburger. De retour au commissariat, il appela Elvira Lindfeldt. Pas de réponse. Pas de répondeur. Les soupçons revinrent. Mais il était trop fatigué, trop tiraillé intérieurement pour les prendre au sérieux.

À dix-huit heures trente, Ebba fit une apparition inattendue au commissariat avec un Tupperware contenant un repas pour Modin. Wallander demanda à Hansson de la conduire place Runnerström. Après coup, il pensa qu'il ne l'avait même pas remerciée correctement.

Vers dix-neuf heures, il appela Martinsson. La conversation fut brève : toujours pas de réponse aux trois questions. Wallander raccrocha et retourna voir Hansson, qui fixait son écran d'un regard morne. Des réactions de l'étranger ? La réponse de Hansson se limita à un mot :

Rien.

Dans un brusque accès de rage, Wallander attrapa un fauteuil et le jeta contre le mur.

À vingt heures, il était de nouveau dans le bureau de Hansson.

– Viens, on va place Runnerström. Ça ne peut plus durer. Il faut faire le point.

Ils passèrent prendre Ann-Britt, qui somnolait dans son bureau. Le trajet se déroula en silence. À leur arrivée, ils trouvèrent Modin assis par terre, adossé au mur. Martinsson était sur son siège pliant. Alfredsson s'était couché de tout son long à même le sol. Wallander n'avait jamais vu un groupe d'enquête dans un tel état d'abattement. La fatigue, il le savait, venait de l'absence totale de percée décisive, malgré les événements de la nuit. Si seulement ils avaient pu faire un progrès significatif, ouvrir une brèche dans la muraille, leur énergie conjuguée aurait fait le reste. Dans l'état des choses, le climat de résignation semblait insurmontable.

Qu'est-ce que je fais ? Quelle sera notre dernière initiative avant minuit ?

Il s'assit sur une chaise à côté de l'ordinateur. Les autres se rassemblèrent autour de lui, sauf Martinsson, qui resta en retrait.

– Le point, dit Wallander. Où en sommes-nous ?

– Beaucoup d'indices indiquent qu'il va se passer quelque chose le 20, commença Alfredsson. À minuit ou plus tard. On peut s'attendre à un problème informatique au niveau des institutions qu'on a identifiées et des autres. Dans la mesure où il s'agit d'institutions financières de premier plan, on peut supposer qu'il s'agit d'argent. Mais quoi ? Cambriolage informatique ? Autre chose ? On n'en sait rien.

– Quel est le pire scénario envisageable ?

– Chaos sur toutes les places financières du monde.

– C'est possible ?

– On en a déjà parlé. Par exemple, une chute spectaculaire du dollar peut déclencher une panique difficilement contrôlable.

– Je crois que c'est ce qui va se passer, dit Modin.

Tous les regards se tournèrent vers lui. Il était assis en tailleur aux pieds de Wallander.

– Qu'est-ce qui te fait dire ça ? Tu peux le prouver ?

– Je crois qu'on ne peut même pas se figurer l'ampleur de ce qui va se passer. On ne comprendra que quand il sera trop tard.

– Et le déclencheur ?

– Il s'agit probablement d'un geste si banal, si quotidien, qu'on n'a aucune possibilité de le prévoir.

– La machine à café symbolique, dit Hansson. Nous y revoilà.

Wallander jeta un regard circulaire.

– On ne peut rien faire dans l'immédiat. Sinon continuer comme avant. On n'a pas le choix.

– J'ai oublié quelques disquettes à Malmö, dit Modin. J'en aurai besoin.

– On envoie une voiture les chercher.

– Je les accompagne. J'ai besoin de sortir d'ici. En plus, il y a un magasin ouvert le soir, à Malmö, qui vend des trucs que je peux manger.

Wallander se leva. Hansson téléphona pour obtenir une voiture qui conduirait Modin à Malmö. Wallander composa le numéro d'Elvira Lindfeldt. Occupé. Il essaya de nouveau. Cette fois, elle répondit. Il lui expliqua que Modin allait passer à Malmö chercher quelques disquettes oubliées chez elle. Elle promit d'être là pour le recevoir. Elle avait retrouvé sa voix normale.

– Tu viens aussi ?

– Je ne peux pas.

– Je ne vais pas te poser de questions.

– Merci. Ça prendrait trop de temps.

Alfredsson et Martinsson se penchèrent de nouveau sur l'ordinateur de Falk. Wallander retourna avec les autres au commissariat.

– On se retrouve dans une demi-heure. D'ici là, il faut que chacun ait réfléchi à tout ce qui s'est passé depuis le début de cette enquête. Trente minutes, ce n'est pas beaucoup, mais il faudra s'en contenter. Ensuite, on se réunit et on réévalue la situation.

Hansson et Ann-Britt disparurent chacun dans son bureau. Wallander eut à peine refermé sa porte qu'Irene l'informa par téléphone qu'il avait de la visite.

– Qui est-ce ? Je n'ai pas le temps.

– Une dame qui affirme être ta voisine. Mme Hartman.

Wallander s'inquiéta aussitôt. Quelques années auparavant, il y avait eu une fuite d'eau chez lui. Mme Hartman, qui était veuve et habitait l'appartement du dessous, avait téléphoné au commissariat pour l'alerter.

– J'arrive.

Dans le hall, Mme Hartman le rassura, il n'y avait pas eu de nouvelle fuite. Elle lui tendit une enveloppe.

– Le facteur a dû se tromper. Je suis désolée, cette lettre a dû arriver chez moi vendredi, mais j'étais absente hier et je ne suis rentrée que tout à l'heure. J'ai pensé que c'était peut-être important.

– Tu n'aurais pas dû te donner cette peine. C'est très rare que je reçoive du courrier qui ne puisse attendre.

Elle lui remit la lettre. Il n'y avait pas de nom d'expéditeur. Après son départ, Wallander l'ouvrit dans son bureau et constata avec surprise qu'elle venait de l'agence de rencontres, qui le remerciait de son intérêt et s'engageait à lui transmettre d'éventuelles réponses, dès qu'il y en aurait.

Wallander froissa la lettre et la jeta au panier. Pendant quelques secondes, le vide se fit dans son esprit. Puis il fronça les sourcils, lissa la feuille de papier et la relut. Il récupéra aussi l'enveloppe, sans vraiment savoir pourquoi. Longtemps, il regarda le tampon de la poste. La lettre avait été envoyée jeudi.

Il avait encore la tête complètement vide.

L'angoisse surgit de nulle part. Ce courrier avait été posté jeudi. À ce moment-là, il avait déjà reçu la lettre d'Elvira Lindfeldt. Dans une enveloppe qui avait été déposée directement dans sa boîte. Une lettre dépourvue de cachet de la poste.

Il se retourna et regarda son ordinateur. Il se tenait parfaitement immobile. Ses pensées tourbillonnèrent. Très vite, puis très lentement. Il se demanda s'il devenait fou. Puis il s'obligea à réfléchir calmement.

Il n'avait pas quitté l'ordinateur du regard. Une image commençait à prendre forme dans son esprit. Et elle était terrifiante. Il courut jusqu'au bureau de Hansson.

– Appelle la voiture !

Hansson sursauta.

– Quelle voiture ?

– Celle qui devait conduire Modin à Malmö.

– Pourquoi ?

– Fais-le. Tout de suite.

Hansson s'empara du téléphone. Deux minutes plus tard, il put parler au conducteur.

– Ils ont déjà repris la route de Ystad, dit-il en raccrochant.

Wallander respira.

– Mais Modin est resté à Malmö.

Il sentit comme une morsure dans le ventre.

– Pourquoi ?

– Il serait ressorti de la maison en disant qu'il allait travailler sur place.

Wallander resta immobile, le cœur battant. Il avait encore du mal à y croire. Pourtant, c'était lui-même qui avait envisagé ce risque. Que quelqu'un pouvait avoir accès au contenu des ordinateurs de la police.

Pas seulement aux rapports d'enquête ; à des lettres confidentielles envoyées à une agence de rencontres.

– Prends ton arme. On part dans une minute.

– Où ça ?

– À Malmö.

Pendant le trajet, il essaya d'expliquer la situation à Hansson ; mais celui-ci eut naturellement du mal à comprendre. Wallander lui demandait sans cesse de composer le numéro d'Elvira Lindfeldt. Pas de réponse. Wallander avait mis la sirène. Intérieurement, il priait tous les dieux dont il connaissait le nom pour qu'il ne soit rien arrivé à Modin. Mais il redoutait déjà le pire.

Ils freinèrent devant la villa à vingt-deux heures. La maison était plongée dans le noir. Ils descendirent de voiture. Tout était silencieux. Wallander demanda à Hansson de l'attendre dans l'ombre, près du portail. Puis il ôta le cran de sûreté et remonta l'allée. Il s'arrêta devant la porte et prêta l'oreille. Il sonna. Puis il attendit, tous les sens en alerte. Essaya de tourner le bouton de la porte. Elle n'était pas fermée. Il fit signe à Hansson d'approcher.

– On devrait appeler des renforts, murmura Hansson.

– On n'a pas le temps.

Wallander ouvrit très doucement, sans savoir ce qui l'attendait à l'intérieur. Il se rappela que le commutateur était à gauche de la porte. Il tâtonna. Au moment où la lumière se fit, il recula d'un pas et s'accroupit.

Le vestibule était vide. La lumière éclairait vaguement le séjour. Elvira Lindfeldt était assise dans le canapé. Elle le regardait. Wallander inspira profondément. Elle ne bougeait pas. Il appela Hansson. Ils entrèrent.

Elle avait été tuée d'une balle dans la nuque. Le dossier jaune pâle du canapé était inondé de sang.

Ils fouillèrent la maison. Personne. Robert Modin avait disparu. Cela ne pouvait signifier qu'une seule chose. Quelqu'un avait été là pour l'accueillir. L'homme à l'imperméable noir n'était pas seul.

39

Wallander ne comprit jamais comment il parvint au bout de cette nuit-là. La colère et le remords, sans doute, mais surtout la peur de ce qui avait pu arriver à Robert Modin. Sa première pensée affolée, en voyant Elvira Lindfeldt morte dans le canapé, fut que Robert Modin avait été tué, lui aussi. En découvrant qu'il n'était pas dans la maison, il reprit un peu espoir. Il n'était peut-être pas mort ; il avait été emmené parce qu'il fallait à tout prix cacher ou empêcher quelque chose. Wallander n'avait pas besoin de se rappeler ce qui était arrivé à Sonja Hökberg et à Jonas Landahl. Mais, à l'époque, la police ne savait rien ; on ne pouvait donc pas comparer les situations. *Qu'était-il arrivé à Modin ?*

Au cours de cette nuit, la rage d'avoir été trahi fut aussi extrêmement présente. Et la tristesse de comprendre que la vie l'avait une fois de plus privé d'une possibilité d'échapper à la solitude. Il ne pouvait regretter Elvira Lindfeldt, même si sa mort l'effrayait. Elle avait pillé son ordinateur, avant de l'approcher sous une apparence truquée de part en part. Il s'était laissé prendre. L'illusion était parfaite, l'humiliation totale. La rage qui le submergeait avait plusieurs sources, toutes également puissantes.

Mais, au dire de Hansson, Wallander fit preuve d'un calme surprenant tout au long de cette nuit. Tout d'abord, il avait pris la décision de retourner à Ystad le plus vite possible. Le centre, à supposer qu'il y en ait un, se trouvait là-bas, non pas à Malmö. Hansson resterait sur place pour donner l'alerte et communiquer à la police de Malmö les informations nécessaires.

Mais Wallander lui confia aussi la mission d'en apprendre plus sur Elvira Lindfeldt. Pouvait-elle, d'une manière ou d'une autre, être liée à l'Angola ? Qui fréquentait-elle à Malmö ?

– Comment veux-tu que je m'y prenne, en pleine nuit ?

– Je m'en fiche. Réveille les gens. Au besoin, va chez eux et aide-les à enfiler leur pantalon. Je veux en savoir le plus possible sur cette femme avant demain matin.

– Qui est-ce ? Pourquoi Modin était-il ici ? Tu la connaissais ?

Wallander ne répondit pas. Hansson sentit qu'il ne fallait pas insister. Par la suite, il lui arriva d'interroger les autres. Qui était la femme mystérieuse ? Wallander devait bien la connaître, puisqu'il avait placé Modin chez elle. Mais la question de savoir comment il était entré en contact avec elle ne fut jamais tirée au clair.

Pendant le trajet du retour, Wallander essaya de se concentrer sur cette unique question : qu'était-il arrivé à Modin ?

Il roulait dans la nuit avec un sentiment de catastrophe imminente. Quelle catastrophe ? Comment l'empêcher ? Mais le plus important, c'était de sauver Modin. Il conduisait beaucoup trop vite. Il avait demandé à Hansson de prévenir les autres de son arrivée. Ceux qui dormaient devaient être réveillés. Quand Hansson lui demanda si cela valait aussi pour Lisa, il rugit que non. Au cours de cette nuit, ce fut le seul révélateur de l'énorme pression qu'il subissait en réalité.

Il était une heure trente lorsqu'il freina sur le parking du commissariat. Il faisait très froid. Martinsson, Ann-Britt et Alfredsson l'attendaient dans la salle de réunion. Nyberg devait arriver d'un instant à l'autre. Wallander considéra ses collègues. Ils ressemblaient plus à une armée en déroute qu'à une troupe prête au combat. Ann-Britt lui donna un café qu'il renversa sur son pantalon.

Il alla droit au but. Robert Modin avait disparu. La femme chez qui il avait dormi avait été retrouvée assassinée.

– Première conclusion. L'homme à l'imperméable n'était pas seul. J'aurais dû le comprendre. C'était une grave erreur.

Ce fut Ann-Britt qui posa l'inévitable question :

– Qui était-elle ?

– Elle s'appelait Elvira Lindfeldt. Une connaissance à moi.

– Comment quelqu'un pouvait-il savoir que Modin serait là ce soir ?

– Ce sera une question à résoudre par la suite.

Le crurent-ils ? Wallander lui-même eut le sentiment d'avoir menti avec conviction. Mais il n'était plus très sûr de pouvoir se fier à son propre jugement. Il aurait dû dire la vérité. Qu'il avait rédigé une petite annonce, que quelqu'un avait intercepté ce document dans son ordinateur et placé Elvira Lindfeldt sur son chemin. Mais il ne dit rien. Sa défense, à ses propres yeux du moins, était qu'ils devaient se concentrer sur la disparition de Modin. Il fallait le retrouver, s'il n'était pas trop tard.

À ce point de la discussion, Nyberg fit son entrée. Le col de son pyjama dépassait de sa veste.

– Qu'est-ce qu'on fout là ? Hansson m'a appelé de Malmö, il paraissait complètement dément, je n'ai rien compris à ce qu'il me racontait.

– Assieds-toi. La nuit ne fait que commencer.

Il fit signe à Ann-Britt, qui expliqua brièvement la situation à Nyberg.

– La police de Malmö a ses propres techniciens, non ?

– Je veux que tu sois là. Pas seulement au cas où on découvrirait quelque chose à Malmö. Je veux ton opinion.

Nyberg sortit un peigne et entreprit de se coiffer.

– Deuxième conclusion, qui peut paraître plus hasardeuse. Il va se passer quelque chose. Dont le point de départ se situe ici, à Ystad.

Il se tourna vers Martinsson.

– Où en est la surveillance de la place Runnerström ?

– Elle a été levée.

– Qui a décidé ça ?

– Viktorsson trouvait que c'était du gaspillage de ressources.

– Il faut la reprendre immédiatement. Pareil pour Apelbergsgatan. Je sais, c'est moi qui ai ordonné la suspension, c'était peut-être une erreur. Je veux une voiture sur place à compter de maintenant.

Martinsson sortit téléphoner. Ils attendirent en silence. Ann-Britt proposa son miroir de poche à Nyberg, mais n'obtint qu'un grognement. Martinsson revint.

– C'est bon, dit-il.

– Nous cherchons un déclencheur, reprit Wallander. À mon sens, il s'agit de la mort de Falk. Tant qu'il était en vie, Falk avait le contrôle. Sa mort a déclenché l'enchaînement que nous connaissons.

Ann-Britt leva la main.

– Savons-nous avec certitude qu'il est mort de causes naturelles ?

– Je pense que oui. Mes conclusions reposent sur cette hypothèse : une mort soudaine, complètement inattendue. Son médecin vient me voir et affirme qu'un infarctus était impensable. Falk était en bonne santé. Pourtant, il meurt, et c'est cela qui déclenche le désordre. Si Falk avait vécu, Sonja Hökberg n'aurait pas été tuée. Elle aurait été condamnée pour le meurtre du chauffeur de taxi, c'est tout. Jonas Landahl aurait continué à travailler pour le compte de Falk. Ce que Falk et ses complices avaient prémédité se serait produit sans qu'on en ait la moindre connaissance.

– C'est en d'autres termes la mort imprévue de Falk qui nous a mis sur la piste d'un complot majeur ?

– Si quelqu'un a une autre explication, je voudrais qu'il nous en fasse part ici et maintenant.

Silence.

Wallander se demanda une fois de plus comment Falk et Landahl s'étaient rencontrés. On ne savait encore rien de la nature de leurs relations. Wallander devinait de plus en plus les contours d'une organisation invisible, sans rituels, sans signes de reconnaissance extérieurs, agissant par l'intermédiaire des « animaux de nuit » – des interventions imperceptibles, capables de provoquer des bouleversements énormes. Quelque part dans cette nuit, Falk avait croisé Landahl. Sonja Hökberg avait été un temps amoureuse de Landahl, et cela avait signé son arrêt de mort. Pour l'instant, ils n'en savaient pas plus.

Alfredsson ouvrit sa serviette et déversa sur la table une quantité de papiers pliés.

– Les notes de Modin. Je les ai rassemblées. Ça vaudrait peut-être le coup d'y jeter un coup d'œil.

– Allez-y. Toi et Martinsson.

Le téléphone sonna. C'était Hansson.

– Un voisin prétend avoir entendu une voiture démarrer en trombe vers vingt et une heures trente. C'est à peu près tout. Personne n'a vu ou entendu quoi que ce soit. Pas même les coups de feu.

– Il y en a eu plus d'un ?

– Le médecin dit qu'on lui a tiré deux balles dans la tête. Il y a deux points d'impact.

Wallander dut avaler sa salive.

– Tu es là ?

– Oui. Personne n'a entendu les coups de feu, dis-tu ?

– Pas les voisins les plus proches, en tout cas. Ce sont les seuls qu'on a réveillés jusqu'ici.

– Qui dirige les recherches ?

Forsman. Ce nom ne disait rien à Wallander.

– Comment réagit-il ?

– Il a beaucoup de mal à comprendre ce que je lui raconte. Il dit qu'il n'y a aucun mobile.

– Bon courage. On lui expliquera plus tard.

– Autre chose. Modin était revenu ici pour chercher des disquettes, n'est-ce pas ?

– C'est ce qu'il a dit.

– Je crois avoir deviné dans quelle chambre il logeait. Je n'ai pas trouvé de disquettes.

– Il les aurait donc emportées.

– On dirait.

– Tu as trouvé d'autres choses lui appartenant ?

– Rien.

– Des signes selon lesquels quelqu'un serait venu ?

– Un voisin affirme avoir vu un taxi s'arrêter devant la villa en milieu de journée. Un homme en serait descendu.

– Ça peut être important. On doit retrouver ce taxi. C'est une priorité, dis-le à Forsman.

– Je n'ai pas franchement les moyens de dire aux collègues de Malmö ce qu'ils doivent faire.

– Alors, fais-le toi-même. On a un signalement de l'homme qui est descendu du taxi ?

– D'après le voisin, il portait des vêtements beaucoup trop légers pour la saison.

– C'est ce qu'il a dit ?

– Si j'ai bien compris.

L'homme de Luanda, pensa Wallander. Celui dont le nom commence par un C.

– Le taxi est important, répéta-t-il. On peut imaginer qu'il venait du terminal des ferries. Ou de l'aéroport.

– Je vais voir ce que je peux faire.

Wallander raccrocha et résuma ce qui venait d'être dit.

– J'imagine que ce sont les renforts, conclut-il. Si ça se trouve, ils arrivent d'Angola.

– Je n'ai pas obtenu une seule réponse à mes recherches sur le Net à propos de groupes terroristes qui auraient déclaré la guerre aux centres financiers dans le monde. Personne ne semble avoir entendu parler de ce que tu appelles les écologistes de la finance.

– Il faut un début à tout.

– Ici, à Ystad ?

Nyberg avait posé son peigne et dévisageait Wallander d'un air réprobateur. Il lui parut soudain très vieux. Et lui-même ? Comment les autres le voyaient-ils ?

– Un homme est mort dans un champ près de Sandhammaren. Un homme de Hong Kong, avec une fausse identité. Là aussi, on pourrait penser que ce sont des choses qui n'arrivent pas ici. Pourtant, elles arrivent. Il n'y a plus de coins isolés. Il n'y a presque plus de différence entre la ville et la campagne. Je ne comprends pas grand-chose aux techniques de l'information ; sinon que, grâce à elles, le centre du monde peut être n'importe où.

Le téléphone sonna. Wallander décrocha lui-même.

– Forsman travaille bien, dit Hansson. Ça avance. On a retrouvé le taxi.

– D'où venait-il ?

– De l'aéroport de Sturup. Tu avais raison.

– Quelqu'un a parlé au chauffeur ?

– Il est ici avec moi. Au fait, Forsman te dit bonjour. Vous vous seriez rencontrés à une conférence au printemps dernier.

– Salue-le de ma part. Et passe-moi le chauffeur.

– Il s'appelle Stig Lunne. Il arrive.

Wallander fit signe qu'on lui passe du papier et un crayon.

Même pour une oreille aussi exercée que la sienne, le dialecte scanien du chauffeur était presque impossible à comprendre. D'un autre côté, ses réponses étaient d'une concision exemplaire. Stig Lunne n'était pas quelqu'un qui gaspillait sa salive. Wallander se présenta et lui expliqua ce qu'il attendait de lui.

– Quelle heure était-il quand tu as chargé le client ?

– Douze heures trente-deux.

– Comment peux-tu le savoir avec autant de précision ?

– L'ordinateur.

– La voiture était-elle réservée ?
– Non.
– Tu attendais donc à l'aéroport ?
– Oui.
– Peux-tu décrire le client ?
– Grand.
– Autre chose ?
– Mince.
– C'est tout ?
– Bronzé.
– L'homme était grand, maigre et bronzé ?
– Oui.
– Parlait-il suédois ?
– Non.
– Quelle langue parlait-il ?
– Je ne sais pas. Il m'a montré un bout de papier avec l'adresse.
– Il n'a rien dit de tout le trajet ?
– Non.
– Comment a-t-il payé ?
– En liquide.
– Avec des couronnes suédoises ?
– Oui.
– Avait-il des bagages ?
– Un sac en bandoulière.
– Autre chose ?
– Non.
– Était-il blond ou brun ? Avait-il le type européen ?

La réponse prit Wallander au dépourvu, et pas seulement parce que c'était la plus longue fournie jusque-là par Stig Lunne :

– Ma mère dit que je ressemble à un Espagnol, mais je suis né à la maternité de Malmö.
– Tu veux dire qu'il est difficile de répondre à cette question ?
– Oui.
– Était-il blond ou brun ?
– Chauve.
– As-tu vu ses yeux ?
– Bleus.
– Ses vêtements ?

– Minces.
– C'est-à-dire ?
Stig Lunne fit de nouveau un énorme effort.
– Habits d'été, pas de pardessus.
– Tu veux dire qu'il était en short ?
– Costume d'été, blanc.
Wallander ne trouva pas d'autres questions à lui poser. Il le remercia et lui demanda de le contacter immédiatement s'il pensait à un autre détail.
Il était trois heures. Wallander communiqua aux autres le signalement fourni par Lunne. Martinsson et Alfredsson disparurent ensemble pour éplucher les notes de Modin. Nyberg quitta la pièce peu après. Wallander et Ann-Britt restèrent seuls.
– Que s'est-il passé, à ton avis ?
– Je ne sais pas. Mais je crains le pire.
– Qui est cet homme ?
– Quelqu'un qui a été appelé en renfort. Quelqu'un qui sait que Modin représente la plus grande menace pour eux.
– Pourquoi cette femme est-elle morte ?
– Je ne sais pas. Et j'ai peur.
Martinsson et Alfredsson revinrent au bout d'une demi-heure. Nyberg surgit peu après et se rassit à sa place sans un mot.
– Ce n'est pas évident de comprendre les notes de ce Modin, dit Alfredsson. Il parle d'une machine à café qu'on aurait sous le nez.
– Il veut dire par là que le processus sera déclenché par un geste banal, qu'on accomplit sans réfléchir, comme on appuie sur le bouton d'une machine à café. Si on fait ce geste à une certaine heure ou à un certain endroit, ou dans un certain ordre, quelque chose se déclenche.
– Quel geste ? demanda Ann-Britt.
– C'est ce qu'on doit découvrir.
Ils continuèrent de réfléchir. Quatre heures du matin. Où était Robert Modin ? Hansson rappela à quatre heures trente. Wallander l'écouta en silence, en prenant des notes. De temps à autre, il posait une question. La conversation dura plus d'un quart d'heure.
– Hansson a réussi à retrouver une amie d'Elvira Lindfeldt, qui avait des choses intéressantes à raconter. Tout d'abord, Elvira Lindfeldt aurait travaillé quelques années au Pakistan dans les années 70.

– Je croyais que la piste menait en Angola, dit Martinsson.

– L'important est de savoir ce qu'elle fabriquait au Pakistan.

– Ah oui ? fit Nyberg. L'Angola, le Pakistan, et ensuite ?

– On n'en sait rien. Je suis aussi surpris que toi.

Il déchiffra tant bien que mal ses notes griffonnées au dos d'une enveloppe.

– D'après cette amie, elle travaillait à l'époque pour la Banque mondiale. Mais ce n'est pas tout. Il lui arrivait d'exprimer des opinions assez marginales. Elle pensait entre autres que l'ordre économique mondial devait être transformé de fond en comble. Et qu'il fallait pour cela commencer par le détruire.

– Très bien, dit Martinsson. Apparemment, il y a beaucoup de monde impliqué. Mais on ne sait toujours pas où ils sont, ni ce qui va se passer.

– On cherche une sorte de bouton, dit Nyberg. C'est bien ça ? Une manette, un commutateur, ce genre de chose. À l'intérieur ou en plein air ?

– On n'en sait rien.

– On ne sait rien du tout, si je comprends bien.

La tension était palpable dans la pièce. Wallander regarda ses collègues avec quelque chose qui ressemblait à du désespoir. On n'y arrivera pas, pensa-t-il. On va retrouver Modin assassiné. On n'aura rien pu faire.

Le téléphone sonna. Hansson, de nouveau.

– La voiture de Lindfeldt. On aurait dû y penser.

– Alors ?

– Elle a disparu. On a donné l'alerte. Une Golf bleu nuit, immatriculée FHC 803.

Toutes les voitures dans cette affaire avaient la même couleur. Hansson lui demanda s'il y avait du nouveau à Ystad. Rien, malheureusement.

Il était quatre heures cinquante. Une atmosphère d'attente oppressée régnait dans la salle de réunion. Wallander pensa qu'ils étaient battus. Ils n'avaient aucune idée, aucun plan d'action, rien. Martinsson se leva.

– Il faut que je mange. Je vais faire un tour au kiosque d'Österleden. Quelqu'un veut que je lui rapporte quelque chose ?

Wallander secoua la tête. Martinsson prit la commande des autres. Il sortit, mais revint presque aussitôt.

– Je n'ai pas d'argent. Quelqu'un peut-il m'en prêter ?

Wallander avait vingt couronnes sur lui. Personne d'autre, bizarrement, n'avait de liquide.

– Ça ne fait rien, je m'arrêterai au distributeur.

Il sortit de nouveau. Wallander fixait le mur d'un regard vide. Il avait mal à la tête.

Subrepticement, une pensée commença à prendre forme. Soudain, il tressaillit. Les autres levèrent la tête.

– Qu'est-ce qu'il a dit tout à l'heure ?

– Qu'il allait acheter à manger.

– Et après ?

– Qu'il allait s'arrêter à un distributeur.

Wallander hocha lentement la tête.

– Est-ce que ça pourrait être ça ? La machine à café qu'on a sous les yeux ?

– Je ne suis pas sûr de te suivre, dit Ann-Britt.

– Un geste qu'on fait sans y penser.

– Acheter à manger ?

– Introduire une carte dans un distributeur. Retirer de l'argent et un reçu.

Il se tourna vers Alfredsson.

– Y avait-il quelque chose sur les distributeurs de billets, dans les notes de Modin ?

Alfredsson se mordit la lèvre.

– Je crois que oui.

– Que disait-il ?

– Je ne m'en souviens pas. Ça ne nous a pas paru important.

Le poing de Wallander s'abattit sur la table.

– Où sont les papiers ?

– Martinsson les a pris.

Wallander était déjà dans le couloir.

Les notes chiffonnées de Modin jonchaient le bureau de Martinsson. Alfredsson les déplia pendant que Wallander attendait avec impatience.

– La voici.

Il mit ses lunettes. La feuille était remplie de dessins de chats et de coqs. Tout en bas, au milieu de quelques combinaisons de chiffres, Modin avait fait une note, soulignée tant de fois que le papier en était troué. *Rampe de lancement. Un distributeur bancaire ?*

– C'est ce que tu cherchais ?

Alfredsson n'obtint pas de réponse. Wallander était déjà sorti du bureau.

Il n'y avait plus de doute à ses yeux. La solution était là. Jour et nuit, des gens s'arrêtaient devant des distributeurs. À un endroit donné, à une heure précise ce jour-là, quelqu'un retirerait de l'argent et déclencherait, sans le savoir, un redoutable processus dont on ignorait encore la nature et la portée.

Wallander s'adressa à l'ensemble de ses collègues.

– Combien de distributeurs bancaires y a-t-il à Ystad ?

Personne ne connaissait le nombre exact.

– Il faut regarder dans l'annuaire, dit Ann-Britt.

– Sinon, il faudra que tu réveilles un employé de banque.

Nyberg leva la main.

– Qu'est-ce qui dit que tu as raison ?

– Tout vaut mieux que rester les bras croisés.

Nyberg insista :

– Mais que pouvons-nous faire ?

– À supposer que j'aie raison, on ne peut pas savoir de quel distributeur il s'agit. Il y en a peut-être même plusieurs. On ne sait pas ce qui va se passer, comment, à quelle heure. Alors, il faut faire en sorte qu'il ne se passe rien du tout.

– Interdire l'accès à tous les distributeurs ?

– Oui, jusqu'à nouvel ordre.

– Tu te rends compte de ce que ça implique ?

– Oui. Que la réputation de la police auprès du public va encore se détériorer. Qu'il va y avoir du grabuge.

– Tu ne peux pas faire ça sans l'accord du procureur et de la direction des banques.

Wallander s'assit sur une chaise face à Nyberg.

– Là, tout de suite, je m'en fous. Même si c'est ma dernière initiative de flic à Ystad. Ou ma dernière initiative de flic tout court.

Ann-Britt feuilletait l'annuaire. Alfredsson ne dit rien.

– Il y a quatre distributeurs à Ystad, annonça-t-elle. Trois dans le centre et un quatrième près des grands magasins. Celui devant lequel on a retrouvé Falk.

Wallander réfléchit.

– Martinsson est passé par le centre, à coup sûr. Appelle-le. Alfredsson et toi, vous vous partagez les deux autres. Moi, je me charge de celui des grands magasins.

Il se tourna vers Nyberg.

– Toi, appelle Lisa Holgersson. Réveille-la. Dis-lui ce qu'il en est, sans détour. À partir de là, c'est elle qui décide.

– Elle va tout arrêter.

– Appelle-la. Mais tu peux attendre jusqu'à six heures.

Nyberg le regarda et sourit.

– Dernier point. N'oublions pas Robert Modin. Ni le type grand, maigre et bronzé. Si j'ai raison, il faut s'attendre à ce qu'il surveille le distributeur en question. Au moindre doute, chacun doit immédiatement prévenir les autres.

– J'ai surveillé un tas d'endroits dans ma vie, mais jamais un distributeur.

– Il faut bien commencer un jour. Tu es armé ?

Alfredsson secoua la tête.

– Trouve-lui une arme, dit Wallander à Ann-Britt. On y va.

Il était cinq heures et neuf minutes lorsque Wallander quitta le commissariat. La température avait encore baissé, le vent soufflait fort. Il prit sa voiture jusqu'aux grands magasins. L'angoisse l'étreignait. Il se trompait sans doute du tout au tout. Mais il n'y avait plus rien qu'ils puissent faire autour d'une table de réunion. Il laissa la voiture devant le bâtiment des impôts. Tout était silencieux. L'aube était encore loin. Il remonta la fermeture Éclair de sa veste et regarda autour de lui avant de se diriger vers le distributeur. Il n'y avait aucune raison de se cacher. La radio grésilla dans sa poche. Ann-Britt lui signalait que tout le monde était en place. Alfredsson avait déjà eu des problèmes avec quelques personnes ivres qui insistaient pour retirer de l'argent. Il avait dû appeler une patrouille en renfort.

– Que cette patrouille reste en circulation. Ça sera bien pire d'ici une heure, quand les gens auront commencé à se réveiller.

– Martinsson avait déjà retiré de l'argent quand on l'a appelé. Mais il n'est rien arrivé.

– On n'en sait rien. S'il se passe quelque chose, on n'en sera pas avertis tout de suite.

La radio se tut. Un chariot renversé gisait sur le parking, désert à l'exception d'un camion de petite taille. Un papier – publicité pour des côtes de porc en promotion – voltigeait au-dessus de l'asphalte. Cinq heures vingt-sept. Un poids lourd passa sur la route de Malmö. Wallander se mit à penser à Elvira Lindfeldt, mais sentit qu'il n'en avait pas la force. Il y réfléchirait plus tard. Comment il avait pu se laisser berner, humilier à ce point. Il tourna le dos au vent et tapa du pied pour se réchauffer. Une voiture s'arrêta à sa hauteur. Les portières faisaient de la réclame pour une entreprise d'électricité. Un homme descendit. Il était grand et maigre. Wallander tressaillit et empoigna son arme. Puis il le reconnut ; il était déjà venu chez son père, pour une réparation. L'homme lui adressa un signe de tête et indiqua le distributeur.

– Il est en panne ?

– Désolé, tu ne peux pas retirer d'argent pour l'instant.

– Tant pis. J'irai dans le centre.

– Ce sera malheureusement pareil là-bas.

– Que se passe-t-il ?

– Un problème momentané.

– Et ça demande la surveillance de la police ?

Wallander ne répondit pas. L'homme remonta en voiture et démarra sans ménagement. C'était leur unique ligne de défense, « problème technique ». Mais l'idée de ce qui se passerait d'ici une heure ou deux l'angoissait déjà. Comment résister ? Lisa Holgersson mettrait immédiatement un terme à son initiative. Ses arguments seraient beaucoup trop vagues. Il ne pourrait rien faire. Et ça apporterait encore de l'eau au moulin de Martinsson : Wallander n'était plus à la hauteur de sa tâche.

Au même instant, il vit un homme traverser le parking dans sa direction. Un jeune homme. Il avait surgi de derrière le camion. Wallander mit quelques secondes à le reconnaître. Robert Modin ! Il s'immobilisa et retint son souffle. Il n'y comprenait rien. Soudain, Modin fit volte-face. Wallander se jeta instinctivement sur le côté. Un homme venait de surgir de la direction des grands magasins. Il était grand, maigre, bronzé, il tenait une arme. Dix mètres le séparaient de Wallander. Aucun abri. Wallander ferma les yeux. La sensation revint. La même qu'il avait eue dans le champ. Son temps était écoulé, il ne vivrait pas au-delà de cet instant. Il attendit. Rien. Il ouvrit les yeux. L'homme tenait son arme braquée sur lui. Mais, en même temps, il regardait sa montre.

L'heure. J'avais raison. Je ne comprends rien à ce qui se passe. Mais j'avais raison.

L'homme fit signe à Wallander d'approcher, les mains levées. Il lui prit son arme et la jeta dans une poubelle, à côté du distributeur. Dans la main gauche, il tenait une carte plastifiée.

– Un, cinq, cinq, un.

Il avait prononcé les chiffres en suédois, avec un fort accent étranger. Il laissa tomber la carte sur le trottoir et fit signe à Wallander de la ramasser. Wallander obéit. L'homme recula d'un pas et regarda de nouveau sa montre. Puis il indiqua le distributeur d'un geste brusque, trahissant pour la première fois sa nervosité. Wallander avança d'un pas. Du coin de l'œil, il voyait Robert Modin, parfaitement immobile. Pour l'instant, il se moquait bien de ce qui se passerait une fois qu'il aurait composé le code. Robert Modin était en vie, rien d'autre n'avait d'importance. Mais comment le protéger ? Fébrilement, il chercha une issue. Au moindre geste, il serait abattu à coup sûr. Robert Modin n'aurait aucune chance de s'enfuir. Wallander introduisit la carte dans la fente. Au même instant, il y eut un coup de feu. La balle ricocha sur l'asphalte et disparut en sifflant. L'homme avait fait volte-face. Wallander reconnut Martinsson à l'autre bout du parking. Plus de trente mètres les séparaient. Wallander se jeta vers la poubelle et parvint à récupérer son arme. L'homme tirait en direction de Martinsson. Wallander visa et appuya sur la détente. L'homme s'écroula, touché en pleine poitrine. Robert Modin n'avait pas bougé.

– Qu'est-ce qui se passe ? hurla Martinsson.

– Tu peux venir !

L'homme était mort.

Martinsson les rejoignit. Wallander le dévisagea.

– Qu'est-ce que tu fabriquais sur ce parking ?

– Si tu avais raison, ça ne pouvait être qu'ici. Falk aurait choisi le distributeur le plus proche de chez lui, devant lequel il passait tous les jours. J'ai demandé à Nyberg de me remplacer dans le centre.

– Mais il devait appeler Lisa ?

– Les portables, ça existe.

Wallander indiqua le corps étendu sur l'asphalte.

– Je te laisse t'occuper de lui. Je dois parler à Modin.

– Qui était-ce ?

– Je ne sais pas. Mais je crois que son nom commence par un C.

– C'est la fin ?

– Peut-être. Je crois. Mais la fin de quoi ?

Il aurait dû remercier Martinsson. Mais il ne dit rien. Se dirigea simplement vers Modin, qui paraissait pétrifié. Les remerciements attendraient. Les règlements de comptes aussi.

Robert Modin avait les yeux pleins de larmes.

– Il m'a dit que je devais marcher vers toi, sinon il tuerait papa et maman.

– On en parlera plus tard. Comment ça va ?

– Il était dans la maison, il m'a dit que je devais finir mon travail là-bas. Puis il l'a tuée. On est partis, il m'a enfermé dans le coffre, je pouvais à peine respirer. Mais on a vu juste.

– Oui. On a vu juste.

– Tu as trouvé mon mot ?

– Oui.

– C'est après coup que j'ai vraiment commencé à penser que ce pouvait être ça. Un distributeur, où les gens viennent retirer de l'argent toute la journée.

– Tu aurais dû nous le dire. Mais j'aurais peut-être dû comprendre par moi-même. On avait déjà la conviction que tout tournait autour de l'argent.

– On ne peut pas les accuser d'être bêtes.

Wallander le dévisagea sans rien dire, en essayant d'évaluer sa force de résistance. Il eut brusquement la sensation d'avoir déjà vécu exactement la même situation avec un autre jeune homme. Il comprit qu'il pensait à Stefan Fredman.

– Que s'est-il passé ? Tu peux répondre ou tu préfères attendre ?

– Je peux répondre. Quand elle m'a fait entrer, il était là. Il m'a menacé. Il m'a enfermé dans la salle de bains. Tout à coup, il a commencé à crier contre elle. Il parlait anglais, alors j'ai compris ce qu'il disait, même si je n'ai pas tout entendu.

– Que disait-il ?

– Qu'elle n'avait pas été à la hauteur de sa mission. Qu'elle était faible.

– Autre chose ?

– Juste les coups de feu. Quand il m'a fait sortir de la salle de bains, j'ai cru qu'il allait me tuer moi aussi, il tenait un pistolet. Mais il a juste dit que j'étais son otage et que je devais lui obéir. Sinon, il tuerait mes parents.

La voix de Modin tremblait.

– On verra le reste plus tard. Tu en as fait plus qu'assez.

– Il a dit qu'ils allaient détruire le système financier mondial. Et que ça commencerait ici, dans ce distributeur.

– Je sais. On verra ça plus tard. Tu as besoin de dormir, tu vas rentrer chez toi. Ensuite, on parlera.

– C'est extraordinaire, en fait.

– Quoi ?

– Tout ce qu'on peut faire, rien qu'en introduisant un petit virus dans un distributeur quelconque.

Wallander ne répondit pas. Les sirènes approchaient. Wallander découvrit une Golf bleu nuit derrière le camion, invisible depuis le distributeur. L'affiche pour les côtes de porc en promotion voltigeait au-dessus du parking.

Il sentit à quel point il était épuisé. Et soulagé.

Martinsson s'approcha.

– Il faut qu'on parle.

– Oui, dit Wallander. Mais pas maintenant.

Il était six heures moins neuf minutes. Lundi 20 octobre. Wallander se demanda distraitement à quoi ressemblerait l'hiver.

40

Le mardi 11 novembre, à la surprise générale, Wallander fut officiellement disculpé dans le cadre de l'affaire Eva Persson. Ce fut Ann-Britt qui lui communiqua la nouvelle. Elle avait elle-même contribué de façon décisive à ce dénouement. Mais Wallander ne découvrit qu'après coup de quelle manière.

Quelques jours plus tôt, Ann-Britt avait rendu visite à Eva Persson et à sa mère. On ne sut jamais avec précision ce qui avait été dit au cours de cette rencontre. Aucun rapport, aucun témoin – contrairement à toutes les règles en vigueur dans la police. Ann-Britt laissa entendre à Wallander qu'elle avait exercé une « forme douce de chantage affectif ». Il crut comprendre qu'elle avait suggéré à Eva Persson de penser à son avenir. Même acquittée de toute complicité active dans le meurtre de Lundberg, une accusation mensongère à l'encontre d'un policier pouvait avoir de lourdes conséquences... Dès le lendemain, Eva Persson et sa mère avaient retiré leur plainte et déclaré par l'intermédiaire de leur avocat que la gifle avait été administrée dans les circonstances décrites par Wallander. Eva Persson endossa la responsabilité de l'agression contre sa mère. La plainte à l'encontre de Wallander aurait pu être maintenue, mais l'affaire fut classée en hâte, comme si tout le monde était en fin de compte soulagé par cette issue – dont Ann-Britt avait veillé à informer quelques journalistes triés sur le volet. Mais l'acquittement de Wallander fut traité par les journaux de façon fort discrète, voire ignoré.

Ce mardi matin, le temps fut particulièrement froid en Scanie, avec un vent atteignant par endroits force de tempête. Wallander s'était réveillé de bonne heure après une nuit inquiète peuplée de cauchemars. Il ne se souvenait pas des détails, mais il y avait eu des silhouettes fuyantes et des poids qui l'étouffaient.

Il arriva au commissariat vers huit heures et ne s'attarda qu'un bref moment. La veille, il avait décidé d'obtenir enfin la réponse à une question qui le tracassait depuis longtemps. Après avoir parcouru quelques papiers et s'être assuré que l'album de photos emprunté à Marianne Falk avait bien été restitué, il prit sa voiture et se rendit chez les Hökberg. Il avait parlé à Erik Hökberg la veille, il était attendu. Le frère de Sonja, Emil, était à l'école et la mère était retournée chez sa sœur. Wallander trouva Erik Hökberg pâle et amaigri. D'après la rumeur, l'enterrement de Sonja Hökberg avait été extrêmement pénible. Wallander lui dit d'emblée qu'il ne resterait pas longtemps.

– Tu as dit que tu voulais revoir la chambre de Sonja. Pourquoi ?

– Je te le dirai là-haut. Je veux que tu viennes avec moi.

– Rien n'a changé. On n'a pas la force de toucher à quoi que ce soit.

Ils entrèrent dans la chambre rose, où Wallander avait eu un tel sentiment d'étrangeté dès sa première visite.

– Je crois que cette chambre n'a pas toujours eu cet aspect. Sonja l'a redécorée à un moment précis, je me trompe ?

– Comment le sais-tu ?

– Je ne sais rien. Je te pose une question.

Erik Hökberg avala sa salive. Wallander attendit.

– Ça s'est passé après cette histoire. Soudain, elle a retiré toutes les affiches et elle a ressorti ses vieilles affaires. Ses peluches de petite fille, qui étaient rangées dans des cartons au grenier. On n'a pas bien compris. Elle ne nous a rien expliqué.

– C'était tout, dit Wallander.

– Pourquoi est-ce si important ? Sonja ne reviendra pas. Pour Ruth et moi, pour Emil aussi, il n'y aura plus jamais qu'une moitié de vie, et encore.

– Parfois, on veut avoir le cœur net de certaines choses. Les questions sans réponse peuvent devenir un tourment en elles-mêmes. Mais tu as raison, bien sûr. Ça ne change rien.

Ils redescendirent. Erik Hökberg lui proposa un café, mais Wallander était pressé de quitter cette maison endeuillée.

Il prit la direction du centre, laissa la voiture dans Hamngatan et se rendit à pied à la librairie pour récupérer le livre de décoration qui l'attendait depuis longtemps. Il fut sidéré par le prix, demanda un emballage cadeau et reprit sa voiture. Linda devait arriver à Ystad le lendemain.

Peu après neuf heures, il était de retour au commissariat. À neuf heures trente, il rassembla ses papiers et se rendit à la salle de réunion pour un dernier point avec ses collègues sur tous les événements survenus depuis que Tynnes Falk avait trouvé la mort devant un distributeur près des grands magasins. Ensuite, ils remettraient le dossier au procureur. Dans la mesure où le meurtre d'Elvira Lindfeldt concernait aussi les collègues de Malmö, l'inspecteur Forsman devait assister à la réunion.

À ce moment-là, Wallander ignorait encore le résultat de l'enquête interne. Mais le sujet ne lui causait pas de grande inquiétude. Le plus important, à ses yeux, était que Robert Modin s'en soit tiré. Cette pensée l'aidait dans les moments où il pensait qu'il aurait peut-être pu empêcher la mort de Jonas Landahl. Tout au fond de lui, il savait que c'eût été exiger l'impossible. Mais le sentiment de culpabilité persistait.

Pour une fois, il arriva le dernier dans la salle de réunion. Il salua Forsman ; en effet, ils avaient participé à un séminaire ensemble. Hans Alfredsson était retourné à Stockholm et Nyberg était alité avec la grippe. Wallander s'assit, la réunion commença. Il était treize heures lorsqu'ils tournèrent la dernière page du dossier. Cette fois, c'était bien fini.

Au cours des trois semaines écoulées depuis l'échange de coups de feu devant le distributeur, la clarté s'était faite peu à peu sur tous les détails fuyants et confus de l'affaire. Plusieurs fois, Wallander constata à quel point ils avaient été proches de la vérité, alors même qu'ils se fondaient sur des hypothèses hasardeuses. D'autre part, l'importance de Robert Modin était hors de doute. C'était lui qui avait identifié la muraille et trouvé les moyens de la contourner. Les informations en provenance de l'étranger affluaient. Peu à peu, ils avaient pu mettre au jour la nature et l'étendue du complot.

L'homme qui avait trouvé la mort devant le distributeur possédait désormais une identité et une histoire. Wallander eut le sentiment de comprendre enfin ce qui s'était passé en Angola – question lancinante qu'il s'était posée tant de fois au cours de cette enquête. La réponse était claire, du moins dans les grandes lignes. Falk et Carter s'étaient rencontrés à Luanda au cours des années 1970, probablement par hasard. On ne pouvait que deviner la nature de leurs relations. Mais quelque chose les rapprochait à l'évidence. Ils avaient conclu une alliance, mélange de vengeance personnelle, d'arrogance et de mégalomanie. Ils avaient résolu de s'attaquer à l'ordre financier mondial. Au moment choisi par eux, un missile serait lancé dans l'espace cybernétique. La connaissance intime qu'avait Carter des structures financières internationales, associée aux connaissances et à l'inventivité de Falk dans le monde des ordinateurs, constituait une combinaison idéale, d'une dangerosité extrême.

Parallèlement à la mise en place minutieuse du projet, ils avaient développé une activité de prophètes, marginaux mais convaincants, et monté une organisation secrète, sévèrement encadrée, où des individus tels que Fu Cheng, de Hong Kong, Elvira Lindfeldt et Jonas Landahl, de Scanie, avaient été enrôlés et enfermés sans recours. L'image d'une secte hiérarchisée s'était dessinée peu à peu. Carter et Falk prenaient toutes les décisions. Ceux qui étaient autorisés à pénétrer dans leur cercle étaient considérés comme des élus. Sans en avoir encore la preuve, on pouvait supposer que Carter avait personnellement exécuté plusieurs membres jugés défaillants ou potentiellement déserteurs.

Carter était le missionnaire des deux. Après son départ de la Banque mondiale, il avait conservé des missions de consultant. Il avait croisé Elvira Lindfeldt au Pakistan, au cours de l'une d'entre elles. Quant à Jonas Landahl, il ne fut jamais établi avec précision de quelle manière la rencontre avait eu lieu.

Aux yeux de Wallander, Carter faisait de plus en plus figure de chef de secte. Fou, calculateur et entièrement dénué de scrupules. La personnalité de Falk était plus difficile à cerner. Il n'avait pas fait preuve de brutalité ou de cynisme. En revanche, il avait un immense besoin, soigneusement dissimulé, d'affirmation de soi. À la fin des années 1960, il avait fréquenté différents groupuscules d'extrême droite et leur contrepartie d'extrême gauche, avant de prendre ses distances et de commencer à voir l'ensemble de l'humanité avec une sorte de mépris prophétique.

Les deux hommes s'étaient croisés par hasard en Angola. Effet de miroir : chacun avait découvert chez l'autre son propre reflet.

Concernant Fu Cheng, la police de Hong Kong avait expédié de longs rapports. Il s'appelait en réalité Hua Gang. Interpol avait associé ses empreintes à plusieurs crimes – entre autres deux braquages à main armée, à Francfort et à Marseille. Il n'y avait pas de preuves, mais on pouvait raisonnablement penser que l'argent avait servi à financer l'opération de Falk et Carter. Hua Gang avait ses attaches dans le milieu du crime organisé. Il était soupçonné – sans jamais avoir été condamné – de plusieurs meurtres, en Asie et en Europe, commis sous différentes identités. C'était lui, sans le moindre doute, qui avait tué à la fois Sonja Hökberg et Jonas Landahl. Les empreintes et les témoignages confortaient les soupçons. D'un autre côté, il paraissait évident qu'il n'était qu'un homme de main, commandé par Carter et peut-être aussi par Falk. Les ramifications de l'organisation semblaient s'étendre à tous les continents. Il restait encore beaucoup de travail à accomplir, mais pas de raison de redouter des suites. La mort de Carter et de Falk avait mis un terme à l'existence de la secte.

La raison pour laquelle Carter avait tué Elvira Lindfeldt ne fut jamais élucidée. Les seuls éléments de réponse provenaient du témoignage de Modin – les accusations véhémentes proférées par Carter. Elle en savait trop, elle n'était plus indispensable. Wallander en conclut que Carter était aux abois lors de son arrivée en Suède.

Ils avaient donc résolu de semer le chaos sur les places financières du monde et, selon la conclusion effrayante des experts, ils avaient été très près de réussir. Si Modin ou Wallander avait introduit la carte et composé le code à cinq heures trente et une ce lundi 20 octobre, l'avalanche aurait commencé, sans recours possible. Après un premier examen du programme-virus, les experts avaient pâli. La vulnérabilité des institutions secrètement connectées par Falk et Carter se révélait effrayante. Plusieurs groupes d'experts travaillaient à présent dans le monde entier pour tenter d'analyser la portée du cataclysme qui aurait dû se produire.

Mais Modin, pas plus que Wallander, n'avait composé le code fatal. Rien ne s'était réellement produit, sinon qu'un certain nombre de distributeurs de Scanie connurent ce jour-là des problèmes divers. Plusieurs avaient dû être fermés, mais on n'avait pas découvert d'anomalie. Et puis, tout s'était remis à fonctionner normalement. Un secret étanche entourait le travail des enquêteurs et les conclusions qui commençaient à prendre forme.

Les trois meurtres avaient été élucidés. Mais pourquoi Fu Cheng s'était-il suicidé ? C'était peut-être une règle du groupe : plutôt la mort que l'arrestation. Ils n'obtinrent jamais de réponse sur ce point. Carter avait été tué par Wallander. Certains détails – pourquoi Sonja Hökberg avait été jetée contre les câbles nus d'un transformateur, pourquoi Falk s'était procuré les plans de l'une des principales installations de Sydkraft – restèrent en partie des énigmes. En revanche, le mystère du portail fut en partie résolu par Hansson. Le réparateur nommé Moberg avait été cambriolé pendant les vacances. À son retour, les clés étaient à leur place. Mais, selon Hansson, elles avaient pu être copiées entre-temps. Par la suite, il avait dû être possible d'obtenir des doubles auprès du fabricant américain, moyennant une forte somme.

Le passeport de Landahl, qu'on avait fini par retrouver, montrait que celui-ci s'était rendu aux États-Unis un mois après le cambriolage chez Moberg. Et l'argent, depuis l'attaque contre les banques à Francfort et à Marseille, ne manquait pas. Les enquêteurs avaient peu à peu réussi à renouer d'autres fils épars. Il s'avéra entre autres que Tynnes Falk possédait une boîte postale privée à Malmö. Pourquoi avait-il affirmé à Siv Eriksson que c'était elle qui recevait tout son courrier ? Mystère. On ne retrouva jamais le livre de bord de Falk, pas plus que les deux doigts coupés. Mais les légistes finirent par tomber d'accord. Enander avait raison, il ne s'agissait pas d'un infarctus ; la mort avait été causée par la rupture d'un vaisseau cérébral, très difficile à détecter. Le meurtre du chauffeur de taxi avait été élucidé. Une vengeance par procuration, exécutée de façon impulsive ; on ignorait toujours pourquoi Sonja Hökberg ne s'en était pas prise au violeur lui-même, mais à son père innocent. L'impassibilité d'Eva Persson restait un mystère, même après une expertise psychiatrique approfondie. En attendant, elle n'avait sans doute jamais tenu le marteau, ni le couteau. Elle avait changé ses déclarations parce qu'elle ne voulait pas endosser la responsabilité d'un acte qu'elle n'avait pas commis. Elle ignorait à ce moment-là la mort de Sonja Hökberg. Elle avait agi pour sauver sa peau, tout simplement. Impossible de prévoir à quoi ressemblerait son avenir.

D'autres éléments du dossier restaient en suspens. Un jour, Wallander trouva sur son bureau un long rapport de Nyberg expliquant en détail que la valise vide retrouvée dans la cabine du ferry polonais avait sans aucun doute possible appartenu à Landahl. Qu'était-il arrivé au contenu de cette valise ? Nyberg n'en savait rien. Hua Gang l'avait probablement jeté par-dessus bord afin de retarder l'identification. Wallander poussa un soupir en classant le rapport.

Le plus important restait le projet de Carter et de Falk. Celui-ci ne se limitait pas à l'attaque lancée contre les places financières. Les deux hommes avaient aussi dessiné les grandes lignes d'un plan destiné à désorganiser certains centres névralgiques de distribution d'énergie. Et ils n'avaient pu s'empêcher de marquer leur présence, de façon narcissique, en ordonnant à Hua Gang de poser un relais sur la table réfrigérante et de replacer le corps de Falk à l'endroit de sa mort après lui avoir coupé deux doigts. On devinait des éléments rituels, voire religieux, dans l'univers macabre où Carter et Falk étaient à la fois prêtres et dieux.

Mais, au-delà de la brutalité et de la confusion mentale, Carter et Falk avaient mis en lumière une vérité décisive : la vulnérabilité de la société où ils vivaient était supérieure à ce que quiconque aurait pu imaginer.

Wallander pensait plus que jamais que cette société allait avoir besoin de policiers d'un nouveau type. Sa propre expérience n'était sans doute pas caduque ; mais il y avait des domaines qu'il ne maîtrisait absolument pas.

De façon générale, il était contraint d'admettre qu'il se faisait vieux. Un vieux chien, qui n'apprendrait jamais de nouveaux tours.

Au cours des longues soirées dans l'appartement de Mariagatan, il avait beaucoup pensé à cette question de la vulnérabilité. Celle de la société et la sienne propre ; les deux lui paraissaient en quelque sorte liées. Il comprenait la chose de deux façons. D'une part, il voyait émerger une société où il lui était impossible de se reconnaître. Par son travail, il était sans cesse confronté aux forces brutales qui rejetaient les individus aux marges de la communauté. Il voyait des jeunes perdre confiance en leur propre valeur avant même d'avoir quitté l'école ; il voyait des comportements de dépendance en augmentation constante, il se souvenait de Sofia Svensson qui avait vomi sur la banquette arrière de sa voiture. La Suède était une société où les fissures anciennes se creusaient et où de nouvelles fissures ne cessaient d'apparaître ; un pays où des barbelés invisibles entouraient les groupes privilégiés, de moins en moins nombreux, pour les protéger de ceux qui vivaient dans les marges : rejetés, exclus, drogués, chômeurs.

Une révolution se dessinait en parallèle : la révolution de la vulnérabilité, d'une société régie par des carrefours électroniques de plus en plus puissants, et de plus en plus fragiles. L'efficacité augmentait sans cesse, au prix d'une impuissance grandissante face aux forces qui se livraient au sabotage et à la terreur.

D'autre part, il y avait sa vulnérabilité personnelle. Sa solitude. Sa confiance en lui qui s'effritait. La certitude que Martinsson cherchait à prendre sa place. Le désarroi face à tous les changements qui bouleversaient son travail et le mettaient au défi de s'adapter, de se renouveler.

Au cours de ses soirées solitaires à l'appartement, il lui arriva plusieurs fois de penser qu'il n'avait plus la force nécessaire. Mais il devait continuer au moins dix ans encore. Il n'avait pas le choix. Il était flic, enquêteur, homme de terrain. Imaginer une existence où il ferait le tour des écoles pour mettre en garde les jeunes contre les dangers de la drogue ou expliquer le code de la route aux enfants de maternelle – cela lui était impossible. Ce monde-là ne pourrait jamais être le sien.

La réunion prit fin à treize heures. Le dossier serait remis au procureur. Mais il n'y aurait aucune condamnation, puisque les coupables étaient morts. Seule exception : certains éléments pourraient permettre de rouvrir le procès de Carl-Einar Lundberg.

Vers quatorze heures, Ann-Britt entra dans son bureau et lui apprit qu'Eva Persson et sa mère avaient retiré leur plainte. Il en fut soulagé bien sûr, mais pas vraiment surpris. Malgré ses questionnements récents sur la justice suédoise, il n'avait jamais douté, au fond de lui, que la vérité sur l'incident de la salle d'interrogatoire finirait par s'imposer.

Ann-Britt s'attarda pour discuter de la possibilité d'une contre-offensive. D'après elle, il fallait le faire, au nom de l'ensemble de la police. Mais Wallander refusa. Le mieux, d'après lui, était d'enterrer l'affaire.

Après le départ d'Ann-Britt, il resta longtemps assis dans son fauteuil, la tête vide. Puis il se leva et alla chercher un café.

Sur le seuil de la cafétéria, il entra presque en collision avec Martinsson. Au cours des semaines écoulées, Wallander s'était senti la proie d'une indécision étrange, inhabituelle pour lui. En général, il n'avait pas peur des confrontations. Mais cette histoire avec Martinsson était bien plus profonde. Il s'agissait de complicité perdue, d'amitié trahie. En le voyant, il comprit que le moment était venu.

– Il faut qu'on parle. Tu as le temps ?

– Je n'attends que ça.

Ils retournèrent à la salle de réunion qu'ils avaient quittée quelques heures plus tôt. Wallander alla droit au but :

– Tu magouilles. Tu répands des mensonges sur mon compte. Tu as remis en cause ma capacité à diriger cette enquête. Pourquoi ne me l'as-tu pas dit en face ? Tu es seul à pouvoir répondre à ça. Mais j'ai mon idée. Tu me connais, tu sais comment je raisonne. La seule façon pour moi de comprendre ton attitude, c'est que tu jettes les bases de ta propre carrière. À n'importe quel prix.

Martinsson était parfaitement calme lorsqu'il répliqua. Wallander comprit qu'il avait mûrement pesé sa réponse.

– Je dis ce qu'il en est, c'est tout. Tu as perdu le contrôle. Ce qu'on peut éventuellement me reprocher, c'est de ne pas l'avoir signalé plus tôt.

– Pourquoi ne me l'as-tu pas dit en face ?

– J'ai essayé. Mais tu n'écoutes pas.

– Je t'écoute.

– Tu crois que tu écoutes. Ce n'est pas la même chose.

– Pourquoi as-tu dit à Lisa que je t'avais empêché de me suivre, dans le champ ?

– Elle a dû mal comprendre.

Wallander le regarda. Il avait envie de le frapper. Mais il n'en ferait rien. Il n'en avait pas la force. Martinsson était inébranlable. Il croyait à ses propres mensonges. Du moins, il ne cesserait pas de les justifier.

– Tu voulais autre chose ?

– Non, dit Wallander. Je n'ai rien à ajouter.

Martinsson tourna les talons et sortit.

Resté seul, il eut la sensation que les murs s'écroulaient. Martinsson avait fait son choix. Leur amitié était finie, cassée. Avec effarement, il se demanda si elle avait jamais existé. Ou si Martinsson attendait depuis le début l'occasion de l'éliminer.

Des vagues de chagrin déferlaient en lui. Puis une lame solitaire se dressa. De la rage pure.

Il n'avait pas l'intention de se rendre. Pendant quelques années encore, ce serait lui qui dirigerait les enquêtes difficiles, à Ystad.

Mais la sensation d'avoir perdu quelque chose était plus forte que la colère. Il se demanda une nouvelle fois où il trouverait la force de continuer.

Wallander sortit du commissariat. Il laissa son portable sur son bureau, ne prit pas la peine de dire à Irene où il allait, ni pour combien de temps. Il quitta la ville. En arrivant à la sortie vers Stjärnsund, il la prit, sans vraiment savoir pourquoi. Peut-être la perte, coup sur coup, de deux amitiés était-elle trop dure pour lui. Il pensait souvent à Elvira Lindfeldt, qui était entrée dans sa vie sous un déguisement terrible. Il avait fini par admettre qu'elle aurait été prête à le tuer. Malgré cela, il ne pouvait s'empêcher de penser à elle comme il l'avait fait le premier soir. Une femme assise en face de lui, à une table, et qui l'écoutait. Une femme qui avait de belles jambes et qui, le temps de deux soirées, avait mis fin à sa solitude. Il freina dans la cour de Sten Widén. Personne. Un panneau indiquait que la ferme était à vendre. Un deuxième, planté à côté du premier, signalait qu'elle était vendue. La maison paraissait abandonnée. Wallander se dirigea vers les écuries et ouvrit la porte. Les boxes étaient vides. Un chat, installé sur les restes d'une botte de foin, le dévisageait d'un air neutre.

Le cœur de Wallander se serra. Sten Widén était déjà parti, et il n'avait pas pris la peine de lui dire au revoir.

Il sortit des écuries et quitta Stjärnsund le plus vite qu'il put.

Il ne retourna pas au commissariat ce jour-là. Tout l'après-midi, il roula au hasard sur les petites routes. Deux ou trois fois, il descendit de voiture et resta debout, le regard fixe, face aux champs déserts. À la tombée de la nuit, il retourna à Mariagatan, après s'être arrêté pour payer sa note chez l'épicier. Le soir, il écouta *La Traviata* deux fois de suite. Il parla à Gertrud au téléphone. Ils convinrent qu'il lui rendrait visite le lendemain.

Le téléphone sonna peu avant minuit. Pourvu qu'il ne se soit rien passé, pensa-t-il. Pas encore. On n'en a pas la force.

C'était Baiba, qui l'appelait de Lettonie. Ils ne s'étaient pas parlé depuis plus d'un an.

– Je voulais juste savoir comment tu allais.

– Bien. Et toi ?

– Bien.

Le silence fit un aller et retour entre Ystad et Riga.

– Il t'arrive de penser à moi ?

– Pourquoi t'appellerais-je, sinon ?

– Je me posais la question, c'est tout.

– Et toi ?

– Je pense toujours à toi.

Il regretta tout de suite d'avoir dit ça. C'était un mensonge, du moins une exagération, elle le comprendrait forcément. Pourquoi se comportait-il ainsi ? Baiba faisait partie du passé, son image avait déjà pâli, pourtant il ne parvenait pas à la lâcher. Elle ou le souvenir du temps passé avec elle.

Ils échangèrent quelques phrases banales. La conversation prit fin. Wallander raccrocha lentement.

Est-ce qu'elle lui manquait ? Il n'avait pas de réponse. Les murs n'existaient pas que dans le monde des ordinateurs. Il en avait un à l'intérieur de lui. Et il ne savait toujours pas comment le franchir.

Le lendemain, mercredi 12 novembre, le vent était tombé. Wallander se réveilla de bonne heure. Congé. Quand lui était-il arrivé pour la dernière fois de ne pas travailler un jour de semaine ? Il ne s'en souvenait pas. Mais il lui restait des jours, et pourquoi pas les prendre maintenant, alors que Linda lui rendait visite. Il devait être à l'aéroport à treize heures. En attendant, il allait enfin changer de voiture. Il avait rendez-vous avec le concessionnaire à dix heures. Avant cela, il devait ranger l'appartement. Il s'attarda au lit.

Il avait rêvé de Martinsson. Ils se trouvaient à la foire agricole de Kivik. Tout, dans le rêve, correspondait à la réalité telle qu'ils l'avaient vécue sept ans plus tôt. Ils cherchaient quelques types qui avaient tué un vieux paysan et sa femme. Soudain, ils les avaient découverts derrière un stand où ils vendaient des vestes en cuir volées. Il y avait eu un échange de coups de feu. Martinsson avait touché l'un des types au bras, peut-être à l'épaule. Wallander avait rattrapé l'autre sur la plage. Jusque-là, le rêve reflétait fidèlement la réalité. Mais ensuite, sur la plage, Martinsson avait braqué son arme sur lui...

J'ai peur. Peur de ne pas savoir ce que pensent mes collègues en réalité. Peur d'être rattrapé par le temps. Peur de devenir un flic qui ne comprend ni ses collègues ni ce qui est en train de se passer en Suède...

Il s'attarda encore au lit. Pour une fois, il se sentait reposé. Mais, à la pensée de l'avenir, une autre forme de fatigue l'assaillit. Allait-il désormais appréhender le fait de se rendre au commissariat tous les matins ? Comment, dans ce cas, supporterait-il les années qu'il lui restait à travailler ?

Ma vie est remplie de clôtures. Elles sont partout, à l'intérieur de moi, dans les ordinateurs et les réseaux, mais aussi au commissariat, entre mes collègues et moi. C'est juste que je ne m'en étais pas aperçu jusqu'à maintenant.

À huit heures, il se leva et but un café en lisant le journal. Puis il rangea l'appartement et fit le lit dans l'ancienne chambre de Linda. Peu avant dix heures, il remit l'aspirateur à sa place. Le soleil apparut. Son humeur s'améliora tout de suite. Il se rendit chez le concessionnaire d'Industrigatan et conclut l'affaire. Encore une Peugeot. Une 306 de 1996, faible kilométrage, un seul propriétaire avant lui. Le concessionnaire, qui s'appelait Tyrén, lui donna un bon prix de l'ancienne. À dix heures trente, il reprit la route. Cela lui donnait toujours un sentiment de satisfaction de changer de voiture. Comme un bon coup d'étrille.

Il avait tout son temps. Sur un coup de tête, il prit la direction de l'est et s'arrêta devant la maison de son père, à Löderup. Il n'y avait personne. Il descendit de voiture et frappa. Pas de réponse. Alors il se dirigea vers la remise qui était autrefois l'atelier. La porte n'était pas fermée à clé. Il entra. Tout était transformé. À sa grande surprise, il découvrit une petite piscine encastrée dans le sol en ciment. Nulle trace de son père, pas même l'odeur de térébenthine. Maintenant, ça sentait le chlore. L'espace d'un instant, il en fut presque offensé. Comment le souvenir de quelqu'un pouvait-il être autorisé à disparaître de façon aussi radicale ? Il sortit de la remise et s'approcha d'un tas de ferraille. Sous les gravats, la terre et les débris de ciment, il reconnut soudain la vieille cafetière de son père. Il la déterra avec précaution et l'emporta. En démarrant, dans la cour, il eut la certitude qu'il ne reviendrait jamais à cet endroit.

De Löderup, il se rendit directement à Svarte, où Gertrud vivait avec sa sœur. Il but le café et écouta distraitement le bavardage des deux vieilles dames. Il ne dit pas un mot de sa visite à Löderup.

À midi moins le quart, il reprit la route. Arrivé à l'aéroport, il vit qu'il restait une demi-heure avant l'atterrissage de l'avion.

Comme d'habitude, il éprouvait une certaine appréhension à l'idée de revoir Linda. Il se demanda si les autres parents étaient comme lui ; si, à un moment donné, ils commençaient à avoir peur de leurs propres enfants. Il s'assit et commanda un café. Soudain, à une table voisine, il reconnut le mari d'Ann-Britt, entouré de valises, prêt à partir pour une destination lointaine. Une femme l'accompagnait. Aussitôt, il se sentit blessé pour Ann-Britt. Il changea de table et leur tourna le dos pour ne pas être reconnu. Sa propre réaction le laissait perplexe. Tant pis.

Au même instant, il repensa à l'étrange incident survenu dans le restaurant d'István. Quand Sonja Hökberg avait changé de place, peut-être pour communiquer avec Hua Gang. Il en avait parlé plusieurs fois avec Hansson et Ann-Britt, sans obtenir de réponse satisfaisante. Que savait Sonja Hökberg des liens de Jonas Landahl avec l'organisation secrète de Falk et Carter ? Pourquoi Hua Gang la surveillait-il ? Ce détail n'avait plus d'importance. Un petit fragment d'enquête qui finirait par sombrer et disparaître – comme tant d'autres, qui hantaient encore la mémoire de Wallander. Chaque enquête recelait sa dose de confusion, de détails fuyants, impossibles à replacer dans le contexte général. Cela s'était toujours produit, cela se produirait encore.

Wallander jeta un regard par-dessus son épaule ; le mari d'Ann-Britt et la femme avaient disparu. Il allait se lever lorsqu'un vieil homme s'approcha de sa table.

– Il me semble te reconnaître. Tu es bien Kurt Wallander ?

– Oui.

– Je ne te dérangerai pas. Mon nom est Otto Ernst.

Ce nom lui était vaguement familier.

– Je suis tailleur. J'ai dans mon atelier un pantalon commandé par Tynnes Falk. Je sais qu'il est mort malheureusement, mais je ne sais quoi faire de ce pantalon. J'ai parlé à son ancienne femme, mais elle ne veut pas en entendre parler.

Wallander se demanda s'il plaisantait. Cet homme pensait-il réellement que la police allait l'aider à résoudre un problème de pantalon en souffrance ? Mais Otto Ernst paraissait sincèrement préoccupé.

– Je propose que tu prennes contact avec son fils, dit Wallander. Jan Falk. Il pourra peut-être t'aider.

– Connais-tu son adresse ?

– Appelle le commissariat d'Ystad et demande Ann-Britt Höglund de ma part. Elle te la donnera.

Ernst sourit et lui tendit la main.

– Je pensais bien que tu m'aiderais. Désolé pour le dérangement.

Wallander le suivit longtemps du regard avec la sensation qu'il venait de croiser un représentant d'un monde englouti.

L'avion atterrit à l'heure. Linda sortit parmi les derniers passagers. L'angoisse de Wallander se dissipa dès qu'elle lui eut dit bonjour. Elle était pareille à elle-même : de bonne humeur, ouverte. Accessible, tout le contraire de lui. De plus, elle était habillée de façon nettement moins voyante que d'habitude. Ils sortirent, après avoir récupéré sa valise. Wallander lui fit remarquer la voiture neuve. Par elle-même, Linda ne se serait pas aperçue du changement. Il prit la direction de la ville.

– Comment ça va ? Que fais-tu, ces temps-ci ? J'ai l'impression que tu trames quelque chose.

– Il fait beau. On ne pourrait pas aller sur une plage ?

– Je t'ai posé une question.

– Je vais y répondre.

– Quand ?

– Pas tout de suite.

Wallander prit la sortie vers Mossby Strand. Le parking était désert, le kiosque fermé. Elle ouvrit sa valise et enfila un gros pull. Ils descendirent sur la plage.

– On venait se promener ici quand j'étais petite. C'est un de mes premiers souvenirs.

– La plupart du temps, on venait tous les deux. Quand Mona voulait qu'on lui fiche la paix.

Un navire croisait à l'horizon. La mer était presque étale.

– Cette photo dans le journal, dit-elle soudain.

Wallander accusa le coup.

– C'est fini. La fille et sa mère ont retiré leur plainte.

– J'en ai vu une autre, au restaurant. Dans un hebdo, tu étais devant une église à Malmö. Tu aurais menacé un photographe.

L'enterrement de Stefan Fredman. Il avait piétiné la pellicule. Apparemment, il y en avait eu une autre. Il lui raconta l'incident.

– Tu as bien fait, dit-elle lorsqu'il eut fini. J'espère que j'aurais fait pareil.

– Ne t'inquiète pas pour ça. Tu as la chance de ne pas être flic.

– Pas encore.

Wallander s'immobilisa net.

– Quoi ?

Elle continua d'avancer sans répondre. Quelques mouettes criaient au-dessus de leurs têtes. Elle se retourna.

– Tu as l'impression que je trame quelque chose. C'est vrai. Mais je ne voulais rien dire tant que ma décision n'était pas prise.

– Mais encore ?

– J'ai posé ma candidature à l'école de police. Je crois qu'ils vont me prendre.

Wallander n'en croyait pas ses oreilles.

– C'est sérieux ?

– Oui.

– Mais tu n'en as jamais parlé !

– Ça fait longtemps que j'y pense.

– Pourquoi n'as-tu rien dit ?

– Je préférais me taire.

– Je croyais que tu voulais restaurer des meubles…

– Moi aussi. Mais, maintenant, je sais ce que je veux. C'est pour ça que je suis venue. Pour te demander ton avis. Ta bénédiction, si tu préfères.

Ils s'étaient remis en marche.

– C'est un peu brutal…

– Tu m'as souvent parlé de la réaction de grand-père, le jour où tu lui as annoncé que tu voulais entrer dans la police.

– Il a dit non avant même que je finisse ma phrase.

– Et toi ? Que dis-tu ?

– Laisse-moi une minute.

Elle s'assit sur une vieille souche à moitié ensevelie sous le sable. Wallander descendit au bord du rivage. Jamais il n'aurait imaginé que Linda puisse un jour suivre son exemple. Il avait du mal à démêler ses sentiments.

Il regarda la mer. Le soleil scintillait à la surface de l'eau.

Linda cria dans son dos que la minute était écoulée. Il revint vers elle.

– Je pense que c'est bien. Je pense que tu peux devenir le genre de flic dont on aura besoin à l'avenir.

– C'est sincère ?

– Oui.

– J'avais peur de t'en parler. Peur de ta réaction.

– Ce n'était pas la peine.

Elle se leva.

– On a beaucoup de choses à se dire. Et j'ai faim.

Ils retournèrent à la voiture et prirent la direction d'Ystad. Wallander essayait d'assimiler la nouvelle. Il ne doutait pas un instant que Linda puisse faire un bon flic. Mais comprenait-elle vraiment ce que cela signifiait ? La pression que cela impliquait ?

Il éprouvait aussi autre chose. D'une certaine manière, la décision de Linda justifiait le choix que lui-même avait fait trente ans plus tôt. C'était un sentiment confus. Mais il était là, et il était très puissant.

Ils veillèrent tard ce soir-là. Wallander lui parla longuement de la difficile enquête qui avait commencé et fini devant un banal distributeur de billets.

– On parle de pouvoir, dit-elle quand il eut fini. Mais personne ne mentionne le rôle joué par des institutions telles que la Banque mondiale et les souffrances causées par leurs décisions.

– Tu veux dire que tu approuves le projet de Falk et de Carter ?

– Non. Du moins, je n'approuve pas leurs méthodes.

Wallander était de plus en plus convaincu que Linda avait longuement mûri sa décision. Il ne s'agissait pas d'un coup de tête qu'elle regretterait par la suite.

– Je te demanderai sûrement conseil, dit-elle au moment de se coucher.

– Je ne suis pas sûr d'avoir des conseils à te donner.

Il était deux heures du matin. Wallander resta seul dans le canapé, un verre de vin devant lui, un opéra de Puccini sur la chaîne stéréo.

Il prit la télécommande, baissa le son et ferma les yeux. Il voyait un mur en flammes. En pensée, il prit son élan.

Puis il traversa le mur. Lorsqu'il ressortit de l'autre côté, seuls ses cheveux avaient souffert.

Il ouvrit les yeux et sourit.

Un épisode touchait à sa fin.

Un épisode nouveau venait à peine de commencer.

Le lendemain, jeudi 13 novembre, les marchés asiatiques commencèrent à chuter.

Les explications étaient aussi nombreuses que contradictoires.

Mais il n'y eut jamais de réponse à la question décisive.

Ce qui avait réellement déclenché l'effondrement des cours.

Postface

Ce roman se déroule dans un pays frontière.

Entre la réalité, ce qui s'est réellement produit, et la fable, ce qui aurait pu se produire.

Cela signifie que j'ai pris de grandes libertés.

Tout roman est un acte de création autonome.

J'ai déplacé des maisons, changé le nom de certaines rues, et j'en ai inventé d'autres.

J'ai imaginé des nuits de gel en Scanie lorsque cela m'arrangeait.

J'ai créé mes propres horaires pour le départ et l'arrivée des ferries.

Et j'ai construit un réseau régional complètement fictif. Cela n'implique aucun reproche à l'encontre de Sydkraft.

Je n'ai rien à leur reprocher.

Sydkraft m'a toujours fourni l'électricité dont j'avais besoin.

J'ai également pris des libertés dans le monde de l'électronique.

Je soupçonne que les événements relatés dans ce livre ne vont pas tarder à se produire.

J'ai bénéficié de l'aide de nombreuses personnes. Aucune d'entre elles n'a demandé à être citée. Je n'en citerai donc aucune. Mais je les remercie toutes. Ce qui est écrit dans ces pages n'engage que moi.

Henning Mankell,
Maputo, avril 1998

L'Homme inquiet

roman traduit du suédois
par Anna Gibson

Un être humain laisse toujours des traces.
Nul ne peut davantage vivre sans son ombre…
On oublie ce dont on veut se souvenir
et on se souvient de ce qu'on préférerait oublier…

TEXTES PEINTS À LA BOMBE SUR DES FAÇADES À NEW YORK

Prologue

L'histoire débute par un accès de rage.

Un grand silence matinal régnait dans l'immeuble du gouvernement juste avant cet éclat – provoqué par un rapport remis la veille au soir et que le Premier ministre lisait à présent dans son bureau.

C'était le début du printemps 1983, à Stockholm ; une brume poisseuse plombait la ville et les arbres n'avaient pas encore commencé à bourgeonner. À Rosenbad, siège de l'exécutif, on parlait souvent de la pluie et du beau temps, comme sur n'importe quel lieu de travail, et pour s'informer des prévisions on consultait Åke Leander. Celui-ci officiait dans le saint des saints en qualité de gardien et, de l'avis général, c'était un as de la météo.

Quelques années plus tôt, il s'était vu octroyer un titre plus ronflant, peut-être « agent d'accueil et d'information », ou autre chose dans le même esprit. Pour sa part, il s'intitulait toujours gardien et n'avait ni désir ni besoin d'une nouvelle étiquette.

Åke Leander avait toujours été là, dans la proximité immédiate des Premiers ministres et directeurs de cabinet successifs. Consciencieux et discret, il faisait pour ainsi dire partie des meubles. En plaisantant quelqu'un avait suggéré qu'à sa mort il soit canonisé et devienne le saint patron des services du gouvernement ; ainsi son aimable fantôme continuerait-il de veiller sur leurs efforts communs pour diriger ce pays qui avait nom Suède.

Ses vastes connaissances météorologiques tenaient à une passion qui occupait tous ses loisirs. Célibataire, Åke Leander habitait un petit appartement à Kungsholmen d'où il communiquait avec ses innombrables amis, qui formaient ensemble un réseau mondial de radioamateurs enthousiastes. Il avait depuis longtemps mémorisé tous les codes et abréviations en vigueur dans le jargon. Par exemple, QRT signifiait « cessez la transmission » ; AURORA désignait une modulation déformée par les aurores boréales dans les liaisons à grande distance. Chaque soir ou presque, il coiffait son casque et envoyait son QRZ : « Vous êtes appelé par... » suivi de son nom. Une légende remontant à un passé lointain voulait que le Premier ministre de l'époque ait eu besoin de connaître, pour on ne sait quelle raison, l'état de la météo au mois d'octobre et de novembre sur Pitcairn Island – cette île du Pacifique où les marins du *Bounty* s'étaient mutinés contre le capitaine Bligh avant de mettre le feu au navire et de rester là pour toujours. Åke Leander avait pu communiquer l'information au Premier ministre dès le lendemain. Et il n'avait posé aucune question. C'était, on l'a dit, un homme excessivement discret.

Pour ce qui est des contacts à l'international, personne ne peut se mesurer à Åke, y compris au ministère des Affaires étrangères. Voilà ce qu'on chuchotait, avec une pointe de malignité, lorsqu'il passait de son pas lent dans les couloirs.

Mais, en l'occurrence, pas même Åke Leander n'aurait pu prévoir la tempête qui allait d'un instant à l'autre déchirer le silence du cabinet ministériel.

Après avoir tourné la dernière page, le Premier ministre se leva et s'approcha d'une fenêtre. Des mouettes tourbillonnaient dehors dans le ciel gris.

Il s'agissait des sous-marins. Ces maudits sous-marins qui, à l'automne 1982, moins d'un an plus tôt, se seraient infiltrés dans les eaux territoriales suédoises au moment même où étaient proclamés les résultats des élections législatives. La droite s'étant retrouvée en minorité après avoir perdu un certain nombre de sièges, le président du Parlement avait chargé Olof Palme de former un nouveau cabinet. Celui-ci avait aussitôt nommé une commission chargée d'enquêter sur ces sous-marins qu'on n'avait jamais pu contraindre à faire surface. Et voilà que ladite commission, présidée par Sven Andersson, avait remis son rapport. Olof Palme venait de le lire. Il n'y entendait rien. Les conclusions de ses auteurs étaient totalement incompréhensibles. Et cela le mettait hors de lui.

Il faut noter que ce n'était pas la première fois qu'Olof Palme s'énervait contre Sven Andersson. À vrai dire, son antipathie remontait à loin, plus précisément à un jour de juin 1963, juste avant la Saint-Jean, lorsqu'un homme bien mis, cinquante-sept ans, cheveux gris et costume impeccable, avait été arrêté sur le pont de Riksbron, en plein centre de Stockholm. L'opération avait été menée de façon si fluide qu'aucun passant ne s'aperçut de rien. Cet homme s'appelait Stig Wennerström, il était colonel de l'armée de l'air et, à compter de cet instant sur le pont, officiellement inculpé d'espionnage aggravé pour le compte de l'Union soviétique.

Le Premier ministre de l'époque, Tage Erlander, revenait au pays après une semaine dans le village de vacances de Riva del Sole, création de la coopérative suédoise Reso sur la côte toscane, en Italie. Assailli par les journalistes à sa descente d'avion, il fut pris totalement au dépourvu ; il ne savait rien au sujet de cette arrestation ni même d'un colonel suspect nommé Wennerström. Il était possible que ce nom eût été mentionné une ou deux fois par son ministre de la Défense, lors des rapports oraux informels que celui-ci lui délivrait régulièrement en tête à tête. Mais rien d'important, rien de mémorable. Il faut dire qu'à cette époque, les soupçons d'espionnage prosoviétique flottaient en permanence à la surface des eaux troubles de ce marécage que l'on nommait la guerre froide. La réaction de Tage Erlander à sa descente de l'avion laissa donc beaucoup à désirer. Lui qui avait occupé la fonction de Premier ministre de façon ininterrompue pendant près de dix-sept ans fit ce jour-là figure d'imbécile, incapable de répondre aux questions dans la mesure où aucun membre du gouvernement, à commencer par son ministre de la Défense, Sven Andersson, n'avait pris la peine de l'informer de quoi que ce soit. La dernière partie du voyage, une petite demi-heure de vol entre Copenhague et Stockholm, aurait pourtant suffi à le préparer à affronter la meute. Mais personne n'avait eu l'idée de venir l'accueillir à Kastrup et de l'avertir dans l'avion.

Au cours des jours suivants, Erlander faillit démissionner de son poste de Premier ministre et de chef du parti social-démocrate. Jamais encore il n'avait été à ce point déçu par ses collègues de l'exécutif. Et Olof Palme, qui passait déjà à cette époque pour être son successeur désigné, partageait sa colère contre cette nonchalance sans pareille qui avait permis la déconfiture erlandérienne. *Olof*

Palme veille sur son maître comme un molosse enragé, disait-on dans les cercles proches du pouvoir. Personne n'aurait eu l'idée de démentir cette comparaison.

Olof Palme ne put jamais pardonner à Sven Andersson l'humiliation infligée à Erlander.

Plus tard, beaucoup s'interrogèrent sur la raison pour laquelle il l'avait néanmoins toujours inclus dans ses cabinets successifs. Cette raison n'était pourtant pas difficile à comprendre. S'il avait pu, il l'aurait évincé ; mais c'était impossible. Sven Andersson était un homme très influent dans les sections locales. Et, de plus, fils d'ouvrier. Palme, lui, était lié à la vieille noblesse balte, comptait plusieurs officiers dans sa famille – lui-même était d'ailleurs officier de réserve – et incarnait, autant par sa personne que par ses origines, la classe supérieure fortunée. Il n'avait pas le moindre enracinement dans la base. Olof Palme était un transfuge. Sans doute sincère dans ses convictions, il n'en restait pas moins une sorte de pèlerin politique en éternelle visite chez les sociaux-démocrates.

Åke Leander, qui passait devant le bureau du chef du gouvernement avec, à la main, un mémo rageur sur le thème des fonctionnaires qui oubliaient de fermer les portes derrière eux en partant le soir, entendit l'orage éclater à travers la cloison. Il s'immobilisa, puis reprit sa progression comme si de rien n'était.

Olof Palme était tourné vers Sven Andersson, qui courbait l'échine sur le canapé gris du coin salon. Palme était écarlate, on voyait ses bras agités de ces curieux soubresauts qui signalaient, chez lui, les accès de fureur et il aboyait plus qu'il ne parlait.

– Ce rapport n'avance pas la moindre preuve ! C'est un tissu d'affirmations sans fondement et de sous-entendus équivoques proférés par des officiers de marine qui n'ont pas un gramme de loyauté dans le corps et qui se paient la tête de ce gouvernement. C'est une enquête mort-née, qui n'aboutit à aucune conclusion claire, qui nous conduit au contraire tout droit dans le pire des marigots politiques.

Deux ans plus tôt, dans la nuit du 28 octobre 1981, un sous-marin soviétique U 137 s'était échoué sur un haut-fond du détroit de Gåsefjärden, au cœur de l'archipel de Karlskrona. Or non seulement ce détroit faisait partie intégrante de la mer territoriale suédoise, mais c'était aussi une zone de sécurité militaire. Le commandant du sous-marin, Anatoli Michaïlovitch Gouchtchine, affirma avoir dévié de sa route en raison d'une défaillance du compas gyroscopique. Les officiers de marine suédois et les pêcheurs étaient, eux, de l'avis que seul un capitaine très ivre avait pu réussir le tour de force de s'enfoncer si profondément parmi les innombrables écueils de l'archipel avant de s'échouer.

Le 6 novembre, le sous-marin fut remorqué jusqu'à la limite de la zone interdite puis conduit sous escorte suédoise jusqu'à la haute mer, où il disparut. Cette fois-là, il ne faisait donc aucun doute qu'il s'agissait bien d'un bâtiment soviétique. Mais savoir si l'intrusion était délibérée ou l'effet de l'intempérance du capitaine – le débat ne fut jamais tranché. Dans la mesure où les Russes s'accrochaient à leur version d'un instrument de navigation défectueux, on crut comprendre que la seconde hypothèse était la bonne. Aucune marine de guerre qui se respecte n'avouerait de son plein gré qu'un de ses officiers était ivre à la manœuvre.

Deux ans plus tôt, il y avait donc eu des preuves. Mais où étaient-elles cette fois ?

Ce que l'ancien ministre trouva à dire pour sa défense personnelle et celle de l'enquête, personne ne le sait. Lui-même ne prit aucune note, ni pendant ni après l'entretien ; et Palme, qui devait être assassiné en 1986, n'en conserva pas davantage la moindre trace écrite.

Åke Leander ne commenta jamais, oralement ou par écrit, l'éclat de voix surpris dans le bureau du chef de l'exécutif. Début 1989, il prit sa retraite et se retira, de fait, dans son appartement auprès de ses amis des ondes, non sans avoir été chaleureusement remercié par le Premier ministre en exercice. Après sa mort discrète survenue dix ans plus tard, à l'automne 1999, personne n'eut l'impression que son fantôme était revenu hanter le siège du gouvernement à Rosenbad.

Tout avait pourtant commencé là. L'histoire sur les dessous de la politique, le voyage en eaux troubles, où vérité et mensonge changeaient de place et où il ne serait bientôt plus possible d'atteindre la moindre clarté.

PREMIÈRE PARTIE

Immersion dans le marécage

1

L'année de ses cinquante-six ans, Kurt Wallander réalisa à sa propre surprise un rêve qu'il portait en lui depuis une éternité. Plus exactement depuis son divorce d'avec Mona, qui remontait à près de quinze ans maintenant. Ce rêve était de quitter l'appartement de Mariagatan, où les souvenirs douloureux étaient incrustés dans les murs, et de partir s'installer à la campagne. Chaque fois qu'il rentrait chez lui après une journée de travail plus ou moins désespérante, il se rappelait qu'il avait autrefois vécu là en famille. Il lui semblait que les meubles eux-mêmes le regardaient avec un air désolé et accusateur.

Il ne se faisait pas à l'idée qu'il continuerait à vivre là jusqu'au jour où il serait tellement vieux qu'il ne pourrait plus se débrouiller seul. Il n'avait même pas atteint la soixantaine, mais le souvenir de la vieillesse solitaire de son père le hantait. S'il avait une certitude, c'était qu'il ne voulait pas reproduire le modèle. Il lui suffisait d'apercevoir son reflet dans la glace en se rasant le matin pour constater qu'il ressemblait de plus en plus au vieux alors que, dans sa jeunesse, il avait eu plutôt les traits de sa mère. L'âge venant, son père paraissait peu à peu prendre possession de lui, tel un coureur qui serait resté longtemps embusqué dans le peloton de queue et qui, à l'approche de la ligne d'arrivée, passait à l'attaque.

L'image du monde qu'avait Wallander était assez simple. Il ne voulait pas être un solitaire aigri, ne voulait pas vieillir seul en recevant la visite de sa fille et de temps à autre, peut-être, celle d'un ancien collègue qui se serait soudain souvenu qu'il était encore en vie. Il n'entretenait aucun espoir édifiant comme quoi Autre Chose l'attendait après la traversée du fleuve noir. Il n'y avait rien là-bas que la nuit d'où il avait émergé à sa naissance. Jusqu'à ses cinquante ans, il avait entretenu une peur confuse de la mort, et du fait de devoir *rester mort si longtemps*, pour reprendre la formule qui résumait le mieux, pour lui, son sentiment. Il avait vu trop de cadavres au cours de sa vie et rien sur leurs visages muets ne suggérait qu'un Ciel eût recueilli leur âme. Comme tant d'autres policiers, il avait assisté à toutes les variantes imaginables de la mort. Juste après son cinquantième anniversaire – célébré au commissariat par l'achat d'un gâteau et par un fade discours de la chef de police de l'époque, Lisa Holgersson, qui s'était contentée d'aligner un chapelet de platitudes – il avait commencé à évoquer dans un carnet, acquis pour l'occasion, tous les morts qui avaient un jour ou l'autre croisé son chemin. Une activité macabre, dont lui-même ne comprenait pas du tout pourquoi elle l'attirait tant. Parvenu à son dixième suicidé – un toxicomane d'une quarantaine d'années affligé de tous les problèmes qui puissent exister –, il laissa tomber. Le type, qui s'appelait Welin, s'était pendu dans le grenier de son squat. Il s'était arrangé pour se rompre les vertèbres cervicales et éviter ainsi d'être étranglé à petit feu. Le légiste avait par la suite confié à Wallander que le stratagème avait réussi, et qu'il était mort sur le coup ; ainsi cet homme avait réussi à être pour lui-même un bourreau compétent. Après cela, Wallander avait abandonné les suicidés et consacré stupidement quelques heures à essayer de se rappeler plutôt les jeunes morts, y compris les enfants, qu'il avait vus au long de sa carrière. Mais il y renonça vite, c'était trop désagréable. Dans la foulée, il eut honte et brûla son carnet, comme s'il s'était laissé aller à un penchant pervers, un penchant défendu. Au fond, se dit-il, il était quelqu'un de foncièrement jovial. Il devait juste s'autoriser à cultiver un peu plus cet aspect de lui-même.

Mais la mort l'avait toujours accompagné. Il lui était aussi arrivé de tuer. Par deux fois. Dans les deux cas, l'enquête interne avait conclu à la légitime défense.

Ces deux êtres humains dont il avait causé la mort, c'était la croix, tout à fait personnelle, qu'il portait en lui. S'il ne riait pas souvent, il le devait à ces expériences subies malgré lui.

Un beau jour, cependant, il prit une décision cruciale. Il s'était rendu à Löderup pour discuter avec un agriculteur victime d'une agression, non loin de la maison où vivait autrefois son père. En revenant vers Ystad, il aperçut le panneau d'une agence immobilière signalant une maison à vendre au bout d'un chemin gravillonné. La décision surgit de nulle part. Il freina, fit demi-tour et emprunta le chemin. Le corps de ferme à colombages devait à l'origine former un quadrilatère tronqué, mais l'une des ailes avait disparu, peut-être suite à un incendie. Il en fit le tour. C'était une belle journée au début de l'automne. Il se rappellerait le vol d'oiseaux migrateurs qui était passé en ligne droite, plein sud, juste au-dessus de sa tête. A priori seul le toit avait besoin d'être refait. La vue qu'on avait depuis la maison était éblouissante. On devinait la mer au loin, peut-être même distinguait-il la forme d'un ferry arrivant de Pologne, en route vers Ystad. Cet après-midi-là, au mois de septembre 2003, il entama en quelques instants une histoire d'amour avec la maison solitaire.

Il remonta dans sa voiture et se rendit tout droit chez l'agent immobilier à Ystad. Le prix n'était pas si élevé qu'il ne puisse prendre un crédit dont il aurait les moyens de rembourser les traites. Dès le lendemain, il était de retour sur les lieux en compagnie de l'agent, un jeune homme qui s'exprimait d'une voix forcée et donnait l'impression d'être complètement ailleurs. La maison, expliqua-t-il à Wallander, appartenait à un jeune couple originaire de Stockholm qui avait choisi de s'installer en Scanie ; mais ils ne l'avaient même pas encore meublée qu'ils décidaient de se séparer. En parcourant les pièces vides, Wallander sentit qu'il n'y avait rien de caché dans ces murs-là qui fût de nature à l'effrayer. Et le plus important de tout, qui ressortait très clairement des explications de l'agent : il allait pouvoir emménager tout de suite. Le toit tiendrait le coup quelques années encore, avec un peu de chance. La seule urgence était de repeindre certaines pièces et de remplacer la baignoire ; voire d'acheter une gazinière neuve. Mais la chaudière avait quinze ans d'âge, la plomberie et l'électricité à peine davantage. Ça irait.

Avant de repartir, Wallander demanda s'il y avait d'autres candidats. En effet, oui, répondit l'agent en prenant un air soucieux comme s'il souhaitait à titre personnel que Wallander emporte le morceau tout en laissant entendre qu'il devait se décider sur-le-champ. Mais

Wallander n'avait aucune intention d'acheter le cochon dans un sac, pour reprendre une vieille expression paysanne. Il parla à un collègue dont le frère travaillait dans le bâtiment, et réussit à convaincre ce dernier de venir voir la maison dès le lendemain. Le frère ne trouva pas d'autres défauts que ceux qu'il avait déjà repérés. Dans la foulée il se rendit chez son banquier, qui déclara qu'on voulait bien lui accorder le prêt qui lui permettrait d'acheter la maison. Pendant toutes ces années passées à Ystad, Wallander avait mis de l'argent de côté, de façon distraite mais régulière. Il s'avérait à présent que cette somme constituerait un apport personnel suffisant.

Ce soir-là, dans sa cuisine, il s'attela à une estimation budgétaire détaillée. Il ressentait confusément la situation comme solennelle. Vers minuit, sa décision était prise : il allait l'acheter, cette maison qui portait le nom spectaculaire de Svarthöjden[1]. Il était tard mais il appela quand même Linda, sa fille, qui habitait elle aussi à Ystad, dans une zone résidentielle récente près de la sortie vers Malmö. Elle ne dormait pas encore.

– Viens, dit Wallander. J'ai des nouvelles.

– En pleine nuit ?

– Je sais que tu ne travailles pas demain.

Il avait été extrêmement surpris, quelques années plus tôt, quand Linda lui avait révélé sur la plage de Mossby Strand qu'elle avait l'intention de suivre ses traces et d'entrer dans la police. Il n'avait pas mis longtemps à s'apercevoir que cette décision de sa fille le rendait heureux. D'une manière confuse, elle lui semblait donner un sens nouveau à toutes ces années de labeur. Ses études terminées, Linda avait été affectée au commissariat d'Ystad. Les premiers mois, elle avait habité chez lui, dans l'appartement de Mariagatan. Ça ne s'était pas très bien passé. Il était comme un vieux chien, perclus d'habitudes, et il avait d'autre part un peu de mal à la considérer comme une adulte. Leur relation avait été sauvée par le gong, quand elle s'était enfin déniché son propre appartement.

Cette nuit-là, il lui fit part de ses intentions. Le lendemain, elle l'accompagna jusqu'à la maison et déclara sur-le-champ qu'il devait

1. Mot à mot : « la hauteur noire ».

l'acheter, cette maison-là et aucune autre, au bout de ce chemin, sur cette hauteur, avec ce paysage qu'on voyait, de là-haut, ondoyer jusqu'à la mer.

– Le fantôme de grand-père viendra s'y installer à coup sûr, dit-elle. Mais ce n'est pas la peine d'avoir peur. Il sera comme une présence protectrice.

Ce fut un grand moment, un moment heureux dans la vie de Wallander, que celui où il signa l'acte de vente et se retrouva dans la foulée debout sur le trottoir, un énorme trousseau de clés à la main. Il emménagea le 1er novembre après avoir repeint deux pièces – mais renoncé à remplacer la gazinière. Il quitta Mariagatan sans l'ombre d'un regret et convaincu d'avoir fait le bon choix. Le jour où il prit possession de sa nouvelle maison, il soufflait un beau vent de tempête du sud-est.

Dès ce premier soir, la tempête provoqua une coupure de courant générale. En un instant il fut plongé dans un noir d'encre. Les poutres craquaient et gémissaient sous les assauts du vent, et soudain il s'aperçut aussi qu'à un certain endroit la pluie gouttait dans la maison. Mais il ne regrettait rien. C'était là et pas ailleurs qu'il devait vivre.

La cour comportait un chenil. Petit, Wallander avait toujours rêvé d'avoir un chien. À treize ans, alors qu'il avait renoncé à tout espoir, ses parents s'étaient enfin décidés à lui en offrir un. Une, plutôt. Et il avait aimé cette chienne plus que tout au monde. Plus tard dans la vie, il s'était fait la réflexion que Saga – sa chienne – lui avait appris ce qu'était l'amour. Saga n'avait que trois ans lorsqu'elle fut écrasée par un poids lourd. Le choc et le chagrin qu'il en conçut n'avaient aucun équivalent dans tout ce qu'il avait pu connaître jusque-là de l'existence. Plus de quarante ans après les faits, il pouvait encore se rappeler chacune des émotions chaotiques qui l'avaient habité alors. *La mort frappe.* Au sens propre, il voyait un poing d'une puissance effroyable s'abattant sans la moindre pitié.

Deux semaines après avoir emménagé dans sa nouvelle maison, il s'acheta un chiot. Un labrador noir. Pas de race pure, mais le propriétaire le décrivit malgré tout comme un chien de tout premier calibre. Wallander avait décidé à l'avance qu'il s'appellerait Jussi, en hommage à l'immense ténor suédois Jussi Björling, qui était l'un de ses héros.

Début décembre, il invita ses collègues du commissariat à pendre la crémaillère. Ce soir-là il y eut encore une panne de courant, mais entre-temps il avait constitué un stock de bougies et de vieilles lampes à pétrole héritées de son père. L'électricité revint au bout d'une heure à peine. Au final, ce fut une soirée que Wallander décida de garder en mémoire. Non, il n'était pas trop vieux pour oser changer de vie. Oui, il avait encore des amis, pas seulement des collègues qui auraient fait le déplacement mus par un douteux sens du devoir.

Tard dans la nuit, après le départ de ses derniers invités, il sortit se promener avec Jussi. Il avait emporté une torche électrique pour ne pas trébucher dans le noir, car il était loin d'être sobre et de nombreux fossés particulièrement traîtres entouraient les champs qui, l'été venu, s'illumineraient du jaune des colzas. Il lâcha Jussi, qui disparut illico dans la nuit. Le ciel était froid et limpide, le vent ne soufflait plus. Les lumières d'un navire scintillaient, minuscules, sur l'horizon. Et me voilà, pensa-t-il. J'ai osé partir. J'ai même un chien à moi. Reste une question. *Qu'est-ce que je fais maintenant ?*

Jussi se matérialisa soudain devant lui telle une ombre silencieuse émergeant de l'obscurité. Mais il n'avait pas de réponse à fournir à la question de Wallander.

Près de quatre ans plus tard, début 2007, il revécut en rêve cet instant où il avait adressé sa question à la nuit immense, après la fête donnée dans sa nouvelle maison. Elle est toujours d'actualité, pensa-t-il au réveil. Quatre années se sont écoulées depuis, et je ne sais toujours pas où je vais.

C'était un mardi, quelques jours après l'Épiphanie. Au cours de la nuit, une tempête de neige avait traversé le sud de la Scanie avant de s'éloigner au-dessus de la Baltique. L'accès de la maison était bloqué par la neige. Peu après six heures, il était à pied d'œuvre en train de déblayer sa cour, pendant que Jussi reniflait fiévreusement des traces de lièvre sur le talus bordant le champ mitoyen enseveli sous la blancheur. Wallander allait commencer la journée par une visite chez le médecin qui surveillait son diabète. Quand le diagnostic avait été posé, dix ans plus tôt, on lui avait recommandé dans un premier temps de modifier ses habitudes alimentaires, de bouger davantage et de ne pas oublier ses médicaments. Mais depuis quelques années, il devait aussi s'administrer des injections quotidiennes d'insuline. Après la visite chez le médecin, il reprendrait l'enquête qui le mobilisait entièrement depuis début décembre. Un couple de personnes âgées, un armurier et sa femme, avait été agressé par des cambrioleurs qui les avaient brutalisés sauvagement avant de repartir avec une grande quantité d'armes. Le mari était à l'hôpital, plongé dans un coma artificiel, entre la vie et la mort. La femme, elle, était consciente. Mais elle avait eu le crâne fracturé et avait perdu l'usage d'un œil. Wallander, qui avait été parmi les premiers sur les lieux – une belle maison avec un grand jardin, à une dizaine de kilomètres au nord d'Ystad –, avait été choqué par la violence inouïe qu'on avait fait subir au vieux couple. Ils avaient été battus jusqu'à perdre conscience, puis ficelés à l'aide d'une corde et laissés pour morts.

Le mari, qui s'appelait Olof Hansson, gérait son activité depuis son domicile. C'était une affaire familiale qu'il avait héritée de son père. Avec sa femme, Hanna, ils avaient acquis une belle collection de revolvers et de pistolets, dont plusieurs pièces uniques. Les cambrioleurs s'étaient montrés très organisés. En compagnie du procureur Erik Petrén, Wallander et les autres enquêteurs du groupe avaient visionné les images prises par les caméras de surveillance. Ils avaient dénombré cinq individus, tous masqués. L'une des caméras avait saisi l'instant où une trique s'abattait sur la nuque d'Olof Hansson ; un gémissement étouffé avait parcouru l'assistance.

Cela avait rappelé à Wallander le cas d'un autre couple de vieux, assassinés à Lenarp près de vingt ans auparavant. Dans son calendrier personnel, cette enquête-là demeurait l'une des plus dures qu'il ait eu à mener pendant toutes ces années à Ystad. Deux demandeurs d'asile étaient passés à l'attaque après avoir vu le vieil agriculteur retirer une forte somme d'argent dans une agence bancaire. Il avait l'impression de revoir la même scène ; une horreur qui se répétait. L'histoire ancienne venait se mêler à l'affaire en cours ; c'était la même violence bestiale, une brutalité qui l'effrayait toujours autant, maintenant comme alors.

Cela faisait plus d'un mois qu'ils s'efforçaient de retrouver les agresseurs. Les premières semaines, ils n'avaient pas eu la moindre piste fiable. Aux yeux de Wallander, la parfaite organisation de ce crime constituait toutefois une piste en soi. Ces individus figuraient très vraisemblablement déjà dans leurs fichiers. Il s'était rendu un soir à Hässleholm pour rencontrer un certain Rune Berglund dans un endroit discret, non loin du stade municipal. Berglund avait un passé de cambrioleur et avait également été condamné deux fois pour violences aggravées. Puis un beau jour, à la surprise générale, il avait eu une révélation religieuse et mis fin à sa carrière de délinquant. Bien que n'étant plus actif dans le milieu, il conservait un vaste réseau de contacts. Wallander avait eu vent de ses compétences d'informateur grâce à un collègue de la brigade criminelle de Malmö. Depuis, il faisait parfois appel à lui quand il avait besoin d'un renseignement précis. Le prix était toujours le même, deux billets de cent pour la quête. Berglund, il le savait, travaillait de sept à seize heures dans une usine de pneus et consacrait le reste de son temps à l'église évangélique qui lui avait permis de rencontrer Jésus. Ou peut-être, pensait Wallander, était-ce le contraire ? Jésus qui avait rencontré Rune Berglund ? En tout cas, il ne doutait pas un instant que ses deux cents couronnes iraient aux bonnes œuvres.

Berglund ne se montra guère surpris quand Wallander lui parla de l'affaire ; le spectaculaire vol d'armes avait été amplement couvert par les médias. L'ancien cambrioleur y voyait un travail de commande pour un donneur d'ordre étranger. Olof Hansson possédait un système d'alarme sophistiqué, mais ce n'était rien comparé à ce qu'on trouvait sur le continent[1]. Pour des gens aguerris, la villa de Hansson pouvait donc apparaître comme une cible relativement facile. Berglund promit de le contacter si jamais il apprenait quelque chose. Et de fait, le 23 décembre, il lui téléphona pour l'informer qu'il pouvait bien s'agir d'une équipe mixte composée de Suédois et de Polonais loués pour l'occasion.

Olof Hansson mourut le lendemain. L'affaire passa alors du statut de vol avec violence à celui de meurtre. L'essentiel du travail d'enquête avait été confié à deux femmes : Ann-Louise Edenman, orginaire de Lund, et Kristina Magnusson, qui avait fait le même parcours que Wallander, de Malmö à Ystad. Sans qu'il y ait eu la moindre décision officielle en ce sens, c'était Wallander qui les cornaquait, de la même manière qu'à ses débuts à Ystad lui-même avait

1. En suédois, « le continent » désigne communément toute partie de l'Europe située au sud de la Suède.

eu pour mentor le très expérimenté commissaire Rydberg – jusqu'au jour où celui-ci avait finalement été emporté par un cancer. Wallander avait toujours regretté Rydberg. Il y avait eu de longues périodes où il pensait à lui presque chaque jour. Il lui arrivait encore parfois d'aller déposer une fleur sur sa tombe, quand il était aux prises avec une enquête particulièrement difficile. Il restait planté là devant la pierre nue à s'interroger sur ce que Rydberg aurait fait à sa place. À présent, face à Edenman et à Magnusson, il se demandait si un jour elles s'interrogeraient sur ce que Wallander aurait fait à leur place dans la même situation.

Il n'en savait rien. Au fond, il ne tenait sans doute pas à le savoir.

Puis, le 12 janvier, la vie de Wallander bascula. D'abord, il y eut une percée dans l'enquête. Kristina Magnusson déboula dans son bureau où il épluchait tristement quelques rapports envoyés par la brigade criminelle de Stockholm à propos de différents vols d'armes. Rien qu'à la tête de Kristina, il comprit qu'il y avait du nouveau. Il avait l'impression de se voir ; il lui arrivait encore de s'engouffrer ainsi sans crier gare dans les bureaux des collègues.

– Hanna Hansson s'est mise à parler !

– Et que dit-elle ?

– Qu'elle a reconnu au moins deux des agresseurs.

– Ils étaient pourtant masqués.

– Elle dit que leurs voix lui étaient familières. Ces deux hommes étaient déjà venus chez eux pour affaire.

– Sans masque, cette fois ?

Kristina Magnusson acquiesça.

– On pourrait donc les retrouver sur les enregistrements des caméras de surveillance ?

– Ce n'est pas impossible.

– Tu es certaine qu'elle ne se trompe pas ?

– Elle me fait l'effet d'avoir toute sa tête. Et elle est sûre de son fait.

– Sait-elle que son mari est mort ?

– Non. Ses deux filles se relaient à son chevet, mais les médecins leur ont demandé de ne rien lui dire pour l'instant.

– Ça ne sert à rien, dit Wallander. Si elle est aussi lucide que tu le dis, elle sait déjà. Elle le voit dans leurs yeux.

– Tu crois donc qu'on peut lui avouer la vérité ?

Wallander se leva.

– Je crois juste qu'elle sait ce qu'il en est. Depuis combien d'années étaient-ils mariés ? Quarante-sept ? Bien. Alors on rassemble tous les collègues disponibles et on commence à visionner les images.

Il était déjà dans le couloir, dans le sillage de Kristina Magnusson – qu'il aimait bien, en secret, regarder de dos –, quand le téléphone sonna sur son bureau. Il hésita, revint sur ses pas ; c'était Linda. Elle était de repos après avoir travaillé la nuit de la Saint-Sylvestre, qui avait été spécialement agitée à Ystad, avec son lot de bagarres familiales et de violences.

– Tu as un moment ?

– Non. Nous allons peut-être réussir à identifier certains auteurs du vol d'armes.

– Il faut qu'on se voie.

Elle parlait d'une voix tendue. Il s'inquiéta aussitôt, comme chaque fois qu'il croyait qu'il lui était arrivé quelque chose.

– C'est grave ?

– Pas du tout.

– On peut se voir à treize heures, si tu veux.

– Mossby Strand ?

Wallander crut qu'elle plaisantait.

– Tu veux que j'apporte mon maillot de bain ?

– Non, sérieusement. Mossby Strand. Sans maillot.

– Qu'est-ce qu'on va faire là-bas ? Par ce froid ?

– Treize heures. J'y serai. Tu as intérêt à y être aussi.

Elle raccrocha avant qu'il ait pu poser d'autres questions. Il resta planté là, le combiné à la main, à se demander ce qu'elle lui voulait. Puis il se rendit dans la salle de réunion qui abritait leur meilleur poste télé et passa deux heures à regarder les séquences filmées par les caméras de surveillance d'Olof Hansson. Vers midi et demi, il en restait à peu près la moitié à visionner ; Wallander se leva en disant qu'ils pourraient reprendre à quatorze heures. Martinsson – celui de ses collègues avec lequel il avait travaillé le plus longtemps – en resta comme deux ronds de flan.

– Tu veux arrêter ? En plein boulot ? Tu n'as jamais respecté la pause déjeuner, que je sache…

– Je ne vais pas déjeuner. J'ai rendez-vous.

Il sortit précipitamment en pensant qu'il avait été trop sec. Plus qu'un collègue, Martinsson était un ami. Quand Wallander avait donné sa fête de pendaison de crémaillère à Löderup, c'était tout naturellement Martinsson qui avait prononcé le discours – un discours qui s'adressait à la fois à lui, à son chien et à sa maison. Nous sommes comme un vieux couple, pensa-t-il en quittant le commissariat. Un vieux couple méritant qui se chamaille, histoire de rester en forme.

Il alla récupérer sa voiture, la nouvelle Peugeot qu'il avait depuis quatre ans, et prit la route. Combien de fois ai-je déjà couvert ce trajet ? Combien de fois encore ? En attendant que le feu passe au vert, il se rappela une histoire que son père lui avait racontée autrefois, à propos d'un cousin qu'il n'avait pour sa part jamais rencontré. Le cousin était capitaine de ferry dans l'archipel de Stockholm. Une courte traversée entre deux îles, pas plus de cinq minutes de quai à quai, d'année en année, toujours le même trajet. Un jour, il avait pété un câble. En cette fin d'après-midi du mois d'octobre, le ferry était rempli de voitures et, soudain, le cousin avait mis le cap vers la haute mer. Il savait disposer d'assez de carburant pour atteindre l'un ou l'autre pays balte. Voilà ce qu'il raconta par la suite, après avoir été finalement neutralisé par les automobilistes en colère et par les gardes-côtes, qui avaient réussi à intervenir et à remettre le ferry sur le droit chemin. Mais, à part cela, rien. Il n'avait jamais fourni d'explication à son geste.

Wallander pensa qu'il le comprenait confusément.

Des nuages dispersés couraient dans le ciel au-dessus de la route où il roulait vers l'ouest, le long de la mer. Par la vitre latérale, il vit qu'un front orageux menaçait à l'horizon. Le matin même à la radio, on avait annoncé un risque de chute de neige en soirée. Peu avant la sortie vers Marvinsholm, il fut dépassé par un motard. Celui-ci agita la main et Wallander pensa pour la millième fois à l'une des choses qu'il redoutait le plus : que Linda puisse avoir un jour un accident de moto. Lorsqu'il l'avait vue arriver pour la première fois sur sa Harley-Davidson flambant neuve aux chromes étincelants, il avait été complètement pris de court. Sa première réaction, une fois qu'elle eut ôté son casque, fut de lui demander si elle avait perdu la boule.

– Tu ne connais pas tous mes rêves, avait-elle répondu avec un grand sourire heureux. D'ailleurs moi non plus, je ne connais pas les tiens.

– Les motos n'en font pas partie.

– Dommage. On aurait pu partir ensemble.

Il était allé jusqu'à la supplier de l'autoriser à lui acheter une voiture et lui payer l'essence, à condition qu'elle se sépare de la moto. Peine perdue. D'ailleurs, il l'avait su d'entrée de jeu. Elle avait hérité de son entêtement, il pourrait essayer tous les stratagèmes, jamais il ne la ferait renoncer à sa Harley.

En s'engageant sur l'aire de stationnement de Mossby Strand, déserte et abandonnée sous la bourrasque, il l'aperçut aussitôt, cheveux au vent, casque sous le bras, au sommet d'une dune. Il coupa le moteur et resta assis à la regarder – sa fille dans sa combinaison de cuir sombre, avec les bottes sur mesure qu'elle s'était fait coudre dans une fabrique de Californie et qui lui avaient coûté presque un mois de salaire. Autrefois, pensa-t-il, c'était une petite fille qui s'asseyait sur mes genoux et moi, j'étais son héros. Maintenant elle a trente-six ans, elle est dans la police comme moi, elle a un cerveau qui va vite et un grand sourire. Que demander de plus ?

Il dut lutter contre le vent et le sable pour la rejoindre en haut de la dune. Elle lui sourit.

– Il s'est passé un truc ici. Tu t'en souviens ?

– Tu m'as annoncé que tu entrais à l'école de police. C'était ici.

– Essaie encore.

– Le canot ? Les deux hommes échoués ? Il y a tellement longtemps que je ne me souviens plus de l'année. Ces événements se déroulaient dans un autre monde, si on peut dire.

– Raconte.

– Ce n'est tout de même pas pour ça que tu m'as fait venir ?

– Raconte quand même !

Wallander désigna la mer d'un geste.

– Les pays qui étaient de l'autre côté… Nous ne savions pas grand-chose d'eux, à l'époque. Je crois que nous nous efforcions surtout de faire semblant qu'ils n'existaient pas. Les États baltes, nos voisins les plus proches, de l'autre côté – nous étions séparés d'eux, et eux de nous. Un jour, un canot pneumatique s'est échoué ici même. L'enquête m'a conduit à Riga, en Lettonie. J'ai fait une visite derrière ce rideau de fer qui n'existe plus. Le monde était différent alors. Ni pire, ni meilleur, mais très différent.

– Je suis enceinte. Je vais avoir un enfant.

Wallander en eut le souffle coupé. Il ne comprit pas tout d'abord ce qu'elle venait de lui dire. Puis il baissa les yeux vers le ventre dissimulé sous le cuir noir. Elle éclata de rire.

– Ça ne se voit pas encore, je n'en suis qu'au deuxième mois.

Par la suite, Wallander se rappellerait chaque détail de cette rencontre, où Linda lui avait fait sa grande révélation. Ils descendirent jusqu'au rivage, courbés face au vent. Elle lui dit tout ce qu'il voulait savoir. Quand il revint au commissariat, en retard d'une heure, il avait presque oublié l'enquête dont il avait la charge.

Juste avant qu'il ne recommence à neiger, vers dix-sept heures, ils réussirent à isoler l'image de deux hommes qui avaient sans doute participé au cambriolage et au meurtre. Wallander résuma le sentiment général : ils avaient accompli un grand pas.

Alors que la réunion se terminait et que chacun rassemblait ses dossiers et ses documents, Wallander éprouva la tentation presque irrésistible de leur raconter quelle grande joie venait de le frapper à l'improviste.

Bien sûr, il ne dit rien.

Ce n'était tout simplement pas dans sa nature. En aucune circonstance il n'aurait laissé ses collègues l'approcher de si près.

2

Le 30 août 2007, peu après quatorze heures, Linda donna naissance à une fille. Un accouchement sans complications, et ponctuel par-dessus le marché, au jour indiqué par sa sage-femme de la maternité d'Ystad. Wallander, qui avait eu la prévoyance de prendre quelques jours de congé, essayait pendant ce temps d'obtenir l'équivalent d'un seau de ciment pour réparer des fissures dans le mur sous l'auvent. Il ne réussissait pas très bien, mais au moins il avait les mains occupées à quelque chose. Quand le téléphone sonna, il alla répondre, et quand il s'entendit dire qu'il pouvait désormais s'intituler grand-père, il fondit en larmes. Submergé par l'émotion, il fut quelques instants totalement sans défense.

Ce n'était pas Linda qui l'appelait, mais le père du bébé. Ne voulant pas se montrer vulnérable devant lui, Wallander se dépêcha de le remercier de l'avoir prévenu, le pria de saluer Linda de sa part et raccrocha aussitôt.

Ensuite il fit une longue promenade avec Jussi. La chaleur de la fin d'été s'attardait sur la Scanie. L'orage avait sévi au cours de la nuit et à présent l'air était frais et léger, après la pluie. Enfin il put s'avouer qu'il s'interrogeait depuis longtemps sur le fait que Linda n'avait jamais, de toutes ces années, exprimé le désir d'avoir un enfant. Elle avait trente-six ans révolus – un âge beaucoup trop avancé pour devenir mère, d'après la façon de voir de Wallander. Mona était bien plus jeune quand elle avait eu Linda. Il avait suivi, de loin et discrètement, croyait-il, les liaisons successives de sa fille ; certains de ses hommes lui plaisaient plus que d'autres. Une fois, il avait été persuadé qu'elle tenait enfin le bon, jusqu'au moment où leur histoire s'était terminée, quasiment du jour au lendemain, et elle ne lui avait jamais expliqué pourquoi. Wallander et Linda avaient beau être proches, il y avait des sujets qu'ils n'abordaient jamais ensemble, même dans la plus grande intimité. Ce tabou invisible englobait la question des bébés.

Ce jour-là, à Mossby Strand, sur la plage balayée par le vent, elle lui avait parlé pour la première fois de l'homme avec qui elle allait avoir un enfant. Pour Wallander, la nouvelle de son existence arriva comme une surprise. Il avait cru qu'elle vivait à ce moment-là sans liaison stable. Mais il s'était trompé, et ce qu'elle lui raconta le surprit.

Linda avait rencontré Hans von Enke à Copenhague, lors d'un dîner de fiançailles chez des amis communs. Il était originaire de Stockholm, mais vivait depuis deux ans dans la capitale danoise, où il travaillait pour une compagnie financière qui s'occupait avant tout de *hedge funds*. Linda l'avait trouvé arrogant au cours de ce dîner ; il l'exaspérait, en gros, et elle lui avait rétorqué d'un ton assez agressif qu'elle, simple agent de police, gagnait un salaire minable et n'avait pas la moindre idée de ce qu'était un *hedge fund*. Elle n'était même pas sûre de savoir épeler le mot. À la fin du dîner, ils étaient partis ensemble pour une longue promenade dans la nuit, et à la fin de la promenade ils avaient décidé de se revoir. Hans avait deux ans de moins qu'elle, et pas d'enfants de son côté. Dès le début de leur relation il avait été entendu, de manière tacite mais parfaitement claire, qu'ils allaient essayer d'en avoir ensemble.

Deux jours après la grande annonce, Linda arriva chez son père pour lui présenter son homme. Hans von Enke était un type grand, maigre, les cheveux clairsemés, les yeux bleu clair, le regard aigu. Face à lui, Wallander se sentit tout de suite perdre contenance. Sa façon de parler ne lui était pas familière et il se demandait, mal à l'aise, ce qui avait bien pu pousser Linda à le choisir pour compagnon. Quand elle avait mentionné son salaire, qui était trois fois celui de Wallander, sans compter le bonus annuel qui pouvait atteindre un million de couronnes, Wallander avait pensé sombrement qu'il ne fallait pas chercher plus loin : elle avait été attirée par l'argent. Cette idée l'avait mis dans un tel état de colère qu'à leur entrevue suivante, il lui avait carrément posé la question. La scène se passait dans un café du centre d'Ystad. Linda, folle de rage, lui avait balancé sa brioche au visage. Il l'avait rattrapée sur le trottoir et s'était excusé platement. Non, lui avait-elle expliqué ensuite, ce n'était pas l'argent. C'était un grand, un authentique amour, tel qu'elle n'en avait jamais connu auparavant.

Wallander résolut alors d'essayer de considérer son futur gendre avec plus de chaleur. Avec l'aide d'Internet et du conseiller bancaire de l'agence d'Ystad qui gérait ses économies, il se renseigna sur l'entreprise où travaillait Hans. Il apprit ce qu'était un *hedge fund* – et aussi un certain nombre d'autres notions qui formaient la base de l'activité d'une compagnie financière moderne. Quand Hans von Enke le convia à venir à Copenhague visiter les luxueux locaux de l'entreprise situés tout près du célèbre monument de Rundetårn, Wallander accepta. Après la visite, Hans l'invita à déjeuner ; et quand Wallander reprit la route d'Ystad, il était débarrassé du sentiment d'infériorité qui avait rendu leur première rencontre si pénible pour lui. Il appela Linda de la voiture, pour lui dire qu'il commençait à apprécier l'homme qu'elle avait choisi.

– Il a un défaut, avait répondu Linda. Il a trop peu de cheveux. Mais le reste est bien.

– Je me réjouis à l'idée de lui montrer un jour mon bureau à moi.

– C'est fait. Il est venu au commissariat la semaine dernière. On ne te l'a pas dit ?

Personne, bien sûr, n'avait informé Wallander de quoi que ce soit. Ce soir-là, de retour chez lui, il s'attabla dans la cuisine et calcula, crayon en main, le revenu annuel de Hans von Enke. Le résultat le laissa pantois et fit resurgir son malaise diffus. Après toutes ses années de service, lui, Wallander, gagnait à peine quarante mille couronnes par mois. Et il considérait cela comme un salaire élevé. Enfin, ce n'était pas lui qui allait se marier. Que l'argent fasse ou non le bonheur de Linda, ce n'était pas son affaire.

Au mois de mars, Linda et Hans emménagèrent près de Rydsgård, dans une grande villa entièrement payée par Hans. Celui-ci commença à faire la navette quotidienne entre Rydsgård et Copenhague, pendant que Linda travaillait au commissariat comme d'habitude. Quand ils furent à peu près installés, elle rendit visite à son père et lui proposa de venir dîner chez eux le samedi suivant. Les parents de Hans seraient en visite, et souhaitaient rencontrer le père de Linda.

– J'en ai parlé à Mona, dit-elle.

– Elle va venir ?
– Non.
– Pourquoi ?
– Je crois qu'elle est malade.
– Qu'est-ce qu'elle a ?
Elle le regarda longuement avant de répondre :
– L'alcool. Je crois qu'elle boit plus que jamais.
– Je ne le savais pas.
– Il y a beaucoup de choses que tu ne sais pas.

Wallander accepta bien entendu l'invitation à rencontrer les parents de Hans. Le père, Håkan von Enke, était un ancien capitaine de frégate, qui avait commandé aussi bien des sous-marins que divers bâtiments de surface, et qui avait eu pour spécialité la lutte anti-sous-marine. Linda croyait savoir, sans certitude, qu'il avait à une époque fait partie de l'état-major interarmées. La mère de Hans se prénommait Louise et avait exercé jusqu'à sa retraite le métier de professeur de langues. Hans était fils unique.

– Je n'ai pas l'habitude de fréquenter les aristocrates, dit Wallander à Linda au téléphone.

– Ils sont plutôt normaux, en fait. Je crois que vous aurez beaucoup de sujets de conversation.

– Lesquels ?

– On verra bien. Ne sois pas si négatif.

– Je ne suis pas négatif. Je me pose des questions, c'est tout.

– On dîne à dix-huit heures. Sois ponctuel. Et n'amène pas Jussi, il ferait désordre.

– Jussi est un chien très obéissant. Quel âge ont-ils, les parents ?

– Håkan va avoir soixante-quinze ans, Louise est un peu plus jeune. Jussi n'obéit jamais ; tu es bien placé pour le savoir. Heureusement que tu as un peu mieux réussi mon éducation que la sienne.

Elle raccrocha sans lui laisser le temps de répondre. Il s'énerva un peu tout seul : elle s'arrangeait toujours pour avoir le dernier mot. Puis il se raisonna, et se pencha une fois de plus sur ses dossiers.

Une pluie fine d'une douceur inhabituelle pour la saison tombait sur la Scanie le samedi où Wallander prit sa voiture pour rencontrer les parents de Hans von Enke. Il était à son bureau depuis le petit matin, occupé à revoir pour la énième fois les éléments de l'enquête sur le meurtre de l'armurier. Ils croyaient avoir identifié les agresseurs, mais les preuves manquaient. Je ne cherche pas une clé, pensa-t-il. Je cherche le lointain cliquetis d'un trousseau. À quinze heures, il avait à peine parcouru la moitié du dossier. Il rentra chez lui, dormit deux heures, puis entreprit de s'habiller. Linda avait dit qu'il trouverait peut-être les parents de Hans un peu formalistes à son goût, mais c'était justement pour ça qu'elle lui conseillait de mettre son plus beau costume.

– Je n'ai que celui que je mets pour les enterrements, avait grogné Wallander. Bon, je ne suis peut-être pas obligé de mettre une cravate blanche…

– Tu n'es même pas obligé de venir si ça doit te mettre dans des états pareils.

– Je plaisantais.

– Laisse tomber. Tu as au moins trois cravates bleues, tu n'as qu'à en choisir une.

Quand, vers minuit, Wallander monta dans le taxi qui devait le ramener à Löderup, il pensa que la soirée avait été bien plus agréable qu'il n'aurait pu l'imaginer. Le vieux capitaine de frégate et son épouse s'étaient révélés être de bons interlocuteurs. Wallander était toujours sur ses gardes avec les inconnus, persuadé, même s'ils le cachaient plus ou moins bien, qu'ils le méprisaient parce qu'il était policier. Mais il n'avait pas perçu cette condescendance chez les époux von Enke. Au contraire, lui semblait-il, ils avaient porté un intérêt sincère à son travail. En plus, Håkan von Enke avait formulé certaines opinions que Wallander était enclin à partager, à la fois quant à l'organisation de la police et quant à ses échecs dans certaines affaires criminelles bien connues. Il eut de son côté l'occasion de l'interroger sur le monde des sous-marins et sur la marine suédoise en général, et il obtint en retour des réponses bien informées et divertissantes. Louise von Enke, elle, ne disait presque rien. Elle se contentait surtout d'écouter la conversation, un joli sourire aux lèvres.

Après avoir appelé le taxi, Linda le raccompagna jusqu'au portail. Pendant qu'ils traversaient la cour, elle lui prit le bras et inclina la tête contre son épaule. Elle ne faisait ça que quand elle était contente de lui.

– Je me suis bien comporté alors ?

– Mais oui. Tu vois bien que tu y arrives, quand tu veux.

– À quoi ?

– À bien te comporter. Et même à poser des questions intelligentes sur des sujets qui ne concernent pas la police.

– Ils m'ont bien plu, tous les deux. Mais je n'ai pas eu l'impression d'apprendre grand-chose sur elle.

– Louise ? Elle est comme ça. Elle ne parle pas beaucoup. Mais elle écoute mieux que nous tous réunis.

– Moi, elle m'a fait l'effet d'être un peu secrète.

Ils avaient franchi le portail et attendaient le taxi au bord de la route, abrités sous un arbre car une pluie fine continuait de tomber.

– Pour ce qui est d'être secret, dit Linda, je ne connais personne qui le soit autant que toi. Pendant des années, j'ai cru que tu cachais quelque chose. Maintenant je crois que, parmi tous les gens secrets, seuls quelques-uns sont dans ce cas.

– Et je n'en fais pas partie ?

– Je ne le pense pas. Je me trompe ?

– Non, sans doute. Mais peut-être a-t-on parfois des secrets qu'on ignore ?

Une lumière de phares se découpa au même moment dans l'obscurité. C'était un de ces engins aux allures de minibus qui devenaient de plus en plus populaires parmi les compagnies de taxis.

– Je déteste ces bus, marmonna Wallander.

– Ne t'énerve pas. Je te rapporterai ta voiture demain.

– D'accord, je serai au commissariat à partir de dix heures. Bon, vas-y maintenant, retourne les voir et essaie de savoir ce qu'ils ont pensé de moi. Je veux ton rapport demain.

Elle arriva au commissariat peu avant onze heures.

– Bien, dit-elle en entrant dans son bureau, sans frapper, comme toujours.

– Quoi, « bien » ?

– Tu leur as plu aussi. Håkan a eu une drôle d'expression. Il a dit : « Ton père est un excellent acquêt pour la famille. »

– Je ne sais même pas ce que ça veut dire.

Elle laissa les clés de la voiture sur la table. Elle était pressée, car Hans et elle avaient prévu une excursion avec les futurs parents von

Enke. Wallander jeta un regard au ciel, de l'autre côté de la fenêtre. Les nuages semblaient vouloir se dissiper.

– Vous allez vous marier ? demanda-t-il avant qu'elle ait eu le temps de disparaître.

– Ils nous poussent à le faire. Je te serais reconnaissante de ne pas t'y mettre aussi. On verra bien si on arrive à s'entendre.

– Mais vous allez avoir un enfant…

– Pour ça, on s'entend bien. Savoir si on va vivre ensemble le reste de notre vie, c'est une autre paire de manches.

Elle était partie. Wallander écouta l'écho rapide de ses bottes dans le couloir. Je ne connais pas ma fille, pensa-t-il. Autrefois je croyais que oui. Mais je vois bien qu'elle m'est de plus en plus étrangère.

Il alla à la fenêtre et contempla le vieux château d'eau, les pigeons, les arbres, le ciel bleu entre les nuages clairsemés. Soudain, il fut submergé par une inquiétude profonde ; une désolation qui se répandait autour de sa personne. Ou peut-être n'existait-elle qu'à l'intérieur de lui ? Comme s'il n'était plus, tout entier, qu'un sablier où le sable finissait de s'écouler en silence. Il observa les pigeons et les arbres jusqu'à ce que l'inquiétude le lâche. Puis il se rassit et continua de parcourir les rapports entassés sur son bureau.

Sept mois plus tard, à la mi-octobre, Wallander et ses collègues finirent par aller voir le procureur et lui demander de délivrer un mandat d'amener à l'encontre de quatre suspects. Parmi eux, deux étaient des citoyens polonais, identifiés grâce à la caméra de vidéo-surveillance ; d'autre part, la police avait réuni un faisceau de preuves contre deux hommes de Göteborg liés à un réseau criminel dirigé par des immigrés originaires d'ex-Yougoslavie. Une fois de plus, Wallander repensa au terrible double meurtre de Lenarp commis près de vingt ans plus tôt. La révélation que les coupables étaient des étrangers avait conduit à l'époque à plusieurs crimes racistes, parmi lesquels des attaques contre des camps de réfugiés et le meurtre d'une personne complètement innocente. Ç'avait été une période épouvantable.

Au fil de cette enquête-ci, qui avait été longue, laborieuse, parfois désespérante, Wallander avait peu à peu pris la mesure de la compétence de ses deux plus proches collaboratrices. Son respect pour elles avait augmenté en proportion et il lui semblait avoir retrouvé un peu de l'énergie perdue au cours des dernières années. Kristina Magnusson en particulier l'impressionnait, par sa clairvoyance et son opiniâtreté. Cela ne l'empêchait pas de continuer à la lorgner secrètement dans les couloirs du commissariat.

Hanna Hansson était sortie de l'hôpital au cours de l'été. Wallander avait parlé à l'une de ses filles, qui dirigeait un haras près de Hörby.

– Elle va rester borgne, avait-elle dit. Et les médecins ne savent pas vraiment soulager ses douleurs dorsales. Mais le pire est ailleurs.

Silence.

– Dans la mort de son mari ? avait hasardé Wallander.

– Ça, c'est tellement évident qu'on n'a pas besoin de le dire. Je parle des dommages cachés.

Wallander ne comprenait pas où elle voulait en venir.

– La peur, avait-elle dit. Elle a peur des autres maintenant. Peur de sortir, peur de dormir, peur de rester seule. Comment guérit-on de ça ? Comment quelqu'un pourra-t-il jamais être puni pour ça ?

– Un bon procureur peut convaincre les juges de l'existence de circonstances aggravantes.

La fille avait secoué la tête. Elle doutait et, au fond de lui, Wallander doutait aussi. Les tribunaux suédois le consternaient souvent par leur frilosité à qualifier la gravité d'un crime.

– Retrouvez-les et arrêtez-les, avait-elle dit en quittant le bureau de Wallander. Il faut qu'ils paient.

Wallander conduisit lui-même les premiers interrogatoires avec les deux Polonais. Ils étaient jeunes, à peine plus de vingt ans. Pleins de morgue, ils lui avaient fait savoir par interprète interposé qu'ils n'avaient rien à voir avec le vol d'armes, qu'ils n'étaient même pas en Suède au moment des faits et qu'ils n'avaient pas l'intention de répondre à ses questions. Wallander, qui avait envie de leur distribuer des baffes, garda un calme glacial. Petit à petit, il réussit à entamer les défenses de l'un, qui, un jour de novembre, commença soudain à passer aux aveux. Après, tout alla très vite. Lors d'une descente dans un appartement de Staffanstorp, la police découvrit plus de la moitié des armes volées. Quatre autres furent retrouvées dans un logement de la banlieue de Stockholm. Quand s'ouvrit le procès, en décembre, il n'en manquait plus que trois. Ce jour-là, Wallander rassembla ses troupes dans l'une des salles de réunion du commissariat et leur offrit le café et la brioche. Son intention était de prononcer quelques paroles de félicitations, mais il perdit ses moyens et la conversation tourna finalement autour des négociations salariales en cours et de leur mécontentement commun concernant les dernières dispositions en date de la direction centrale, toujours aussi arbitraire et capricieuse dans son choix des priorités.

Wallander fêta Noël avec Linda et Hans. Il considérait sa petite-fille, qui n'avait toujours pas de prénom, avec émerveillement et une joie silencieuse. Linda affirmait qu'elle lui ressemblait, elle avait ses yeux ; mais Wallander, malgré ses efforts, ne voyait rien de tel.

– Il faudrait lui donner un nom, à cette petite, dit-il alors qu'ils partageaient une bouteille de vin le 24 au soir.

– Patience.

– Nous croyons que son nom va se présenter de lui-même, expliqua Hans.

– Pourquoi est-ce que je m'appelle Linda ?

– Ça vient de moi, répondit Wallander. Mona voulait te donner un autre nom, je ne me souviens plus lequel. Mais pour moi, tu as été une Linda d'entrée de jeu. Ton grand-père, lui, voulait que tu t'appelles Vénus.

– Quoi ? !

– Il n'était pas toujours dans son état normal, comme tu le sais. Pourquoi ? Ton nom ne te plaît pas ?

– Si, c'est un bon nom. Et ne t'inquiète pas. Si nous nous marions, je n'en changerai pas. Je ne serai jamais une Linda von Enke.

– Je devrais peut-être prendre le nom de Wallander, dit Hans. Mais je crois que mes parents ne seraient pas d'accord.

Entre Noël et le Nouvel An, Wallander se consacra à trier la paperasse accumulée au cours de l'année. Une habitude qu'il avait prise autrefois, manière de faire place à l'année à venir. Début janvier, on connaîtrait le verdict dans l'affaire du vol d'armes. Wallander avait parlé au procureur, qui avait demandé la peine maximale prévue par la loi pour chacun des prévenus. Les avocats de la défense n'avaient pas eu grand-chose pour contre-attaquer. Il avait donc une chance raisonnable de pouvoir soutenir le regard de la fille de Hanna Hansson si jamais il la croisait à l'avenir.

Ce pronostic fut confirmé. Les juges se montrèrent sévères. Les deux Polonais, reconnus coupables de violences aggravées ayant entraîné la mort, furent condamnés à huit ans de réclusion. Wallander était convaincu que l'appel n'aboutirait pas à une réduction significative de leur peine.

Le soir du verdict, Wallander décida de rester chez lui et de regarder un film. Il s'était offert une antenne parabolique, qui lui donnait accès à de nombreuses chaînes de cinéma. En quittant le commissariat, il emporta son arme de service dans l'idée de la nettoyer. Il avait pris du retard dans ses exercices de tir ; il faudrait s'y remettre début février au plus tard. Son bureau n'était pas encore parfaitement net, mais en même temps aucune enquête pressante ne monopolisait son attention. C'est le moment ou jamais, pensa-t-il. Ce soir, je peux regarder un film, demain il sera peut-être trop tard.

Une fois rentré à Löderup, et après qu'il eut fait un tour avec Jussi, l'agitation intérieure prit cependant le dessus. Il lui arrivait parfois d'être submergé par un sentiment d'abandon, dans sa maison solitaire au milieu des champs. Comme une épave, pouvait-il penser. Je suis échoué ici, dans la terre grasse. En général, son agitation ne durait qu'un temps. Mais, ce soir-là, elle persista. Il s'assit à la table de la cuisine, déplia un vieux journal et entreprit de nettoyer son arme. Quand ce fut fait, il n'était que vingt heures. D'où lui vint l'impulsion ? Il n'en avait aucune idée, mais sa décision était prise. Il se changea, reprit sa voiture et retourna à Ystad. En hiver, la ville était presque déserte, surtout les soirs de semaine. Il y avait au grand maximum deux ou trois bars et restaurants ouverts. Laissant la voiture, il se rendit dans un restaurant sur la place centrale. Les clients étaient peu nombreux. Il choisit une table dans un angle, commanda une entrée et une bouteille de vin. Mais d'abord, il avala un apéritif. Puis un deuxième. Avaler, c'était le mot juste – il versait l'alcool dans son organisme dans l'espoir de mettre une sourdine à l'inquiétude. Quand le plat arriva et que le serveur remplit son verre de vin, il était déjà ivre.

– Il n'y a personne, commenta Wallander. Où sont-ils tous passés ?

– En tout cas, ils ne sont pas ici. Bon appétit.

Wallander se contenta de picorer le contenu de son assiette. En revanche, il vida la bouteille de vin en moins d'une demi-heure. Il dénicha son portable et regarda tous les numéros qui étaient en mémoire. Il avait envie de parler à quelqu'un, mais qui ? Puis il rangea le téléphone en pensant qu'il n'avait pas envie de faire savoir aux gens qu'il était plein comme une barrique. La bouteille était vide, et il avait déjà largement son compte. Mais quand le serveur vint lui dire qu'ils allaient bientôt fermer, il commanda malgré tout un café et un cognac. En se levant, il faillit perdre l'équilibre. Le serveur l'observait d'un air las.

– Taxi, dit Wallander.

Le serveur partit téléphoner – un appareil mural, fixé à côté du comptoir. Wallander tanguait sur place. Le serveur raccrocha et hocha la tête dans sa direction.

Wallander se retrouva sur le trottoir dans un vent glacial. Le taxi arriva, il monta à l'arrière. Il s'était presque endormi quand la voiture freina devant sa porte. Il laissa ses vêtements en vrac sur le sol et s'endormit à peine couché.

Une demi-heure plus tard, un homme se présenta au commissariat. Choqué et en colère, il demanda à parler à un policier de garde. Par coïncidence, celui-ci se trouva être Martinsson.

L'homme raconta qu'il travaillait comme serveur dans un restaurant de la ville. Et il posa sur la table un sac en plastique, qui se révéla contenir une arme en tout point semblable à celle que portait Martinsson.

Le serveur put aussi donner le nom du client, dans la mesure où Wallander était devenu avec les années un personnage connu dans la ville.

Martinsson enregistra la main courante. Après le départ de son visiteur, il resta un long moment assis, songeur.

Comment Wallander avait-il pu oublier son arme de service au restaurant ? Et pourquoi l'avait-il emportée ?

Il regarda sa montre. Minuit passé de quelques minutes. Il aurait dû l'appeler, mais y renonça.

Ça attendrait le lendemain. La suite prévisible des événements ne lui inspirait que du malaise.

3

Quand Wallander arriva au commissariat le lendemain, un message de Martinsson l'attendait à la réception. Il jura en silence ; il avait la gueule de bois et envie de vomir. Si Martinsson voulait lui parler de suite, ça ne pouvait signifier qu'une chose : il s'était passé un truc grave. Si seulement ç'avait pu attendre quelques jours ou même quelques heures… À l'instant, il n'avait qu'une envie, fermer la porte de son bureau, décrocher le téléphone et continuer à dormir, les pieds sur la table. Il ôta sa veste, vida une bouteille d'eau minérale entamée qui traînait puis se rendit tout droit chez Martinsson, qui occupait le bureau qui avait été autrefois le sien.

Il frappa et entra. En voyant la tête de son collègue, il comprit que c'était grave en effet. Wallander était capable d'interpréter en toutes circonstances les états d'âme de Martinsson, ce qui était important vu que celui-ci oscillait sans cesse entre une énergie presque euphorique et un abattement morose.

Il s'assit dans le fauteuil des visiteurs.

– Qu'est-ce qui se passe ?

– Tu veux me dire que tu ne le sais pas ?

– Non. Pourquoi, je devrais ?

Martinsson ne répondit pas. Il dévisageait Wallander, qui sentait sa nausée s'aggraver de seconde en seconde.

– Je ne vais pas jouer aux devinettes. De quoi veux-tu me parler ?

– Tu n'en as vraiment aucune idée ?

– Non.

– C'est inquiétant, dit Martinsson en ouvrant un tiroir.

Il en sortit l'arme de service de Wallander et la posa sur la table.

– Tu comprends maintenant ?

Une sensation d'effroi glacé s'empara de Wallander et réussit presque à lui faire oublier la gueule de bois et la nausée. Il se rappelait qu'il avait nettoyé son arme la veille au soir. Mais ensuite ? Il fouillait désespérément sa mémoire. De la table de sa cuisine, voilà qu'elle était passée sur le bureau de Martinsson. Ce qui s'était produit entre-temps, comment elle avait pu se promener ainsi d'un endroit à l'autre, il n'en avait pas la moindre idée. Il n'avait aucune explication à offrir, pas l'ombre d'un prétexte.

– Tu es allé au restaurant hier soir, reprit Martinsson. Pourquoi as-tu emporté ton arme ?

Wallander secouait la tête, incrédule. Il ne se souvenait de rien. L'aurait-il glissée dans sa poche avant de prendre la voiture ? Ç'avait beau paraître absurde, il ne voyait pas d'autre explication.

– Je ne sais pas. J'ai un trou noir. Raconte-moi.

– Le serveur du restaurant est arrivé ici vers minuit. Très choqué. Il venait de la trouver sur la banquette où tu avais été assis.

De vagues éclats de souvenir traversaient le crâne douloureux de Wallander. Peut-être avait-il sorti l'arme de sa poche en prenant son téléphone ? Mais comment avait-il pu l'oublier ensuite ?

– Je ne sais pas du tout ce qui s'est passé. Mais j'ai dû probablement l'empocher en partant de chez moi.

Martinsson se leva et se dirigea vers la porte.

– Tu veux un café ?

Il fit non de la tête. Martinsson disparut dans le couloir. Wallander saisit prudemment son arme et constata qu'elle était chargée. C'était le pompon. Il suait à grosses gouttes. L'idée de se tirer une balle dans la tête lui vint un instant. Il pointa le canon vers la fenêtre. Puis il la reposa. Martinsson revint. Wallander le regarda dans les yeux.

– Tu peux m'aider ?

– Pas cette fois. Le serveur t'a reconnu. C'est impossible. Tu vas aller tout droit chez le chef.

– Tu lui as déjà parlé ?

– Ç'aurait été une faute de ne pas le faire.

Wallander n'avait rien à ajouter. Ils restèrent assis quelques instants en silence. Il cherchait frénétiquement une issue tout en étant le premier à savoir qu'il n'y en avait pas.

– Que va-t-il se passer ? demanda-t-il enfin.

– J'ai cherché dans le règlement interne. Il y aura forcément une enquête. Le risque, à part ça, c'est que le serveur – au fait, je ne sais pas si tu le sais, mais il s'appelle Ture Saage – ait l'idée de communiquer l'information aux journaux. Il y a sûrement un peu d'argent à se faire. Des policiers ivres morts qui font n'importe quoi, je pense que c'est assez vendeur, comme sujet.

– Tu lui as dit de se taire, j'espère ?

– Compte sur moi. Je l'ai même menacé de poursuites pour divulgation d'éléments relatifs à une enquête de police. Malheureusement, je crois qu'il a bien vu le bluff.

– Je pourrais peut-être aller lui parler…

Martinsson se pencha par-dessus la table. Wallander vit sa fatigue et son abattement, et cela l'attrista.

– Depuis combien d'années est-ce qu'on travaille ensemble ? Vingt ? Plus ? Au début, c'était toi qui me remettais à ma place. Tu m'engueulais, mais parfois aussi j'avais droit à un compliment. À présent, c'est mon tour. Alors je te le dis : *laisse tomber*. Ne fais rien. Toute initiative de ta part ne fera que causer encore plus de désordre. Tu ne dois pas parler à Ture Saage, tu ne dois parler à personne. Sauf à Mattson. Et lui, tu dois lui parler *maintenant*. Il t'attend.

Wallander hocha la tête. Il se leva.

– On va essayer de limiter la casse, ajouta Martinsson.

À son ton, Wallander comprit qu'il ne nourrissait pas de grands espoirs.

Il tendit la main pour reprendre son arme.

– Non, dit Martinsson. Elle reste ici.

Wallander sortit. Kristina Magnusson passait justement dans le couloir, un gobelet de café à la main. Elle lui adressa un signe de tête. Wallander comprit qu'elle savait. Cette fois, il ne se retourna pas sur elle. Il alla aux toilettes, ferma la porte à clé. Le miroir au-dessus du lavabo était fissuré. Comme moi, pensa Wallander. Il se rinça le visage, s'essuya, contempla ses yeux rouges. La fissure coupait son reflet en deux.

Il s'assit sur la lunette. Au-delà de la honte de son geste et de la peur des conséquences, il éprouvait aussi autre chose. Ça ne lui était jamais arrivé avant. Il ne se rappelait pas avoir jamais manipulé son arme de service d'une manière contraire au règlement. Quand il la rapportait chez lui, il l'enfermait toujours dans l'armoire où il conservait également un fusil pour lequel il avait un permis et qu'il utilisait les rares fois où il accompagnait ses voisins à la chasse au lièvre. Ce qui s'était produit dépassait de beaucoup le simple fait d'avoir trop bu. C'était une *autre* forme d'oubli, qu'il ne reconnaissait pas. Comme une obscurité qu'il n'aurait eu aucun pouvoir d'éclairer.

Quand enfin il prit la direction du bureau du chef de police, il était resté au moins vingt minutes aux toilettes. Si Martinsson l'a prévenu tout à l'heure que j'arrivais, ils vont croire que je me suis tiré, pensa-t-il. Mais je n'en suis tout de même pas là.

Après deux chefs qui avaient été des femmes, Lennart Mattson était arrivé à Ystad l'année précédente. Il était jeune, quarante ans à peine, et avait fait une carrière éclair dans la bureaucratie dont étaient désormais issus la plupart de leurs supérieurs. Comme beaucoup de policiers actifs, Wallander considérait que ce type de recrutement augurait mal des capacités futures de la police à accomplir son travail. Pour ne pas arranger sa réputation, Mattson venait de Stockholm et avait tendance à se plaindre un peu trop de ses difficultés à comprendre le dialecte scanien. Wallander savait que certains collègues forçaient leur accent exprès dès qu'ils avaient affaire à Mattson. Lui ne participait pas à ces petits jeux cruels. Il avait juste décidé de garder ses distances et de ne pas se préoccuper de ce que fabriquait le chef tant que celui-ci ne se mêlait pas trop du travail policier proprement dit. Et, vu que Mattson paraissait éprouver un certain respect à son égard, Wallander n'avait jusqu'ici pas eu de problème avec lui.

Ce temps-là était révolu.

La porte du bureau était entrebâillée. Wallander frappa et la voix claire, presque aiguë, de Mattson lui cria d'entrer.

Ils prirent place dans le coin salon, aménagé tant bien que mal dans l'espace exigu du bureau. Mattson avait mis au point une technique qui consistait à ne jamais prendre la parole le premier, même si la réunion ou le rendez-vous avait lieu à son initiative. La rumeur racontait qu'un consultant de la direction centrale de la police était ainsi resté assis en silence pendant une demi-heure en compagnie de Mattson, après quoi il s'était levé, avait quitté la pièce et était rentré à la capitale.

Wallander pensa qu'il pourrait peut-être défier Mattson en gardant le silence, lui aussi. Mais la nausée empirait, il avait besoin de sortir prendre l'air le plus vite possible.

– Je n'ai aucune excuse ni aucune explication à fournir pour ce qui s'est passé, commença-t-il. C'est indéfendable, et je comprends bien que tu dois prendre les mesures qui s'imposent.

Mattson paraissait avoir préparé ses répliques car il démarra sans une seconde d'hésitation :

– Est-ce que cela t'était déjà arrivé auparavant ?

– D'oublier mon arme au restaurant ? Bien sûr que non !

– As-tu un problème avec l'alcool ?

Wallander fronça les sourcils. D'où Mattson pouvait-il bien tenir une idée pareille ?

– Je bois avec modération. Quand j'étais plus jeune, il m'arrivait de forcer un peu le week-end. Mais ça fait longtemps que j'ai arrêté.

– Hier pourtant tu es sorti te soûler. Un soir de semaine.

– Je ne me soûlais pas, je dînais.

– Une bouteille de vin et un cognac avec le café, sans compter les apéritifs…

– Si tu es déjà au courant, pourquoi me poses-tu la question ? Mais je n'appelle pas ça me soûler et je ne crois pas être le seul. Se soûler, c'est quand on s'envoie de l'aquavit dans le seul but de finir ivre mort.

Mattson parut réfléchir avant de passer à la question suivante. Wallander s'exaspérait de sa voix haut perchée et se demanda si l'homme assis en face de lui avait la moindre idée de ce que le travail de terrain pouvait impliquer comme expériences douloureuses pour un policier.

– Il y a une vingtaine d'années, tu as été arrêté par des collègues sur la voie publique alors que tu conduisais en état d'ivresse. Ils ont étouffé l'affaire et il n'y a pas eu de poursuites. Mais tu dois comprendre que je m'interroge sur un possible alcoolisme, que tu cacherais et qui viendrait d'avoir des conséquences fâcheuses.

Wallander ne se rappelait que trop bien cet incident. Il avait passé la soirée à Malmö, où il devait dîner avec Mona. C'était après le divorce, au cours d'une période où il s'imaginait encore pouvoir la convaincre de revenir. La soirée s'était finie en dispute et il l'avait vue partir à bord d'une voiture conduite par un inconnu. Sa jalousie s'était enflammée. Dans sa rage et son émotion, il avait perdu toute jugeote et pris le volant alors qu'il aurait dû aller à l'hôtel ou dormir dans sa voiture. À l'entrée d'Ystad, il avait été arrêté par une patrouille. Les collègues l'avaient ramené chez lui, avaient garé sa voiture et après cela – il ne s'était rien passé. L'un des deux policiers qui l'avaient arrêté cette nuit-là était mort, l'autre avait pris sa retraite. Pourtant, la rumeur de l'incident courait manifestement encore au commissariat. Cela le surprenait.

– Je ne nie pas les faits. Mais comme tu l'as souligné toi-même, c'était il y a vingt ans. Et je maintiens que je n'ai aucun problème d'alcoolisme. Quant aux raisons pour lesquelles je suis sorti de chez moi un soir de semaine, je considère que ça me regarde.

– Tu comprendras néanmoins que je suis obligé de prendre des mesures. Vu que tu as des congés en retard et pas de grosse affaire en cours, je propose que tu poses ta semaine. Il y aura une enquête. Je ne peux pas t'en dire plus.

Wallander se leva. Mattson resta assis.

– As-tu quelque chose à ajouter ?

– Non, dit Wallander. Je vais suivre tes consignes. Prendre une semaine de congé et rentrer chez moi.

– Ce serait bien que tu laisses ton arme ici.

– Je ne suis pas un imbécile. Quelle que soit ton opinion à ce sujet.

Wallander se rendit tout droit à son bureau récupérer sa veste. Puis il quitta le commissariat par le sous-sol et prit le volant pour rentrer chez lui. La pensée le traversa qu'il avait peut-être encore un taux d'alcoolémie non négligeable après les excès de la veille. Mais, dans la mesure où rien ne pourrait désormais aggraver son cas, il continua. Le vent s'était levé. Un vent cinglant qui soufflait du nord-est. Wallander frissonna en traversant la cour jusqu'à sa maison. Jussi sautait et bondissait dans le chenil. Mais Wallander n'avait pas la force de l'emmener en promenade. Il se déshabilla, se coucha et s'endormit. Au réveil, il était déjà midi. Il resta allongé, les yeux ouverts, à écouter le vent se déchaîner contre les murs.

La sensation d'anormalité revint. Une ombre qui serait tombée sur son existence. Comment avait-il pu ne pas remarquer l'absence de son arme, sinon hier soir en rentrant, du moins ce matin au réveil ?

C'était comme si quelqu'un avait agi à sa place, en débranchant son cerveau pour l'empêcher de savoir ce qui s'était produit.

Il se leva, s'habilla et essaya de manger, malgré la nausée persistante. Il fut tenté de se verser un verre de vin, mais résista. Il lavait la vaisselle quand le téléphona sonna.

– J'arrive, dit la voix de Linda. Je vérifiais juste que tu étais chez toi.

Elle raccrocha sans lui laisser le temps de répondre. Vingt minutes plus tard, elle frappait à la porte. La petite dormait dans ses bras. Elle la déposa sur un fauteuil, puis s'assit en face de son père sur le canapé de cuir marron – acheté avec Mona l'année de leur emménagement à Ystad. Kurt voulut parler du bébé, mais Linda le devança ; il y avait un sujet plus urgent.

– J'ai appris la nouvelle, mais j'ai l'impression de ne rien savoir. Alors ?

– C'est Martinsson qui te l'a dit ?

– Il m'a appelée après t'avoir parlé ce matin. Il était très malheureux.

– Moins que moi.

– Vas-y. Raconte-moi ce que je ne sais pas.

– Si tu es venue pour me faire subir un interrogatoire, tu peux repartir.

– Je veux juste *savoir*. Tu es la dernière personne de la part de qui j'attendrais un comportement pareil.

– Ça suffit maintenant ! Il n'y a quand même pas mort d'homme. Il n'y a même pas de blessé. Et on peut s'attendre à n'importe quoi de la part de n'importe qui. J'ai vécu assez longtemps pour le savoir.

Puis il lui raconta toute l'histoire, depuis l'agitation qui l'avait poussé à reprendre sa voiture jusqu'à la conclusion, à savoir qu'il n'avait aucune idée de la raison pour laquelle il avait empoché son arme au moment de sortir. Quand il eut fini, elle garda un long silence.

– Je te crois, dit-elle ensuite. En fait, tout ce que tu me racontes me confirme que tu es beaucoup trop seul. Alors, quand tu perds les pédales, il n'y a personne pour te calmer et t'empêcher de faire des bêtises. Mais c'est autre chose qui me turlupine.

– Quoi ?

– Est-ce que tu m'as vraiment tout dit ?

Wallander hésita, faillit lui parler de cette sensation étrange qu'il avait, d'une ombre intérieure qui tombait sur lui. En définitive, il secoua la tête. Il n'y avait rien à ajouter.

– Que va-t-il se passer ? demanda-t-elle. Je ne sais plus bien quelle est la procédure quand on a fait une boulette.

– Il y aura une enquête interne. Je n'en sais pas plus.

– Est-ce qu'on peut t'obliger à démissionner ?

– Je suis sans doute trop vieux pour ça. Et ce que j'ai fait n'est tout de même pas la pire faute qu'on puisse commettre. Mais ils exigeront peut-être que je prenne ma retraite.

– Ça pourrait être agréable, non ?

Wallander, qui croquait distraitement une pomme, balança le trognon contre le mur.

– Ce n'est pas toi qui disais à l'instant que mon problème était la solitude ? Comment ça va se passer, à ton avis, si on m'oblige à partir ? Je n'aurai plus rien alors !

Ses rugissements avaient réveillé la petite.

– Je suis désolé, dit-il.

– Tu as peur. Mais je te comprends. Moi aussi, j'aurais peur à ta place. Je ne crois pas qu'il faille s'excuser de ça.

Linda resta jusqu'au soir. Elle lui prépara à dîner et ils ne parlèrent plus de ce qui s'était passé. Kurt la raccompagna jusqu'à sa voiture, sous le vent froid qui soufflait encore par rafales.

– Ça va aller ? demanda-t-elle.

– Je survivrai. Mais je suis content que tu me poses la question.

Le lendemain, Wallander fut appelé au téléphone par Lennart Mattson, qui voulait le revoir le jour même. Au cours de cette entrevue il fut présenté au responsable de l'enquête interne, venu de Malmö et qui allait l'interroger.

– Au moment qui te conviendra, dit l'enquêteur qui s'appelait Holmgren et qui avait l'âge de Wallander.

– Allons-y tout de suite. Pourquoi attendre ?

Ils s'enfermèrent dans l'une des petites salles de réunion du commissariat. Wallander s'efforça d'être exact, de ne pas s'excuser, de ne pas se chercher de circonstances atténuantes. Holmgren prenait des notes en lui demandant de temps à autre de revenir en arrière et de préciser une réponse avant de poursuivre. Wallander pensa que si les rôles avaient été inversés, l'interrogatoire se serait déroulé de la même manière. Une bonne heure plus tard, c'était fini. Holmgren posa son stylo et considéra Wallander non comme un criminel qui serait passé aux aveux, mais comme quelqu'un qui vient de se mettre dans de beaux draps. On aurait presque cru qu'il lui présentait ses condoléances.

– Tu n'as pas tiré. Tu as oublié ton arme de service, en état d'ivresse, dans un lieu public. C'est grave, c'est sûr, mais tu n'as pas commis de délit à proprement parler. Tu n'as molesté personne, tu ne t'es pas laissé soudoyer, tu ne t'es pas rendu coupable de harcèlement moral.

– Je ne vais pas être renvoyé, alors ?

– Je ne le crois pas. Mais ce n'est pas moi qui décide.

– Quel est ton pronostic ?

– Je ne suis pas devin. Tu verras bien le moment venu.

Holmgren commença à rassembler ses papiers en les rangeant avec soin dans sa serviette au fur et à mesure. Soudain il s'interrompit.

– Évidemment, il vaudrait mieux que ça ne s'ébruite pas. Quand les médias s'en mêlent, ça envenime toujours la situation.

– Je crois que ça va aller. Rien n'a filtré jusqu'à présent ; c'est sans doute le signe qu'il n'y aura pas de fuite.

Mais il se trompait. Le jour même, on frappa à sa porte. Wallander, qui se reposait, alla ouvrir, croyant que c'était son voisin, et fut aussitôt aveuglé par un flash. À côté du photographe se tenait une journaliste qui se présenta sous le nom de Lisa Halbing, et dont le sourire lui parut d'emblée complètement artificiel.

– On peut parler ?

Son ton était à la fois agressif et plein d'insinuation.

– Parler de quoi ? voulut savoir Wallander, qui avait déjà mal au ventre.

– À ton avis ?

– Aucune idée.

Le photographe fit une série entière de portraits. L'impulsion première de Wallander avait été de l'assommer d'un coup de poing. Au lieu de cela, il lui fit promettre de ne prendre aucune photo de lui à l'intérieur de la maison – c'était son domicile privé, après tout. Après que le photographe et Lisa Halbing se furent tous deux engagés à respecter cette demande, il les fit entrer et asseoir dans sa cuisine. Il leur servit du café et le reste d'une génoise offerte quelques jours plus tôt par une de ses voisines, qui passaient leur temps à confectionner des gâteaux.

– Quel journal ? demanda-t-il quand le café fut sur la table. J'ai oublié de vous poser la question.

– J'aurais dû le préciser tout de suite, répondit Lisa Halbing.

La jeune femme – la trentaine – était très maquillée et portait une chemise ample pour masquer son surpoids. Son visage rappelait un peu celui de Linda, même si Linda ne se serait jamais maquillée de cette façon.

– Je travaille en free lance pour plusieurs journaux. Quand j'ai une bonne histoire, je choisis celui qui paie le mieux.

– Et en ce moment, la bonne histoire, c'est moi ?

– Sur une échelle entre un et dix, tu vaux, disons, un petit quatre.

– Et si j'avais abattu le serveur ?

– Dans ce cas, tu aurais été un dix parfait. Tu aurais occupé toute la une, en grandes lettres bien noires.

– Qui t'a informée ?

Le photographe tripotait son appareil, mais respectait pour l'instant sa promesse. Lisa Halbing continuait d'afficher son sourire froid.

– Tu comprends bien que je n'ai pas l'intention de répondre à cette question.

– Bien sûr. J'imagine que c'est le serveur.

– Figure-toi que non. Mais je n'en dirai pas plus.

Après coup, il pensa que ce devait être l'un de ses collègues. Ce pouvait être n'importe qui, peut-être même Lennart Mattson en personne. Ou pourquoi pas l'enquêteur de Malmö… Combien l'informateur avait-il touché en échange de son tuyau ? Pendant toutes ces années où il avait travaillé dans la police, les fuites avaient posé un perpétuel problème. Mais jamais encore il n'était arrivé qu'il en soit la cible. Pour sa part, il n'avait jamais pris contact avec le moindre journaliste et n'avait jamais entendu dire que ç'ait été le cas de ses plus proches collaborateurs. Mais qu'en savait-il réellement ? Avec certitude ? La réponse était simple : rien du tout.

Dans la soirée, il appela Linda pour la prévenir de ce qu'elle allait découvrir le lendemain dans le journal.

– Tu leur as dit la vérité ?

– Personne ne pourra m'accuser d'avoir menti.

– Alors il n'y a pas de problème. C'est le mensonge qu'ils cherchent. Ça fera du bruit, mais il n'y aura pas de lynchage.

Il dormit mal cette nuit-là. Le lendemain, il attendit la sonnerie du téléphone. Mais il ne reçut que deux appels – le premier de Kristina Magnusson, qui se déclara indignée du cas qu'on faisait de l'affaire, et le second, un peu plus tard, de Lennart Mattson.

– C'est malheureux que tu aies jugé bon de t'exprimer dans les médias, commença-t-il sur un ton sentencieux.

Wallander sortit de ses gonds.

– Et qu'aurais-tu fait à ma place ? Avec un photographe et une journaliste sur le pas de ta porte, qui savent déjà tout dans les moindres détails et qui n'ont aucune intention de s'en aller ? Tu leur aurais claqué la porte au nez ? Tu leur aurais raconté des bobards ?

– Je croyais que tu étais à l'initiative de cet article…

– Alors tu es plus bête que je ne le pensais.

Il raccrocha brutalement et arracha la fiche du téléphone. Puis il appela Linda sur son portable et lui dit qu'elle devait désormais utiliser ce numéro-là si elle voulait le joindre.

– Viens avec nous, proposa-t-elle.

– Où ça ?

Elle parut surprise.

– Je ne te l'ai pas dit ? On part pour Stockholm. Le père de Hans fête ses soixante-quinze ans. Tu es le bienvenu.

– Non. Je reste. Je ne suis pas d'humeur à faire la fête. Ça suffit avec ma soirée calamiteuse de l'autre jour.

– On part après-demain. À toi de voir.

En se couchant ce soir-là, Wallander était encore persuadé qu'il n'irait nulle part. Mais, au matin, il avait changé d'avis. Les voisins pourraient s'occuper de Jussi. Ce n'était peut-être pas une mauvaise idée de se rendre invisible pendant quelques jours.

Le lendemain, il prit l'avion pour Stockholm ; Linda et Hans montaient, eux, en voiture avec la petite. Une fois dans la capitale, il choisit un hôtel en face de la gare centrale. En feuilletant les tabloïds, il vit que son histoire occupait déjà une place très anecdotique. La sensation du jour, c'était un hold-up d'une audace spectaculaire, commis contre une banque de Göteborg par quatre malfaiteurs portant des masques à l'effigie du groupe ABBA. À contrecœur, il adressa une pensée reconnaissante aux bandits.

Cette nuit-là, dans son lit d'hôtel, il dormit d'un sommeil inhabituellement paisible.

4

La fête d'anniversaire de Håkan von Enke devait avoir lieu à Djursholm, banlieue chic de Stockholm, où une salle avait été réservée pour l'occasion. Wallander n'avait jamais mis les pieds là-bas. Pour ce qui était de la « tenue exigée », Linda lui avait assuré qu'il pouvait parfaitement se contenter de son costume habituel. Håkan von Enke détestait les smokings et les queues-de-pie, dit-elle, mais en revanche il adorait les uniformes ; il en avait eu toute une panoplie au cours de sa longue carrière d'officier de marine. Donc, dit-elle, si le cœur lui en disait, il pouvait enfiler son uniforme de policier. Mais il avait opté pour le costume. Vu sa situation, l'uniforme ne lui semblait pas très indiqué.

Pourquoi diable avoir accepté cette invitation ? Il avait médité cette question dans l'avion, puis à bord du train express entre l'aéroport d'Arlanda et la gare centrale. Peut-être aurait-il mieux fait de partir ailleurs. De temps à autre, il lui arrivait de s'échapper pour de brefs séjours à Skagen, au Danemark, où il aimait errer sur les plages, visiter le musée des Beaux-Arts et paresser dans l'une ou l'autre des pensions de famille où il avait ses habitudes depuis plus de trente ans. C'était là qu'il s'était réfugié à l'époque où il avait envisagé de quitter la police.

Enfin, bref. Il était à Stockholm maintenant, et il allait participer à cette fête.

Ce soir-là, dès son arrivée à Djursholm, Håkan von Enke vint l'accueillir et le prit pour ainsi dire en remorque. Il paraissait sincèrement heureux de le voir. Au dîner, il se vit placé à la table d'honneur, entre Linda à sa gauche, et la veuve d'un contre-amiral à sa droite. L'amirale, qui s'appelait Hök, avait quatre-vingts ans bien sonnés, portait un appareil auditif et ingurgitait tout ce qu'on versait dans les nombreux verres disposés devant elle. Dès les hors-d'œuvre, elle se lança dans une série d'histoires légèrement scabreuses. Il la trouva intéressante, d'autant plus lorsqu'il apparut que l'un de ses six enfants était un expert médico-légal de Lund qu'il avait eu l'occasion de rencontrer à quelques reprises et qui lui avait fait bonne impression. Les toasts furent nombreux mais d'une brièveté exemplaire – *militairement* exemplaire, pensa Wallander. Le *toastmaster* était un certain capitaine de frégate Tobiasson, dont il se surprit à apprécier les traits d'humour. Quand l'amirale se taisait à cause d'un dysfonctionnement momentané de son appareil auditif, il en profitait pour réfléchir au scénario possible de son propre anniversaire, si jamais il devait arriver jusqu'à l'âge de soixante-quinze ans. Qui viendrait à la fête ? À supposer qu'il décide d'en organiser une ? Linda lui avait raconté que l'idée de louer un local venait de Håkan et, d'après ce qu'avait cru comprendre Wallander, cette initiative avait surpris au moins une personne : son épouse, Louise. Jusque-là, il avait en effet toujours tenu ses propres anniversaires dans le plus grand mépris. Et voilà qu'il organisait un banquet.

Le café fut servi dans un salon voisin au confort étudié. Wallander en profita pour aller étirer ses membres dans la véranda. Un vaste jardin entourait la bâtisse, autrefois habitée par l'un des premiers grands capitaines d'industrie suédois.

Il tressaillit quand Håkan von Enke se matérialisa soudain à ses côtés. Puis il constata que le capitaine tenait à la main une vieille pipe d'écume – accessoire qu'il croyait disparu. Il reconnut le paquet de tabac, de la marque Hamiltons Blandning. Au cours d'une brève période à la fin de son adolescence, il avait lui aussi fumé la pipe, avec ce même tabac.

– L'hiver approche, dit Håkan von Enke. La météo annonce une tempête de neige.

Il se tut et contempla le ciel noir avant de poursuivre :

– Quand on est à bord d'un sous-marin en plongée profonde, toute notion de météo disparaît. C'est un grand calme, une mer d'huile des profondeurs. Dans la Baltique, à condition que ça ne souffle pas trop en surface, il suffit de descendre à vingt-cinq mètres. En mer du Nord, c'est plus compliqué. Je me rappelle une fois, après avoir quitté l'Écosse sous la tempête, nous avions quinze degrés de gîte par trente mètres de fond. Ce n'était pas très agréable.

Il finit de bourrer sa pipe, l'alluma et dévisagea Wallander d'un regard aigu.

– Je t'ennuie peut-être ?

– Non. Mais les sous-marins sont pour moi un univers inconnu. Et effrayant, devrais-je ajouter.

Le capitaine de frégate aspira goulûment la fumée de sa pipe.

– Soyons francs, dit-il. Cette fête nous ennuie autant l'un que l'autre. Tout le monde croit que c'est moi qui l'ai organisée, et c'est vrai, mais c'était pour répondre à la demande de certains de mes amis. Je propose que nous allions nous cacher dans l'un des petits salons. Tôt ou tard, ma femme partira à ma recherche, mais d'ici là nous aurons la paix.

– Ne vont-ils pas se poser des questions ?

– C'est comme une pièce de théâtre. Le personnage principal ne doit pas toujours être sur scène, son absence favorise le suspense. L'un des moments forts de l'intrigue peut parfaitement se dérouler en coulisse.

Il se tut. Avec une brusquerie déconcertante, pensa Wallander. Le regard de Håkan von Enke semblait s'être arrêté sur quelque chose dans son dos. Il se retourna, vit le jardin et, au-delà, une petite route comme il y en avait beaucoup à Djursholm, qui rejoignait tôt ou tard les grands axes en direction de la capitale. Un homme se tenait derrière la clôture, sous un lampadaire, à côté d'une voiture dont le moteur tournait à vide. Les gaz d'échappement montaient en se dissolvant dans la lumière jaune.

Wallander crut percevoir une vive inquiétude chez von Enke.

– Un des petits salons, répéta celui-ci. On emporte nos cafés et on ferme la porte.

En quittant la véranda, Wallander se retourna une fois de plus. L'homme avait disparu. Peut-être quelqu'un qu'il a oublié d'inviter à la fête, pensa-t-il. En tout cas, il n'était pas là pour moi. Ce n'était pas un journaliste qui voulait me parler d'armes abandonnées ici ou là.

Ils allèrent chercher les cafés et von Enke le conduisit dans une petite pièce lambrissée meublée de fauteuils en cuir. Il nota que la pièce n'avait pas de fenêtre. Håkan von Enke avait suivi son regard.

– Oui, ça ressemble à un bunker. Il y a une explication. Dans les années 30, la maison a appartenu à un homme qui possédait de nombreuses boîtes de nuit à Stockholm, illégales pour la plupart. Chaque nuit, ses hommes de main faisaient le tour pour récupérer la caisse, qui était ensuite apportée ici même. Cette pièce contenait autrefois un grand coffre-fort. Ses comptables effectuaient leurs calculs et notaient le résultat dans leurs colonnes avant de mettre les liasses à l'abri. Quand le propriétaire a été arrêté, il a fallu forcer le coffre. Si mes souvenirs sont bons, l'homme s'appelait Göransson. Il a écopé d'une longue peine qu'il a eu du mal à supporter. Il s'est pendu dans sa cellule de Långholmen.

Il se tut, goûta son café, suçota sa pipe éteinte. Au même instant, dans la pièce dont les murs aveugles ne laissaient filtrer que la lointaine rumeur de la fête, Wallander crut comprendre que Håkan von Enke avait peur. Il avait connu ça tant de fois dans sa vie – l'individu aux abois, guettant un danger imaginaire ou réel. Il était certain de ne pas se tromper.

La conversation commença de façon tâtonnante. Von Enke voulait manifestement parler du temps où il était encore officier d'active.

– L'automne 1980, dit-il. C'est très loin maintenant, le temps d'une génération, vingt-huit longues années. Que faisais-tu à l'époque ?

– J'étais déjà policier à Ystad. Linda était encore petite. J'avais voulu me rapprocher de mon père qui devenait vieux, et je pensais aussi que l'environnement serait plus sain pour elle. C'est en tout cas l'une des raisons pour lesquelles nous avons quitté Malmö. Ce que ça a donné par la suite, c'est une autre histoire.

Von Enke ne paraissait pas l'écouter. Quand Wallander se tut, il reprit aussitôt son propre fil.

– Moi, j'étais en poste à la base de Muskö. Deux ans plus tôt, j'avais quitté le commandement de l'un de nos meilleurs sous-marins de la classe *Sjöormen* – le Serpent de mer. Chez les sous-mariniers, on ne disait jamais que « le Serpent ». La base navale était pour moi une affectation provisoire. Je voulais retourner en mer, mais leur idée était de me faire entrer dans le commandement opérationnel de toute la défense maritime suédoise. En septembre, le pacte de Varsovie a lancé de grandes manœuvres au large des côtes est-allemandes et dans le golfe de Poméranie. MILOBALT, tel était le nom de l'exercice, je m'en souviens. Cela n'avait rien de surprenant ; ils avaient l'habitude de démarrer leurs manœuvres d'automne en même temps que nous les nôtres. Mais le nombre de bâtiments impliqués était inhabituellement élevé, vu qu'ils s'entraînaient à la fois au débarquement et au sauvetage de sous-marins, ainsi que nous avions réussi à l'apprendre sans trop de difficulté. L'Institut national de défense radio nous avait signalé un important trafic de signaux radio entre les bâtiments de guerre russes et leur base navale de Leningrad. Mais tout était normal ; on les surveillait d'un œil et on notait dans nos livres de bord ce qui nous paraissait digne d'intérêt. Puis arriva ce fameux jeudi – le 18 septembre 1980. Cette date est sans doute la dernière que j'oublierai. Celle où l'officier de quart d'un remorqueur des forces de surveillance côtière, *HMS Ajax*, nous a informés qu'il venait de détecter la présence d'un sous-marin étranger dans nos eaux. Je me trouvais à la base, dans l'une des salles des cartes, à la recherche d'une carte plus détaillée de l'ensemble des côtes de la RDA, quand j'ai vu un appelé arriver en coup de vent, très nerveux et incapable de m'expliquer ce qui s'était produit. Je suis retourné au centre de commandement et j'ai pris la communication avec l'officier de quart de l'*Ajax*. C'est alors que celui-ci m'a dit avoir vu surgir dans ses jumelles, à trois cents mètres, les antennes du sous-marin. Quinze secondes plus tard, le sous-marin avait plongé. L'officier, un type dégourdi, a dit qu'il naviguait vraisemblablement à faible profondeur d'immersion lorsqu'il avait découvert le remorqueur. Lors de l'incident, l'*Ajax* se trouvait au sud de l'île de Huvudskär et le sous-marin faisait route vers le sud-ouest, autrement dit, il naviguait parallèlement à la limite des eaux territoriales suédoises. Mais *côté suédois*, sans l'ombre d'un doute. J'ai essayé de voir si nous avions des sous-marins dans les parages. Ce n'était pas le cas. J'ai établi un nouveau contact avec l'*Ajax* et demandé à l'officier de quart s'il pouvait me décrire le mât ou le périscope qu'il avait vu. D'après ses explications, j'ai compris qu'il s'agissait d'un sous-marin de la classe que les pays de l'OTAN appelaient *Whiskey*. Et ceux-ci étaient utilisés à l'époque uniquement par les Russes et les Polonais. Mon pouls s'est accéléré, tu imagines. Mais j'avais deux autres questions.

Von Enke se tut, comme s'il attendait que Wallander lui dise quelles questions avaient occupé son esprit en cet instant. Celui-ci entendit des rires insouciants derrière la porte ; puis un bruit de pas qui s'éloignaient.

– Sans doute te demandais-tu s'il était là par erreur, dit Wallander. Comme on l'avait affirmé l'année précédente pour cet autre sous-marin russe qui s'était échoué dans l'archipel de Karlskrona.

– J'avais déjà répondu à cette question. Aucun bâtiment de marine de guerre n'est aussi précis dans sa navigation que l'est un sous-marin. C'est une évidence. Celui qu'avait repéré l'*Ajax* était là de façon intentionnelle. Mais *quelle* était cette intention ? Voir s'il était possible de passer inaperçu en semi-immersion ? Dans ce cas, l'équipage ne s'était pas montré suffisamment vigilant. Mais il y avait une autre possibilité.

– Qu'il souhaitait être découvert ?

Von Enke acquiesça en silence et entreprit une fois de plus de rallumer sa pipe.

– Dans ce cas, reprit-il, il ne pouvait pas mieux tomber que sur un remorqueur. Ce type de bâtiment n'a absolument rien pour attaquer, pas même un lance-pierres. Et pas davantage un équipage formé à l'engagement. Je devais prendre une décision. J'ai appelé le chef de l'état-major. Il était de mon avis : nous devions sans tarder faire intervenir un hélicoptère équipé pour la lutte anti-sous-marine. Le sonar de l'hélicoptère a réussi à établir le contact avec un objet mobile que nous avons identifié comme étant un sous-marin. Pour la première fois de ma carrière, j'ai dû commander le feu ailleurs que dans le cadre d'un exercice. L'hélicoptère a largué une charge d'avertissement. Mais ensuite le sous-marin a disparu. Nous avons perdu le contact.

– Comment a-t-il pu disparaître ?

– Les sous-marins ont bien des façons de se rendre invisibles. Ils peuvent se coucher dans des failles en eaux profondes, au ras de parois rocheuses, ils peuvent égarer leurs poursuivants en dressant un mur sonore. On a fait venir d'autres hélicoptères, mais on ne l'a jamais retrouvé.

– N'avait-il pas pu être touché ?

– Les choses ne se passent pas ainsi. D'après les conventions internationales, la première charge se limite toujours à un avertissement. Ensuite seulement, on est en droit de contraindre le sous-marin à faire surface pour identification.

– Qu'est-il arrivé alors ?

– Pour te répondre en un mot : rien. Il y a eu une enquête. On a estimé que j'avais bien agi. Peut-être était-ce le prélude à ce qui allait arriver peu après, quand les sous-marins ont commencé à pulluler dans les eaux suédoises. L'archipel de Stockholm en particulier. Le plus important, sans doute, était la confirmation que l'intérêt des Russes pour nos eaux restait aussi grand qu'il l'avait toujours été. Tout cela se passait à une époque où personne ne croyait que le mur de Berlin tomberait un jour, encore moins que l'Union soviétique puisse s'écrouler. On a tendance à l'oublier. La guerre froide n'était pas finie. Après ce qu'on a appelé par la suite « l'incident d'Utö », la marine a vu son budget s'accroître. Mais c'est bien le tout.

Il se tut et vida sa tasse de café. Wallander allait se lever quand von Enke reprit la parole :

– Je n'ai pas fini. Deux ans plus tard, rebelote. J'étais entre-temps monté en grade jusqu'à faire partie du haut commandement de la marine suédoise, dont le quartier général était la base navale de Berga, où un état-major opérationnel se relayait vingt-quatre heures sur vingt-quatre. L'inimaginable s'est produit le 1er octobre. Différents signes indiquaient la présence d'un ou de plusieurs sous-marins dans le détroit de Hårsfjärden, à proximité immédiate de notre base de Muskö. Alerte générale. Il ne s'agissait plus simplement d'une atteinte à l'intégrité du territoire ; les bâtiments étrangers s'étaient cette fois introduits au cœur de la zone interdite. Tu te souviens de l'affaire, je suppose ?

– Les journaux ne parlaient que de ça. Les rochers de l'archipel grouillaient de reporters télé.

– Je ne sais pas à quoi comparer l'événement. Imagine des hélicoptères étrangers atterrissant dans la cour intérieure du palais royal à Stockholm. Voilà l'effet que ça nous a fait, de savoir ces sous-marins à proximité immédiate de nos installations militaires les plus protégées.

– Moi, je ne sais plus très bien ce que je faisais à l'automne 1982.

Soudain la porte s'ouvrit. Von Enke sursauta et Wallander eut le temps de percevoir le geste de sa main droite – elle reprit aussitôt sa position initiale – vers la poche intérieure de sa veste. C'était une femme ivre, qui cherchait les lavabos. Elle s'excusa, referma la porte, et ils furent de nouveau seuls.

– On était donc en octobre, reprit von Enke. À certains moments, on aurait cru que toute la côte suédoise était attaquée par des sous-marins non identifiés. J'étais soulagé de ne pas être l'officier chargé des contacts avec la meute qui avait envahi Berga. Des journalistes partout, partout. Nous avons dû convertir deux chambrées en salle de presse. Pour ma part, je n'avais qu'un seul objectif, mais il me mobilisait en permanence : c'était de capturer les maudits sous-marins. À moins de contraindre ne serait-ce que l'un d'entre eux à faire surface, nous allions perdre toute crédibilité. Arriva enfin le soir où nous réussîmes à en encercler un dans le détroit de Hårsfjärden. Il n'y avait pas le moindre doute, le sous-marin était bel et bien là, tous les membres de l'état-major étaient d'accord, et c'était à moi, en dernier recours, qu'incombait la décision de faire feu. Au cours de ces heures fiévreuses, j'ai parlé à plusieurs reprises à la fois au chef de l'état-major et au ministre de la Défense, qui venait d'être nommé à son poste. Il s'appelait Börje Andersson, tu t'en souviens peut-être. Originaire de Borlänge.

– J'ai un vague souvenir qu'on le surnommait Börje le Rouge.

– C'est bien ça. Mais il n'a pas tenu le coup. Il a dû penser, avec raison, qu'il était tombé dans un cauchemar. Il est retourné chez lui en Dalécarlie, et à sa place on a eu Anders Thunborg. Le nouveau ministre de la Défense était un proche de Palme. Nombreux étaient ceux de mes collègues qui s'en défiaient. Pour ma part, les contacts que j'ai eus avec lui étaient bons. Il ne se mêlait pas de notre travail. Il posait des questions et, pour peu qu'on lui fournisse des réponses, il était satisfait. Mais une fois, lors d'un de ses appels, j'ai eu le sentiment que Palme se trouvait dans les parages immédiats, dans la même pièce que lui, à ses côtés. Je ne sais pas si c'est vrai. Mais mon sentiment était très net.

– Que s'est-il passé ?

Håkan von Enke eut une imperceptible grimace – comme agacé d'être interrompu. Puis il reprit d'une voix égale :

– Nous avions attiré le sous-marin dans un endroit où il ne pouvait plus manœuvrer sans notre permission. J'ai dit, en substance, au chef de l'état-major : « Maintenant on l'oblige à remonter. » Nous avions besoin d'une heure pour finaliser les préparatifs, et ensuite nous ferions voir au reste du monde quel était ce sous-marin étranger qui opérait en eaux suédoises. Une demi-heure est passée. Les aiguilles se déplaçaient avec une lenteur insupportable. J'étais en contact permanent avec les hélicoptères et les bâtiments de surface qui faisaient cercle autour du sous-marin. Quarante-cinq minutes s'étaient à présent écoulées. L'instant fatidique approchait. C'est alors que ça s'est produit.

Von Enke s'interrompit brusquement et quitta la pièce. Wallander se demanda s'il avait été pris d'un malaise. Mais le capitaine de frégate revint après quelques minutes avec deux verres de cognac.

– Il fait froid, dit-il. C'est la nuit, c'est l'hiver, nous avons besoin de nous réchauffer. J'ai l'impression que nous ne manquons à personne, là-bas. Alors nous pouvons continuer à nous cacher un petit moment encore dans cette ancienne chambre forte.

Wallander attendait la suite. Ces vieilles histoires de sous-marins n'étaient peut-être pas absolument fascinantes, mais il préférait la compagnie de von Enke à l'obligation de faire la conversation à des inconnus.

– C'est alors que ça s'est produit, répéta von Enke. Quatre minutes exactement avant le lancement de l'opération, le téléphone qui nous reliait au commandement en chef a sonné. À ma connaissance, c'était l'un des rares téléphones dont on pouvait être sûr qu'ils n'étaient pas sur écoute et qui incluaient par-dessus le marché un déformateur de voix automatique. J'ai reçu un message que je n'attendais pas du tout. Tu devines lequel ?

Wallander fit non de la tête tout en réchauffant son verre de cognac entre ses mains.

– Nous avons reçu l'ordre de tout arrêter. Je n'en croyais pas mes oreilles. J'ai exigé des explications. Mais je n'ai rien obtenu. Seulement cet ordre direct de ne lancer aucune charge sous-marine. Je ne pouvais rien faire d'autre qu'obéir. Quand l'ordre est parvenu aux hélicoptères, il ne restait que deux minutes avant le déclenchement de l'opération. Aucun de nous, à Berga, ne comprenait ce qui avait pu se passer. Ensuite, il s'est écoulé exactement dix minutes avant l'ordre suivant. Qui était, si possible, encore plus invraisemblable. À croire que nos dirigeants avaient été frappés de démence. Nous devions nous replier.

Wallander écoutait avec un intérêt croissant.

– Quoi, vous deviez laisser filer le sous-marin ?

– Personne n'a évidemment formulé la chose ainsi. L'ordre n'était pas explicite à ce point, tu t'en doutes. Non, nous devions concentrer nos forces sur un autre secteur à la limite du détroit de Hårsfjärden, au sud de la passe du Danziger Gatt. Un hélicoptère aurait obtenu un contact sonar avec un autre sous-marin là-bas. Savoir pourquoi celui-là était soudain plus important que celui que nous tenions à notre merci ? Mystère total. Nous ne comprenions rien. J'ai demandé à parler personnellement au chef d'état-major des armées, mais on m'a dit qu'il était occupé et ne pouvait être joint. Ce qui était très surprenant dans la mesure où il avait au départ donné le feu vert à l'opération qu'on venait d'interrompre. J'ai essayé d'avoir en ligne le ministre de la Défense ou au moins son directeur de cabinet. Brusquement, tout le monde avait disparu, ou débranché son téléphone, ou reçu l'ordre de se taire. Le chef d'état-major et le ministre de la Défense *contraints de se taire* ? Mais de qui pouvait émaner un ordre pareil ? Il n'y avait que deux possibilités. Soit le gouvernement. Soit le seul Premier ministre. J'ai contracté un sérieux mal de ventre au cours de ces heures-là. Je ne comprenais pas les ordres reçus. Interrompre l'opération, cela allait à l'encontre non seulement de toute mon expérience, mais aussi de mon instinct. Il s'en est fallu d'un cheveu que je ne passe outre. Refus d'obéissance. Dans ce cas, ma carrière militaire aurait été terminée. Mais il faut croire qu'il me restait encore un grain de bon sens. Nous avons donc déplacé nos hélicoptères ainsi que deux bâtiments de surface en direction du Danziger Gatt. J'ai demandé qu'au moins un hélicoptère reste en vol stationnaire au-dessus de l'endroit où nous avions identifié la présence du sous-marin. Mais cela m'a été refusé. Nous devions quitter les lieux, et cela immédiatement. Ce que nous avons fait. Avec le résultat qu'on pouvait escompter.

– À savoir ?

– Que nous n'avons naturellement établi aucun contact sonar avec le moindre sous-marin du côté du Danziger Gatt. Nous avons persévéré toute la soirée et toute la nuit. Je me demande encore combien de milliers de litres de carburant ont été gaspillés cette nuit-là pour maintenir les hélicoptères en vol.

– Qu'est-il arrivé au sous-marin que vous aviez repéré ?

– Il a disparu.

Wallander réfléchit à ce qu'il venait d'entendre. Autrefois, dans un passé lointain, il avait effectué son service militaire à Skövde, dans un régiment de blindés. Il s'en souvenait non sans malaise. En passant son conseil de révision il avait demandé la marine ; résultat, on l'avait placé en Gothie occidentale. Il n'avait jamais eu de mal à accepter la discipline, mais la plupart des ordres qu'on leur demandait d'exécuter à la manœuvre lui paraissaient incompréhensibles. Souvent, c'était comme si les circonstances et le hasard décidaient de tout, alors même qu'ils étaient censés être impliqués dans un engagement mortel avec l'ennemi.

Von Enke finit son cognac.

– J'ai commencé à poser des questions sur ce qui s'était passé ce soir-là. Je n'aurais pas dû. J'ai vite constaté que ce n'était pas très bien vu. Les gens s'esquivaient. Même certains de mes collègues officiers que je comptais parmi mes amis n'appréciaient guère ma curiosité et me le laissaient entendre. Moi, je voulais juste savoir pourquoi il y avait eu ce contrordre. Nous étions ce soir-là, je l'affirme encore, plus proches que nous ne l'avons jamais été, que ce soit avant ou après, de la possibilité d'identifier un sous-marin de façon irréfutable. Deux minutes. Pas plus. Au début, je n'étais pas seul à en éprouver de la colère et de l'incrédulité. Un autre capitaine de frégate du nom d'Arosenius ainsi qu'un analyste de l'état-major – des membres de l'équipe qui étaient aux manettes ce soir-là – s'interrogeaient également. Mais il n'a fallu que quelques semaines avant qu'eux aussi ne prennent leurs distances. Ils ne voulaient plus avoir affaire à moi et à mes questions indiscrètes. Et un jour ça s'est terminé, y compris pour moi.

Von Enke posa son verre et se pencha vers Wallander.

– Je n'ai rien oublié. J'essaie encore aujourd'hui de découvrir ce qui a bien pu se passer, et pas seulement lorsque nous avons sciemment laissé un sous-marin nous échapper. Non, je repense à tout ce qui s'est produit tout au long de ces années-là. Et je crois que je commence enfin à comprendre.

– Quoi, la raison pour laquelle on ne vous a pas laissés identifier le sous-marin ?

Von Enke hocha lentement la tête, alluma une fois de plus sa pipe, mais ne répondit pas. Wallander se demanda si l'histoire qu'il venait d'entendre allait rester inachevée.

– Tu comprendras ma curiosité, dit-il. Quelle était l'explication ?

Von Enke eut un geste dissuasif.

– Il est trop tôt pour que j'en parle. Je touche au but, mais pour l'instant je n'ai rien à ajouter. Il vaut peut-être mieux que nous retournions auprès des invités.

Ils se levèrent et quittèrent le petit salon. En se dirigeant vers la véranda, Wallander tomba nez à nez avec la femme qui avait interrompu leur échange un peu plus tôt, et cela lui rappela le geste qu'avait eu von Enke à son entrée, ce mouvement rapide, aussitôt interrompu, de la main droite, que Wallander lui-même avait presque oublié mais qui lui revenait à présent à la vue de cette femme.

Cela avait beau paraître invraisemblable, la seule explication qu'il voyait à ce geste était que von Enke était armé. Est-ce possible ? songea-t-il tout en contemplant par la baie vitrée le jardin aux arbres dépouillés. Un capitaine de frégate de soixante-quinze ans qui vient armé à sa propre fête d'anniversaire ?

Il ne pouvait y croire. Il avait dû mal interpréter. Les impressions confuses se succédaient. Des ombres : d'abord la peur, puis l'arme. Il était peut-être en train de perdre son intuition, de la même façon qu'il perdait la mémoire.

Linda apparut dans la véranda.

– Je croyais que tu étais parti, dit-elle.

– Je ne vais pas tarder.

– Je suis certaine que ta présence a fait plaisir à Håkan et à Louise.

– Il m'a parlé des sous-marins.

Linda haussa les sourcils.

– Ah bon ? Ça m'étonne.

– Pourquoi ?

– J'ai essayé plusieurs fois de l'amener à m'en parler. Il a toujours refusé. Fermement, presque comme si ça le mettait en colère.

Linda disparut, appelée par Hans. Wallander resta dans la véranda à méditer ces paroles. Pourquoi Håkan von Enke aurait-il choisi de se confier à lui, entre tous ?

Plus tard, une fois revenu en Scanie et après avoir repensé à ce que lui avait raconté le vieux capitaine, il songea qu'une seule chose l'étonnait vraiment, au fond, dans cette affaire. Il y avait des aspects vagues, ambigus, difficiles à appréhender. Mais ce n'était pas ça. C'était le contexte même du récit, son *arrangement*, qui le turlupinait. Von Enke avait-il prémédité cette entrevue quand il avait su que Wallander viendrait à la fête ? Ou bien l'avait-il décidé à la dernière minute ? Plus précisément au moment où il avait aperçu l'homme sous le réverbère, de l'autre côté de la clôture ? Et qui était cet homme ?

Il ne voyait aucune réponse à ces questions.

5

Trois mois plus tard, le 11 avril, il se produisit un événement qui obligerait Wallander à revenir longuement sur cette soirée de janvier où, confiné dans une pièce sombre, il avait écouté le héros de la fête lui dévider le fil de ses histoires de sous-marins vieilles de près de trente ans.

L'événement fut aussi inattendu que brutal pour toutes les personnes concernées. Håkan von Enke disparut purement et simplement de son domicile. Louise et lui habitaient Östermalm, le centre élégant de Stockholm, et il avait l'habitude chaque matin, quelle que soit la météo, de partir pour une longue promenade. Ce jour-là, une pluie fine tombait sur la capitale ; à son habitude, il s'était levé de bonne heure et avait pris son petit déjeuner. À sept heures, il avait frappé à la porte de Louise pour la réveiller et l'informer qu'il allait faire sa promenade. Celle-ci durait à peu près deux heures, sauf par grand froid, auquel cas il la réduisait de moitié car c'était un ancien grand fumeur, et ses poumons n'avaient jamais totalement récupéré. Il suivait toujours le même itinéraire. Du pied de son immeuble, dans Grevgatan, il rejoignait Valhallavägen, qu'il longeait jusqu'à l'entrée du bois de Lilljansskogen, dont il empruntait les sentiers selon un itinéraire complexe qui le ramenait de nouveau sur Valhallavägen, d'où il bifurquait dans Sturegatan avant de tourner à gauche et de longer Karlavägen jusque chez lui. Il marchait vite, à l'aide d'une des vieilles cannes de promenade héritées de son père ; il était toujours en sueur à son retour et se faisait couler un bain sitôt arrivé.

Ce matin-là avait été semblable aux autres, à une exception près : Håkan von Enke n'était pas rentré. Louise savait parfaitement quel chemin il empruntait. Jusqu'à ces dernières années, où elle y avait renoncé faute de pouvoir suivre son rythme, elle l'accompagnait de temps en temps.

Ne le voyant pas revenir, elle finit par s'inquiéter. Il avait beau être en forme, c'était malgré tout un vieil homme. Il pouvait lui être arrivé n'importe quoi, un accident cardiaque, une rupture d'anévrisme. Quand elle voulut l'appeler, elle découvrit que son téléphone portable était resté sur son bureau – alors qu'ils étaient convenus depuis longtemps qu'il devait l'emporter quand il sortait. Elle décida de partir à sa recherche. À onze heures, elle était de retour à l'appartement, après avoir marché pour ainsi dire sur ses traces, en redoutant à chaque instant de découvrir son corps sans vie sur un sentier. Mais elle ne le vit nulle part. Il s'était comme volatilisé. À son retour, elle téléphona aux deux ou trois amis auxquels il était susceptible d'avoir rendu visite. Ces coups de fil confirmèrent ses craintes. Personne ne l'avait vu. Elle avait à présent la certitude qu'il lui était arrivé quelque chose. Il était un peu plus de midi quand elle appela Hans à son bureau de Copenhague. Elle était extrêmement inquiète et voulait signaler sa disparition sur-le-champ. Hans s'efforça de la calmer. Elle finit par se laisser persuader d'attendre quelques heures encore.

Après cette conversation avec sa mère, Hans appela Linda et ce fut par elle que Wallander apprit la nouvelle. Il était dehors, en train d'essayer d'apprendre à Jussi à se tenir immobile pendant qu'il lui nettoyait les coussinets. Un dresseur de sa connaissance, qui habitait Skurup, lui avait donné des instructions. Il commençait à désespérer de réussir à enseigner quoi que ce soit à son chien quand la sonnerie du téléphone retentit. Linda lui raconta tout, la disparition de son beau-père, les recherches de sa belle-mère, et lui demanda conseil.

– Tu es de la police comme moi, répondit-il. Tu sais ce qu'on fait dans ces cas-là. On attend. La plupart des gens reviennent.

– Il n'a jamais dévié de ses habitudes, pas une fois en je ne sais combien d'années. Louise n'est pas une hystérique. Je comprends qu'elle soit très inquiète.

– Attendez jusqu'à ce soir. Il reviendra sûrement.

Wallander était persuadé que Håkan von Enke ne tarderait pas à rentrer et qu'il fournirait alors une explication toute naturelle à son absence. Pour sa part il se sentait plus curieux qu'inquiet, se demandant quelle serait cette explication. Mais Håkan von Enke ne revint pas, ni ce jour-là ni le suivant. Le 13 avril, en fin de soirée, Louise von Enke déclara à la police la disparition de son mari. Elle parcourut ensuite en tous sens, à bord d'une voiture de police, le labyrinthe des sentiers du bois de Lilljansskogen, sans le moindre résultat. Le lendemain, son fils monta à Stockholm. Ce fut alors seulement que Wallander commença à penser qu'il avait pu malgré tout arriver malheur.

Courant mars, il n'avait toujours pas repris le travail. L'enquête interne s'était prolongée. Début février, pour ne rien arranger, il avait fait une mauvaise chute sur le chemin verglacé, devant chez lui, et s'était cassé le poignet gauche. Non content de perdre l'équilibre sur le verglas, il s'était pris les pieds dans la laisse de Jussi, car le chien s'obstinait à tirer dessus et à marcher du mauvais côté. Une fois le poignet plâtré, Wallander s'était vu signifier un arrêt de travail. Ç'avait été une période de grande agitation et de colère violente qu'il retournait contre lui, contre Jussi, mais surtout contre Linda. C'est pourquoi celle-ci évitait de le fréquenter au-delà du strict minimum. D'après elle, il ressemblait de plus en plus à son père à la fin de sa vie : grincheux, impatient, irritable. Il était bien obligé d'admettre qu'elle avait raison. Or il ne voulait pas devenir comme son père. Il se sentait capable de supporter à peu près tout, mais pas ça. Pas finir dans la peau d'un vieil homme amer qui se répétait jusqu'à la parodie, que ce soit dans les toiles qu'il peignait ou dans ses opinions sur un monde qu'il ne comprenait plus. Ce fut une période où il tourna dans sa maison comme un ours en cage, sans plus trouver la force de résister à l'évidence qu'il avait soixante ans passés et qu'il était en marche, qu'il le veuille ou non, vers sa vieillesse. Il pouvait vivre encore dix ans et même vingt, mais tout ce que lui apporteraient ces années, ce serait de vieillir, précisément. La jeunesse était un lointain souvenir ; la quarantaine et la cinquantaine appartenaient elles aussi au passé. Il lui semblait attendre en coulisse le moment d'entrer en scène pour le troisième et dernier acte, où tout serait enfin résolu, les héros se révéleraient et les bandits mourraient, et il luttait de toutes ses maigres forces pour ne pas écoper du rôle tragique. S'il avait le choix, il préférait quitter les planches sur un éclat de rire.

Ce qui l'inquiétait le plus, c'était sa distraction. Quand il partait se ravitailler, à Simrishamn ou à Ystad, il dressait une liste pour être sûr de ne rien oublier, mais une fois au supermarché il s'apercevait qu'il avait oublié la liste. D'ailleurs, en avait-il écrit une ? Il ne s'en souvenait pas. Un jour que ces trous de mémoire l'inquiétaient plus que de coutume, il prit rendez-vous chez un médecin de Malmö qui se présentait, dans l'annuaire, comme « spécialiste des troubles liés au vieillissement ». Son poignet était encore plâtré et, pour ne rien arranger, il avait un gros rhume. Le médecin, une femme du nom de Margareta Bengtsson, le reçut dans un vieil immeuble du centre de Malmö. Quand elle ouvrit la porte de la salle d'attente, il eut un sursaut d'indignation. Cette femme-là était beaucoup trop jeune pour comprendre quoi que ce soit aux misères de la vieillesse. Il faillit tourner les talons mais la suivit en fin de compte docilement, prit place dans un fauteuil de cuir noir et commença à lui raconter ses problèmes de mémoire.

– Est-ce que c'est Alzheimer ? demanda-t-il vers la fin de la consultation.

Margareta Bengtsson lui sourit – un sourire qui n'était pas condescendant mais juste naturel, aimable.

– Non, dit-elle, je ne crois pas. Mais aucun d'entre nous ne peut savoir ce qui l'attend au tournant.

Au tournant, pensa Wallander quand il fut sorti de là, luttant contre le vent glacial pour rejoindre sa voiture garée au coin de la rue. Un PV était coincé sous l'essuie-glace. Il le balança sur le siège du passager sans regarder le montant de l'amende et rentra à Löderup.

En arrivant, il trouva une voiture à l'arrêt devant sa maison. Il ne la reconnut pas. Puis il aperçut Martinsson devant le chenil, caressant la tête de Jussi à travers le grillage.

– J'allais partir, dit Martinsson. J'ai glissé un mot sous la porte.

– Tu es en mission commandée ?

– Je suis venu de ma propre initiative pour savoir comment tu allais.

Ils entrèrent. Martinsson parcourut les titres des livres de la bibliothèque de Wallander, qui avait pris une certaine ampleur avec les années. Ils burent un café à la table de la cuisine. Wallander ne lui dit rien de son voyage à Malmö ni de sa visite chez le médecin. Martinsson lui demanda comment allait son poignet.

– Ils doivent me retirer le plâtre la semaine prochaine. Que dit la rumeur ?

– À propos de ton plâtre ?

– À propos de moi. Et de mes oublis au restaurant.

– Lennart Mattson est un homme incroyablement silencieux. Je ne sais rien du tout. Mais je peux t'affirmer que nous te soutenons.

– Mensonge. Toi, oui, sans doute. Mais la fuite vient forcément de quelque part. Il y a beaucoup de gens qui ne m'aiment pas au commissariat.

Martinsson haussa les épaules.

– C'est comme ça, on n'y peut rien. Tu crois qu'il y en a beaucoup qui m'aiment, moi ?

Ils parlèrent un moment de tout et de rien. Martinsson, pensa Wallander, était maintenant le dernier de l'équipe qu'il avait connue en arrivant à Ystad.

Il paraissait un peu abattu et Wallander lui demanda s'il était malade.

– Non, je ne suis pas malade. Par contre, je me dis vraiment que c'est fini pour moi.

– Toi aussi, tu as oublié ton arme quelque part ?

– Non. Je n'ai pas la force de continuer.

À sa grande surprise, Wallander le vit fondre en larmes. Comme un enfant désemparé, tenant sa tasse à deux mains pendant que les larmes coulaient sur ses joues. Wallander n'avait aucune idée de ce qu'il devait faire. Ce n'était pas la première fois que Martinsson déprimait, loin de là. Mais qu'il s'effondre ? Ça n'était jamais arrivé. Il décida de ne rien faire et d'attendre. Quand le téléphone sonna, il se contenta de le débrancher.

Martinsson finit par rassembler ses esprits et s'essuya la figure.

– Je me conduis comme un idiot. Excuse-moi.

– Pourquoi ? Quelqu'un qui arrive à pleurer ouvertement, à mon avis, c'est quelqu'un qui a beaucoup de courage. Personnellement, j'en suis incapable. Hélas.

Martinsson lui parla alors de sa traversée du désert. De plus en plus, il en était venu à douter de son utilité en tant que policier. Il ne portait pas de jugement négatif sur son propre travail, ce n'était pas cela. C'étaient leur rôle et leur place, de façon générale, dans un pays où l'écart entre l'attente des citoyens et le travail de la police se creusait chaque année un peu plus. Lui, Martinsson, en était arrivé au point où chaque nuit était une attente insomniaque de la journée du lendemain, dont il ne savait rien, sauf qu'elle allait être un cauchemar.

– Je démissionne à l'été, dit-il. Je suis en pourparlers avec une boîte de Malmö qui s'occupe de conseil en sécurité pour des petites entreprises et des propriétaires privés. Ils me proposent un emploi. Et un salaire bien supérieur à ce que je gagne aujourd'hui.

Wallander se rappelait le jour, bien des années plus tôt, où Martinsson avait décidé de donner sa démission et où lui, Wallander, avait réussi à le convaincre de rester. Cela devait bien faire quinze ans. Mais, cette fois-ci, c'était impossible. Ce n'était même pas la peine d'essayer. Et sa situation personnelle ne l'incitait guère à voir son propre avenir dans le métier sous un jour très enviable. Même s'il était certain de ne jamais devenir consultant en sécurité.

– Je crois que je te comprends, dit-il. Et je crois que tu as raison. Il faut changer de boulot pendant qu'on est assez jeune pour le faire.

– Presque cinquante balais, c'est ça que tu appelles jeune ?

– Moi, j'en ai soixante et un. À cet âge-là, on a déjà franchi le sas.

– Quel sas ?

– Qui ne laisse passer que ceux qui sont destinés à vieillir.

Martinsson resta encore un moment et lui parla en détail du travail qui l'attendait à Malmö. Wallander comprit qu'il voulait lui montrer que ses perspectives n'étaient pas si mauvaises et que tout son enthousiasme n'était pas éteint.

Il le raccompagna jusqu'à sa voiture.

– Tu as eu des nouvelles de ton côté ? demanda prudemment Martinsson.

– Le procureur a le choix entre quatre mesures. Un « entretien d'éclaircissement » – mais ils ne peuvent pas me faire ce coup-là, ce serait ridiculiser toute la corporation. Un policier de soixante ans contraint de subir le discours paternaliste du directeur de la police départementale ou autre, comme un galopin…

– Il a été question de ça ? C'est délirant !

– Sinon, ils peuvent me coller un avertissement, ou une retenue sur salaire. Et en dernier ressort, ils peuvent me virer. Je devine que ce sera une retenue sur salaire.

Ils se dirent au revoir. Martinsson démarra et disparut dans un tourbillon de neige. De retour à l'intérieur, Wallander s'aperçut en feuilletant son agenda qu'il s'était écoulé plus d'un mois depuis la malheureuse soirée où il avait égaré son arme.

Son plâtre fut retiré, mais le médecin orthopédiste de l'hôpital d'Ystad constata, lors de la visite de contrôle, le 10 avril, que les os ne s'étaient pas ressoudés correctement. L'espace d'un instant effroyable, Wallander crut qu'on allait lui recasser le poignet. Le médecin le tranquillisa en disant qu'il existait d'autres méthodes. Cependant, comme il ne devait pas utiliser sa main gauche, son arrêt de travail fut prolongé.

Au lieu de rentrer chez lui après sa visite à l'hôpital, il resta en ville. Le théâtre d'Ystad donnait ce soir-là une pièce écrite par un dramaturge américain contemporain. Linda, enrhumée, ne pouvait pas y aller et lui avait donné sa place. Adolescente, elle rêvait de devenir comédienne. Mais ça lui avait passé assez vite ; elle-même disait qu'elle avait eu la chance de comprendre jeune qu'elle n'avait aucun réel talent pour la scène. Wallander n'avait jamais décelé de déception dans sa voix quand elle parlait de ça.

Au bout de dix minutes à peine, il commença à regarder sa montre. Il s'ennuyait ferme. Des comédiens au talent très relatif marchaient en rond dans une pièce en proférant des répliques au hasard, sur une table, sur un banc, sur un rebord de fenêtre. Il était question d'une famille au bord de l'implosion sous l'effet de sa propre pression intérieure, conflits non résolus, mensonges, rêves avortés ; tout cela ne parvenait pas à capter son intérêt. Quand l'entracte arriva enfin, Wallander alla chercher sa veste et partit. Il s'était réjoui à la perspective d'une soirée au théâtre ; à présent, il était juste déprimé. Cette représentation était-elle réellement très ennuyeuse ? Ou était-ce lui qui avait un problème ?

Pour récupérer sa voiture, il choisit de traverser la voie ferrée et d'emprunter le raccourci derrière le bâtiment rouge de la gare. Soudain il fut projeté vers l'avant, perdit l'équilibre et tomba au sol. Deux hommes jeunes, dix-huit ou dix-neuf ans pas plus, le dominaient de toute leur hauteur. L'un portait un sweat-shirt, capuche relevée, l'autre un blouson de cuir. Le premier tenait un couteau. Un couteau de cuisine, eut le temps d'observer Wallander avant que le garçon au cuir ne lui balance son poing dans la figure. Sa lèvre supérieure, fendue, se mit à saigner. Il reçut un deuxième coup au front. Le garçon était baraqué et cognait dur, comme sous l'emprise de la fureur. Il empoigna Wallander en sifflant qu'il voulait le portefeuille et le portable. Wallander leva le bras pour se protéger, sans quitter la lame du regard. Il réalisa que les garçons avaient plus peur que lui, et qu'il n'avait pas vraiment besoin de surveiller la main tremblante qui tenait le couteau. Il prit son élan, envoya un coup de pied qui rata sa cible, mais il saisit dans la foulée le bras du garçon et lui fit une clé ; le couteau s'envola. L'instant d'après, un coup violent à la nuque le renvoya au tapis. Il ne put se relever. À genoux, hébété, il sentit le froid du sol imprégner le tissu de son pantalon en pensant qu'il allait maintenant recevoir un coup de couteau. Mais quand il leva la tête, les garçons avaient disparu. En tâtant sa nuque, il sentit sa main devenir poisseuse. Lentement, il se mit debout. Il eut un accès de vertige, se raccrocha à la clôture de la voie ferrée et inspira plusieurs fois à fond. Il attendit un moment. Puis il se mit en marche vers sa voiture. Les garçons restaient invisibles. Il avait la nuque en sang, mais ça pouvait attendre. Il s'en occuperait à la maison. Peut-être n'y avait-il même pas de traumatisme crânien.

Une fois dans sa voiture, il resta assis un long moment sans mettre le contact. D'un monde à l'autre, pensa-t-il. Je suis dans un théâtre où je me sens étranger, je m'en vais, et voilà que je tombe dans une réalité que j'appréhende la plupart du temps de l'extérieur. Voilà. Cette fois, c'était moi le type à terre, le type qu'on frappe et qu'on menace.

Il pensait surtout au couteau. Un jour, au début de sa carrière, quand il était encore tout jeune policier, il avait été poignardé dans un parc municipal de Malmö par un déséquilibré. Si la lame avait pénétré plus à gauche, elle lui aurait transpercé le cœur. Dans ce cas, il n'aurait pas vécu toutes ces années à Ystad. Il n'aurait pas eu l'occasion de voir grandir une fille prénommée Linda. Sa vie aurait pris fin avant même d'avoir vraiment commencé.

Il se rappelait ce qu'il avait pensé à cet instant. *Il y a un temps pour vivre et un temps pour mourir.*

Il faisait froid dans la voiture. Il mit le contact, régla le chauffage. Plusieurs fois il déroula mentalement la scène de l'agression, comme un film. Il était encore sous le choc mais, constata-t-il, la colère montait en parallèle.

Il sursauta en entendant quelqu'un frapper à la vitre, croyant que les garçons étaient revenus. Mais c'était une dame âgée aux cheveux blancs bien coiffés dépassant de son béret. Il entrouvrit sa portière.

– Il est interdit de laisser le moteur tourner à vide aussi longtemps. Je promène mon chien, et j'ai chronométré le temps que vous êtes resté à l'arrêt moteur allumé.

Wallander se contenta d'un hochement de tête et démarra. Cette nuit-là, il eut du mal à trouver le sommeil. La dernière fois qu'il avait regardé le réveille-matin, il était cinq heures. Le lendemain, Håkan von Enke disparut. Et Wallander ne signala jamais l'agression dont il avait été victime. Il n'en parla à personne, pas même à Linda.

Von Enke n'ayant toujours pas reparu au bout de quarante-huit heures et son arrêt de travail ayant été prolongé, Wallander n'hésita pas à répondre oui lorsque Hans lui demanda s'il accepterait de monter à Stockholm. Il comprenait bien que c'était Louise, en réalité, qui sollicitait son aide. Il précisa à Hans qu'il n'était pas question pour lui d'intervenir dans le travail de ses collègues de Stockholm. Eux seuls étaient mandatés pour enquêter ; et les policiers qui se mettaient en tête de jouer sur la mauvaise moitié de terrain n'étaient jamais très populaires.

La veille de son départ, par une de ces longues soirées de printemps de plus en plus claires, il prit sa voiture et se rendit chez Linda. Hans était absent, comme d'habitude ; il faisait continuellement des heures supplémentaires dans le monde de ce que Wallander avait un jour appelé à haute voix ses « spéculations financières ». Bourde qui avait déclenché la première, et jusqu'à présent unique, dispute entre Wallander et son futur gendre. Hans avait protesté, indigné, contre cette accusation que ses collègues et lui puissent s'occuper d'affaires aussi triviales. Mais quand Wallander lui avait demandé en quoi consistait exactement son travail, il ne lui avait pas semblé entendre autre chose que, précisément, spéculations en tout genre, monnaies, actions, produits dérivés et *hedge funds* (dont il reconnaissait volontiers n'avoir toujours pas très bien compris ce que c'était). Linda était intervenue en disant que les instruments financiers modernes lui faisaient peur pour la simple raison qu'il n'y comprenait rien. En d'autres temps, Wallander aurait sans doute piqué une crise de rage. Là, il s'était contenté d'écarter les bras – elle l'avait dit sans hostilité aucune, et il acceptait le verdict.

Il était donc en visite chez eux, Hans n'était pas là et la petite, qui n'avait toujours pas de prénom, dormait sur un tapis aux pieds de Linda. En la contemplant, il pensa, peut-être pour la première fois, que sa propre fille ne grimperait plus jamais sur ses genoux. Quand on a un enfant et que cet enfant à son tour a des enfants – quelque chose est définitivement révolu.

– Que crois-tu qu'il soit arrivé à Håkan ? Je te demande ton sentiment, en tant que professionnelle et en tant que compagne de Hans.

Linda répondit sans hésiter. Elle avait médité la question.

– Je crains qu'il ne soit mort. Håkan n'est pas homme à disparaître de son propre chef. Il ne se suiciderait pas sans laisser un message expliquant les raisons de son acte. D'ailleurs, il ne se suiciderait pas tout court. S'il avait commis un acte répréhensible, il ne se déroberait pas, il assumerait la responsabilité de ses actes. Pour moi, c'est une disparition involontaire.

– Peux-tu développer ?

– Pourquoi ? Tu me comprends parfaitement.

– Oui, mais je veux l'entendre avec tes mots à toi.

Elle n'eut pas besoin de réfléchir. Et elle répondit, nota Wallander, en professionnelle. De façon concise et précise :

– Quand on parle de disparition involontaire, il y a deux cas de figure. Le premier : il y a eu un accident, la personne est tombée, elle a été renversée par une voiture, etc. Le second : c'est la violence intentionnelle, l'enlèvement, le meurtre. Le scénario de l'accident ne paraît plus très plausible, vu qu'il n'a été admis dans aucun hôpital.

Il leva la main.

– Faisons une hypothèse. Ça se produit plus souvent qu'on ne le pense. Surtout chez les hommes d'un certain âge.

– Il serait parti avec une femme ?

– Quelque chose comme ça.

Elle secoua énergiquement la tête.

– J'en ai parlé avec Hans. D'après lui, c'est exclu. Håkan a toujours été fidèle à Louise.

Wallander lui renvoya aussitôt la balle :

– Et Louise ?

Cette question-là, Linda ne se l'était pas posée, il le vit à son visage. Elle n'avait pas encore tout appris sur la manière dont on négocie les virages dans un interrogatoire.

– J'en doute fort, dit-elle. Ce n'est pas son genre.

– Quelle mauvaise réponse. On ne peut affirmer cela de personne. Ou alors, c'est qu'on sous-estime gravement ses semblables.

– Disons-le autrement. Je ne crois pas que Louise ait eu de liaison extraconjugale. Pourquoi ne lui demandes-tu pas toi-même ?

– Jamais de la vie ! Ce serait un comble, vu la situation.

Il hésita une seconde avant de poser la question qui venait de lui traverser l'esprit :

– Tu as dû en parler longuement avec Hans ces jours-ci. Je sais qu'il est devant son ordinateur jour et nuit, mais quand même… A-t-il été surpris par la disparition de son père ?

– Bien sûr. Pourquoi ?

– Je ne sais pas… À la fête d'anniversaire, à Stockholm, j'ai cru sentir que Håkan était inquiet.

– Pourquoi n'en as-tu rien dit ?

– Je l'ai mis sur le compte de mon imagination.

– Tes intuitions sont assez valables en général.

– Merci. Mais je m'y fie de moins en moins.

Linda resta silencieuse. Wallander la regardait. Elle avait pris du poids depuis sa grossesse, ses joues s'étaient arrondies. Sa fatigue, il pouvait la lire dans son regard. Il se rappela Mona, sa colère perpétuelle parce qu'il ne levait pas le petit doigt à la maison. Je me demande comment va ma fille en réalité, songea-t-il. Quand les bébés arrivent, tous les arcs se bandent en même temps. Quelques cordes cassent, c'est inévitable.

– C'est bien possible, dit-elle enfin. Quand j'y repense, je me rappelle des situations – rien de spectaculaire, mais où j'ai eu l'impression qu'il n'était pas serein. Il regardait derrière lui.

– Littéralement ?

– Oui. Il se retournait. Je n'y avais pas pensé jusqu'à aujourd'hui.

– Quoi d'autre ?

– Il vérifiait toujours que les portes étaient fermées à clé. Et certaines lampes devaient rester allumées en permanence.

– Pourquoi ?

– Je ne sais pas. Par exemple, celle de la table de son bureau. Et celle de l'entrée, près de la porte.

Un vieil officier de marine qui éclaire ses chenaux dans la nuit, pensa Wallander. Balises isolées, passages secrets loin des voies de navigation ordinaires.

La petite s'éveilla à cet instant. Il la tint dans ses bras jusqu'à ce qu'elle cesse de pleurer.

Dans le train vers Stockholm, ces lampes jamais éteintes continuèrent d'occuper son esprit. Y avait-il une raison toute simple à cette habitude ? Ou était-ce autre chose ? Il ne savait pas du tout comment s'y prendre pour approcher la personnalité de Håkan von Enke.

Cependant il persistait à penser que sa disparition connaîtrait une issue logique et sans drame.

6

Mona et lui avaient entrepris un voyage à Stockholm à la fin des années 1970. Ils étaient descendus au Sjöfartshotellet – l'hôtel de la Navigation –, sur l'île de Södermalm. Cela lui était revenu en mémoire, alors il avait appelé là-bas et réservé une chambre pour deux nuits. À sa descente du train, il hésita entre le taxi et le métro. Résultat, il partit en promenade, son petit sac de voyage sur l'épaule. La matinée était froide encore, mais bien ensoleillée ; aucun nuage chargé de pluie ne s'annonçait à l'horizon.

Ils étaient venus à la fin de l'été 1979, se rappela-t-il tout en traversant l'île de Gamla Stan. Ce n'était pas lui qui avait pris l'initiative de ce voyage, mais Mona. Elle s'était aperçue qu'elle n'avait jamais visité la capitale et avait voulu corriger ce qu'elle percevait presque comme un péché honteux. Il avait pris quatre jours ; Mona, à l'époque, poursuivait des études et n'avait ni salaire ni employeur. Linda passerait quelques jours chez une camarade de classe ; elle allait entrer en CE2 à l'automne. On était début août. Il faisait un temps de canicule ; un orage violent éclatait parfois, puis la chaleur revenait et les poussait à rechercher de nouveau l'ombre des arbres, dans les parcs. Cela fera bientôt trente ans, pensa-t-il en arrivant à Slussen et en commençant à gravir la côte. Trente ans, toute une génération – et me voici de retour. Seul, cette fois.

Arrivé à l'hôtel, il ne reconnut rien. Il se demanda s'il ne s'était pas trompé. Puis il se secoua, chassa le sentiment pénible qui venait de l'assaillir, s'interdit toute pensée relative au passé et prit l'ascenseur jusqu'à sa chambre au deuxième étage. Il replia le couvre-lit et s'allongea. Le voyage en train l'avait fatigué car il avait été entouré d'enfants bruyants ; puis un groupe de garçons ivres était monté en gare d'Alvesta. Il ferma les yeux et essaya de dormir. Puis il s'éveilla en sursaut et vit qu'il n'avait dormi que dix minutes. Il se leva, s'approcha de la fenêtre. Qu'était-il arrivé à Håkan von Enke ? S'il collationnait tous les fragments d'informations dont il disposait, ceux que lui avait fournis Linda et les siens propres, quel était le résultat ? Il ne parvenait pas même à l'ombre d'une hypothèse.

Il était convenu avec Louise qu'il passerait chez elle à dix-neuf heures. Il décida de repartir en promenade. Il venait de dépasser le palais royal quand soudain il se figea sur place. Il avait la certitude de s'être arrêté avec Mona pile à cet endroit, sur ce pont. Ils avaient fait une pause pour se dire qu'ils avaient mal aux pieds. Le souvenir était si vif qu'il lui semblait entendre leurs voix. À certains instants, il lui arrivait encore d'être submergé par le chagrin que leur mariage n'ait pas tenu. Maintenant, par exemple. Il se pencha par-dessus le parapet et regarda l'eau qui bouillonnait sous lui, en pensant que sa vie consistait de plus en plus à tenir la comptabilité douteuse de tout ce qui était venu à lui manquer, avec le temps.

Louise von Enke avait préparé du thé. Il la trouva épuisée, mais remarquablement maîtresse d'elle-même. Des portraits de la famille von Enke et des batailles navales aux couleurs sombres ornaient les murs du salon. Elle suivit son regard.

– Håkan a été le premier marin de sa famille. Son père, son grand-père et son arrière-grand-père étaient officiers de l'armée de terre. L'un de ses oncles était chambellan du roi, je ne sais plus si c'était Oscar Ier ou Oscar II. L'épée qui est là-bas a été offerte à un autre membre de la famille par Charles XIV pour services rendus. D'après Håkan, ces services consistaient à fournir Sa Majesté en dames jeunes et « adéquates ».

Elle se tut. Wallander entendit le tic-tac d'une horloge posée sur le manteau de la cheminée, et la rumeur lointaine de la rue.

– Quel est ton sentiment ? demanda-t-il avec douceur.

– Très honnêtement, je ne sais pas.

– Les derniers jours avant sa disparition, n'y a-t-il rien eu qui t'ait frappée ? Quelque chose qui n'aurait pas été conforme à ses habitudes ? Un comportement inhabituel ?

– Non. Tout était normal. Et Håkan est un homme qui a des habitudes bien ancrées.

– Et les jours précédents ? La semaine précédente ?

– Il était enrhumé. Ça l'a fait renoncer une fois à sa promenade quotidienne. C'est tout.

– A-t-il reçu du courrier ? Un appel téléphonique ? Une visite ?

– Il a parlé deux ou trois fois avec Sten Nordlander. C'est son plus proche ami.

– Était-il présent à la fête de Djursholm ?

– Non, il était en voyage à ce moment-là. Håkan et Sten se sont rencontrés à la fin des années 60. Ils travaillaient à bord du même sous-marin – Håkan était commandant et Sten chef mécanicien. C'était il y a bien longtemps.

– Et que dit Sten Nordlander ?

– Il est aussi inquiet que nous. Il n'a aucune explication. Il a dit qu'il te parlerait volontiers pendant ton séjour ici.

Elle était assise sur un canapé, face à lui. À ce moment le soleil du soir éclaira son visage, et elle se déplaça légèrement pour être de nouveau dans l'ombre. Wallander pensa qu'elle était une de ces femmes qui dissimulent leur beauté pour passer inaperçues. Comme si elle avait lu dans ses pensées, elle lui adressa un sourire incertain. Il sortit son carnet pour noter le numéro de téléphone de Sten Nordlander. Louise, s'avéra-t-il, connaissait par cœur aussi bien celui du fixe que celui du portable.

Ils parlèrent pendant une heure sans que Wallander ait l'impression d'apprendre quoi que ce soit qu'il ne sût déjà. Puis elle lui montra le bureau de son mari. Son regard fut attiré par la lampe de travail.

– Il la laisse allumée la nuit, paraît-il.

– Qui t'a dit cela ?

– Linda.

Elle alla fermer les rideaux, qui étaient lourds et sombres. Wallander perçut la trace d'une odeur de tabac.

– Il a peur du noir, dit-elle en ajustant les plis de l'étoffe. Il trouvait cela gênant, comme une faiblesse. Cette peur lui est venue à bord des sous-marins et elle lui est restée. Je n'avais pas le droit d'en parler.

– Pourtant ton fils le sait, et il l'a répété à Linda.

– Håkan a dû le dire à Hans sans que je sois au courant.

La sonnerie d'un téléphone retentit dans les profondeurs de l'appartement.

– Tu es chez toi, dit-elle.

Elle sortit du bureau et ferma derrière elle les hautes doubles portes.

Wallander se surprit à la regarder comme il avait l'habitude de le faire avec Kristina Magnusson. Il s'assit dans le fauteuil de Håkan, qui était en bois et tapissé de cuir vert. Son regard parcourut lentement la pièce. Il alluma la lampe. Il y avait de la poussière autour du bouton de l'interrupteur. Wallander passa le doigt sur le plateau du bureau. De l'acajou. Puis il souleva le sous-main – une habitude qui lui était restée du temps de son apprentissage auprès de Rydberg. S'il y avait un bureau, Rydberg commençait toujours par là. En règle générale il n'y avait rien. Mais Wallander s'était vu expliquer que même une surface vide pouvait être une piste. Rydberg aimait bien parfois ce genre de formule énigmatique.

Qu'y avait-il sur celui-ci ? Quelques stylos, une loupe, un vase de porcelaine en forme de cygne, un petit galet et une boîte de trombones. Il fit pivoter le fauteuil et regarda autour de lui. Au mur, des photographies encadrées montraient des sous-marins et divers bâtiments de guerre. Une grande photo en couleurs de Hans, coiffé de sa casquette de bachelier. Une photo de mariage : Håkan en uniforme, Louise et lui s'avançant au milieu d'une double haie de sabres levés. Quelques portraits de personnes âgées, les hommes presque tous en uniforme. Sur le mur opposé, un tableau. Il se leva et alla l'examiner de près. C'était une vision romantique de la bataille de Trafalgar : Nelson mourant, appuyé contre un canon, des marins en larmes agenouillés autour de lui. Cette toile le surprit, comme une faute de goût dans cet appartement qui n'en comportait par ailleurs aucune. Pourquoi l'avait-il mise au mur ? Wallander décrocha prudemment le tableau et le retourna. Rien. Une surface lisse, sans message. Comme le sous-main. Il était un peu tard pour commencer une exploration. Ça prendrait des heures, et il était déjà vingt heures trente. Autant revenir demain. Il retourna dans le premier des salons en enfilade. Louise arriva de la cuisine. Wallander crut sentir une odeur d'alcool, sans certitude. Ils convinrent qu'il reviendrait le lendemain matin à neuf heures. Il enfila sa veste ; puis il resta planté dans l'entrée, indécis.

– Tu me parais fatiguée, dit-il. Est-ce que tu dors assez ?

– Une heure par-ci par-là. Comment pourrais-je dormir avec toute cette angoisse ?

– Veux-tu que je reste ?

– C'est gentil à toi de le proposer, mais ce n'est pas nécessaire. J'ai l'habitude d'être seule. Je suis une femme de marin, après tout.

Il refit à pied le long trajet jusqu'à son hôtel, en s'arrêtant pour dîner dans un restaurant italien. Il l'avait choisi parce qu'il était bon marché, et la qualité du repas fut en conséquence. De retour dans sa chambre, il prit un demi-somnifère, en pensant sombrement que c'était l'une des rares manières qu'il avait encore de faire la fête : attirer le sommeil en dévissant le couvercle blanc de sa boîte à pilules.

Sa visite, le lendemain matin, commença comme celle de la veille. Louise lui proposa du thé. À voir sa tête, elle n'avait pas fermé l'œil de la nuit.

Elle avait un message pour lui, de la part d'un certain commissaire Ytterberg, responsable de l'enquête préliminaire relative à la disparition de Håkan. Ytterberg voulait qu'il le rappelle. Elle lui donna le téléphone sans fil et quitta la pièce sans fermer la porte. Wallander vit dans le miroir qu'elle s'était immobilisée au milieu de la cuisine, dos à lui.

Ytterberg s'exprimait avec un fort accent du Norrland.

– L'enquête bat son plein. Si j'ai bien compris, sa femme veut que tu regardes ses papiers.

– Vous ne l'avez pas encore fait ?

– *Elle* l'a fait. Mais elle n'a rien trouvé. J'imagine qu'elle veut que tu vérifies.

– Et de ton côté ?

– Juste un témoin, pas très fiable, qui croit avoir vu le monsieur dans le bois de Lilljansskogen. C'est tout. Attends une seconde…

Wallander entendit Ytterberg prendre un ton exaspéré et suggérer à quelqu'un de revenir plus tard.

– Je ne m'y ferai jamais, dit-il en reprenant le combiné. Les gens ne frappent plus aux portes.

– Un jour, tu verras que la direction centrale nous mettra dans des bureaux paysagers. Comme ça, notre efficacité sera décuplée, on pourra interroger les témoins des collègues, participer à leurs enquêtes… Ce sera formidable.

Il perçut un gloussement satisfait dans le combiné et se dit qu'il venait d'établir un bon contact avec la police de Stockholm.

– Une chose encore, ajouta Ytterberg. Håkan von Enke est un ex-militaire de haut rang. Les renseignements tiennent donc à surveiller l'affaire. Comme tu le sais, nos collègues des services secrets nourrissent toujours l'espoir de mettre la main sur un espion.

Wallander n'en croyait pas ses oreilles.

– Il y a des soupçons contre lui ?

– Bien sûr que non. Mais il faudra bien qu'ils aient des arguments quand il s'agira de défendre le budget de l'an prochain.

Wallander fit quelques pas pour s'éloigner de la cuisine et baissa la voix.

– Entre nous. Quelle est ton hypothèse ? Sur la base de ton expérience…

– Ça me paraît grave. Il a pu être agressé et enlevé. C'est ce que je crois pour l'instant.

Avant de raccrocher, Ytterberg lui demanda son numéro de portable. Wallander retourna s'asseoir devant sa tasse de thé en pensant qu'il aurait de loin préféré un café. Louise revint à son tour. Devant son regard interrogateur, il secoua la tête.

– Rien de neuf. Mais ils prennent l'affaire au sérieux.

Au lieu de s'asseoir, elle était restée debout à côté du canapé.

– Je sais qu'il est mort, dit-elle brusquement. Jusqu'ici j'ai refusé d'envisager le pire, mais je n'y arrive plus.

– Y a-t-il une raison particulière qui te fait penser cela maintenant ? demanda Wallander avec prudence.

– Cela fait quarante ans que je vis avec lui. Jamais il ne se serait comporté comme ça vis-à-vis de moi. Ou vis-à-vis de son fils.

Elle quitta la pièce. Il entendit la porte de la salle de bains se refermer. Il attendit un instant, puis se leva, s'aventura à pas de loup dans le couloir qui desservait les chambres et prêta l'oreille. Il entendit qu'elle pleurait. Il avait beau ne pas être sentimental, sa gorge se noua. Il retourna dans le salon, finit son thé et se rendit ensuite dans la pièce qu'il avait entrevue la veille au soir. Les rideaux étaient restés fermés. Il les écarta, fit entrer la lumière. Puis il s'attaqua au bureau, tiroir après tiroir. Un ordre méticuleux y régnait, chaque chose à sa place. Dans l'un, il trouva plusieurs vieilles pipes en compagnie de cure-pipes et d'une peau de chamois. Il passa à la deuxième colonne de tiroirs, tout aussi bien rangés. Anciens bulletins scolaires, divers certificats, dont un de vol : en mars 1958, Håkan von Enke avait gagné le droit de piloter des avions monomoteurs, brevet passé à l'aéroport de Bromma. Il ne vivait donc pas seulement dans les profondeurs, pensa Wallander.

Il regarda le relevé de notes du baccalauréat. Von Enke avait été élève au lycée Norra Latin. En histoire et en langue maternelle, il avait de très bonnes notes, tout comme en géographie. Pour l'allemand et le catéchisme, en revanche : passable. Dans le tiroir suivant, il découvrit un appareil photo et un casque audio d'un modèle ancien. En examinant de plus près l'appareil, un vieux Leica, il vit que celui-ci contenait un rouleau de pellicule douze poses. Il le posa sur la table. Quant au casque, il devinait qu'il avait dû être moderne dans les années 1950. Pourquoi Håkan le conservait-il ? Dans le tiroir du bas, il n'y avait rien du tout, à part un numéro de la série « Classiques illustrés » : une adaptation du *Dernier des Mohicans,* de Cooper. Tellement feuilleté qu'il faillit tomber en morceaux quand Wallander le prit pour l'examiner. Il se rappela ce que lui avait dit Rydberg un jour : « Cherche toujours la dissonance. » Que faisait une vieille BD de 1962 dans le bureau de Håkan von Enke ?

Il ne l'avait pas entendue venir mais soudain il l'aperçut, dans l'encadrement de la porte. Repoudrée, toute trace d'émotion effacée. Il lui montra l'illustré.

– Pourquoi a-t-il gardé ça ?

– Son père le lui avait donné, je crois. Pour une occasion très spéciale, il ne m'a jamais dit laquelle.

Elle ressortit. Wallander ouvrit le large tiroir central ménagé dans l'épaisseur du plateau entre les deux montants. Comparé aux autres, le désordre y était surprenant. Lettres, photographies, billets d'avion périmés, un carnet de santé à la couverture jaune, quelques factures. Pourquoi ce désordre, là et pas ailleurs ? Il décida d'examiner le contenu plus tard et laissa le tiroir ouvert après avoir posé le carnet de santé sur la table.

L'homme dont il suivait la piste avait subi de nombreux vaccins au fil des ans. Moins d'un mois auparavant, il s'était fait vacciner contre la fièvre jaune, le tétanos et l'hépatite. Glissée sous le rabat du carnet, il trouva aussi une ordonnance pour un traitement préventif du paludisme. Il fronça les sourcils. La fièvre jaune ? Où allait-on pour devoir se vacciner contre ça ? Il remit le carnet dans le tiroir.

Puis il examina la bibliothèque. Si l'on pouvait se fier aux livres, Håkan von Enke nourrissait un profond intérêt pour l'histoire, en particulier celle de la marine anglaise à l'âge classique et celle de la marine du vingtième siècle, tous pays confondus. Il y avait aussi des livres d'histoire générale et de nombreux ouvrages à caractère politique. Il nota que les *Mémoires* de Tage Erlander voisinaient avec l'autobiographie de l'espion Wennerström. À sa grande surprise, il découvrit que von Enke s'intéressait également à la poésie suédoise contemporaine. Il y avait là des noms dont Wallander n'avait jamais entendu parler et certains qu'il connaissait au moins de réputation, comme Sonnevi et Tranströmer. Il prit quelques volumes et vit que les pages avaient été coupées. L'un des recueils de Tranströmer contenait des remarques en marge et, à un endroit, ce commentaire : *poème lumineux*. Wallander le lut et tomba d'accord avec l'auteur de la note. Le poème évoquait des forêts de conifères. Il découvrit ensuite que deux mètres de rayonnage au moins étaient occupés par les grands écrivains prolétariens Ivar Lo-Johansson et Vilhelm Moberg. L'image du disparu se modifiait et s'approfondissait sans cesse. Il n'avait pas le sentiment d'avoir affaire à un homme mû par la vanité, qui aurait cherché à impressionner son entourage en étalant une curiosité inattendue pour les lettres. Wallander estimait avoir un flair infaillible pour détecter cette fausseté-là, dans la mesure où ça faisait partie des travers qu'il détestait le plus.

Laissant la bibliothèque, il se tourna vers l'armoire, dont il examina les tiroirs l'un après l'autre. Tout était très ordonné, classeurs, chemises, lettres, rapports, un certain nombre de documents de bord à caractère privé et des croquis de sous-marins assortis de cette note : *type proposé par moi*. L'impression d'ordre général était confortée. Seul tranchait le tiroir central du bureau. Mais un autre détail mobilisait son attention sans qu'il pût mettre le doigt dessus. Se rasseyant dans le fauteuil, il observa fixement l'armoire ouverte. Dans un coin de la pièce, un fauteuil en cuir marron jouxtait une table où étaient posés deux livres et une lampe de lecture à abat-jour rouge. Il alla s'installer dans le fauteuil de lecture. Les deux livres sur la table étaient ouverts. L'un était ancien : *Printemps silencieux*, de Rachel Carson. Il savait que cet ouvrage avait été l'un des premiers à voir dans les excès de l'être humain occidental une menace pour l'ensemble de la planète. L'autre livre était consacré aux papillons de Suède. Des textes courts, ponctués de photographies en couleurs de toute beauté. Les papillons et une planète menacée, pensa-t-il. Et du désordre dans un tiroir. Quel rapport ?

Puis il découvrit quelque chose qui dépassait sous le fauteuil et le ramassa. C'était un magazine anglais, ou peut-être américain, consacré aux vaisseaux de guerre. Il le feuilleta. Il y avait de tout : des articles sur le porte-avions *Ronald Reagan*, des schémas de sous-marins qui n'étaient encore qu'à l'état de projet… Wallander déposa le magazine sur la table et regarda de nouveau l'armoire à documents. *Voir sans voir.* Ç'avait été la première mise en garde de Rydberg. Ne pas comprendre ce qu'on avait sous les yeux. Il retourna s'asseoir derrière le bureau et inspecta l'armoire une fois de plus. L'un des tiroirs contenait un chiffon. *Il s'occupe lui-même de l'époussetage. Pas un grain de poussière sur ses documents, ordre impeccable…* Il fit pivoter le fauteuil et considéra de nouveau le désordre du tiroir central, où tout était pêle-mêle, telle une contradiction flagrante à toutes ses autres observations. Prudemment, il commença à en explorer le contenu. Mais rien ne retint son intérêt. C'était juste ce désordre en lui-même. Il détonnait. Il n'était pas un prolongement naturel de Håkan von Enke. À moins que ce ne fût l'inverse : le désordre était naturel, l'ordre, lui, artificiel…

Il se leva et fit glisser sa main le long du sommet de l'armoire. Ses doigts rencontrèrent une liasse de papiers ; il les prit et se rassit pour les examiner. C'était un rapport consacré à la situation politique au Cambodge, écrit par un couple d'auteurs du nom de Robert Jackson et Evelyn Harrison. Wallander constata, surpris, qu'il provenait du ministère de la Défense de États-Unis. Il était daté de mars 2008. Un document extrêmement récent, autrement dit. Quelqu'un avait lu ce rapport et souligné certaines phrases en ajoutant dans la marge des notes assorties de points d'exclamation énergiques. Wallander essaya sans succès d'imaginer quelle aurait été une traduction suédoise correcte du titre *On the Challenges of Cambodia, Based upon the Legacies of the Pol Pot Regime*.

Il se leva et retourna dans le séjour. Les tasses à thé avaient disparu. Louise, dos tourné devant l'une des fenêtres, regardait la rue. Il s'éclaircit la voix pour signaler sa présence. Elle se retourna si vite qu'il eut l'impression de l'avoir effrayée. Il se rappela le brusque mouvement de son mari lors de la réception, à Djursholm. Le même genre de réaction, pensa-t-il. L'un et l'autre réagissent comme s'ils étaient exposés à un danger.

Il n'avait pas eu l'intention de poser cette question, mais elle lui échappa au souvenir de l'incident de Djursholm :

– Håkan possède-t-il une arme ?

– Non. Peut-être en avait-il une à l'époque où il travaillait. Mais ici, à la maison ? Non, jamais.

– Vous n'avez pas de maison de vacances ?

– Nous parlions parfois d'en acheter une. En définitive, nous nous sommes toujours contentés de locations. Quand Hans était petit, nous passions l'été sur l'île d'Utö. Ces dernières années, nous allions plutôt sur la Côte d'Azur, où nous louions un appartement. L'achat d'une maison de vacances est resté à l'état de projet.

– Y a-t-il un autre endroit où il aurait pu conserver une arme ?

– Mais non, voyons.

– Peut-être y a-t-il un garage ou un espace de rangement à l'extérieur ? Ou peut-être un grenier, ici même ? Ou une cave ?

– Nous avons bien une cave, où nous conservons quelques vieux meubles et des affaires qui remontent à l'enfance de Hans. Je serais très surprise qu'il y ait une arme là-dedans.

Elle quitta la pièce et revint avec la clé du cadenas de la cave. Wallander la rangea dans sa poche. Elle lui demanda s'il voulait encore du thé ; il refusa mais n'eut pas la présence d'esprit d'ajouter qu'un café lui ferait plaisir.

Il retourna dans le bureau et parcourut le rapport sur la situation politique au Cambodge. Pourquoi ce rapport en haut de l'armoire ? Il y avait un repose-pied devant le fauteuil de lecture. Wallander le plaça devant l'armoire et grimpa dessus. La surface, là-haut, était poussiéreuse, sauf à l'endroit où avait été posé le rapport. Il remit le repose-pied à sa place et resta debout, indécis. Soudain, il crut deviner ce qui avait capté son attention un peu plus tôt. L'impression qu'il manquait des choses dans l'armoire. Qu'on avait retiré une partie du contenu, et cela récemment. Il l'examina avec soin. Son impression se confirma. Håkan avait-il pu le faire lui-même ? Bien sûr que oui. Ou alors ce pouvait être Louise.

Wallander retourna dans le séjour. Elle s'était assise dans un fauteuil qu'il devina être fort ancien. Elle regardait ses mains. À son entrée, elle se leva et lui demanda encore une fois s'il voulait du thé. Cette fois, il dit qu'il en reprendrait volontiers. Puis il attendit. Quand elle l'eut servi – elle n'avait pas rapporté de tasse pour elle –, il passa à l'offensive :

– Je ne trouve rien. Quelqu'un a-t-il pu visiter son bureau avant moi ?

Elle le regarda sans comprendre. Son visage était gris, presque déformé à force de fatigue.

– Moi, bien sûr, répondit-elle enfin. Mais, à part moi, je ne vois pas qui…

– Il me semble que des dossiers manquent. Je peux me tromper, mais c'est l'impression que j'ai.

– Personne n'est entré dans ce bureau depuis la disparition de Håkan. À part moi.

– Bien. Je voudrais revenir sur un sujet que nous avons déjà évoqué. Håkan est un homme ordonné, n'est-ce pas ?

– Il déteste le désordre.

– Mais il n'est pas maniaque ?

Louise marqua une pause avant de répondre :

– Quand nous recevons, il a l'habitude de m'aider à mettre la table. Il veille à disposer régulièrement les verres, les couteaux et les fourchettes. Mais il n'ira pas chercher un double décimètre pour vérifier qu'ils sont bien alignés. C'est suffisant, comme réponse ?

– Mais oui, dit Wallander avec douceur.

Il était mal à l'aise ; le visage de Louise s'affaissait d'instant en instant, lui semblait-il.

Il finit son thé et descendit ensuite au sous-sol jeter un coup d'œil à la cave de la famille von Enke. Il y trouva un certain nombre de vieilles malles et valises, un cheval à bascule, des bacs en plastique contenant les jouets de précédentes générations – pas seulement ceux de Hans. Quelques paires de skis étaient appuyées contre le mur. Il y avait aussi un équipement pour copier des négatifs argentiques.

Wallander s'assit avec précaution sur le cheval à bascule. L'intuition lui vint brutalement, comme un choc, comme l'agression dont il avait été récemment victime. Håkan von Enke était mort. Il n'y avait pas d'autre explication à son absence. Il était mort.

Cette brusque certitude l'attristait, mais pas seulement cela. Elle l'inquiétait beaucoup.

Håkan von Enke a essayé de me raconter quelque chose ce soir-là dans le petit salon de Djursholm. Je n'ai malheureusement pas compris de quoi il s'agissait.

7

Wallander dormit à l'hôtel et fut réveillé à l'aube par un jeune couple qui se disputait dans la chambre voisine. L'isolation était si mauvaise qu'il comprenait même les paroles. Et elles étaient dures. Il se leva, fouilla sa trousse de toilette à la recherche de ses bouchons d'oreilles ; mais il les avait manifestement oubliés. Il frappa fort contre le mur, deux fois, puis encore une, comme un juron final. La dispute cessa aussitôt. Du moins, elle passa à un autre registre et il n'entendit plus rien. En attendant de se rendormir, il rumina la question de savoir si Mona et lui n'avaient pas eu, eux aussi, une dispute idiote dans cet hôtel au cours de leur voyage à la capitale. Ça leur arrivait parfois, pour des détails absurdes. Toujours des détails, jamais un sujet vraiment important. Nos conflits n'étaient pas spectaculaires, pensa-t-il. Ils étaient gris, ternes, sans plus. Nous étions tristes, ou déçus, ou les deux à la fois, et nous savions que c'était passager. Et pourtant nous nous disputions, et il n'y en avait pas un pour rattraper l'autre quand il s'agissait de débiter des insanités qu'on regrettait après. Des volières entières de noms d'oiseaux qu'on laissait échapper sans avoir la présence d'esprit de les rattraper par les ailes.

Il se rendormit, rêva de quelqu'un qui était peut-être Rydberg, ou son père, et qui l'attendait debout, dehors, sous la pluie. Il était en retard, peut-être à cause d'une panne de voiture, et il savait qu'il allait se faire tirer les oreilles à son arrivée.

Après le petit déjeuner, il s'installa à la réception et composa le numéro de Sten Nordlander. Il commença par son domicile. Personne ne répondit. Pas de réponse non plus sur le portable, mais cette fois il put au moins laisser un message. Il dit son nom et ce qu'il voulait. Mais que voulait-il ? Chercher le disparu, voilà une mission qui incombait à la police de Stockholm. Peut-être pouvait-on voir en lui un détective privé enquêtant sur initiative personnelle… Depuis le meurtre d'Olof Palme, ce genre de personnage était très mal vu.

Il fut interrompu dans ses réflexions par la sonnerie du portable. C'était Nordlander. Il avait une voix de basse rocailleuse.

– Je sais qui tu es, dit-il, Louise et Håkan m'ont parlé de toi. Je peux passer te prendre. Où es-tu ?

Wallander était sur le trottoir quand la voiture de Sten Nordlander freina devant l'hôtel. Une Dodge des années 1950 avec des chromes étincelants et des jantes aux incrustations blanches. Sten Nordlander avait dû être un vrai loubard dans sa jeunesse, un représentant de cette *jeunesse autoportée* qui avait semé la terreur à l'époque. Il arborait encore veste en cuir, bottes américaines, jean et tee-shirt en coton, malgré le froid. Comment Håkan von Enke et Sten Nordlander avaient-ils pu devenir amis intimes ? Difficile, en surface, d'imaginer deux individus plus différents. Mais Rydberg lui avait appris à voir dans cette notion de surface un réel danger. *Une surface, c'est un truc sur lequel tu dérapes. Ça se vérifie presque toujours.*

– Allez, monte, dit Sten Nordlander.

Wallander ne lui demanda pas où ils allaient. Il se laissa choir sur le siège en cuir rouge, sûrement d'époque, posa quelques questions polies sur la voiture et reçut en retour des réponses tout aussi polies. Puis le silence s'installa. Deux gros dés, taillés dans une sorte de matière laineuse, se balançaient sous le rétroviseur. Dans son enfance, il avait souvent eu l'occasion de voir des voitures comme celle-là. À l'intérieur, il y avait toujours des types dont les costumes brillaient presque autant que les chromes de leurs belles américaines. Ils achetaient les tableaux de son père par lots de douze. Pour le payer, ils détachaient des billets de banque de leurs épaisses liasses, un à un, comme des pelures d'oignon. *Les Chevaliers de la Soie* – c'était ainsi qu'il les appelait dans son for intérieur. Plus tard, il avait compris que ces hommes humiliaient son père en payant ses tableaux un vil prix.

L'espace d'un instant, le souvenir l'attrista. Ce temps-là était révolu. Fini. Il ne reviendrait jamais.

Il n'y avait pas de ceinture de sécurité. Wallander avait cherché et Sten Nordlander avait suivi son regard.

– C'est une antiquité. Alors j'ai une dispense.

Ils avaient pris la direction de l'archipel et roulaient à présent sur l'île de Värmdö. Wallander n'en savait pas plus, il avait perdu le sens de l'orientation et des distances. Nordlander freina devant une maison peinte en marron qui abritait un café.

– La propriétaire s'appelle Matilda. C'était la femme d'un de nos amis, à Håkan et à moi. Maintenant elle est veuve. Claes Hornvig, son mari, était second sur un Serpent où nous servions, nous aussi.

Wallander hocha la tête. Il se souvenait que Håkan von Enke lui avait parlé de cette classe de sous-marins qu'on appelait *Sjöormen*. Le Serpent de mer.

– Nous essayons autant que possible d'aller chez elle. Elle a besoin de gagner de l'argent. En plus, elle fait du bon café.

À peine entré, Wallander aperçut un périscope dressé au milieu de la salle. Sten Nordlander lui expliqua de quel sous-marin il provenait ; il comprit qu'il avait atterri dans un musée privé voué à la mémoire des sous-mariniers.

– C'était une habitude, dans le temps. Tous ceux qui avaient jamais travaillé à bord d'un sous-marin suédois, que ce soit à titre professionnel ou d'appelé, venaient tous au moins une fois en pèlerinage au café de Matilda. On apportait toujours un cadeau, le contraire aurait été impensable. De la vaisselle volée, une couverture, ou même des bouts de radio. Quand un sous-marin partait à la casse, les uns et les autres se servaient au passage ; il y avait toujours quelqu'un pour penser à Matilda. On faisait une collecte ; on n'y mettait pas d'argent, mais une sonde, par exemple.

Une femme d'une vingtaine d'années apparut par le double battant de la cuisine.

– Je te présente Marie, dit Sten Nordlander. La petite-fille de Matilda et de Claes. Matilda vient parfois, mais elle a plus de quatre-vingt-dix ans maintenant. Elle prétend que sa mère a atteint cent un ans et sa grand-mère cent trois.

– C'est vrai, dit la fille prénommée Maria. Maman a cinquante ans et elle considère qu'elle n'est pas encore à la moitié de sa vie.

Ils allèrent chercher deux cafés et des brioches. Sten Nordlander choisit en plus un mille-feuille. Quelques clients étaient attablés dans la salle, la plupart n'étaient pas tout jeunes.

– Anciens sous-mariniers ? devina Wallander quand ils furent dans l'arrière-salle déserte.

– Pas forcément. Mais je reconnais certains visages.

Les murs s'ornaient de vestes d'uniforme et de pavillons de signal. Il avait l'impression d'être dans un entrepôt d'accessoires de cinéma spécialisé dans les films de guerre. Ils s'assirent dans un coin. Au-dessus de la table, il y avait une photographie encadrée en noir et blanc. Sten Nordlander la pointa du doigt.

– Tiens, regarde, un de nos Serpents. Le deuxième de la deuxième rangée, c'est moi, le quatrième, c'est Håkan. Claes Hornvig n'était pas avec nous ce jour-là.

Wallander se pencha pour mieux voir. Les visages étaient flous. Sten Nordlander ajouta que la photo avait été prise à Karlskrona, juste avant une expédition au long cours.

– Pas franchement ce qu'on pourrait appeler un voyage de rêve. Au départ de Karlskrona, monter jusqu'au détroit de Kvarken, puis jusqu'à Kalix et retour. C'était au mois de novembre, un froid de chien. Si je me souviens bien, la tempête a duré presque tout le temps. Ça tanguait où qu'on se trouve, vu que le golfe de Botnie est si peu profond. On ne pouvait jamais descendre suffisamment. La Baltique est une flaque.

Sten Nordlander dévorait sa pâtisserie dont le goût, apparemment, lui importait peu. Soudain il posa sa fourchette et regarda Wallander.

– Que s'est-il passé ?

– Je n'en sais pas plus que toi.

Sten Nordlander repoussa sa tasse d'un geste brusque. Wallander vit alors qu'il était aussi épuisé que Louise. Encore quelqu'un qui ne dormait pas.

– Tu le connais mieux que personne, si j'ai bien compris. Louise m'a dit que vous étiez très proches. Ton opinion est plus importante que celle de n'importe qui.

– J'ai l'impression d'entendre le policier à qui j'ai rendu visite dans son bureau de Bergsgatan.

– Je suis policier, moi aussi.

Sten Nordlander hocha la tête. Tendu, lèvres serrées. Son inquiétude était tout à fait perceptible.

– Comment se fait-il que tu n'aies pas assisté à sa fête d'anniversaire ? demanda Wallander.

– J'ai une sœur qui habite Bergen, en Norvège. Son mari est mort brutalement. Elle avait besoin de moi. D'ailleurs, les grandes réceptions, ce n'est pas mon truc. Håkan et moi avions célébré l'événement à notre façon une semaine plus tôt.

– Comment ?

– Ici même. Avec un café et un gâteau.

Sten Nordlander montra à Wallander une casquette d'uniforme accrochée au mur.

– Cette casquette-là a appartenu à Håkan. Il l'a offerte au café de Matilda à l'occasion de notre petite fête.

– De quoi avez-vous parlé ?

– De ce dont nous parlons toujours. Les événements d'octobre 1982. Je servais à bord du chasseur *Småland*, qui allait bientôt partir à la retraite. Il est au musée de la Marine de Göteborg maintenant.

– Tu ne travaillais donc pas uniquement à bord de sous-marins ?

– Je te les cite dans l'ordre : un torpilleur, une corvette, un chasseur, un sous-marin et, à la fin, encore un chasseur. Nous nous trouvions sur la côte ouest quand les sous-marins ont commencé à surgir dans la Baltique. Le 2 octobre à midi, le commandant Nyman a dit que nous devions mettre le cap vers l'archipel de Stockholm à pleine vitesse. En renfort.

– Étais-tu en contact avec Håkan ?

– Il m'appelait.

– Chez toi ou à bord ?

– À bord du chasseur. Je n'étais jamais chez moi pendant cette période, toutes les permissions étaient supprimées. On était en état d'alerte maximale, et c'est un euphémisme. Il faut se rappeler que c'était l'époque merveilleuse avant que les téléphones portables ne deviennent la propriété de Monsieur Tout-le-Monde. Les appelés en charge du central, sur le chasseur, venaient nous prévenir quand on avait une communication. En général, Håkan appelait la nuit. Et il voulait que je prenne ses appels dans ma cabine.

– Pourquoi ?

– Sans doute ne voulait-il pas qu'on nous entende.

Wallander perçut une certaine réticence dans les réponses de Sten Nordlander, qui avait presque fini son mille-feuille et en écrasait les restes avec sa fourchette tout en parlant.

– Il m'a appelé pratiquement chaque nuit entre le 1er et le 15 octobre. En réalité, je crois qu'il n'était pas autorisé à le faire. Du moins pas ainsi. Mais nous avions une confiance absolue l'un en l'autre. Sa responsabilité lui pesait. Une charge explosive mal dirigée pouvait couler le sous-marin au lieu de l'obliger à remonter.

Les restes du gâteau formaient à présent une bouillie peu appétissante. Nordlander posa sa fourchette et recouvrit négligemment la petite assiette avec une serviette en papier.

– Le dernier soir, il m'a appelé trois fois. Puis une dernière fois en pleine nuit, ou plutôt à l'aube.

– Tu étais encore à bord ?

– Nous nous trouvions au sud-est du détroit de Hårsfjärden, à un mille à peine. Il y avait un peu de vent, mais ça allait. À bord, c'était l'alerte maximale. Seuls les officiers étaient informés de la réalité de la situation.

– Prévoyait-on réellement de vous impliquer dans la traque ?

– Nous ne pouvions savoir ce que feraient les Russes si nous obligions l'un des leurs à faire surface. Peut-être tenteraient-ils de le libérer ? Des bâtiments de guerre russes étaient positionnés au nord de l'île de Gotland, et ils avançaient lentement dans notre direction. L'un de nos télégraphistes a dit qu'il n'avait encore jamais vu une telle intensité du trafic radio côté russe, même au cours de leurs grandes manœuvres qui se déroulaient en général plus au sud, près des côtes baltes. Ils étaient inquiets, ça ne faisait aucun doute.

Il se tut quand Marie arriva et leur demanda s'ils revoulaient du café. Ils déclinèrent.

– Venons-en au plus important, reprit Wallander. Quelle a été ta réaction en apprenant que le sous-marin cerné avait été autorisé à fuir ?

– Je n'en croyais pas mes oreilles.

– Comment l'as-tu appris ?

– Nyman a soudain reçu l'ordre de faire machine arrière, de descendre vers Landsort et d'attendre là-bas. Aucune explication, rien. Nyman n'était pas homme à poser des questions inutiles. J'étais en salle des machines quand on est venu me dire que j'avais une communication. Je suis remonté à ma cabine quatre à quatre. C'était Håkan. Il m'a demandé si j'étais seul.

– Avait-il l'habitude de te poser cette question ?

– Non. Je lui ai dit qu'il n'y avait personne. Il a insisté sur le fait que c'était important, je devais lui dire la vérité. Je me souviens que j'ai failli me fâcher. Puis j'ai compris tout à coup qu'il avait quitté le central de commandement et qu'il m'appelait depuis une cabine téléphonique.

– Comment pouvais-tu le savoir ?

– J'ai entendu le bruit des pièces de monnaie qu'il glissait dans la fente. Il y avait un appareil téléphonique dans le mess. Comme il ne pouvait s'absenter du central plus de quelques minutes, disons au maximum le temps de se rendre aux toilettes, il avait dû y aller au pas de course.

– Il te l'a dit ?

Sten Nordlander le considéra un instant.

– Il était essoufflé. Tu es vraiment de la police, ma parole.

Wallander ne se laissa pas déstabiliser. Il fit signe à Nordlander de continuer.

– Il était dans un état second – comment dire ? Un mélange de colère et de peur. Il m'a dit que c'était de la trahison, qu'il allait refuser d'obéir aux ordres, qu'il allait forcer ce sous-marin à remonter, quelles qu'en soient les conséquences. Puis il s'est trouvé à court de monnaie. Comme une bande-son qui s'arrête, clac.

Wallander gardait le regard rivé à son interlocuteur dans l'attente d'une suite, qui ne vint pas.

– *Trahison*, dit-il. C'est fort, comme mot.

– Mais c'était précisément de ça qu'il s'agissait ! On laissait partir un sous-marin qui avait porté atteinte, gravement, à notre intégrité territoriale.

– Qui a pris cette décision ?

– Quelqu'un, ou quelques-uns, au niveau du commandement suprême. Ils se sont dégonflés. Ils n'ont pas voulu mettre la pression qu'il fallait pour obliger le sous-marin russe à se montrer.

Un homme entra dans l'arrière-salle, une tasse de café à la main, mais Sten Nordlander lui jeta un regard tel qu'il battit aussitôt en retraite et partit se chercher une table ailleurs.

– Tu me demandes « qui », reprit Nordlander. Je ne le sais pas. Il est peut-être plus facile de répondre à la question « pourquoi ». Mais ça reste naturellement du domaine de la spéculation. Ce qu'on ne sait pas, eh bien… On ne le sait pas.

– Il est parfois nécessaire de réfléchir à voix haute. Même les policiers le font.

– Supposons qu'il y ait eu quelque chose à bord de ce sous-marin et que les autorités suédoises n'aient pas voulu mettre la main dessus.

– Quoi ?

Sten Nordlander baissa la voix, pas beaucoup mais assez pour que Wallander se rapproche.

– Ou alors, ce n'était pas « quelque chose » mais « quelqu'un ». De quoi aurions-nous eu l'air si on avait trouvé un officier suédois à bord ? Juste à titre d'exemple ?

– Qu'est-ce qui te fait penser ça ?

– Ce n'est pas mon idée. C'est une théorie de Håkan. Il en a beaucoup.

Wallander réfléchit avant de poursuivre, tout en pensant qu'il aurait peut-être dû noter tout ce que lui racontait à présent Sten Nordlander.

– Qu'est-il arrivé après cela ?

– Après quoi ?

L'autre commençait à être de mauvaise humeur. Difficile de savoir si cela tenait aux questions de Wallander ou au mauvais sang qu'il se faisait pour son ami.

– Håkan m'a raconté qu'il avait posé des questions aux uns et aux autres, dit Wallander avec douceur.

– Il a essayé de comprendre ce qui s'était produit. Presque tout, dans cette affaire, relevait du secret-défense et même, pour partie, du niveau très secret-défense, qui fait qu'on n'y a accès qu'au bout de soixante-dix ans. C'est la plus longue durée autorisée en Suède ; normalement, c'est quarante ans. Pas même la gentille Marie qui nous a servi notre café n'aura sans doute l'occasion de lire certains éléments du dossier.

– D'un autre côté, elle appartient à une lignée qui a de bons gènes…

Sten Nordlander ne sourit pas.

– Håkan pouvait être difficile quand il s'était mis un truc en tête. Il se sentait atteint dans son intégrité, tu comprends, au même titre que l'avait été le territoire national. Quelqu'un avait trahi. Beaucoup de journalistes s'intéressaient aux sous-marins, mais Håkan n'était pas satisfait. Il voulait réellement savoir. Il a misé sa carrière sur cette question.

– À qui a-t-il parlé ?

La réponse de Sten Nordlander claqua comme un fouet :

– À tous. Il a interrogé tout le monde. À l'exception du roi peut-être, et encore. Il a demandé une audience au Premier ministre, ça du moins c'est une certitude. Il a appelé au téléphone Thage G. Peterson, l'estimable vieux social-démocrate qui était en ce temps-là au gouvernement, et il a sollicité un rendez-vous avec Palme. Peterson a répondu que l'agenda de Palme était complet. Mais Håkan n'a pas lâché prise. « Alors regardez l'autre agenda. Celui où on peut toujours coincer un rendez-vous important. » Et, de fait, il l'a obtenu. Quelques jours avant Noël 1983.

– C'est ce qu'il t'a raconté ?

– J'étais avec lui.

– Chez Palme ?

– Je lui ai servi de chauffeur. Il est sorti de la voiture, en uniforme et pardessus sombre, et je l'ai vu franchir le portail du bâtiment de Rosenbad. Le premier sanctuaire du pays, après le palais royal. Sa visite a duré environ trente minutes. Au bout de dix minutes, un garde est venu frapper à ma vitre en disant qu'on avait le droit de déposer les gens, mais pas de stationner. J'ai baissé complètement la vitre et je l'ai informé que la personne que j'attendais était auprès du Premier ministre et que je n'avais aucune intention de bouger de là. Le garde m'a laissé tranquille. Quand Håkan est revenu, j'ai vu que son front était couvert de sueur. J'ai démarré. On a roulé en silence. On est venus ici. On s'est assis à cette même table. Au moment où on sortait de la voiture, il s'est mis à neiger. On a eu un Noël blanc à Stockholm cette année-là. La neige s'est attardée jusqu'au Nouvel An, puis la pluie l'a fait fondre.

Marie revint avec la cafetière. Cette fois, ils acceptèrent une deuxième tasse. Sten Nordlander glissa dans sa bouche un morceau de sucre, et Wallander s'aperçut alors seulement qu'il portait un dentier. Cela le mit mal à l'aise. Peut-être parce qu'il pensait à sa propre négligence à se rendre régulièrement chez le dentiste.

Von Enke avait fait à son ami un récit très circonstancié de sa rencontre avec Olof Palme. Il avait été bien reçu. Palme avait posé quelques questions sur sa carrière militaire, et évoqué avec une pointe d'autodérision son propre statut d'officier de réserve. Puis il avait écouté ce que son visiteur avait à lui dire. Et von Enke avait été très explicite. En termes de loyauté vis-à-vis de son employeur, l'armée, il avait ce jour-là franchi la ligne rouge. Le fait d'aller voir le chef du gouvernement de sa propre initiative signifiait qu'il était définitivement grillé auprès du chef d'état-major et de son équipe. Il n'y avait plus de retour possible. Mais il n'avait pas le choix : il devait dire ce qu'il en était. Il avait parlé pendant plus de dix minutes. Et Palme, dit-il, l'avait écouté sans le quitter des yeux, lèvres entrouvertes. Puis il avait réfléchi un moment avant de commencer à l'interroger. Il voulait en premier lieu savoir si les militaires étaient certains de la nationalité du sous-marin. Celui-ci appartenait-il au pacte de Varsovie ? Håkan avait répondu par une autre question. Quelles étaient les autres possibilités ? Palme n'avait pas répondu, s'était contenté d'une grimace et d'un hochement de tête. Quand Håkan avait ensuite prononcé les mots de haute trahison et de scandale militaro-politique, Palme l'avait interrompu en disant que cette discussion-là devait avoir lieu dans un autre cadre que celui d'un entretien particulier avec le Premier ministre. Leur échange s'était arrêté là. Un secrétaire avait passé une tête prudente dans le bureau et rappelé au chef du gouvernement qu'un autre visiteur patientait. En sortant, Håkan était en nage, mais soulagé. Palme l'avait écouté. Voilà ce qu'il avait répété à Sten Nordlander, au café. Il était plein d'optimisme, convaincu que quelque chose allait maintenant se produire. Le Premier ministre l'avait sûrement entendu, quand il avait parlé de trahison. Il allait attraper son ministre de la Défense et son chef d'état-major par les oreilles et exiger qu'ils lui disent la vérité. *Qui* avait ouvert la nasse et laissé partir le sous-marin ? Et surtout : *pourquoi ?*

Sten Nordlander se tut en jetant un regard à sa montre-bracelet.

– Et ensuite ? demanda Wallander.

– On était juste avant Noël. Il ne s'est rien passé pendant quelques jours, mais, la veille du Nouvel An, Håkan a été convoqué chez le chef d'état-major des armées. Il a essuyé une réprimande sévère pour être allé voir Palme dans son dos. Mais Håkan n'est pas stupide au point de ne pas comprendre que celui qui était visé et critiqué en premier lieu, c'était le Premier ministre lui-même qui, aux yeux de l'état-major, n'aurait jamais dû écouter les divagations d'un officier de marine en mission solitaire.

– Mais il a donc continué de fouiller ? Malgré les pressions ?

– Il n'a jamais cessé de fouiller. Ça fait vingt-cinq ans.

– Tu étais son plus proche ami. S'il a reçu des menaces, il a dû t'en parler.

Sten Nordlander hocha la tête mais ne dit rien.

– Et maintenant, il n'est plus là, ajouta Wallander.

– Il est mort. Quelqu'un l'a tué.

C'était venu brutalement. Sten Nordlander l'avait dit comme une évidence.

– Comment peux-tu être si sûr de toi ?

– Comment peux-tu en douter ?

– Alors qui ? Pourquoi ?

– Je n'en sais rien. Mais peut-être savait-il quelque chose qui s'est révélé à la fin trop dangereux pour certains.

– L'histoire des sous-marins remonte à vingt-cinq ans. Qu'est-ce qui pourrait être encore dangereux après tant d'années ? Bon sang, l'Union soviétique n'existe même plus. Le mur de Berlin est tombé. La RDA, c'est fini. Toute cette époque-là est révolue. Quelles seraient ces ombres qui resurgiraient à l'improviste ?

– Nous croyons que tout cela a disparu. Mais si ça se trouve, quelqu'un est juste allé changer de costume en coulisse. Le répertoire a changé, mais la scène reste la même.

Sten Nordlander se leva.

– Nous pourrons continuer un autre jour. Ma femme m'attend.

Il raccompagna Wallander en voiture jusqu'à son hôtel. Au moment de le quitter, celui-ci s'aperçut qu'il avait encore une question :

– Håkan avait-il un ami proche, à part toi ?

– Personne. Ou alors Louise, peut-être. Les marins, en général, ne sont pas des gens très sociables. Je n'étais pas proche de lui. J'étais *plus proche* que tous les autres, si tu veux.

Wallander nota que Sten Nordlander marquait une hésitation. Allait-il le dire, ou non ?

– Il y a bien Steven Atkins. Un Américain, commandant de sous-marin lui aussi. Un peu plus jeune que Håkan. Je crois qu'il aura soixante-quinze ans l'an prochain.

Wallander dénicha son carnet et un stylo-bille et nota le nom.

– Il a une adresse ?

– Il habite en Californie, près de San Diego. Il était autrefois stationné à Groton. Une grande base navale dans le Connecticut.

Wallander se demandait pourquoi Louise ne lui avait pas parlé de Steven Atkins ; mais il renonça à interroger Nordlander, qui paraissait pressé de partir.

La Dodge disparut au sommet de la côte.

Il récupéra sa clé, monta à sa chambre et réfléchit à ce qu'il venait d'apprendre. En vérité, il ne lui semblait pas avoir progressé d'un pas.

8

Le lendemain matin, Linda l'appela pour savoir comment ça allait à Stockholm. Il lui fit part de ce qui semblait être la conviction de Louise, que son mari était mort.

– Hans refuse de le croire, dit-elle. Il est persuadé que son père est en vie.

– Au fond de lui, il sait sûrement que Louise peut avoir raison.

– Et toi, que crois-tu ?

– Ça ne me dit rien qui vaille.

Wallander chercha à savoir si elle avait parlé à quelqu'un, à Ystad. Il savait qu'elle était en contact avec Kristina Magnusson et qu'elles se voyaient parfois en dehors du travail.

– L'enquêteur de Malmö est revenu et reparti. Ton sort va se jouer maintenant.

– Je serai peut-être viré.

– Arrête ! C'était idiot d'emporter ton arme en ville et de l'oublier au moment de rentrer, mais si ça devait suffire à te faire virer, il y a au moins quelques centaines de collègues qui devraient perdre leur boulot. Pour des fautes beaucoup plus graves.

– Je m'attends au pire, dit Wallander sombrement.

– Quand tu auras laissé tomber ce ton geignard, on pourra se reparler.

Elle raccrocha. Il pensa qu'elle avait raison. Bien sûr. Il écoperait sans doute d'un avertissement, éventuellement d'une retenue sur salaire. Il voulut la rappeler, puis changea d'avis. Le risque était trop grand qu'ils entament une dispute. Il s'habilla, déjeuna et appela ensuite Ytterberg, qui promit de le recevoir à neuf heures. Wallander demanda s'ils avaient du nouveau, mais la réponse fut négative.

– Quelqu'un nous a signalé la présence de von Enke à Södertälje. Ce qu'il allait faire là-bas ? Mystère. Mais, en fait, c'était juste un homme en uniforme. Et notre ami ne portait pas l'uniforme le jour de sa promenade.

– C'est tout de même curieux que personne ne l'ait vu. Si j'ai bien compris, énormément de gens fréquentent le bois de Lilljansskogen, pour marcher, courir, promener leur chien…

– Je suis d'accord. Ça nous préoccupe aussi. Passe à neuf heures, on en parlera. Je viendrai te chercher à l'accueil.

Ytterberg était un type très grand et très costaud ; en le voyant, Wallander pensa aussitôt aux lutteurs suédois de la grande époque. Il lorgna ses oreilles pour voir si celles-ci présentaient la déformation caractéristique en chou-fleur, mais non. D'autre part, malgré sa masse, Ytterberg se déplaçait avec une incroyable légèreté. Dans les couloirs où il avançait à toute allure, Wallander en remorque, on eût dit qu'il effleurait à peine le sol. Enfin ils arrivèrent dans un bureau où régnait un véritable chaos et où l'espace libre au sol était occupé par un énorme dauphin gonflable.

– Pour ma petite-fille, expliqua Ytterberg. Anna Laura Constance va le recevoir vendredi pour ses neuf ans. Tu as des petits-enfants ?

– Une. Ma première. Elle vient de naître.

– Et elle s'appelle ?

– Rien pour l'instant. Ils attendent que le nom se présente tout seul.

Ytterberg se laissa tomber dans son fauteuil en marmonnant une réplique inaudible. Puis il montra du doigt un percolateur posé sur l'appui de la fenêtre mais Wallander fit non de la tête.

– Nous privilégions la piste criminelle, commença Ytterberg sans attendre la première question. Il s'est écoulé trop de temps depuis sa disparition. À part ça, c'est une bien étrange affaire. Pas une trace, rien. À croire qu'il est parti en fumée, comme on dit. Ce bois est plein de monde à toute heure, mais personne n'a rien vu. Ça ne tient pas debout.

– Cela peut indiquer qu'il n'a pas suivi son itinéraire habituel, qu'il n'est pas allé dans le bois…

– … ou alors qu'il lui est arrivé quelque chose avant. Même dans ce cas, il est curieux que personne n'ait remarqué quoi que ce soit.

On ne tue pas quelqu'un en toute discrétion dans Valhallavägen. On ne fait pas monter quelqu'un de force dans une voiture sans que ça se voie.

– Et s'il était parti, malgré tout, de son plein gré ?

– Vu l'absence de témoins, c'est l'hypothèse la plus plausible. Le problème, c'est que rien d'autre ne va dans ce sens.

Wallander hocha la tête.

– Tu as dit que les services s'étaient penchés sur son cas. Alors ? Ont-ils pu apporter une lumière ?

Ytterberg plissa les yeux et se carra dans son fauteuil.

– Depuis quand les services ont-ils apporté la moindre lumière quelque part ? Ils disent que c'est normal pour eux de s'y intéresser, vu que c'est un militaire haut placé qui a disparu, même s'il est à la retraite depuis longtemps.

Ytterberg se servit un café et en reproposa à Wallander, qui n'en voulait toujours pas.

– Comme tu le sais, j'ai assisté à la fête qu'il a donnée pour ses soixante-quinze ans. J'ai eu l'impression, ce soir-là, qu'il avait peur.

Wallander s'était pris de confiance pour Ytterberg. Il lui raconta l'épisode de la véranda, qui avait si visiblement effrayé Håkan von Enke.

– J'ai aussi eu le sentiment qu'il voulait se confier à moi. Mais rien, dans ce qu'il m'a dit, n'explique cette inquiétude. Il ne m'a fait aucune confidence digne de ce nom.

– Pourtant il avait peur, dis-tu.

– C'est le sentiment que j'ai eu. Je me souviens d'avoir pensé qu'un commandant de sous-marin ne s'inquiète sans doute pas pour des dangers imaginaires. Une existence au fond de la mer doit vous prémunir contre cela.

– Je crois comprendre ce que tu veux dire, fit Ytterberg pensivement.

Une voix de femme s'éleva au même moment dans le couloir. Hors d'elle, crut saisir Wallander, parce qu'elle en avait « marre d'être interrogée par un guignol ». Puis le silence retomba.

– J'ai une question, dit-il. En visitant son bureau, à son domicile de Grevgatan, j'ai eu l'impression que quelqu'un avait fait le ménage dans ses archives. J'aurais du mal à préciser mon sentiment. Mais je crois que tu connais ça. On a tous une méthode, une forme de système, un style, quand il s'agit de ranger nos affaires, nos papiers en particulier, bref, tout ce que nous laissons dans notre sillage – *l'écume de l'existence*, comme le disait un commissaire que j'ai connu autrefois. On croit repérer un tel système chez quelqu'un, et voilà qu'on voit apparaître des failles bizarres. À part les espaces vides, j'ai aussi trouvé un tiroir où tout était pêle-mêle, alors qu'un ordre impeccable régnait partout ailleurs.

– Que dit sa femme ?

– Que personne n'est venu.

– Dans ce cas, il reste deux possibilités. Soit elle a fait le ménage elle-même pour des raisons qu'elle ne veut pas dire. Ce peut être assez innocent, par exemple qu'elle ne veut pas avouer sa curiosité. Elle peut trouver ça gênant, que sais-je. Soit c'est lui.

Wallander se perdit en conjectures. Il aurait dû comprendre. Un lien venait de se dévoiler avant de disparaître de nouveau. Mais l'association était trop fugace, elle lui échappa.

– Revenons-en un instant à nos amis des services, dit-il. Se peut-il qu'ils détiennent une information qu'ils ne nous communiquent pas ? Un vieux soupçon enterré, qui serait soudain redevenu intéressant ?

– Je leur ai posé la question, figure-toi. Et j'ai obtenu une réponse très vague. Si ça se trouve, le collègue des renseignements qui m'a rendu visite n'était au courant de rien. Ce n'est pas impossible. Ces gens-là sont aussi doués pour les cachotteries internes que maladroits quand il s'agit de préserver un secret vis-à-vis de l'extérieur.

– Alors ? Avaient-ils quelque chose sur Håkan von Enke ?

Ytterberg écarta les bras, heurtant par mégarde son gobelet de café qui se renversa. Il le jeta à la corbeille d'un geste rageur. Puis il essuya sa table et ses papiers tachés à l'aide d'un torchon récupéré sur une étagère. Wallander soupçonna que cet épisode n'avait rien d'unique.

– J'ai cherché de mon côté, dit-il quand il eut fini d'essuyer. Il n'y avait rien. Håkan von Enke est un militaire suédois irréprochable. J'ai parlé à quelqu'un dont j'ai oublié le nom, qui a accès aux dossiers des officiers de marine. En résumé : il a gravi les échelons à toute allure, il a atteint le grade de capitaine de frégate – puis ça s'est arrêté. Sa carrière s'est étalée, pour ainsi dire.

Wallander réfléchissait à ce que lui avait dit Sten Nordlander sur le fait que von Enke avait « misé sa carrière » sur cette histoire des sous-marins. Ytterberg se curait les ongles avec un coupe-papier. Quelqu'un passa dans le couloir en sifflotant. À sa propre surprise, Wallander reconnut le vieux refrain des années de guerre intitulé *We'll Meet Again*.

– *Don't know where, don't know when*, fredonna Wallander tout bas.

– Combien de temps restes-tu à Stockholm ?

– Je rentre cet après-midi.

– Laisse-moi ton numéro, je te tiendrai au courant.

Ytterberg le raccompagna jusqu'à l'entrée du commissariat donnant sur Bergsgatan. Wallander prit la direction de la place de Kungsholmstorg, héla un taxi et retourna à l'hôtel. Dans sa chambre, il s'allongea sur le lit après avoir suspendu à la poignée de la porte l'écriteau « Ne pas déranger ». En pensée, il revint à la fête de Djursholm. Ôta symboliquement ses chaussures et s'approcha à pas de loup, sans bruit, de ses propres souvenirs quant aux faits et gestes de Håkan von Enke. Puis il tritura ces souvenirs, les mit à l'épreuve. Avait-il pu se tromper du tout au tout ? Ce qu'il avait perçu spontanément comme de la peur trahissait-il en réalité tout autre chose ? L'expression de quelqu'un peut s'interpréter de tant de manières. Les myopes qui plissent les yeux, par exemple, passent facilement pour arrogants. L'homme dont il suivait la trace n'avait pas reparu depuis maintenant six jours. On avait dépassé le laps de temps au terme duquel les gens refaisaient surface. Dans la plupart des cas, après six jours, ou bien ils étaient rentrés chez eux, ou bien ils avaient au moins donné signe de vie. Håkan von Enke, lui, ne donnait pas le moindre signe de quoi que ce soit.

Il est juste absent, songea Wallander, poursuivant sa conversation muette avec lui-même. Il part se promener et il ne revient pas. Son passeport est resté à la maison, il n'a pas d'argent sur lui, il n'a même pas emporté son portable. C'était là l'un des points cruciaux, l'une des circonstances les plus étonnantes de l'affaire, qui exigeait une élucidation. Il pouvait évidemment l'avoir oublié. Mais ce matin-là précisément… Cela renforçait l'hypothèse selon laquelle sa disparition n'était pas volontaire.

Il se prépara à rentrer à Ystad, fit son sac, paya sa note d'hôtel et déjeuna dans un restaurant du quartier. Au cours du voyage, il fit quelques mots croisés. Il restait toujours, dans chaque grille, deux ou trois mots qui lui échappaient, ce qui était bien irritant ; mais, la plupart du temps, il était plongé dans ses pensées. Il arriva chez lui vers vingt et une heures. Quand il alla chercher Jussi, celui-ci fut si heureux de le revoir qu'il faillit le renverser.

À peine franchi le seuil de sa maison, il perçut une odeur bizarre. En compagnie de Jussi, il s'avança, narines écarquillées, jusqu'à la salle de bains. La puanteur provenait de la bonde au sol. Il ôta la grille et déversa deux seaux d'eau sans résultat ; le tuyau de la fosse septique devait être bouché. Il sortit de la salle de bains et ferma la porte. Le plombier qu'il avait l'habitude d'appeler à la rescousse connaissait des épisodes de beuverie. Il espérait que ce ne serait pas le cas en ce moment.

Jarmo (c'était le nom du plombier) répondit d'une voix égale quand Wallander l'appela le lendemain matin. L'odeur n'avait pas disparu. Une heure plus tard, il était à pied d'œuvre ; encore une heure, et il avait débouché la canalisation. La puanteur disparut quasi instantanément. Wallander le paya. Au noir, comme d'habitude. Ça ne lui plaisait guère mais Jarmo était, par principe, opposé au fait de rédiger des factures. Il avait une quarantaine d'années et des enfants dans tout le voisinage. Wallander l'avait personnellement interpellé quelques années plus tôt ; Jarmo était soupçonné de recel d'objets volés dans divers ateliers de bricolage. Mais il était innocent, il y avait eu malentendu ; depuis que Wallander habitait dans sa maison, c'était toujours Jarmo qui s'occupait de ses canalisations – et ses canalisations avaient toujours des problèmes.

– Comment va ton histoire d'arme oubliée ? demanda Jarmo sur un ton insouciant après avoir rangé dans son épais portefeuille les billets de cent de Wallander.

– J'attends le résultat de l'enquête, répondit Wallander qui préférait ne pas s'appesantir.

– Je crois bien que je n'ai jamais été soûl au point d'oublier un coupe-tubes au bistrot.

Wallander ne trouva pas de repartie. Il agita la main en regardant la fourgonnette rouillée de Jarmo disparaître au bout du chemin. Puis il appela le commissariat, la ligne directe de Martinsson. La voix enregistrée de son collègue l'informa qu'il était ce jour-là en séminaire à Lund sur le thème des transports de migrants clandestins. Il hésita un instant à appeler Kristina Magnusson. Il laissa tomber, remplit encore en partie quelques grilles de mots croisés, dégivra son réfrigérateur et fit ensuite une longue promenade avec Jussi. Il se sentait désœuvré et agité, contrarié de ne pas pouvoir se rendre à son travail. Quand le téléphone sonna, il attrapa le combiné comme s'il avait attendu bien trop longtemps qu'il sonne enfin. Une voix de femme, jeune, presque gazouillante, lui demanda si cela l'intéressait de louer un appareil de massage qu'on pouvait entreposer dans une armoire et qui ne prenait presque pas de place même quand il était déplié. Wallander raccrocha et regretta dans la foulée d'avoir été agressif avec cette fille, qui ne le méritait sûrement pas.

Le téléphone sonna de nouveau. Il hésita avant de décrocher. La ligne était mauvaise ; c'était une communication longue distance, la voix de son interlocuteur lui parvenait avec un temps de retard.

Une voix d'homme. Qui s'exprimait en anglais, en criant dans le téléphone. Il voulait savoir s'il parlait bien à la personne qu'il cherchait, Kurt, Kurt Wallander, était-ce bien lui ?

– Oui, c'est moi ! cria Wallander à travers le grésillement. Qui êtes-vous ?

Il crut que la communication avait été coupée et s'apprêtait à raccrocher quand la voix revint, plus proche à présent :

– Wallander ? C'est toi ? C'est Kurt ?

– C'est moi !

– Ici Steven Atkins. Tu sais qui je suis ?

– Oui, je sais, cria Wallander. Tu es l'ami de Håkan.

– On l'a retrouvé ?

– Non.

– La réponse était bien « non » ?

– Oui, la réponse était non !

– Ça fait une semaine maintenant ?

– Plus ou moins.

Les grésillements reprirent de plus belle. Il devina que Steven Atkins l'appelait depuis un portable.

– Je suis très inquiet, cria Atkins. Håkan n'est pas un homme qui disparaît comme ça.

– Quand lui as-tu parlé pour la dernière fois ?

– Il y a huit jours. Dimanche après-midi, *swedish time*.

Le jour avant sa disparition, pensa Wallander.

– C'est lui qui t'a appelé ?
– Oui. Il m'a dit qu'il était parvenu à une conclusion.
– À quel sujet ?
– Je n'en sais rien. Il ne me l'a pas dit.
– « Je suis parvenu à une conclusion. » C'est tout ? Il a bien dû ajouter quelque chose ?
– Non. Il était très prudent au téléphone. Parfois il préférait même m'appeler d'une cabine.
Wallander avait de nouveau du mal à entendre. Il retint son souffle, ne voulait pas perdre le contact.
– Je veux savoir ce qui se passe, dit Atkins, la voix soudain très claire. Je suis inquiet.
– A-t-il évoqué des projets de voyage ?
– Il paraissait plus heureux que depuis longtemps. Håkan pouvait être un peu sombre parfois. Il n'aimait pas vieillir. Il craignait de ne pas avoir assez de temps. Quel âge as-tu, Kurt ?
– Soixante.
– Ce n'est rien, ça ! As-tu une adresse e-mail, Kurt ?
Wallander indiqua péniblement son adresse, sans préciser qu'il ne l'utilisait pour ainsi dire jamais.
– Je t'écris, Kurt, cria Atkins. Pourquoi ne viendrais-tu pas me rendre visite en Amérique ? Mais d'abord tu dois retrouver Håkan.
Il l'entendait très mal. La communication fut interrompue. Il resta debout, le combiné à la main.
Why don't you come over ?
Il raccrocha et s'assit à la table de la cuisine. De la lointaine Californie, Steve Atkins venait de lui communiquer une information nouvelle – ou plutôt de la lui hurler à l'oreille. Il sortit son carnet de notes et se remémora la conversation point par point, réplique par réplique. La veille de sa disparition, Håkan von Enke n'avait pas appelé Sten Nordlander, ni son fils Hans. Il avait appelé Steve Atkins en Californie. Était-ce une décision réfléchie ? Von Enke était-il sorti pour le faire, l'avait-il appelé d'une cabine ? Il faudrait poser la question à Louise. Il continua à écrire jusqu'à avoir retranscrit toute la conversation. Alors il se leva, se plaça à quelques mètres de la table et regarda son carnet comme un peintre qui prend ses distances avec le chevalet. C'était naturellement Sten Nordlander qui avait donné son numéro à Atkins. Rien d'étrange à cela. Atkins était

aussi inquiet que les autres. Ou bien ? Il eut soudain la sensation étrange que Håkan von Enke avait été tout près d'Atkins pendant leur conversation. Puis il repoussa cette idée, qui lui paraissait presque indécente.

Il en avait assez. Par-dessus la tête de toute cette affaire. Il pouvait s'inquiéter comme les autres, certes. Mais ce n'était pas à lui de retrouver le disparu ni de spéculer sur les circonstances du drame. Il tournait en rond, remplissait son inactivité forcée avec des fantômes, et voilà tout. Peut-être était-ce un exercice préparatoire ? Un prélude à la misère qui serait la sienne quand l'inévitable mise à la retraite le happerait à son tour ?

Il se prépara à manger, fit le ménage sans entrain et essaya de lire un livre que lui avait offert Linda sur l'histoire de la police suédoise. Il s'était endormi, le livre sur la poitrine, quand la sonnerie du téléphone le réveilla en sursaut.

C'était Ytterberg.

– J'espère que je ne te dérange pas.

– Pas du tout. Je lisais.

– Nous venons de faire une découverte. Je voulais t'en informer.

– Quelqu'un est mort ?

– Carbonisé. Nous l'avons trouvé voici quelques heures dans une cabane de chantier incendiée, sur Lidingö. Pas très loin du bois de Lilljansskogen. L'âge pourrait coller. À part ça, rien n'indique que ce soit lui. Nous ne disons rien à sa femme pour l'instant.

– Les journaux ?

– Ils n'ont pas encore fait le rapprochement.

Cette nuit-là, Wallander dormit mal. Il se releva plusieurs fois et reprit sa lecture, le livre sur l'histoire de la police, pour l'abandonner après quelques paragraphes. Jussi, allongé devant la cheminée, le suivait du regard. Parfois Wallander l'autorisait à dormir dans la maison.

Ytterberg le rappela à six heures du matin. Ce n'était pas Håkan von Enke. Le corps avait été identifié grâce à une bague. Wallander, soulagé, se rendormit jusqu'à neuf heures. Il prenait son petit déjeuner quand Lennart Mattson l'appela à son tour.

– C'est fini, dit-il. Le service d'inspection a rendu son verdict : cinq jours de retrait de salaire pour l'oubli de ton arme.

– C'est tout ?

– Ce n'est pas assez ?

– C'est plus qu'assez. Alors je reviens.

Tôt le lundi matin, Wallander était de nouveau derrière son bureau du commissariat.

Toujours aucune trace de Håkan von Enke.

9

Wallander reprit le service entouré de collègues qui affichaient une mine joyeuse parce que la mesure disciplinaire s'était révélée bénigne. Quelqu'un proposa même d'organiser une collecte pour le dédommager de sa perte de salaire, mais ce projet resta évidemment sans suite. Wallander soupçonnait bien que, chez l'un ou l'autre, les sourires de bienvenue cachaient une réelle satisfaction et qu'ils se réjouissaient secrètement de sa mésaventure, mais il résolut de ne pas s'attacher à ça. Il avait mieux à faire que perdre son temps à dépister d'éventuels hypocrites. Sinon il dormirait moins bien la nuit, s'énervant tout seul dans son lit à imaginer les ricanements derrière son dos.

Sa première grosse affaire après l'élucidation réussie du vol d'armes – à la suite de laquelle il eut d'ailleurs la surprise de recevoir un jour un bouquet de fleurs de la part de la fille au haras – fut un cas de violence aggravée à bord d'un ferry reliant Ystad à la Pologne. Une histoire d'une brutalité et d'une tristesse inhabituelles, alors que l'enquête avait démarré de façon classique : il n'y avait aucun témoin fiable et tout le monde se renvoyait la balle. La scène s'était déroulée dans une cabine étroite, la victime était une jeune femme originaire de Skurup, qui voyageait en compagnie de son petit ami, dont elle savait qu'il était jaloux et avait l'alcool mauvais. Au cours de la traversée, ils avaient rencontré un groupe de garçons de Malmö, pour qui le voyage n'avait qu'un seul et unique but : se soûler à mort. Il s'interrogea pas mal là-dessus au cours de son enquête. Comment pouvait-il exister des gens pour qui une soirée bien employée consistait à boire le plus vite possible pour ensuite ne se souvenir de rien ?

Au début il s'occupa seul de l'affaire, avec l'assistance occasionnelle de Martinsson. Il n'était pas nécessaire d'y affecter de plus amples moyens dans la mesure où l'auteur des faits ne pouvait que se trouver parmi les personnages que la jeune femme avait rencontrés à bord du ferry. Pour peu qu'il secoue l'arbre assez fort, les fruits tomberaient, après quoi il ne resterait plus qu'à les trier : un seau pour les innocents et un autre pour celui ou ceux qui avaient battu la fille jusqu'à l'inconscience et lui avaient presque arraché l'oreille gauche.

Le cas Håkan von Enke, pendant ce temps, piétinait. Il parlait presque chaque jour à Ytterberg, qui persistait à penser que le capitaine de frégate n'était pas parti de son plein gré. Le portable oublié penchait en ce sens, tout comme le fait qu'il n'eût pas emporté son passeport et, peut-être le plus important : que sa carte de crédit n'ait pas été utilisée depuis sa disparition.

Wallander parla aussi plusieurs fois avec Louise. C'était toujours elle qui l'appelait, sur le coup de dix-neuf heures, où elle le trouvait en général chez lui en train d'avaler son dîner à la hâte. Il entendait à sa voix qu'elle avait à présent accepté l'idée que son mari était mort. À sa question directe, elle répondit qu'elle avait recommencé à dormir la nuit. Elle prenait des somnifères. Tout le monde attend, pensa-t-il après une de ces conversations avec Louise. Mais où est Håkan ? Son corps est-il train de pourrir quelque part ? Ou bien dîne-t-il en ce moment même, lui aussi, sur une autre planète, sous un autre nom ?

Quelle était sa propre opinion ? D'après son expérience, beaucoup de signes portaient à croire que le vieux capitaine était mort. Il redoutait que l'affaire ne se révèle être qu'un banal fait divers, un crime crapuleux, une agression qui avait mal tourné. Mais il n'avait pas de réelle certitude. Peut-être existait-il malgré tout une infime possibilité que von Enke se soit dérobé de sa propre initiative, même si les raisons d'une telle attitude leur échappaient pour l'instant.

La personne qui s'opposait le plus fermement à l'idée d'un homicide, c'était Linda. Håkan n'est pas du genre à se laisser faire, dit-elle, presque avec colère, un jour où Wallander et elle étaient attablés dans leur salon de thé habituel, en ville, la petite endormie dans son landau. Elle n'avait pas pour autant la moindre idée à avancer quant aux raisons de son absence. Hans, lui, ne prenait jamais l'initiative d'appeler Wallander, mais celui-ci percevait sans cesse sa présence et son influence à travers les questions et les réflexions de Linda. Pour sa part, il ne posait aucune question ; il ne voulait surtout pas se mêler de leur vie.

Steven Atkins, lui, avait commencé à lui adresser de longs e-mails. Plus ses messages rallongeaient, jusqu'à occuper plusieurs pages, plus les réponses de Wallander devenaient brèves. Il aurait volontiers répondu plus longuement, mais son anglais ne lui permettait pas de s'engager dans des formulations trop complexes. Quoi qu'il en soit, il avait compris que Steven Atkins habitait à côté de Point Loma, la grande base navale située non loin de San Diego, en Californie, et qu'il avait là-bas une petite maison dans un quartier dont la population était surtout formée de vétérans. Là-bas, on aurait pu, selon ses propres termes, « rassembler de quoi équiper en personnel un ou plusieurs sous-marins jusqu'au dernier homme ». Wallander essaya d'imaginer à quoi ressemblerait la vie dans un quartier uniquement peuplé de policiers à la retraite. Il eut un long frisson.

Atkins, dans ses e-mails, lui parlait de sa vie, de sa famille, de ses enfants et petits-enfants. Il lui envoya même un lien Internet où il pourrait voir des photos ; Wallander dut demander l'aide de Linda pour y accéder. Des images ensoleillées, avec des bateaux militaires à l'arrière-plan, Atkins en uniforme avec sa nombreuse famille. Tous souriaient largement à Wallander. Atkins était maigre et chauve, et tenait par les épaules son épouse tout aussi maigre et souriante, mais pas chauve. Il eut l'impression que la photo avait été empruntée à une publicité pour de la lessive ou pour une nouvelle marque de céréales de petit déjeuner. La famille américaine aux joues roses, éclatante de santé, lui faisait signe sur ces photos.

Un jour, Wallander constata en regardant son agenda qu'il s'était écoulé exactement un mois depuis que Håkan von Enke avait quitté l'appartement de Grevgatan pour ne plus revenir. Ce jour-là, Ytterberg et Wallander restèrent longtemps au téléphone. C'était le 11 mai et la pluie tombait à torrents sur Stockholm. Ytterberg avait une voix désespérée – à cause de la météo ou de l'état de l'enquête ? Wallander, lui, se demandait comment il allait réussir à épingler le vrai responsable de la sinistre tragédie du ferry. C'étaient, en d'autres mots, deux policiers fatigués et assez grincheux qui discutaient ce jour-là. Wallander demanda si les services de renseignements continuaient de s'intéresser à la disparition de von Enke.

– De temps à autre on m'envoie un certain William, répondit Ytterberg. Sincèrement, je ne sais pas si c'est son prénom ou son nom de famille. D'ailleurs ça ne me fait ni chaud ni froid. À sa dernière visite, j'ai eu envie de l'étrangler. Je venais de lui demander s'il n'aurait pas par hasard une information pour nous, une contribution, un petit quelque chose qui pourrait peut-être nous faciliter la vie. Un échange de bons procédés, en somme, comme on pourrait attendre que ça se pratique dans ce pays phare de la démocratie, je veux parler de la Suède. Un petit soupçon, aussi infime soit-il… Mais rien. Rien de rien. Du moins c'est ce que m'a répondu William. Savoir s'il disait la vérité, c'est une autre affaire. Toute leur existence professionnelle consiste en une espèce de jeu où on avance ses pions à coups de mensonges et de duplicité. Nous autres, policiers normaux, pouvons jouer à ça, je ne dis pas le contraire, mais chez nous, ce n'est pas la *condition même* de notre existence, si tu vois ce que je veux dire.

Après ce coup de fil, Wallander retourna au dossier contenant les transcriptions d'interrogatoires qu'il avait ouvert sur son bureau. Une photographie était posée à côté du dossier. Un portrait. Un visage de femme gravement abîmé. *C'est pour ça que je fais ce boulot*, pensa-t-il. *Parce qu'elle a ce visage-là maintenant. Parce que quelqu'un a failli la tuer.*

En rentrant chez lui dans l'après-midi, il trouva Jussi malade, couché dans sa niche, refusant de manger et même de boire. Wallander en eut des sueurs froides et appela aussitôt un vétérinaire qu'il connaissait : il l'avait aidé autrefois à identifier un homme qui se livrait à des agressions bestiales contre des poulains en pâture dans les environs d'Ystad. Le vétérinaire, qui habitait Kåseberga, promit de venir au plus vite. Il tint parole et, après avoir examiné Jussi, se déclara convaincu que celui-ci avait juste mangé quelque chose qui ne lui convenait pas et qu'il serait bientôt remis. Jussi passa cette nuit-là couché sur un tapis devant la cheminée. Wallander se levait régulièrement pour aller le voir. Le lendemain matin, comme l'avait prédit le vétérinaire, Jussi était à nouveau sur pied, bien qu'un peu tremblant.

Le soulagement de Wallander fut immense. En arrivant au commissariat et en allumant son ordinateur, il nota distraitement que cela faisait cinq jours qu'il n'avait pas eu de nouvelles d'Atkins. Peut-être celui-ci n'avait-il plus rien à lui raconter, ni de photos à lui envoyer. Mais peu avant midi, alors qu'il se demandait s'il allait déjeuner chez lui ou en ville, il eut un coup de fil de la réception. Il avait de la visite.

– Qui est-ce ?

– Il n'est pas suédois, dit la réceptionniste, mais il me fait l'effet d'être de la police.

– Qu'est-ce qu'il veut ?

Wallander se rendit à la réception, et comprit aussitôt qui venait de débarquer. Ce n'était pas un uniforme de la police, mais de la marine américaine. Steven Atkins en personne, sa casquette sous le bras.

– Bonjour ! fit Atkins. Je n'avais pas l'intention de débouler sans prévenir, mais je me suis trompé sur l'heure d'arrivée à Copenhague. Je t'ai appelé chez toi et sur ton portable. Comme tu ne décrochais pas, je suis venu.

– Pour une surprise, c'est une surprise. Sois le bienvenu. Ai-je mal compris ou est-ce la première fois que tu viens en Suède ?

– Oui. Håkan m'a souvent proposé de venir, mais ça ne s'est jamais fait.

Ils déjeunèrent dans le restaurant que Wallander estimait être le meilleur de la ville. Atkins était un homme affable, qui observait tout avec curiosité, posait des questions qui n'étaient pas uniquement dictées par la politesse et écoutait les réponses avec attention. Wallander avait du mal à voir en lui un ex-commandant de sous-marin, surtout de la classe des sous-marins nucléaires d'attaque américains les plus puissants. Il paraissait beaucoup trop jovial. D'un autre côté, il n'avait aucun moyen de juger quel type d'homme convenait à ce type de poste.

Atkins était venu jusqu'en Suède mû par la seule inquiétude quant à ce qui avait pu arriver à son ami. Wallander fut touché par son émotion. Un vieil homme à qui manquait un autre vieil homme ; une amitié profonde, de toute évidence.

Atkins avait pris une chambre au Hilton de l'aéroport de Kastrup, puis il avait loué une voiture, traversé le détroit et continué jusqu'à Ystad.

– Il fallait que je voie de mes yeux le fameux pont entre le Danemark et la Suède, dit-il en riant.

Wallander ressentit un pincement d'envie au vu de ses dents blanches étincelantes. Après le repas, il appela le commissariat pour prévenir qu'il ne reviendrait pas de l'après-midi. Puis ils prirent chacun leur voiture et Wallander guida son visiteur jusqu'à Löderup. Atkins se révéla être un grand ami des chiens et fut aussitôt adopté par Jussi. Ils partirent pour une longue promenade, en suivant le bord des champs et en s'arrêtant de temps à autre pour admirer le paysage vallonné et la mer à l'horizon. Wallander tenait Jussi en laisse. Soudain Atkins s'arrêta et lui fit face en se mordant la lèvre.

– Est-ce que Håkan est mort ?

Wallander comprit. Cette question frontale était destinée à le prendre par surprise et à l'empêcher de recourir à des faux-fuyants. Atkins voulait une réponse franche. En cet instant, il était le capitaine qui voulait savoir s'il avait perdu un homme.

– Nous n'en savons rien. Il n'est pas revenu – voilà tout.

Atkins le considéra longuement puis hocha la tête. Ils se remirent en marche. De retour à la maison, Wallander prépara du café. Ils s'assirent dans la cuisine.

– Tu m'as parlé de votre dernière conversation téléphonique, commença Wallander. Il t'a dit qu'il était « parvenu à une conclusion ». Comment peut-on dire cela à quelqu'un qui n'a pas la moindre idée du sujet dont on parle ?

– On croit parfois que l'autre sait ce qu'on a en tête. Peut-être Håkan a-t-il cru que c'était mon cas.

– Vous avez dû beaucoup parler, au fil des ans. Y avait-il un thème récurrent ? Qui supplantait tous les autres ?

Wallander n'avait pas préparé ses questions. Elles se formulaient d'elles-mêmes, facilement.

– Nous avions le même âge, Håkan et moi. Nous étions tous deux des enfants de la guerre froide. J'avais vingt-trois ans quand les Russes ont lancé leur spoutnik. J'étais terrifié, je m'en souviens, à l'idée qu'ils puissent être en mesure de nous dépasser. Håkan m'a dit un jour avoir vécu la même chose, bien que de façon moins intense. Les Russes n'étaient pas tout à fait les mêmes monstres pour lui que pour moi. Quoi qu'il en soit, cette époque nous a marqués. Je sais que Håkan n'a jamais accepté que la Suède n'intègre pas l'OTAN. Pour lui, votre neutralité incarnait non seulement une erreur de jugement catastrophique et dangereuse, mais aussi une pure hypocrisie. Nous étions dans le même camp. La Suède, quoi qu'en disent les politiciens du haut de leurs tribunes, n'existe pas dans un no man's land où l'on peut se permettre d'être impartial. Quand l'espion suédois Wennerström a été démasqué, Håkan m'a appelé au téléphone. Je m'en souviens très bien. C'était en juin 1963, j'étais second à bord d'un sous-marin qui se dirigeait vers le Pacifique. Håkan n'était pas consterné d'apprendre que le colonel en question avait trahi et vendu des secrets militaires aux Russes, bien au contraire. Il jubilait ! Enfin le peuple suédois allait comprendre ce qui se passait. Les Russes infiltraient tout ce qu'avait pu construire la défense suédoise. Les taupes étaient partout, seul un ralliement à l'OTAN aurait le pouvoir de vous sauver le jour où les Russes décideraient de passer à l'attaque. Tu me demandes s'il y avait un thème récurrent entre nous ? C'était la politique. Nous en parlions sans cesse. Surtout du fait que les politiciens nous privaient de tout moyen réel de tenir tête aux Russes. À vrai dire, je ne me rappelle pas une seule conversation entre nous qui n'ait pas abordé la politique.

– Dans ce cas, quelle pouvait être la « conclusion » dont il t'a parlé ? Lui était-il déjà arrivé de tirer des « conclusions » qui l'enthousiasmaient ?

Steve Atkins réfléchit.

– Pas vraiment. Mais nous nous connaissons depuis près de cinquante ans. Certains souvenirs se sont évidemment estompés.

– Comment vous êtes-vous rencontrés ?

– De la manière propre à toutes les rencontres importantes : par le plus grand des hasards.

Il se mit à pleuvoir pendant qu'Atkins racontait à Wallander de quelle façon il avait rencontré Håkan von Enke. C'était un conteur autrement plus fascinant que ne l'avait été son ami dans le petit salon de Djursholm. Mais cela tient peut-être à la langue, pensa-t-il. Je suis tellement habitué à trouver les récits en anglais plus riches, ou plus intéressants, que ceux que j'entends dans ma propre langue.

– C'était il y a bientôt cinquante ans, au mois d'août 1961, commença Atkins de sa voix tranquille. Dans un lieu peu propice à la rencontre de deux jeunes officiers de marine, l'un suédois, l'autre américain. J'étais parti en Europe avec mon père, colonel dans l'armée de terre. Il voulait me montrer Berlin, ce petit bastion occidental isolé au cœur de la zone soviétique. Nous avions pris un vol de la Pan Am au départ de Hambourg, je m'en souviens, l'avion était rempli de militaires, il n'y avait presque aucun civil à part quelques prêtres vêtus de noir. La situation était tendue, mais à notre arrivée nous n'avons tout de même pas vu des tanks de l'Est et de l'Ouest se faire face, tels des fauves prêts à attaquer. Un soir pourtant, non loin de la Friedrichstrasse, nous avons soudain été pris dans un attroupement, mon père et moi. Devant nous, des soldats est-allemands s'employaient à dérouler du fil barbelé et à monter une barricade de briques et de ciment. J'ai avisé un type de mon âge, en uniforme, qui observait la scène un peu plus loin. Je suis allé le voir, je lui ai demandé d'où il venait. Il m'a répondu qu'il était suédois et, tu l'auras deviné, c'était Håkan. Voilà comment nous nous sommes rencontrés. Nous étions là, à voir Berlin en passe d'être divisée par un mur et un monde en passe d'être amputé, pourrait-on dire. Ulbricht, le chef de la RDA, expliqua que cette mesure allait « sauver la liberté et poser le fondement de la poursuite de l'épanouissement de l'État socialiste ». Mais ce jour-là, au moment où s'érigeait le Mur, nous avons vu une vieille femme qui pleurait. Elle était pauvrement vêtue, une cicatrice marquait son visage, son oreille gauche ressemblait à une prothèse en plastique collée sous ses cheveux, nous en avons parlé après, nous n'étions pas très sûrs de notre observation ni l'un ni l'autre. Mais ce que nous avons vu avec certitude, et que nous n'allions pas oublier, c'est le geste qu'elle a eu. Elle a tendu la main, dans une sorte de supplique impuissante adressée à ces gens qui étaient en train d'ériger un mur devant son visage. Cette femme tendait la main, et elle tendait la main *vers nous*. Je crois que c'est à cet instant que nous avons tous deux compris que nous avions une mission. Veiller à ce que le monde libre reste libre, et veiller à ce que d'autres pays ne finissent pas derrière des murs semblables à des murs de prison. Nous en fûmes encore plus convaincus quelques semaines plus tard, quand les Russes ont repris leurs tirs nucléaires. J'étais alors de retour à Groton, la base où j'étais stationné à l'époque, et Håkan avait repris le train pour la Suède. Mais nous avions échangé nos adresses, et ce fut le commencement de notre amitié. Håkan avait vingt-huit ans, et moi vingt-sept. Quarante-sept ans, c'est une longue période.

– Il t'a rendu visite en Amérique ?

– Il venait souvent. Une quinzaine de fois en tout, je dirais, peut-être plus.

La réponse surprit Wallander. Il avait cru que Håkan von Enke ne s'était rendu qu'exceptionnellement aux États-Unis. Était-ce quelque chose qu'avait dit Linda ? Ou juste une idée de sa part ? Il savait à présent que c'était une erreur.

– Cela fait une moyenne d'un voyage tous les trois ans…

– Håkan est un grand ami des États-Unis.

– Restait-il longtemps ?

– Rarement moins de trois semaines. Louise l'accompagnait toujours. Ma femme et elle s'entendent bien. Chacune de leurs visites nous réjouissait.

– Tu sais peut-être que leur fils Hans travaille à Copenhague ?

– Oui, je vais d'ailleurs le voir ce soir.

– Tu sais donc aussi qu'il est le compagnon de ma fille ?

– Oui. Mais je rencontrerai ta fille une autre fois. Hans a beaucoup de travail. Nous avons rendez-vous après vingt-deux heures à mon hôtel. Demain je prends l'avion pour Stockholm. Je vais voir Louise.

La pluie avait cessé. Un avion à l'approche de Sturup survola la maison à basse altitude, faisant trembler les vitres.

– Que crois-tu qu'il ait pu arriver ? demanda Wallander. Je te pose la question. Tu es son ami.

– Je ne sais pas et je n'aime pas jouer aux devinettes. L'indécision est quelque chose qui va à l'encontre de ma nature. Mais je ne peux pas croire qu'il se soit absenté volontairement, qu'il ait laissé sa femme, son fils, et à présent par-dessus le marché une petite-fille, livrés à l'incertitude et à l'angoisse. Je n'ai rien, je ne sais rien, et je suis obligé de l'admettre, bien que cela me rebute.

Atkins finit son café et se leva. Il était temps pour lui de retourner à Copenhague. Wallander lui expliqua quel chemin prendre pour retrouver au plus vite la route vers Ystad et Malmö. Au moment de partir, Atkins sortit de sa poche un galet qu'il remit à Wallander.

– Cadeau, dit-il. J'ai entendu un jour un Amérindien de la nation des Kiowas évoquer une tradition ancienne. Si tu as un problème, tu caches une pierre, lourde de préférence, dans tes vêtements et tu la traînes jusqu'à l'avoir résolu. Alors tu peux t'en débarrasser et reprendre ta vie plus léger qu'avant. Mets ce galet dans ta poche. Tu l'enlèveras quand nous saurons ce qui est arrivé à Håkan.

C'est sans doute un banal caillou, pensa Wallander après avoir fini d'agiter la main quand la voiture de location eut disparu en bas de la côte. Il se rappela distraitement le galet qu'il avait vu sur le bureau de l'appartement de Grevgatan. Puis il pensa à ce que lui avait raconté Atkins sur sa première rencontre avec Håkan von Enke. Wallander n'avait aucun souvenir de ces jours d'août 1961. Cette année-là était celle de ses quatorze ans, et le seul souvenir vraiment vivant qu'il en avait, c'était celui de la tempête hormonale qui le frappait de plein fouet, transformant sa vie en une suite de rêveries à propos de femmes imaginaires ou réelles.

Il appartenait à la génération qui avait fini de grandir dans les années 1960. Mais il n'avait jamais été impliqué dans un mouvement politique, n'avait jamais participé à une manifestation à Malmö, n'avait jamais réellement compris l'enjeu de la guerre au Vietnam, pas plus qu'il ne s'était intéressé aux luttes de libération dans des pays qu'il aurait eu des difficultés à situer sur une carte. Linda lui rappelait souvent à quel point il était ignorant. La politique, il l'avait le plus souvent rejetée loin de lui, comme une puissance supérieure qui permettait à la police de maintenir l'ordre – sa vision était à peine plus élaborée que ça. Certes, il déposait un bulletin dans l'urne les jours d'élections, mais après avoir hésité en général jusqu'à la dernière minute. Son père, lui, avait été un social-démocrate convaincu et c'était pour ce parti que lui-même, Wallander, votait presque toujours. Mais rarement avec conviction.

Sa rencontre avec Atkins l'avait rendu morose. Il cherchait en vain un écho, une trace du mur de Berlin à l'intérieur de lui. Sa vie avait-elle donc vraiment été si limitée ? Au point qu'aucun des grands événements extérieurs ne l'ait jamais réellement touché ? Quelque chose avait-il jamais suscité sa révolte ? Bien sûr, oui, des images d'enfants maltraités d'une manière ou d'une autre – mais cela n'avait jamais motivé le moindre acte concret de sa part. Son excuse avait toujours été le travail. Bon, pensa-t-il, par mon travail j'ai parfois pu aider certaines personnes. J'ai contribué à retirer provisoirement certains criminels de l'espace public. Mais à part ça ? Son regard errait par-delà les champs où rien ne poussait encore ; il ne trouva pas ce qu'il cherchait.

Ce soir-là, il débarrassa sa grande table et déversa dessus les pièces d'un puzzle que lui avait donné Linda l'année précédente pour son anniversaire et qui représentait un tableau de Degas. Il tria méthodiquement les pièces et réussi à poser tout le coin inférieur gauche.

Pendant ce temps, il continuait de s'interroger sur le sort de Håkan von Enke. Mais, en réalité, c'était sans doute son propre sort qu'il ruminait.

Il cherchait un mur de Berlin inexistant.

10

Début juin, un après-midi, Wallander reçut l'appel d'un vieil homme dont le nom lui était familier, mais que sa mémoire peinait à situer. Ce n'était pas très surprenant étant donné qu'ils ne s'étaient pas vus depuis dix ans et ne s'étaient rencontrés, avant cela, qu'en de rares occasions, la dernière ayant été l'enterrement du père de Wallander.

Son nom était Sigfrid Dahlberg ; l'un des voisins qui aidaient parfois le vieux à déneiger le chemin devant chez lui, l'hiver, et à l'entretenir le reste de l'année, en échange de quoi il recevait un tableau par an. Wallander avait tenté d'expliquer à son père que le voisin n'était peut-être pas ravi d'avoir chez lui une dizaine de tableaux tous identiques, mais ce point de vue avait été accueilli par un silence glacial. Après la mort du père et la vente de la maison, Wallander n'avait plus eu de contact avec la famille Dahlberg. Et voilà que le vieil homme l'appelait, pour une affaire qu'il désirait lui exposer. Sa femme, Aina, que Wallander n'avait sans doute rencontrée qu'une seule fois, allait bientôt mourir. D'un cancer incurable. Il n'y avait rien à faire, et elle avait accepté son sort.

– Elle voudrait voir le commissaire, dit Dahlberg. C'est quelque chose qu'elle veut lui dire.

– Quoi ?

– Je ne sais pas.

Wallander hésita. Mais la curiosité fut la plus forte et il prit donc sa voiture jusqu'à l'unité de soins palliatifs de Hammenhög où était Aina Dahlberg. Il fut accueilli à la réception par une infirmière souriante qui lui dit qu'elle avait été à l'école avec Linda – pas dans la même classe, dans une classe parallèle. Elle se proposa de lui montrer le chemin. Wallander fut pris de malaise à voir tous ces vieux qui se traînaient avec leur déambulateur ou qui regardaient devant eux, murés dans l'isolement et le silence. Sa crainte de la vieillesse ne s'était pas adoucie avec les ans, au contraire. C'était comme une perche d'athlétisme qui le soulevait peu à peu, sans un bruit, vers le point où il ne pourrait plus se débrouiller seul. Sans cesse son angoisse était aiguillonnée par de nouveaux reportages, à la télévision et dans les journaux, sur des vieux privés de soins, dans des maisons de retraite souvent gérées par des fonds privés, où le personnel était réduit bien en deçà du minimum décent.

L'infirmière s'arrêta devant une porte et se tourna vers lui.

– Aina est très malade. Mais tu es de la police, tu as vu des gens dans toutes sortes d'états, pas vrai ?

Il hocha la tête. Pourtant, à peine eut-il franchi le seuil qu'il regretta d'être venu. Aina Dahlberg était seule dans la chambre. Décharnée, bouche ouverte, yeux brillants, elle le dévisageait avec une expression qu'il prit pour de l'épouvante. Une odeur d'urine flottait dans l'air – exactement comme chez son père à la fin de sa vie, quand il était seul, dans les moments où Gertrud n'étendait pas sa miséricorde jusqu'à lui. Il s'avança vers le lit, effleura sa main. Il ne la reconnaissait pas du tout, cependant un vague souvenir papillotait, la lointaine image d'une femme qu'il aurait peut-être en effet rencontrée un jour. Elle, en revanche, le reconnut aussitôt et commença à lui parler comme si le temps était compté.

Il se pencha vers elle pour l'entendre, car ce qui sortait de sa bouche ressemblait plus à un sifflement qu'à une suite de paroles sensées. Il dut la prier de répéter, à deux reprises ; enfin il comprit ce qu'elle essayait de lui dire. Abasourdi, il lui demanda alors comment elle allait. Il ne put empêcher la phrase idiote de franchir ses lèvres. Puis il toucha sa main une fois encore et quitta la chambre.

Dans le couloir, il croisa une femme qui caressait les pétales d'une fleur en pot. Il se hâta de sortir de là. Quand il fut à l'air libre devant l'hôpital, il put repenser à ce que lui avait dit Aina Dahlberg. *Ton père t'aimait beaucoup*. Elle l'avait fait venir pour lui dire ça. Pourquoi ? Il ne voyait qu'une seule explication : elle croyait qu'il ne le savait pas. Et elle avait voulu le lui dire avant de s'en aller à son tour.

Wallander prit la route pour retourner à Ystad. Une fois en ville, il laissa sa voiture sur le port de plaisance, puis il alla s'asseoir sur le banc tout au bout de la jetée. C'était l'un de ses lieux solennels, dans l'existence ; un confessionnal sans prêtre, où il se retirait quand il voulait être seul et débrouiller quelque chose qui le tourmentait. Le printemps avait été froid, pluvieux, venteux, mais le premier anticyclone de l'été passait à présent sur le pays. Il ôta sa veste, ferma les yeux et tourna son visage vers le soleil. Il dut aussitôt rouvrir les yeux. Le visage d'Aina Dahlberg était là comme une membrane entre le soleil et lui. *Ton père t'aimait beaucoup.* Il s'était souvent demandé si son père l'aimait. Sur son choix d'entrer dans la police, ils n'avaient jamais pu trouver un terrain d'entente. Mais la vie était quand même bien plus que cela ! Mona avait toujours jugé le vieux insupportable. Elle avait même fini par refuser de l'accompagner là-bas. Linda et lui prenaient seuls la voiture pour lui rendre visite à Löderup. Il avait toujours été gentil avec Linda. Il avait fait preuve avec elle d'une patience que ni Wallander ni sa sœur Kristina ne se rappelaient avoir jamais connue, de sa part, dans leur propre enfance.

Mon père était quelqu'un qui s'esquivait en permanence, pensa-t-il. Suis-je en train de devenir comme lui ?

De l'endroit où il était, il pouvait voir un homme de son âge occupé à nettoyer un filet, assis sur le plat-bord de son petit bateau de pêche. Il était entièrement concentré sur sa tâche et fredonnait tout en travaillant. En l'observant, Wallander pensa soudain qu'il aurait volontiers échangé sa place avec lui. Du banc au plat-bord, des ruminations au filet, du commissariat à un joli bateau en bois verni.

Pour lui, son père avait toujours été une énigme. Était-il de la même façon une énigme pour Linda ? Et sa petite-fille ? Que penserait-elle plus tard de son grand-père ? Serait-il seulement un vieux policier gris, taciturne, terré dans sa maison où il recevrait de moins en moins de visites ? Je le crains, pensa-t-il, et j'ai toutes les raisons du monde de le craindre. Je n'ai vraiment pas pris la peine d'entretenir mes amitiés.

Il était trop tard maintenant. La plupart de ceux qu'il avait pu compter parmi ses proches étaient morts. Rydberg avant tout, mais aussi son vieil ami, Sten Widén, l'éleveur de chevaux de course. Wallander n'avait jamais compris ceux qui prétendaient que la relation avec les gens qu'on aimait se poursuivait au-delà de la mort. Pour sa part il n'avait jamais réussi à la prolonger. Les morts étaient pour lui des visages dont il se souvenait à peine et leurs voix ne lui parlaient plus.

Il se leva du banc à contrecœur. Il devait retourner au commissariat. L'enquête sur l'agression commise à bord du ferry était terminée ; un homme avait été inculpé et condamné, mais Wallander était convaincu qu'ils avaient été deux, en réalité, à s'acharner sur la jeune femme. Il avait l'impression de ne pas être allé jusqu'au bout de cette affaire. C'était une demi-victoire ; une personne avait été punie pour ses actes, une autre obtenait réparation, à supposer que ce soit possible quand on avait eu le visage démoli. Mais une troisième avait filé entre les mailles, et Wallander doutait que l'enquête ait été bien menée.

Il était quinze heures quand il revint de son excursion et qu'il trouva sur son bureau un Post-it : Ytterberg cherchait à le joindre. La personne qui avait pris le message avait noté que c'était urgent. De toute façon, il n'avait jamais reçu un message qui n'ait pas été assorti du mot « urgent ». Il ne rappela donc pas Ytterberg sur-le-champ. Il commença par parcourir un mémo de la direction centrale que Lennart Mattson lui avait demandé de commenter et qui traitait de la dernière en date des réorganisations qu'on imposait en quasi-permanence aux différents districts de police du pays. En l'occurrence, il s'agissait de créer un système pour intensifier la présence policière sur la voie publique le week-end et les jours fériés, pas seulement dans les grandes agglomérations mais aussi dans les petites villes comme Ystad. Wallander lut le mémo, s'énerva contre son style pédant, ampoulé et bureaucratique, et se dit après avoir fini qu'il ne comprenait rien à ce qu'il venait de lire. Il nota quelques commentaires qui n'engageaient à rien et rangea le tout dans une enveloppe qu'il laisserait dans la corbeille à courrier interne en quittant le commissariat à la fin de la journée.

Puis il composa le numéro d'Ytterberg à Stockholm. Celui-ci décrocha à la première sonnerie.

– Tu m'as appelé ?

– Maintenant c'est elle qui a disparu, dit Ytterberg.

– Qui ?

– Louise von Enke.

Wallander retint son souffle. Avait-il bien entendu ? Il demanda à Ytterberg de répéter.

– Louise von Enke est introuvable.

– Raconte.

Wallander entendit un bruit de papiers. Ytterberg cherchait parmi ses notes. Il voulait être précis.

– Les époux von Enke ont une femme de ménage bulgare, en situation régulière, qui se prénomme Sofia, comme la capitale si je ne m'abuse. Elle vient chez eux trois matins par semaine, le lundi, le mercredi et le vendredi, et elle reste trois heures à chaque fois. Lundi dernier, quand elle y est allée, tout était normal. Je précise que cette femme me paraît tout à fait fiable. Elle répond de façon claire et précise à toutes les questions. En plus, elle parle un suédois remarquable, compte tenu du peu de temps qu'elle a vécu dans le pays, avec des mots d'argot typiques du quartier de Söder, ce qui est assez fascinant. Bref. Quand elle est partie, lundi vers treize heures, Louise lui a dit à mercredi. En arrivant le mercredi matin à neuf heures, Sofia a trouvé l'appartement désert. Elle ne s'est pas inquiétée, car cela peut arriver à Louise de s'absenter. Mais quand elle est revenue ce matin, il n'y avait toujours pas de Louise. Et Sofia est certaine qu'elle n'a pas remis les pieds dans l'appartement depuis mercredi. Tout était exactement tel qu'elle l'avait laissé. Louise ne s'est jamais absentée aussi longtemps sans la prévenir. Il n'y avait aucun message, aucune trace, juste l'appartement vide où rien n'avait été touché entre-temps. Sofia a alors appelé le fils, à Copenhague, et celui-ci m'a appelé à son tour. Il m'a dit qu'il avait parlé à sa mère pour la dernière fois dimanche, c'est-à-dire il y a maintenant cinq jours. Est-ce que tu as compris d'ailleurs de quoi il s'occupait, ce fils ?

– D'argent.

– Ça me paraît une occupation fascinante, dit Ytterberg sur un ton pensif.

Puis il revint à ses notes.

– Hans m'a donné le numéro de Sofia, je l'ai appelée et nous sommes retournés à l'appartement ensemble. Elle semblait avoir une connaissance assez précise du contenu des armoires, placards, penderies, etc. Elle m'a confirmé ce que je ne voulais surtout pas entendre. Tu vois ce que je veux dire ?

– Rien n'avait disparu.

– Précisément. Pas une valise, pas un vêtement, pas même son porte-monnaie ni son passeport. Celui-ci se trouvait dans le tiroir où Sofia savait que Louise le conservait d'habitude.

– Son portable ?

– En charge, dans la cuisine. C'est d'ailleurs en le voyant que je me suis inquiété pour de bon.

Wallander réfléchit. Il n'avait jamais imaginé que la disparition de Håkan puisse être suivie d'une deuxième. Encore moins qu'il s'agirait cette fois de Louise.

– C'est très désagréable, dit-il enfin. As-tu la moindre idée d'une explication ?

– Non. J'ai appelé ses amis et connaissances, mais aucun d'entre eux n'a été en contact avec elle depuis dimanche. Ce jour-là, outre son fils, elle a appelé une amie du nom de Katarina Lindén, à qui elle a demandé ses impressions sur un certain hôtel de montagne en Norvège où elle aurait apparemment séjourné. Louise lui a paru « égale à elle-même ». Après cela, personne ne lui a plus parlé. Le groupe qui enquête sur la disparition du mari va se réunir d'un moment à l'autre. Je voulais juste t'appeler avant. Pour entendre ta réaction, à vrai dire.

– Ma première pensée est qu'elle sait où est Håkan et qu'elle est partie le rejoindre. Mais le passeport et le téléphone contredisent évidemment cette hypothèse.

– J'ai eu la même idée, et j'hésite aussi.

– Peut-il y avoir malgré tout une explication banale ? Malaise, accident…

– On a fait le tour des hôpitaux. D'après Sofia – et comme je l'ai déjà dit, nous n'avons aucune raison de mettre sa parole en doute –, Louise avait toujours sa carte d'identité sur elle. Nous ne l'avons pas trouvée dans l'appartement, il est donc raisonnable de penser qu'elle l'avait en sortant.

Wallander se demanda pourquoi Louise ne lui avait pas dit qu'ils avaient une femme de ménage qui venait trois fois par semaine. Hans non plus n'en avait jamais parlé. Mais cela n'avait peut-être rien de surprenant. La famille von Enke appartenait à une classe sociale où la présence des femmes de ménage allait de soi. On n'en parlait pas ; elles existaient, un point c'est tout.

Ytterberg promit de le tenir informé, et ils allaient raccrocher quand Wallander demanda s'il avait pensé à appeler Atkins – qu'Ytterberg avait rencontré lors de la visite de celui-ci à Stockholm.

– Tu crois qu'il pourra nous apprendre quelque chose ? fit Ytterberg sur un ton dubitatif.

Wallander trouva étrange que son collègue ne parût pas comprendre à quel point les deux familles étaient proches. À moins qu'Atkins ne lui eût donné d'autres informations.

– Quelle heure est-il en Californie ? Je ne vais tout de même pas le réveiller en pleine nuit.

– Le décalage entre nous et la côte Est est de six heures, dit Wallander. Avec la Californie, je ne sais pas. Mais je peux me renseigner et lui passer un coup de fil.

– Fais-le. On paiera la communication.

– Ma ligne n'est pas encore bloquée. Je ne crois pas qu'on autorise la police à faire faillite pour cause de factures téléphoniques impayées. On n'en est pas là. Pas tout à fait.

Wallander appela les renseignements et apprit que le décalage horaire avec la Californie était de neuf heures. Il était donc six heures du matin à San Diego. Il résolut d'attendre un peu avant d'appeler Steven Atkins et composa plutôt le numéro de Linda. Celle-ci avait déjà longuement parlé à Hans à Copenhague.

– Passe me voir, proposa-t-elle. Je ne bouge pas d'ici, Klara dort dans sa poussette.

– Klara ?

Il l'entendit sourire.

– On s'est décidés hier soir. Elle va s'appeler Klara. En fait, elle s'appelle déjà Klara.

– Comme ma mère ? Ta grand-mère ?

– Ma grand-mère, tu es bien placé pour le savoir, je ne l'ai pas connue. En premier lieu, et sauf ton respect, on l'a surtout choisi parce que c'est un beau nom. Et aussi parce qu'il fonctionne bien avec les deux noms de famille. Klara Wallander ou Klara von Enke.

– Alors ? Lequel est-ce ?

– Wallander jusqu'à nouvel ordre. Ensuite elle décidera elle-même. Tu viens ? Je te propose un café et une fête de baptême surprise.

– Vous allez la baptiser ? Pour de vrai ?

Linda ne répondit pas. Il eut la sagesse de ne pas insister.

Un quart d'heure plus tard, il freinait devant la maison. Le jardin brillait de mille couleurs. Il pensa à son propre jardin négligé, où il s'occupait à peine de quoi que ce soit. À l'époque où il vivait à Mariagatan, il avait toujours imaginé une autre vie, où il arracherait les mauvaises herbes à quatre pattes en respirant les odeurs de la terre.

Klara dormait dans sa poussette à l'ombre d'un poirier. Wallander alla contempler le petit visage sous la moustiquaire avant de rejoindre Linda.

– C'est un beau nom, Klara. Comment ça vous est venu ?

– On l'a lu dans le journal. Une certaine Klara avait fait merveille lors d'un énorme incendie à Östersund. On a pris la décision dans la foulée.

Ils se promenèrent dans le jardin en parlant des derniers événements. La disparition de Louise avait été une surprise aussi totale pour eux qu'elle l'avait été pour la police. Il n'y avait pas eu le moindre signe, rien qui indiquât que Louise ait eu un plan qu'elle venait peut-être à présent de mettre à exécution.

– Peut-on imaginer un acte criminel ? demanda Wallander. Si on part de l'hypothèse que c'est ce qui s'est passé dans le cas de Håkan.

– Quelqu'un qui voudrait les éliminer l'un et l'autre ? Mais pourquoi ?

– C'est bien ça, dit-il en contemplant un buisson de roses flamboyantes. Peuvent-ils avoir eu un secret qu'aucun de nous ne connaissait ?

Ils reprirent leur marche en silence ; Linda ruminait la question qui venait d'être posée.

– On sait si peu de chose sur ses proches, dit-elle enfin, quand ils furent de nouveau devant la maison et qu'elle eut jeté un regard sous la moustiquaire pour vérifier que tout allait bien.

Klara dormait, le bord de la couverture serré dans ses poings minuscules.

– D'une certaine manière, on peut dire que je n'en sais pas plus sur eux que sur cette petite personne, poursuivit-elle.

– Percevais-tu Louise et Håkan comme des gens secrets ?

– Pas du tout, au contraire. Ils se sont toujours montrés ouverts et accueillants avec moi.

– Certaines personnes sont très fortes quand il s'agit de semer des fausses pistes, dit-il pensivement. Le côté ouvert et accueillant peut être une façade, qui cache d'autant mieux ce qu'ils ne souhaitent pas révéler.

Ils prirent le café au jardin jusqu'au moment où Wallander regarda sa montre : il était temps d'appeler Atkins. Il retourna au commissariat, s'assit dans son bureau et composa les nombreux chiffres. Après quatre sonneries, Atkins décrocha dans un rugissement, comme prêt à recevoir un ordre. Wallander lui apprit la nouvelle. Le silence, au bout du fil, dura si longtemps qu'il crut que la communication avait été coupée. Puis la voix d'Atkins revint à pleine puissance :

– Ce n'est pas possible !

– Pourtant elle n'est pas rentrée chez elle depuis lundi ou mardi.

Il perçut l'émoi et l'agitation d'Atkins comme s'ils avaient été dans la même pièce. Il lui demanda quand il avait parlé pour la dernière fois à Louise. Atkins réfléchit.

– Vendredi après-midi, dit-il. Son après-midi à elle, ma matinée à moi.

– Qui a pris l'initiative de cet appel ?

– Elle.

Wallander fronça les sourcils.

– Que voulait-elle ?

– Souhaiter un bon anniversaire à ma femme. Nous avons été surpris, à vrai dire. Nous n'avions pas l'habitude de nous fêter nos anniversaires.

– Son appel pouvait-il avoir une autre raison ?

– Nous avons eu l'impression que la solitude lui pesait, qu'elle voulait parler à quelqu'un. Ce n'est pas très difficile à comprendre.

– Réfléchis. Y a-t-il quelque chose, dans cette conversation, que tu pourrais mettre en relation avec sa disparition ?

Wallander se désolait de son mauvais anglais. Mais Atkins comprit ce qu'il lui demandait car il réfléchit longuement avant de répondre :

– Non, rien. Elle était exactement comme d'habitude.

– Il y a pourtant bien quelque chose. D'abord lui, maintenant elle…

– C'est comme la comptine des dix petits nègres, dit Atkins. La moitié de la famille a disparu, il ne reste que les deux enfants.

Wallander sursauta. Avait-il mal entendu ?

– Il n'y en a qu'un, dit-il prudemment. Tu ne comptes tout de même pas Linda ?

– Non, mais il ne faut pas oublier la sœur.

– Quelle sœur ?

– Elle s'appelle Signe. Je ne sais pas si je prononce son nom correctement. Je peux te l'épeler, si tu veux. Elle n'a jamais habité avec ses parents, j'ignore pourquoi. Il ne faut pas fouiller inutilement dans la vie des autres. Je ne l'ai jamais rencontrée. Mais Håkan m'a dit qu'il avait une fille.

Wallander était trop abasourdi pour poser la moindre question intelligente. Ils se dirent au revoir. Il alla se planter devant la fenêtre et considéra le château d'eau. *Il y avait une sœur qui s'appelait Signe*. Pourquoi personne n'avait-il jamais parlé d'elle ?

Ce soir-là, il resta longtemps assis à la table de la cuisine à parcourir toutes ses notes, depuis le jour de la disparition de Håkan von Enke. Il devait parler à Hans. En attendant il pensait à cette fille, dont nul dans la famille n'avait jamais mentionné le nom. Signe n'existait pas. C'était comme si elle n'avait jamais existé.

DEUXIÈME PARTIE

Incidents sous la surface

11

Wallander était indigné. Ce fut pourquoi il attaqua frontalement, contrairement à ses habitudes. Il se sentait trahi par la famille von Enke. Håkan, Louise, Hans, tous l'avaient roulé dans la farine. Mensonges ordinaires de la classe dominante, pensait-il. Secrets de famille qu'il faut préserver à tout prix, alors même que cela n'intéresse personne.

Après la conversation avec Atkins et la longue soirée où il avait reparcouru, avec une sorte de rage, tout ce qui avait été dit et fait depuis la fête d'anniversaire de Håkan von Enke, il dormit d'un sommeil lourd. Dès sept heures, il attrapait son téléphone, espérant tomber sur Hans. Mais ce fut Linda qui répondit ; Hans, dit-elle, était parti au travail une heure plus tôt.

– Que peut-il bien faire au travail à cette heure ? demanda Wallander, exaspéré. Les banques ne sont pas ouvertes, que je sache, et la Bourse non plus.

– Essaie le Japon. Ou la Nouvelle-Zélande. Apparemment, ça bouge beaucoup en ce moment sur les places asiatiques. Il n'est pas rare qu'il parte de bonne heure. Et ce n'est pas la peine de t'énerver contre moi. Il s'est passé quelque chose ?

– Je veux parler de Signe.

– Qui est-ce ?

– La sœur de ton mari.

Il l'entendit respirer à l'autre bout du fil. À chaque inspiration, une pensée nouvelle.

– Mais Hans n'a pas de sœur, dit-elle enfin.

– En es-tu certaine ?

Linda connaissait son père. Il ne l'aurait pas appelée à sept heures du matin pour lui faire une mauvaise blague.

– Klara s'agite dans son lit. Alors si tu veux me parler, il faudra que tu viennes. Elle peut être assez grincheuse le matin – elle tient ça de toi.

En sonnant chez elle, une heure plus tard, il trouva Klara repue et satisfaite, Linda douchée et habillée. Elle était bien pâle, quand même, et il continuait à se demander comment elle allait, au fond. Mais il se garda de l'interroger. Elle était comme lui, elle n'aimait pas qu'on se mêle de ses affaires.

Ils s'assirent dans la cuisine. Wallander reconnut la nappe – elle avait orné la maison de son enfance, puis celle de son père à Löderup, et à présent voilà qu'elle était chez Linda. Enfant, il s'en souvenait, il laissait son doigt courir le long du fil rouge qui formait un motif complexe sur la bordure.

– Je t'écoute, dit-elle. Je le répète, pour moi Hans n'a pas de sœur.

– Pour moi non plus, il n'en avait pas. Jusqu'à hier soir.

Il lui restitua son échange avec Atkins. Le commentaire tout à fait inattendu de celui-ci à propos des dix petits nègres et, dans son prolongement, la révélation de l'existence de Signe. Il aurait suffi que cette association d'idées n'ait pas surgi dans l'esprit d'Atkins, et ils n'en auraient jamais rien su. Linda l'écoutait attentivement en fronçant les sourcils.

– Hans ne m'a jamais dit un mot à ce sujet. C'est absurde.

Wallander désigna le téléphone.

– Appelle-le.

– Elle est plus jeune ou plus âgée que lui ?

Il n'avait pas rappelé Atkins pour lui poser cette question – parmi bien d'autres. Mais il lui semblait que si la sœur était née après Hans, le secret aurait été trop difficile à garder.

– À mon avis, elle est plus âgée.

– Je ne veux pas lui parler de ça au téléphone. Je le ferai ce soir quand il rentrera.

– Non. Il ne s'agit plus d'une affaire privée. Une enquête de police est en cours. Si tu ne l'appelles pas, c'est moi qui le fais.

– Ça vaut peut-être mieux.

Wallander composa les chiffres à mesure qu'elle les lui dictait. Il fut mis en attente avec un accompagnement de musique classique.

– C'est sa ligne directe, dit Linda. C'est moi qui ai choisi la musique. Avant il avait de la country américaine assez horrible.

Billy Ray Cyrus, si ça te dit quelque chose… J'ai menacé de ne plus l'appeler s'il n'en changeait pas. Il ne va sûrement pas tarder à décrocher.

Elle avait à peine fini sa phrase que Hans répondit, stressé, presque hors d'haleine. Qu'est-ce qui se passe exactement sur les Bourses asiatiques ? eut le temps de penser Wallander.

– J'ai une question qui ne peut pas attendre, dit-il. Je t'appelle de chez toi, au fait, je suis attablé dans ta cuisine.

– Louise ? Håkan ? On les a retrouvés ?

– J'aimerais bien. Mais non, il s'agit de quelqu'un d'autre. As-tu une idée de qui ça peut être ?

Il vit Linda prendre un air exaspéré. Il faisait l'idiot en jouant au chat et à la souris : voilà ce qu'elle se disait. Avec raison.

– Il s'agit de ta sœur, dit-il. Signe.

Il y eut un silence à l'autre bout du fil.

– Je ne comprends pas de quoi tu parles, dit Hans enfin. C'est une plaisanterie ?

Linda s'était penchée par-dessus la table. Wallander tenait le combiné de manière qu'elle puisse entendre. Hans paraissait sincère.

– Non, ce n'est pas une plaisanterie.

– Je n'ai aucune sœur ni aucun frère. Puis-je parler à Linda ?

Sans un mot, Wallander tendit le combiné à sa fille, qui lui répéta ce qu'elle venait d'apprendre.

– Quand j'étais petit, entendit-il Hans dire à Linda, je demandais souvent à mes parents pourquoi je n'avais pas de frère ou de sœur. Ils me répondaient toujours qu'un enfant, c'était bien assez. Je n'ai jamais entendu parler de Signe, jamais vu la moindre photo. J'ai toujours été enfant unique.

– C'est difficile à croire.

Hans perdit son sang-froid et se mit à crier :

– Et moi alors ? Ça me fait quoi, à ton avis, d'apprendre une chose pareille ?

Wallander prit le combiné de la main de sa fille.

– Je te crois, dit-il. Linda aussi. Mais tu comprends bien que c'est important. La découverte de l'existence de ta sœur, après la disparition de tes parents… Il faut se demander s'il y a un lien.

– Je n'y comprends rien, dit Hans. J'ai mal au cœur.

– Quelle que soit l'explication, crois-moi, je la trouverai.

Wallander rendit le combiné à Linda et sortit de la pièce. Il entendit qu'elle parlait à Hans d'une voix apaisante. Il ne voulait pas entendre ce qu'elle lui disait. La conversation se prolongea ; il griffonna quelques mots sur un bout de papier, retourna dans la cuisine et le déposa sur la table. Elle hocha la tête, ramassa un trousseau de clés sur l'appui de la fenêtre et le lui tendit. Il quitta la maison après avoir contemplé Klara qui dormait dans son lit, sur le ventre. Il lui effleura la joue. Elle tressaillit, mais ne se réveilla pas.

Arrivé au commissariat, il appela Sten Nordlander sans même prendre le temps d'ôter sa veste. La confirmation qu'il attendait lui fut donnée aussitôt.

– Oui, il y a bien un deuxième enfant, dit Sten Nordlander. Une fille, gravement handicapée de naissance. Totalement impotente, si j'ai bien compris Håkan. Aucune possibilité de la garder à la maison. Elle a eu besoin de soins constants dès le premier jour. Ils ne parlaient jamais d'elle, et je me disais qu'il fallait respecter ce silence.

– Elle s'appelle Signe ?

– Oui.

– Sais-tu quand elle est née ?

Sten Nordlander réfléchit.

– Elle doit avoir une dizaine d'années de plus que son frère. Je crois que le choc a été tel, pour eux, qu'ils ont longtemps été incapables d'imaginer avoir un autre enfant.

– Dans ce cas, elle a à peu près quarante ans aujourd'hui. Sais-tu où elle se trouve, dans quelle institution ?

– J'ai entendu Håkan dire un jour que c'était près de Mariefred. Je n'en sais pas plus.

Wallander se hâta de conclure. Il avait l'impression d'être pressé, alors même que cela ne le concernait pas, au fond. Il savait qu'il devait commencer par prévenir Ytterberg. Mais sa curiosité lui ordonnait autre chose. Il fouilla dans son carnet d'adresses, toujours aussi désespérément collant et plein de taches, avant de trouver le numéro qu'il cherchait : le portable d'une femme qui travaillait à la direction sociale de la commune d'Ystad, fille d'un ancien employé administratif du commissariat. Il l'avait rencontrée lors d'une enquête menant à un réseau pédophile, quelques années auparavant.

Sara Amander décrocha aussitôt. Ils échangèrent trois phrases sur la météo et la vie en général, puis Wallander exposa son affaire.

– Un foyer pour personnes handicapées près de Mariefred, dit-il. Combien y en a-t-il ? Il me faudrait les adresses et les numéros de téléphone.

– Peux-tu m'en dire plus ? S'agit-il d'un handicap de naissance ? D'une infirmité cérébrale ?

– Infirmité de naissance, oui. Grave, oui. Cérébrale, je ne sais pas.

– Je vais voir ce que je peux faire.

Il alla chercher un café au distributeur et échangea quelques mots avec Kristina Magnusson, qui lui rappela qu'elle réunissait les collègues chez elle, le lendemain soir. Fête d'été, dans son jardin. Wallander, qui avait tout oublié de ce projet, répondit qu'il viendrait, bien sûr. De retour dans son bureau, il prit une grande feuille de papier, écrivit le mot « fête » et la posa à côté du téléphone.

Sara Amander le rappela une heure plus tard. Elle avait deux suggestions : une clinique privée du nom d'Amalienborg, dans les environs immédiats de Mariefred, et une institution publique située non loin du château de Gripsholm, et qui portait le nom de Niklasgården. Il nota les adresses et les numéros et s'apprêtait à composer le premier quand Martinsson apparut dans l'encadrement de la porte. Il raccrocha et lui fit signe d'entrer. Martinsson s'assit en grimaçant.

– Qu'y a-t-il ?

– Une partie de poker qui a déraillé. Une ambulance vient de conduire à l'hôpital un type qui s'est pris un coup de couteau. Nous avons une voiture sur place, mais ce serait mieux que nous y allions aussi. Toi et moi.

Wallander prit sa veste et suivit Martinsson. Il fallut le reste de l'après-midi et une partie de la soirée pour débrouiller l'affaire. De retour au commissariat, vers vingt heures, il put enfin composer les numéros communiqués par Sara Amander. Il commença par Amalienborg. Une femme à la voix aimable lui répondit ; au moment même où il posait sa question à propos d'une patiente du nom de Signe von Enke, il comprit cependant qu'il commettait une erreur. On ne lui répondrait pas. Ils n'allaient pas livrer le nom de leurs patients au premier venu. Ce que ne manqua pas de lui expliquer la dame. Du coup, elle ne répondit pas davantage à sa deuxième question, s'ils accueillaient des personnes de tous âges, ou uniquement des enfants. Elle lui répéta patiemment qu'elle ne pouvait pas l'aider, malgré tout le désir qu'elle en avait. Il raccrocha en pensant qu'il fallait maintenant appeler Ytterberg. Mais il ne le fit pas. Il n'y avait aucune raison de le déranger à cette heure tardive. Ça attendrait le lendemain.

La soirée était tiède et calme, et il dîna dans son jardin. Jussi, couché à ses pieds, attrapait les morceaux qui tombaient de sa fourchette. Le jaune du colza brillait dans les champs alentour. Son père lui avait appris autrefois que le colza s'appelait en latin *Brassica napus*. Ça lui était resté. Soudain il se rappela le jour, bien des années plus tôt, où une jeune femme désespérée s'était immolée par le feu dans un champ de colza. Il repoussa cette pensée. Là, tout de suite, il voulait seulement profiter de cette belle soirée d'été. Sa vie était remplie de personnes humiliées, violentées, mortes ; il avait besoin de pouvoir s'accorder des soirées sans souvenirs pénibles.

Mais la pensée de la sœur de Hans ne le quittait pas. Il essayait de comprendre le silence qui avait entouré son existence même ; il essaya d'imaginer comment Mona et lui auraient réagi s'ils avaient eu un enfant pris en charge dès le premier jour par des inconnus. Il frémit. Il était au fond incapable de penser à ce genre de chose jusqu'au bout. Ses réflexions erraient de-ci de-là quand il vit Jussi dresser l'oreille. L'instant d'après, il entendit la sonnerie du téléphone. C'était Linda. Hans dormait, expliqua-t-elle, c'est pour ça qu'elle parlait à voix basse.

– Il est complètement démoli. Et il dit que le pire, c'est qu'il n'a plus personne à interroger maintenant.

– Peux-tu comprendre comment Håkan et Louise ont pu faire ça ?

– Non. Mais c'est peut-être la seule façon de le supporter. Faire comme si l'enfant n'existait pas.

Il lui décrivit le champ de colza et l'horizon.

– Je me réjouis à l'idée que Klara va courir ici dans quelques années.

– Tu ferais bien de te trouver une femme d'ici là.

– On ne « se trouve » pas une femme !

– Si tu ne fais aucun effort, c'est sûr que tu n'en trouveras pas. La solitude va te dévorer de l'intérieur. Tu deviendras un vieux grincheux imbuvable.

Il resta dehors jusqu'à vingt-deux heures passées. Il pensait aux paroles dures de Linda. Il dormit bien, malgré tout, et se réveilla reposé vers cinq heures du matin. À six heures trente, il était au commissariat. Une idée avait germé dans son esprit. Rien ne le requérait sérieusement à Ystad jusqu'à la Saint-Jean. D'autres pouvaient s'occuper de la malheureuse partie de poker. Sachant que Lennart Mattson était encore plus matinal que lui, il alla frapper à sa porte. En effet, il venait d'arriver. Wallander entra et demanda trois jours de congé. À compter du lendemain.

– Je m'y prends un peu tard. Mais j'ai des raisons personnelles. En plus, je peux me mettre à disposition le week-end de la Saint-Jean, même si j'ai déjà posé une semaine à ce moment-là.

Lennart Mattson ne fit aucune difficulté. Wallander retourna à son bureau et chercha sur Internet la situation géographique exacte des deux institutions, Amalienborg et Niklasgården. Les renseignements fournis sur leur site ne purent le mettre sur la bonne voie. L'une et l'autre paraissaient s'occuper de personnes lourdement handicapées.

Ce soir-là, il se rendit à la fête de l'été chez Kristina Magnusson. Linda arriva un peu plus tard, vers vingt et une heures. Klara avait fini par s'endormir, et Hans était resté à la maison. Wallander la prit aussitôt à part et lui parla de son projet d'excursion, qui débuterait le lendemain à l'aube. C'était pour ça qu'il se limitait à boire de l'eau gazeuse. Il quitta la fête très tôt, vers vingt-deux heures. Lorsque Kristina le raccompagna jusque dans la rue, il eut un bref accès de déraison et faillit l'attirer à lui, mais se maîtrisa. Elle avait pas mal bu et parut ne s'apercevoir de rien.

Le chenil était désert. Il avait laissé Jussi à ses voisins avant de partir pour la fête. Il se coucha, programma le réveil pour trois heures et s'endormit. À quatre heures, il était au volant, en route vers le nord. Une brume transparente couvrait le paysage, mais la journée s'annonçait belle. Il arriva à Mariefred peu après midi. Après avoir mangé dans un restoroute et somnolé un peu dans la voiture, il se mit en quête d'Amalienborg, qui se révéla être une ancienne école populaire supérieure pour adultes flanquée d'une annexe et réaménagée en établissement de soins. À l'accueil, il montra sa carte de police en espérant que cela suffirait. La réceptionniste hésita, puis alla chercher une responsable, qui examina attentivement la carte de Wallander.

– Signe von Enke, dit-il. C'est tout ce que j'ai besoin de savoir. Est-elle ici, ou non ? Il s'agit de son père. Il a malheureusement disparu de son domicile.

La responsable portait un badge indiquant qu'elle s'appelait Anna Gustafsson. Elle écouta ses explications sans le quitter des yeux.

– Le capitaine de frégate Håkan von Enke. C'est lui ?

– C'est lui, dit Wallander sans cacher sa surprise.

– J'ai entendu parler de lui par les journaux.

– Sa fille est-elle ici ?

– Non. Nous n'avons personne de ce nom, je peux te l'assurer.

Wallander poursuivait sa route quand un violent orage éclata. Il pleuvait si fort qu'il dut s'arrêter ; il n'y voyait plus rien. Il s'engagea sur un chemin de traverse et coupa le moteur. Assis là, enfermé comme dans une bulle, avec la pluie qui crépitait contre le toit de l'habitacle, il repensa une fois de plus à l'enchaînement des deux disparitions. Celle de Louise n'était pas nécessairement une conséquence ni même une suite de celle de son mari. C'était là une sagesse élémentaire, acquise du temps de Rydberg. On constatait bien des fois que l'événement ultérieur expliquait en réalité celui qu'on avait cru être le premier. Il repensa aux dossiers qui avaient été retirés, il en était certain, de l'armoire à documents de Håkan von Enke. Le compas, dans sa tête, oscillait sans se stabiliser.

Au fond, il avait peut-être tout imaginé. Sa perception de la peur de Håkan von Enke pouvait être infondée. Il avait déjà connu de tels fantômes, même s'il essayait en général de garder son sang-froid et de ne pas se laisser entraîner par eux. Des personnes disparues, il en avait cherché une quantité au cours de sa carrière. Il y avait presque toujours, dès le départ, des signes indiquant s'il fallait s'inquiéter ou non. Dans le cas de Håkan et de Louise, il ne savait pas, et c'était bien là le problème. Il n'y a rien du tout, pensa-t-il encore pendant qu'il attendait que la pluie cesse. Juste un grand vide. Et au milieu de ce vide, surgit une fille dont on a toujours nié l'existence.

La pluie cessa enfin, et il put continuer jusqu'à Niklasgården. L'endroit était joliment situé, au bord d'un lac qui portait sur la carte le nom de Vångsjön. Des maisons en bois peintes en blanc, un parc en pente douce, des bouquets d'arbres immenses et, plus loin, des champs et des prés. Il descendit de voiture et inspira avidement l'air frais d'après la pluie. C'était comme contempler une vieille affiche, de celles qui ornaient les salles de classe du temps où il était écolier à Limhamn – de sempiternels paysages bibliques, des bergers et des troupeaux de moutons, et aussi le paysage agricole suédois dans toutes ses variantes. Niklasgården s'étendait devant lui comme un détail tiré de l'une d'elles. Un court instant, il fut saisi de nostalgie pour *l'époque des affiches*, mais il l'écarta ; la nostalgie ne rendait que plus effrayante la perspective de la vieillesse qui s'annonçait.

Il prit les jumelles qu'il avait emportées dans son sac à dos et balaya lentement les maisons et le parc. Tel un périscope surgissant dans cette belle journée d'été – un sous-marin qui aurait eu la forme d'une vieille Peugeot. L'image était absurde, mais elle le fit sourire. À l'ombre de quelques arbres, il découvrit la présence de deux fauteuils roulants. Il régla la mise au point et essaya de ne plus bouger. L'un des fauteuils était occupé par une femme d'âge incertain au menton affaissé contre le sternum ; l'autre par un homme jeune, lui sembla-t-il, dont la tête était au contraire projetée vers l'arrière comme si sa nuque manquait d'un appui. Il baissa ses jumelles et se demanda avec un certain malaise ce qui l'attendait à l'intérieur.

Il reprit sa voiture et s'arrêta devant le bâtiment principal, où le conseil général du Sörmland lui souhaitait la bienvenue. Des panneaux pointaient vers différentes directions. Il pénétra dans le hall, appuya sur un bouton de sonnette et attendit. Une radio était allumée quelque part. Puis la porte d'un bureau s'ouvrit et une femme d'une quarantaine d'années s'avança vers le guichet de la réception. Wallander fut frappé par sa très grande beauté. Elle avait des cheveux noirs coupés court, des yeux sombres, et le regardait en souriant. Quand elle lui adressa la parole, ce fut avec un accent étranger très perceptible. Il la devinait originaire d'un pays arabe. Il lui montra sa carte et posa sa question. La femme continuait de le regarder en souriant.

– C'est la première fois que nous recevons la visite d'un policier, dit-elle. Venu de si loin, en plus. Malheureusement je ne peux te donner aucun nom.

– Je comprends. Si c'est nécessaire, je vais revenir avec un papier signé par un procureur qui me donnera le droit de fouiller toutes les chambres. Je préfère éviter ça. Il suffit que tu hoches la tête, oui ou non. Ensuite je te promets de m'en aller et de ne plus revenir.

Elle parut réfléchir. Wallander était hypnotisé par son visage.

– Vas-y, dit-elle enfin.

– Y a-t-il ici quelqu'un du nom de Signe von Enke ?

Elle hocha la tête – une fois, ce fut tout, mais il ne lui en fallait pas davantage. Il avait retrouvé la sœur de Hans. Avant de poursuivre, il devait maintenant parler à Ytterberg.

Il s'arracha à sa contemplation et s'apprêtait à partir quand il songea qu'elle serait peut-être prête à répondre à une deuxième question.

– Juste un signe de tête encore. À quand remonte la dernière visite qu'elle ait reçue ?

Cette fois, la femme répondit avec des mots :

– C'était il y a plusieurs mois. En avril, il me semble. Si c'est important, je peux vérifier.

– Cette information nous serait très précieuse.

Elle disparut dans le bureau d'où elle avait émergé à son arrivée et revint après quelques minutes, un papier à la main.

– Le 10 avril, dit-elle. Personne n'est venu la voir depuis lors.

Le 10 avril. La veille de la disparition de Håkan von Enke.

– Je suppose que c'est son père qui est venu ce jour-là, dit-il lentement.

Elle hocha la tête.

C'était bien lui.

Wallander quitta Niklasgården et prit la direction de Stockholm. Il gara la voiture au pied de l'immeuble de Grevgatan et ouvrit la porte de l'appartement avec les clés que lui avait passées Linda la veille.

Il devait recommencer depuis le début. Mais le début de quoi ?

Il se planta au milieu du salon.

Autour de lui, un grand silence. Comme dans les profondeurs où se mouvaient les sous-marins, où l'agitation de surface ne se remarquait guère.

12

Wallander dormit cette nuit-là dans l'appartement vide. Il y faisait une chaleur presque suffocante ; il avait donc entrebâillé quelques fenêtres et les voilages bougeaient doucement dans la brise. De la rue lui parvenaient des voix éméchées. Il pensa qu'il écoutait les ombres, comme on le fait toujours dans les maisons ou les appartements qui viennent d'être abandonnés. Mais ce n'était pas pour économiser l'hôtel qu'il avait demandé les clés à Linda. Ni pour se faire une seconde impression ; l'expérience lui avait appris qu'une deuxième visite apportait rarement du nouveau par rapport à l'impression première qui était, elle, décisive. Mais, cette fois, il savait ce qu'il cherchait.

Il avait ôté ses chaussures pour ne pas éveiller la méfiance des voisins. En chaussettes, il fouilla ensuite le bureau de Håkan et les deux commodes de Louise, ainsi que la bibliothèque du séjour, les armoires et tous les placards. Quand il se faufila dehors, vers vingt-deux heures, pour manger un morceau, il était à peu près sûr de son fait. Toute trace de Signe avait été soigneusement effacée.

Il alla dîner dans un restaurant supposé hongrois, mais où tous les serveurs et le personnel parlaient italien. Après le repas, dans l'ascenseur qui le hissait poussivement jusqu'au troisième étage, il se demanda dans quelle pièce il dormirait. Le bureau de Håkan possédait un canapé. Ce fut en définitive sur celui du séjour, où il avait pris le thé avec Louise, qu'il se coucha avec un coussin et une couverture écossaise.

Il fut réveillé vers une heure du matin par des promeneurs nocturnes plutôt bruyants. Et ce fut alors, pendant qu'il attendait immobile dans la pénombre qu'ils aient passé leur chemin, qu'il se réveilla soudain tout à fait. C'était invraisemblable qu'il n'y ait pas dans cet appartement la moindre trace de la fille qui vivait à présent à Niklasgården. Cela le heurtait d'une manière presque physique. Il était choqué de n'avoir trouvé aucune photographie, pas le moindre document, pas une seule de ces incontournables attestations bureaucratiques qui accompagnent pourtant la vie de chaque Suédois depuis sa naissance. Il refit un tour de l'appartement. Il avait emporté une petite torche électrique et s'en servait pour éclairer les recoins. Il évitait d'allumer plus d'une lampe à la fois, de crainte qu'un voisin de l'immeuble d'en face ne réagisse ; quoique Linda, relayée par Louise, avait affirmé que Håkan von Enke laissait toujours au moins deux lampes allumées la nuit. Il était déterminé à ne pas se recoucher tant qu'il n'aurait pas trouvé une trace de Signe. Elle devait exister. Le contraire était impensable.

Il la découvrit vers quatre heures du matin. Dans les rayonnages de la bibliothèque qu'il venait d'explorer une nouvelle fois, plus méthodiquement que la première. Derrière quelques gros livres d'art il y avait un album. Les photographies n'étaient pas nombreuses, mais elles avaient été collées avec soin. La plupart étaient en couleurs, et elles avaient pâli, mais il y en avait aussi quelques-unes en noir et blanc. L'album ne contenait rien d'autre, aucun commentaire écrit, aucune photo du frère et de la sœur ensemble, mais ce n'était guère étonnant. À la naissance de Hans, Signe avait déjà disparu. Écartée, effacée, annulée. Sur les photos, on ne la voyait que petite fille. Seule. Couchée. Dans différentes positions. Mais sur la dernière, elle était avec sa mère. Qui la tenait dans ses bras. Le visage de Louise était grave, elle détournait le regard. Wallander fut rempli d'une intense tristesse à la vue de ce cliché, qui révélait toute la réticence que lui inspirait sa fille. Une solitude infinie se dégageait de la photo. Il secoua la tête. Il était très mal à l'aise.

Il s'allongea de nouveau sur le canapé. Fatigué, mais soulagé d'avoir trouvé ce qu'il cherchait, il s'endormit tout de suite. Il fut réveillé en sursaut à huit heures du matin par le klaxon d'une voiture. Il avait rêvé de chevaux. Un troupeau entier de chevaux qui galopaient droit devant par-dessus les dunes de Mossby Strand et se précipitaient dans les vagues. Il essaya de l'interpréter, sans succès. Il ne parvenait d'ailleurs presque jamais à interpréter ses rêves. Il fit couler un bain, but un café et, vers neuf heures, appela Ytterberg.

Celui-ci était en réunion ; Wallander réussit à lui faire passer un message et reçut peu après un SMS proposant qu'ils se retrouvent à onze heures devant l'hôtel de ville, côté pont. Wallander, ponctuel, vit Ytterberg arriver sur son vélo. Ils entrèrent dans le café le plus proche.

– Qu'est-ce que tu fais là ? Je croyais que tu n'aimais que la campagne ou, à la rigueur, les toutes petites villes.

– C'est vrai. Mais, parfois, on n'a pas le choix.

Il lui parla de Signe. Ytterberg l'écouta sans l'interrompre. Wallander évoqua pour finir l'album de photos qu'il avait découvert au cours de la nuit, et qu'il avait emporté dans un sac en plastique. Il le posa sur la table. Ytterberg repoussa sa tasse, s'essuya les mains et commença à le feuilleter avec précaution.

– Quel âge as-tu dit qu'elle avait, aujourd'hui ? Quarante ans ?

– À peu près, d'après ce que m'a dit Atkins.

– Ici, il n'y a aucune photo où elle en ait plus de deux ou trois.

– Il existe peut-être d'autres albums. Mais franchement, j'en doute.

Ytterberg fit une grimace et rangea l'objet dans le sac plastique. Un bateau de promenade peint en blanc passa sur les eaux de Riddarfjärden. Wallander déplaça sa chaise pour être à l'ombre.

– Je voudrais retourner à Niklasgården, dit-il. Signe fait partie de ma famille, après tout. Mais j'ai besoin de ton feu vert.

– Que crois-tu pouvoir obtenir en la rencontrant ?

– Je n'en sais rien. Mais son père lui a rendu visite la veille de sa disparition. Depuis, personne n'est allé la voir.

Ytterberg réfléchit.

– C'est vraiment étrange que Louise n'y soit pas allée, même une fois. Qu'en penses-tu ?

– Je n'en pense rien du tout. Je me pose la même question. On pourrait peut-être y aller ensemble ?

– Non, vas-y. Je vais les appeler tout de suite pour qu'ils te fassent une autorisation de visite.

Wallander lui donna le numéro de Niklasgården. Pendant qu'Ytterberg téléphonait, il descendit au bord du quai et regarda l'horizon. Le soleil était haut, le ciel d'un bleu vif. C'est le plein été, pensa-t-il. Ytterberg vint le rejoindre.

– C'est bon. Mais la personne que j'ai eue m'a prévenu que Signe von Enke ne parlait pas. Je ne sais pas si j'ai tout compris, mais apparemment elle serait née sans cordes vocales. Entre autres.

– *Entre autres ?*

– Il lui manque pas mal de choses, je crois. À vrai dire, je suis content de ne pas y aller. Surtout par un jour comme celui-ci.

– Pourquoi ?

– Parce qu'il fait beau. C'est un des premiers vrais jours d'été qu'on ait cette année-ci. Je n'ai pas envie de le gâcher.

– Est-ce qu'elle avait un accent ? demanda Wallander pendant qu'ils s'éloignaient, Ytterberg poussant son vélo. Celle à qui tu as parlé ?

– Oui. Et une belle voix. Elle s'est présentée, je crois qu'elle a dit Fatima. Elle est peut-être irakienne ? Ou iranienne ?

Wallander dit qu'il le rappellerait dans la journée. Il avait laissé sa voiture devant l'entrée principale de l'hôtel de ville ; il eut juste le temps de démarrer avant d'être arrêté par une contractuelle. Il quitta la ville. Une petite heure plus tard, il était de retour à Niklasgården. Cette fois, il fut reçu par un homme âgé ; il s'appelait Artur Källberg et était de service l'après-midi et le soir jusqu'à minuit.

– Commençons par le commencement, dit Wallander. Qu'est-ce qu'elle a ?

– C'est l'une de nos patientes les plus gravement atteintes, dit Artur Källberg. À sa naissance, on ne pensait pas qu'elle survivrait très longtemps. Mais certaines personnes possèdent une volonté de vivre qui peut nous paraître incompréhensible, à nous autres simples mortels.

– Quel est exactement le problème ?

Artur Källberg hésita, comme s'il se demandait ce que Wallander était capable d'entendre – ou peut-être s'il méritait de l'entendre. Wallander s'impatienta :

– J'écoute !

– Elle n'a pas de bras. Plus un problème à la gorge qui l'empêche de parler, et une défaillance cérébrale. Et une déformation de la colonne vertébrale. Sa faculté de mouvement est donc très limitée.

– C'est-à-dire ?

– Elle a une certaine mobilité au niveau du cou et de la tête. Elle peut, par exemple, cligner des paupières.

Wallander essaya de se projeter dans la même situation : si cette personne avait été sa propre petite-fille, Klara, comment aurait-il réagi ? Qu'aurait-il fait si Linda avait mis au monde une enfant gravement handicapée ? Pouvait-il avoir la moindre idée de ce que cela avait été pour Håkan et Louise ? Il tenta de tirer au clair ce qu'il pensait, sentait ou imaginait à ce sujet. Mais c'était impossible.

– Depuis combien de temps est-elle ici ?

– Au début de sa vie elle était dans un autre foyer, sur Lidingö, à côté de Stockholm, mais il a fermé en 1972.

Wallander leva la main.

– Sois précis, s'il te plaît. Imagine que je ne sache rien de cette fille, à part son nom.

– Alors nous allons peut-être commencer par cesser de la traiter de « fille ». Elle va avoir quarante et un ans. Devine quand ?

– Aucune idée.

– Aujourd'hui ! En temps normal, son père serait venu et il aurait passé l'après-midi avec elle. Là, il n'y a personne.

Källberg paraissait très contrarié que Signe von Enke ne reçoive pas de visite le jour de son anniversaire. Wallander le comprenait.

Une question était évidemment beaucoup plus importante que les autres. Mais il décida d'attendre, de procéder par ordre, et sortit de sa poche son carnet plié en deux qui était vraiment décati.

– Autrement dit, elle est née le 8 juin 1967 ?

– C'est ça.

– A-t-elle jamais vécu chez ses parents ?

– D'après son dossier, que j'ai relu avant ta visite, elle a été emmenée directement de la maternité au foyer dont je te parlais : Nyhagahemmet, sur Lidingö. À un moment donné, il a fallu agrandir le bâtiment, et les voisins ont eu peur que ça ne dévalorise les villas du quartier – sur le marché de l'immobilier, tu comprends. Je ne sais pas comment ils ont fait pour bloquer le projet. Quoi qu'il en soit, non seulement le foyer n'a pas été agrandi, mais il a carrément dû fermer.

– Où est-elle allée alors ?

– Ç'a été les chaises musicales, si on peut dire. Entre autres, elle a passé une année sur l'île de Gotland, près de Hemse. Puis un jour elle est arrivée ici, et elle y est restée. Ça va faire vingt-neuf ans.

Wallander notait au fur et à mesure. L'image d'une Klara sans bras surgissait de temps à autre en lui avec une intensité macabre.

– Parle-moi de son état. Bon, tu l'as déjà fait – je veux dire, son état de conscience. Que comprend-elle ? Que ressent-elle ?

– Nous n'en savons rien. Elle n'exprime que des réactions élémentaires, avec une mimique et un langage corporel difficiles à interpréter pour ceux qui n'ont pas l'habitude. Si tu veux, nous la considérons un peu comme un nourrisson, mais qui aurait une longue expérience de vie.

– Peut-on imaginer ce qu'elle pense ?

– Non. Mais rien n'indique au fond qu'elle ait conscience de sa détresse. Elle n'a jamais manifesté de douleur ou de désespoir. Et si cela correspond à une réalité intérieure, c'est évidemment une grâce.

Wallander acquiesça en silence. Il croyait comprendre. Restait la question cruciale.

– Son père lui rendait visite. À quelle fréquence ?

– Une fois par mois, parfois plus. Et ce n'étaient pas de courtes visites. Il ne restait jamais moins de deux heures.

– Que faisait-il ? S'ils ne pouvaient pas se parler ?

– *Elle* ne le pouvait pas. Lui, il n'arrêtait pas, il lui racontait plein de choses. Il lui parlait de tout, de la vie quotidienne, de tout ce qui s'était produit depuis sa dernière visite, dans le petit monde comme dans le grand. Il lui parlait comme à une adulte, sans se lasser.

– Et quand il était en mer ? Je veux dire, pendant toutes les années où il était encore officier d'active ?

– Il la prévenait toujours. C'était très touchant de l'entendre lui expliquer qu'il allait devoir s'absenter quelque temps.

– Et qui rendait visite à Signe en son absence ? Sa mère ?

La réponse de Källberg tomba, claire et froide, sans une hésitation :

– Sa mère n'est jamais venue. Je travaille à Niklasgården depuis 1994. Elle n'a jamais rendu visite à sa fille. La seule personne qui venait la voir, c'était son père.

– Pas une seule fois ? Tu en es certain ?

– Jamais.

– N'est-ce pas étonnant ?

Källberg haussa les épaules.

– Pas forcément. Ça peut être tout simple. Certains ne supportent pas de voir la souffrance des autres.

Wallander rangea son carnet. Réussirait-il à déchiffrer ce qu'il avait écrit ?

– Je voudrais la voir. Sauf si ça risque de la perturber...

– Ah oui. J'ai oublié de te dire qu'elle y voyait à peine. Elle perçoit les silhouettes comme des ombres sur un fond gris. C'est du moins ce que croient les médecins.

– Elle reconnaît donc son père à la voix ?

– Sans doute, oui. À en juger par sa mimique.

Wallander s'était levé. Källberg restait assis.

– Es-tu tout à fait certain de vouloir la voir ?

– Oui.

Ce n'était pas vrai, bien sûr. Ce qu'il voulait, c'était voir sa chambre.

Ils franchirent les doubles portes vitrées qui se refermèrent sans bruit après leur passage. Källberg ouvrit une porte au bout d'un couloir. Une chambre aux couleurs claires, du lino au sol. Quelques chaises, des étagères avec des livres – pour quoi faire ? – et un lit où gisait Signe von Enke.

– Laisse-nous seuls, demanda Wallander.

Après le départ de Källberg, il avança vers le lit et contempla Signe. Elle avait des cheveux courts et blonds et ressemblait à son frère. Ses yeux étaient ouverts mais paraissaient ne rien voir. Elle respirait par à-coups, comme si chaque inspiration lui coûtait. Wallander sentit sa gorge se serrer. À quoi donc pouvait bien rimer une souffrance pareille ? Être privée à jamais de ce qui donne à la vie ne serait-ce qu'un illusoire reflet de sens ? Il la regardait mais elle ne semblait pas s'être aperçue de sa présence. Le temps s'était arrêté. Il se trouvait dans un étrange musée. Un musée contenant un être humain. La fille dans la tour, pensa-t-il. Emmurée dans son propre corps.

Son regard glissa vers le fauteuil près de la fenêtre. *C'est là que devait s'asseoir Håkan au cours de ses visites*. Il s'avança jusqu'au rayonnage et s'accroupit. Il y avait là des livres pour enfants, des livres d'images. Håkan lui faisait peut-être la lecture à voix haute. Wallander les sortit, un à un, pour s'assurer que rien n'était caché derrière.

Il trouva ce qu'il cherchait entre deux volumes de *Babar*. Pas un album cette fois – d'ailleurs ce n'était pas ce qu'il avait imaginé, sans savoir précisément ce qu'il avait imaginé au juste. Mais si Håkan von Enke avait voulu mettre des documents à l'abri, où aurait-il pu les cacher mieux que là ? Dans cette chambre inconnue de tous, au milieu des livres de *Babar* que Linda et lui avaient lus, eux aussi, quand Linda était petite. Un grand cahier à la reliure noire rigide maintenue par deux élastiques épais. Wallander hésita à l'ouvrir. Puis il se décida en vitesse, ôta sa veste et fourra le volume à l'intérieur. Signe n'avait pas bougé. Elle gisait, inerte, les yeux ouverts.

Il ouvrit la porte. Källberg était dans le couloir, occupé à tâter le terreau d'une plante en pot qui paraissait desséchée.

– C'est terrible, dit Wallander. J'ai des sueurs froides rien qu'à la regarder.

Ils longèrent les couloirs dans l'autre sens jusqu'à l'accueil.

– Voici bien des années, dit Källberg, nous recevions la visite d'une jeune femme étudiante aux Beaux-Arts. Son frère vivait ici, mais il est mort maintenant. Un jour, elle a demandé si elle pouvait dessiner nos patients. Elle était très douée ; elle avait apporté un grand carton de dessins pour nous montrer ce qu'elle savait faire. J'y étais favorable, mais la direction a estimé que cela porterait atteinte à l'intégrité de nos patients.

– Que se passe-t-il quand un patient meurt ?

– La plupart ont une famille. Mais pas tous. Dans ce cas-là, nous essayons d'être aussi nombreux que possible à l'enterrement. Le personnel est stable, ici. Nous devenons comme leur nouvelle famille.

Wallander prit congé d'Artur Källberg et roula jusqu'à Mariefred, où il déjeuna dans une pizzeria. Quelques tables étaient sorties sur le trottoir ; après le repas, il s'y installa avec son café. Un orage s'annonçait. Un peu plus loin dans la rue, devant un petit supermarché, un homme jouait de l'accordéon. Sa valse écorchait les oreilles, c'était un mendiant, pas un musicien de rue. Quand ce devint franchement insupportable, Wallander finit son café et retourna à Stockholm. Il venait de franchir le seuil de l'appartement de Grevgatan quand la sonnerie du téléphone retentit, envoyant un écho lugubre à travers les pièces vides. La personne raccrocha. Wallander écouta les messages enregistrés par le répondeur. Il y en avait deux. Le premier d'un cabinet dentaire informant Louise qu'un client s'était décommandé et qu'elle avait un nouveau rendez-vous. Mais quand était-ce ? Wallander nota le nom du dentiste, Sköldin. Le second message provenait d'une couturière annonçant simplement que « le tailleur était prêt ». Elle ne précisait ni son nom, ni l'heure de son appel.

Soudain, l'orage éclata sur Stockholm. La pluie drue martelait les vitres. Wallander, posté à la fenêtre, regardait la rue. Il se faisait l'effet d'être un intrus. Mais la disparition du couple von Enke jouait un grand rôle dans la vie d'autres personnes qui lui étaient proches et cela, pensa-t-il, justifiait sa présence.

Quand la pluie cessa une heure plus tard, d'innombrables caves étaient inondées et la surtension dans les réseaux avait éteint les feux de signalisation. Ce fut l'un des plus violents orages que connut la capitale cet été-là. Mais Wallander ne remarqua rien, absorbé par le livre que Håkan von Enke avait caché dans la chambre de sa fille. Après dix minutes de lecture, il eut la sensation d'un indescriptible fourre-tout. Il y avait là des haïkus, des photocopies d'extraits du journal du chef d'état-major datant de l'automne 1982, des aphorismes plus ou moins compréhensibles de la plume de Håkan von Enke et bien d'autres choses encore, pêle-mêle : coupures de presse, photographies, à quoi s'ajoutaient quelques aquarelles barbouillées. Il tournait les pages avec la sensation croissante que ce journal intime, si on pouvait appeler cela ainsi, était totalement inattendu de la part de Håkan von Enke. Il commença par le feuilleter pour s'en faire une idée générale. Puis il reprit au début. Quand enfin il le referma et se leva pour se dégourdir les jambes, rien ne s'était vraiment éclairci.

Il sortit dîner. L'orage n'était plus qu'un souvenir. Il était vingt et une heures quand il revint à l'appartement. Pour la troisième fois, il prit le cahier noir et se mit à le relire.

Il cherchait *l'autre* contenu. Le texte invisible.

Qui devait s'y trouver, il en était certain.

13

Il était presque trois heures du matin quand Wallander se leva du canapé et s'approcha de la fenêtre. Une pluie fine tombait. Malgré la fatigue, il revint en pensée à la fête de Djursholm, lorsque Håkan von Enke lui avait parlé des sous-marins. Le cahier était déjà caché à ce moment-là parmi les *Babar* dans la chambre de Signe. C'était là la chambre secrète de Håkan, plus sûre qu'un coffre-fort. Le cahier s'y trouvait, car certaines entrées étaient datées, et la dernière remontait au jour précédant sa fête d'anniversaire. Il lui avait rendu visite au moins une fois encore la veille de sa disparition ; mais, ce jour-là, il n'avait rien noté.

Je ne peux plus avancer. Mais je suis déjà bien assez loin. Puis un mot, un seul, tracé plus tard, semblait-il, avec un autre stylo. *Marécage.*

C'était tout. Sans doute les derniers mots de sa main, pensa Wallander. Comment savoir ?

Le cahier lui apprenait beaucoup de choses. En particulier les extraits du journal du chef d'état-major Lennart Ljung – pas tant en eux-mêmes que par les commentaires de Håkan von Enke dans la marge. Souvent au stylo rouge, parfois biffés ou corrigés, avec des ajouts faits, dans certains cas, plusieurs années après l'annotation d'origine. À maints endroits, il avait aussi dessiné de petits bonshommes allumettes en forme de diable tenant une hache ou un trident. Sur une page, il avait collé une carte marine en réduction représentant le détroit de Hårsfjärden. Il y avait ajouté des points rouges, esquissé plusieurs voies maritimes possibles, avant de tout barrer avec rage et de recommencer. Il avait aussi noté sur la carte le nombre de contacts sonar et le nombre de charges anti-sous-marines qui avaient été larguées. Sous le regard fatigué de Wallander, tout finissait par se confondre en un fatras indéchiffrable. Alors il allait se passer de l'eau sur le visage et il recommençait.

Souvent von Enke appuyait si fort, avec la pointe de son stylo, qu'il transperçait le papier. Ces notes montraient un homme très différent de celui qu'il avait rencontré et qui avait monologué si calmement face à lui dans la pièce sans fenêtres ; dans ces pages, le vieux capitaine manifestait tout autre chose : une obsession à la limite de la folie.

Wallander continuait de regarder tomber la pluie en écoutant quelques hommes jeunes qui rentraient chez eux dans la nuit d'une démarche chancelante en criant des obscénités. Les braillards sont ceux qui n'ont pas eu de touche et qui sont obligés de rentrer seuls, pensa-t-il. Ça m'arrivait aussi, il y a quarante ans.

Wallander avait lu les extraits du journal si attentivement qu'il les connaissait presque par cœur. Mercredi 24 septembre 1980. Le chef d'état-major rend visite à un régiment de l'armée de l'air près de Stockholm ; il note la difficulté persistante à recruter des officiers, bien qu'on ait dépensé beaucoup d'argent pour rénover les casernes et les rendre plus attirantes. Dans ce passage, Håkan von Enke ne fait pas une seule remarque, mais plus bas, sur la page, le stylo-bille rouge lance un éclair, comme un coup d'épée à travers le papier : *La question de la présence de sous-marins dans les eaux territoriales suédoises a connu un regain d'actualité ces jours-ci. La semaine dernière, un sous-marin a été découvert près de l'île d'Utö, en violation flagrante de la souveraineté nationale. Il naviguait à faible profondeur d'immersion avec des éléments visibles. L'identification désigne sans ambiguïté un sous-marin de classe Misky. L'Union soviétique et la Pologne possèdent de tels sous-marins.*

Les phrases griffonnées dans la marge étaient illisibles. Wallander avait réussi à les décrypter en empruntant une loupe dans le bureau. Von Enke se demande quels sont ces « éléments » qu'on déclare avoir vus. Périscope ? Mâts ? Combien de temps le sous-marin est-il resté visible ? Qui l'a vu ? Quelle était sa route ? Il s'irrite de ce que le journal soit si pauvre en détails essentiels. À côté de l'expression « classe Misky », von Enke écrit : *OTAN et Whiskey.* Le stylo rouge souligne les dernières phrases de cette page : *Il y a eu un tir de sommation. Le sous-marin n'a pu être contraint à faire surface.*

Il aurait par la suite quitté les eaux suédoises. Dans la marge, il écrit : *On n'oblige pas un sous-marin à remonter avec des tirs de sommation. Pourquoi l'a-t-on laissé filer ?*

Les annotations se poursuivent jusqu'au 28 septembre. Ce jour-là, Ljung a un entretien avec le chef d'état-major de la marine, qui était auparavant en visite en Yougoslavie. Cela n'intéresse pas Håkan von Enke. Pas la moindre note, pas le moindre bonhomme allumette, pas le moindre point d'exclamation. Mais, au bas de la page, Ljung, qui est mécontent d'une déclaration du service d'information de la marine, exhorte son subordonné à punir le responsable. Dans la marge est noté au stylo rouge : *Il devrait mieux choisir ses priorités.*

Le sous-marin de l'île d'Utö. Wallander se souvenait d'en avoir entendu parler ce soir-là à Djursholm. *C'est là que tout a commencé*, avait dit Håkan von Enke en substance ; il ne se rappelait pas ses paroles exactes.

L'autre extrait du journal était nettement plus long. Il couvrait les dates du 5 au 15 octobre 1982. Une vraie représentation de gala que cette affaire, pensa Wallander. La Suède est au centre du monde. Chacun regarde la marine suédoise et ses hélicoptères traquer impitoyablement le sous-marin – probable ? réel ? inexistant ? – alors que, pour tout arranger, suite aux élections législatives et au changement de majorité, on est en pleine transition gouvernementale. Le chef d'état-major se démultiplie pour informer à la fois le cabinet sortant et le cabinet entrant. Torbjörn Fälldin semble un moment oublier qu'il doit partir, et Olof Palme exprime son très fort mécontentement de ne pas être correctement informé de l'évolution de la situation dans le détroit de Hårsfjärden. Lennart Ljung n'a pas une minute à lui, tout occupé à faire la navette entre Berga et les deux cabinets qui se marchent sur les pieds. De plus, il doit répondre aux questions acides du chef de file du parti modéré, Adelsohn, qui ne comprend pas pourquoi le ou les sous-marins n'ont pas encore été capturés. Håkan von Enke note ironiquement dans la marge : *Enfin un politicien qui se pose de bonnes questions.*

Wallander avait pris son carnet déchiré et commencé à dresser des listes de noms et de dates, sans trop savoir pourquoi, peut-être afin de mettre un peu d'ordre dans le fourmillement de détails pour mieux comprendre les notes de plus en plus amères de von Enke.

Il avait par instants l'impression que celui-ci s'efforçait de décrire un *autre enchaînement* que celui qui s'était réellement produit. Il est en train de réécrire l'histoire, pensa-t-il. Comme ce fou qui a passé quarante ans d'asile à lire les grands classiques et à inventer une autre fin chaque fois que celle-ci lui paraissait trop tragique. Von Enke écrit ce qui *aurait dû* se produire. Et pose ainsi la question de *pourquoi* cela ne s'est pas produit.

À un moment, en pleine lecture – il avait ôté sa chemise et était assis, à moitié nu, sur le canapé –, il se demanda si Håkan von Enke n'était pas paranoïaque. Mais il rejeta vite cette idée. Ses notes avaient beau être rageuses, elles étaient parfaitement claires et logiques – du moins d'après ce que Wallander lui-même était en mesure d'en comprendre.

Puis il tomba sur quelques lignes simples aux allures de haïku :

Incidents sous la surface
Personne ne voit
Ce qui approche.

Incidents sous la surface
Le sous-marin rôde
Nul ne veut le voir.

Était-ce la vérité ? Un jeu destiné à la galerie ? N'y avait-il jamais eu une réelle volonté d'identifier ce sous-marin ? Mais pour Håkan von Enke, la question la plus importante était ailleurs. Il menait une autre chasse. Sa proie à lui n'était pas quelque chose, mais quelqu'un. Cela revenait sans cesse dans ses notes. Qui prend les décisions ? Qui les modifie ? Qui ?

À un endroit, Håkan von Enke note ce commentaire : *Pour répondre à la question « qui », je dois répondre à la question « pourquoi ». À moins que je n'aie déjà la réponse.* Là, il n'est pas en colère, pas indigné ; il est parfaitement calme. Le papier n'est pas troué.

À ce stade de sa lecture, Wallander n'avait plus de difficulté à comprendre l'interprétation des faits par Håkan von Enke. Un ordre a été donné, et on suit la chaîne de commandement. Normal. Mais voilà soudain que quelqu'un fait annuler la décision ; le ou les sous-marins disparaissent. Il ne cite aucun nom, du moins aucun qui identifierait un suspect. Mais parfois il désigne certains acteurs par une lettre, X ou Y ou Z. Il les cache, pensa Wallander. Puis il cache son cahier parmi les livres de Signe. Et il disparaît. Et maintenant Louise aussi a disparu.

L'épluchage des extraits du journal occupa une bonne partie de sa nuit. Mais il accorda également une attention intense aux autres éléments du cahier. Celui-ci contenait toute l'histoire de la vie de Håkan von Enke, à compter du jour où il avait pris la décision d'embrasser la carrière d'officier. Photographies, souvenirs, cartes postales, bulletins scolaires, diplômes militaires, nominations. Il y avait aussi la photo de son mariage avec Louise, et des portraits de Hans à des âges différents.

Quand Wallander alla à la fenêtre regarder la nuit d'été et la bruine qui tombait sur Stockholm, il pensa que rien ne s'était éclairci, surtout pas le plus important : l'absence prolongée de Håkan et celle, récente, de Louise. Je ne sais rien, pensa-t-il. Mais j'en sais tout de même plus qu'avant sur la personne de Håkan von Enke.

Avec ces pensées, il se coucha enfin sous la couverture du canapé et s'endormit.

À son réveil vers huit heures, il avait la tête lourde et la bouche sèche comme s'il avait fait la bringue. Mais à peine eut-il ouvert les yeux qu'il sut ce qu'il allait faire. Il composa le numéro avant même d'avoir bu son premier café. Sten Nordlander décrocha à la deuxième sonnerie.

– Je suis à Stockholm, dit Wallander. Il faut que je te voie.

– J'allais partir faire un tour en bateau. Si tu m'avais appelé dix minutes plus tard, tu m'aurais loupé. Si tu veux, je t'emmène, on en profitera pour parler.

– Je n'ai pas franchement la tenue adéquate.

– Moi oui. Où es-tu ?

– À l'appartement de Grevgatan.

– Alors je passe te prendre dans une demi-heure.

Sten Nordlander arriva, vêtu d'une combinaison en toile grise déteinte portant l'emblème de la marine suédoise. Sur la banquette arrière, Wallander aperçut un grand panier : leur pique-nique, annonça Nordlander. Ils quittèrent la ville pour Farsta, et empruntèrent une suite de routes secondaires jusqu'à la petite marina où Sten Nordlander avait son bateau. Wallander prit avec lui le sac plastique contenant le grand cahier noir ; il vit le regard interrogateur de Nordlander, mais ne dit rien ; il préférait attendre d'être en mer.

Ils s'arrêtèrent sur le ponton flottant pour admirer le joli bateau en bois, qui venait d'être verni à neuf.

– Un authentique Peterson, dit Sten Nordlander. Entièrement d'origine. On n'en fabrique plus des comme ça. Le plastique donne moins de travail quand il faut le remettre en état après l'hivernage. Mais on n'aimera jamais un bateau en plastique de la même manière. Celui-ci sent bon comme un bouquet de fleurs. Maintenant, je vais te montrer Hårsfjärden.

Wallander fut surpris. En quittant la ville, il avait perdu la notion de l'orientation, jusqu'à envisager que le bateau puisse être amarré au bord d'un petit lac, ou du lac Mälar. Mais la baie s'ouvrait effectivement en direction d'Utö, que Sten Nordlander lui indiqua sur la carte. Au-delà, au nord-ouest, s'étendaient Mysingen, Hårsfjärden et puis le saint des saints de la marine suédoise : la base de Muskö.

Sten Nordlander lui donna une combinaison semblable à la sienne et une casquette de marin.

– Voilà, dit-il avec satisfaction quand Wallander se fut changé. Tu as l'air respectable.

Le bateau était équipé d'un moteur à deux temps. Wallander le démarra avec des gestes maladroits, en priant pour qu'il n'y ait pas trop de vent en mer.

Sten Nordlander s'appuya contre le pare-brise, la main posée avec légèreté sur la barre à roue en bois ouvragé.

– Dix nœuds, dit-il, c'est une bonne vitesse. On a le temps de sentir la mer, pas seulement d'avancer en rebondissant comme si on était pressé d'atteindre l'horizon. De quoi voulais-tu me parler ?

– Hier j'ai rendu visite à Signe. Dans le foyer où elle est, recroquevillée dans un lit comme un nourrisson alors qu'elle vient d'avoir quarante et un ans.

Sten Nordlander leva vivement la main.

– Je ne veux rien savoir. Si Håkan ou Louise avaient voulu m'en parler, ils l'auraient fait.

– Alors je me tais.

– C'est pour me parler d'elle que tu m'as appelé ? J'ai du mal à le croire.

– J'ai trouvé un objet. Et je voudrais que tu le regardes quand nous nous serons arrêtés quelque part.

Wallander décrivit sa trouvaille sans rien dire de son contenu. Il voulait que Sten Nordlander découvre le cahier par lui-même.

– Ça me paraît étrange, dit Nordlander.

– Quoi donc ?

– Que Håkan ait tenu un journal. Écrire, ce n'est vraiment pas son genre. Nous sommes allés en Angleterre ensemble une fois, et je me souviens qu'il n'a pas envoyé une seule carte postale, il disait qu'il ne savait pas quoi écrire. Ses journaux de bord ne racontaient presque rien.

– Dans ce cahier-ci, il y a même des bouts de texte qui ressemblent à des poèmes.

– J'ai beaucoup de mal à le croire.

– Tu verras.

– De quoi est-il question ?

– Essentiellement de l'endroit vers lequel nous nous dirigeons.

– Muskö ?

– Hårsfjärden. Les sous-marins, le début des années 80. À le lire, on le devine totalement obsédé par ces événements.

Sten Nordlander eut un geste en direction d'Utö.

– C'est là qu'on a chassé le sous-marin en 1980, dit-il.

– C'est ça. En septembre, un *Whiskey*, vraisemblablement russe, ou alors polonais.

Sten Nordlander plissa les yeux.

– Tu as étudié, ma parole !

Il passa la barre à Wallander et sortit du panier une Thermos et deux tasses. Wallander maintenait attentivement le cap qu'il lui avait indiqué. Un bateau des gardes-côtes fonçait sur eux ; ils se croisèrent. Sten Nordlander coupa les gaz et laissa le bateau dériver pendant qu'ils prenaient leur café en mangeant des tartines.

– Håkan n'était pas le seul à être en colère, dit-il. Nous étions nombreux à nous demander ce qui s'était produit exactement. Près de vingt ans s'étaient écoulés depuis l'affaire Wennerström. Mais il y avait beaucoup de rumeurs.

– À quel sujet ?

Sten Nordlander pencha la tête comme pour inviter Wallander à répondre lui-même à la question.

– Des espions ?

Nordlander acquiesça.

– Il n'était tout simplement pas normal que ces sous-marins aient toujours un temps d'avance sur nous. Ils agissaient comme s'ils connaissaient notre tactique, comme s'ils savaient où étaient nos mines, comme s'ils étaient même capables de suivre les discussions de nos chefs. La rumeur évoquait un espion encore plus haut placé que ne l'avait été Wennerström. N'oublie pas qu'à cette même époque, en Norvège, un certain Arne Treholt sévissait dans le cercle même du gouvernement. Et le conseiller personnel de Willy Brandt avait été démasqué en tant qu'agent de la RDA. Chez nous, ces soupçons n'ont jamais été confirmés. Mais cela ne veut pas dire que ça n'existait pas.

Wallander se rappela les lettres *X*, *Y* et *Z*.

– Vous deviez bien penser à tel ou tel ?

– À en croire certains officiers de marine à l'époque, Palme lui-même aurait été un espion. Ça m'a toujours paru une thèse absurde. Mais le fait est que personne n'était à l'abri. En plus, nous étions affaiblis par un autre facteur.

– Lequel ?

– L'argent. Côté budget, on n'en avait que pour les armes robotisées et l'aviation. Pour la marine, c'était de plus en plus maigre. Beaucoup de journalistes de cette époque ont parlé avec mépris de nos « sous-marins budgétaires ». D'après eux, ces sous-marins étaient une pure invention destinée à attirer à nous la manne de l'État.

– T'est-il jamais arrivé de douter ?

– De quoi ?

– De l'existence des sous-marins.

– Jamais. Bien sûr qu'il y avait des sous-marins soviétiques à Utö.

Wallander sortit du sac le grand cahier noir. Il eut la nette impression que Sten Nordlander ne l'avait jamais vu. L'air perplexe, plein de curiosité, il s'essuya les mains et posa l'objet avec précaution sur ses genoux. Le vent se réduisait à une brise ridant à peine la surface de l'eau.

Nordlander le feuilleta lentement. De temps à autre, il levait la tête pour voir vers où dérivait le bateau. Puis il reprenait sa lecture. Après l'avoir entièrement parcouru, il le rendit à Wallander et secoua la tête.

– Ça m'étonne, dit-il. Et pourtant non, peut-être, en réfléchissant bien. Je savais que Håkan continuait à creuser ces vieilles histoires. Mais à ce point… Comment faut-il appeler ça ? Un journal intime ? Des mémoires privés ?

– Je crois qu'on peut le lire de deux manières. D'une part comme un récit. D'autre part comme une enquête inachevée.

– Pourquoi inachevée ?

Mais oui, pensa Wallander. Pourquoi est-ce que je dis ça ? C'est sans doute le contraire. Ce livre est un objet clos.

– Tu as raison. Il l'avait sans doute fini. Mais que croyait-il avoir atteint ?

– J'ai mis longtemps à comprendre combien de temps il consacrait à fouiller dans les archives, à éplucher les rapports, à lire les enquêtes et les livres publiés sur le sujet. Et il parlait à toutes sortes de gens. Parfois quelqu'un m'appelait et me demandait ce qu'il fabriquait. Je répondais juste qu'à mon avis, il tenait à savoir ce qui s'était réellement passé.

– Et ça déplaisait à certains…

– Je crois qu'il a fini par passer pour un type pas fiable. C'est tragique, parce que, dans toute la marine royale, il n'y avait personne de plus consciencieux ni de plus honnête que lui. Il n'en a jamais rien dit, mais cela a dû le blesser profondément.

Sten Nordlander souleva le capot du moteur, puis le referma.

– Comme un cœur qui bat, dit-il avec satisfaction. Autrefois j'ai travaillé en tant que chef mécanicien sur le *Småland* qui est, tu le sais peut-être, l'un de nos deux chasseurs de la classe Halland. Ça fait partie de mes souvenirs les plus marquants. Le *Småland* possédait deux turbines à vapeur de Laval capables de développer dans les soixante mille chevaux. Ce bâtiment, qui pesait trois mille cinq cents tonnes, on pouvait lui faire atteindre une vitesse de trente-cinq nœuds. Là, je peux te dire que ça allait vite. Là, on était contents d'être en vie.

– J'ai une question, dit Wallander. Et elle est très importante. Y a-t-il quelque chose dans ce que tu viens de voir dans ce cahier qui n'aurait pas dû y être ?

– Quelque chose de secret, tu veux dire ? demanda Sten Nordlander en fronçant les sourcils. Non, je ne le crois pas.

– Quelque chose qui t'a surpris, alors ?

– Je n'ai pas lu en détail. Ses commentaires en marge, j'arrive à peine à les déchiffrer. Mais, dans ce que j'ai lu, rien ne m'a fait réagir.

– Pourquoi il a éprouvé le besoin de cacher ce cahier ?

Sten Nordlander tarda à répondre. Il considérait pensivement la course d'un voilier au loin.

– Non, je ne vois pas, dit-il enfin. Je ne vois pas qui aurait pu être la personne qui ne devait pas y avoir accès.

Wallander aiguisa soudain son attention. Un détail, dans ce que venait de dire l'homme assis près de lui, était important. Mais il ne réussit pas à le capter, ça lui échappa. Il mémorisa ses paroles.

Sten Nordlander, qui avait rangé tasses et Thermos, mit les gaz en direction de Mysingen et de Hårsfjärden. Wallander se leva et vint se placer à son côté. Au cours des heures qui suivirent, Sten Nordlander lui fit une visite guidée de Hårsfjärden et de l'île de Muskö. Il lui montra avec force explications à quel endroit on avait largué les charges et par où le sous-marin avait pu s'échapper, *via* des champs de mines non activées. Sur une carte marine, Wallander pouvait visualiser parallèlement les différentes profondeurs et les nombreux écueils qui parsemaient le secteur. Il était évident que seul un équipage très entraîné, et encore, aurait été capable de naviguer en immersion dans le détroit de Hårsfjärden.

Quand il estima que Wallander en avait assez vu, Nordlander mit le cap vers un groupe d'îlots, dont certains n'étaient guère plus que des rochers, dans le détroit compris entre les îles d'Ornö et d'Utö. Au-delà, c'était la haute mer, ouverte jusqu'à l'horizon. Il choisit l'un des îlots et, d'une main sûre, manœuvra jusqu'à une petite anse ; le bateau alla s'aligner sagement le long de la paroi rocheuse.

– Cette crique, dit-il quand il eut coupé le moteur, il n'y a pas grand monde qui la connaît et c'est pourquoi personne ne vient m'y déranger. Tiens, attrape !

Wallander, qui avait sauté à terre pour amarrer le bateau, prit le panier qu'il lui tendait et le posa sur les rochers. Il inspira l'odeur de la mer mêlée à celle de la végétation qui poussait dans les failles. Il se sentit soudain comme un enfant, en expédition sur une île déserte.

– Comment s'appelle cette île ?

– Elle est trop petite pour avoir un nom.

Et, là-dessus, Sten Nordlander se débarrassa de sa combinaison. Nu comme un ver, il plongea. Wallander vit sa tête émerger de l'eau avant de disparaître de nouveau. Comme un sous-marin, pensa-t-il. Ça lui est égal qu'elle soit froide.

Nordlander escalada les rochers, sortit du panier une grande serviette rouge et se frictionna.

– Tu devrais essayer. Elle est bonne.

– Un autre jour. Combien de degrés ?

– Le thermomètre est derrière le compas. Tu n'as qu'à vérifier pendant que je me rhabille et que je mets la table.

Wallander dénicha le thermomètre, qui était muni d'un petit flotteur en caoutchouc, et le laissa quelques instants au bord d'un rocher avant de lire le résultat.

– Onze degrés, annonça-t-il en revenant vers Sten Nordlander. Trop froid pour moi. Tu te baignes aussi en hiver ?

– Non, mais je l'ai envisagé. Ça sera prêt dans dix minutes. Va faire un tour sur l'île. Qui sait, tu trouveras peut-être une bouteille à la mer laissée par un sous-marin russe…

Wallander se demanda s'il pouvait y avoir la moindre intention sérieuse dans ces paroles. Mais non, Sten Nordlander n'était pas homme à laisser planer des sous-entendus complexes.

Il s'assit sur un rocher d'où il avait vue sur l'horizon, ramassa quelques galets et les jeta à l'eau. Quand avait-il fait des ricochets pour la dernière fois ? Il se rappelait une visite à Stenshuvud avec Linda, quand elle était adolescente et prête à se cabrer au simple mot d'« excursion ». Ils s'y étaient exercés et elle s'était révélée être bien meilleure que lui. Et maintenant, pensa-t-il, elle est pour ainsi dire mariée. Un homme l'attendait quelque part, et c'était le bon. Et si ça n'avait pas été le cas, je ne serais pas assis sur ce bout de rocher aujourd'hui à regarder la mer en pensant aux parents disparus de ce garçon.

Un jour, il enseignerait à Klara l'art de lancer des galets le plus loin possible pour le plaisir de les voir sauter comme des grenouilles à la surface de l'eau avant de couler.

Il allait se lever, Sten Nordlander venait de l'appeler, quand il se ravisa brusquement et resta assis, son dernier galet encore à la main. Gris, petit – un fragment de la roche mère suédoise. Une association, d'abord confuse, puis de plus en plus claire, se dessinait dans son esprit.

Il resta assis si longtemps que Nordlander dut l'appeler une seconde fois. Alors il se leva et revint sur ses pas, sans lâcher son idée.

Ce soir-là, après avoir pris congé de Nordlander devant l'immeuble de Grevgatan, il se dépêcha de monter à l'appartement.

Il ne s'était pas trompé. Le galet qu'il avait vu sur la table de travail de Håkan von Enke lors de sa première visite n'était plus là.

Il était sûr de lui. Il y avait eu un galet sur cette table, et il n'y était plus.

14

L'excursion en mer l'avait fatigué. En même temps, elle avait suscité de nombreuses réflexions. Sur la disparition du galet, par exemple, mais aussi sur sa vigilance soudaine après la phrase de Nordlander : *Je ne vois pas qui aurait pu être la personne qui ne devait pas y avoir accès.*

Au fond, Håkan von Enke ne pouvait avoir qu'une seule raison de cacher son livre, et celle-ci pouvait se résumer en une phrase. *Ce dont il parlait était encore d'actualité.* Il ne fouillait pas le passé, il n'essayait pas de débusquer une vérité dormante. Ce qui s'était produit à l'époque avait des ramifications vivaces encore aujourd'hui.

Figé sur son canapé, Wallander ruminait cette question dans tous les sens. Il devait s'agir de personnes vivantes, encore actives. Sur une page de son cahier, von Enke avait dressé une liste de noms qui ne lui disaient absolument rien. À une exception près : celui d'un officier de marine qui avait beaucoup figuré dans les médias au cours de la chasse aux sous-marins des années 1980 : Sven-Erik Håkansson. Son nom était assorti d'une croix, d'un point d'exclamation et d'un point d'interrogation. Alors ? Ces annotations n'étaient pas le fruit du hasard, bien au contraire – même s'il s'agissait d'un langage secret qu'il n'avait pas réussi à déchiffrer.

Il ressortit le cahier et considéra la liste de noms : ces gens étaient-ils impliqués à un titre ou à un autre dans la lutte contre les intrus, ou étaient-ils, à l'inverse, soupçonnés ? Et soupçonnés de quoi ?

Soudain, il eut presque le souffle coupé. Il croyait enfin comprendre. *Håkan von Enke était à la recherche d'un agent russe au plus haut niveau.* Qui aurait fourni aux équipages les informations nécessaires pour duper leurs poursuivants suédois et même téléguider leurs interventions armées. Quelqu'un qui sévissait encore, qui n'avait pas été démasqué. C'était *lui* qui ne devait pas avoir accès aux documents, *lui* que craignait le vieux capitaine de frégate.

La silhouette de l'autre côté de la clôture. Håkan von Enke était-il sous surveillance ?

Wallander orienta la lampe de lecture près du canapé et parcourut une fois de plus l'épais cahier noir, en s'arrêtant sur les notes qui pouvaient désigner d'éventuels suspects. Peut-être était-ce aussi la réponse à une autre question, ou plutôt à sa sensation que quelqu'un avait fait le ménage dans les archives du bureau. Ce quelqu'un ne pouvait être que Håkan von Enke lui-même. Wallander pensa aux poupées russes. Von Enke n'avait pas seulement caché ses notes, il avait masqué leur véritable contenu.

Wallander finit par éteindre la lumière et s'allonger sous la couverture écossaise. Mais il ne put s'endormir. Mû par une impulsion, il se rhabilla et sortit. Dans les périodes de sa vie où la solitude était insupportable, il avait trouvé un réconfort dans les longues promenades nocturnes. Pas une seule rue d'Ystad qu'il n'ait arpentée une nuit ou l'autre… Mais là, il était à Stockholm ; il descendit jusqu'aux quais, longea Strandvägen sur sa gauche jusqu'au pont qui menait à l'île de Djurgården. La nuit d'été était tiède, il y avait encore du monde dehors, pas mal de gens ivres qui faisaient du tapage. Wallander se sentait un étranger indésirable rôdant parmi les ombres. Il longea le parc d'attractions de Gröna Lund puis s'enfonça parmi les arbres et ne fit demi-tour que parvenu devant le musée Thielska Galleriet, tout au bout de l'île, sur la pointe de Blockhusudden. Il ne pensait à rien de spécial, il marchait dans la nuit au lieu de dormir, voilà tout. De retour à l'appartement, il sombra dans le sommeil, son excursion avait eu l'effet escompté.

Le lendemain il prit la route, arriva en Scanie avant le soir, s'arrêta pour acheter de la nourriture et alla ensuite chercher Jussi – qui, fou de joie à sa vue, laissa des empreintes boueuses sur ses vêtements. Après avoir mangé et dormi une petite heure, il se rassit à la table de la cuisine avec le cahier noir. Il avait sorti sa loupe la plus puissante, offerte autrefois par son père quand, au début de l'adolescence, il s'était découvert une passion pour les insectes qui rampaient dans l'herbe. C'était l'un des rares cadeaux qu'il eût reçus de son père, en dehors de sa chienne, Saga, bien sûr, et il en prenait le plus grand soin. À présent, il s'en servait pour examiner le cahier noir, laissant de côté les textes et les notes pour se concentrer uniquement sur les photos.

L'une paraissait se détacher du lot. Cela ne l'avait pas frappé auparavant. Elle avait quelque chose d'un peu trop *civil*. Or rien ne figurait par hasard dans ce cahier. Håkan von Enke était un chasseur prudent, mais déterminé.

La photo, en noir et blanc, avait été prise dans ce qui ressemblait à une zone portuaire. À l'arrière-plan on distinguait un bâtiment sans fenêtres, vraisemblablement un entrepôt. La périphérie était floue, mais Wallander réussit avec l'aide de la loupe à identifier quelques cageots de pêche et l'arrière d'un semi-remorque. Le photographe avait fait la mise au point sur deux hommes, debout à côté d'un chalutier à l'ancienne. L'un n'était encore qu'un garçon, l'autre pouvait avoir l'âge d'être son père. Wallander devina que l'image avait été prise dans les années 1960. C'était l'époque des pulls tricotés maison, des vestes en cuir, des chapeaux de marin et des cirés jaunes. Le bateau était blanc avec des traces noires le long du bordé. Dans le dos de l'homme plus âgé, on apercevait un fragment du matricule. La dernière lettre était incontestablement un G. La première était cachée, celle du milieu pouvait être un R ou un T. Les chiffres étaient plus faciles à lire : 123. Wallander s'assit devant son ordinateur, se connecta à Internet et tenta de déterminer à partir de divers mots de recherche où ce chalutier avait pu être enregistré. Il découvrit assez vite que les possibilités se réduisaient à une seule : la combinaison de lettres était NRG. Le bateau était originaire de Norrköping, sur la côte est. Encore quelques recherches, et Wallander dénicha le numéro de téléphone de la Direction des pêches maritimes. Il le nota sur un bout de papier et retourna dans la cuisine. Le téléphone sonna au même moment. C'était Linda, qui voulait savoir pourquoi il ne l'avait pas appelée.

– Tu ne donnes aucune nouvelle, c'est normal que je m'inquiète !

– Non, dit Wallander. Je suis arrivé il y a deux heures, je pensais t'appeler demain.

– Non, je veux savoir, pour Signe. Et Hans encore plus que moi.

– Il est à la maison ?

– Non. Ce matin, je l'ai engueulé parce qu'il n'était jamais là. J'ai essayé de lui faire comprendre qu'un jour moi aussi je reprendrais le travail. Que se passera-t-il ce jour-là ?

– Oui. Que se passera-t-il ?

– Il doit faire sa part du boulot. Allez, raconte !

Wallander essaya de rendre compte de sa rencontre avec la solitaire créature blonde repliée sur elle-même, mais il avait à peine commencé que Klara se mit à pleurer, et Linda fut obligée de raccrocher. Il lui promit de la rappeler le lendemain.

Dès son arrivée au commissariat le lendemain matin, il partit à la recherche de Martinsson pour savoir s'il était d'astreinte le week-end de la Saint-Jean. Martinsson était celui de ses collègues qui maîtrisait le mieux l'emploi du temps collectif avec toutes ses fluctuations, et il put le renseigner après quelques minutes : non, Wallander n'était pas censé travailler ce week-end-là, malgré les jours qu'il venait de prendre. Martinsson, lui, avait l'intention de participer avec sa fille cadette à un stage de yoga au Danemark.

– Je ne sais pas dans quoi on s'embarque, dit-il avec une certaine inquiétude. Est-ce que c'est vraiment raisonnable pour une fille de treize ans de faire du yoga ?

– C'est sûrement préférable à plein d'autres choses.

– Les deux aînées ne s'intéressaient qu'aux chevaux, c'était beaucoup plus tranquille. Mais celle-ci, la petite dernière… Elle est différente.

– Comme nous tous, répondit Wallander de façon énigmatique avant de quitter le bureau de Martinsson.

En composant le numéro qu'il avait noté la veille au soir, il obtint rapidement l'information que NRG 123 correspondait à l'immatriculation d'un pêcheur du nom d'Eskil Lundberg, domicilié sur l'île de Bokö, dans l'archipel sud de Gryt. Il essaya de le joindre dans la foulée ; un répondeur se déclencha et il laissa un message qui disait de le rappeler dès que possible.

Puis il appela Linda et ils reprirent la conversation interrompue la veille. Elle avait parlé avec Hans. Tous deux voulaient se rendre à Niklasgården pour rencontrer Signe. Wallander ne fut guère surpris d'entendre ça. Mais avaient-ils vraiment compris ce qui les attendait ? Qu'avait-il imaginé pour sa part ?

– Nous avons décidé de fêter la Saint-Jean, annonça-t-elle ensuite. Malgré l'inquiétude pour les parents de Hans, malgré l'angoisse, malgré tout ça. Nous pensions que cela te ferait plaisir.

– Volontiers, dit Wallander. Je suis très content. Quelle surprise.

Il alla chercher un café au distributeur qui, pour une fois, ne fit aucune difficulté. Puis il échangea quelques mots avec un collègue de la police scientifique qui venait de passer la nuit dans un marais où l'on supposait qu'une femme psychiquement instable avait mis fin à ses jours. Le collègue ne l'avait pas trouvée, mais en rentrant chez lui à l'aube, il avait découvert une grenouille dans l'une des nombreuses poches de sa combinaison. Sa femme n'avait pas été enchantée.

Wallander retourna dans son bureau et réussit à identifier un nouveau numéro dans son carnet d'adresses poisseux et illisible. C'était le dernier coup de fil qu'il avait l'intention de passer ce matin-là avant de laisser provisoirement de côté le couple disparu et de redevenir un commissaire de police en activité. On lui répondit aussitôt.

– Hans-Olov.

Wallander reconnut la voix faible, presque enfantine, du jeune professeur de géologie auquel il avait eu affaire quelques années plus tôt, et dont l'expertise s'était révélée déterminante pour établir quelle sorte de poussière minérale occupait le fond des poches d'un homme trouvé mort sur une plage près de Svarte. Après une analyse rapide et minutieuse, Hans-Olov Uddmark avait conclu à trois poussières différentes. Cela leur avait permis d'identifier le lieu du meurtre, qui n'était pas celui de la découverte du corps, et, par la suite, d'arrêter le coupable.

Wallander entendit à l'arrière-plan un haut-parleur annoncer un prochain vol.

– C'est Wallander. Tu es à l'aéroport ?

– Oui, à Kastrup. Je reviens d'un congrès de géologues au Chili. Il semblerait que ma valise se soit égarée en route.

– J'ai besoin de ton aide. Quelques cailloux que j'aimerais que tu compares.

– Volontiers. Est-ce que ça peut attendre demain ? Je ne supporte pas bien les longs voyages en avion.

Wallander se rappela qu'Uddmark avait pas moins de cinq enfants, malgré son jeune âge.

– Les cadeaux pour les petits n'étaient pas dans la valise, j'espère ?

– C'est pire que ça. Je rapportais plusieurs belles pierres.

– Travailles-tu toujours au même laboratoire ? Dans ce cas, je t'expédie mes cailloux dès aujourd'hui.

– Que veux-tu que je fasse, à part en déterminer la nature ?

– L'origine. Je veux savoir si l'un d'entre eux peut provenir des États-Unis.

– Plus précisément ?

– Des environs de San Diego, en Californie. Ou alors sur la côte Est, du côté de Boston.

– Je vais voir ce que je peux faire. Ça ne me paraît pas évident. Est-ce que tu as une idée du nombre de types de roches qui existent ?

Wallander répondit qu'il l'ignorait, exprima de nouveau ses regrets pour la valise égarée, raccrocha et se hâta de rejoindre une réunion matinale à laquelle il était censé participer. Quelqu'un avait laissé un mot sur son bureau avec la mention « important ». Il arriva le dernier dans la salle aux fenêtres grandes ouvertes, car la journée s'annonçait chaude. Il pensa au nombre de fois où il avait lui-même dirigé ce genre de réunion ; son soulagement n'était pas dénué d'ambivalence. Pendant toutes ces années, il avait rêvé du jour où il en serait déchargé. À présent, il lui arrivait de regretter de ne plus être celui qui impulsait la dynamique, triait les informations et répartissait les tâches.

Ce jour-là, la réunion était conduite par un certain Ove Sunde, débarqué l'année précédente de Växjö. Quelqu'un avait murmuré à l'oreille de Wallander qu'un divorce pénible et une enquête défaillante ayant donné lieu à une vive polémique dans le journal local *Smålandsposten* l'avaient poussé à demander sa mutation. Ove Sunde était originaire de Göteborg, et n'avait jamais cherché à masquer son accent. Il était jugé compétent, quoiqu'un peu paresseux. D'après une autre rumeur, il se serait trouvé à Ystad une nouvelle compagne qui avait l'âge d'être sa fille. Wallander se méfiait des hommes qui recherchaient la compagnie de femmes trop jeunes. Ça finissait rarement bien et, en général, par un nouveau divorce déchirant.

Restait à savoir si sa propre solitude était plus enviable ? Il en doutait beaucoup.

Sunde commença son exposé. Il s'agissait de la femme du marais. Ce n'était pas un suicide, semblait-il, mais plutôt un meurtre car on avait découvert dans leur maison, située dans un petit village non loin de Marvinsholm, le corps sans vie de son mari. Il y avait un hic : l'homme était venu quelques jours plus tôt au commissariat d'Ystad pour déclarer qu'il avait peur que sa femme ne veuille le tuer. Mais le policier qui avait enregistré la main courante ne l'avait pas pris au sérieux, dans la mesure où l'homme avait donné des informations contradictoires et ne paraissait pas être dans son assiette. Il s'agissait à présent de débrouiller l'écheveau au plus vite, sans laisser le temps aux médias de s'emparer de l'affaire et de monter en épingle la négligence de la police. Wallander s'irrita du ton autoritaire de Sunde. Le fait de craindre la réaction des médias et de l'avouer ouvertement était à ses yeux de la lâcheté pure et simple. Quand on avait commis une erreur, il fallait l'assumer.

Il pensa qu'il devrait le dire à voix haute, calmement mais fermement, sans s'énerver. Mais il s'abstint. Puis il vit que Martinsson lui souriait, de l'autre bout de la table. Il sait à quoi je pense, se dit-il. Et il est d'accord avec moi.

Après la réunion, ils partirent en voiture ensemble, Martinsson et lui, jusqu'à la maison où l'on avait trouvé le corps du mari. Photos à la main et protège-chaussures aux pieds, ils allèrent de pièce en pièce, accompagnés d'un collègue de la police technique. Wallander eut soudain une impression de déjà-vu, la sensation d'être déjà venu dans cette maison pour une *visite oculaire* – comme l'aurait dit Lennart Mattson – du lieu du crime. Il n'en était rien, naturellement ; c'était juste qu'il l'avait fait tant de fois, tant de fois… Quelques années plus tôt, il avait acheté en solde un livre sur une affaire criminelle qui remontait au début du dix-neuvième siècle. En le lisant, distraitement d'abord, puis avec un intérêt croissant, il avait eu la sensation qu'il aurait pu entrer de plain-pied dans ce récit, enquêter aux côtés du commissaire rural sur le meurtre de ce couple de paysans pauvres de l'île de Värmdö, dans l'archipel de Stockholm. L'être humain restait semblable à lui-même, les crimes les plus répandus n'étaient que la répétition des crimes commis par les générations précédentes. En guise de mobile, en cherchant bien, on trouvait presque toujours l'argent ou la jalousie ; parfois aussi le désir de vengeance. Les commissaires ruraux, sergents de ville, officiers de paix et procureurs du passé faisaient déjà les mêmes observations. On avait acquis depuis une indéniable compétence technique pour constituer le faisceau d'indices. Mais la capacité d'observation, le regard personnel restaient déterminants.

Soudain, Wallander pila net au milieu de ces pensées. Il était entré dans la chambre du couple. Il y avait du sang au sol et sur tout un côté du lit. Mais ce qui venait de capter son intérêt était le tableau au mur, au-dessus des oreillers. Il représentait un paysage de forêt avec un coq de bruyère au premier plan. Martinsson apparut à ses côtés.

– Il est de ton père, n'est-ce pas ?

Wallander hocha la tête, puis la secoua, incrédule.

– Ça me surprend toujours autant à chaque fois...

– En tout cas, dit Martinsson, il n'avait pas à s'inquiéter des faussaires.

– Bien sûr. Artistiquement, c'est de la merde.

– Ce n'est pas ce que je voulais dire !

– Eh bien moi, je le dis. Où est l'arme ?

Ils ressortirent dans la cour, où la police avait monté un auvent de plastique pour abriter une grosse hache à fendre le bois, couverte de sang jusqu'en haut du manche.

– Y a-t-il un mobile ? Depuis combien de temps étaient-ils mariés ?

– Ils avaient fêté leurs noces d'or l'an dernier. Quatre enfants adultes, des petits-enfants en pagaille. Personne n'y comprend rien.

– L'argent ?

– D'après les voisins, ils étaient aussi économes l'un que l'autre, pour ne pas dire avares. Je n'ai pas encore de chiffre, on interroge la banque en ce moment. Mais ça fait sûrement une belle somme.

– On dirait qu'il y a eu lutte, dit Wallander après un moment de réflexion. Il a résisté. Si ça se trouve, elle était grièvement blessée en partant d'ici.

– Le marais n'est pas grand. Ils pensent la retrouver avant la fin de la journée.

Ils retournèrent au commissariat, abandonnant le lieu du crime à sa désolation. C'était, pensa Wallander, comme si le paysage d'été s'était transformé l'espace de quelques minutes en une image en noir et blanc. Après s'être balancé un peu dans son fauteuil, il composa de nouveau le numéro d'Eskil Lundberg. Cette fois, il tomba sur sa femme, qui lui expliqua que son mari était en mer. Wallander entendait des voix d'enfants à l'arrière-plan. Il devina qu'Eskil Lundberg était le jeune garçon de la photo.

– Il est en train de pêcher, je suppose…

– Et que ferait-il d'autre ? Un kilomètre et demi de filet. Si on veut pouvoir livrer à Söderköping tous les deux jours…

– Il pêche quoi, l'anguille ?

Elle répondit sur un ton presque vexé :

– S'il pêchait l'anguille, il aurait des nasses. Mais des anguilles, il n'y en a plus. Et du poisson tout court, il n'y en a presque plus non plus d'ailleurs.

– Il a gardé le bateau ?

– Lequel ?

– Le grand chalutier. NRG 123.

Wallander la sentit se raidir.

– Celui-là, il a essayé de le vendre il y a bien longtemps. Personne n'en voulait, alors il a fini par pourrir sur place. Le moteur, il l'a bradé cent couronnes. Pourquoi ?

– Je voudrais juste lui parler, dit Wallander aimablement. A-t-il un portable ?

– Oui mais, là où il est, il n'y a pas de réseau. Il vaut mieux réessayer quand il sera rentré. Dans deux heures.

– Entendu.

Il raccrocha avant qu'elle ait pu lui redemander ce qu'il voulait. Il se carra dans son fauteuil et posa les pieds sur la table. Il n'avait aucune réunion en vue, aucune tâche urgente. Il attrapa sa veste et quitta le commissariat, en passant par le garage pour plus de sûreté, au cas où quelqu'un chercherait à le coincer au dernier moment. Il se dirigea vers le centre-ville et sentit bientôt son pas s'alléger malgré lui. Il n'était quand même pas vieux à ce point. Tout n'était pas fini. Le soleil et la chaleur rendaient la vie beaucoup plus supportable.

Il déjeuna près de la place centrale, parcourut l'édition du jour d'*Ystads Allehanda* ainsi qu'un tabloïd. Puis il alla s'asseoir sur un banc de la place. Encore un quart d'heure à attendre. Où étaient Håkan et Louise en cet instant ? Étaient-ils vivants ? Avaient-ils mis en scène leur double disparition d'un commun accord ? Il songea au cas célèbre de l'espion Bergling, qui avait réussi à fuir en Union soviétique. Mais il avait du mal à trouver la moindre ressemblance entre l'austère capitaine de frégate et le vaniteux Bergling.

Wallander laissa aussi affleurer une autre pensée dont il reconnaissait à contrecœur qu'elle pouvait être décisive. Håkan von Enke rendait visite à sa fille ; il lui était à l'évidence très attaché. Aurait-il été prêt à la trahir, à l'abandonner, en disparaissant de la sorte ? Cela tendait plutôt vers l'hypothèse de sa mort.

Il existait une autre éventualité bien sûr. Wallander contemplait distraitement, sur la place, les gens qui fouillaient dans les bacs de vieux 33 tours disposés sur une table à tréteaux. Von Enke avait eu peur. Se pouvait-il malgré tout que celui ou ceux qu'il craignait l'aient rattrapé ? Il n'y avait aucune réponse, juste des questions qu'il devait essayer de formuler de façon aussi claire et précise que possible.

Quand le quart d'heure fut écoulé, il rappela Bokö. Un type éméché vint s'asseoir au même moment à l'autre extrémité du banc. Une voix d'homme répondit après plusieurs sonneries ; Wallander avait décidé d'être direct. Il dit son nom et qu'il était de la police.

– J'ai découvert une photographie dans un cahier appartenant à un homme du nom de Håkan von Enke. Ça te dit quelque chose ?

– Non.

Réponse rapide et assurée. Wallander crut sentir que l'autre était sur ses gardes.

– Connais-tu sa femme ? Louise ?

– Non.

– D'une manière ou d'une autre, vous vous êtes pourtant croisés. Dans ce cahier appartenant à Håkan von Enke, il y a une photographie où tu figures en compagnie d'un homme qui est probablement ton père, à côté d'un chalutier immatriculé NRG 123. C'était le sien, je suppose.

– Mon père l'a acheté à Göteborg au début des années 60, à l'époque où ils commençaient à construire des bateaux plus gros et qui n'étaient plus en bois, ce qui a fait qu'il l'a eu pour pas cher. Il y avait encore beaucoup de harengs dans la Baltique en ce temps-là.

– Où la photo a-t-elle été prise ?

– Je ne sais pas de quelle photo tu parles, mais le bateau se trouvait à Fyrudden. Construit dans un chantier naval du sud de la Norvège, à Tönsberg, je crois. Le bateau s'appelait *Helga*.

– Qui a pris cette photo ?

– Si c'est à Fyrudden, ce devait être Gustav Holmqvist. Il avait un atelier de construction de bateaux. Quand il ne travaillait pas, il passait son temps à photographier.

– Ton père connaît-il Håkan von Enke ?

– Mon père est mort. Et il ne fréquentait pas ces gens-là.

– Que veux-tu dire ?

– Les nobles.

– Håkan von Enke est un marin. Comme ton père et comme toi.

– Je ne le connais pas. Mon père ne m'a jamais parlé de lui.

– Pourquoi aurait-il gardé cette photo s'ils ne se connaissaient pas ?

– Je n'en sais rien.

– Je devrais peut-être interroger Gustav Holmqvist. Tu as son numéro de téléphone ?

– Il n'en a pas. Il est mort depuis quinze ans. Sa femme aussi, leur fille aussi. Tout le monde est mort.

Cul-de-sac. Eskil Lundberg avait répondu à toutes ses questions. Mais disait-il toute la vérité ?

Il s'excusa du dérangement et resta assis après avoir raccroché, le téléphone à la main. Puis il vit que l'ivrogne s'était endormi. Soudain, il le reconnut. Plusieurs années auparavant, il avait arrêté ce type avec quelques autres pour une série de cambriolages commis dans des villas. En sortant de prison, il avait quitté Ystad. Mais il était manifestement de retour.

Wallander se leva et reprit le chemin du commissariat en repensant à la conversation qu'il venait d'avoir avec Lundberg. Celui-ci n'avait montré aucune curiosité. Était-ce de l'indifférence ? Ou savait-il déjà sur quoi il allait être interrogé ? Il continua à triturer mentalement leur échange, mais quand il ouvrit la porte de son bureau et se laissa tomber dans son fauteuil, il n'avait fait aucun progrès.

Martinsson passa la tête par l'entrebâillement de la porte.

– On l'a retrouvée.

Wallander le regarda sans comprendre.

– Qui ?

– La femme du marais. Celle qui a tué son homme à la hache. Evelina Andersson. J'y retourne. Tu viens ?

– J'arrive.

Il fouilla en vain dans sa mémoire. Il n'avait pas la moindre idée de ce dont lui parlait Martinsson.

Ils prirent la voiture de celui-ci. Wallander ne savait toujours pas où ils se rendaient ni pour quelle raison. Il sentit la panique l'envahir. Martinsson lui jeta un regard.

– Ça ne va pas ?

– Si, si.

Au sortir de la ville seulement, la mémoire lui revint. L'ombre dans sa tête était revenue. Sa peur ressemblait à de la rage.

– Et zut, dit-il. J'ai oublié que j'avais rendez-vous chez le dentiste.

Martinsson freina.

– Tu veux que je fasse demi-tour ?

– Non. Les collègues pourront me ramener.

Wallander ne prit même pas la peine de regarder la femme qu'on venait de tirer hors du marais. Une patrouille le ramena à Ystad. Il descendit devant le commissariat, remercia les collègues pour la course et monta dans sa propre voiture. Il avait des sueurs froides tant était puissant l'effroi que lui inspiraient ces pertes de mémoire inexpliquées.

Après un moment, il ressortit de sa voiture et retourna dans son bureau. Il avait pris la décision de parler à son médecin. Il lui décrirait ces absences, ces trous noirs qui se creusaient à l'improviste. Il venait de prendre place dans son fauteuil quand son portable émit le bip signalant la réception d'un SMS :

Les deux pierres suédoises. Aucune des côtes US. Hans-Olov.

Laconique et précis. Wallander, immobile dans son fauteuil, ne mesurait pas encore la teneur de cette information. Mais il était maintenant certain qu'il y avait un problème.

Et cette sensation d'être tout près d'une information décisive. Mais laquelle ? Il n'en savait rien.

Pas plus qu'il ne savait si les époux Enke s'éloignaient de lui.

Ou s'ils se rapprochaient peu à peu au contraire.

15

Quelques jours avant la Saint-Jean, Wallander reprit la route vers le nord en longeant la Baltique. Après Västervik, il faillit entrer en collision avec un élan ; il resta longtemps sur un parking, le cœur battant, à penser à Klara, avant de trouver la force de poursuivre. Son voyage le mena devant un café où bien des années auparavant, à bout de forces, il avait dormi dans une chambre de service. Plusieurs fois au fil des ans, il avait repensé avec une nostalgie pleine de désir à la femme qui tenait ce café. Au lieu de dépasser l'endroit sans ralentir, cette fois il s'arrêta. Mais il ne sortit pas de sa voiture. Les mains nouées sur le volant, il hésitait. Puis il redémarra et continua vers le nord. Il savait, bien sûr, pourquoi il s'était enfui de la sorte. Il avait peur de découvrir quelqu'un d'autre derrière la caisse ; peur d'être obligé d'admettre que, dans ce café aussi, le temps avait passé et qu'il ne retrouverait jamais ce qu'il y avait laissé.

Il n'était même pas onze heures quand il parvint au port de Fyrudden car il avait roulé beaucoup trop vite, comme d'habitude. En sortant de la voiture, il vit que l'entrepôt était toujours au même endroit que sur la photo, même s'il avait été entre-temps rénové et équipé de fenêtres. En revanche il n'y avait plus de cageots de pêche, pas plus que de chalutiers à quai. Le bassin portuaire était rempli de bateaux de plaisance. Wallander laissa la voiture devant la maison rouge des gardes-côtes, alla acquitter la taxe de stationnement à la capitainerie et s'avança sur la jetée.

Ce voyage était comme un jeu de roulette. Il n'avait pas prévenu Eskil Lundberg de son arrivée. S'il l'avait appelé de Scanie, il était certain que Lundberg aurait refusé de le voir. Mais s'il l'attendait à côté de chez lui ? Il s'assit sur un banc et composa le numéro en pensant : « Ça passe ou ça casse. » S'il avait eu un blason d'aristocrate, s'il avait été un *von Wallander*, il en aurait fait sa devise. Il avait toujours été comme ça. Il écouta résonner les sonneries en espérant que ça passerait.

Lundberg décrocha.

– C'est Wallander. On s'est parlé il y a une semaine.

– Que veux-tu ?

S'il était surpris, il le cachait bien. Il faisait partie de ces gens enviables qui sont toujours prêts à tout, disposés à avoir au téléphone un fou, un roi ou, pourquoi pas, un policier d'Ystad.

Wallander se lança.

– Je suis à Fyrudden. J'espère que tu as un moment pour me voir.

– Et qu'est-ce que j'aurais à te dire que je ne t'ai pas dit la dernière fois ?

En cet instant, toute l'expérience cumulée de Wallander lui apprit que Lundberg avait précisément des choses à lui apprendre. Il prit sa voix la plus calme.

– Je pense que nous devons avoir une conversation.

– Ça veut dire que je vais être interrogé ?

– Non. Je veux juste discuter avec toi et te montrer la photo dont je t'ai parlé.

Lundberg réfléchit.

– Je passe te chercher dans une heure, dit-il enfin.

Wallander consacra ce temps à déjeuner à la cafétéria du port, avec vue sur les îles et, au-delà, sur la mer. Une carte marine sous verre ornait le mur de la salle : l'île de Bokö était au sud. Wallander suivait du regard avec une vigilance particulière les bateaux qui venaient de cette direction. Il s'imaginait que le bateau de Lundberg ressemblerait, du moins dans les grandes lignes, au Peterson de Sten Nordlander. Mais il se trompait. Eskil Lundberg arriva dans un hors-bord en plastique rempli de seaux et de casiers chargés de filets. Il l'amarra, puis regarda autour de lui. Wallander lui fit signe, s'approcha, monta dans l'embarcation – manquant s'étaler à cause du fond glissant – et ils se serrèrent la main.

– Je pensais t'emmener chez moi, dit Lundberg. Il y a trop d'inconnus ici à mon goût.

Il manœuvra sans attendre la réponse et se dirigea vers l'entrée du port à une vitesse beaucoup trop élevée au goût de Wallander. Un homme assis dans le cockpit d'un voilier à quai les regarda passer avec un mécontentement manifeste. Le bruit du moteur empêchait toute conversation. Wallander, qui s'était installé à l'avant, voyait défiler à toute allure îles boisées et rochers lisses. Ils traversèrent un détroit – vraisemblablement celui de Halsösundet, que Wallander avait vu sur la carte de la cafétéria – et continuèrent ensuite vers le sud. Les îles étaient encore très rapprochées, on ne voyait la mer que par intermittence. Lundberg portait un pantalon coupé, des bottes et un tee-shirt qui proclamait : *Je brûle mes ordures moi-même.* Quel étrange slogan, pensa Wallander. Il lui donnait la cinquantaine ou un peu plus. Il pouvait être le garçon de la photo prise dans les années 1960.

Ils approchèrent d'une crique bordée de chênes et de bouleaux ; Lundberg manœuvra, fit entrer le hors-bord dans un abri pour bateaux qui sentait le goudron et où pénétraient et sortaient des hirondelles. Wallander remarqua deux fours à fumer le poisson à côté de la remise.

– Ta femme m'a raconté qu'il n'y avait plus d'anguilles. C'est vrai ?

– C'est pire. Bientôt, il n'y aura plus de poissons du tout.

La maison, peinte en rouge et à deux étages, avait été construite au creux d'une combe à une centaine de mètres du bord de l'eau. Des jouets en plastique étaient éparpillés dans l'herbe. La femme de Lundberg, Anna, vint le saluer. Très réservée, comme lorsqu'il lui avait parlé au téléphone.

Une radio diffusait de la musique à faible volume dans la cuisine, qui sentait le poisson et les pommes de terre bouillies. Anna Lundberg posa une cafetière fumante sur la table et sortit. Elle avait à peu près le même âge que son mari et aussi, pensa Wallander, une certaine ressemblance physique avec lui.

À peine était-elle sortie qu'un chien fit irruption dans la pièce. Un beau cocker. Wallander le caressa pendant que Lundberg versait le café.

Puis il posa la photo sur la toile cirée. Lundberg chaussa les lunettes qu'il gardait dans sa poche, jeta un coup d'œil à l'image puis la repoussa.

– Ce devait être en 1968 ou 1969. À l'automne, je dirais.

– Comment se fait-il que je l'aie trouvée dans les papiers de Håkan von Enke ?

Lundberg le regarda droit dans les yeux.

– Je ne sais pas qui est ce Håkan von Enke.

– Un officier de marine. Capitaine de frégate. Ton père a-t-il pu le connaître ?

– C'est possible. Mais j'en doute.

– Pourquoi ?

– Les militaires, ce n'était pas trop son truc.

– Tu es sur la photo, toi aussi.

– Même si je le voulais, je ne pourrais pas répondre à tes questions.

Wallander décida de s'y prendre autrement.

– Est-ce que tu es né sur l'île ?

– Oui. Comme mon père. Je suis la quatrième génération.

– Quand est-il mort ?

– En 1994, d'une attaque, pendant qu'il remontait ses filets. Comme je ne le voyais pas revenir, j'ai appelé les gardes-côtes. C'est Lasse Åman qui l'a trouvé. Il dérivait vers Björkskär. Mais je crois bien qu'il aurait eu envie de mourir comme ça, de toute façon.

Son ton, crut percevoir Wallander, trahissait une relation pas tout à fait heureuse avec son père.

– Est-ce que tu as toujours vécu ici ?

– Non, ça n'aurait pas été possible. On ne peut pas être le larbin de son propre vieux. Surtout quand il veut toujours décider de tout et avoir raison quoi qu'il arrive. Même quand il a complètement tort. Et pas seulement en mer.

Eskil Lundberg rit.

– Je me rappelle une émission télé qu'on regardait un soir, où on posait des questions aux gens. La question portait sur le pays européen frontalier du rocher de Gibraltar. Il a dit que c'était l'Italie, moi l'Espagne. Quand il a compris que j'avais eu raison, il a éteint le poste et il est allé se coucher. Il était comme ça.

– Tu es donc parti vivre ailleurs ?

Eskil Lundberg pencha la tête sur le côté.

– C'est important ?

– Peut-être.

– Raconte-moi l'histoire encore une fois, pour que je comprenne. Quelqu'un a disparu, c'est ça ?

– Deux personnes. Le mari et la femme. Et j'ai découvert cette photo dans un cahier appartenant à l'homme, le capitaine de frégate.

– Ils habitent Stockholm, d'après ce que tu m'as dit. Et toi, tu es d'Ystad. Comment ça peut coller ?

– Ma fille doit bientôt épouser leur fils. Ils ont un enfant ensemble. Ce sont donc les futurs beaux-parents de ma fille qui ont disparu.

Eskil Lundberg hocha la tête et parut soudain un peu moins méfiant.

– J'ai quitté l'île après l'école. J'ai trouvé du travail dans une usine près de Kalmar. J'ai vécu là-bas un an. Puis je suis revenu. Pour la pêche. Mais je n'arrivais pas à m'entendre avec lui. Si on ne faisait pas exactement comme il voulait, il se mettait en rogne. Alors je suis reparti.

– Au même endroit ?

– Non, vers l'est. L'île de Gotland. J'ai travaillé à l'usine de ciment de Slite pendant vingt ans, jusqu'à ce que le vieux tombe malade. C'est là-bas que j'ai rencontré ma femme. On a eu deux enfants. Quand on est revenus ici, il était déjà au bout du rouleau. Ma mère était morte, ma sœur s'était installée au Danemark, alors il n'y avait que ma femme et moi pour reprendre l'exploitation. Ce n'est pas rien : on a du terrain, des eaux de pêche, trente-six îlots, des milliers de rochers.

– Autrement dit, tu n'étais pas ici au début des années 80 ?

– Une semaine l'été, c'est tout.

– Peut-on envisager que ton père ait eu des contacts avec un officier de marine sans que tu en sois informé ?

Eskil Lundberg secoua la tête avec énergie.

– Ça ne colle pas avec ses opinions. D'après lui, on aurait dû supprimer toute la marine suédoise, les appelés comme les autres, et en particulier leurs supérieurs.

– Pourquoi ?

– Ils étaient partout, avec leurs manœuvres et leurs exercices. Nous avons un ponton, de l'autre côté de l'île ; le chalutier était amarré là-bas. Deux automnes d'affilée, le remous des bâtiments militaires l'a détruit, les caissons de pierre ont été arrachés. Et, bien sûr, zéro dommages et intérêts. Le vieux a écrit pour se plaindre, mais il n'a rien obtenu. Plusieurs fois, sur les îles, il est arrivé que les équipages se débarrassent de leurs restes de nourriture dans les puits. Quand on sait ce que représente un puits pour les habitants des îles, on ne fait pas ça. Mais il y avait aussi autre chose.

Eskil Lundberg parut hésiter. Wallander attendit, comme le renard patient qu'il était.

– Peu avant de mourir, il était couché à peu près tout le temps et là, il m'a parlé d'un truc qui remontait au début des années 80. Il était devenu moins méchant vers la fin, si on veut. Il avait sans doute compris que c'était quand même moi qui allais prendre la relève.

Eskil Lundberg se leva et sortit. Ne le voyant pas revenir, Wallander pensa qu'il n'en dirait peut-être pas plus finalement, mais il reparut au même moment, tenant ce qui ressemblait à de vieux cahiers.

– Ce sont ses agendas. Il notait la prise du jour et la météo, mais aussi s'il y avait eu des événements particuliers. Je cherchais celui de 1982. Le 19 septembre. Regarde.

Il tendit l'agenda à Wallander. Une main avait tracé cinq mots d'une calligraphie consciencieuse. *Presque envoyé par le fond.*

– Qu'est-ce que ça veut dire ?

– C'est justement ce qu'il m'a raconté. Au début, j'ai cru qu'il devenait gaga. Mais c'était trop détaillé. Ça ne pouvait pas être arrivé juste dans son imagination.

– Prends l'histoire par le commencement. Cet automne 1982 m'intéresse.

Eskil Lundberg repoussa sa tasse comme s'il avait besoin de place pour raconter.

– Il pêchait avec le chalutier à l'est de Gotland quand c'est arrivé. Le bateau a commencé à gîter. Brutalement, une grosse secousse dans les filets ; il n'a rien compris, sauf que quelque chose s'était pris dedans. Il s'est tout de suite méfié, car dans sa jeunesse ça lui était arrivé de remonter des grenades sous-marines. Lui et les deux autres gars qui étaient à bord ont tenté de dégager le bateau à coups de couteau. Puis ils ont découvert que le bateau avait viré et que le chalut s'était détaché du fond. Ils ont réussi à le remonter et c'est là qu'ils ont ramené à la surface un cylindre d'acier long d'un mètre à peu près. Ce n'était pas une grenade ni une mine ; ça ressemblait plutôt à une pièce provenant de la machinerie d'un bateau. Le cylindre était lourd et ne donnait pas l'impression d'être resté longtemps dans l'eau. Ils ont essayé de deviner son emploi. De retour à la maison, mon vieux a continué à examiner le cylindre. Impossible de découvrir à quoi il avait bien pu servir. Il l'a rangé dans un coin et il s'est concentré sur la réparation du chalut. C'était quelqu'un d'avare, il ne voulait rien jeter. Mais il y a une suite.

Eskil Lundberg attira à lui l'agenda et le feuilleta jusqu'à la date du 27 septembre. De nouveau, il montra la page à Wallander. *Ils cherchent.* Ces deux mots, rien d'autre.

– Il avait presque oublié le cylindre quand soudain il a commencé à voir arriver des bâtiments de la marine, et où ça ? À l'endroit précis où il avait remonté son chalut avec l'engin emmailloté dedans. Il pêchait souvent à cet endroit, à l'est de Gotland. Il a tout de suite compris que ce n'était pas un exercice ordinaire. Les bateaux restaient sur place ou se déplaçaient bizarrement, en cercles de plus en plus serrés. Il n'a pas mis longtemps à comprendre ce qui se passait.

Eskil Lundberg referma l'agenda et regarda Wallander.

– Ils cherchaient un truc qu'ils avaient perdu. Ni plus ni moins. Mais lui, il n'avait pas la moindre intention de leur rendre le cylindre, à ces abrutis qui lui avaient esquinté son chalut. Il a donc continué à pêcher en faisant semblant de rien.

– Qu'est-il arrivé ensuite ?

– La marine a gardé des bateaux et des plongeurs sur place tout au long de l'automne. Les derniers sont partis en décembre. Des rumeurs ont circulé comme quoi un sous-marin avait coulé. Mais il n'y avait pas assez de profondeur pour un sous-marin à l'endroit où ils cherchaient. Les militaires n'ont jamais récupéré leur engin, et mon père n'a jamais compris à quoi il était censé servir. Mais il était content d'avoir pris sa revanche, tu comprends ? Pour son ponton et son chalut amochés. C'est pour ça que j'ai du mal à l'imaginer en copain d'un officier de marine.

Un silence tomba sur la cuisine. Le chien se grattait. Wallander essayait de comprendre quelle part pouvait avoir Håkan von Enke dans l'histoire qui venait de lui être racontée.

– Je crois qu'il y est toujours d'ailleurs, ajouta distraitement Lundberg.

Wallander crut avoir mal entendu, mais l'autre s'était déjà levé.

– Le cylindre, dit-il. Je crois qu'il est toujours dans la remise.

Ils quittèrent la maison, précédés par le chien, truffe au ras du sol. Le vent s'était levé. Anna Lundberg suspendait du linge à un fil tendu entre deux vieux cerisiers. Les taies d'oreiller blanches claquaient au vent. Derrière l'abri pour bateaux, il y avait une petite remise perchée sur les rochers. Wallander pénétra dans un espace saturé d'odeurs ; une ampoule nue brillait au plafond ; il vit une antique foène à anguilles accrochée à un mur. Eskil Lundberg s'était accroupi dans un coin devant un fouillis de cordages emmêlés, d'écopes cassées, de vieux flotteurs de liège et de filets pleins de trous. Lundberg cherchait dans ce fatras comme s'il partageait l'énervement paternel à propos de ces sagouins de militaires. Pour finir il se releva, s'écarta et désigna un objet à Wallander. Oblong, en acier gris, on aurait dit un étui à cigare géant, long d'un mètre, avec un diamètre de vingt centimètres à peu près. Un couvercle entrouvert, à une extrémité, laissait voir un enchevêtrement de relais et de câbles électriques.

– On peut le sortir de là, dit Lundberg. Si tu m'aides.

Ils descendirent l'objet jusque sur le ponton. Le chien arriva aussitôt et entreprit de le flairer. Quelle pouvait être la fonction de ce truc ? Wallander ne pensait pas que ce soit une pièce de machinerie. Plutôt quelque chose en lien avec un radar, ou peut-être avec le système de mise à feu de mines ou de torpilles.

Il s'accroupit et chercha un numéro de série ou l'indication du lieu de fabrication, mais ne trouva rien. Le chien, pendant ce temps, essayait de lui lécher la figure ; Lundberg finit par le chasser.

– C'est quoi, à ton avis ? demanda Wallander en se relevant.

– Je n'ai pas plus d'idée que le vieux. Ça ne lui plaisait pas, et à moi non plus. On se ressemblait, pour ça. Il aimait bien avoir des réponses à ses questions.

Eskil Lundberg réfléchit.

– Moi, il ne me sert à rien, dit-il ensuite. Mais toi, tu le veux peut-être ?

Wallander mit un instant à comprendre qu'il parlait du cylindre à leurs pieds.

– Volontiers, dit-il en pensant aussitôt que Sten Nordlander, lui, saurait peut-être ce que c'était.

Ils le hissèrent dans le hors-bord ; Wallander défit l'amarrage, Lundberg mit le cap vers l'est, le détroit séparant Bokö et l'île qu'on appelait Björkskär. Ils dépassèrent une autre île où Wallander aperçut une maison solitaire au milieu d'un petit bois.

– C'est un vieux cabanon de chasse, dit Lundberg. Mon père s'en servait avec ses copains quand ils partaient chasser l'oiseau de mer. Mais il y allait aussi quand il voulait rester seul. Boire tranquille, tu comprends ? C'est une bonne cachette quand on a envie de débarrasser le plancher pendant quelques jours.

Quand ils furent à quai, Wallander approcha sa voiture en marche arrière ; ensemble ils déchargèrent le cylindre et le déposèrent sur la banquette arrière.

– Il y a un truc qui me turlupine, dit Eskil Lundberg. Tu disais que la femme avait disparu aussi mais que ça ne s'était pas passé en même temps, c'est ça ?

– Oui. Håkan von Enke a disparu en avril et sa femme il y a quelques semaines.

– C'est vraiment bizarre. Qu'est-ce qui leur est arrivé, à ton avis ?

– Tout est possible. Nous ne savons rien.

Eskil Lundberg secoua la tête. Wallander pensa qu'il avait une attitude décidément farouche. Mais les gens devenaient sans doute ainsi à force de vivre isolés sur des îles. Quand l'hiver était rude, ils pouvaient être carrément coupés du monde.

– Reste la question de la photographie, dit Wallander.

– Je ne peux rien te dire là-dessus.

Lundberg avait-il réagi trop vite ? Wallander se demanda soudain, de façon purement intuitive, si c'était vrai. Ou si l'autre lui cachait malgré tout quelque chose.

– Ça te reviendra peut-être, dit-il. On ne sait jamais. Les souvenirs peuvent surgir à l'improviste.

Wallander le regarda manœuvrer ; ils levèrent la main, un dernier salut, puis le bateau rapide disparut en direction de Halsö.

Pour le retour, Wallander choisit un autre itinéraire qu'à l'aller. Il voulait éviter de repasser devant le petit café.

Il arriva chez lui fatigué, affamé, et décida d'attendre le lendemain avant de récupérer Jussi chez les voisins. Au loin, il entendait gronder l'orage. Il avait plu ; l'herbe embaumait.

Il ouvrit la porte, ôta sa veste, envoya valser ses chaussures.

Soudain il retint son souffle, aux aguets. Il n'y avait personne, rien n'avait changé. Pourtant il savait que quelqu'un était venu en son absence. En chaussettes, il se faufila dans la cuisine. Il n'y avait aucun mot sur la table. Linda, elle, aurait laissé un message. Il alla dans le séjour. Fit lentement le tour de la pièce.

Il avait eu de la visite.

Enfilant ses bottes, il ressortit dans la cour et contourna la maison.

Quand il eut la certitude que personne ne l'observait, il entra dans le chenil, s'accroupit devant la niche de Jussi et en tâta l'intérieur. Ce qu'il y avait laissé était toujours là.

16

La boîte en fer-blanc était un héritage de son père. Plus exactement, il l'avait trouvée parmi les pots de couleurs, les pinceaux, les châssis au rebut, tout le fatras qui encombrait l'atelier paternel. En y faisant le ménage après sa mort, il avait eu les larmes aux yeux. L'un des plus vieux pinceaux avait été fabriqué pendant la guerre. En 1942, c'était marqué dessus. Voilà quelle avait été la vie de son père : des pinceaux rageusement jetés dans les coins, où ils s'étaient entassés année après année, de plus en plus nombreux. Wallander avait déjà bien avancé dans son rangement et rempli un certain nombre de grands sacs-poubelle – perdant finalement patience et attrapant son téléphone pour louer une benne – quand soudain il était tombé sur la boîte. Elle était vide et rouillée, mais il la reconnut tout de suite. Quand il était petit, cette boîte avait contenu les jouets de son père. Des jouets très anciens, de beaux soldats de plomb peints avec art. Il y avait eu aussi une cuiller à fondre le plomb et des moules en plâtre. Et des pièces de Meccano.

Il ignorait où les jouets avaient bien pu passer. Il fouilla en vain chaque recoin de la maison et de l'atelier. Il chercha même dans le tas de ferraille à l'aide d'une pelle et d'une fourche, mais ne trouva rien. La boîte en fer-blanc avait bel et bien été vidée et Wallander y vit un symbole. Un héritage auquel il pouvait désormais réserver l'usage qu'il voulait. Il la nettoya, enleva le plus gros de la rouille avec une brosse métallique et la rangea ensuite dans sa cave de Mariagatan. La boîte s'était rappelée à son souvenir lors du déménagement. Il l'avait emportée dans sa nouvelle maison. Et voilà qu'à présent il venait de lui découvrir un emploi, après s'être demandé dans quel lieu sûr il pourrait bien ranger le cahier noir découvert dans la chambre de Signe. D'une certaine manière, pensa-t-il, il lui appartenait : c'était *le Livre de Signe*, contenant peut-être le secret de la disparition de ses parents.

Il avait ensuite caché la boîte dans la niche, sous les planches qui servaient de couche à Jussi. Cela lui avait paru être le meilleur endroit. Il fut soulagé de constater que la boîte et son contenu étaient toujours là et, dans la foulée, décida d'aller chercher son chien tout de suite. La ferme des voisins se trouvait de l'autre côté des champs de colza moissonnés pendant son absence. Il longea les fossés, puis un chemin de traverse, échangea quelques mots avec le voisin qui réparait son tracteur, et alla ensuite récupérer Jussi, qui sautait sur place et tirait comme un fou sur sa chaîne, dans la cour. De retour chez lui, il traîna le cylindre dans la maison, étala des journaux sur la table de la cuisine, hissa le cylindre sur la table et entreprit de l'examiner. Avec précaution. Peut-être l'objet était-il dangereux ? Prudemment il dégagea l'écheveau des fils, câbles, relais, fiches et contacts divers et vit que, dessous, une sorte de dispositif de fixation avait été arraché. Il chercha de nouveau, en vain, un numéro de série ou un indice révélant le lieu de fabrication de l'engin ou l'identité de son propriétaire. Puis il interrompit son démontage pour se préparer à dîner – une omelette qu'il améliora avec une boîte de champignons et mangea devant la télé, en suivant distraitement un match de football et en essayant de ne plus penser au cylindre ni aux disparus. Jussi vint s'allonger à ses pieds. Wallander l'autorisa à lécher les restes de l'omelette ; il vit l'une des équipes marquer un but, Dieu sait qui étaient les joueurs ; puis il sortit avec son chien. C'était une belle soirée d'été. Il s'assit sur l'un des fauteuils de jardin peints en blanc qu'il avait installés côté ouest avec vue sur le soleil couchant qui, précisément, disparaissait à l'horizon.

Il se réveilla en sursaut, surpris de s'être endormi. Près d'une heure d'absence au monde. Il avait la bouche sèche et retourna à l'intérieur pour mesurer sa glycémie. Elle était beaucoup trop élevée : 15,2. Il fut assailli par l'inquiétude. Il obéissait pourtant aux médecins, mangeait correctement, faisait ses promenades, prenait ses cachets, n'oubliait pas ses injections. Que faire ? Sans doute forcer davantage sur les médicaments ; augmenter les doses d'insuline qu'il apportait à heures fixes à son organisme.

Un court instant, il resta assis au coin de la table de la cuisine, où il venait de se piquer le bout du doigt. Le découragement, l'impuissance, la peur de vieillir le terrassèrent une fois de plus. Et aussi, tout particulièrement, l'inquiétude causée par ses pertes de mémoire intempestives. Me voilà en train de démonter ce cylindre, pensa-t-il, alors que je devrais être auprès de ma fille et de ma petite-fille.

Il fit ce qu'il avait l'habitude de faire dans ces cas-là. Il se versa une solide rasade d'aquavit et vida le verre d'un trait. Un grand coup à boire, pas plus, pas deux, pas davantage. Puis il examina de nouveau le cylindre, avant de se dire que ça suffisait comme ça. Il fit couler un bain et alla se coucher avant minuit.

Tôt le lendemain matin, il appela Sten Nordlander. Celui-ci était en mer et s'engagea à le rappeler quand il serait au port, dans moins d'une heure.

– Il s'est passé quelque chose ? cria-t-il.

La transmission était aussi mauvaise que d'habitude.

– Oui ! cria Wallander en retour. On ne les a pas retrouvés, mais j'ai fait une découverte.

À sept heures trente, le téléphone sonna ; c'était Martinsson, pour lui rappeler l'ordre du jour. Un gang de motards s'apprêtait à acheter une propriété près d'Ystad et le chef avait décidé une réunion. Wallander promit d'être là à dix heures.

Il n'avait pas l'intention de dire à Sten Nordlander d'où il tenait le cylindre. Sa maison avait été visitée en son absence et il avait décidé de ne se fier à personne, du moins pas sans conditions. Bien sûr, l'intrus pouvait avoir des motifs sans aucun rapport avec Håkan et Louise von Enke. Mais, dans ce cas, lesquels ? Dès son réveil, il avait fouillé la maison. L'une des fenêtres qui donnait à l'est – celle de la pièce où il avait installé un lit d'appoint qui ne servait jamais – était fixée en position entrouverte avec l'entrebâilleur. Il était certain de ne pas avoir fait cela lui-même. On pouvait s'être introduit par là. Mais pourquoi n'avait-on rien pris ? Il ne voyait que deux cas de figure. Soit la personne n'avait pas trouvé ce qu'elle cherchait. Soit elle avait voulu au contraire laisser quelque chose. Il se faufila sous les lits, regarda sous les fauteuils, déplaça les canapés, retourna les tableaux et ouvrit ses livres, mais rien n'avait apparemment été enlevé ni ajouté. Au bout d'une heure, juste avant que Sten Nordlander ne le rappelle, il interrompit ses recherches. Il pourrait peut-être en parler à Nyberg, le chef de la police scientifique à Ystad, lui demander de chercher un éventuel micro. Puis il renonça. Ça entraînerait trop de questions, trop de rumeurs.

Sten Nordlander le rappela comme promis et annonça qu'il était à présent assis sur une terrasse, à Sandhamn, devant un café.

– Je suis en route vers le nord, dit-il. Härnösand, puis la côte finlandaise, et retour par l'île d'Åland. Deux semaines de vacances, tout seul avec le vent et les vagues.

– Tu n'en as donc jamais assez de la mer ?

– Jamais. Qu'as-tu trouvé ?

Wallander lui décrivit le cylindre. Avec un mètre pliant – celui de son père, couvert de taches de peinture –, il avait noté la longueur exacte et le diamètre.

– Où l'as-tu découvert ? demanda Sten Nordlander quand il eut fini.

– Dans la cave de Håkan et Louise, mentit Wallander. Tu as une idée ce que ça peut être ?

– Non. Mais je vais y réfléchir. Dans leur cave ?

– Oui. Tu n'as jamais vu d'objet de ce genre ?

– Les cylindres ont des qualités aérodynamiques et marines qui les rendent utiles dans plein de contextes. Mais celui que tu me décris, précisément – non, ça ne me dit rien. Tu as essayé d'ouvrir un câble ?

– Non.

– Fais-le. Ça peut nous en apprendre plus.

Wallander alla chercher un couteau et trancha avec précaution l'une des gaines noires. Il découvrit à l'intérieur des câbles encore plus fins, semblables à des fils. Il décrivit ce qu'il avait sous les yeux.

– Dans ce cas, ce sont plutôt des câbles de connexion, dit Nordlander. Un truc qui sert aux communications. Je ne peux pas t'en dire plus. Je dois me renseigner.

– Rappelle-moi quand tu auras la réponse.

– C'est curieux qu'il n'y ait pas de lieu de fabrication. D'habitude, c'est gravé dans l'acier en même temps que le numéro de série. On peut se demander comment il a atterri là – comment Håkan se l'est procuré…

Wallander vit à l'horloge qu'il devait se rendre au commissariat s'il ne voulait pas être en retard à la réunion, pendant que Sten Nordlander lui décrivait avec dégoût un grand yacht de plaisance qui entrait au même moment dans le port.

La réunion sur le gang de motards dura presque deux heures. Wallander s'exaspéra de la lenteur de Lennart Mattson, de son incapacité à faire avancer le débat et à tirer les conclusions pratiques qui s'imposaient. À la fin, n'y tenant plus, il l'interrompit et déclara qu'il devrait tout de même être possible d'empêcher cette transaction en s'adressant directement au propriétaire. Une fois le compromis de vente annulé, on pourrait imaginer des tactiques pour rendre la vie difficile aux motards. Mais rien à faire, Mattson continua d'ânonner, imperturbable, comme si de rien n'était. Wallander avait cependant un atout en réserve. Il tenait la nouvelle de Linda, qui la tenait à son tour d'un collègue de Stockholm, et aucune des personnes présentes, croyait-il, n'en avait encore eu vent. Il redemanda donc la parole :

– Nous avons une complication. Un médecin tristement célèbre pour avoir, entre autres, prescrit des arrêts de travail longue durée à quatorze membres d'un de ces gangs, qui touchent donc des indemnités journalières pour cause de dépression grave.

Une certaine gaieté se répandit dans la salle.

– Ce médecin vient de prendre sa retraite, mais il a décidé d'emménager à Ystad. Il vient de s'acheter une jolie maison dans le centre-ville. Le risque, bien sûr, c'est qu'il récidive avec les motards d'ici. Tellement abattus, les pauvres, qu'ils sont hors d'état de travailler. Les services de la sécu enquêtent actuellement sur son cas. Mais comme chacun le sait, on ne peut pas leur faire confiance.

Wallander se leva et écrivit le nom du médecin sur le tableau à feuilles mobiles.

– Il faudrait tenir cet homme à l'œil, dit-il avant de quitter la salle.

Pour sa part, la réunion était terminée.

Au cours des longues heures de cette matinée, il avait continué à ruminer l'histoire du cylindre. Il prit sa voiture et se rendit à la bibliothèque municipale, où il demanda à voir tous les ouvrages portant sur les sous-marins, sur les bâtiments de guerre en général et sur la lutte anti-sous-marine moderne. La bibliothécaire, une ancienne camarade de classe de Linda, rassembla une pile de livres en disant qu'il pouvait tous les emprunter. Avant de partir, il prit aussi l'autobiographie de Wennerström. Il porta le tout dans la voiture, descendit jusqu'à l'hôtel de Saltsjöbaden et déjeuna en terrasse, face à la mer. On venait de le servir quand Kristina Magnusson arriva à l'improviste et demanda si elle pouvait s'asseoir à sa table. Elle partageait manifestement son impression concernant l'ennui mortel de la réunion du matin.

– J'ai cru que j'allais devenir zinzin.

– On s'habitue, dit Wallander. Comment savais-tu que tu me trouverais là ?

– Je n'en savais rien. J'avais juste besoin de prendre l'air.

Après le déjeuner, ils firent une promenade le long de la piste cyclable, au bord de la plage. Wallander ne disait pas grand-chose, c'était surtout Kristina qui parlait. Il comprit qu'elle était très insatisfaite – des histoires d'organisation en particulier. À la fin, il s'arrêta et lui fit face.

– Est-ce que tu envisages de nous quitter, par hasard ?

– Non. Mais on a besoin d'un vrai changement. Je me demande ce que ce serait si c'était toi, le chef.

– Ce serait une catastrophe. Je n'ai aucune capacité à m'entretenir avec des bureaucrates haut placés avec toutes leurs règles et leurs prescriptions. Ni à calculer des budgets qui sont de toute façon toujours trop justes.

Ils revinrent sur leurs pas, échangèrent trois mots sur la Saint-Jean qui s'annonçait. Elle lui apprit que la météo prévoyait du vent et de la pluie. Ce n'est peut-être pas ce que j'aurais préféré offrir à Klara si j'avais eu le choix, pensa-t-il. Mais il maintiendrait sa fête quoi qu'il en soit.

De retour dans son bureau, il lut quelques comptes rendus d'interrogatoires et plusieurs rapports techniques, discuta avec un pathologiste de Lund au sujet d'une lointaine affaire et consacra le reste de l'après-midi à feuilleter les livres de la bibliothèque. Vers seize heures, il reçut l'appel d'un journaliste de Stockholm. Il avait complètement oublié qu'il avait accepté de répondre à une enquête destinée au prochain numéro du *Policier suédois* sur la formation de nouvelles recrues. Au fond, il n'avait pas le moindre avis sur la question, mais il répondit qu'à Ystad il n'y avait pas de problème, puisqu'ils avaient depuis longtemps mis au point un système informel de mentors, qui donnait d'emblée un interlocuteur à chaque nouveau venu. Ce qu'il ne dit pas, c'est qu'après avoir été mentor pendant près de quinze ans il avait refusé pour la première fois cette année de l'être. Que d'autres prennent la relève, après tout.

À dix-sept heures, il rentra chez lui, s'arrêtant en route pour faire des courses au supermarché. En quittant la maison au matin, il avait équipé portes et fenêtres de bouts de scotch discrets. Tous étaient à leur place. Il avala un gratin de poisson et se consacra ensuite aux livres qu'il avait empilés sur la table de la cuisine. Il lut jusqu'à ne plus avoir la force de poursuivre. Quand il alla se coucher vers minuit, la pluie tambourinait contre le toit. Il s'endormit aussitôt. Le bruit de la pluie l'avait toujours aidé à trouver le sommeil, depuis qu'il était enfant.

Le lendemain, il arriva au commissariat trempé comme une soupe. Il avait décidé de se rendre au travail à pied après avoir laissé sa voiture devant la gare de chemin de fer. Son taux de glycémie anormalement élevé lui lançait un défi. Il devait bouger davantage ; mais il avait été surpris en pleine promenade par une violente averse. Il suspendit son pantalon mouillé à un cintre et en sortit un autre de son casier. En l'enfilant, il fut obligé de constater qu'il avait grossi. De rage, il claqua la porte de l'armoire. Nyberg entra dans le vestiaire au même moment.

– Mauvaise humeur ? fit Nyberg.

– Pantalon mouillé.

Son collègue hocha la tête, avec cette espèce de gaieté lugubre qui était sa marque de fabrique.

– Je vois. On peut supporter d'avoir les pieds mouillés. Mais le pantalon, c'est comme si on s'était pissé dessus. Ça fait une chaleur agréable, qui disparaît très vite.

Une fois dans son bureau, Wallander appela Ytterberg, qui était sorti, lui apprit-on, sans préciser quand il reviendrait. Or il avait déjà essayé de le joindre sur son portable sans succès. En allant se chercher un café il tomba sur Martinsson, qui allait prendre l'air. Il l'accompagna et ils s'assirent ensemble devant le commissariat.

Martinsson lui parla d'un pyromane qu'ils soupçonnaient depuis longtemps sans jamais avoir réussi à le coincer.

– Cette fois on y arrivera ?

– Tôt ou tard on y arrive toujours, dit Martinsson. La question, c'est plutôt si on nous permettra de le garder. Mais là, nous avons un témoin fiable. Il est bien possible qu'on parvienne à le faire condamner.

Chacun retourna à son bureau. Après quelques heures, Wallander rentra chez lui sans avoir réussi à joindre Ytterberg. Il avait noté les points les plus importants sur un bout de papier, bien déterminé à lui parler avant la fin de la soirée. C'était Ytterberg le responsable de l'enquête. Wallander lui donnerait ce qu'il avait, le cahier noir et le cylindre. À lui d'en tirer les possibles conséquences. Pour sa part, il n'était que le père de sa fille, entraîné dans cette histoire pour cette unique raison. Alors maintenant il allait se concentrer sur la Saint-Jean, puis sur ses vacances.

Mais les choses ne se passèrent pas comme prévu. Quand il arriva à Löderup, une voiture inconnue de lui stationnait dans la cour. Une Ford en mauvais état, dont la carrosserie portait des traces de rouille. Wallander ignorait à qui elle pouvait appartenir. Il réfléchit à la question pendant un moment avant de se diriger vers le jardin. Sur l'une des chaises blanches – celle précisément sur laquelle il s'était endormi la veille au soir –, il vit une femme assise.

Sur la table devant elle, une bouteille de vin débouchée. Et pas le moindre verre en vue.

Très mal à l'aise, il s'avança pour la saluer.

17

La personne assise dans son jardin était Mona, son ex-femme. Ils ne s'étaient pas vus depuis des années, et encore – la dernière fois, ils s'étaient juste croisés à la cérémonie de fin de formation de Linda à l'école de police. Après cela, ils s'étaient brièvement parlé au téléphone à quelques reprises. C'était tout.

Tard ce soir-là, quand Mona fut enfin endormie dans la chambre à coucher et que lui-même, en tant que premier invité à dormir dans sa propre maison, eut mis des draps dans le lit de la chambre d'amis, il n'en menait pas large. L'humeur de Mona n'avait cessé de fluctuer tout au long de la soirée, passant de l'épanchement sentimental à la rage, et il avait eu beaucoup de mal à gérer ces excès. À son arrivée déjà, elle était passablement ivre. Elle avait chancelé en se levant pour l'embrasser, il l'avait retenue de justesse. Le fait de débarquer ainsi chez lui la rendait nerveuse ; elle s'était beaucoup trop maquillée pour l'occasion. Il pensa avec tristesse à la jeune fille qu'il avait rencontrée et dont il était tombé amoureux, quarante ans plus tôt ; celle-là n'avait eu aucun besoin de maquillage.

Elle était venue parce qu'elle était blessée, lui expliqua-t-elle. Quelqu'un lui avait fait du mal et elle n'avait qu'une personne au monde vers qui se tourner : lui. Wallander s'était assis sur l'autre fauteuil, les hirondelles plongeaient autour d'eux, et il avait eu le sentiment étrange de revivre une époque très ancienne. Une petite Linda de cinq ans n'allait pas tarder à surgir en sautillant de derrière un fourré pour réclamer leur attention. Mais il ne put que prononcer maladroitement quelques phrases de bienvenue avant que Mona n'éclate en sanglots. Il en fut terriblement gêné. Cela lui rappelait la dernière période de leur vie commune. En ce temps-là, il croyait encore à ses débordements d'émotion. Elle était, de plus en plus, une comédienne en représentation sur leur scène conjugale. Et elle s'attribuait un rôle qui ne lui convenait pas du tout. Son talent naturel ne la portait pas vers le tragique ; ni d'ailleurs vers le comique ; plutôt vers une normalité qui supportait mal les revirements spectaculaires. À présent, la voilà de nouveau en larmes ; Wallander eut la présence d'esprit d'aller chercher un rouleau de papier hygiénique pour qu'elle s'essuie les yeux. Il ne savait pas quoi dire. Après un moment, elle s'arrêta et s'excusa, mais d'une voix pâteuse qu'elle contrôlait mal. Il regrettait que Linda ne soit pas là ; elle savait s'y prendre avec elle bien mieux que lui.

En même temps, et bien qu'il rechignât à l'admettre, il y avait aussi en lui une impulsion : celle de la prendre par la main et de l'entraîner vers la chambre à coucher. Sa présence l'excitait, et il s'en fallut de peu qu'il ne passe à l'acte. *Ça passe ou ça casse.* Mais il resta assis. Mona se dirigea d'un pas incertain vers le chenil et Jussi, plein d'espoir, se mit aussitôt à sauter derrière son grillage. Wallander lui emboîta le pas, à titre préventif, prêt à la cueillir au cas où elle ferait un faux pas. Mais le chien cessa bien vite de l'intéresser. Elle dit qu'elle avait froid. Il lui proposa d'aller à l'intérieur. Elle accepta et fit le tour de la maison en lui demandant de *tout lui montrer*, surtout, comme si elle se trouvait dans une galerie d'art, en s'émerveillant à voix haute, il avait *si bien arrangé* sa maison, tout était *tellement joli* – même si elle trouvait quand même qu'il aurait dû jeter l'affreux canapé qu'ils avaient déjà à Mariagatan du temps où ils vivaient ensemble. En apercevant leur photo de mariage sur une commode, elle se remit à pleurer. Avec des accents si faux, cette fois, qu'il eut envie de la flanquer dehors. Mais il se domina, prépara du café, rangea une bouteille de whisky qui traînait sur le plan de travail et réussit enfin à la faire asseoir.

J'ai aimé cette femme plus que toute autre, pensa-t-il pendant qu'ils étaient assis là, attablés dans la cuisine devant leurs tasses de café. Même si je devais rencontrer demain un grand amour, Mona restera la femme la plus importante de ma vie. C'est une donnée qui ne changera jamais. Un amour peut éventuellement remplacer un autre amour, mais l'ancien reste toujours là. On vit sa vie avec des doubles fonds – sans doute pour ne pas couler si l'un d'eux se révèle être percé.

Mona finit son café. Elle paraissait dessoûler à vive allure. C'était là aussi un phénomène dont Wallander avait le souvenir : elle avait tendance à surjouer sa propre ivresse.

– Excuse-moi, dit-elle. Je t'importune, je fais mon cirque. Tu veux que je m'en aille ?

– Pas du tout. Je veux juste savoir pourquoi tu es venue.

– Ce que tu peux être froid ! Pourquoi es-tu si dur ? Tu ne peux quand même pas prétendre que je te dérange souvent.

Wallander battit aussitôt en retraite. La dernière année avec Mona avait été une lutte de chaque instant, où tout ce qu'il pouvait faire était de ne pas se laisser entraîner dans son monde d'accusations et de menaces. De son côté, elle affirmait qu'il faisait de même, et il savait qu'elle avait raison. Ils étaient tous deux coupables et victimes dans ce nœud inextricable, qui ne pouvait qu'être tranché de façon brutale. Le divorce, chacun de son côté.

– Raconte-moi, dit-il prudemment. Pourquoi es-tu si triste ?

Vint alors une longue et douloureuse harangue – version personnelle, pensa Wallander, des ballades sentimentales à deux sous telles que *Croix sur la tombe d'Ida* ou *La Triste Histoire d'Elvira Madigan*. En substance, un an plus tôt, Mona avait rencontré un homme qui, à la différence du précédent, n'était pas rentier ni golfeur (Wallander, lui, était persuadé que celui-là avait gagné sa fortune en pillant des sociétés écrans). Le nouveau était, très prosaïquement, gérant d'une supérette ICA de Malmö, un homme de son âge, divorcé lui aussi. Mais Mona n'avait pas tardé à découvrir, épouvantée, que même un respectable gérant ICA pouvait avoir des penchants de psychopathe. Petit à petit, il s'était mis à surveiller ses faits et gestes, puis à la menacer à mots couverts, enfin à l'exposer à des violences physiques. Elle avait bêtement cru que ça se tasserait et que sa jalousie cesserait, faute d'être justifiée. Mais ça n'avait pas été le cas. À présent, elle venait de rompre et elle se tournait vers lui, Wallander, son ex-mari, parce qu'elle craignait que l'autre ne commence à la harceler. Elle avait peur, tout simplement, et c'était pour ça qu'elle était venue le voir.

Jusqu'à quel point ce qu'elle lui racontait était-il vrai ? Mona n'était pas toujours de bonne foi ; parfois elle mentait sans que ses intentions soient mauvaises pour autant. Mais, dans ce cas précis, il y avait sans doute lieu de la croire. Et il était aussi indigné, évidemment, que ce type ait pu lui taper dessus.

Puis, soudain, elle eut un accès de nausée et se précipita aux toilettes. Wallander se faufila jusqu'à la porte et tendit l'oreille. Elle vomissait pour de vrai, ce n'était pas une comédie à son intention. Ensuite elle s'allongea sur le canapé dont, selon elle, il aurait dû se débarrasser, pleura encore un peu et s'endormit enfin sous une couverture. Lui s'installa dans son fauteuil de lecture avec ses livres empruntés à la bibliothèque, sans pouvoir se concentrer. Elle se réveilla deux heures plus tard ; découvrant chez qui elle était, elle faillit se remettre à pleurer, mais il mit le holà. Ça suffisait comme ça, il pouvait lui faire à dîner si elle le désirait, puis elle dormirait, et le lendemain elle pourrait parler à Linda, qui était sûrement meilleure conseillère que lui. Elle répondit qu'elle n'avait pas faim. Alors il prépara juste un potage et combla le creux de son propre estomac avec une grande quantité de pain. Pendant qu'ils étaient ainsi attablés face à face, elle se mit soudain à évoquer le passé, à quel point ils avaient été heureux, etc. Wallander se demanda si ce n'était pas là le véritable but de sa visite, et si elle n'était pas venue lui faire la cour. Il y a quelques années encore, elle aurait réussi, pensa-t-il. C'est dire combien de temps j'ai cru qu'on pourrait se remettre ensemble. J'ai quand même fini par comprendre que c'était une illusion, que cette vie-là était derrière nous et que je n'avais plus besoin ni envie de la retrouver.

Après le repas, elle voulut boire un verre. Il refusa net, il ne lui verserait pas une goutte d'alcool supplémentaire tant qu'elle serait sous son toit. Si cela ne lui convenait pas, elle pouvait prendre le taxi jusqu'à Ystad et dormir à l'hôtel. Elle faillit faire un scandale, puis renonça en comprenant qu'il resterait inflexible.

Quand elle alla enfin se coucher, vers minuit, elle fit une tentative prudente pour l'attirer à lui. Mais il l'esquiva, lui tapota la tête et quitta la chambre. Plusieurs fois, il se releva pour aller écouter derrière la porte entrouverte. Mona resta longtemps éveillée, mais finit malgré tout par s'endormir.

Il sortit alors dans la cour, lâcha Jussi et s'assit sur la balancelle qui était installée autrefois dans le jardin de son père. La nuit d'été était claire, calme, remplie de parfums. Jussi vint s'allonger à ses pieds. Wallander fut soudain submergé par le chagrin. Il n'existait aucun retour, jamais – peu importait le désir naïf qu'il en avait. Impossible de revenir en arrière, même d'un seul pas.

Avant de se coucher, il prit un demi-somnifère. Il ne voulait plus ruminer, plus penser, plus réfléchir à quoi que ce soit – ni à Mona endormie dans son lit ni aux pensées qui l'avaient tourmenté dans le jardin.

Le lendemain matin, il découvrit qu'elle n'était plus là. Il en fut très surpris. Lui qui se réveillait d'habitude au moindre bruit ne l'avait pas entendue partir. Elle avait laissé un mot sur la table de la cuisine. *Pardon d'avoir été là dans ton jardin quand tu es rentré hier soir.* Rien d'autre, pas un mot sur ce qu'elle aurait réellement pu avoir à se faire pardonner. Combien de fois, au cours de leur vie commune, avait-elle posé devant lui de tels petits mots d'excuse ? Une quantité dont il ne voulait même pas se souvenir.

Il but un café, donna à manger à Jussi, et hésita ensuite à appeler Linda pour lui raconter la visite de Mona. Mais sa priorité était de parler à Ytterberg. Il décida donc d'attendre.

C'était un matin venteux, un vent froid qui soufflait du nord, l'été avait provisoirement déserté la Scanie. Les moutons du voisin paissaient dans leur pré fermé ; deux cygnes survolèrent la maison à tire-d'aile, vers l'est.

Wallander appela Ytterberg à son bureau. Cette fois, il répondit :

– Kurt ? On m'a dit que tu avais cherché à me joindre. Tu as trouvé les von Enke ?

– Non. Et de ton côté ?

– Rien qui vaille la peine d'être raconté.

– Rien du tout ?

– Non. Et toi ?

Wallander avait décidé de lui rendre compte de son voyage à Bokö et de l'étonnant cylindre qu'il avait découvert là-bas. Mais soudain, sans savoir pourquoi, il changea d'avis. C'était étrange. Il devait pourtant pouvoir se fier au moins à Ytterberg.

– Non, rien, dit-il.

– On s'appelle s'il y a du nouveau.

Après cette courte conversation où rien n'avait été dit, Wallander prit sa voiture et se rendit au commissariat afin de se préparer pour l'audience, au tribunal, d'une autre affaire désespérante où il figurait en tant que témoin. Toutes les personnes concernées se rejetaient la faute, et la victime, qui était restée deux semaines dans le coma, n'avait aucun souvenir des faits. Wallander avait été le premier enquêteur arrivé sur les lieux, et c'était la raison pour laquelle il devait faire part de ses observations à la barre. Il avait les pires difficultés à se souvenir de ce qu'il avait vu. Même le rapport, pourtant écrit de sa propre main, lui paraissait irréel.

Soudain, Linda se matérialisa devant lui. Il était midi.

– J'ai cru comprendre que tu avais reçu une visite imprévue.

Wallander repoussa ses dossiers et considéra sa fille. Elle avait peut-être perdu un kilo ou deux. Son visage paraissait avoir dégonflé.

– Mona est passée te voir ?

– Non, elle m'a appelée de Malmö. Elle s'est plainte de ce que tu avais été méchant avec elle.

Il en resta sans voix.

– Qu'est-ce que… ?

– Elle était malade et tu l'as à peine laissée entrer. Ensuite tu ne lui as rien donné à manger ou à peu près, et tu l'as enfermée dans la chambre.

– C'est un tissu de mensonges ! Cette sale bonne femme…

– Tu ne parles pas comme ça de ma mère, dit Linda en s'assombrissant d'un coup.

– Elle ment ! Que ça te plaise ou non. Je l'ai accueillie, je l'ai fait entrer, j'ai séché ses larmes, je lui ai préparé une soupe et je lui ai même mis des draps propres.

– En tout cas, elle n'a pas menti au sujet de son compagnon. Je l'ai rencontré. Il est exactement aussi charmant que les psychopathes ont pour habitude de l'être. Mona a un don étrange pour toujours tomber sur les pires.

– Merci.

– Je ne pensais pas à toi. Mais le joueur de golf ne valait pas beaucoup mieux.

– Qu'est-ce que je peux faire ?

Linda réfléchit, en frottant son index gauche contre l'arête de son nez. Comme mon père ! pensa soudain Wallander. Il ne l'avait jamais remarqué avant et ça le fit éclater de rire. Elle leva les yeux, étonnée. Il s'expliqua et elle rit à son tour.

– Bon, dit-elle ensuite, j'ai Klara dans la voiture, je voulais juste échanger deux mots avec toi. On en reparlera.

– Quoi ? s'écria Wallander, horrifié. Tu as laissé Klara seule dans la voiture ?

– Ça ne s'arrange pas de ton côté, dis donc. Je suis venue avec une amie.

Sur le seuil, elle se retourna.

– Je crois que Mona a besoin de nous.

– Je suis toujours là. Mais je préférerais qu'elle passe me voir quand elle est sobre. Et qu'elle me prévienne avant.

– Toi, tu es toujours sobre peut-être ? Tu préviens toujours avant d'aller voir les gens ? Tu n'as jamais été mal ?

Elle s'engouffra dans le couloir sans attendre la réponse.

Wallander venait de se remettre à son rapport quand Ytterberg le rappela.

– Je pars en vacances dans quelques jours, je crois que j'ai oublié de te le dire.

– Que vas-tu faire ?

– Rien, mais avec conviction, dans une vieille maison de garde-barrière au bord d'un lac des environs de Västerås. Laisse-moi te dire ce que je pense du couple von Enke. J'étais un peu rapide quand on s'est parlé tout à l'heure.

– Je t'écoute.

– Voilà. J'ai deux théories, et mes collègues sont d'accord avec moi. Voyons si tu es du même avis. Première théorie : ils ont planifié leur disparition ensemble et ont décidé, Dieu sait pourquoi, de partir à deux moments distincts. Il y a plusieurs explications possibles à cela. Si leur intention était, par exemple, de changer d'identité, il peut être parti le premier afin de préparer son arrivée à elle et l'accueillir « sur un chemin jonché de roses » en termes bibliques. Sinon il ne nous semble y avoir qu'une seule autre possibilité. C'est qu'ils ont été soumis à violence. Et qu'ils sont probablement morts. Voilà à peu près le cadre.

– Je suis d'accord.

– J'ai interrogé nos meilleurs experts, à l'échelle nationale, sur les diverses motivations que peuvent avoir les gens pour disparaître. Notre tâche est simple dans le sens où nous n'avons qu'un but.

– Les retrouver.

– Ou établir avec certitude pour quelle raison nous ne les trouvons pas.

– N'y a-t-il vraiment aucun nouveau détail ?

– Non. Mais il y a un tiers dont nous devons tenir compte.

– Tu penses au fils ?

– C'est nécessaire. Si l'on suppose qu'ils ont mis en scène leur disparition, on peut se demander pourquoi ils exposent leur propre fils à pareille angoisse. C'est inhumain. Et ce n'est pas là l'image que nous avons d'eux. Toutes les informations que nous avons concernant Håkan von Enke montrent un officier respecté, intelligent, juste, stable, jamais capricieux. Le pire qu'on ait entendu à son sujet, c'est qu'il pouvait lui arriver de s'impatienter. En tant qu'enseignante, Louise était très appréciée de ses élèves. « Discrète » et « réservée », c'est ce qu'ont dit plusieurs des personnes que nous avons interrogées. Mais cela n'a rien de suspect, n'est-ce pas ? Il faut bien des gens capables d'écouter, aussi, de temps en temps. En tout cas, l'hypothèse d'une double vie n'est pour l'instant étayée par rien. Nous avons même interrogé des experts d'Europol. J'ai eu au téléphone une dame de la police française, Mlle Germain, à Paris, qui avait des observations intéressantes à me communiquer. Elle a confirmé mon idée, à savoir qu'il faut envisager les choses tout à fait différemment.

– Tu veux dire quel rôle Hans peut jouer dans l'affaire ?

– C'est ça. S'il y avait eu une fortune, on aurait pu partir de là. Mais ce n'est pas le cas. Leur patrimoine s'élève à un million de couronnes à peu près, en plus de l'appartement qui en vaut sûrement sept ou huit. On peut dire que c'est beaucoup d'argent pour un simple mortel. Mais de nos jours, ce n'est plus vraiment ce qu'on appelle être riche.

– Tu as parlé à Hans ?

– Il y a environ une semaine, il était à Stockholm pour une réunion au siège de l'Autorité des marchés financiers. C'est lui qui m'a contacté, et nous avons eu une conversation. Pour moi, son inquiétude paraît sincère et il ne comprend rien à ce qui s'est passé. Il faut ajouter à cela qu'il gagne très bien sa vie.

– Voilà donc où on en est ?

– Oui, ce n'est pas grand-chose. Il faut continuer à creuser, mais le sol est franchement très dur.

Ytterberg posa soudain son téléphone ; Wallander l'entendit jurer à l'arrière-plan. Puis sa voix revint.

– Je pars en vacances après-demain, dit Ytterberg. Mais tu pourras toujours me joindre. C'est ça que je voulais te dire.

– Je te promets de ne le faire que si c'est important.

Wallander alla s'asseoir sur le banc devant l'entrée du commissariat et repensa aux paroles d'Ytterberg.

Il y resta longtemps. L'épisode avec Mona l'avait fatigué. Il ne voulait pas qu'elle vienne mettre du désordre dans sa vie ni qu'elle l'expose à des exigences déraisonnables. Il allait devoir le lui dire clairement, si jamais elle se présentait de nouveau chez lui. Et il allait devoir convaincre Linda d'être son alliée. Il était d'accord pour aider Mona, là n'était pas la question, mais il fallait qu'elle comprenne que le passé était le passé.

Il descendit jusqu'au kiosque, en face de l'hôpital. Il choisit une barquette saucisses purée. Un peu de purée tomba, et une corneille arriva aussitôt pour s'en emparer.

Soudain il eut la sensation d'avoir perdu quelque chose. Son arme ? Non, il ne l'avait pas sur lui. Quoi, alors ? Ce n'était peut-être pas de cet ordre-là… Brusquement, il s'aperçut qu'il ne savait plus s'il était venu jusqu'au kiosque à pied ou en voiture.

Il jeta sa barquette à moitié pleine et regarda autour de lui. Pas de voiture. Il remonta lentement la côte jusqu'au commissariat. La mémoire lui revint pendant qu'il marchait. Il avait des sueurs froides, son cœur battait à se rompre. Il ne pouvait plus repousser une nouvelle visite chez le médecin. C'était le troisième épisode en peu de temps. Il voulait savoir ce qui lui arrivait.

Dès qu'il fut dans son bureau, il appela Margareta Bengtsson et obtint un rendez-vous quelques jours après la Saint-Jean. Après avoir raccroché, il vérifia que son arme de service était rangée sous clé, à sa place.

Il consacra le reste de la journée à préparer l'audience où il était censé comparaître comme témoin. Il était dix-huit heures quand il referma le dernier dossier et le balança sur le fauteuil des visiteurs. Il avait déjà sa veste à la main quand une pensée le frappa. Impossible de dire d'où elle avait surgi. Pourquoi von Enke n'avait-il pas emporté le cahier secret à la fin de sa dernière visite à Signe ? Wallander ne voyait que deux explications. Soit il avait l'intention de revenir ; soit il avait été exposé à un événement qui rendait toute nouvelle visite impossible.

Il se rassit à son bureau et chercha le numéro de Niklasgården. Il reconnut la femme séduisante à sa voix.

– Je voulais juste savoir si tout allait bien du côté de Signe, dit-il.

– Tu sais, il n'y a pas beaucoup de changements dans le monde où elle vit.

En dehors de ceux que nous connaissons tous, pensa Wallander. Le temps qui passe, invisible, la vieillesse qui vient.

– Son père n'est pas revenu la voir, par hasard ?

– Ah bon ? Il a reparu alors ? Je croyais qu'il avait disparu.

– Non, il n'a pas reparu.

– Par contre, son oncle est venu hier. J'étais de congé, mais j'ai vu que c'était noté sur le registre des visiteurs.

Wallander en eut le souffle coupé.

– Son oncle ?

– Oui. Un certain Gustaf von Enke. Il est venu dans l'après-midi et il est resté environ une heure.

– Tu en es absolument certaine ?

– Pourquoi irais-je inventer une chose pareille ?

– Non, bien sûr. Si jamais cet oncle revenait, pourrais-tu me prévenir ?

Elle parut soudain inquiète.

– Ça ne va pas ?

– Si, si, tout va bien. Merci pour ton aide.

Wallander posa le combiné et resta assis. Il savait qu'il ne faisait pas erreur. Il avait étudié la famille von Enke et il était certain qu'il n'existait aucun oncle.

Quel que soit l'homme qui avait rendu visite à Signe, il s'était présenté sous un faux nom.

Wallander prit sa voiture et rentra chez lui. Son inquiétude était revenue, plus forte qu'avant.

18

Le lendemain matin, Wallander avait de la fièvre et mal à la gorge. Il essaya de se persuader que ce n'était rien, mais, quand il finit malgré tout par aller chercher un thermomètre et par prendre sa température, il avait 38°9. Il appela le commissariat, se déclara malade et passa le reste de la journée au lit et dans sa cuisine, au milieu des livres de la bibliothèque.

Il avait rêvé de Signe. Il lui rendait visite à Niklasgården et s'apercevait soudain que quelqu'un d'autre avait pris sa place. Il faisait sombre dans la chambre, il essayait d'allumer, mais l'interrupteur ne marchait pas, alors il se servait de son téléphone comme d'une lampe de poche. Dans la lueur bleutée, il découvrait que la personne couchée dans le lit était Louise. Elle était la copie exacte de sa fille. Pris d'une frayeur incontrôlable, il voulait sortir de la chambre mais la porte était fermée à clé.

Il s'était réveillé à ce moment-là. Quatre heures du matin, le jour était déjà levé. Il avait chaud, mal à la gorge ; il s'était empressé de se rendormir. Plus tard, au réveil, il avait essayé en vain d'interpréter ce rêve. Juste cette sensation que tout se recouvrait, dans la disparition de Håkan et de Louise von Enke.

Wallander se leva, enroula une écharpe autour de son cou, alluma l'ordinateur et chercha Gustaf von Enke sur Internet. Il n'y avait personne de ce nom. À huit heures, il appela Ytterberg. Celui-ci accomplissait sa dernière journée de travail avant les vacances ; il s'apprêtait, dit-il, à se rendre à un interrogatoire extrêmement pénible, celui d'un homme qui avait essayé d'étrangler sa femme et ses deux enfants, au motif qu'il avait trouvé une autre femme avec laquelle il voulait partager sa vie.

– Était-il vraiment indispensable de s'en prendre aux enfants ? demanda Ytterberg sur un ton pensif. C'est comme une tragédie grecque.

Wallander ne connaissait pas grand-chose à ces histoires vieilles de plus de deux mille ans. Une fois, Linda l'avait entraîné à une représentation de *Médée*, à Malmö. Il avait été touché, mais pas au point de commencer à aller régulièrement au théâtre. Et sa dernière tentative en date ne l'avait pas franchement encouragé.

Il raconta à Ytterberg son coup de fil de la veille à Niklasgården.

– Il n'y a pas d'oncle ? Tu en es sûr ?

– Oui. Il y a un cousin en Angleterre, mais c'est tout.

– Très étrange.

– Je sais que tu es en vacances à partir de ce soir. Quelqu'un d'autre pourra peut-être se rendre à Niklasgården et tenter d'obtenir un signalement ?

– J'ai la personne qu'il nous faut. Elle s'appelle Rebecka Andersson et elle excelle dans ce genre de mission, malgré son jeune âge. Je vais lui parler.

Ils collationnèrent les numéros de téléphone ; Wallander allait raccrocher quand Ytterberg le retint.

– Est-ce que ça t'arrive de sentir comme moi une envie presque désespérée d'échapper à ce bourbier où on est plongé tous les jours jusqu'au cou ?

– Ça m'arrive.

– Pourquoi on reste ?

– Je ne sais pas. Un vague sentiment de responsabilité, peut-être. Mon mentor, autrefois, était un vieux de la brigade criminelle qui s'appelait Rydberg. Il disait toujours ça. Une question de responsabilité, c'est tout.

Rebecka Andersson l'appela une demi-heure plus tard, vérifia auprès de lui les informations reçues d'Ytterberg et dit qu'elle comptait se rendre à Niklasgården dans la matinée.

Wallander prépara le petit déjeuner et se rendit aux toilettes. Quand il tira la chasse d'eau, la cuvette déborda. Il essaya d'y remédier avec la ventouse. Puis il donna un coup de pied à la faïence et alla appeler Jarmo. Celui-ci était tout disposé à venir, mais ça s'entendait au téléphone, il était complètement ivre. Wallander passa près de deux heures à chercher un autre plombier disponible. À midi, une camionnette freina devant la porte et un plombier polonais, gai comme un pinson et s'exprimant dans un suédois incompréhensible, en sortit. Wallander se rappela le débat houleux qui avait agité les médias, un an plus tôt, sur le thème des artisans polonais qui envahissaient l'Europe telle une funeste nuée de sauterelles. Ce plombier-ci, quoi qu'il en soit, résolut le problème en vingt minutes. Au moment de le payer, Wallander découvrit aussi qu'il était beaucoup moins cher que Jarmo.

Il retourna à ses livres. Rebecka Andersson le rappela vers quatorze heures. Elle était encore à Niklasgården.

– J'ai cru comprendre que tu voulais être informé au plus vite. Je suis assise sur un banc dans le parc, il fait un temps splendide. Tu as de quoi noter ?

– Je t'écoute.

– Un homme, la cinquantaine, costume strict, cravate, très aimable, cheveux blonds frisés, yeux bleus. S'exprimant dans un suédois, disons, générique, pas de dialecte identifiable, et certainement pas d'accent étranger. Une certitude : il n'était jamais venu auparavant. Ils ont dû lui montrer le chemin de la chambre de Signe. Mais personne ne s'est posé de questions.

– Que leur a-t-il dit ?

– Rien, en fait. Il était juste « très aimable ».

– Et la chambre ?

– J'ai demandé à deux aides-soignantes, indépendamment l'une de l'autre, de voir si elles pouvaient repérer un changement. Réponse négative. J'ai eu l'impression qu'elles étaient sûres de leur fait.

– Combien de temps est-il resté ?

– Les informations divergent sur ce point. Ils ne sont pas très méticuleux, apparemment, quand ils notent les heures de visite. Mais au maximum une heure et demie.

– Ensuite ?

– Il est parti.

– Comment ?

– Personne ne l'a vu arriver ni repartir. On peut supposer qu'il était motorisé.

Wallander réfléchit, mais ne trouva pas d'autres questions à poser. Il la remercia pour son aide et raccrocha. Par la fenêtre, il vit la voiture jaune de la Poste s'éloigner sur la route. Il sortit en peignoir et sabots ouvrir la boîte aux lettres. Une lettre, c'était tout. Le tampon indiquait qu'elle avait été postée à Ystad. L'expéditeur était un certain Robert Åkerblom. Il se rappelait vaguement quelqu'un de ce nom-là, mais pas dans quel contexte il l'aurait rencontré. Il s'assit dans la cuisine et déchira l'enveloppe. Elle contenait une photo : un homme d'un certain âge, entouré de deux jeunes femmes. Alors seulement Wallander comprit de qui il s'agissait. Sa vue faisait ressurgir un souvenir douloureux vieux de plus de quinze ans. Au début des années 1990, la femme de Robert Åkerblom avait connu une mort brutale après s'être trouvée, pour son malheur, au mauvais endroit au mauvais moment. Par la suite, ce meurtre s'était révélé avoir un lien avec l'Afrique du Sud et avec un attentat contre la vie de Nelson Mandela. Il retourna la photographie et lut ce qui était écrit au dos : « Un rappel de notre existence et un grand merci pour l'aide que tu nous as apportée au cours de la période la plus difficile de notre vie. »

Juste ce qu'il me fallait, pensa Wallander. Un témoignage que ce que nous faisons est tout de même important pour certains. Il punaisa la photo au mur.

La fête de la Saint-Jean était le lendemain. Il ne se sentait pas remis, mais décida quand même d'aller faire les courses. Il n'aimait pas les magasins bondés, ni les magasins tout court d'ailleurs, mais il avait décidé que son buffet de la Saint-Jean ne manquerait de rien. Par chance, ou plutôt par prévoyance, il avait déjà acheté les boissons. Il griffonna une liste et sortit.

Le lendemain, il avait déjà beaucoup moins mal à la gorge et la fièvre était tombée. Il avait plu au cours de la nuit, mais le ciel était à présent dégagé. Wallander scruta l'horizon et résolut qu'ils pourraient manger dehors. Quand Linda arriva avec sa famille sur le coup de dix-sept heures, tout était prêt. Elle le complimenta pour ses préparatifs, puis elle le prit à part.

– Nous attendons une autre invitée.

– Qui ?

– Mona.

– Non !

– Si.

– Je t'ai pourtant dit que ça s'était mal passé la dernière fois.

– Je ne veux pas qu'elle reste seule pour la fête de la Saint-Jean.

– Alors c'est toi qui la raccompagneras.

– Ne t'inquiète pas. Essaie de te dire que tu fais une bonne action.

– Quand doit-elle venir ?

– Je lui ai dit dix-sept heures trente. Elle ne va pas tarder.

– À toi de la surveiller pour qu'elle ne boive pas trop.

– Pas de problème. Et n'oublie pas que Hans l'aime bien. Et qu'elle a le droit de voir sa petite-fille, elle aussi.

Wallander ne dit plus rien. Mais il profita d'un moment où il était seul à la cuisine pour se verser un verre d'aquavit et le boire cul sec, histoire de se calmer.

Mona arriva et, au début, tout se passa bien. Elle s'était habillée pour l'occasion. Elle était de bonne humeur. Ils mangèrent, burent modérément, profitèrent de la douceur de l'air. Wallander vit Mona s'occuper de sa petite-fille comme si c'était la chose la plus naturelle au monde. Il avait l'impression de la revoir avec Linda petite. Mais la paix ne dura qu'un temps. Vers vingt-trois heures, Mona commença soudain à évoquer les vexations du passé. Linda essaya de détourner la conversation, mais apparemment elle avait réussi à boire en cachette, peut-être avait-elle dissimulé une petite bouteille dans son sac. Wallander resta neutre, se contentant d'écouter ce qu'elle avait à dire – jusqu'au moment où c'en fut trop pour lui. Il frappa du poing sur la table et lui demanda de disparaître. Linda, qui n'était pas très sobre non plus, lui hurla de se calmer : ce n'était tout de même pas si grave. Mais pour Wallander, ça l'était. Après toutes ces années, quand il avait enfin découvert qu'elle ne lui manquait plus, la nostalgie s'était changée en colère et en accusation. C'était la faute de Mona si tant de temps s'était écoulé sans qu'il rencontre une autre femme. Il se leva et s'en alla à travers champs en emmenant Jussi.

Quand il revint une demi-heure plus tard, tout le monde était sur le départ. Mona était déjà dans la voiture, Hans, qui n'avait bu qu'un verre de vin, allait conduire. Linda aperçut son père et revint vers lui.

– C'est dommage que ça se soit terminé ainsi. À part ça, c'était une belle fête. Mais je crois que j'ai compris. Cette habitude qu'elle a de boire aura toujours ce type de conséquences.

– Tu vois ? J'avais raison.

– Si tu veux. Je n'aurais peut-être pas dû lui proposer de venir. Maintenant au moins, je sais qu'elle ne pourra pas s'en sortir seule. Il va falloir qu'elle soit prise en charge. C'est dingue que je n'aie pas compris ça plus tôt. Mona est en train de se tuer à l'alcool, et je ne l'ai pas vu.

Elle lui caressa la joue. Ils s'embrassèrent.

– Sans toi je n'aurais jamais tenu le coup, dit Wallander.

– Bientôt Klara pourra passer du temps chez toi sans que je sois là. Dans un an déjà... Ça va vite, tu sais.

Wallander agita la main jusqu'à ce que la voiture ait disparu, et entreprit ensuite de rassembler la vaisselle. Puis il fit une chose qu'il ne faisait qu'une fois l'an, deux au grand maximum : il alla chercher un cigare et l'alluma après s'être installé dehors.

Il commençait à faire froid. Ses pensées divaguaient. Il repensait à ses anciens camarades de classe de l'école élémentaire de Limhamn. Un jubilé avait été organisé quelques années auparavant, mais il n'avait pas pris la peine d'y aller. Il le regrettait à présent. Cela aurait pu lui donner une perspective sur sa propre vie, de voir ce que les autres étaient devenus. Il posa son cigare, retourna dans la maison et revint avec une boîte d'où il sortit une vieille photo de classe de 1962. Sa dernière année d'école. Il se souvenait des visages et de presque tous les noms. Cette fille-là, par exemple, se prénommait Siv. C'était la plus timide des timides, mais un génie des maths. Pour sa part, il était le deuxième à partir de la gauche dans la rangée du haut, coupe en brosse et un vague sourire aux lèvres. Il portait un pull gris et, dessous, une chemise en flanelle.

On a soixante balais, maintenant. Nos vies glissent lentement vers leur terminus. Plus grand-chose qui puisse encore changer...

Il resta dehors jusqu'à deux heures du matin. À un moment il entendit de la musique au loin – peut-être *La Valse de Calle Schewen* d'Evert Taube, mais il n'en était pas sûr. Puis il alla se coucher et dormit jusqu'au milieu de la matinée. Sans quitter le lit, il se remit à feuilleter les livres de la bibliothèque. Soudain, il se redressa d'un bond. Il venait de tomber sur quelques photographies en noir et blanc dans un livre consacré à la rivalité entre sous-marins américains et soviétiques pendant la guerre froide.

Le cœur battant, il ne quittait pas la page du regard. Il n'y avait aucun doute. La photo représentait l'objet qu'il avait rapporté de

Bokö. Sautant au bas du lit, il alla chercher le cylindre qu'il avait caché derrière une étagère à chaussures dans la réserve.

À l'aide d'un dictionnaire anglais, il essaya de s'assurer qu'il avait bien tout compris du chapitre dans lequel figurait la photo. Il y était question de James Bradley qui, au début des années 1970, avait été le chef des forces sous-marines américaines. Il était connu pour sa propension à passer des nuits entières dans son bureau du Pentagone afin de mettre au point de nouvelles façons de se mesurer aux Russes. Une nuit, alors que l'énorme bâtiment était pour ainsi dire désert, si l'on exceptait les agents de sécurité qui arpentaient les couloirs en permanence, il eut une idée. Celle-ci était si audacieuse qu'il comprit qu'il devait en parler sans attendre à Henry Kissinger, qui était à l'époque le conseiller à la Défense du président Nixon. Selon la légende, Kissinger écoutait rarement plus de cinq minutes et jamais au grand jamais plus de vingt. Bradley parla pendant plus de trois quarts d'heure. En revenant au Pentagone, il était convaincu d'obtenir l'argent et l'équipement nécessaires. Kissinger n'avait rien promis, mais il avait bien vu la fascination dans son regard.

Il fut rapidement décidé que le sous-marin affecté à cette mission top secret serait le *USS Halibut*. Ce sous-marin était l'un des plus grands de la flotte. Wallander s'ébahit en découvrant son poids, sa taille, son armement et le nombre d'officiers et de membres d'équipage nécessaire à son maniement. En principe, il pouvait rester en mission tous les jours de l'année, à condition de remonter de temps à autre pour se charger en air et en ravitaillement – opération qui pouvait être menée à bien en moins d'une heure. Mais, pour assurer la viabilité de cette mission précise, il fallait l'aménager un peu, en particulier l'équiper d'une chambre de plongée profonde destinée aux plongeurs qui exécuteraient la partie la plus délicate de la mission sur le lit de l'océan.

L'idée de Bradley était en réalité très simple. Pour assurer les communications entre l'état-major de la flotte du Pacifique, établi à Vladivostok, et les sous-marins nucléaires qui opéraient à partir de la base de Petropavlovsk, sur la presqu'île de Kamchatka, les Russes avaient déposé un câble traversant par le fond la mer d'Okhotsk. Le plan de Bradley consistait tout bonnement à fixer sur ce câble un dispositif d'écoute.

Il y avait cependant un gros problème. La mer d'Okhotsk couvrait une étendue de plus de six cent mille kilomètres carrés. Comment localiser le câble ? La solution se révéla d'une simplicité aussi incroyable que l'avait été l'idée proprement dite.

Une nuit, dans son bureau du Pentagone, Bradley se rappela les étés de son enfance au bord du fleuve Mississippi. Sur les berges du fleuve, il y avait à intervalles réguliers des panneaux signalant : *Mouillage interdit. Câble sous-marin.* La solution à son problème lui apparut au même moment. Vladivostok mise à part, l'est de la Russie était un vrai désert. Les endroits où l'on avait pu poser le câble ne devaient donc pas être très nombreux. Et les panneaux de signalisation existaient en Union soviétique comme ailleurs.

Le *USS Halibut* s'immergea donc dans le Pacifique. Après une traversée aventureuse semée de plusieurs contacts sonar avec d'autres sous-marins, il réussit à pénétrer en territoire soviétique. Vint alors l'un des moments les plus risqués de l'opération, où il fallait choisir l'un des détroits entre les îles Kouriles et se faufiler au travers. Ce fut possible uniquement grâce au fait que le *USS Halibut* était équipé d'un système de détection dernier cri, à la fois pour l'écoute des émissions de sonar et pour le repérage des champs de mines. Après un temps relativement court, on découvrit en effet le câble. Restait le plus difficile : comment fixer le dispositif d'écoute sans que les Russes s'en aperçoivent ? Après plusieurs échecs, l'exploit fut enfin mené à bien ; à bord du *USS Halibut*, on put dès lors entendre les Russes de la terre ferme parler à leurs commandants de sous-marins en opération, et réciproquement. En guise de récompense, Bradley fut par la suite autorisé à rencontrer personnellement le président Nixon, qui le félicita pour ce grand succès.

Wallander alla s'asseoir dans le jardin. Il soufflait un vent froid, mais il put se mettre à l'abri dans l'angle de la maison. Il avait lâché Jussi, qui disparut aussitôt. Les questions qu'il se posait à présent étaient simples et peu nombreuses. Quelle était la véritable raison de la présence de cet engin chez Eskil Lundberg ? En quoi était-elle liée à Håkan et à Louise von Enke ? C'est plus grand que je ne l'imaginais, pensa-t-il. Derrière ces disparitions se cache quelque chose que je n'ai aucun moyen de comprendre par moi-même. Je vais avoir besoin d'aide.

Il hésita, mais pas très longtemps. Retournant à l'intérieur, il appela Sten Nordlander. La transmission était mauvaise comme d'habitude mais ils réussirent à se parler malgré tout.

– Où es-tu ?

– Dans la baie de Gävle. Faible vent de sud-ouest, quelques nuages. Merveilleux, quoi. Et toi ?

– Je suis chez moi. Il faut que tu viennes. Je crois savoir ce que j'ai trouvé. Prends l'avion.

– C'est si important que ça ?

– Oui. D'une manière ou d'une autre, c'est lié à la disparition de Håkan.

– Tu éveilles ma curiosité, dis donc.

– Je peux me tromper, mais dans un cas comme dans l'autre tu seras de retour sur ton bateau demain. Je te paie le voyage.

– Ce n'est pas la peine, je te remercie. Mais ne m'attends pas avant la fin de la soirée. Je suis encore assez loin de Gävle.

– Je viendrai te chercher à l'aéroport.

Il était dix-huit heures quand Sten Nordlander le rappela : il était à l'aéroport d'Arlanda et l'avion pour Malmö décollait une heure plus tard.

Wallander se prépara à aller le chercher. Il laissa Jussi dans la maison, pensant que sa présence dissuaderait un éventuel intrus.

L'avion atterrit à l'heure. Wallander vit Sten Nordlander émerger entre les portes silencieuses du hall des arrivées, et il le ramena à Löderup, où les attendait l'étonnant cylindre.

19

Sten Nordlander contempla longuement l'objet que Wallander avait une fois de plus soulevé et déposé sur la table de la cuisine. Puis il examina la photo.

– Je n'avais jamais vu un engin pareil dans la réalité, dit-il ensuite. Mais c'est clair qu'il s'agit bien de ça. Et ce n'est pas un spécimen factice que tu as là.

Wallander décida qu'il n'y avait plus de raison d'entretenir le jeu du chat et de la souris avec son invité. Si Nordlander était le meilleur ami de Håkan von Enke, il le resterait même au cas où le pire serait avéré. Wallander fit du café et lui raconta comment le cylindre s'était retrouvé en sa possession. Il n'omit aucun détail, commençant par la photographie des deux hommes devant le chalutier jusqu'aux livres de la bibliothèque qui lui avaient enfin permis de comprendre ce qu'il avait arraché à l'obscurité de la remise sur l'île de Bokö.

– Je ne sais pas ce que tu en penses, conclut-il. Ça valait le coup de te faire venir ou pas ?

– Mais oui, dit Sten Nordlander. Il se peut même que je devine la nature du lien…

Il était vingt-trois heures passées. Sten Nordlander refusa la proposition d'un vrai repas, un thé lui suffirait, avec quelques biscottes. Wallander dut chercher longtemps parmi tous les emballages de son garde-manger avant de dénicher un paquet de biscottes aux flocons d'avoine dont le contenu était largement réduit en miettes.

– Je continuerais bien à discuter, dit Sten Nordlander après avoir bu son thé, mais j'ai un médecin qui me refuse la vie de noctambule, avec ou sans alcool. Alors on reprendra demain, si tu veux bien.

Laisse-moi juste emporter le livre où tu as trouvé la photo. J'aimerais bien le feuilleter avant de m'endormir.

Le lendemain il faisait chaud, pas un souffle de vent. Wallander, qui s'était levé dès cinq heures, impatient d'entendre ce que Sten Nordlander aurait à lui dire, vit par la fenêtre Jussi qui contemplait de loin, fasciné, un oiseau de proie en vol stationnaire au-dessus d'un fossé.

Sten Nordlander sortit de la chambre d'amis à sept heures trente. Pendant qu'ils prenaient le petit déjeuner dehors, il le complimenta sur son jardin et sur le panorama.

– La légende veut que la Scanie soit une région plate et morne, mais ce que je vois ici m'évoque tout autre chose. Comme une houle légère. Peut-on dire ça d'un paysage ? Et la mer à l'horizon, si je ne m'abuse…

– C'est à peu près comme ça que je le vois, moi aussi, dit Wallander. Les forêts touffues m'effraient. Dans les paysages ouverts d'ici, il est difficile de se cacher. C'est bien. Nous pouvons tous avoir besoin de nous cacher parfois, mais certains le font un peu trop.

Sten Nordlander lui jeta un regard surpris. Puis, comme par association d'idées, il répondit pensivement :

– As-tu déjà pensé que Håkan et Louise avaient pu partir volontairement ?

– Oui, bien sûr. Ça fait toujours partie des hypothèses quand quelqu'un disparaît.

Le petit déjeuner fini, Sten Nordlander proposa une promenade.

– Il faut que je bouge, le matin, sinon la digestion ne démarre pas bien.

Jussi disparut, telle une flèche noire, vers les bois remplis de petites dépressions de terrain elles-mêmes remplies d'eau, qui avaient toujours tant d'odeurs intéressantes à proposer à une truffe de chien. Sten Nordlander prit la parole tout en marchant :

– À certains moments, à la fin des années 60 et au début des années 70, nous avons vraiment cru que les Russes étaient aussi forts, militairement, qu'ils en avaient l'air. Les parades d'octobre reflétaient ni plus ni moins la réalité, voilà l'impression qu'on avait, et, pour les milliers d'experts militaires qui contemplaient à la télé ces images d'engins défilant devant le Kremlin, la principale question était : *Qu'est-ce qu'ils ne nous montrent pas ?* La guerre froide était encore une réalité tout à fait sérieuse dans ces années-là. Avant que les trolls n'éclatent[1].

– Tiens, dit Wallander. *Les trolls éclatent.* Mon vieux collègue Rydberg utilisait cette expression quand une piste d'enquête se révélait être un cul-de-sac.

Ils s'étaient arrêtés au bord d'un fossé où la passerelle de fortune s'était effondrée. Wallander dénicha une planche un peu moins pourrie que les autres et la replaça en travers du fossé pour leur permettre de le franchir.

– En réalité, reprit Nordlander, la défense russe n'avait sans doute rien d'invulnérable. Cette conclusion a mûri petit à petit chez ceux qui assemblaient comme un puzzle tous les fragments d'informations qui leur parvenaient via les réseaux d'espions, les avions U2 et les images télévisées ordinaires. La défense russe, à tous ses niveaux, était vétuste ; dans certains domaines, elle s'apparentait carrément à une coquille vide. Bien faite, mais vide. Ça ne veut pas dire que la menace nucléaire n'était pas réelle. Elle existait bel et bien. Mais l'armée soviétique, elle, était aussi pourrie que l'étaient l'économie tout entière, la bureaucratie et les représentants du Parti qui ne croyaient plus en ce qu'ils faisaient. Et cela offrait naturellement beaucoup de sujets de méditation aux chefs militaires, à ceux du Pentagone, à ceux de l'OTAN et même à ceux de la modeste Suède. Quelles conséquences si jamais il devenait de notoriété publique que l'ours russe n'était en définitive, à peu de chose près, qu'un putois belliqueux ?

– La menace de l'apocalypse se serait éloignée, bien sûr.

Sten Nordlander répondit avec une pointe d'impatience :

– Les militaires n'ont jamais été de grands philosophes. Ce sont des gens pragmatiques. Chaque général ou amiral digne de ce nom cache presque toujours aussi un bon ingénieur. L'apocalypse n'était pas leur préoccupation première. Quelle était-elle, d'après toi ?

– Le coût de la défense ?

1. Expression courante pour signifier qu'une illusion tombe, ou qu'une peur infondée s'évanouit. D'après la légende, un troll qui lève les yeux vers le soleil explose instantanément et disparaît.

– Précisément. Pourquoi l'Occident devrait-il continuer sa course à l'armement si son ennemi principal n'existait plus ? On ne se trouve pas facilement un nouvel ennemi de cette envergure. La Chine, et l'Inde dans une certaine mesure, étaient naturellement des candidats en lice. Mais, à cette époque, l'équipement militaire de la Chine était encore à la traîne. La défense chinoise reposait sur le fait qu'elle pouvait aligner à chaque instant donné un nombre apparemment infini de soldats. Mais cela ne justifiait pas que l'Occident continue de mettre au point des armes sophistiquées uniquement conçues dans l'optique de l'épreuve de force avec les Russes. On était donc face à un très grand problème. Il n'était tout simplement pas opportun de divulguer ce qu'on savait. Il fallait s'arranger pour que les trolls n'approchent pas la lumière du soleil.

Ils étaient parvenus à une petite éminence d'où l'on pouvait voir la mer. Wallander et Linda, unissant leurs forces, y avaient transporté l'année précédente un vieux banc qu'elle avait eu pour presque rien à une vente aux enchères. Ils s'y assirent. Wallander rappela Jussi, qui obtempéra à contrecœur.

– Ce dont nous parlons se déroulait à l'époque où la Russie était encore un ennemi tout à fait réel, poursuivit Sten Nordlander. Ce n'était pas que sur les patinoires de hockey que nous autres, Suédois, étions persuadés de ne jamais pouvoir les battre. Nous croyions dur comme fer, comme nous l'avons d'ailleurs toujours fait, que l'ennemi viendrait toujours de l'Est, et que nous devions donc rester très vigilants quant à ce qu'ils fabriquaient dans la Baltique. Et c'est là que la rumeur a commencé à se répandre, à la fin des années 60.

Sten Nordlander regarda autour de lui, comme s'il craignait qu'ils puissent être écoutés. Une moissonneuse-batteuse travaillait à plein régime du côté de la route de Simrishamn. Le bourdonnement lointain de la circulation parvenait par intermittence jusqu'en haut de la colline.

– Nous savions que les Russes avaient leur principale base navale à Leningrad. Ils en avaient aussi d'autres, plus ou moins secrètes, dans les pays baltes et en RDA. Nous n'étions pas les seuls en Suède à dynamiter la roche mère, les Allemands le faisaient déjà au temps de Hitler et les Russes ont continué après que la croix gammée a été remplacée en RDA par l'étoile rouge. La rumeur, donc, s'est répandue qu'il existait un câble de communication posé au fond de la Baltique, unissant Leningrad et les pays baltes, et que ce câble assurait l'essentiel de leurs communications. C'était l'époque où on commençait à trouver plus sûr de poser des câbles sous-marins plutôt que de multiplier les signaux radio haute fréquence, trop faciles à intercepter. Nous ne devons pas oublier que la Suède était très mêlée à tout cela. Un de nos avions de reconnaissance a été abattu au début des années 1950 et plus personne, de nos jours, ne doute du fait qu'il écoutait les Russes.

– Tu dis que ce câble était une rumeur ?

– Les Russes l'auraient déroulé au début des années 60, à l'époque où ils croyaient vraiment pouvoir se mesurer à l'Amérique et même la dépasser. N'oublie pas notre consternation quand le spoutnik s'est mis à tourner dans l'espace et qu'à notre surprise à tous, ce n'étaient pas les Américains qui l'avaient envoyé là-haut. Les Russes avaient de quoi être contents ; il y a eu une période où ils ont presque réussi à rattraper leur retard. Avec le recul, si on est cynique, on pourrait dire que c'est à ce moment-là qu'ils auraient dû frapper s'ils avaient voulu déclencher une guerre. L'apocalypse que tu évoquais tout à l'heure… Quoi qu'il en soit, il y avait un agent double dans les services est-allemands, un général multi-étoilé qui aurait pris goût à la dolce vita à Londres, et qui a dévoilé l'existence du câble à un homologue anglais. Cette information fut ensuite revendue à prix d'or par les Anglais à leurs amis américains, qui étaient toujours à mendier des informations. Le problème, c'était qu'on ne pouvait pas faire entrer les sous-marins américains les plus récents dans le détroit d'Öresund car les Russes les auraient aussitôt repérés. Il fallait donc des méthodes plus discrètes, mini-sous-marins et ainsi de suite. Mais on manquait d'informations précises. Où se trouvait ce câble ? Au milieu de la mer ? Ou bien avait-on choisi le chemin le plus court, en partant du golfe de Finlande, puis tout droit vers les États baltes ? Peut-être les Soviétiques étaient-ils encore plus rusés que ça et l'avaient-ils posé près de l'île suédoise de Gotland, où personne n'aurait imaginé sa présence ? On cherchait donc, avec l'arrière-pensée évidente de l'équiper du petit frère du cylindre d'écoute qu'on avait déjà placé à Kamchatka.

– Tu veux dire que c'est lui qui se trouverait sur la table de ma cuisine ?

– S'il s'agit bien de celui-là. Rien n'empêche qu'il y en ait eu plusieurs.

– C'est tellement étrange, dit Wallander. Aujourd'hui la superpuissance russe n'existe plus. Les États baltes sont à nouveau libres, les Allemands de l'Est réunis à ceux de l'Ouest. Un système d'écoute tel que celui-ci n'aurait-il pas plutôt sa place dans un musée de la guerre froide ?

– Peut-être. Je ne suis pas capable de répondre à ça. Je peux juste te dire ce que tu as en ta possession.

Ils continuèrent leur promenade. Ce fut seulement de retour dans le jardin que Wallander posa la question décisive :

– Où tout cela nous mène-t-il, concernant Håkan et Louise ?

– Je n'en sais rien. Pour moi, ça devient de plus en plus énigmatique. Que comptes-tu faire du cylindre ?

– Je vais prendre contact avec la brigade criminelle de Stockholm. Ce sont eux qui mènent cette enquête. Ce qu'ils décideront de faire ensuite, avec les services et avec l'armée, ne me concerne pas.

À onze heures, Wallander conduisit Sten Nordlander jusqu'à l'aéroport de Sturup. Ils se séparèrent devant le bâtiment jaune du terminal. Wallander proposa une fois de plus de lui rembourser le voyage, mais Sten Nordlander fit non de la tête.

– Je veux savoir ce qui s'est passé. Håkan est mon meilleur ami. Je pense à lui chaque jour. Et à Louise.

Il ramassa son sac et disparut. Wallander rentra chez lui.

Il se sentait à bout de forces en arrivant à Löderup et se demanda s'il était en train de retomber malade. Il décida de prendre une douche.

Son dernier souvenir fut d'avoir eu un peu de mal à tirer le rideau en plastique le long de son rail.

À son réveil, il était dans une chambre d'hôpital. Fixée au dos de sa main, une canule intraveineuse. Linda debout au pied du lit. Il n'avait aucune idée de ce qu'ils faisaient là tous les deux.

– Qu'est-ce qui s'est passé ?

Linda le lui dit, calmement, comme si elle lisait à haute voix un rapport de police. Ses paroles n'évoquèrent rien à Wallander ; elles remplirent simplement un vide d'informations. Elle l'avait appelé vers dix-huit heures, puis à plusieurs reprises jusqu'à vingt-deux heures, en vain. Très inquiète, elle avait alors laissé Klara à Hans, qui était pour une fois à la maison, et pris la route de Löderup. Elle l'avait trouvé évanoui sous la douche. Trempé, gisant sur le carrelage. Elle avait appelé une ambulance. En l'interrogeant, le médecin n'avait pas tardé à comprendre que c'était un choc insulinique : le taux de glycémie, trop bas, l'avait envoyé dans les pommes.

– Je me rappelle que j'avais faim, dit Wallander lentement. Mais je n'ai rien mangé.

– Tu aurais pu mourir.

Il vit qu'elle avait les larmes aux yeux. Si elle ne s'était pas inquiétée, si elle n'avait pas pris sa voiture, il aurait parfaitement pu mourir là, sous la douche. Il eut un long frisson. Il aurait pu finir là, tout nu sur le carrelage.

– Tu fais n'importe quoi, papa. Un jour, ce sera la fois de trop. J'exige que Klara puisse continuer à fréquenter son grand-père pendant au moins quinze ans encore. Ensuite tu feras de ta vie ce que tu voudras.

– Je ne comprends pas comment ça a pu arriver. Ce n'est pas la première fois que mon taux de glycémie était trop bas.

– Ça, tu pourras le dire au médecin. Moi, je te parle d'autre chose. De ta responsabilité. Qui est de survivre.

Il se contenta de hocher la tête. Chaque parole lui coûtait. Une étrange fatigue lui résonnait dans tout le corps, comme si celui-ci était une enveloppe vide.

– Qu'est-ce qu'il y a dans la perfusion ? demanda-t-il.

– Je ne sais pas.

– Combien de temps vais-je rester ici ?

– Aucune idée.

Elle se leva. Il vit soudain sa fatigue à elle, et comprit comme au travers d'un brouillard qu'elle était peut-être auprès de lui depuis très longtemps.

– Rentre chez toi, dit-il. Ça va aller.

– Oui. Ça va aller. Pour cette fois.

Elle se pencha et le regarda au fond des yeux.

– Je te transmets le bonjour de Klara. Elle aussi, elle est contente de savoir que ça va aller.

Wallander se retrouva seul dans la chambre. Il ferma les yeux. Il voulait dormir. Par-dessus tout, il voulait se réveiller avec le sentiment que ce qui s'était produit n'était pas sa faute.

Mais plus tard ce jour-là, il apprit de la bouche de son médecin traitant, le docteur Hansén – bien qu'en congé, il avait pris la peine de venir jusqu'à l'hôpital –, que le temps où il pouvait se contenter d'une surveillance sporadique de son taux de glycémie était révolu. Wallander était son patient depuis près de vingt ans et il savait que les justifications et les excuses n'avaient aucune prise sur ce médecin désespérément non sentimental. Le docteur Hansén répéta plusieurs fois qu'il était libre de jouer les funambules mais que, dans ce cas, la prochaine fois pourrait bien avoir des conséquences qui n'étaient pas encore de son âge.

– J'ai soixante et un ans, protesta Wallander. Je suis vieux.

– Il y a deux générations, oui, on était vieux à soixante ans. Mais plus de nos jours. Le corps vieillit, ça on n'y peut rien. N'empêche que tu as normalement encore quinze à vingt ans à vivre.

– Que va-t-il arriver maintenant ?

– Tu restes ici jusqu'à demain, le temps que mes confrères s'assurent que ton taux de glycémie s'améliore et que tu n'as pas de séquelles. Puis tu pourras rentrer chez toi et continuer à mener ta vie de pécheur.

– Je ne pèche pas, répliqua Wallander, vaguement outré.

Le docteur Hansén était son aîné de quelques années et il avait été marié six fois. Il était de notoriété publique à Ystad que les pensions alimentaires versées à ses ex-femmes l'obligeaient à travailler pendant ses vacances dans des cliniques norvégiennes au fin fond du Finnmark, où personne n'aurait eu l'idée de mettre les pieds à moins d'y être absolument contraint.

– C'est peut-être ça qui te manque ? Un petit péché rafraîchissant ? Une fredaine, une escapade de commissaire en goguette ?

Ce fut seulement après le départ de Hansén qu'il comprit qu'il avait frôlé la mort. Pour de vrai. Un court instant ce fut la panique – une peur de mourir plus forte que jamais auparavant, du moins dans une situation non professionnelle. Mais il y avait la peur du policier et celle de l'être humain. Ce n'était pas la même.

Il se rappela pour la énième fois l'épisode où, très jeune agent en uniforme, il avait été poignardé à Malmö, à un cheveu de la grande ombre définitive. À présent, la mort venait encore de souffler sur sa nuque. Cette fois, c'était lui qui lui avait entrouvert la porte.

Ce soir-là, dans son lit d'hôpital, Wallander prit une série de résolutions – tout en sachant au moment même où il les formulait qu'il ne réussirait sans doute à en tenir aucune. Il s'agissait d'habitudes alimentaires, d'exercice physique, de centres d'intérêt plus diversifiés, d'une lutte renouvelée contre la solitude. Avant tout, il s'agissait de mettre à profit ses vacances, de ne pas travailler, de ne pas continuer à chercher les parents de Hans ; de se mettre réellement en congé, de se reposer, de dormir, de faire de longues promenades sur la plage, et de jouer avec Klara.

Il échafauda un projet. Au cours des cinq années à venir, il parcourrait à pied toute la côte scanienne, de la crête de Hallandsås jusqu'à la frontière du Blekinge. Au moment même où le projet naissait en lui, il douta fort de le mettre un jour en pratique. Mais cela le soulageait de développer une rêverie avant de la laisser peut-être filer et s'estomper discrètement.

Quelques années plus tôt, lors d'un dîner chez Martinsson, il avait eu l'occasion de discuter avec un professeur de lycée à la retraite, qui lui avait raconté avoir fait le célèbre chemin de pèlerinage jusqu'à Saint-Jacques-de-Compostelle. Wallander avait immédiatement pensé qu'il le ferait, lui aussi, en divisant le parcours en plusieurs étapes, sur une période de cinq ans par exemple. Il s'était même mis à s'entraîner en portant un sac à dos rempli de grosses pierres, mais, comme par hasard, il en avait trop fait trop vite et il s'était déclenché une épine calcanéenne au pied gauche. Le pèlerinage avait cessé avant même d'avoir commencé. À présent il était guéri, grâce entre autres à de douloureuses injections de corticoïdes dans le talon. Mais peut-être une suite de randonnées bien préparées le long des plages scaniennes était-elle encore du domaine du possible ?

Le lendemain, il fut autorisé à rentrer chez lui. Il alla chercher Jussi, qui avait été pris en charge une fois de plus par les voisins, et refusa la proposition de Linda de venir lui préparer à dîner. Il sentait qu'il devait affronter sa situation sans l'aide de sa fille. S'il était seul, eh bien, il était seul. Voilà ce qu'il lui répondit. C'était à lui de se débrouiller pour ne pas gâcher au moins ses propres vacances.

Avant de se coucher ce soir-là, il écrivit un long e-mail à Ytterberg. Il ne dit rien de sa maladie, annonça seulement qu'il devait prendre un peu de repos car il était surmené, et qu'il avait l'intention de ne pas s'occuper du tout de Håkan et de Louise von Enke pendant ces jours-là. Il écrivait en conclusion :

Pour la première fois, je mesure mes limites et mon âge. Je ne l'avais encore jamais fait jusqu'à présent. Je n'ai plus quarante ans. Le temps perdu ne reviendra pas. Je dois m'y résigner. Je crois que c'est une illusion que je partage avec beaucoup de monde ; celle de croire qu'on peut, contre toute évidence, se baigner deux fois dans le même fleuve.

Il se relut, appuya sur la touche « envoyer/recevoir » et éteignit ensuite l'ordinateur. Au moment de se coucher, il entendit un roulement de tonnerre au loin.

L'orage approchait, mais pour l'instant la nuit d'été était encore claire.

20

Le lendemain, le front orageux s'était éloigné sans avoir touché Löderup. Wallander se leva à huit heures, plutôt en forme. Il ne faisait pas chaud, mais il décida d'emporter malgré tout son petit déjeuner jusqu'à la table blanche du jardin. Pour fêter le début de ses vacances, il coupa quelques roses et les posa sur la table. Il venait de s'asseoir quand son téléphone sonna. Linda voulait savoir comment il allait.

– J'ai eu droit à mon avertissement. Là, tout de suite, tout va bien. Je garde mon téléphone à portée de main.

– C'est justement ça que je voulais te dire.

– Comment allez-vous ?

– Klara a un rhume d'été. Hans a pris une semaine de congé, incroyable mais vrai.

– De son plein gré ?

– De *mon* plein gré. Il n'ose pas protester, car j'ai posé un ultimatum.

– Ah oui ? Lequel ?

– Le travail ou moi, bien sûr. Klara n'est pas négociable.

Wallander finit son petit déjeuner en pensant que la ressemblance entre Linda et son grand-père paternel était de plus en plus frappante. C'était le même ton de voix pointu, la même attitude ironique et moqueuse. Mais aussi ce penchant irascible qui rôdait en permanence juste sous la surface.

Wallander posa les pieds sur une chaise, se laissa aller, bâilla, ferma les yeux. Ses vacances avaient enfin commencé.

Quand le téléphone sonna de nouveau, il faillit ne pas répondre et écouter plus tard l'éventuel message. Il prit quand même le combiné.

– C'est Ytterberg, je te réveille ?

– Pour ça, il aurait fallu m'appeler plus tôt.

– Nous avons retrouvé Louise von Enke. Elle est morte.

Wallander en eut le souffle coupé. Il se leva avec précaution.

– J'ai tenu à t'appeler tout de suite, poursuivit Ytterberg. Nous pourrons garder le secret encore une heure peut-être, mais d'ici là il va falloir prévenir son fils et ta fille. Il n'y a pas d'autre famille, il me semble, à part le cousin en Angleterre.

– Je peux prévenir Hans et Linda. Et Signe. Et le personnel de Niklasgården.

– Merci. Mais si c'est trop difficile pour toi, ce que je pourrais comprendre, je peux m'en charger.

– Non, non. Donne-moi juste l'essentiel.

– On l'a trouvée par une coïncidence absurde. Hier soir, une femme a disparu d'une maison de retraite sur l'île de Värmdö. Elle n'a pas toute sa tête et elle a l'habitude de partir en balade ; on lui avait mis un bracelet GPS pour la retrouver facilement, mais elle avait réussi à s'en débarrasser. Bref. La police a dû organiser une battue. On a récupéré la vieille dame, tout allait bien de son côté, mais ensuite on s'est aperçu que deux des policiers qui avaient participé à la battue s'étaient égarés. Tu imagines une chose pareille ? Et leurs portables étaient déchargés. Il a donc fallu lancer une nouvelle recherche. On a fini par les retrouver ; mais sur le chemin du retour on a aussi trouvé quelqu'un d'autre.

– Louise…

– Oui. Son corps gisait au bord d'un sentier, à trois kilomètres environ de la route la plus proche. Le chemin dessert une coupe claire. J'en reviens.

– Elle a été tuée ?

– Non. Ça ressemble à un suicide. Pas de traces de violence. Un flacon de somnifères vide à côté d'elle. Si le flacon était plein quand elle les a pris, elle a dû en avaler une centaine. Maintenant il faut attendre le rapport d'autopsie.

– Comment était-elle ?

– Couchée en position fœtale. Jupe et chemisier gris, manteau, mi-bas. Ses chaussures alignées à côté. Et son sac à main contenant ses papiers et ses clés. Un animal était venu la renifler, mais sans plus.

– Tu peux me dire où, exactement, sur Värmdö ?

Ytterberg le lui expliqua.

– Je t'envoie un croquis par e-mail, si tu veux.

– Je veux bien. Aucune trace de Håkan ?

– Rien.

– Pourquoi est-elle allée choisir un endroit pareil ? Une coupe de forêt…

– Je ne sais pas. On ne peut pas dire que ce soit un bel endroit pour mourir, au milieu des feuilles mortes et des souches rabougries… Je t'envoie la carte. Je t'appelle dès qu'il y a du nouveau.

– Comment vont tes vacances ?

– Ce ne sera pas la première fois que mes vacances auront été repoussées.

Le croquis arriva après quelques minutes. Wallander pensa que c'était une expérience qu'il partageait avec tous les policiers qu'il connaissait – le malaise profond au moment d'annoncer à quelqu'un la mort d'un proche. Ça ne pourrait jamais devenir un acte routinier. Quel que soit le moment où elle survenait, la mort dérangeait toujours.

Et là, il s'agissait de la mère du compagnon de sa fille.

En composant le numéro, il vit que sa main tremblait. Ce fut Linda qui décrocha.

– Encore toi ? On s'est parlé à l'instant. Tu es sûr que ça va ?

– Je vais bien. Tu es seule ?

– Hans est en train de changer Klara. Je ne t'ai pas dit que je lui avais fixé un ultimatum ?

– Si. Écoute-moi bien maintenant. Assieds-toi.

À sa voix, elle comprit que c'était grave. Il n'était pas du genre à dramatiser pour rien.

– Je suis assise.

– Louise est morte.

– Quoi ?

– Elle se serait apparemment suicidée. On l'a trouvée cette nuit ou ce matin au bord d'un sentier de forêt sur l'île de Värmdö.

Silence. Puis :

– C'est vraiment vrai… ?

– Je ne peux que te répéter ce que vient de me dire Ytterberg.

– Mais c'est terrible. Et Håkan ?

– Rien. Comment penses-tu que Hans va prendre la nouvelle ?

– Je n'en sais rien. Tu es vraiment sûr et certain ?

– Je ne t'aurais pas appelée si Louise n'avait pas été identifiée.

– Je voulais dire, tu es sûr que c'est un suicide ? Ça ne colle pas. Louise n'est pas comme ça.

– Va parler à Hans. S'il veut me joindre, je suis à la maison. S'il n'a pas le numéro d'Ytterberg, je peux le lui donner.

Wallander allait raccrocher mais Linda le retint.

– Où est-elle allée pendant tout ce temps ? Et pourquoi aurait-elle subitement choisi de se donner la mort ?

– J'en sais aussi peu que toi. On se reparlera plus tard.

Wallander raccrocha et appela ensuite Niklasgården. Artur Källberg était en vacances, tout comme la belle femme de la réception, mais il put parler à une remplaçante. Elle ne savait rien de l'histoire de Signe von Enke, et il eut le sentiment désagréable de parler à un mur. Mais c'était peut-être un avantage dans cette situation.

Il eut à peine le temps de raccrocher que Hans le rappela. Il était bouleversé, en larmes. Wallander répondit patiemment à ses questions et promit de le prévenir dès qu'il aurait du nouveau. Linda prit le combiné.

– Je crois qu'il n'a pas encore bien réalisé, dit-elle à voix basse.

– Moi non plus.

– Qu'avait-elle pris ?

– Des somnifères. Ytterberg ne m'a pas dit lesquels.

– Louise ne prenait jamais de somnifères. Je le sais, elle me l'avait dit elle-même.

– Les femmes qui font une tentative de suicide choisissent en général les médicaments.

– Il y a un autre truc qui me chiffonne.

– Quoi ?

– Tu as bien dit qu'elle avait retiré ses chaussures ?

– D'après Ytterberg, oui.

– N'est-ce pas étrange ? À l'intérieur, j'aurais pu comprendre, mais dehors ? Dans la forêt ?

– Je ne sais pas.

– A-t-il dit de quel genre de chaussures il s'agissait ?

– Non, mais je ne lui ai pas posé la question.

– Tu dois tout nous dire.

– Et pourquoi diable chercherais-je à vous cacher quoi que ce soit ?

– Tu oublies parfois de préciser certains détails. Peut-être par un effet de sollicitude mal placée. Quand les journaux vont-ils apprendre la nouvelle ?

– D'un instant à l'autre. Allume ton téléviseur. Le télétexte a un temps d'avance, en général.

Wallander attendit, téléphone à la main. Elle revint après une minute.

– Ça y est. « Louise von Enke trouvée morte. Pas de trace du mari. »

– À plus tard.

Wallander alluma son propre téléviseur et constata que l'information était jugée importante. Mais si rien de neuf n'intervenait dans les heures à venir, la mort de Louise von Enke serait vite reléguée à l'arrière-plan.

Il essaya de consacrer le reste de cette journée à son jardin : il avait acheté un taille-haie en solde dans un centre de bricolage, mais force lui fut de reconnaître qu'il ne valait rien. Il tailla ses buissons et certains de ses vieux arbres fruitiers en partie desséchés, alors qu'il savait pertinemment qu'il ne fallait pas s'attaquer à eux en plein été. Ses pensées étaient sans cesse auprès de Louise. Il n'avait pas eu le temps d'apprendre à la connaître. Que savait-il d'elle, au fond ? Qui était-elle, cette femme discrète qui écoutait, un fin sourire aux lèvres, les conversations des autres sans jamais y participer ou presque ? Elle avait été professeur d'allemand, peut-être aussi d'autres langues, il ne s'en souvenait pas à l'instant et n'avait guère envie d'aller consulter ses notes.

Autrefois, elle avait donné naissance à une fille. Ils avaient aussitôt appris que celle-ci était lourdement handicapée et qu'elle le resterait. C'était leur première-née. Comment un événement pareil affecte-t-il une jeune mère ? Il tournait dans son jardin avec son misérable taille-haie et ne trouvait pas de réponse. Mais il n'éprouvait pas davantage un chagrin digne de ce nom. On ne pouvait pas plaindre les morts. Ce qu'éprouvait Hans, et Linda avec lui, il pouvait le comprendre. Il y avait aussi Klara, qui ne connaîtrait jamais sa grand-mère paternelle.

Jussi arriva en boitant ; une écharde s'était plantée dans un coussinet. Wallander alla chercher la pince à épiler. Puis il s'assit à la table du jardin, lunettes sur le bout du nez, et retira l'épine. Jussi lui témoigna sa reconnaissance en disparaissant aussitôt, tel un bolide, au fond du fossé le plus proche. Dans le ciel un planeur approchait à faible altitude. Wallander le suivit du regard, en plissant les yeux. La sensation des vacances refusait de se matérialiser en lui. Il ne cessait de voir le corps sans vie de Louise étendu au bord d'un chemin, dans un paysage en friche. Et, à côté d'elle, une paire de chaussures bien alignées.

Il balança le taille-haie au fond de la remise et s'allongea sur la balancelle. Le planeur avait disparu. Des tracteurs travaillaient dans les champs, la rumeur de la route lui parvenait de façon irrégulière. Il se redressa. C'était sans espoir. Il ne profiterait pas de ses vacances tant qu'il n'aurait pas vu l'endroit de ses propres yeux. Il devait une fois de plus retourner à Stockholm.

Wallander prit l'avion le soir même après avoir placé Jussi chez le voisin, qui lui demanda gentiment, mais non sans ironie, s'il n'en avait pas par hasard assez de son chien. Il appela Linda de l'aéroport et lui annonça ce qu'il s'apprêtait à faire. Elle répondit qu'elle n'était pas franchement étonnée.

– Prends autant de photos que tu pourras. Il y a un truc qui ne colle pas dans cette histoire.

– Rien ne colle. C'est bien pour ça que j'y vais.

Son voyage fut gâché par deux enfants qui n'arrêtaient pas de crier dans la rangée de fauteuils derrière la sienne. Il dut se boucher les oreilles quasiment du début à la fin du vol. Arrivé à Stockholm, il prit une chambre dans un petit hôtel près de la gare centrale. Il venait de faire jouer la clé dans la serrure quand une violente averse éclata. Il vit par la fenêtre les passants se hâter le long de la rue ou s'abriter précipitamment. La solitude peut-elle être plus grande que ça ? pensa-t-il. Pluie, chambre d'hôtel, me voici. Soixante ans et un. Si je me retourne, il n'y a personne. Quant à Mona, elle doit être aussi seule que moi. Et sa solitude à elle est pire, vu qu'elle ne peut s'empêcher d'essayer de la noyer avec tout ce qui lui tombe sous la main.

Quand la pluie eut cessé, Wallander retourna à la gare et acheta un plan détaillé de la ville. Puis il réserva pour le lendemain, par téléphone, une voiture de location. Vu que c'était l'été, la demande était forte, et le modèle qu'on lui proposa était beaucoup plus cher que celui qu'il souhaitait. Mais il accepta. Le soir venu, il dîna dans la vieille ville, but du vin rouge et se rappela soudain un autre été, bien des années auparavant, juste après son divorce… Il avait rencontré une femme de Stockholm qui s'appelait Monika et qui était en visite à Ystad chez des amis. Ils s'étaient connus à une soirée dansante – morne, épouvantable – et avaient décidé de se revoir et de dîner ensemble à Stockholm. Ils n'avaient même pas fini les entrées qu'il prenait la mesure du désastre. Ça n'allait pas. Ils n'avaient rien à se dire, rien du tout, les silences entre eux se faisaient de plus en plus longs, et il avait fini par se soûler copieusement. Il adressa un toast silencieux à la mémoire de Monika : Salut à toi, j'espère que ta vie s'est arrangée. Il était un peu gris en quittant le restaurant. Il erra quelque temps dans les ruelles, se retrouva enfin sur le pont de Skeppsbron et regagna ensuite son hôtel. Cette nuit-là, il rêva de nouveau de chevaux qui fonçaient au grand galop droit dans la mer. Au réveil, il chercha son glucomètre et se piqua le bout du doigt : 5,5. C'était ce qu'il fallait. La journée commençait bien.

Une lourde couverture nuageuse recouvrait la région de Stockholm lorsqu'il arriva vers dix heures sur l'île où l'on avait découvert le corps de Louise von Enke. Il pénétra dans la forêt et parvint après un certain temps à la friche déboisée où traînaient encore quelques bandes plastifiées de la police. Le sol était détrempé après la pluie, mais Wallander déchiffra les signes tracés par les collègues afin de marquer l'emplacement du corps.

Immobile, il écouta en retenant son souffle. La première impression était toujours décisive. Il pivota sur lui-même, un lent mouvement circulaire. L'endroit était un repli de terrain entouré de deux côtés par des blocs rocheux. Si elle l'avait choisi pour sa discrétion, elle avait fait le bon choix.

Puis il pensa aux fleurs. Les paroles de Linda, la première fois qu'elle lui avait parlé de sa future belle-mère. Une femme qui adorait les roses, qui rêvait toujours d'un beau jardin, qui avait la main verte… Voilà ce qu'avait dit Linda, il s'en souvenait parfaitement.

Cet endroit était aussi éloigné que possible d'un beau jardin. Était-ce pour cette raison qu'elle l'avait choisi ? Parce que la mort n'est pas belle, parce que la mort n'a rien à voir avec les roses et un jardin amoureusement entretenu ? Il en fit le tour et le considéra sous différents angles. Elle avait dû effectuer la dernière partie du trajet à pied. En venant de l'endroit où il avait lui-même laissé la voiture de location. Mais comment était-elle arrivée jusque-là ? En bus ? En taxi ? Quelqu'un l'y avait-il conduite ?

Il s'approcha d'une ancienne tour de chasse qui se dressait au beau milieu de la coupe. Les marches étaient disjointes, il grimpa avec précaution. Là-haut, il trouva des mégots de cigarette et des canettes de bière vides. Une souris morte dans un coin. Il redescendit et poursuivit son exploration en essayant d'y voir la scène de son propre suicide. Un lieu triste et laid, encombré de vieilles souches, un flacon de somnifères… Il s'immobilisa pendant que lui revenaient les mots d'Ytterberg à propos d'*une centaine de somnifères*. Il n'avait pas mentionné de bouteille d'eau. Pouvait-on avaler autant de cachets sans liquide ? Il revint sur ses pas, marchant dans ses propres traces et à la recherche d'un détail qui lui aurait échappé lors de son premier passage. Il observait le sol mais aussi les pensées qui lui venaient à mesure ; surtout, il tentait d'imaginer celles de Louise. La femme silencieuse qui écoutait toujours avec bienveillance ce que les autres avaient à dire.

Ce fut à cet instant précis que Wallander s'aperçut réellement pour la première fois qu'il se tenait à la périphérie d'un monde dont il ignorait tout. Le monde de Håkan et de Louise von Enke. Ce qu'il vit et ressentit sur le moment, dans la friche, était assez diffus : pas une révélation, plutôt le sentiment de frôler une réalité qu'il n'avait aucun moyen d'appréhender.

Il quitta la forêt et l'île, retourna en ville, laissa la voiture dans Grevgatan et monta à l'appartement. En silence, il parcourut les pièces une à une. Puis il rassembla le courrier éparpillé sur le sol de l'entrée et récupéra dans le lot quelques factures afin de les remettre à Hans. La réexpédition du courrier ne fonctionnait manifestement pas encore. Il examina les autres enveloppes, à la recherche d'un détail insolite, mais rien ne retint son attention. L'appartement manquait d'air. Lui-même avait mal au crâne, sans doute à cause du mauvais vin rouge bu la veille au soir. Il ouvrit prudemment une fenêtre. Puis il alla regarder le répondeur. La lampe rouge clignotait. Il écouta un message d'une certaine Märta Hörnelius demandant si Louise accepterait *de faire partie d'un club littéraire qui démarrerait à l'automne autour de la littérature allemande classique.* C'était tout. Louise von Enke ne fera plus jamais partie d'aucun club, pensa sombrement Wallander.

Il prépara du café à la cuisine, vérifia dans le réfrigérateur qu'il n'y avait pas de restes en train de moisir et se rendit ensuite dans la chambre, où Louise possédait deux vastes penderies. Il n'accorda pas un regard à ses vêtements, se consacra uniquement aux paires de chaussures rangées sur l'étagère du bas. Il les porta dans la cuisine et les aligna sur la table. Quand il eut fini, il compta vingt-deux paires, plus deux paires de bottes en caoutchouc. La table n'avait pas suffi, il avait dû réquisitionner aussi le plan de travail et l'égouttoir. Il chaussa ses lunettes et commença à les examiner méthodiquement une par une. Il nota que Louise avait d'assez grands pieds et n'achetait que des chaussures de marque. Même les bottes en caoutchouc étaient d'une marque italienne qui n'avait sans doute rien de bon marché. Il ignorait ce qu'il cherchait. Mais Linda avait réagi tout comme lui au fait que Louise aurait ôté ses chaussures avant de mourir. Comme si elle voulait donner une impression d'ordre, pensa Wallander. Mais pourquoi ?

Il mit une demi-heure à inspecter sa collection. Puis il appela Linda sur son portable et lui parla de son excursion à Värmdö.

– Combien de paires de chaussures possèdes-tu ? demanda-t-il.

– Je n'en sais rien.

– Louise en a vingt-deux, en plus de celles qui sont au commissariat. C'est peu ou beaucoup ?

– Ça me paraît raisonnable. Louise faisait attention à elle.

– C'est tout ce que je voulais savoir.

– Tu n'as rien d'autre à me dire ?

– Pas pour le moment.

Il raccrocha malgré ses protestations et appela Ytterberg. À sa grande surprise, ce fut une voix d'enfant qui lui répondit.

– Ma petite-fille adore répondre au téléphone, expliqua Ytterberg quand il eut pris le combiné. Je l'ai emmenée au bureau aujourd'hui.

– Je ne vais pas te déranger longtemps. C'est juste une question qui me préoccupe.

– Tu ne me déranges pas. Je te croyais en vacances. J'ai mal compris ?

– Je suis en vacances.

– De notre côté, nous attendons encore le rapport des médecins légistes. C'est quoi, ta question ?

Wallander se rappela soudain son interrogation par rapport à la bouteille d'eau.

– En fait, j'en ai deux. La première est toute simple. Si elle a avalé tant de cachets que ça, elle a bien dû boire un liquide ?

– Il y avait près du corps une bouteille d'eau minérale à moitié vide. Je ne te l'ai pas dit ?

– Si, sûrement. Mais je n'étais peut-être pas assez attentif. C'était quelle marque, Ramlösa ?

– Loka, je crois. C'est important ?

– Pas du tout. Et puis il y a les chaussures. Peux-tu me les décrire ?

– Chaussures de dame marron, petits talons, neuves je crois.

– Est-ce que ça te paraît plausible qu'elle ait eu ces chaussures-là aux pieds pour aller dans la forêt ?

– Ce n'étaient pas précisément des escarpins.

– Mais elles étaient neuves ?

– Oui, c'est l'impression que j'ai eue.

– Alors je crois que c'est tout.

– Je te rappelle dès que j'ai le rapport des légistes. Mais c'est l'été, ils vont moins vite que d'habitude.

– Savez-vous comment elle s'est rendue sur Värmdö ?

– Non, pas encore.

– Bien. Je te remercie.

Wallander resta assis dans l'appartement silencieux à serrer son téléphone portable comme si ç'avait été son dernier bien terrestre. *Marron, petits talons, neuves. Pas précisément des escarpins*. Pensif, il commença à ranger les chaussures à leur place dans les penderies.

Le lendemain de bonne heure, il reprit l'avion pour Ystad. L'après-midi, il rapporta le taille-haie au centre de bricolage en expliquant que, soldés ou pas, il ne fallait pas vendre des outils inutilisables. Il se fâcha, ce qui n'était pas dans ses habitudes, et comme l'un des responsables du magasin l'avait reconnu, on lui en donna un autre, de bien meilleure qualité, sans lui demander de payer le complément.

En rentrant chez lui, il vit qu'Ytterberg avait appelé. Il composa son numéro.

– Tu m'as mis des fourmis dans la tête, dit Ytterberg. Je n'ai pas pu m'empêcher d'aller regarder de nouveau ses chaussures. C'est bien ce que je te disais. Elles sont neuves.

– Ce n'était pas la peine de te déranger pour moi !

– Ce n'est pas pour ça que je te rappelle, répondit Ytterberg sur un ton dégagé. Pendant que j'y étais, j'ai aussi jeté un coup d'œil à son sac à main. Et c'est là que j'ai découvert une sorte de doublure. Comme une poche secrète, tu vois ? Et là, j'ai trouvé quelque chose de très intéressant.

Wallander retenait son souffle.

– Des bobines, poursuivit Ytterberg. Deux bobines de microfilm avec des étiquettes. Rédigées en cyrillique. Je ne sais pas de quoi il s'agit, mais ça a suffi pour que je prenne mon téléphone et que j'appelle nos collègues des services.

Wallander avait du mal à comprendre ce qu'il venait d'entendre.

– Ça voudrait dire qu'elle transportait des documents secrets ?

– On n'en sait rien. Mais un microfilm est un microfilm, un double fond est un double fond. Je voulais juste que tu sois au courant. C'est peut-être mieux de garder ça pour nous jusqu'à nouvel ordre. Le temps de savoir de quoi il retourne. Je te rappelle.

Wallander raccrocha et alla s'asseoir au jardin. La chaleur était revenue. La soirée promettait d'être belle.

Lui, en revanche, commençait à avoir froid.

TROISIÈME PARTIE

Le sommeil de la Belle au bois dormant

TROISIÈME PARTIE

Le sommeil de la Belle au bois dormant

21

Wallander n'avait pas la moindre intention de tenir sa promesse. Bien sûr qu'il en parlerait à Linda et à Hans. Entre le respect de sa famille et celui des services de renseignements, son choix était vite fait. Il leur répéterait, mot pour mot, ce qu'il venait d'apprendre. Il en allait de sa responsabilité vis-à-vis d'eux.

Mais dans un premier temps, après sa conversation avec Ytterberg, il resta longtemps assis. Sa réaction initiale avait été que ça n'allait pas du tout. L'idée était absurde. Louise von Enke, agent russe ? Impensable.

Mais pourquoi Ytterberg lui aurait-il raconté des bobards ? Il avait beau ne l'avoir rencontré que brièvement, son collègue de Stockholm lui inspirait confiance. Il ne lui aurait jamais fait part de cette découverte s'il n'avait été sûr de lui.

Wallander comprit qu'il ne servirait à rien de nier la réalité pour tenter de protéger Louise. Il fallait prendre la confidence d'Ytterberg au sérieux. Quelle que soit l'explication, qui se révélerait tôt ou tard, elle ne mettrait pas en cause son compte rendu mais, plutôt, les conclusions qu'il convenait d'en tirer.

Il se rendit en voiture chez Linda et Hans. Le landau était sous un pommier bien à l'ombre. Quant aux jeunes parents, il les trouva en train de boire leur café sur la balancelle.

Wallander s'assit sur une chaise de jardin et leur raconta ce qu'il venait d'apprendre. Leur incrédulité fut totale. Pendant qu'il leur parlait, il s'était soudain mis à penser à Wennerström. Le colonel arrêté près de cinquante ans auparavant et qui avait vendu les secrets militaires suédois aux Soviétiques sur une très longue période. Associer Louise von Enke à cet homme cupide et plein de sang-froid lui était naturellement impossible.

– Je ne doute pas qu'il y ait une explication raisonnable à la présence de ces documents dans son sac, dit-il.

Linda secoua la tête. Elle regarda Hans, puis son père.

– Tu es vraiment sûr de ce que tu avances ?

– Sinon je ne serais pas venu jusqu'ici pour vous en parler.

– Ne t'énerve pas. On a le droit de s'interroger.

– Je ne m'énerve pas. Mais épargne-moi les questions inutiles.

Wallander et Linda comprirent en même temps qu'une dispute absurde allait éclater et se continrent de justesse. Hans n'avait apparemment rien remarqué.

Wallander se tourna vers lui. Il paraissait consterné.

– Est-ce que cela t'évoque quelque chose ? demanda-t-il prudemment. Tu la connaissais bien mieux que nous...

– Il y a peu de temps, répondit Hans, j'ai appris que j'avais une sœur dont j'avais toujours ignoré l'existence. Et maintenant ça ! J'ai l'impression de voir mes propres parents se transformer peu à peu en étrangers. Tu sais, quand on tient des jumelles dans le mauvais sens ? C'est comme si je les voyais s'éloigner. Alors que ma mère n'est plus là et mon père peut-être non plus...

– Il ne te revient aucun souvenir ? Des paroles échangées ? Des personnes qui seraient venues en visite ?

– La vérité, c'est que j'ai seulement mal au ventre.

Linda prit la main de Hans. Wallander se leva et se dirigea vers le pommier et le landau. Un bourdon tournoyait autour de la moustiquaire. Il la souleva avec précaution et contempla le bébé endormi. La même émotion qu'avec Linda quand elle était petite. La perpétuelle anxiété de Mona, et sa propre joie d'avoir un enfant.

Il revint s'asseoir.

– Elle dort, annonça-t-il.

– Moi, il paraît que je pleurais beaucoup, dit Linda.

– Oui, et c'était moi qui me levais la nuit pour m'occuper de toi.

– Ce n'est pas le souvenir qu'en a Mona.

– Mona ne s'est jamais tellement souciée de la vérité. Elle croit se souvenir de choses qu'elle a oubliées. C'est moi qui te promenais dans mes bras. Certaines nuits, je dormais à peine. Et le matin, je retournais au travail.

– Klara ne nous réveille quasiment jamais.

– Alors vous êtes des gens bénis. Pour parler franchement, tu étais épouvantable, parfois, avec tes pleurs.

– Et c'est toi qui me portais ?

– Parfois je me mettais du coton hydrophile dans les oreilles. Mais c'était bien moi. Tout le reste est mensonge, quoi qu'en dise Mona.

Hans posa sa tasse de café sur la table si fort qu'il en renversa une partie. Il ne paraissait pas avoir suivi leur échange, ou alors celui-ci lui semblait vraiment déplacé et il le leur faisait savoir.

– Où était ma mère pendant tout ce temps ? Et où est mon père ?

– Quelle est la première pensée qui te vient ?

C'était Linda qui l'interrogeait, tournant en un instant toute son attention vers lui. Wallander la regarda, surpris. Intérieurement, il avait formulé la même question. Mais elle avait été la plus rapide.

– Je ne sais pas… Quelque chose me dit que mon père est en vie. C'est curieux. C'est ça qui m'est venu, en apprenant que ma mère était morte.

Wallander prit la suite :

– Pourquoi ? Qu'est-ce qui te le fait penser ?

– Je ne sais pas.

Wallander n'était pas surpris. Il n'avait pas imaginé que Hans puisse avoir grand-chose à dire sur le moment. Et il avait aussi compris qu'il existait une grande distance entre les membres de la famille von Enke.

Il songea soudain que c'était là, malgré tout, un point de départ. Que savaient l'un de l'autre les époux von Enke ? Avaient-ils eu autant de secrets l'un vis-à-vis de l'autre qu'ils en avaient eu ensemble vis-à-vis de leur fils ? Ou était-ce l'inverse ? Louise et Håkan avaient-ils été très proches, au contraire ?

Impossible d'avancer pour le moment. Hans se leva et disparut vers la maison.

– Il doit appeler Copenhague, dit Linda. On venait de le décider quand tu es arrivé.

– Décider quoi ?

– Qu'il resterait à la maison aujourd'hui.

– Cet homme-là ne prend donc jamais de congés ?

– Il y a beaucoup d'inquiétude, beaucoup de turbulences – et là je parle à l'échelle mondiale. Hans est soucieux. C'est pour ça qu'il travaille sans arrêt.

– Avec des Islandais ?

Elle le fusilla du regard.

– Tu essaies de faire de l'ironie ? N'oublie pas que tu parles du père de ma fille.

– Quand il m'a fait visiter les locaux de son entreprise, il y avait des Islandais. Je me le suis rappelé. En quoi serait-ce de l'ironie ?

Linda agita la main comme pour clore la discussion. Hans revint s'asseoir sur la balancelle. Ils parlèrent un moment de l'enterrement de Louise. Wallander put seulement leur dire que le corps leur serait restitué après l'autopsie.

– C'est étrange, dit Hans. Hier j'ai reçu une grande enveloppe contenant des photographies de la fête des soixante-quinze ans de mon père. Quelqu'un les a prises et a eu l'idée de me les envoyer seulement maintenant. Il y en a au moins une centaine.

– Tu veux qu'on les regarde ? demanda Linda.

– Non, pas tout de suite.

Il paraissait très abattu.

– Je les ai rangées avec les listes d'invités et d'autres papiers relatifs à la fête. La copie de toutes les factures, entre autres…

Wallander, plongé dans ses pensées, n'avait que vaguement suivi leur échange. Soudain il se ranima.

– J'ai bien entendu ? Tu as parlé de listes d'invités ?

– La fête a été organisée avec le plus grand soin. Mon père n'est pas militaire pour rien. Il a coché le nom de ceux qui étaient venus, ceux qui s'étaient décommandés et ceux qui avaient enfreint toutes les règles de la politesse en ne se donnant même pas la peine de justifier leur absence.

– Comment se fait-il que ces listes soient en ta possession ?

– Mes parents ne connaissent pas grand-chose aux ordinateurs. Je les ai aidés à tout imprimer. Et mon père m'a chargé d'intégrer au fichier informatique tous les commentaires qu'il avait faits sur les listes papier, Dieu sait pourquoi. Mais voilà, je n'en ai pas eu l'occasion.

Wallander réfléchit en se mordant la lèvre. Puis il se leva.

– J'aimerais bien voir ces listes. Et les photos aussi. Je peux les rapporter chez moi si vous avez d'autres projets.

– On n'a pas « d'autres projets » quand on a un bébé. Tu avais oublié ce détail ? Elle ne va pas tarder à se réveiller. Et alors, c'en sera fini de cette paix céleste. D'ailleurs, il vaut mieux que tu rentres. Je crois que ce sera plus calme comme ça.

Hans alla dans la maison et revint avec quelques chemises plastifiées et l'enveloppe de photos. Linda raccompagna Wallander jusqu'à sa voiture. Ils entendirent le tonnerre gronder au loin. Il allait ouvrir la portière quand elle posa la main sur son épaule.

– Est-ce qu'ils ont pu se tromper ? Est-ce que ça peut être un meurtre ?

– Rien ne l'indique. Ytterberg est quelqu'un d'expérimenté. Il aurait réagi.

– Redis-moi comment elle était quand ils l'ont trouvée.

– Les chaussures près du corps, bien rangées. Elle était sur le côté, en position fœtale. Ses vêtements n'avaient pas été salis ou dérangés, ce qui indique a priori qu'elle s'est couchée là d'elle-même.

– Mais les chaussures…

– Il y a une vieille expression qu'on n'entend plus guère de nos jours. Quand quelqu'un meurt, on dit qu'il a « rangé ses chaussures »… Ça ne t'évoque rien ?

Linda eut un geste d'impatience.

– Comment était-elle habillée ?

Wallander essaya de se rappeler ce qu'avait dit Ytterberg.

– Jupe et chemisier gris, manteau, mi-bas…

Linda l'interrompit :

– Je n'ai jamais vu Louise porter de mi-bas. C'était soit des collants, soit rien.

– Tu es sûre ?

– À cent pour cent. Des chaussettes norvégiennes, oui, quand elle faisait du ski à l'occasion. Mais des mi-bas ? Jamais.

Qu'est-ce que cela pouvait signifier ? Wallander ne doutait pas de la vérité de ce que venait de dire Linda. Son sens de l'observation était rarement pris en défaut.

– Je communiquerai ta remarque aux collègues de Stockholm.

Elle s'écarta pour le laisser monter en voiture et referma doucement la portière.

– Louise n'était pas femme à se suicider, dit-elle quand il eut baissé sa vitre.

– Pourtant il semblerait bien qu'elle l'ait fait.

Linda secoua la tête sans un mot. Wallander comprit qu'elle lui signifiait quelque chose. À charge pour lui de l'interpréter ; il n'était pas nécessaire d'en parler dans l'immédiat. Il mit le contact et démarra. Parvenu à l'embranchement de la grand-route, il choisit soudain l'autre direction et, laissant Ystad derrière lui, suivit la côte vers Trelleborg. Il avait besoin de bouger. Sur l'aire de stationnement de Mossby Strand, il vit plusieurs mobile homes parmi les caravanes ordinaires. Il descendit sur la plage. Chaque fois qu'il venait à cet endroit, il retrouvait la sensation que ce bout de littoral, qui n'avait pourtant rien de remarquable, qui n'était même pas vraiment beau, était l'un des centres de sa vie. C'était là qu'il se promenait avec Linda du temps où elle était petite, là qu'il avait essayé de se réconcilier avec Mona quand elle lui avait annoncé son intention de divorcer, là que Linda lui avait appris, près de dix ans plus tôt, son admission à l'école de police de Stockholm. Surtout, c'était là qu'elle lui avait dit qu'elle portait Klara dans son ventre.

C'était aussi à cet endroit qu'un canot pneumatique s'était échoué vingt ans auparavant avec à son bord les corps de deux hommes anonymes, qu'on avait mis longtemps à identifier comme étant des citoyens lettons. Il se rappelait l'endroit avec précision ; il voyait encore ses collègues rassemblés autour du canot pneumatique rouge, le vent froid qui leur cinglait le visage, et Nyberg serrant les dents, essayant de comprendre ce qui avait pu arriver à ces deux hommes. Ils avaient été torturés et abattus – ce n'était pas une mort par noyade.

Wallander se mit en marche le long du rivage, déterminé à chasser la raideur de ses membres après tout ce temps passé assis sur une chaise ou dans un fauteuil. Il repensait aux paroles de Linda. Mais les gens se suicident, se dit-il à lui-même. Que nous y croyions ou pas, que cela nous surprenne ou non. Je pourrais lui citer plusieurs cas d'individus dont je n'aurais jamais imaginé qu'ils puissent attenter à leurs jours ; pourtant, le moment venu, ils l'ont fait sans hésiter. Dans la plupart des cas, après avoir soigneusement prémédité leur geste. Combien de pendus n'avons-nous pas détachés de leur corde, mes collègues et moi, combien de fois n'avons-nous pas rassemblé les restes après un coup de fusil en pleine figure ? Je pourrais compter sur les doigts d'une main les proches à qui on a annoncé la nouvelle et qui nous ont dit qu'ils n'étaient PAS surpris.

Wallander revint rompu de sa promenade. Il s'installa derrière le volant, ouvrit la grande enveloppe de papier kraft et regarda les photos en s'arrêtant au hasard sur telle ou telle. Il lui semblait reconnaître de nombreux visages ; d'autres en revanche ne lui évoquaient rien du tout. Il les rangea de nouveau dans leur enveloppe et rentra chez lui. Si ce matériau devait être utile à quoi que ce soit, il devrait s'y prendre méticuleusement. Pas à la sauvette dans sa voiture.

Le soir venu, il s'assit à la table de la cuisine. C'est par là que je dois commencer, pensa-t-il. Par les images d'une grande réception en l'honneur d'un homme qui célèbre son anniversaire en présence de sa femme et de son fils. Il examina lentement les photos, l'une après l'autre. Dans la mesure où les tables étaient presque toujours visibles à l'arrière-plan, il était possible d'évaluer à quel moment elles avaient été prises – avant, pendant ou après le repas. Cent quatre photos en tout, dont un grand nombre étaient floues. Sur soixante-quatre d'entre elles on reconnaissait soit Håkan, soit Louise, et, sur douze d'entre elles, ils figuraient l'un et l'autre. Sur deux, ils se regardaient ; elle un sourire aux lèvres, lui avec une expression grave. Wallander aligna ces dernières photos en les regroupant selon le moment où il pensait qu'elles avaient été prises. Il fut frappé par le grand sérieux de Håkan von Enke sur toutes, sans exception. Est-ce juste la mine habituelle d'un officier pas très marrant ? Ou bien cette gravité reflète-t-elle le souci dont il ne va pas tarder à me faire part ? Difficile à dire, mais il me semble quand même qu'il est déjà inquiet sur ces photos.

Contrairement à son mari, Louise souriait tout le temps. Il ne trouva qu'une exception. Mais sur la photo où elle ne souriait pas, il était clair qu'elle n'avait pas non plus conscience de la présence du photographe. Une seule photo où elle était sincère ? Ou une coïncidence ? Il passa à d'autres photographies rassemblant, celles-ci, plusieurs invités. Des personnes d'un certain âge, à l'air généralement bienveillant ; une impression d'aisance financière. On ne peut pas dire que ce soient des pauvres qui sont venus fêter Håkan von Enke. Ils ont les moyens de paraître satisfaits.

Wallander cessa de grommeler intérieurement, rangea les photos et passa aux deux listes d'invités. Il compta cent deux noms en tout, rangés par ordre alphabétique. Parmi eux, beaucoup de couples mariés.

Le téléphone sonna pendant qu'il examinait la première liste. C'était Linda.

– Je suis curieuse, dit-elle. Tu as trouvé quelque chose ?

– Rien que je ne sache déjà. Louise sourit, Håkan non. Il ne sourit donc jamais ?

– Pas très souvent. Mais le sourire de Louise n'était pas un masque. Elle était réellement ouverte aux autres. Je crois en revanche qu'elle était assez forte, de son côté, pour repérer les faux-semblants.

– Je viens juste de commencer à parcourir les listes. Cent deux noms, presque tous inconnus de moi. Alvén, Alm, Appelgren, Berntsius…

– Lui, je m'en souviens, coupa Linda. Sten Berntsius, officier de marine. J'ai assisté à un dîner désagréable, chez Håkan et Louise, où il était venu avec sa femme, une petite créature effarouchée qui passait son temps à piquer des fards, à ne rien dire et à boire trop de vin. Mais le mari, ce fameux Berntsius, était effroyable.

– Comment ?

– Sa haine vis-à-vis de Palme.

Wallander fronça les sourcils.

– Depuis combien de temps connais-tu Hans ?

– Depuis 2006.

– Si je ne m'abuse, en 2006, le meurtre de Palme remontait à vingt ans déjà.

– La haine a la vie dure.

– Tu ne veux tout de même pas me dire que tu as assisté à un dîner où les invités disaient du mal d'un Premier ministre assassiné il y a plus de vingt ans ?

– Si. Sten Berntsius a commencé à déblatérer en expliquant que Palme avait été un agent soviétique, un cryptocommuniste, un traître à la patrie et je ne sais quoi encore.

– Comment ont réagi Louise et Håkan ?

– Je crois malheureusement que Håkan, au moins, était d'accord. Louise ne disait pas grand-chose. Elle essayait d'arrondir les angles mais tu penses bien que ça a créé une ambiance désagréable.

Wallander essaya de réfléchir. Pour lui, Olof Palme symbolisait avant tout l'un des échecs les plus tragiques de l'histoire de la police suédoise. En tant qu'homme politique, à vrai dire, il se souvenait à peine de lui. Un type à la voix tranchante et au sourire pas toujours très aimable – c'était à peu près tout. Il ne savait même pas si les souvenirs qu'il en gardait correspondaient à la réalité. S'il y avait un domaine dont il se désintéressait complètement, en ce temps-là, c'était bien la politique. Lui était pleinement occupé à tenter de mettre de l'ordre dans sa vie et à gérer sa mule de père par-dessus le marché.

– Palme était Premier ministre à l'époque où les sous-marins faisaient du cabotage dans nos eaux territoriales, dit-il. Est-ce cela qui a amené la conversation sur lui ?

– Non. Si je me souviens bien, il s'agissait surtout du marasme de l'armée suédoise, dont le déclin aurait commencé de son temps. Si la Suède n'était plus en état de se défendre, c'était à cause de lui, et ainsi de suite. D'après Berntsius, c'est une grave erreur de croire que la Russie restera toujours aussi pacifique qu'elle l'est aujourd'hui.

– Comment définirais-tu les opinions politiques du couple von Enke ?

– Ils étaient conservateurs, l'un et l'autre – pour employer un euphémisme. Mais Louise essayait de donner l'impression qu'elle méprisait tout ce qui avait trait à la politique. Or ce n'était pas vrai.

– Elle portait donc un masque, malgré tout ?

– Peut-être. Rappelle-moi si tu découvres quelque chose.

Wallander sortit nourrir son chien. Il lui trouva mauvaise mine, l'air morne, fatigué, le poil terne. Était-ce vrai, ce qu'on disait, que les chiens et leurs maîtres finissent par se ressembler ? Dans ce cas, la vieillesse avait déjà bien planté ses crocs en lui. Y était-il déjà ? Tout près du stade ultime, celui du petit vieux dont les forces s'amenuisent chaque jour un peu plus ? Il rejeta ces noires pensées et retourna à l'intérieur. Mais, au moment de se rasseoir dans la cuisine, il comprit que ça ne rimait à rien. Comment ces listes d'invités ou ces photographies pourraient-elles éclairer la disparition de Håkan von Enke et la mort de Louise ? C'était absurde. Quelle que soit la réalité, il fallait s'y prendre autrement. Ce n'était pas une aiguille qu'il cherchait mais déjà, pour commencer, une botte de foin.

Wallander rassembla ce qui était éparpillé sur la table et emporta les chemises et l'enveloppe dans l'entrée. Il les rendrait à Hans le lendemain et ensuite il essaierait de ne plus penser à tout ça. En temps et en heure, il ferait le voyage avec Hans et Linda jusqu'à l'église de Kristberg, dans la province de l'Östergötland, avec vue sur le lac Boren. La famille von Enke y avait un caveau familial où serait descendu le cercueil de Louise. Hans lui avait raconté que ses parents avaient rédigé un testament commun où ils déclaraient ne pas vouloir être incinérés. Wallander s'assit dans son fauteuil de lecture et ferma les yeux. Et lui ? Qu'est-ce qu'il voulait ? Il n'avait pas de caveau familial évidemment ; pas même une concession au cimetière. Les cendres de sa mère avaient été dispersées dans un jardin du souvenir à Malmö. Son père, lui, était enterré dans l'un des cimetières d'Ystad. Wallander ignorait quels étaient dans ce domaine les désirs de sa sœur Kristina, qui vivait à Stockholm.

Il s'endormit dans son fauteuil et se réveilla en sursaut. Guetta les bruits qui lui parvenaient de la nuit d'été au-dehors. C'était le chien qui l'avait tiré du sommeil. Il se leva péniblement. Sa chemise était trempée, il avait dû rêver. Jussi n'avait pas l'habitude d'aboyer sans raison. Il se mit en marche et s'aperçut qu'il avait les jambes raides. Il les secoua pour activer la circulation ; puis il prêta de nouveau l'oreille. Jussi s'était tu, mais dès que Wallander apparut sur le seuil de la maison il se mit à sauter contre le grillage. Wallander regarda autour de lui. Peut-être un renard en maraude. Il traversa la cour. L'herbe embaumait. Pas de vent. Silence. Il gratta Jussi derrière l'oreille. Qu'est-ce qui t'a fait réagir ? lui demanda-t-il à voix basse. Une bestiole ? À moins que les chiens n'aient eux aussi des cauchemars... Il s'avança jusqu'au fossé et scruta les champs, yeux plissés. Partout des ombres, et vers l'est une faible lueur annonçant l'aube. Il regarda sa montre. Deux heures moins le quart. Il avait dormi près de quatre heures. Il frissonna dans sa chemise humide, retourna à l'intérieur et se mit au lit. Mais le sommeil refusa de se présenter. Il prononça une phrase à haute voix : *Kurt Wallander est couché dans son lit et il pense à la mort.* C'était la pure vérité. Il y pensait. Mais chez lui, ça n'avait rien de rare. Depuis ce jour où le coup de couteau était passé à un pauvre centimètre de son cœur, la mort l'avait toujours accompagné. Il la voyait chaque matin dans le miroir. Mais à présent, dans son lit, incapable de dormir, il la sentait brusquement très proche.

Il avait soixante ans passés, un diabète, un léger surpoids, il ne s'occupait pas suffisamment de sa santé, ne faisait pas assez d'exercice, buvait trop, ne respectait pas les horaires des repas. Régulièrement, il s'obligeait à observer une discipline qui ne tardait pas à s'effriter. Là, dans la grisaille d'avant l'aube, au fond de son lit, ce fut la panique. Il n'avait plus de marge de manœuvre. Il n'avait plus le choix. Soit il modifiait ses habitudes de façon radicale ; soit il allait mourir prématurément. Dans le premier cas, il pouvait au moins prétendre à atteindre soixante-dix ans ; dans l'autre, il devait se résoudre à ce que la mort le cueille à tout moment. Klara n'aurait alors plus de grand-père maternel – elle qui venait déjà d'être privée de sa grand-mère, voire de son grand-père paternels.

Il resta éveillé jusqu'à quatre heures du matin. La peur montait et refluait en alternance. Quand il s'endormit enfin, ce fut le cœur lourd de chagrin à la pensée qu'une si grande partie de sa vie était finie sans recours possible.

Il venait de se réveiller, peu après sept heures, avec la sensation de n'avoir presque pas dormi, quand le téléphone sonna. Il faillit ne pas décrocher. Sans doute Linda qui voulait satisfaire sa curiosité. Elle pouvait attendre. S'il ne décrochait pas, elle comprendrait qu'il dormait encore. Mais, à la quatrième sonnerie, il sauta au bas du lit et, bravant la migraine, s'empara du combiné. Il reconnut la voix fraîche et énergique d'Ytterberg.

– Je te réveille ?

– Presque, dit Wallander. J'essaie d'être en vacances, mais je n'y arrive pas très bien.

– Je vais être bref. Tu devines sans doute ce que je tiens à la main. Le rapport préliminaire du légiste, le docteur Anahit Indoyan. J'ai dû bosser pour découvrir que c'était une femme.

– Quel nom étrange.

– Tout ce pays se remplit de noms étranges, dit sombrement Ytterberg. Je ne dis pas ça avec des arrière-pensées négatives. C'est plutôt comme une mauvaise habitude entêtée qu'il faut sans arrêt combattre. Celle de croire que le monde entier s'appelle Andersson.

– Tu oublies Wallander et Ytterberg. On ne doit pas être plus de quelques milliers à porter ces noms-là.

– Anahit Indoyan, reprit Ytterberg. D'après les informations que j'ai réussi à me procurer, par pure curiosité personnelle soit dit en passant, elle est arménienne. Et elle écrit un suédois impeccable. Elle a donc analysé les substances chimiques retrouvées dans le corps de Louise von Enke. Elle nous signale un détail qu'elle estime étrange.

Wallander était tout ouïe. Il l'entendit feuilleter un document.

– Il s'agit d'une préparation que l'on pourrait qualifier, en simplifiant, de somnifère, reprit Ytterberg. Elle en a identifié la plupart des composants. Mais il y en a certains qu'elle ne reconnaît pas. Elle ne peut pas nous dire de quelles substances il s'agit. Elle va persévérer. À la fin de son rapport, elle s'autorise une observation très intéressante. Elle croit trouver des ressemblances entre cette préparation et certaines autres qui avaient cours du temps de la RDA.

– Quoi ?

– Tu n'es peut-être pas bien réveillé, tout compte fait.

Wallander ne voyait pas le rapport.

– L'Allemagne de l'Est, dit Ytterberg. Le miracle sportif, si tu t'en souviens. Tous ces nageurs, ces nageuses, ces athlètes extraordinaires qui nous venaient de là-bas. Aujourd'hui on sait qu'ils étaient exposés à un bombardement chimique sans équivalent. Un troupeau de monstres dopés à mort, voilà ce qu'ils étaient en réalité. Et tout marchait ensemble : les laboratoires de la Stasi et ceux de l'administration sportive avaient partie liée. Ils collaboraient, ils partageaient les fruits de leurs expériences. Voilà pourquoi notre Anahit se permet ce rapprochement avec l'ex-RDA.

– Qui n'existe plus depuis vingt ans.

– Pas tout à fait, dit Ytterberg. Le mur de Berlin est tombé en 1989. Je m'en souviens parce que c'est l'automne où je me suis remarié.

Wallander essayait de réfléchir.

– C'est étrange, dit-il enfin.

– Je pensais bien que ça t'intéresserait. Tu veux que je t'envoie une copie du rapport au commissariat ?

– Je suis en vacances. Mais je passerai le chercher.

– Je te tiens au courant. Là, tout de suite, je vais faire un tour en forêt avec ma femme.

Wallander reposa le combiné. Ce que venait de lui dire Ytterberg lui avait donné une idée.

Peu après huit heures, il était de nouveau au volant de sa voiture, direction le nord-ouest, mais son objectif, cette fois, ne dépassait pas les limites de la Scanie. C'était, près de Höör, une petite maison qui avait sûrement connu des jours meilleurs dans un passé très lointain.

22

Au passage, Wallander récupéra le rapport à l'accueil du commissariat. À la sortie de la ville, sur la route de Höör, il fit ensuite ce qu'il s'autorisait rarement : il prit une auto-stoppeuse. C'était une femme d'une trentaine d'années qui avait de longs cheveux bruns et un petit sac à dos sur l'épaule. Il ignorait pourquoi il s'était arrêté ; peut-être par curiosité. Au fil des ans, les auto-stoppeurs avaient peu à peu disparu des bords des routes et des abords des villes. Les cars et les avions *low cost* avaient rendu cette manière de voyager obsolète.

Pour sa part, il avait voyagé en stop deux fois dans sa jeunesse, à dix-sept ans, puis à dix-huit, malgré l'opposition de son père qui réprouvait ce genre d'aventure. Les deux fois, il avait réussi à aller jusqu'à Paris et à rentrer ensuite. Les moments d'attente désespérante sous la pluie, le sac à dos beaucoup trop lourd et les conducteurs qui l'ennuyaient avec leurs bavardages, tout cela s'attardait dans sa mémoire. Mais, plus que tout, il se souvenait de deux instants. Le premier : il se trouvait sur la route de Gand, en Belgique, il pleuvait, il n'avait plus d'argent et il devait rentrer en Suède. Une voiture s'était arrêtée et l'avait emmené contre toute attente jusqu'à Helsingborg. Ce sentiment de bonheur, de pouvoir revenir en Suède ainsi d'un seul trait, il ne l'avait jamais oublié. Son autre souvenir était belge, lui aussi. Un samedi soir, en route vers Paris cette fois, il s'était retrouvé coincé dans une bourgade loin des grands axes. Il s'était payé une soupe dans un restaurant bon marché avant de partir à la recherche d'un viaduc sous lequel il pourrait dormir. Soudain, tandis qu'il marchait, il avait aperçu un homme au pied d'un monument, une trompette à la main. Pendant que lui-même passait son chemin, l'homme avait levé son instrument et sonné une retraite mélancolique. Il avait compris que c'était à la mémoire des morts des deux grandes guerres. L'instant l'avait touché, il l'avait gardé dans sa mémoire.

Celle qu'il prit en stop ce matin-là paraissait sortie d'une autre époque, elle aussi. Elle courut pour rattraper la voiture et monta à l'avant, apparemment satisfaite d'être conduite jusqu'à Höör ; elle lui dit qu'elle allait dans le Småland. Elle dégageait une forte odeur de parfum et paraissait épuisée. Sa jupe, quelle tirait fréquemment pour couvrir ses genoux, était parsemée de taches provenant, pensa-t-il, d'un liquide quelconque. Déjà, au moment de freiner, il avait regretté son geste. Pourquoi prendre à bord une parfaite inconnue ? De quoi allaient-ils parler ? Mais elle garda le silence. Il fit de même. Une sonnerie résonna dans le sac à dos. Elle sortit son portable, lut ce qui s'inscrivait à l'écran, mais ne répondit pas.

– Ils gênent, dit Wallander en désignant l'appareil d'un geste. Ces téléphones.

– On n'est pas obligé de répondre si on n'en a pas envie.

Elle avait un accent scanien très prononcé. Il la devina originaire de Malmö et d'une famille ouvrière. Il essaya d'imaginer son métier, sa vie. Elle ne portait pas d'alliance. Un rapide coup d'œil à ses mains lui révéla aussi qu'elle se rongeait les ongles. Wallander renonça à l'idée qu'elle puisse être, par exemple, aide-soignante ou coiffeuse. Pas davantage serveuse. Quoi qu'il en soit, elle paraissait inquiète. Elle se mordait la lèvre inférieure, la mâchonnait presque.

– Ça fait longtemps que tu attends ?

– Un quart d'heure. J'ai dû descendre de la voiture d'avant. Le conducteur devenait trop insistant.

Elle parlait d'une voix posée, absente ; elle n'avait pas envie de discuter. Wallander résolut de ne plus l'importuner. Elle descendrait à Höör et ils ne se reverraient plus, voilà. Il joua en pensée avec différents prénoms et opta enfin pour Carola. Carola, surgie de nulle part et qu'il regarderait une dernière fois s'éloigner dans son rétroviseur.

Il lui demanda où elle voulait être déposée.

– Quelque part où il y a un café. J'ai faim.

Il s'arrêta devant un restoroute. Elle lui sourit, un sourire timide, le remercia et disparut. Wallander passa la marche arrière, manœuvra.

Soudain il y eut un blanc. Il ne savait plus où il allait. Il était à Höör, il venait de déposer une auto-stoppeuse. Mais que faisait-il là ? Panique. Il s'efforça de se calmer. Ferma les yeux. Attendit que tout redevienne normal.

Il s'écoula plus d'une minute avant qu'il ne recouvre la mémoire. D'où venaient ces absences qui l'assaillaient à l'improviste sans qu'il puisse s'en défendre ? Qu'est-ce qui coupait ainsi le courant dans sa tête ? Pourquoi les médecins n'étaient-ils pas capables de lui dire ce qu'il avait ?

Il poursuivit son voyage. Cela faisait cinq ou six ans qu'il n'avait pas rendu visite à cet homme, pourtant il se rappelait parfaitement l'itinéraire. Celui-ci serpentait à travers un petit bois, passait devant une suite de prairies où paissaient des chevaux islandais, et disparaissait ensuite au fond d'une combe où apparut, conformément à son attente, la maison de briques rouges aussi mal entretenue que dans son souvenir. Le seul changement décelable était une boîte aux lettres flambant neuve montée à côté de la grille ouverte, devant laquelle on avait également aménagé une aire de manœuvre sans doute destinée au camion-poubelles et à la voiture de la Poste. Le nom *EBER* était tracé à la main en grandes lettres rouges à même la boîte. Wallander coupa le moteur mais resta assis. Il se rappelait fort bien sa première rencontre avec Hermann Eber. C'était dans le cadre d'une affaire de police, plus de vingt ans auparavant, 1985 ou 1986. Eber était entré illégalement en Suède. Il venait de RDA. Il demandait l'asile politique. Il avait d'ailleurs fini par l'obtenir. Wallander était celui qui l'avait interrogé la première fois, le soir où il s'était présenté au commissariat d'Ystad en expliquant qu'il venait de fuir son pays. Il se rappelait encore leur conversation tâtonnante en anglais, et sa propre méfiance pendant que Hermann Eber lui racontait qu'il était un officier de la Stasi – la police politique de RDA, avait-il explicité – et qu'il craignait pour sa vie s'il n'obtenait pas l'asile. Ensuite il n'avait plus eu affaire à lui. Mais par la suite, une fois l'asile accordé, Eber était venu au commissariat de sa propre initiative et avait demandé à voir Wallander. Il avait appris à parler suédois en un temps record et il venait à présent le remercier, lui expliqua-t-il après avoir été reçu dans son bureau. Me remercier de quoi ? avait voulu savoir Wallander. Eber lui avait alors dit sa surprise, lors de leur première rencontre, qu'un policier puisse se montrer aussi courtois avec le représentant d'un pays ennemi. Peu à peu, il avait compris que la propagande malveillante diffusée par la RDA n'avait pas d'équivalent dans les pays cibles. Il éprouvait le besoin, dit-il, de remercier quelqu'un, à titre symbolique. Et son choix était tombé sur Wallander. Suite à cette visite, ils avaient commencé à se fréquenter avec prudence. Il était apparu en effet que la grande passion de Hermann Eber était l'opéra italien. Le jour de la chute du Mur, Eber était chez Wallander, dans Mariagatan, les larmes aux yeux, à regarder l'Histoire se dérouler en direct à la télévision. Durant leurs longues conversations, Eber lui avait un peu raconté sa vie, par bribes. Sa défiance de plus en plus profonde vis-à-vis du système politique est-allemand, alors qu'il en était au départ un défenseur passionné. Sa haine de lui-même, qui avait grandi peu à peu. Il avait été l'un de ceux qui écoutaient, traquaient et persécutaient leurs concitoyens. Il avait été un privilégié du système ; il avait même eu l'honneur, lors d'un grand banquet, de serrer la main d'Erich Honecker. Longtemps fier de cette poignée de main avec le grand chef, il aurait préféré ensuite qu'elle n'ait jamais eu lieu. Pour finir, son dégoût de ses propres activités et son sentiment croissant que la RDA était condamnée ne lui avaient guère laissé d'autre issue que la fuite. S'il avait choisi la Suède, c'était parce que ce pays lui paraissait le plus facile d'accès : il suffisait de prendre une fausse identité et de monter à bord d'un des ferries à destination de Trelleborg.

Eber vivait encore dans l'effroi que son passé ne le rattrape. La RDA n'existait plus, mais ses victimes, oui. Il redoutait une possible vengeance. Rien jamais ne pourrait le guérir de cette peur. Avec les années, Eber était devenu de plus en plus farouche, et leurs rencontres de plus en plus sporadiques, jusqu'à cesser tout à fait.

Leur dernière entrevue remontait au jour où Wallander avait appris par la rumeur qu'Eber était malade. Un dimanche après-midi, il s'était donc rendu à Höör s'assurer par lui-même que tout allait bien. Eber n'avait pas changé. Un peu amaigri, peut-être. Il avait une dizaine d'années de moins que Wallander, mais il paraissait vieillir plus vite. Sur le chemin du retour, il avait beaucoup médité sur le destin de Hermann Eber et sur cette visite ratée, où ils étaient restés muets l'un en face de l'autre.

La porte de la maison de briques s'était entrouverte. Wallander sortit de sa voiture.

– C'est moi ! cria-t-il. Juste ton vieil ami d'Ystad.

Hermann Eber apparut sur le perron. Il portait un survêtement hors d'âge – Wallander soupçonnait que c'était l'un des rares vêtements qu'il avait emportés lors de sa fuite. La cour était encombrée d'un invraisemblable bric-à-brac. Il se demanda fugitivement si Eber avait entouré sa maison de pièges.

En approchant, il le vit cligner des yeux comme s'il n'avait pas vu la lumière depuis longtemps.

– C'est toi, dit Eber. Combien de temps ça fait depuis la dernière fois ?

– Des années. Est-ce qu'on t'a dit que j'avais déménagé à la campagne ?

Hermann Eber fit non de la tête. Il était devenu presque chauve. Son regard errant confirma à Wallander que sa vieille peur ne l'avait pas quitté.

Eber indiqua une table de jardin à moitié pourrie. Wallander comprit qu'il ne voulait pas le laisser entrer. Hermann Eber n'était pas homme à s'occuper du ménage, mais jusque-là il ne lui avait jamais refusé l'accès de sa maison. Peut-être les choses sont-elles allées trop loin, pensa Wallander. Peut-être vit-il au milieu des détritus ? Il s'assit prudemment sur la chaise qui paraissait la moins branlante. Eber, lui, s'adossa au mur. Possédait-il encore cette acuité d'esprit qui le singularisait autrefois ? C'était un homme intelligent, même si le genre de vie qu'il menait pouvait porter à penser le contraire. Plus d'une fois, il l'avait surpris en arrivant à l'un de leurs rendez-vous hirsute et sale au point de sentir carrément mauvais. Il s'accoutrait de façon étrange ; il pouvait se présenter en vêtements d'été alors qu'on était en plein hiver. Mais cette apparence déroutante dissimulait un cerveau exceptionnellement lucide, ainsi que Wallander avait très vite pu le constater. Son analyse percutante de ce qu'était la RDA lui avait ainsi permis d'entrevoir un système social et une vision du politique dont il n'avait pas eu jusque-là la moindre idée.

Hermann Eber s'était toujours montré réticent quand on l'interrogeait sur son travail au sein de la Stasi. C'était encore un sujet difficile pour lui ; une douleur dont il n'avait pu se libérer. Mais, en lui témoignant une grande patience, Wallander avait parfois réussi à le faire parler malgré tout. Eber lui avait ainsi révélé un jour, en toute simplicité, avoir servi un certain temps dans l'une des sections secrètes dont l'unique activité était de tuer les gens. C'est pourquoi Wallander avait aussitôt pensé à lui quand Ytterberg lui avait parlé du rapport médico-légal.

Eber s'assit à son tour. Wallander nota qu'il ne sentait pas mauvais aujourd'hui. Au milieu de la cour encombrée, il y avait une pataugeoire remplie d'eau ; à côté, sur une petite table, une serviette, du savon, des limes à ongles et autres objets. Sans aucun doute Eber utilisait la pataugeoire pour se laver.

Quand il était apparu sur les marches du perron, il tenait à la main une feuille de papier. Des crayons munis de gomme dépassaient derrière ses oreilles. Depuis qu'il était en Suède, Eber gagnait sa vie en inventant des grilles de mots croisés pour divers journaux allemands. C'était sa spécialité : les mots croisés très difficiles, destinés aux amateurs les plus exigeants. D'après lui, créer une grille de mots croisés était un art en soi. Il ne s'agissait pas d'assembler des mots séparés par le plus petit nombre possible de cases noires, non, il devait y avoir *autre chose*, un thème subtil, par exemple des associations entre différents personnages historiques.

Wallander indiqua les papiers qu'Eber tenait toujours à la main.

– Tu t'en sors ?

– C'est la plus difficile que j'aie jamais faite. Une grille dont la clé est à chercher du côté de la philosophie classique.

– Le but, c'est quand même que les gens arrivent à les remplir, non ?

Hermann Eber ne répondit pas. Wallander devina que l'homme assis devant lui dans son survêtement taché nourrissait le rêve secret d'inventer une grille de mots croisés que nul ne saurait résoudre. Un instant, il se demanda si la peur n'avait pas malgré tout fini par le rendre fou. À moins que ce ne soit le fait de vivre dans ce trou où les hauteurs avoisinantes pouvaient sûrement être perçues comme des murs qui se rapprochaient.

Hermann Eber restait pour lui un inconnu.

– J'ai besoin de ton aide, dit-il en posant sur la table le rapport médico-légal.

Puis il lui raconta avec calme et méthode tout ce qui s'était produit.

Hermann Eber chaussa une paire de lunettes sales. Il parcourut le rapport pendant quelques minutes, puis se leva et disparut dans la maison. Un quart d'heure plus tard, il n'était toujours pas revenu. Wallander se demanda s'il était parti se coucher ou s'il était en train de se faire à manger en oubliant son visiteur assis sur la chaise de jardin branlante. Il continua d'attendre. L'impatience devenait désagréable. Il résolut de lui laisser encore cinq minutes.

Hermann Eber réapparut au même instant. À la main il tenait quelques documents jaunis et, sous le bras, un gros livre.

– Ce que tu vois là appartient à une autre vie. J'ai été obligé de chercher.

– Mais, apparemment, tu as trouvé…

– Tu as bien fait de venir me voir. Je suis sans doute le seul à pouvoir te fournir ces informations. En même temps, tu comprendras que ça réveille beaucoup de mauvais souvenirs. J'ai commencé à pleurer pendant que je cherchais. Tu comprends ?

Wallander fit non de la tête. Il pensait qu'Eber exagérait. Son visage ne portait aucune trace de larmes.

– Je reconnais ce dont parle ce médecin, poursuivit Eber. Ça me tire d'un sommeil dont j'aurais préféré continuer à profiter tout le restant de ma vie. Le contraire de la Belle au bois dormant…

– Alors tu sais de quoi il s'agit ?

– Sans doute, oui. Les préparations chimiques auxquelles fait allusion le rapport sont celles que j'utilisais autrefois.

Il se tut. Il n'aimait pas être brusqué. Un jour, sous l'influence de quelques verres de whisky, il lui avait avoué que cela tenait au pouvoir qu'il exerçait dans le temps en tant qu'officier supérieur de la Stasi. Personne n'aurait osé le contredire ou l'interrompre à l'époque.

Eber serrait le gros livre entre ses mains comme s'il s'agissait d'un texte sacré. Il parut hésiter. Wallander attendit prudemment. Un merle vint se percher au bord de la pataugeoire. Eber fit aussitôt claquer son livre contre la table. Le merle s'envola précipitamment. Wallander se rappela qu'Eber souffrait d'une énigmatique phobie des oiseaux.

– Quelles étaient ces préparations ? risqua-t-il.

– Je m'en servais il y a mille ans. Je croyais qu'elles avaient disparu de ma vie. Et te voilà, par un beau jour d'été, qui viens me rappeler ce dont je voudrais ne pas me souvenir.

– Quoi donc ?

Hermann Eber soupira en grattant son crâne chauve. Wallander le savait : il s'agissait maintenant de ne pas lâcher prise. Autrement, Eber disparaîtrait dans l'une des innombrables entrées de son terrier, où il était capable de se perdre en d'interminables monologues sur les grilles de mots croisés.

– De quoi ne veux-tu pas te souvenir ?

Hermann Eber commença à se balancer sur sa chaise. Wallander faillit perdre patience.

– On ne s'occupe pas de savoir qui est mort, dit-il d'une voix tranchante. Je te demande si tu es en mesure d'identifier ces substances, un point c'est tout.

– J'y ai déjà eu affaire.

– Ça ne me suffit pas. Sois plus précis ! N'oublie pas ce que tu m'avais promis. Que tu me rendrais service le jour où j'en aurais besoin.

– Je n'ai rien oublié.

Eber secoua la tête. Wallander vit que la situation le tourmentait.

– Prends ton temps, dit-il. J'ai besoin de ton éclairage, de tes réflexions. Mais je ne suis pas pressé. Si tu veux, je peux revenir tout à l'heure.

– Non, non, reste ! Il me faut juste un moment pour m'habituer. C'est comme si on m'obligeait à rouvrir un tunnel que j'aurais bouché avec mes mains, tu comprends ?

Wallander se leva.

– Je vais faire un tour. Je vais voir les petits chevaux islandais.

– Une demi-heure. Merci. Il ne m'en faut pas plus.

Hermann Eber essuya la sueur qui coulait sur son front. Wallander remonta à pied le chemin par lequel il était arrivé, jusqu'au pré. Les chevaux vinrent lui renifler les mains. Une image de Linda à douze ans surgit dans sa tête. Elle était rentrée de l'école en déclarant qu'elle voulait un cheval. C'était au cours de la période la plus difficile de son mariage, celle qui avait poussé Mona à demander le divorce. Wallander avait aussitôt pensé à son ami Sten Widén, l'entraîneur de chevaux de course. Dans sa vaste écurie, il y avait toujours eu quelques chevaux de selle, et il autoriserait sûrement Linda à s'occuper de l'un d'eux. Mais Mona avait refusé. Scène. À la fin, Linda s'était enfermée dans sa chambre. Il n'avait que de vagues souvenirs de ce qui s'était passé ensuite. Mais elle n'avait jamais plus parlé de chevaux.

Au bout d'une demi-heure, Wallander revint vers la maison. Le vent s'était levé et de gros nuages approchaient par le sud. En ouvrant le portail défoncé, Wallander aperçut Eber immobile sur sa chaise. Un nouveau livre avait rejoint le premier : un agenda à la reliure marron. Eber se mit à parler dès que Wallander se fut assis. Quand il était bouleversé, sa voix devenait aiguë, presque perçante. Wallander s'était plusieurs fois imaginé non sans malaise ce que cela pouvait être de se faire interroger par Hermann Eber du temps où celui-ci était encore convaincu que la RDA était le paradis sur terre.

– Igor Kirov, commença Eber. Également connu en tant que « Boris » – c'était son alias, son nom d'artiste. Citoyen russe chargé d'assurer la liaison entre nous et l'une des sections spéciales du KGB à Moscou. Il est arrivé à Berlin-Est quelques mois avant la construction du Mur. Je l'ai rencontré personnellement à plusieurs reprises, mais je n'avais pas affaire à lui dans le travail. La rumeur ne laissait cependant aucune place au doute : « Boris » était un homme qui connaissait son affaire. Il ne tolérait pas la moindre irrégularité ni la moindre négligence. Ça n'a pas traîné : en quelques mois, plusieurs hauts fonctionnaires de la Stasi ont été mutés ou dégradés. Il était l'étoile russe montante, en quelque sorte : le cerveau redouté du KGB à Berlin-Est. Il lui fallut à peine six mois pour démanteler l'un des meilleurs réseaux travaillant pour la Grande-Bretagne. Trois ou quatre agents furent exécutés après un procès sommaire à huis clos. En temps normal, on les aurait échangés contre des agents soviétiques ou est-allemands emprisonnés à Londres. Mais « Boris » était allé voir Ulbricht en exigeant leur tête. Il voulait envoyer un avertissement à la fois aux Occidentaux et à ceux des nôtres qui, d'aventure, auraient envisagé une carrière d'agent double. Bref, « Boris » n'était pas là depuis un an que son nom était déjà une légende. On disait de lui qu'il vivait frugalement ; nul ne savait s'il était marié, s'il avait des enfants, s'il buvait ni même s'il jouait aux échecs. La seule chose qu'on pouvait affirmer avec certitude, c'est qu'il possédait une faculté extraordinaire pour rendre de plus en plus efficace la coopération entre la Stasi et le KGB. À la fin de l'histoire, on est donc restés bouche bée et bras ballants. Toute la RDA aurait été bouche bée et bras ballants si la nouvelle avait été rendue publique. Ce qui ne fut jamais le cas.

– Que s'est-il passé ?

– Rien. Un beau jour, il n'était plus là, c'est tout. Un magicien qui se serait recouvert la tête d'un foulard et abracadabra ! Parti en fumée. Mais personne n'a applaudi. Le grand héros avait vendu son âme aux Anglais. Et aux Américains aussi, bien sûr. Comment il a fait pour leur cacher qu'il était personnellement responsable de l'exécution des agents britanniques, je l'ignore. Peut-être ne l'a-t-il même pas caché, d'ailleurs. Les services ne peuvent fonctionner qu'avec une grande dose de cynisme. Sa trahison représentait une humiliation retentissante, à la fois pour le KGB et pour la Stasi. Beaucoup de têtes ont roulé à cette occasion ; Ulbricht est parti pour Moscou et il en est revenu l'oreille basse, même si on ne pouvait pas lui reprocher personnellement de ne pas avoir réussi à démasquer « Boris ». Cette fois-là, il s'en est fallu d'un cheveu que Markus Wolf, le grand chef de la Stasi, ne tombe en disgrâce. Et ç'aurait sans doute été le cas s'il n'avait pas proféré – et fait exécuter dans la foulée – un ordre qui nous ramène à la raison de ta présence ici aujourd'hui. Un ordre qui fut aussitôt assorti de la plus haute priorité.

Wallander devinait la suite.

– « Boris » devait mourir ?

– C'est bien ça. Mais pas seulement : il fallait aussi donner l'impression qu'il avait été pris de remords. « Boris » allait donc laisser une lettre où il décrirait sa trahison, la qualifierait lui-même d'impardonnable et chanterait pour conclure la gloire de l'Union soviétique et de la RDA. Ensuite il se coucherait pour mourir. Avec une bonne dose de mépris de lui-même et une dose égale de nos somnifères spéciaux.

– Et alors ?

– Je travaillais à cette époque dans un laboratoire des environs de Berlin – pas très éloigné, curieusement, du lac de Wannsee, où les nazis avaient décidé autrefois comment résoudre une fois pour toutes la « question juive ». Soudain, au labo, nous avons vu arriver un nouveau collègue.

Hermann Eber s'interrompit et indiqua l'agenda à la reliure marron.

– J'ai vu que tu l'avais remarqué en revenant tout à l'heure. J'ai dû faire des recherches pour retrouver son nom. Ma mémoire me trahit, ce qui n'est pas le cas en général. Et toi ? Comment ça va, de ce côté-là ?

– Bien, éluda Wallander. Continue.

Il crut sentir que Hermann Eber avait parfaitement perçu sa réticence. La sensibilité aux accents de la voix et à tout ce que celle-ci pouvait dissimuler ou plutôt trahir devait être très développée chez ceux que la moindre erreur d'appréciation, la moindre bourde, pouvait conduire devant un peloton d'exécution.

– Klaus Dietmar, dit Eber. Il arrivait tout droit de chez les nageuses. Ça, je le sais avec certitude, même s'il n'a jamais été leur entraîneur officiel. Il était de ceux qui ont imaginé et réalisé le miracle sportif est-allemand. Un petit homme maigre, qui se déplaçait sans bruit et qui avait des mains de fille. Certains innocents, entre guillemets, pouvaient avoir l'impression qu'il s'excusait d'exister. Mais c'était un communiste fanatique qui adressait, j'en suis sûr, une prière à Walter Ulbricht tous les soirs avant d'éteindre sa lampe de chevet. Il est arrivé au labo pour prendre la direction de notre équipe, dont la mission était de mettre au point une préparation qui tuerait Igor Kirov sans laisser d'autres traces que celles d'un somnifère ordinaire.

Hermann Eber se leva et disparut de nouveau vers les profondeurs de sa maison. Wallander ne put résister à la tentation et en profita pour aller jeter un coup d'œil par la fenêtre du mur pignon. Il avait deviné juste. La pièce n'était qu'un chaos sans nom. Pêle-mêle journaux, vêtements, assiettes sales et détritus remplissaient chaque surface et interstice disponibles. Un sentier piétiné se devinait au milieu des immondices. Wallander eut la sensation que la puanteur traversait la vitre. Il se rassit sur sa chaise. Le soleil avait disparu derrière un nuage. Eber revint, rajusta son pantalon de survêtement et reprit sa place en se grattant le menton comme si celui-ci le démangeait terriblement. Wallander eut le temps de penser que pour rien au monde il n'aurait voulu échanger sa place avec cet homme. En cet instant, il éprouvait une infinie reconnaissance d'être celui qu'il était.

– Ça a pris à peu près deux ans, dit Hermann Eber en regardant ses ongles sales. Bon nombre d'entre nous estimaient qu'on consacrait beaucoup trop de moyens au cas d'Igor Kirov. Mais c'était une question de prestige. Il avait prêté serment dans l'église communiste et on n'allait pas l'autoriser à mourir dans le péché. Il ne nous a pas fallu très longtemps pour mettre au point une préparation proche, par sa composition, de certains somnifères qu'on pouvait trouver à cette époque en Angleterre. Le problème était de déjouer le dispositif de sécurité qui entourait Kirov jour et nuit. Et, plus difficile encore : de déjouer sa propre vigilance. Il savait ce qu'il avait fait, et il savait que les chiens étaient sur sa piste.

Hermann Eber fut pris d'une quinte de toux. Le bruit était impressionnant. Wallander attendit. Le vent soufflait, froid, sur sa nuque.

– Tout agent sait que le plus important est de changer sans cesse ses habitudes, reprit Eber quand il eut fini de tousser. Kirov en a omis une, et cette erreur lui a coûté la vie. Le lundi, sur le coup de quinze heures, il se rendait à un pub de Notting Hill pour regarder le foot à la télé en buvant un thé russe. Il arrivait à quatorze heures cinquante et s'en allait après la fin du match. Nos *escaladeurs de façade*, capables de pénétrer à peu près n'importe où et qui le surveillaient depuis un moment déjà, ont vite repéré le maillon faible : les deux serveuses du pub, parfois remplacées par des intérimaires, que nous pouvions à notre tour remplacer par les nôtres. L'exécution a eu lieu un samedi de décembre 1972. Les fausses serveuses lui ont apporté son thé empoisonné. Dans le rapport que j'ai lu, il était précisé que le dernier match vu par Kirov opposait Birmingham à Leicester. Score : 1-1. Il retourna chez lui et mourut une heure plus tard, dans son lit. Les services britanniques, au moins au début, n'ont pas douté qu'il s'agissait d'un suicide ; la lettre portait ses empreintes, c'était son écriture, et tout cela paraissait assez convaincant. On a pu entendre un énorme hourra du côté de nos services. Igor Kirov avait été rattrapé par son destin.

Hermann Eber se leva. Puis il parut changer d'avis, se rassit et commença à l'interroger sur la femme qui était morte. Wallander répondit de son mieux. Mais son impatience grandissait ; il ne voulait pas rester là à répondre aux questions d'Eber. Celui-ci parut saisir son irritation et se tut. Wallander reprit la main.

– Tu penses donc qu'elle aurait succombé au même mélange toxique qui a tué autrefois Igor Kirov ?

– Il semble bien que oui.

– Autrement dit, elle aurait été assassinée ?

– Si le rapport dit vrai, c'est possible.

Wallander secouait la tête, incrédule. Ça ne pouvait pas coller.

– La RDA n'existe plus, la Stasi non plus. Toi-même, tu es ici en Suède à imaginer des grilles de mots croisés.

– Les services existent toujours. Ils changent de nom, mais ils sont très actifs. Ceux qui croient qu'on espionne moins de nos jours n'ont rien compris. Et n'oublie pas que plusieurs des vieux maîtres sont encore en activité.

– Quels maîtres ?

Hermann Eber parut presque vexé.

– Quoi que nous ayons fait et quoi qu'on puisse dire de nous, nous étions des spécialistes. Nous connaissions notre affaire.

– Et pourquoi Louise von Enke aurait-elle été exposée à une chose pareille ?

– Ça, je ne peux évidemment pas te le dire.

– Mais tu es sûr de toi ?

– Aussi sûr que je peux l'être, d'après les informations que tu m'as fournies.

Wallander se sentait soudain à la fois fatigué, impatient et inquiet. Il se leva et serra la main d'Eber.

– Je reviendrai sûrement, dit-il en guise d'au revoir.

– C'est ce que j'avais cru comprendre. Dans notre monde, on se revoit aux moments les plus étranges.

Wallander reprit sa voiture et rentra chez lui. Juste avant le rond-point signalant la sortie vers Ystad, la pluie se mit à tomber. Il pleuvait à verse quand il ouvrit sa portière et courut jusqu'à sa maison pendant que Jussi aboyait dans le chenil. Wallander s'assit dans la cuisine et regarda la pluie tambouriner contre les vitres. L'eau dégoulinait de ses cheveux.

Il ne doutait pas que Hermann Eber lui eût dit la vérité. Louise von Enke ne s'était pas suicidée. C'était un meurtre.

23

Wallander sortit du réfrigérateur un morceau de viande posé sur une assiette et la moitié d'un chou-fleur. Quand le repas fut prêt, il s'attabla avec le journal du soir qu'il avait acheté sur le chemin du retour en pensant qu'il avait toujours éprouvé une satisfaction profonde à manger en paix en feuilletant le journal. Mais, cette fois, il eut à peine le temps de l'ouvrir qu'une photographie lui sauta littéralement au visage, sous un gros titre dramatique. C'était bien le visage de la jeune femme qu'il avait prise en stop le matin même. Avec un effarement croissant il lut que, la veille, cette jeune femme avait tué ses parents dans l'appartement familial de Södra Förstadsgatan, dans le centre de Malmö, et qu'elle était depuis lors en cavale. La police ne présentait aucune hypothèse quant au mobile. Mais il n'y avait pas de doute. C'était bien elle – elle ne s'appelait d'ailleurs pas du tout Carola, mais Anna-Lena. Un policier, dont Wallander croyait reconnaître le nom, décrivait ce double meurtre comme un cas de violence sans précédent, une rage qui avait tout emporté, un bain de sang dans le petit appartement où vivait la famille. La jeune femme était donc en fuite, on avait lancé un avis de recherche national. Wallander repoussa le journal et son assiette, essaya une fois encore de se persuader qu'il avait mal vu. Ce ne pouvait être elle. Puis il attrapa son téléphone et composa le numéro du domicile de Martinsson.

– Viens, dit-il. Chez moi, maintenant, tout de suite.

– Je prends un bain avec mes petits-enfants, dit Martinsson. Ça ne peut pas attendre ?

– Non. Ça ne peut pas attendre.

Trente minutes plus tard exactement, la voiture de Martinsson apparut au bout du chemin. Wallander se tenait devant la grille. La pluie avait cessé, les nuages s'étaient dispersés. Jussi, qu'il avait laissé sortir du chenil, se mit à sauter autour de Martinsson ; contre toute attente, Wallander réussit à obtenir de lui qu'il se couche.

– Tu as fini par te faire obéir, observa Martinsson.

– Il faut le dire vite. Viens, on va à la cuisine.

Ils s'installèrent. Wallander lui montra la photo dans le journal.

– J'ai pris cette fille en stop jusqu'à Höör il y a quelques heures à peine. Elle m'a dit qu'elle continuait vers le Småland ; ce n'est sûrement pas vrai, mais bon. Avec des photos comme ça dans les journaux, elle a peut-être déjà été identifiée. Sinon, il faut concentrer les recherches à partir de Höör.

Martinsson fixait Wallander d'un regard incrédule.

– Je suis certain qu'on a parlé de ça, l'an dernier. On a dit qu'on ne prenait jamais d'auto-stoppeurs, ni toi, ni moi.

– J'ai fait une exception ce matin.

– Sur la route de Höör ?

– J'ai un ami là-bas.

– À Höör ?

– Tu ne sais peut-être pas tout de moi. Pourquoi n'aurais-je pas un ami à Höör ? N'as-tu pas un ami aux Nouvelles-Hébrides ? Tout ce que je dis est vrai.

Martinsson acquiesça en silence et tira un carnet de sa poche. Son stylo-bille ne fonctionnait pas. Wallander lui en donna un autre et déplia un torchon sur son assiette, où s'étaient posées quelques mouches. Martinsson commença à noter – la tenue vestimentaire de la fille, ses paroles, l'horaire exact. Il avait déjà son téléphone à la main quand Wallander le retint.

– Tu diras que c'était un informateur anonyme, d'accord ?

– Plutôt qu'un policier bien connu d'Ystad qui a jugé bon d'aider une meurtrière en cavale ? J'y avais pensé, figure-toi.

– Je ne savais pas qu'elle était en cavale.

– Mais tu sais aussi bien que moi ce qu'écriront les journaux si par malheur la vérité sortait. Ça fera une info juteuse, c'est sûr, en plein désert estival en plus. Ils ne feront qu'une bouchée de toi...

Wallander écouta Martinsson parler au collègue et terminer en disant :

– C'était un coup de fil anonyme. Je ne sais pas comment le type s'est procuré mon numéro privé, mais il paraissait crédible et il n'avait pas bu.

Il raccrocha. Wallander n'était pas content.

– C'était vraiment nécessaire d'ajouter ça ? Tu en connais beaucoup, toi, qui ne sont pas sobres à l'heure du déjeuner ?

– Quand on la retrouvera, elle racontera qu'elle a été prise en stop par un inconnu. Elle ne sait pas que c'était toi, et personne d'autre non plus.

Wallander se rappela soudain une autre réplique de l'auto-stoppeuse.

– Elle m'a dit qu'elle avait été embarquée avant moi par un conducteur qui l'avait importunée. J'avais oublié de te le dire.

Martinsson regarda de nouveau la photo dans le journal.

– Meurtrière ou pas, elle est plutôt jolie. Tu n'as pas dit qu'elle portait une jupe jaune, courte ?

– Elle était *très* jolie, dit Wallander. À part qu'elle avait les ongles rongés. Moi, il n'y a rien qui me refroidit autant.

Martinsson le regarda avec un sourire amusé.

– Ça ne nous arrive plus jamais, dis donc. De parler des femmes qui croisent notre chemin. Dans le temps, on le faisait souvent.

Wallander lui proposa un café, mais Martinsson refusa. Après avoir suivi sa voiture des yeux en agitant la main, Wallander retourna à son repas interrompu. Ce n'était pas bon, mais il fut rassasié. Puis il fit une longue promenade avec Jussi, tailla une haie à l'arrière de la maison avec son nouvel outil et ajouta un clou à sa boîte aux lettres qui pendait de guingois. Il ne cessait de penser à ce que lui avait raconté Hermann Eber. Il fut tenté d'appeler Ytterberg, mais résolut en définitive d'attendre le lendemain. Il avait besoin de réfléchir. Un suicide se transformait en assassinat, d'une manière qu'il ne comprenait pas du tout. Il était de nouveau rongé par la sensation qu'il aurait *omis de voir* quelque chose. Et pas seulement lui : tous ceux qui étaient impliqués dans l'enquête à un titre ou à un autre. Impossible de mettre le doigt dessus. C'était juste la vieille intuition, dont la fiabilité lui paraissait de plus en plus douteuse.

Vers dix-sept heures, Wallander tomba brutalement malade. En moins d'une demi-heure, il fut la proie d'une forte fièvre accompagnée de vomissements. Il soupçonna la viande, qu'il n'avait pas fait griller assez longtemps et qui était restée un certain temps la veille dans son coffre de voiture surchauffé. Il s'allongea sur le canapé devant la télé et se mit à zapper d'une chaîne à l'autre avec des interruptions précipitées pour se rendre aux toilettes. Quand le téléphone sonna vers vingt et une heures, il sortait juste d'une nouvelle crise. Il prit le combiné. C'était Linda, qui s'inquiéta tout d'abord, mais se calma en réalisant que le diabète n'y était pour rien.

– Ça ira sûrement mieux demain. Bois du thé.

– Je ne peux pas. Je ne garde rien.

– Bois de l'eau, alors.

– Et je fais quoi, à ton avis ?

– Tu manges trop peu de légumes.

– Quel rapport ?

– Je passerai te voir demain. Tu deviens geignard, exactement comme grand-père.

Wallander se recroquevilla une fois de plus sur le canapé, se releva presque aussitôt pour retourner vomir, dormit une heure et crut que ça allait mieux avant de courir de nouveau aux toilettes. Il continua de zapper faiblement, sans trouver la force de s'intéresser à quoi que ce soit. Pour finir, il s'arrêta sur une chaîne qui montrait de la boxe asiatique. Un petit Thaïlandais d'apparence fluette fit tomber un énorme Hollandais d'un coup de pied à la tête parfaitement ajusté. Wallander crut sentir la douleur dans son propre crâne. Vers minuit il s'endormit ; il se réveilla en sursaut après avoir rêvé de Hermann Eber et de Louise von Enke. Il était cinq heures du matin. Son estomac allait mieux ; mais il était épuisé et avait la migraine. Il se prépara un thé qu'il put, cette fois, absorber. Par la fenêtre, il voyait Jussi, immobile, patte levée, à l'affût. Il avait dû apercevoir du mouvement dans un champ, mais Wallander, lui, ne pouvait voir l'objet de sa fascination. Peut-être une biche aventurée hors des bois à la faveur du matin ? Ce qu'il avait sous les yeux ressemblait à une scène que son père aurait pu transformer en un thème répété à l'infini. *Chien en arrêt à l'aube*. Au lieu de cela il avait choisi un paysage de forêt auquel il ajoutait de temps à autre, avec une précision monotone, un coq de bruyère.

Wallander repensa à son rêve. Il se trouvait dans la maison-poubelle d'Eber. Louise, perchée sur une échelle, accrochait des rideaux jaunes. Il lui demandait où elle s'était tenue cachée pendant toutes ces semaines d'absence. Louise tombait alors de l'échelle, morte sur le coup. Hermann Eber arrivait parmi les détritus, vêtu d'un uniforme militaire allemand, il était très jeune et sa bouche n'était qu'un trou édenté. Il disait quelques mots que Wallander ne comprenait pas. C'était là qu'il s'était réveillé, avec son sentiment d'inquiétude et d'impuissance. Ce n'était plus son estomac qui le tourmentait, mais Louise. Une modification introduite par la mort de Louise. Jusque-là, il avait tenu pour acquis que le personnage principal était Håkan. Mais si c'était Louise ? C'est par là que je dois commencer, pensa-t-il. Je vais tout reprendre en changeant la perspective. S'il voulait avoir une chance de réfléchir clairement il devait cependant se reposer d'abord, au moins quelques heures. Il se déshabilla et se glissa dans son lit. Une araignée rampait au plafond, le long d'une poutre. Il sombra dans le sommeil.

Vers huit heures, il venait de prendre un petit déjeuner léger quand il aperçut par la fenêtre la voiture de Linda. Elle freina à côté de la boîte aux lettres. Elle avait Klara avec elle et entra dans la maison en lui criant de ne pas s'approcher à moins d'un mètre pour ne pas les contaminer. Wallander s'irrita du fait qu'elle soit venue si tôt. Pour une fois qu'il était de congé, il voulait profiter de son début de matinée en paix.

Ils s'assirent au jardin.

– Comment ça va ?

– Beaucoup mieux.

– Qu'est-ce que je te disais ?

– Oui, parlons-en, de ce que tu disais. Que je mangeais trop peu de légumes. Tu ne sais rien de ce que je mange, alors tais-toi.

Linda soupira et ne prit même pas la peine de répondre. Wallander s'aperçut soudain qu'elle avait des mèches bleues dans les cheveux.

– C'est quoi, ce bleu ?

– Je trouve ça beau.

– Et Hans ?

– Hans aussi.

– Permets-moi d'en douter. Pourquoi ne peut-il pas s'occuper de la petite si tu as tellement peur de mes microbes ?

– Il était obligé de travailler aujourd'hui.

Il vit une ombre passer sur son visage.

– Qu'est-ce qui le tracasse ?

– Des mouvements dans le secteur global.

– Je ne comprends même pas de quoi tu parles. *Des mouvements dans le secteur global*, et puis quoi encore ? Je croyais qu'il s'occupait de transactions boursières.

– C'est bien ça. Produits dérivés, options, *hedge funds*.

Wallander leva les mains.

– Je n'ai pas besoin d'en savoir plus puisque je n'y comprends rien de toute manière.

Il alla chercher un verre d'eau. Klara gigotait dans l'herbe, ravie.

– Comment va Mona ? demanda-t-il en revenant.

– Elle ne répond plus au téléphone. Et quand je sonne chez elle en sachant qu'elle est là, elle ne m'ouvre pas.

– Autrement dit, elle boit ?

– Je ne sais pas. Là, tout de suite, je n'ai pas la force de m'occuper d'un deuxième enfant. Celle-ci me suffit.

Un avion qui s'apprêtait à atterrir à Sturup passa à basse altitude. Quand le bruit se fut éloigné, Wallander lui parla de sa visite chez Hermann Eber. Il lui restitua leur conversation, et les réflexions qu'elle avait suscitées. Il inclinait à présent à croire que Louise avait été assassinée. L'énigme s'approfondissait. De quelle manière cette femme silencieuse avait-elle pu être liée à l'ancienne RDA ? Et comment ce lien, à supposer qu'il existe, avait-il pu conduire à sa mort ?

Wallander se tut. Klara s'était mise à ramper autour des jambes de Linda. Celle-ci hocha la tête.

– Il y avait bien un lien entre Louise et l'ex-RDA, dit-elle pensivement. Je croyais t'en avoir parlé.

– Tu m'as juste dit qu'elle était professeur d'allemand.

– Ce à quoi je pense remonte à très longtemps. Avant la naissance de Hans, avant même celle de Signe. Ce n'est d'ailleurs pas grand-chose. Et tu devrais plutôt en parler avec Hans.

– Voyons tout de même.

– Louise est allée là-bas à quelques reprises au début des années 60 en compagnie d'un groupe de jeunes plongeuses suédoises, dans le cadre d'un échange sportif. Louise leur servait d'interprète, je pense. Si j'ai bien compris, elle était elle-même une ancienne plongeuse émérite. Je n'en sais pas beaucoup plus, sinon que ça se passait à Berlin-Est et à Leipzig. Ces visites ont connu une fin abrupte. D'après Hans, pour une raison bien précise.

– Laquelle ?

– Håkan. Ce n'était pas bon pour sa carrière que son épouse ait des contacts dans ce qui était à l'époque considéré comme un pays ennemi. L'un des satellites les plus effrayants de la Russie – tu imagines bien quelle pouvait être l'attitude des militaires suédois vis-à-vis de la RDA.

– Tu es certaine de ce que tu dis ?

– Louise se soumettait toujours à la volonté de son mari. Je crois que la situation était intenable. Au début des années 60, Håkan se préparait à occuper un poste stratégique dans l'état-major de la marine.

– Sais-tu comment elle a réagi ?

– Non.

Klara se mit à pleurer. Elle avait dû se piquer à quelque chose. Wallander, qui supportait mal ses cris, alla voir Jussi le temps que ça se tasse.

– Et moi, quand je pleurais, petite, qu'est-ce que tu faisais ? demanda Linda en le voyant revenir.

– J'avais les oreilles plus solides à l'époque.

Ils contemplèrent en silence la petite qui inspectait un pissenlit accroché entre deux cailloux.

– J'ai réfléchi évidemment, dit soudain Linda. J'ai fouillé ma mémoire, j'ai essayé de me rappeler les conversations, les attitudes ; leur manière d'être vis-à-vis l'un de l'autre et vis-à-vis de l'entourage. J'ai essayé de soutirer des informations à Hans. Après tout, il croit peut-être que je sais certaines choses alors qu'il n'en est rien. Il y a deux jours, j'ai eu l'impression qu'il ne m'avait pas dit toute la vérité.

– À quel sujet ?

– L'argent.

– Quel argent ?

– Il y en a beaucoup plus qu'il ne me l'a dit. Håkan et Louise menaient une existence, disons, aisée. Pas de luxe tape-à-l'œil, pas d'excès. Mais ils auraient pu mener grand train s'ils l'avaient voulu.

– De quel ordre de grandeur parlons-nous ?

– Ne m'interromps pas ! J'y viens. Laisse-moi raconter les choses à mon propre rythme. Le problème, dans tout ça, c'est que Hans ne m'en a pas parlé. Ça m'énerve, et je sais que je vais devoir aborder le sujet avec lui tôt ou tard.

– Tu veux me dire que l'argent pourrait bien être au centre de l'affaire, malgré tout ?

– Non, mais je n'aime pas qu'il joue sur des ambiguïtés. Bon, je préfère qu'on en reparle une autre fois.

Wallander leva les mains et ne posa plus de questions. Linda s'aperçut soudain que Klara avait commencé à manger le pissenlit. Elle voulut lui nettoyer la bouche, ce qui déclencha de nouveaux hurlements. Wallander résolut d'être stoïque et resta assis. Jussi, abandonné, marchait de long en large derrière son grillage en contemplant la scène. Ma famille, pensa Wallander. Tout le monde est là, à part ma sœur Kristina et mon ex-femme qui se tue à l'alcool.

La crise fut bientôt passée ; Klara repartit en mission exploratrice pendant que Linda se balançait sur sa chaise.

– Je ne te garantis pas que la chaise tienne le coup, l'avertit Wallander.

– Les vieux meubles de grand-père… Et quand bien même elle se casse, je survivrai. Le pire qui pourra m'arriver, c'est de m'écrouler dans ton parterre de fleurs plein de mauvaises herbes.

Wallander ne répondit pas. Il s'irritait de la manière qu'avait Linda de scruter tous ses faits et gestes et de souligner les moindres défaillances qu'elle constatait.

– Je me suis réveillée ce matin avec une question qui n'a plus voulu me sortir de la tête, dit-elle. Ça n'a rien à voir avec Louise et Håkan. Je ne comprends pas comment j'ai pu ne jamais vous la poser pendant toutes ces années. Ni à toi, ni à maman. Peut-être parce que la réponse me faisait peur ? Personne n'a envie d'être né par accident, après tout.

Wallander fut aussitôt sur ses gardes. Il était très rare qu'elle emploie le mot « maman » pour parler de Mona. Il ne se rappelait pas davantage qu'elle l'ait jamais appelé papa depuis qu'elle était adulte – sinon dans un moment de colère, ou alors par dérision.

– Ne t'inquiète pas, dit-elle. Je vois bien que tu t'inquiètes déjà. Je voudrais juste savoir comment vous vous êtes rencontrés. *La ren-*

contre de mes parents. Aussi incroyable que ça puisse paraître, je ne le sais pas.

– J'ai la mémoire qui flanche, parfois, c'est vrai. Mais pas là-dessus. Nous nous sommes rencontrés en 1968, à bord d'un bateau qui faisait la liaison Copenhague-Malmö. Un ferry. De ceux qui vont lentement, tu sais bien, pas les rapides. C'était un soir, tard.

– C'était il y a pile quarante ans…

– Nous étions très jeunes. Elle était assise à une table, c'était bondé, j'ai demandé si je pouvais m'asseoir près d'elle et elle a dit oui. Je t'en dirai plus une autre fois, si tu veux bien. Là, tout de suite, je ne suis pas prêt à remuer le passé. Revenons à la question de l'argent. De quelles sommes parles-tu ?

– Quelques millions. Mais tu n'y échapperas pas. Je veux savoir ce qui s'est passé après l'arrivée du ferry à Malmö.

– Sur le moment, rien du tout. Je te promets que je te raconterai la suite un jour. Tu veux me dire qu'ils avaient mis de côté plusieurs millions de couronnes ? D'où venait cet argent ?

– Économies.

Il fronça les sourcils. Cela faisait beaucoup d'argent. Pour sa part, il n'aurait jamais pu rassembler une somme pareille, même en rêve.

– C'est possible d'économiser autant ? Ne s'agirait-il pas plutôt de fraude fiscale ou autre ?

– Pas d'après Hans.

– Mais tu me disais qu'il ne voulait pas en parler.

– Il faut dire que, jusqu'à ces derniers mois, l'argent de ses parents ne concernait qu'eux. Ils en faisaient ce qu'ils voulaient.

– Et qu'en faisaient-ils ?

– Ils demandaient à Hans de le placer. Prudemment. Pas de folies.

Wallander réfléchit. Ce qu'il venait d'entendre pouvait être d'une importance décisive. Au cours de toute sa vie de policier, il s'était sans cesse vu rappeler que l'argent était la cause des pires crimes que les êtres humains étaient capables de commettre les uns envers les autres. Aucun thème ne se répétait aussi souvent, sous des formes aussi variées.

– Qui s'occupait des affaires ? Louise ? Håkan ? Les deux ensemble ?

– Hans le sait.

– On va devoir en parler avec lui.

– Pas « on ». Moi. Si j'ai du nouveau, je te le dirai.

Klara bâilla dans l'herbe. Linda fit signe à Wallander, qui se leva, prit la petite dans ses bras et la déposa doucement sur la balancelle. Klara lui sourit.

– J'essaie de me voir dans tes bras, dit Linda. Mais je n'y arrive pas.

– Pourquoi ?

– Je ne sais pas. Je ne dis pas ça par méchanceté.

Un couple de cygnes apparut, survolant les champs. Ils suivirent le double trait blanc traversant le ciel, et le bruit sifflant de leurs ailes.

– Comment est-ce possible qu'on ait pu vouloir tuer Louise ? Ces histoires de documents russes dans son sac à main… Ça ne tient pas debout.

– Ce n'étaient pas des documents russes. C'étaient des documents suédois. Destinés aux Russes.

Au lieu de s'énerver contre son ton sentencieux, elle se contenta de hocher la tête. Elle demanda, pensive :

– Où est Håkan ? Est-il mort ou vivant ?

– Pour moi, il est en vie. Je dis cela sans aucune logique. Ce n'est pas même mon expérience qui parle. C'est juste une intuition.

– C'est lui qui a tué Louise ?

– Rien ne permet de l'affirmer.

– Rien ne permet non plus de l'infirmer.

Wallander acquiesça en silence. C'était bien cela. Elle suivait ses pensées à la trace.

Linda rentra chez elle une demi-heure plus tard.

Le soir, Wallander fit une promenade avec Jussi. Il s'arrêta pour uriner au bord d'un fossé. Le champ, devant lui, venait d'être moissonné. Le parfum était intense.

Soudain, ce fut comme s'il voyait au moins une chose très clairement. Quel que soit l'enchaînement des faits, cela avait débuté avec Håkan von Enke, et s'achèverait avec lui. Louise n'était qu'un maillon.

Mais il ne savait pas ce que cela signifiait. Il rentra chez lui plus soucieux qu'auparavant. Un seul fait lui paraissait incontestable : un soir, dans la véranda d'une salle de réception de Djursholm, l'inquiétude de Håkan von Enke avait été réelle.

Tout commence là, pensa-t-il. Tout commence par l'homme inquiet.

Il ne pouvait pas en être autrement.

24

Une nuit en juillet.

Wallander resta assis, le stylo en l'air. Il trouvait que le début de sa lettre ressemblait au titre d'un mauvais film suédois des années 1950. Ou peut-être d'un roman nettement meilleur écrit quelques décennies auparavant. Comme il y en avait dans la bibliothèque de ses parents, quand il était petit. Dans la collection de livres ayant appartenu au grand-père maternel, mort longtemps avant sa naissance.

Pour le reste, la description était correcte. On était en juillet et il faisait nuit. Wallander était au lit quand il s'était soudain rappelé que l'anniversaire de sa sœur Kristina tombait dans deux jours. Or il avait pris l'habitude d'écrire son unique lettre de l'année à cette occasion et de la lui expédier avec tous ses meilleurs vœux. Il s'extirpa donc du lit, il n'avait pas sommeil de toute façon, et c'était une bonne excuse pour ne pas rester là à se retourner comme une crêpe entre les draps. Il s'assit dans la cuisine devant une feuille, armé du stylo-plume qui avait été le cadeau de Linda pour ses cinquante ans. Il ne changea pas les premiers mots de sa lettre. Et il n'ajouta presque rien. Une fois qu'il eut fini de décrire la joie que lui procurait l'existence de Klara, il ne lui sembla pas avoir grand-chose à raconter. Ses lettres devenaient plus courtes d'année en année ; quand est-ce que ça s'arrêterait ? Il se relut et trouva l'effet d'ensemble assez misérable, mais il n'avait décidément rien à ajouter. Le contact avec Kristina avait connu son point culminant au cours des dernières années de vie de leur père. Après cela, ils ne s'étaient presque plus revus. Sauf quand Wallander, exceptionnellement, se rendait à Stockholm et prenait, plus exceptionnellement encore, l'initiative de l'appeler. Ils étaient très différents l'un de l'autre et, par-dessus le marché, ils n'avaient pas du tout la même image de leur enfance. Quand ils se voyaient, le silence ne tardait pas à s'installer entre eux et ils se regardaient alors, perplexes et prudents, pendant que se formulait la question muette : N'avions-nous vraiment rien de plus à nous dire ?

Wallander ferma l'enveloppe et retourna se coucher. La fenêtre était entrebâillée. Au loin il entendait des bruits de fête, de la musique. Le gémissement du vent qui passait dans l'herbe. Il avait eu raison de quitter Mariagatan. Ici, à la campagne, il percevait des sons qu'il n'avait jamais entendus avant. Et des odeurs, aussi.

Il resta longtemps éveillé à repenser à sa visite au commissariat, plus tôt dans la soirée. Il ne l'avait pas préméditée. Mais en constatant que son ordinateur ne fonctionnait plus, vers vingt et une heures, il avait pris sa voiture jusqu'à Ystad. Pour éviter de croiser des collègues de service, il était passé par le sous-sol ; il avait pianoté le code d'accès et rejoint son bureau sans croiser quiconque. Un échange houleux se déroulait dans l'un des bureaux qu'il dépassa à pas de loup. L'un des interlocuteurs était très ivre. Wallander se félicita de ne pas être celui qui menait l'interrogatoire.

Juste avant son départ en congé, il avait consenti un gigantesque effort pour faire baisser la hauteur des piles de dossiers sur sa table. Du coup, son bureau lui paraissait presque accueillant. Il jeta sa veste sur le fauteuil des visiteurs et alluma l'ordinateur. En attendant, il prit les deux dossiers qu'il avait enfermés à clé dans un tiroir. L'un portait le nom de Louise, l'autre celui de Håkan. Il avait écrit leurs prénoms au feutre, et le feutre avait bavé. Il mit de côté le premier et se concentra sur le second. En parallèle, il pensait à la conversation qu'il avait eue quelques heures auparavant avec Linda. Celle-ci l'avait appelé une fois Klara endormie et Hans parti acheter des couches-culottes dans un magasin qui fermait tard, et lui avait rendu compte des réponses de Hans concernant l'argent de ses parents, le lien de sa mère avec l'ex-RDA, etc. Elle avait demandé à Hans s'il y avait d'autres choses qu'il aurait omis de lui dire. Il s'était montré vexé de cette marque de défiance, selon lui. Il avait fallu un long moment pour le convaincre qu'il ne s'agissait pas de ça, mais uniquement de la gravité des faits. Sa mère avait peut-être été assassinée après tout. Hans s'était calmé et avait répondu de son mieux.

Wallander tira de la poche arrière de son pantalon un papier replié qu'il lissa. Il y avait noté l'essentiel des propos de Linda.

Lorsque Hans avait pris ses nouvelles fonctions à Copenhague, ses parents lui avaient demandé de devenir leur banquier privé. À l'époque, il s'agissait d'un peu moins de deux millions de couronnes – il y en avait à présent un peu plus de deux millions et demi. Ils lui avaient dit que cet argent provenait de leurs économies et d'un héritage du côté de Louise. Hans ignorait la part respective des économies et de l'héritage. Celui-ci venait d'une certaine Hanna Edling, décédée en 1976, propriétaire de quelques boutiques de mode dans l'ouest de la Suède. Ils avaient acquitté l'impôt – même si Håkan avait tendance à vitupérer une fois l'an l'ISF imposé par les sociaux-démocrates qu'il jugeait pour sa part confiscatoire. À présent l'impôt sur la fortune venait d'être supprimé, et Hans regrettait de ne pas pouvoir l'annoncer lui-même à son père – il l'avait dit avec un chagrin manifeste, avait précisé Linda.

– Ses parents avaient une position spéciale vis-à-vis de l'argent. Hans l'a résumée comme ceci : *L'argent, c'est quelque chose qui existe, mais dont on ne parle pas.*

– Ce serait bien si c'était vrai, répondit Wallander. En attendant, c'est vraiment une attitude typique de la classe dominante.

– Ce *sont* des représentants de la classe dominante. Tu le sais, alors ce n'est pas la peine de revenir là-dessus.

Deux fois par an, Hans leur présentait les bénéfices et les pertes éventuelles. Exceptionnellement, il arrivait à Håkan, en lisant le journal, de tomber sur des propositions d'investissement intéressantes et de passer un coup de fil à son fils. Mais il ne cherchait jamais à savoir si celui-ci avait suivi son conseil. Quant à Louise, il était encore plus rare qu'elle intervienne de façon directe dans ces questions de placements. Mais l'année précédente, elle avait demandé à retirer deux cent mille couronnes en une seule fois. Hans s'en était étonné, car il était très rare que l'un ou l'autre ait besoin d'une somme aussi importante. C'était alors Håkan qui en faisait la demande, par exemple quand ils s'apprêtaient à partir en croisière ou à séjourner sur la Côte d'Azur. Il avait donc interrogé sa mère.

Mais celle-ci lui avait simplement ordonné d'effectuer le retrait, un point c'est tout.

– En plus, elle a demandé à Hans de ne pas en parler à Håkan. C'est très étrange car, tôt ou tard, il s'en serait forcément aperçu.

– Pas nécessairement, dit Wallander avec hésitation. Peut-être voulait-elle lui faire une surprise ?

– Peut-être, mais Hans a dit aussi que c'est la seule fois de sa vie qu'il avait senti comme une menace dans la voix de sa mère. Et cette menace était dirigée contre lui.

– C'est le mot qu'il a employé ? Une menace ?

– Oui.

– N'est-ce pas curieux ? Un mot si fort ?

– J'ai eu l'impression qu'il cherchait vraiment le mot juste.

Wallander nota *menace* sur son papier. Si c'était vrai, ça laissait entrevoir un nouvel aspect de la femme au perpétuel sourire.

– Qu'a-t-il dit concernant la RDA ?

Linda souligna qu'elle avait déjà plusieurs fois tenté de raviver les souvenirs de Hans. Mais il n'en avait pour ainsi dire pas. Juste une très vague image de sa mère revenant de Berlin-Est avec des jouets en bois pour lui, alors qu'il était tout petit. C'était tout. Il ne se rappelait même pas combien de jours elle était partie ni qu'on lui eût jamais expliqué la raison de ce voyage. À cette époque, les von Enke avaient une employée de maison prénommée Katarina, avec qui il passait plus de temps qu'avec ses parents. Håkan était en mer ; Louise enseignait l'allemand à l'École française et dans un autre lycée de Stockholm, il ne se souvenait plus lequel. Peut-être y avait-il eu parfois, à la table du dîner, des invités qui parlaient l'allemand. Il avait un très vague souvenir d'hommes en uniforme qui chantaient des chansons à boire dans une langue étrangère.

– Et voilà, conclut Linda. Il ne se souvient de rien d'autre. Soit il n'y avait rien, soit Louise a mené ses aventures berlinoises en secret. Mais pourquoi aurait-elle fait ça ?

– Oui, dit Wallander. Les Suédois n'ont jamais été interdits de séjour à Berlin. Nous étions en affaires avec eux comme avec tous les autres. En revanche, les Berlinois ne pouvaient pas venir chez nous. C'est bien pour ça que le Mur a été construit.

– C'était avant ma naissance. Je me souviens de la chute du Mur, pas de sa construction.

La conversation s'était arrêtée là. Wallander entendit une porte claquer dans le couloir. Il se mit à relire tout ce qu'il avait rassemblé concernant la disparition des von Enke. Son expérience lui disait que Håkan von Enke était maintenant porté disparu depuis si longtemps qu'il était vraisemblablement mort lui aussi. Il persistait pourtant à le considérer comme vivant jusqu'à preuve du contraire.

Après un moment, il repoussa le dossier et se laissa aller dans son fauteuil. Peut-être Håkan savait-il déjà, lors de la conversation dans le salon aveugle de Djursholm, qu'il ne tarderait pas à disparaître ? Essayait-il de me faire passer un message ?

Wallander se redressa avec impatience. Il tournait en rond. Tout ça avançait bien trop lentement à son goût. Il se connecta à Internet et commença à chercher, sans bien savoir ce qu'il espérait trouver. C'était un pianotage au hasard, et pourtant non. Il écuma toute l'information officielle fournie par le site de la Marine royale. Pas à pas, il suivit la trace de la carrière de Håkan von Enke. Une trajectoire rectiligne, sans accélérations insolites. Des membres de sa promotion avaient fait une carrière bien plus rapide que lui. Après environ une heure, Wallander s'arrêta sur une photo qui venait d'apparaître à l'écran. Elle avait été prise lors d'une réception donnée par le ministère des Affaires étrangères pour un groupe d'attachés militaires étrangers. On y voyait un certain nombre de jeunes officiers, parmi lesquels Håkan von Enke. Celui-ci souriait au photographe. Un sourire ouvert et plein d'assurance. Wallander contempla son visage. J'essaie de mieux discerner l'homme inquiet que j'ai croisé à Djursholm. Qui est-il vraiment ?

Un coup frappé à la porte le fit tressaillir. Il n'eut pas le temps de dire « Entrez » que la porte s'ouvrit. C'était Nyberg, blouson bleu ciel sur le dos et casquette sur la tête, qui s'immobilisa, interdit, en apercevant Wallander.

– Je croyais qu'il n'y avait personne, dit-il. J'ai l'habitude de faire le tour avant de m'en aller et d'éteindre les lampes qui restent allumées pour rien. On voit la lumière sous les portes. C'est idiot, je sais. Mais il paraît qu'il ne faut pas gaspiller l'énergie.

– Pourquoi frappes-tu si tu crois qu'il n'y a personne ?

Nyberg ôta sa casquette et se gratta la tête. Un geste mille fois répété, pensa Wallander. Il a toujours fait ça, depuis que je le connais. Dès qu'il est préoccupé, il se gratte. Et moi ? Qu'est-ce que je fais ?

– Je ne peux pas vraiment te répondre, dit Nyberg. C'est une habitude, je suppose. On frappe avant d'entrer. Et d'ailleurs, je croyais que tu étais en vacances.

– C'est vrai. C'est juste que je n'arrive pas à lâcher la disparition des beaux-parents de Linda.

Nyberg hocha la tête. Wallander avait eu l'occasion de parler de l'affaire deux ou trois fois avec lui. Il avait toujours respecté la clairvoyance de son collègue, même si celui-ci n'avait pas toujours un caractère facile. Ses colères étaient célèbres au commissariat ; d'un autre côté, Wallander ne courait plus guère le risque de se retrouver dans sa ligne de mire. C'était plutôt son équipe de la police scientifique, ainsi que les légistes, qui vivaient dans la crainte perpétuelle de ses accès de fureur.

Nyberg était resté sur le seuil, casquette à la main.

– On t'a peut-être dit que je partais à la retraite à Noël ?

– Non, je ne le savais pas.

– Je trouve que ça suffit. En ce qui me concerne.

Wallander était très surpris. Il s'était bêtement imaginé que Nyberg serait toujours là, en service, jour après jour, à genoux sous le soleil ou sous la pluie, à farfouiller dans la boue à la recherche d'indices. Nyberg avait certes été marié dans une lointaine préhistoire et il avait même des enfants. Pour autant, il était toujours l'homme seul à la casquette verte, qui piquait des colères mémorables, mais qui était en même temps le plus compétent des professionnels.

– Qu'est-ce que tu vas faire alors ?

Ce fut tout ce qu'il trouva à dire.

– Je vais déménager, répliqua Nyberg avec une gaieté subite. Très loin d'ici.

– Où ? En Espagne ?

Nyberg le regarda comme s'il avait proféré une insanité. Wallander se demanda une fraction de seconde s'il n'allait pas y avoir droit malgré tout, et se prépara à parer l'orage.

– Et que veux-tu que j'aille faire en Espagne ? À part transpirer ? Non, je pars dans le Nord. J'ai acheté une vieille maison, un peu abîmée mais belle, à la limite du Härjedalen et du Jämtland. Le premier voisin est à des kilomètres. Sinon, il n'y a que des arbres, aussi loin que porte le regard.

– Mais tu es d'ici ! Né à Hässleholm, si je ne m'abuse, un pur Scanien. Qu'est-ce que tu vas chercher dans les forêts de là-haut ?

– La paix. En plus, il paraît qu'il y a moins de vent là-bas.

– Tu ne supporteras pas tous ces arbres. Toi qui as l'habitude de voir jusqu'à l'horizon.

– C'est un désir que j'ai toujours eu, dit Nyberg avec simplicité. Celui de vivre dans les forêts. Quand j'y suis allé pour chercher ma future maison, je me suis tout de suite senti chez moi. C'est comme ça, c'est tout. Et toi ? Tu vas continuer combien de temps encore ?

Wallander haussa les épaules.

– Sais pas. C'est difficile pour moi d'imaginer une vie loin de ce bureau.

– Pas pour moi, dit Nyberg avec insouciance. Moi, je vais passer mon permis de chasse et je vais écrire mes Mémoires.

Wallander n'en crut pas ses oreilles.

– Toi, tu vas écrire un livre ?

– Et pourquoi pas ? J'ai pas mal de choses à raconter. Et de nos jours, les gens s'intéressent à mon métier comme ils ne l'ont jamais fait.

Wallander comprit que c'était sérieux. Et Nyberg était sûrement assez têtu pour écrire ce livre et pour le faire publier, en plus.

– Tu vas parler de moi dans ton bouquin ?

– Ne t'inquiète pas, dit Nyberg, toujours aussi badin. Toi, tu t'en sortiras à bon compte. Mais ce ne sera pas le cas de tout le monde, tu vas voir. Et je vais écrire des tartines sur le recrutement imbécile de chefs qui n'ont pas la moindre notion du travail sur le terrain. N'oublie pas d'éteindre en partant.

Wallander ne put s'empêcher de le retenir.

– Juste une question. J'ai remarqué que tu te grattais toujours le crâne quand tu avais besoin de réfléchir. Qu'est-ce que je fais, moi ?

– Tu te frottes le nez. Parfois tu as les narines toutes rouges, à force.

Nyberg hocha la tête une dernière fois et s'en alla. Wallander pensa qu'il le regretterait. Et d'ailleurs, il devrait lui aussi très bientôt envisager sérieusement sa propre situation. Combien de temps pourrait-il raisonnablement continuer à exercer ce métier ? Et que ferait-il ensuite ? Déménager dans la forêt ? Sûrement pas ; la simple idée lui donnait des frissons. Et encore moins rédiger ses Mémoires. Pour ça, il n'avait ni la patience ni les mots.

Laissant ces questions sans réponse, il avait entrouvert la fenêtre et repris ses recherches sur Internet. Il essaya de faire appel à son imagination pour découvrir des voies inattendues, des sources d'information différentes ; il lut des topos sur l'ex-RDA, sur les manœuvres navales dans le sud de la Baltique dont lui avaient parlé Sten Nordlander ainsi que Håkan von Enke. Il se pencha aussi longuement, une fois de plus, sur les incidents liés aux sous-marins au début des années 1980. De temps à autre, il notait un nom, un événement, une réflexion. Mais rien qui fût de nature à modifier l'image qu'il avait de Håkan von Enke. Il fit un détour par le site de l'École française, Franska Skolan, mais ne trouva rien concernant Louise. Il pensa que Linda s'était choisi pour beaux-parents les plus parfaits exemples de respectabilité bourgeoise qui se puissent imaginer. Du moins en apparence.

Il était près de minuit quand il commença à bâiller. Sa navigation sur la Toile l'avait conduit à la périphérie d'événements qui pouvaient se révéler intéressants, sans plus. Soudain, il s'immobilisa. Il se rapprocha de l'écran. Il venait de tomber sur un article paru dans un tabloïd au début de l'année 1987. Un journaliste avait déniché des informations concernant une salle de réception privée de Stockholm régulièrement fréquentée par des officiers de marine. Leurs fêtes ou réunions – cela remplissait apparemment les deux fonctions – étaient entourées du plus grand secret ; seuls quelques privilégiés étaient conviés à y participer et aucun des officiers contactés par l'auteur de l'article n'avait souhaité s'exprimer sur le sujet. En revanche, l'une des femmes qui travaillaient là-bas comme serveuses l'avait fait. Elle s'appelait Fanny Klarström et n'hésitait pas à décrire l'arrogance effarante des officiers et leurs propos haineux, entre autres à l'endroit du Premier ministre assassiné, Olof Palme. Elle n'en pouvait plus, déclarait-elle, et c'est pourquoi elle avait donné sa démission. Parmi les habitués de ces réunions se trouvait Håkan von Enke.

Wallander imprima les deux feuillets de l'article, sous lequel figurait une photo de Fanny Klarström qui devait avoir une cinquantaine d'années à l'époque. Il se pouvait donc qu'elle soit encore en vie. Il nota le nom du journaliste. Il plia la copie de l'article et la rangea dans sa poche.

Ces rumeurs de réunions secrètes n'avaient rien d'inhabituel ; on en parlait aussi au sein de la police. Pour sa part, il n'y avait cependant jamais été invité. Son seul souvenir dans ce registre remontait au jour où Rydberg avait proposé qu'ils se paient une fois par mois un bon repas bien arrosé au restaurant du château de Svaneholm, tous les deux. Mais ils ne l'avaient jamais fait.

Wallander éteignit l'ordinateur et quitta son bureau. Parvenu au bout du couloir, il s'arrêta et retourna éteindre la lumière. Il fila par le même chemin qu'à son arrivée et en profita pour prendre quelques chemises et serviettes sales dans son casier avec l'intention de les laver chez lui.

Il s'arrêta sur le parking et inspira l'air de la nuit à pleins poumons. Il avait encore de longues années devant lui. Son envie de vivre était très forte.

Rentré chez lui, il alla se coucher et rêva de Mona – un rêve agité. Malgré cela, il se réveilla en forme et se dépêcha de se lever, soucieux de ne pas gaspiller cette énergie imprévue. Il n'était pas huit heures quand il s'assit à côté du téléphone pour pister l'auteur de cet article sur les fêtes secrètes vieilles de vingt ans qui avaient réuni des officiers de marine parmi lesquels Håkan von Enke. Après quelques tentatives auprès des renseignements, il jeta un regard de reproche à son PC qui refusait toujours de s'allumer. Qui allait-il déranger à présent, Linda ou Martinsson ? Il choisit le second. Une de ses petites-filles décrocha. Wallander n'eut pas le temps de mener une conversation sensée avec la jeune personne à l'autre bout du fil ; Martinsson s'empara gaiement du combiné.

– Tu viens de parler à Astrid, dit-il. Elle a trois ans, des cheveux carotte et elle adore m'arracher les miens, enfin, les rares qui me restent.

– Mon ordinateur est en panne. Je peux te demander un service ?

– Je peux te rappeler dans quelques minutes ?

Il le rappela cinq minutes plus tard. Wallander lui donna le nom du journaliste, Torbjörn Setterwall. Martinsson l'identifia en deux clics.

– Trois ans trop tard, dit-il.

– Pardon ?

– Torbjörn Setterwall est décédé. Suite à un étrange accident d'ascenseur, apparemment. Il avait cinquante-quatre ans. Marié, trois enfants. Comment meurt-on dans un ascenseur ?

– J'imagine que la cabine tombe d'un coup. Ou alors on est écrasé dessous.

– Désolé de ne pas pouvoir t'aider mieux que ça.

– J'ai un deuxième nom, dit Wallander. Mais ce sera plus difficile, je pense, et le risque est plus grand que la personne soit décédée.

– C'est quoi, ton nom ?

– Fanny Klarström.

– Journaliste ?

– Serveuse.

– On va voir. Comme tu dis, ça va peut-être être plus difficile. Mais Klarström, ce n'est pas ce qu'on voit de plus ordinaire, comme nom. Fanny non plus, d'ailleurs.

Wallander attendit. Il entendait Martinsson fredonner tout en pianotant sur son clavier. On dirait qu'il est de bonne humeur pour une fois… Espérons que ça dure.

– Je te rappelle, dit Martinsson. Ça va me prendre un petit moment.

Vingt minutes plus tard, il le rappela et lui annonça que Fanny Klarström avait quatre-vingt-quatre ans et qu'elle habitait Markaryd, dans le Småland, où elle avait un appartement dans une résidence pour personnes âgées du nom de Lillgården.

– Comment fais-tu ? Tu es sûr que c'est la bonne personne ?

– Absolument certain.

– Comment est-ce possible ?

– Je lui ai parlé.

Wallander en resta bouche bée.

– Je l'ai appelée, et elle m'a dit qu'elle avait effectivement travaillé comme serveuse pendant près de cinquante ans.

– Incroyable. Un jour, il faudra que tu m'expliques comment tu arrives à faire ces trucs-là, ça me dépasse.

– Essaie l'annuaire en ligne.

Wallander nota l'adresse et le numéro de téléphone de Fanny Klarström. D'après Martinsson, elle avait la voix d'une personne très âgée, mais avec la tête bien vissée sur les épaules.

Après cette conversation, il alla dehors. Le soleil brillait dans un ciel bleu azur. Des milans suspendus dans les courants d'air ascendants guettaient leurs futures proies tapies dans les champs et les fossés. Wallander pensait à Nyberg et à l'attirance que celui-ci, à l'en croire, avait toujours éprouvée pour les forêts profondes. Que désirait-il, lui, en dehors de ce qu'il avait déjà ? Rien, au fond. Peut-être avoir les moyens de partir vers le sud en hiver, quand il faisait vraiment trop froid en Suède. Un petit appartement en Espagne peut-être ? Il repoussa aussitôt cette idée. Il ne se plairait jamais là-bas, entouré d'inconnus dont il n'apprendrait jamais à parler correctement la langue. D'une manière ou d'une autre, la Scanie serait son étape ultime. Il resterait dans sa maison le plus longtemps possible. Quand il ne le pourrait plus, il espérait juste une chose : que ça aille vite. Ce qu'il redoutait par-dessus tout, c'était une vieillesse réduite à n'être qu'une attente prolongée de la fin – un temps où les gestes ordinaires de la vie ne seraient plus possibles.

Il prit une décision. Celle de se rendre à Markaryd et de rencontrer Fanny Klarström. Il ne savait pas trop ce qu'il espérait tirer d'une conversation avec elle. Mais l'article avait éveillé sa curiosité. Il ouvrit son vieil atlas d'école et vit que Markaryd n'était qu'à quelques heures de route d'Ystad.

Il informa Linda de son projet, au téléphone. Après l'avoir écouté attentivement, elle déclara qu'elle voulait l'accompagner. Il s'emporta. Comment, à son avis, Klara allait-elle supporter un voyage en voiture par la chaleur qu'il faisait ?

– Hans est à la maison. Il peut s'occuper de sa fille.

– Dans ce cas…

– Tu ne veux pas que je vienne, je l'entends à ta voix.

– Pourquoi dis-tu ça ?

– Parce que c'est vrai.

C'était vrai. Wallander s'était préparé à un voyage en solitaire vers les forêts du Småland. Cela faisait partie de ses joies simples : rouler sans compagnie. Il aimait s'accorder cette liberté, être seul dans la voiture, avec ses propres pensées, la radio éteinte et la possibilité de s'arrêter où bon lui semblait. Linda l'avait percé à jour.

– On est fâchés alors ? demanda-t-il prudemment.

– Non. Mais parfois tu es un peu trop bizarre à mon goût.

– On ne choisit pas ses parents. Si je suis bizarre, c'est un trait de caractère que j'ai hérité de ton grand-père – qui était vraiment bizarre, lui, pour le coup.

– Bonne chance. Tu me raconteras. D'ailleurs, je tiens à te le dire, sans vouloir te flatter : tu ne t'avoues pas facilement vaincu.

– Et toi ?

Elle rit.

– Jamais. Je ne sais même pas comment ça s'écrit.

Il était onze heures quand Wallander prit la route. Vers treize heures il arriva à Älmhult et déjeuna au self d'IKEA, dans la bousculade. La longue file d'attente le rendit nerveux. Il mangea beaucoup trop vite. Après, il se trompa de route et arriva à Markaryd une heure plus tard que prévu. Il s'arrêta à une station-service où on lui indiqua comment trouver la résidence de Lillgården. En sortant de la voiture, il eut l'impression d'être revenu à Niklasgården. Il se demanda si l'homme qui avait prétendu être l'oncle de Signe avait renouvelé sa visite. Il s'en assurerait dès qu'il en aurait le temps.

Un homme âgé vêtu d'un bleu de travail se tenait penché sur une tondeuse à gazon renversée et retirait à l'aide d'un bâton des touffes d'herbe agglutinées autour des pales. Wallander l'interrogea : savait-il où était l'appartement de Fanny Klarström ? L'homme se redressa et s'étira. Son accent du Småland était si prononcé que Wallander eut du mal à saisir sa réponse :

– Rez-de-chaussée au bout du couloir.

– Comment va-t-elle ?

L'homme le dévisagea.

– Fanny est vieille et fatiguée, dit-il. Et toi, qui es-tu ?

Wallander lui montra sa carte de police et le regretta au même instant. Pourquoi exposer Fanny à la rumeur qu'un policier était venu la voir ? Mais trop tard. L'homme en bleu examina attentivement sa carte.

– Que tu étais de Scanie, ça, je l'ai tout de suite entendu à ton accent. C'est Ystad, alors…

– Comme tu peux le voir.

– Et tu es venu jusqu'ici. Jusqu'à Markaryd.

– Ce n'est pas pour une affaire de police, en réalité, dit Wallander en prenant son ton le plus aimable. C'est plutôt une visite personnelle.

– Tant mieux pour Fanny. Personne ne vient jamais la voir.

Wallander indiqua la tondeuse.

– Tu devrais mettre un casque.

– Je n'entends rien, de toute façon. Je me suis abîmé les oreilles dans ma jeunesse. À la mine.

Wallander entra dans le bâtiment et prit le couloir qui partait sur sa gauche. Un vieil homme, debout à une fenêtre, regardait droit devant lui. Wallander jeta un coup d'œil en passant à ce qu'il pouvait voir dehors. L'arrière d'une vieille remise. Wallander frissonna. Il continua jusqu'à la porte du fond, qui portait une plaque joliment peinte de fleurs aux couleurs pastel.

Il faillit s'en aller. Puis il sonna.

25

Fanny Klarström lui ouvrit aussitôt ; comme si elle se tenait là depuis mille ans à l'attendre. Elle le regarda avec un grand sourire. Je suis le visiteur tant espéré, eut-il le temps de penser avant qu'elle ne l'entraîne dans la pièce et ne referme la porte derrière lui.

Il eut la sensation d'entrer dans un monde disparu.

Fanny Klarström dégageait un parfum de feu de bois d'aulne. Il se souvenait de cette odeur, qui remontait pour lui à la brève période où il avait été scout. Un jour, sa patrouille était partie en randonnée. Ils avaient dressé le camp au bord d'un lac, celui de Krageholm, où Wallander avait vécu plus tard dans sa vie un certain nombre d'expériences sinistres, et ils avaient rassemblé du bois d'aulne et allumé un feu. Mais y avait-il des aulnes au bord des lacs scaniens ? Wallander se promit de répondre une autre fois à cette question.

Fanny Klarström avait des cheveux bleus permanentés avec soin. Il vit aussi qu'elle était discrètement maquillée comme dans l'attente d'une visite. Son sourire dévoilait de jolies dents régulières, qu'il admira avec une pointe d'envie car il était clair qu'elle ne portait pas de dentier. Pour sa part, il avait soigné sa première carie à l'âge de douze ans et après, ç'avait été un combat permanent pour tenter d'améliorer son hygiène dentaire sur l'ordre de dentistes qui ne cessaient de le sermonner. Il avait encore la plupart de ses dents, mais son dernier dentiste en date lui avait dit qu'elles risquaient de se déchausser bientôt s'il ne les brossait pas mieux que cela. À quatre-vingt-quatre ans Fanny Klarström, elle, avait le sourire étincelant d'une jeune fille. Elle ne lui demanda pas qui il était ni pourquoi il était venu, elle l'invita simplement à entrer dans le petit séjour aux murs couverts de photos encadrées. Des plantes, de toutes sortes, occupaient les étagères et les rebords des fenêtres. Un bol de cerises ornait la table basse. Aucune trace de poussière. Celle qui habite ici, pensa Wallander, est une personne vivante au plus haut point. Il s'assit sur le canapé et accepta le café qu'elle lui proposa.

Pendant qu'elle s'affairait dans la petite cuisine, il fit le tour du salon en regardant les photos. Sur une photographie de mariage datant de 1942, Fanny Klarström était en compagnie d'un homme bien peigné, engoncé dans son costume. Wallander crut reconnaître le même homme un peu plus loin, cette fois revêtu d'une combinaison de travail à bord d'un bateau photographié depuis le quai. Wallander comprit peu à peu que Fanny Klarström n'avait eu qu'un seul enfant. En entendant le tintement d'un plateau, il se rassit.

Fanny Klarström avait conservé l'acquis d'une longue vie de travail : elle le servit d'une main sûre, sans répandre la moindre goutte. Elle s'assit face à lui dans un fauteuil défraîchi. Un chat gris, jusque-là invisible, sauta sur ses genoux. Le café était fort, Wallander avala de travers et se mit à tousser à en avoir les larmes aux yeux. La quinte passée, elle lui tendit une serviette en tissu. Il s'essuya les yeux, non sans avoir noté que la serviette portait l'inscription « Hôtel Billingen ».

– Je devrais peut-être commencer par présenter l'objet de ma visite, dit-il.

– Les gens gentils sont toujours les bienvenus.

Elle s'exprimait avec un net accent de Stockholm. Wallander se demanda ce qui avait bien pu la pousser à venir finir ses jours dans un coin perdu tel que Markaryd.

Wallander posa la copie de l'article sur la nappe brodée. Elle ne prit pas la peine de le lire, se contentant de jeter un regard aux deux photos – son propre portrait, et le groupe des officiers immortalisé lors d'une de leurs fêtes. Elle reconnaissait l'article, c'était évident. Wallander ne voulait cependant pas se montrer trop direct. Il l'interrogea donc poliment sur toutes les photos qui ornaient les murs et elle, en retour, n'hésita pas à lui raconter sa vie en quelques phrases.

En 1941, Fanny, qui s'appelait encore Andersson, avait rencontré un jeune marin du nom d'Arne Klarström.

– On a vécu une grande passion, dit-elle. On s'est rencontrés sur le ferry de Djurgården, en revenant du parc d'attractions de Gröna

Lund. Au moment de débarquer à Slussen, je me suis cassé la figure et il m'a aidée à me relever. Que se serait-il passé si je n'avais pas trébuché ? On peut dire que je suis vraiment *tombée* sur le grand amour. Qui a duré pile deux ans. On s'est mariés, j'ai été enceinte, Arne a hésité jusqu'au bout en se demandant s'il devait oui ou non continuer le convoyage. On oublie combien de marins suédois ont trouvé la mort au cours de ces années-là, même si nous n'étions pas directement impliqués dans la guerre. Mais Arne se croyait invulnérable et moi, je ne pouvais même pas imaginer qu'il puisse lui arriver quelque chose. Notre fils Gunnar est né le 12 janvier 1943, à six heures et demie du matin. Arne était à la maison. Il a donc pu voir son fils. Neuf jours plus tard, son bateau a sauté sur une mine en mer du Nord. On n'a rien retrouvé, ni bateau ni équipage.

Elle se tut et jeta un regard aux photographies.

– Et voilà, poursuivit-elle après un silence. J'étais seule avec un amour perdu et un fils. J'ai bien essayé de trouver un autre homme. J'étais encore jeune, après tout. Mais personne ne pouvait se comparer à Arne. Il était celui qu'il était, mort ou vivant. C'était mon homme. Je n'ai jamais pu le remplacer.

Soudain, sans un bruit, elle fondit en larmes. Wallander sentit sa gorge se nouer. Il poussa discrètement vers elle la serviette qu'elle lui avait glissée un peu plus tôt.

– J'aimerais avoir quelqu'un avec qui partager mon chagrin, dit-elle. C'est peut-être pour ça que la solitude me pèse tant quelquefois. Jusqu'à laisser entrer un inconnu juste pour avoir quelqu'un avec qui pleurer.

– Ton fils ? interrogea prudemment Wallander.

– Il habite Abisko. C'est loin. Une fois par an, il vient me voir, parfois seul, parfois avec sa femme et certains de ses enfants. Il m'a proposé d'aller vivre là-bas. Mais c'est trop loin, trop au nord. Les vieilles serveuses ont les pieds qui enflent, elles ne supportent pas le froid.

– Que fait-il à Abisko ?

– Un truc avec la forêt. Je crois qu'il compte les arbres.

Abisko était-il loin de la forêt où Nyberg avait l'intention de s'installer ? Wallander soupçonnait que oui. Abisko, n'était-ce pas en Laponie ?

– Mais toi, dit-il, tu as choisi de t'installer à Markaryd.

– J'ai vécu ici quelques années de mon enfance avant que ma famille ne parte vivre à Stockholm. Moi, je ne voulais pas partir. Je suis revenue pour prouver que mon entêtement tenait le coup. En plus, ce n'est pas cher. Avec mon métier, je n'ai pas franchement amassé une fortune.

– Tu as été serveuse toute ta vie ?

– Oui. Tasses, soucoupes, verres, assiettes, couverts, dans un sens, dans l'autre, ça n'arrêtait jamais. Restaurants, hôtels – une fois même le dîner au palais royal en l'honneur des Prix Nobel de l'année, c'était en 1954. Je me rappelle avoir eu le grand privilège de servir Ernest Hemingway. Il m'a lancé un regard. J'ai failli lui adresser la parole, mais évidemment je ne l'ai pas fait. Arne était mort depuis longtemps, Gunnar entrait dans l'adolescence.

– Il t'est aussi arrivé de servir lors de réceptions privées…

– Oui, j'aimais varier les plaisirs. Et puis, je ne savais pas me taire. Quand un maître d'hôtel ne se conduisait pas comme il faut – je protestais. Je le faisais au nom des camarades, ce n'était pas juste pour moi, et il m'arrivait d'être renvoyée. En ce temps-là, j'étais une syndicaliste militante.

– Parlons de cet article, dit Wallander, qui estimait le moment venu.

Elle chaussa les lunettes qui pendaient à un cordon autour de son cou, parcourut rapidement les feuillets, les reposa sur la table et lui sourit.

– Laisse-moi préciser tout de suite que ça payait bien. Une seule soirée comme celle-là, à servir ces officiers désagréables, pouvait rapporter jusqu'à l'équivalent d'un mois de salaire. Certains étaient tellement ivres en partant qu'ils éparpillaient les billets de cent dans leur sillage. Une fois additionnés, ça faisait pas mal d'argent.

– Où était-il situé, cet établissement ?

– Dans le quartier d'Östermalm – ce n'est pas dit dans l'article ? Le propriétaire était un ancien du parti nazi de Per Engdahl. À part ses opinions politiques détestables, c'était un bon cuisinier. Il avait été le chef attitré de quelques officiers allemands réfugiés en Argentine. Il avait bien gagné sa vie là-bas, en préparant les plats qu'on lui demandait et en disant « *Heil Hitler !* » quand il le fallait, et c'est comme ça qu'il a pu s'acheter ce local à son retour en Suède à la fin des années 50. Tout ce que je te raconte, je le tiens de source sûre.

– Qui ?

Elle hésita avant de répondre :

– Quelques personnes qui ont quitté le mouvement d'Engdahl.

Wallander comprit qu'il n'avait pas encore une image complète du passé de Fanny Klarström.

– Est-ce que j'ai bien compris ? Tu t'intéressais à la politique, pas seulement au syndicalisme…

– J'étais communiste. D'une certaine manière, je le suis toujours. L'idée d'un monde solidaire, c'est peut-être la seule idée à laquelle je crois ; la seule vérité politique qu'on ne peut pas mettre en cause, d'après moi.

– Est-ce que ça jouait dans le choix que tu faisais de tes employeurs ?

– Là, en l'occurrence, c'est le parti qui me l'avait demandé. Ce n'était pas sans importance de savoir de quoi parlaient ces représentants de l'état-major de la marine quand ils se croyaient seuls. Et comment m'auraient-ils soupçonnée ? Avec mes cinquante balais et mes jambes enflées, jamais ils n'auraient pu imaginer que j'avais aussi un cerveau, et encore moins que je puisse m'en servir…

Wallander essayait d'évaluer ce qu'il venait d'entendre.

– Les propos que tu surprenais là-bas, comment dire… Y avait-il un risque qu'ils soient utilisés à des fins illégales ?

Les larmes n'étaient plus qu'un souvenir, et elle le considérait à présent d'un regard amusé.

– Je ne comprends pas bien cette tendance que vous avez dans la police à toujours dire les choses de façon compliquée. Je discutais avec mes camarades, c'est tout. De la même manière que d'autres recueillaient le son de cloche qu'on pouvait entendre, par exemple, chez les employés de magasin ou les conducteurs de tram. Nous étions considérés comme des traîtres potentiels. Et pas que par la droite, permets-moi de te le dire ! Les sociaux-démocrates nous détestaient presque autant – des espions et des traîtres, tous autant que nous étions ! Mais ça ne correspondait à aucune réalité, bien sûr. Contrairement à ce que tu as l'air de sous-entendre.

– Oublions ça. Mais, comme tu l'as fait remarquer toi-même, je suis de la police. J'ai besoin de poser des questions.

– Tout cela remonte à plus de vingt ans, de toute manière. Quoi qui ait pu être dit ou fait, c'est prescrit, et sans intérêt.

– Pas complètement. L'Histoire n'est pas figée. Elle nous suit.

Fanny Klarström ne fit pas de commentaire. Tout en revenant au sujet principal, à savoir l'article, il pensa qu'elle avait besoin de parler à quelqu'un, que ce besoin avait été réprimé pendant longtemps et que la conversation risquait fort de se prolonger.

Voyait-il son propre avenir en elle ? L'ombre vieillissante, solitaire, qui attrape par le collet le premier quidam qui passe par là et le retient auprès d'elle tant qu'elle peut ?

Fanny avait bonne mémoire. Elle se rappelait la plupart des hommes en uniforme figurant sur la photo – ou plutôt sur sa photocopie grisâtre que lui soumettait Wallander. Ses commentaires étaient d'une acuité terrible, et Wallander comprit que, pour elle, chaque mot blessant était pleinement justifié. Ainsi un certain capitaine de frégate Sunesson débitait toujours des histoires grivoises « pas drôles, juste lourdes ». Il faisait partie des plus virulents, de ceux qui n'hésitaient pas à proposer ouvertement différentes méthodes pour liquider « l'agent russe », à savoir le Premier ministre en exercice, Olof Palme.

– J'ai un souvenir sinistre de ce Sunesson. Quand ils se sont réunis, deux jours après l'assassinat du Premier ministre, il s'est levé et a porté un toast. Il se réjouissait, a-t-il dit, qu'Olof Palme ait enfin eu la bonne idée de mourir au lieu de s'entêter à pourrir la vie des bons Suédois. Je m'en souviens parfaitement. J'ai failli lui renverser une saucière sur la tête. C'était une soirée horrible.

Wallander indiqua Håkan von Enke, sur la photo.

– Et lui ?

– C'était loin d'être le pire. Ne buvait pas trop, parlait rarement. En fait, il se contentait surtout d'écouter. C'était aussi l'un de ceux qui me traitaient le mieux. Il me *voyait*, si je peux m'exprimer ainsi.

– Mais la haine envers Palme ? La peur des Russes ?

– Ça, ils la partageaient tous. Tous pensaient que la Suède devait intégrer l'OTAN, que c'était une honte de prétendre rester à l'écart. Beaucoup d'entre eux étaient aussi d'avis que la Suède devait acquérir l'arme nucléaire, et que le plus tôt serait le mieux. Si seulement on pouvait en équiper un certain nombre de sous-marins il deviendrait possible de défendre nos frontières. Toutes les conversations portaient sur le combat entre Dieu et le Diable.

– Où le Diable venait de l'Est ?

– Oui, et où Dieu le Père avait pour nom USA. Dès les années 50, on parlait beaucoup du fait que les avions américains traversaient notre espace aérien sans que nos stations-radar donnent l'alerte. Il y avait des accords secrets entre l'état-major et le gouvernement là-dessus ; les aviateurs US avaient carte blanche. Nos aiguilleurs du ciel avaient certains codes spécifiques qu'utilisaient les Américains. Ils n'avaient plus qu'à décoller de leurs bases aériennes en Norvège et mettre le cap sur l'Union soviétique. Je me souviens que nous en parlions entre camarades, et que ça nous mettait très en colère.

– Et les sous-marins ?

– On en a beaucoup parlé aussi.

– Celui de Karlskrona en 1980 et ceux de Hårsfjärden en 1982 ?

Sa réponse le surprit :

– C'étaient deux choses complètement différentes.

– Comment cela ?

– Karlskrona, c'était un sous-marin russe. Savoir ce qui se cachait dans le détroit de Hårsfjärden, c'est une autre paire de manches.

– Que veux-tu dire ?

– Il leur arrivait de trinquer à la santé du pauvre capitaine, quel était son nom déjà ?

– Gouchtchine.

– Mais oui. Pauvre Gouchi, disait-on. Tellement ivre qu'il a foncé droit sur nos rochers. On avait capturé le bon sous-marin, n'est-ce pas ? Il ne régnait plus aucun doute quant au fait que c'étaient les Russes qui jouaient à cache-cache dans les eaux suédoises. Mais deux ans plus tard, au moment de l'incident de Hårsfjärden, ils n'ont jamais porté le moindre toast au moindre capitaine russe. Tu vois ce que je veux dire ?

– Que ce n'était pas un sous-marin russe ?

– Il n'y a aucune preuve. Pas la moindre.

Fanny Klarström continua à parler avec feu, et de manière très informée, de choses dont Wallander, lui, ne savait presque rien. Des notions telles qu'« équilibre de la terreur » et « non-alignement » restaient pour lui des formules sans réel contenu. Ses connaissances en histoire étaient très limitées ; il le savait et n'avait jamais cherché à s'en cacher, parce que cela ne l'intéressait pas vraiment, en réalité. Mais, à présent, il écoutait avec attention les propos de Fanny Klarström.

– Chez nos militaires, la cause était entendue : l'ennemi, c'était le Russe. Quand ces officiers se rencontraient, à les entendre, on aurait cru que nous étions déjà en guerre contre l'Union soviétique. Que les États-Unis puissent constituer une menace aussi sérieuse contre notre intégrité territoriale, cela ne traversait l'esprit de personne.

– Quelle était la véritable raison d'être de ces soirées ?

– Bien manger, bien boire, dire du mal des politiques qui n'hésitaient pas à « brader notre souveraineté nationale ». Ces mots-là revenaient toujours. Ils pensaient évidemment aux sociaux-démocrates, qui incarnaient à leurs yeux l'ennemi intérieur. Communiste, c'était l'insulte suprême. Ils faisaient toujours l'amalgame. Palme, par exemple, était un social-démocrate convaincu, tout le monde le savait ; mais dans ces cercles-là, on le traitait toujours de communiste.

Fanny Klarström se leva, malgré les protestations de Wallander, pour aller refaire du café à la cuisine. Il avait déjà mal au ventre à force d'en boire. Quand elle revint, il rendit compte de la vraie raison de sa présence à Markaryd.

– Les journaux ont parlé de cette double disparition, dit-elle quand il eut fini. Le mari et la femme…

– La femme, Louise, a été retrouvée morte près de Stockholm.

– La pauvre ! Que s'est-il passé ?

– On croit qu'elle a pu être assassinée.

– Pourquoi ?

– On ne le sait pas encore.

– Et le mari… Ce serait donc lui, là, sur la photo ?

– Håkan von Enke. Si tu te souviens de quoi que ce soit, je serais content de l'entendre.

Elle réfléchit en fixant la photo du regard.

– C'est difficile de se souvenir de lui, dit-elle enfin. Peut-être d'ailleurs cela révèle-t-il quelque chose à son sujet ? Il ne se faisait pas beaucoup remarquer. Il n'était pas de ceux qui buvaient et braillaient à tous crins. À vrai dire, il ne parlait pas beaucoup. Ce qui me revient, en pensant à lui, c'est l'image d'un homme toujours souriant.

Wallander fronça les sourcils. Pouvait-elle se tromper du tout au tout ?

– Tu en es sûre ? Mon impression à moi est qu'il ne sourit pour ainsi dire jamais.

Elle fit la moue.

– En tout cas, ce n'était pas un va-t-en-guerre. Plutôt un représentant de la petite minorité qui essayait parfois de faire entendre la cause de la paix. Je m'en souviens dans la mesure où cela m'intéressait.

– Quoi donc ?

– La paix. Je faisais partie de ceux qui ont demandé que la Suède renonce a priori à l'arme nucléaire dès les années 50.

– Håkan von Enke parlait donc de paix ?

– Dans mon souvenir. Mais ça fait longtemps.

– Autre chose ?

Il vit qu'elle faisait un réel effort. Il fit mine de goûter son café sans le boire vraiment et grignota une biscotte. Soudain, il sentit un plombage se détacher ; il eut aussitôt mal à la dent. Il récupéra l'amalgame dans une serviette en papier et le rangea dans sa poche. On était en plein été, son dentiste était sûrement en vacances et il tomberait sur un répondeur qui lui suggérerait de s'adresser aux urgences. Il songea avec irritation que son corps se déglinguait, un bout par-ci, un bout par-là. Le jour où un gros morceau lâcherait, c'en serait fini de lui.

– L'Amérique ! s'exclama Fanny Klarström.

L'incident lui avait fait forte impression. Comment avait-elle pu l'oublier ?

– C'était l'une des dernières fois que je suis allée travailler là-bas. Il y avait eu des demandes de la part de ces messieurs, apparemment. À l'avenir, on souhaitait voir plutôt des serveuses plus jeunes, aux jupes plus courtes et aux jambes plus fines. À moi, ça ne me faisait rien, vu que je ne les supportais plus. Ils se réunissaient toujours le premier mardi du mois. On était en 1987, au début du printemps. Je m'en souviens parce que je m'étais cassé le petit doigt de la main gauche – ça m'avait handicapée un bon moment – et que je reprenais le service ce jour-là, après mon arrêt de travail. C'était en mars. Après le repas, le café et le cognac étaient toujours servis dans un salon plutôt sombre, plein de fauteuils en cuir et de rayonnages de livres. Je m'en souviens parce que j'ai toujours aimé lire. Une fois, au début, j'étais arrivée en avance et j'étais allée regarder les livres, par curiosité, avant de commencer à dresser la table. J'ai eu un choc en découvrant que c'étaient des faux. Des dos de livres peints en trompe-l'œil, tu comprends ? Le propriétaire, ou son décorateur, avait dû récupérer le lot dans un dépôt d'accessoires de cinéma, va savoir. Mon respect pour ces gens-là en a encore pris un coup…

Elle se redressa bien droite dans son fauteuil, comme pour s'obliger à se concentrer et à ne pas perdre le fil.

– Ça se passait donc dans ce salon. L'un des officiers a commencé à parler d'espionnage. J'étais en train de servir le cognac – et pas n'importe lequel, je peux te le dire. Le thème des espions n'avait rien de rare. Wennerström, en particulier, était un de leurs sujets de prédilection. Dès qu'ils avaient assez bu, plusieurs se portaient même volontaires pour le liquider définitivement. Je me souviens d'un amiral – von Hartman, peut-être ? un nom comme ça – qui voulait l'étrangler à petit feu, sans se presser, avec une corde de balalaïka. Soudain Håkan von Enke a pris la parole. Il a demandé pourquoi personne ne paraissait se soucier du fait que des agents états-uniens puissent être également actifs en Suède. La riposte a été violente. Ça a dégénéré en dispute vraiment moche. Plusieurs des officiers présents ont mis en cause son patriotisme. Tout le monde était plus ou moins ivre, sauf peut-être Håkan von Enke lui-même. Quoi qu'il en soit, il était à la fin tellement en colère qu'il s'est levé et qu'il est parti. Tout simplement. Ce n'était encore jamais arrivé, de tout le temps où j'avais servi là-bas. Je ne sais pas s'il est revenu le mois suivant, car ça coïncidait avec le moment où ils ont embauché la nouvelle vague de serveuses jeunes et jolies. La scène m'a marquée, parce que c'était précisément ce que nous n'avions jamais cessé de penser, mes camarades et moi. Si les Russes avaient des espions en Suède, ce qui était le cas, les Américains de leur côté ne restaient pas inactifs. Mais ces hommes, qui étaient sans exception des militaires de haut rang, refusaient de l'admettre. Ou alors ils faisaient semblant.

Elle se leva pour le resservir, mais Wallander posa aimablement la main sur sa tasse. Quand elle se rassit, il nota ses jambes enflées, en effet, et ses varices. Il lui semblait la voir, dans cette salle de réception, et puis dans ce petit salon enfumé, au milieu des officiers.

– Voilà ce dont je me souviens, dit-elle. Si ça peut te servir à quoi que ce soit, c'est une autre affaire.

– Sûrement, oui, dit Wallander.

Elle ôta ses lunettes et le regarda attentivement.

– Il est mort, lui aussi ?

– Nous n'en savons rien.

– Est-ce que c'est lui qui l'a tuée ?

– Nous n'en savons rien. Tout est possible.

– C'est comme ça que ça se passe en général, soupira-t-elle. Les hommes tuent leur femme. Parfois ils disent qu'ils ont voulu se suicider tout de suite après. Mais ils ne le font pas. Peut-être parce qu'ils n'osent pas ?

– Oui. Ça arrive souvent que les hommes se montrent lâches le moment venu.

Elle se remit à pleurer, au grand dam de Wallander. Les larmes ruisselaient en silence sur ses joues. De nouveau, il sentit sa gorge se nouer. La solitude n'est pas belle à voir, pensa-t-il. Cette femme, au milieu de toutes ses photographies muettes, sans autre compagnie qu'elles...

– Ça ne m'arrivait jamais de pleurer comme ça dans le temps, dit-elle en s'essuyant les yeux. Mais plus je vieillis, plus il me revient, mon mari. De plus en plus souvent. Je crois qu'il m'attend, là-bas dans les profondeurs, il m'attire à lui. J'irai bientôt le rejoindre. J'ai la sensation d'en avoir fini avec ma vie. Pourtant elle continue. Un vieux cœur fatigué qui bat, et qui bat. Après l'automne un autre printemps viendra, mais ce ne sera plus le nôtre.

– On dirait un poème.

– Je sais. La mamie fait de la poésie sans le vouloir.

Elle rit.

Wallander se leva et la remercia. Elle insista pour le raccompagner jusqu'à sa voiture, malgré ses jambes qui la faisaient souffrir, impossible de le cacher. L'homme à la tondeuse avait disparu.

– L'été attise la nostalgie, dit-elle en lui serrant la main. Mon mari est mort depuis plus de soixante ans, pourtant j'ai un désir intense de le voir, comme quand nous venions de nous rencontrer, tout au long de ces deux années qui nous ont été accordées pour être ensemble. Un policier peut-il comprendre cela ?

– Mais oui, dit Wallander. Oui, absolument.

Elle suivit la voiture du regard en agitant la main. Encore quelqu'un que je ne reverrai jamais, pensa-t-il en laissant derrière lui l'agglomération de Markaryd et la mélancolie suscitée par cette visite chez Fanny Klarström. Il repensait sans cesse à son commentaire sur les hommes qui tuent leur femme et qui sont ensuite trop lâches pour retourner leur arme contre eux. Que Håkan von Enke puisse porter la responsabilité de la mort de Louise, voilà l'une des premières pensées qu'il avait eues après sa conversation avec Hermann Eber. Il n'y avait aucun mobile, aucune preuve, aucune trace – juste une possibilité parmi bien d'autres. Mais ces paroles de Fanny Klarström l'obligeaient à revenir à cette hypothèse. Et pendant qu'il traversait les sombres forêts du Småland, il essaya d'imaginer un lien causal qui aurait pu rattacher la mort de Louise à son mari.

Il arriva chez lui sans avoir avancé d'un iota.

Cette nuit-là, il resta longtemps éveillé dans son lit en pensant à Fanny Klarström.

26

Wallander dormait encore quand le téléphone émit sa sonnerie grelottante. C'était le vieil appareil de son père, qu'il avait récupéré pour des raisons sentimentales en vidant la maison paternelle avant de la vendre. Il laissa sonner. Mais, à la fin, il alla quand même répondre et reconnut alors la voix d'une des nouvelles qui travaillaient à l'accueil du commissariat. Ebba, qui avait toujours été là du plus loin qu'il s'en souvienne, était désormais à la retraite. Son mari et elle avaient déménagé à Malmö afin de se rapprocher de leurs enfants. Wallander ne se rappelait pas le nom de la nouvelle, peut-être Anna, il n'en était pas sûr.

– J'ai une femme ici qui me demande ton adresse, dit-elle. Je ne la lui donne qu'avec ton accord. Elle vient de l'étranger.

– Bien sûr, dit Wallander. Toutes les femmes que je connais viennent de l'étranger.

Il ne l'entendit pas sourire. Il profita de ce qu'il était à côté du téléphone pour composer un autre numéro. À la troisième tentative, un dentiste accepta de le recevoir une heure plus tard.

Quand il revint de sa visite chez le dentiste, il était presque midi. Il allait se préparer à déjeuner quand on frappa à la porte. Elle avait beau avoir changé, il la reconnut tout de suite. Quand l'avait-il vue pour la dernière fois ?

Baiba. Baiba Liepa, de Riga, de Lettonie.

Mais c'était bien elle.

– Incroyable. Comment… La femme qui a demandé mon adresse au commissariat ce matin… C'était donc toi ?

– Je ne voulais pas te déranger.

– Comment pourrais-tu me déranger ?

Il l'attira à lui, l'embrassa et sentit en l'étreignant qu'elle était réellement très amaigrie, ce n'était pas juste une impression visuelle. Plus de quinze ans s'étaient écoulés depuis leur liaison, aussi brève qu'intense. Leur dernier contact remontait à dix ans, peut-être même plus. Il était ivre. Il l'avait appelée en pleine nuit. Puis il avait eu des remords et décidé de ne plus jamais chercher à la joindre. À présent elle était devant lui et toutes les émotions ressurgissaient d'elles-mêmes. Elle avait été la grande passion de sa vie. Cette rencontre avait mis en perspective sa longue histoire avec Mona. Avec Baiba, il avait connu une sensualité dont il n'avait pas cru auparavant qu'elle pouvait exister. Il avait été prêt à commencer une nouvelle vie. Il désirait qu'ils se marient, mais elle avait refusé. Elle ne voulait pas refaire sa vie avec un policier et risquer de devenir veuve une seconde fois.

Il la fit entrer. Ils étaient debout, face à face, dans le séjour. Il avait encore du mal à réaliser que c'était elle. Que Baiba était chez lui. Que Baiba était revenue. De très loin, dans le temps et dans l'espace.

– Je n'aurais jamais cru qu'on se reverrait, dit-il.

– Tu ne m'as jamais rappelée.

– Non. C'est vrai.

Il la conduisit jusqu'au canapé et s'assit à côté d'elle. Soudain il eut le pressentiment que ça n'allait pas du tout. Elle était trop pâle, trop maigre, peut-être aussi y avait-il une fatigue, une pesanteur dans ses gestes qu'il ne lui connaissait pas.

Elle le devina, comme elle l'avait toujours fait, et prit sa main.

– Je voulais te revoir. On croit que c'est terminé, avec quelqu'un, qu'on ne le reverra plus. Un jour, on se réveille et on sait que rien n'est fini. Les gens qui ont été importants, on ne s'en libère jamais tout à fait.

– Pourquoi maintenant ?

– Je prendrais volontiers une tasse de thé.

Puis, comme si elle se ravisait :

– Tu es sûr que je ne te dérange pas ?

– J'ai un chien. C'est tout.

– Comment va ta fille ?

– Tu ne te souviens pas de son prénom ?

Elle se rembrunit et Wallander se rappela soudain combien elle pouvait être ombrageuse.

– Linda, dit-elle. Comme aurais-je pu l'oublier ? C'est ta fille, Kurt.

– Je croyais peut-être que tu avais effacé tout ce qui me concernait.

– Il y a un trait de caractère que je n'ai jamais apprécié chez toi. C'est ta façon de toujours dramatiser les choses sérieuses. Comment pourrait-on « effacer » quelqu'un qu'on a aimé ?

Wallander se leva.

– Je vais à la cuisine. Je vais faire du thé.

– Je viens avec toi.

Quand elle se leva et qu'il vit l'effort que cela lui coûtait, il comprit qu'elle était malade.

Dans la cuisine, elle remplit la casserole d'eau et la posa sur la gazinière comme si elle était chez elle. Il sortit les tasses héritées de sa mère, qui étaient d'ailleurs tout ce qui lui restait d'elle. Quand le thé fut prêt, ils s'assirent.

– C'est beau chez toi, dit-elle. Je me souviens que tu parlais d'aller vivre à la campagne. J'avoue que je n'y croyais pas.

– Moi non plus. Et encore moins que j'aurais un chien.

– Comment s'appelle-t-elle ?

– C'est un mâle. Il s'appelle Jussi.

Le silence retomba. Il l'observait à la dérobée. À la lumière vive qui entrait par la fenêtre de la cuisine, ses traits paraissaient vraiment très creusés.

– Je n'ai jamais quitté Riga, dit-elle de façon inattendue. Par deux fois, j'ai réussi à obtenir un meilleur logement. Je crois que je ne pourrais jamais vivre à la campagne. Enfant, j'ai été placée quelques années chez mes grands-parents maternels. Pour moi, la campagne lettone restera toujours associée à cette vie de pauvreté. C'est peut-être une image fausse aujourd'hui mais moi, elle ne me quitte pas.

– Tu travailles toujours à l'université ?

Elle ne répondit pas tout de suite. But son thé à petites gorgées, reposa sa tasse.

– J'ai une formation d'ingénieur au départ, tu t'en souviens peut-être. Quand on s'est rencontrés, je traduisais des textes pour l'École polytechnique. Plus maintenant. Maintenant je suis malade.

– Qu'est-ce que tu as ?

Elle répondit d'une voix égale, comme si ce n'était pas très sérieux :

– La mort. J'ai un cancer. Mais je n'ai pas envie d'en parler maintenant. Tu permets que j'aille m'allonger un peu ? Je prends des antalgiques, mais ils sont tellement forts qu'ils m'endorment.

Elle se dirigeait déjà vers le canapé du séjour, mais Wallander la fit entrer dans sa chambre, où il avait par chance changé les draps quelques jours auparavant. Il les lissa avant qu'elle ne s'allonge. Sa tête disparaissait presque dans l'oreiller. Elle eut un faible sourire, comme si un souvenir la frappait.

– N'ai-je pas déjà dormi dans ce lit ?

– Si, si. Je l'ai depuis longtemps.

– Alors j'en profite pour dormir un petit peu. Juste une heure. Au commissariat, ils m'ont dit que tu étais en vacances.

– Dors tant que tu voudras.

Il se demanda si elle l'avait entendu ou si elle dormait déjà. Pourquoi vient-elle me voir ? pensa-t-il dans un sursaut d'indignation. Je n'ai plus la force de supporter toute cette misère, les femmes malades, celles qui se suicident à petit feu, les belles-mères assassinées… Il regretta aussitôt cette pensée, s'assit prudemment au pied du lit et la regarda. Le souvenir de son amour pour elle lui revint et le bouleversa si fort qu'il se mit presque à trembler. *Je ne veux pas qu'elle meure. Je veux qu'elle vive. Peut-être serait-elle prête aujourd'hui à vivre avec un policier ?*

Il sortit s'asseoir au jardin. Après un moment, il alla libérer Jussi. La voiture de Baiba était une vieille Citroën avec des plaques lettones. Il alluma son portable, vit que Linda avait cherché à le joindre et la rappela. Elle parut contente de l'entendre.

– Je voulais seulement te dire que Hans vient de toucher un bonus de trois cent mille couronnes. Ça veut dire qu'on va pouvoir agrandir la maison.

– Il l'a vraiment mérité, cet argent ? demanda Wallander sur un ton grincheux.

– Et pourquoi non ?

Il lui raconta alors que Baiba était chez lui en visite.

– Extraordinaire ! Comment va-t-elle ?

– Elle est très fatiguée. Au moment où je te parle, elle dort.

– Ça me ferait plaisir de la revoir.

– On verra, éluda Wallander.

– Baiba. Ça alors !

– Oui.

– Quand je pense que Mona parlait d'elle comme de ta « prostituée lettone » !

Wallander devint fou de rage.

– Ta mère est parfois vraiment quelqu'un d'épouvantable. La vérité, c'est que Baiba a toutes les qualités qui manquent justement à Mona, par bien des côtés. Quand t'a-t-elle dit cela ?

– Comment veux-tu que je m'en souvienne ?

– Je vais l'appeler et lui dire de ne plus jamais reprendre contact avec moi.

– Qu'est-ce que tu y gagneras ? Elle était jalouse, j'imagine. On dit n'importe quoi dans ce cas-là.

Wallander admit à contrecœur qu'elle avait raison. Il se calma. Puis, sans pouvoir s'en empêcher, il confia à Linda que Baiba était malade. Gravement malade. Linda comprit tout de suite.

– Elle est venue te dire au revoir ? Que c'est triste !

– Oui. C'est ce que j'ai pensé, moi aussi. En la voyant, j'ai été tout d'abord surpris, et heureux. Mais ça n'a duré que quelques minutes. J'ai l'impression d'être encerclé par la mort et le malheur.

– N'oublie pas que tu as Klara.

– Il ne s'agit pas de ça. C'est la sensation de la vieillesse qui rôde et qui cherche à me serrer dans ses griffes. À la mort de papa, je me suis retrouvé en première ligne. Klara est la dernière, moi je suis le premier. Tu comprends ?

– Si elle est venue jusque chez toi, ça veut dire que tu es très important pour elle. C'est la seule chose qui compte.

– Viens, dit Wallander, revenant sur sa réticence première. Viens la voir, ça lui fera plaisir. Et à moi aussi. Après tout, Baiba a été la seule femme de ma vie.

– En dehors de Mona ?

– Cela va sans dire.

Linda réfléchit.

– J'ai une amie à la maison. Rakel, tu te souviens peut-être d'elle ? Elle est dans la police aussi, mais à Malmö. Klara s'entend bien avec elle.

– Quoi, tu viendrais sans la petite ?

– Oui, je préfère. J'arrive.

Il était quinze heures quand la voiture de Linda tourna dans la cour. Elle dut piler net pour ne pas emboutir la Citroën de Baiba. Wallander s'inquiétait toujours de sa manie de conduire trop vite. D'un autre côté, il était soulagé chaque fois qu'elle ne prenait pas sa moto. Il le lui disait, d'ailleurs, et la réponse de Linda se limitait en général à un soupir d'impatience.

Baiba était réveillée. Elle avait bu un peu d'eau et une deuxième tasse de thé. Wallander l'avait vue, à son insu, s'administrer une injection dans la cuisse. Il avait entrevu sa nudité et senti monter en lui une vague de désespoir devant tout ce qui ne pouvait être vécu une deuxième fois.

Baiba s'attarda un long moment dans la salle de bains. Quand elle en ressortit, elle paraissait moins fatiguée. Ce fut un grand instant, un instant remarquable pour lui que celui où Baiba et Linda s'embrassèrent, après toutes ces années. Soudain, il croyait revoir la Baiba qu'il avait rencontrée en Lettonie tant d'années auparavant.

Linda lui parlait comme si elles s'étaient vues la veille. Wallander se sentait gêné, mais heureux en même temps de les voir ensemble. Si Mona, en dépit de la colère qu'il ressentait vis-à-vis d'elle, avait été là et si Linda était venue avec Klara – alors les quatre femmes les plus importantes de sa vie et même, d'une certaine manière, les seules femmes de sa vie, auraient été réunies. Un grand jour, pensa-t-il, au beau milieu de l'été, et de la vieillesse qui approche de son pas sournois.

En apprenant que Baiba n'avait rien mangé, Linda envoya Wallander à la cuisine préparer une omelette. Il fut content de s'éloigner un peu. Le rire de Baiba lui parvenait par la fenêtre ouverte, éveillant des souvenirs encore plus forts. Il en eut les larmes aux yeux et pensa qu'il devenait sentimental. Ça n'avait jamais été le cas avant, sauf quand il avait bu.

Ils mangèrent au jardin, en se déplaçant avec le soleil. Wallander écoutait Linda interroger Baiba sur les changements intervenus en Lettonie. Linda n'était jamais allée là-bas. Un court instant une famille est recréée, pensa-t-il. Bientôt, ce sera fini. Et la question la plus difficile : qu'est-ce qui subsiste ?

Linda resta une bonne heure avec eux avant de devoir prendre congé pour rentrer s'occuper de sa fille. Elle avait apporté une photographie de Klara, qu'elle montra à Baiba.

– Elle ressemblera peut-être à son grand-père, dit celle-ci.

– Dieu nous protège.

Linda sourit à Baiba.

– Il ne faut pas croire ce qu'il dit. Son désir le plus cher, c'est que Klara lui ressemble.

Elle se leva et l'embrassa en lui disant « À bientôt ».

Baiba ne répondit pas, se contenta de la serrer dans ses bras.

Après le départ de Linda, Baiba et Wallander se rassirent au jardin. Sans l'avoir prémédité, ils parlèrent de leur vie. Baiba avait beaucoup de questions, et il y répondit de son mieux. Elle aussi vivait seule, apprit-il. Une dizaine d'années auparavant, elle avait entamé une relation avec un homme, médecin de profession ; mais elle y avait renoncé après six mois. Elle n'avait pas eu d'enfants. Wallander ne put déceler avec certitude si elle en éprouvait du regret.

– J'ai eu une bonne vie, dit-elle avec conviction. Quand les frontières se sont enfin ouvertes, j'ai pu voyager. Je vivais chichement, j'écrivais dans les journaux, j'ai commencé à conseiller des entreprises qui souhaitaient s'installer en Lettonie. Mon meilleur client est d'ailleurs une banque suédoise, qui est à présent la plus importante des banques étrangères installées chez nous. J'ai pris l'habitude de faire deux voyages par an ; j'en sais infiniment plus aujourd'hui sur le monde dans lequel je vis. J'ai eu une belle vie. Solitaire, mais belle.

– Mon tourment à moi a toujours été de me réveiller seul, dit Wallander en se demandant en même temps si c'était vrai.

Baiba sourit.

– Ce n'est pas parce que j'ai vécu seule, à part le court épisode avec mon médecin, que je me suis toujours réveillée seule. On n'est pas obligé de mener une vie monacale sous prétexte qu'on n'a pas de liaison officielle.

Wallander sentit aussitôt sa jalousie s'éveiller en imaginant des hommes inconnus dans le lit de Baiba. Mais il ne dit rien, bien sûr.

Baiba commença sans transition à évoquer sa maladie. De façon sobre et factuelle, comme toujours quand elle abordait un sujet grave :

– Au départ, je sentais juste une fatigue inhabituelle. Mais j'ai deviné assez vite que ça cachait quelque chose de plus menaçant. Les médecins, eux, ne me trouvaient rien. Surmenage, disaient-ils, vous n'avez plus vingt ans, etc. Mais je n'y croyais pas. J'ai fini par rendre visite à un spécialiste dont j'avais entendu parler, qui pratique en Allemagne, à Bonn, et qui travaille sur les cas que d'autres médecins ont échoué à diagnostiquer. Après quelques jours de tests et d'analyses, ce spécialiste m'a annoncé que j'avais une forme rare de tumeur au foie. Je suis revenue à Riga avec ma sentence de mort tel un tampon invisible dans mon passeport. J'admets volontiers que j'ai abusé de tous les contacts dont je disposais. C'est comme ça que j'ai pu être opérée très rapidement. Mais il était trop tard, la tumeur s'était déjà propagée. Il y a trois semaines, j'ai appris qu'il y avait à présent aussi des métastases au cerveau. Il s'est écoulé moins d'un an depuis le diagnostic. Je sais que je ne vivrai pas jusqu'à Noël. J'essaie de profiter du temps qu'il me reste pour faire ce qui me tient le plus à cœur. Il y a certains endroits du monde que j'ai voulu découvrir et certaines personnes que j'ai voulu revoir une dernière fois. Tu en fais partie. Peut-être même es-tu celui que je voulais revoir plus que n'importe qui d'autre.

Wallander se mit soudain à sangloter de façon incontrôlée. Elle prit sa main, ce qui l'embarrassa encore davantage. Il se leva et partit derrière la maison. Quand il eut rassemblé ses esprits, il revint s'asseoir.

– Je ne voulais pas t'apporter du chagrin, dit-elle. J'espère que tu comprends pourquoi je suis venue.

– Je n'ai jamais oublié ce temps-là. J'ai tellement voulu qu'il revienne. Maintenant que tu es là, il faut que je te pose la question : as-tu jamais eu des regrets ?

– De ne pas t'avoir épousé comme tu me le demandais ?

– Oui. C'est une question qui me poursuit.

– Jamais. C'était la bonne décision, et elle reste valable.

Wallander resta silencieux. Il la comprenait. Pourquoi aurait-elle envisagé sérieusement de se remarier alors que son mari, policier lui aussi, venait d'être tué ? Pourquoi se remarier avec un étranger, en plus, dont elle ne parlait pas la langue, et quitter son pays pour lui ? Wallander se rappelait combien il avait insisté, essayant sans relâche de la persuader de venir. Mais si les rôles avaient été inversés, comment aurait-il réagi ? Quel aurait été son choix à lui ?

Le silence se prolongea. Enfin Baiba se leva, caressa la tête de Wallander et disparut dans la maison. Il supposa qu'elle allait se faire une nouvelle piqûre. Ne la voyant pas revenir, il rentra à son tour. Il la trouva endormie sur son lit. Tard dans la soirée, elle se réveilla et, après la première confusion du réveil, lui demanda si elle pouvait passer la nuit chez lui avant de prendre le ferry vers la Pologne pour ensuite rentrer chez elle, à Riga.

– C'est une trop longue route à faire seule en voiture, dit Wallander. Tu sais quoi ? Je te raccompagne. Je te ramène chez toi. Je pourrai toujours prendre l'avion après.

Elle refusa. Elle voulait rentrer seule, comme elle était venue. Wallander insista, ce qui eut pour seul effet de l'énerver. Elle haussa le ton. Il lâcha aussitôt l'affaire et s'excusa. Puis il s'assit sur le bord du lit et prit sa main.

– Je sais ce que tu penses, dit-elle. Tu te demandes pour combien de temps j'en ai. Mais je te rassure : si j'avais le moindre pressentiment que l'heure était proche, je ne passerais pas la nuit chez toi. Je ne serais même pas venue te voir. Mais je crois avoir encore quelques mois devant moi. Quand je sentirai que ça vient, je n'insisterai pas. J'ai accès à tout, comprimés, piqûres. J'ai l'intention de mourir avec une bouteille de champagne à mon chevet. Je porterai un toast. Que m'ait été accordée, malgré tout, cette aventure étonnante de naître, de vivre et puis de disparaître une fois de plus dans l'obscurité.

– Tu n'as pas peur ?

Wallander se maudit ; il se serait volontiers coupé la langue. Comment pouvait-il poser une question pareille à quelqu'un qui était sur le point de mourir ? Mais elle ne s'en formalisa pas. Il se dit, avec un mélange de désespoir et de gêne, qu'elle était habituée depuis longtemps à sa maladresse, à son côté lourdaud, et elle savait, du moins il l'espérait, que ça n'avait rien à voir avec de la malveillance.

– Non, dit-elle, je n'ai pas peur. Il me reste trop peu de temps, je ne peux pas le gaspiller. La peur ne ferait qu'aggraver mon cas.

Puis elle se leva du lit et voulut visiter la maison. Devant la bibliothèque, elle marqua un arrêt en reconnaissant un livre sur la Lettonie qu'elle lui avait offert.

– L'as-tu jamais ouvert ? demanda-t-elle avec un sourire.

– Souvent, dit Wallander.

C'était la pure vérité.

Après coup, il se souviendrait de cette soirée et de cette nuit avec Baiba comme d'une chambre où toutes les horloges se seraient arrêtées. Elle était au lit, couverte d'un drap, s'administrant de temps à autre une nouvelle injection. Elle n'avait presque rien voulu manger. Elle désirait qu'il reste auprès d'elle. À un certain moment il se mit au lit, lui aussi. Ils veillaient, parlaient ; quand elle était trop fatiguée, ils gardaient le silence. Parfois il découvrait qu'elle s'était simplement endormie. Wallander s'assoupissait alors lui aussi, mais se réveillait en sursaut après quelques minutes, tant il était peu habitué à sentir la présence d'un autre être humain si près de lui.

Elle lui parla de toutes les années écoulées depuis leurs derniers échanges ; de l'évolution ahurissante qu'avait connue son pays, la Lettonie.

– Nous ne savions rien. Tu te rappelles les Bérets noirs qui n'hésitaient pas à tirer aveuglément dès que les circonstances s'y prêtaient ? Aujourd'hui je peux avouer que je ne croyais pas, à l'époque, que les Soviétiques nous lâcheraient un jour. J'imaginais que l'oppression se renforcerait, au contraire. Le pire, c'était de ne jamais savoir à qui on pouvait se fier. Le voisin espérait-il la liberté ou la craignait-il ? Faisait-il partie de ceux qui rendaient des comptes au KGB ? Ce KGB. Comme une gigantesque oreille qui était partout, à laquelle nul n'échappait. Aujourd'hui je sais que je me trompais et j'en suis heureuse, bien sûr. En même temps, personne ne sait quel sera le sort de la Lettonie. Le capitalisme et la démocratie ne résolvent pas tous les problèmes laissés par le socialisme d'État et l'économie planifiée. Je crois bien que nous vivons actuellement très au-dessus de nos moyens.

– Ne parle-t-on pas du « tigre balte » ? L'essor de la Lettonie, de l'Estonie et de la Lituanie n'est-il pas aussi spectaculaire que celui des pays de l'Asie du Sud-Est ?

Elle secoua la tête.

– Nous vivons avec de l'argent emprunté. À la Suède, en particulier. Je ne prétends pas être une économiste. Mais je suis certaine que les capitaux prêtés par les banques suédoises à la Lettonie ont été assortis de garanties très insuffisantes. Et ça ne peut finir que d'une manière.

– Mal ?

– Très mal. Pour les banques suédoises, entre autres.

Wallander repensa au temps de leur liaison. C'était au début des années 1990. Il se rappelait la peur qui semblait habiter tout un chacun, à Riga. Il y avait tant de choses, dans ce qui s'était passé alors, qu'il n'avait jamais vraiment comprises. En surface, un grand changement politique avait transformé l'Europe de façon spectaculaire et aussi, dans son sillage, le rapport de forces entre les États-Unis et l'Union soviétique. Avant de se rendre à Riga pour tenter d'élucider l'affaire des morts découverts à bord du canot échoué, il n'avait jamais réfléchi au fait que trois des plus proches voisins de la Suède vivaient sous l'occupation d'une puissance étrangère. Comment se faisait-il que tant de gens de sa génération, nés après la Seconde Guerre mondiale, n'avaient jamais sérieusement compris que ce qu'on appelait la guerre froide en était vraiment une, de guerre, avec son cortège de pays occupés et de peuples opprimés ? À bien des égards, il avait pu sembler longtemps que le Vietnam était plus proche de la Suède que ne l'étaient l'Estonie, la Lettonie ou la Lituanie.

– C'était difficile à comprendre, même pour nous, dit Baiba tard dans la nuit, alors que les premières lueurs de l'aube changeaient déjà la couleur du ciel. Derrière chaque Letton se cachait un Russe, ainsi que nous avions coutume de le dire. Mais derrière chaque Russe à son tour, il y avait encore quelqu'un d'autre.

– Qui ?

– Tout ce que faisaient les Russes, même chez nous en Lettonie, était orienté par ce que faisaient les États-Unis ailleurs dans le monde.

– Derrière chaque Russe, il y avait donc un Américain ?

– On peut le dire ainsi. Mais on ne saura réellement ce qu'il en était que le jour où les historiens russes dévoileront la véritable histoire de ce temps-là.

Leurs retrouvailles inattendues prirent fin de façon tout aussi inattendue au beau milieu de cet échange tâtonnant sur une époque révolue. Wallander s'endormit ; la dernière fois qu'il avait regardé sa montre, il était cinq heures du matin. Quand il se réveilla, il était six heures et Baiba avait disparu. Il se précipita dans la cour, mais sa voiture n'était plus là. Il trouva seulement une photographie, maintenue en place par une pierre, sur la table du jardin. Elle avait été prise au mois de mai 1991 devant le monument de la Liberté à Riga. Wallander se souvenait de cet instant. Un passant avait accepté de les prendre en photo. Ils souriaient, serrés l'un contre l'autre, Baiba la tête inclinée vers son épaule à lui. Sous la photo, elle avait glissé un bout de papier, une page arrachée à un agenda, où elle n'avait rien écrit ; juste dessiné un cœur.

Wallander décida sur-le-champ de prendre la route vers Ystad et le ferry vers la Pologne. Il avait déjà mis le contact quand il comprit que Baiba ne voulait pas qu'il fasse cela. Elle ne voulait pas qu'il la rattrape. Il retourna à l'intérieur et se recoucha dans le lit, où il pouvait encore sentir l'odeur de son corps.

Il s'endormit, épuisé. En se réveillant quelques heures plus tard, il repensa à ce qu'elle avait dit. Elle lui donnait en quelque sorte une piste de réflexion par rapport à Håkan et à Louise von Enke. *Derrière chaque Russe il y avait encore quelqu'un d'autre.*

Qui ? pensa-t-il. Qui était derrière qui ? Il l'ignorait, mais la question pouvait être importante. Il n'allait pas la lâcher.

Il ressortit dans la cour et alla chercher la grande échelle dont le ramoneur était pratiquement seul à se servir. Il grimpa sur le toit en emportant ses jumelles. Une fois installé là-haut, il fit la mise au point et bientôt il put distinguer le ferry blanc qui faisait route vers la Pologne. Avec à bord celle qui représentait la période la plus intense et la plus heureuse de sa vie et qui ne reviendrait jamais. Son chagrin et sa douleur dépassaient ce qu'il était capable de supporter.

Quand le camion-poubelles arriva, il était toujours là-haut. Mais les éboueurs ne le virent pas, perché telle une corneille sur le faîte de sa maison.

27

Wallander regarda s'éloigner le camion-poubelles. Le ferry de Pologne avait disparu, englouti par un banc de brouillard qui atteignait à présent la côte scanienne. Ses propres pensées l'effrayaient. Après cette longue nuit, Baiba avait profité de son sommeil pour s'en aller, direction le ferry et l'éternité. À supposer que l'éternité existe. Mais Baiba était en tout état de cause plus proche que lui du grand saut dans le vide. Elle avait bien parlé de quelques mois, pas davantage.

Soudain il lui sembla se voir avec une clarté absolue. Un homme qui savait faire une seule chose, mais alors à la perfection : s'apitoyer sur son sort. Un personnage de part en part pathétique. Tout ce qui lui importait vraiment, c'était que Baiba allait peut-être mourir, mais pas lui.

Enfin il redescendit du toit et partit se promener avec Jussi. Une promenade qui ressemblait bien plutôt à une fuite. Il avait fini par se raisonner. Il était celui qu'il était. Un homme compétent dans son travail, et même un peu plus que ça. Toute sa vie, il s'était efforcé de faire partie des forces positives à l'œuvre dans le monde et s'il n'y avait pas réussi, eh bien, il n'était pas le seul. Que pouvait-on faire, en tant qu'être humain, sinon s'efforcer ?

Le ciel s'était couvert. Il marchait avec Jussi en guettant l'arrivée de la pluie par-dessus des champs moissonnés et d'autres qui attendaient de l'être. Il s'était fixé pour objectif d'essayer d'avoir une pensée neuve tous les cinquante pas. Un jeu auquel il jouait avec Linda quand elle était petite. Mais le jeu était devenu sérieux quelques années auparavant, à l'époque où il tentait d'identifier un tueur qui s'en était pris à un groupe de jeunes gens déguisés pour la fête de la Saint-Jean. Cette enquête avait été source pour lui d'une grande angoisse, d'un sentiment grandissant d'avoir perdu sa faculté pour *lire* une scène de crime et les rares indices dont il disposait malgré tout. Le jeu d'enfant avait alors resservi : il avait *marché* vers la solution au cours des différentes phases de l'enquête. À présent, il essayait d'utiliser la méthode d'une autre façon : pour nourrir ses réflexions sur lui-même, sa propre vie, et le courage de Baiba face à l'inévitable – courage qui lui manquait très certainement pour sa part. Il suivait les chemins de traverse et les talus des fossés, ne marchait pas vite, laissait Jussi courir à son gré.

Il était en nage quand il s'assit enfin au bord d'une petite mare où traînaient des pièces d'outils agricoles rouillées. Jussi flaira l'eau, but, et se coucha ensuite à ses pieds. Les nuages étaient moins nombreux ; il n'y aurait pas de pluie, tout compte fait. Au loin il entendit des sirènes de véhicules d'intervention – des voitures de pompiers, plus précisément, ce n'était pas une sirène d'ambulance, ni les collègues. Il ferma les yeux et tenta d'apercevoir le visage de Baiba. Les sirènes approchaient, elles étaient à présent derrière lui, sur la route de Simrishamn. Il se retourna. Les jumelles qu'il avait emportées sur le toit étaient toujours pendues à son cou. Les sirènes étaient maintenant toutes proches. Il se leva. Se pouvait-il qu'il y eût le feu chez l'un de ses voisins ? Pourvu que ce ne soit pas chez les Hansson. Elin était impotente et Rune, son mari, avait du mal à se déplacer sans sa canne. En levant ses jumelles, il découvrit avec épouvante que les deux voitures de pompiers venaient de s'arrêter dans sa propre cour. Il se mit à courir, Jussi devant lui. À un moment il s'arrêta, hors d'haleine, et reprit ses jumelles, s'attendant à voir des flammes jaillir du toit où il avait été assis un peu plus tôt ou de la fumée sortir à grosses volutes par les vitres brisées. Mais rien. Juste les voitures, dont les sirènes entre-temps s'étaient tues, et les pompiers qui circulaient entre la cour et la maison.

Quand il arriva enfin, le cœur cognant à se rompre, il reconnut Peter Edler, le chef des pompiers, qui caressait Jussi – car son chien était arrivé à la maison bien avant lui. Les pompiers s'apprêtaient à repartir. Edler grimaça un sourire en apercevant Wallander. Il avait à peu près son âge, des taches de rousseur plein la figure et un léger accent du Småland. Il leur arrivait régulièrement de se croiser en lien avec telle ou telle enquête. Wallander avait le plus grand respect pour lui en tant que professionnel et il appréciait aussi son humour pince-sans-rire.

– Un de mes hommes savait que c'était toi qui habitais ici, dit Edler sans cesser de caresser Jussi.

– Qu'est-il arrivé ?

– C'est plutôt à moi de te poser la question.

– Ça brûle ?

– Ben non. Mais ç'aurait pu.

Wallander le dévisagea sans comprendre.

– Je suis sorti me promener avec le chien il y a une demi-heure à peu près, dit-il.

– Viens voir.

La puanteur qui accueillit Wallander, à peine entré dans la maison, était épouvantable. Ça sentait le caoutchouc brûlé. Edler le conduisit dans la cuisine, où les pompiers avaient laissé une fenêtre ouverte pour aérer. Sur l'une des plaques, il vit une poêle à frire et, à côté, un dessous-de-plat carbonisé. Edler fit mine de renifler la poêle, qui fumait encore.

– Œufs sur le plat ? Saucisses et pommes de terre ?

– Des œufs.

– Tu es sorti sans couper le gaz. En plus tu avais laissé traîner un dessous-de-plat. Un peu négligent, pas vrai ? Il faut se ressaisir, commissaire.

Edler secoua la tête. Ils ressortirent dans la cour. Les pompiers avaient regagné leurs véhicules et n'attendaient plus que leur chef.

– Ça ne m'était jamais arrivé, dit Wallander.

– Oui, oui.

Edler regarda autour de lui comme s'il admirait la vue.

– Tu as fini par t'installer à la campagne, tout compte fait. Honnêtement, je ne croyais pas que tu franchirais le pas. C'est beau, ici.

– Et toi ? Toujours en ville ?

– Oui, et toujours au même endroit. Gunnel voudrait qu'on s'installe à la campagne, nous aussi, mais je refuse. Au moins tant que je travaillerai.

– Combien de temps encore ?

Edler fit la grimace en frappant son casque contre sa cuisse, comme une arme.

– Tant que je pourrai. Tant qu'on me laissera continuer. Trois, quatre ans. Après, je ne sais pas. Je ne suis pas capable de rester chez moi à remplir des grilles de mots croisés.

– Tu pourrais peut-être en inventer, dit Wallander qui pensait à Hermann Eber.

Edler lui jeta un regard perplexe, mais n'insista pas et lui demanda plutôt, avec un intérêt sincère, quels étaient ses propres projets d'avenir. On aurait presque dit qu'il espérait que les perspectives de Wallander soient aussi sombres que les siennes.

– Je réussirai peut-être à me maintenir quelques années. Puis ça sera fini aussi pour moi. On pourrait s'associer, qu'est-ce que tu en dis ? Former un tandem qui parcourrait les campagnes en expliquant aux gens comment se prémunir contre les cambriolages et les incendies ? On l'appellerait par exemple, euh, « Halte au feu et Cie ». Qu'en dis-tu ?

– On peut se prémunir contre les cambriolages ?

– Pas vraiment. Mais on peut enseigner aux gens des méthodes simples pour rendre les voleurs un peu plus circonspects à l'idée de s'introduire chez eux.

– Tu crois vraiment à ce que tu dis ?

– J'essaie. Mais les voleurs sont comme les enfants. Ils apprennent vite.

Edler secoua la tête face à cette comparaison douteuse de Wallander et grimpa dans sa voiture.

– Éteins tes plaques à l'avenir, dit-il en guise d'au revoir. Mais c'est une bonne idée que tu as eue d'installer une alarme incendie. Sinon, ç'aurait pu mal finir. Ta maison est du genre à brûler rapidement. Tu aurais connu le cauchemar d'une ruine fumante au cœur de l'été.

Wallander ne répondit pas. C'était Linda qui avait insisté pour qu'il ait cette alarme. Elle la lui avait offerte, pour Noël, et avait veillé à ce qu'elle soit effectivement installée ensuite.

Il s'apprêtait à démarrer sa tondeuse quand il vit arriver Linda en voiture. Cette fois non plus, elle n'avait pas emmené Klara. Elle avait l'air d'être dans tous ses états. Elle avait sans doute croisé les pompiers.

– Que faisaient les pompiers sur ton chemin ?

Bingo.

– Ils se sont perdus, mentit Wallander. Ils venaient pour un problème de surtension dans le réseau électrique de la grange du voisin.

– Quel voisin ?

– Hansson.

– Lequel est-ce ?

– Pourquoi ? Tu ne sais pas où se trouve sa ferme, de toute façon.

Elle était à quelques pas de lui, tenant à la main son petit sac à dos habituel. Elle le regarda. Puis elle lui balança le sac à la tête, de toutes ses forces. Il l'évita de justesse. Le sac lui heurta tout de même l'épaule. Il le ramassa, hors de lui.

– Ça va pas, non ?

– Je n'y crois pas ! Que je sois obligée de supporter tes mensonges !

– Je ne te mens pas.

– Les pompiers étaient ici ! C'est ton voisin qui me l'a dit. Il t'a vu dans la cour en train de discuter avec eux.

– J'avais oublié d'éteindre une plaque.

– Tu dormais ?

Wallander désigna les champs qu'il avait traversés en courant si vite, un peu plus tôt, qu'il en avait encore mal aux jambes.

– Je me promenais avec Jussi.

Sans un mot, Linda lui arracha son sac des mains et entra dans la maison. Wallander faillit prendre sa voiture. Partir, tout bonnement, fiche le camp. Linda n'allait pas lui lâcher la grappe. Le danger où il s'était mis, sa négligence sans bornes, blablabla. Elle resterait en colère, et ça le rendrait furieux lui aussi. Il l'était presque déjà. Il ignorait ce qu'elle avait fourré dans son sac à dos, mais ça lui avait fait mal. Il sentit sa colère monter d'un cran. C'était la première fois qu'elle l'agressait physiquement.

Linda ressortit de la maison.

– Tu te souviens de quoi on parlait il y a quelques semaines ? Le jour où il pleuvait à verse, quand je suis venue ici avec Klara ?

– Comment veux-tu que je me souvienne de tout ce qu'on se dit ?

– On disait que, quand elle serait un peu plus grande, elle pourrait venir passer du temps chez toi.

– Parlons calmement, s'il te plaît. Tu m'as fait installer un détecteur d'incendie. Nous savons à présent qu'il fonctionne. La maison n'a pas brûlé. J'ai oublié d'éteindre une plaque. Ça ne t'arrive jamais ?

– Jamais depuis la naissance de Klara.

C'était sorti tout seul.

– Je ne pense pas que ça m'arrivait non plus quand tu étais petite.

La crise n'eut pas lieu. Ils étaient aussi bons ferrailleurs l'un que l'autre, et aucun des deux n'avait la force de porter le coup de grâce. Linda s'assit sur une chaise de jardin ; Wallander resta debout, encore sur ses gardes, au cas où elle s'enflammerait de nouveau. Mais quand elle le regarda, ce fut avec une expression interrogative et inquiète.

– Tu commences à avoir des oublis ?

– J'ai toujours été comme ça. Jusqu'à un certain point. On pourrait peut-être dire plutôt que je suis distrait.

– Je veux dire : plus qu'avant ?

Il s'assit, fatigué de dire trop souvent des choses qui n'étaient pas vraies.

– Je crois, oui. Parfois j'ai même des trous – comme des blocs entiers de temps qui disparaissent, tu vois ? Comme de la glace qui fond.

– Que veux-tu dire ?

Wallander lui raconta son expérience sur la route de Höör sans dire un mot pour autant de l'auto-stoppeuse.

– Tout à coup, je ne savais plus du tout ce que j'allais faire là-bas. L'effet, comment dire, d'être dans une pièce éclairée où quelqu'un, soudain, éteindrait la lumière sans prévenir. Je ne sais pas combien de temps je suis resté comme ça – dans le noir. Comme si je ne savais plus qui j'étais.

– Ça t'était déjà arrivé avant ?

– Pas à ce point. Mais je suis allé voir une spécialiste à Malmö. D'après elle, je suis juste surmené et je me prends encore pour un type sportif de trente ans.

– Ça ne me plaît pas. Va voir un autre médecin.

Il hocha la tête sans répondre. Elle se leva, entra dans la maison et revint avec deux verres d'eau. Wallander lui demanda prudemment, comme si cette pensée venait de lui traverser l'esprit, si on avait retrouvé la jeune femme de Malmö qui avait tué ses parents.

– Elle a été arrêtée à Växjö, d'après ce que j'ai entendu dire. Quelqu'un l'a prise en stop et a eu des soupçons. Juste avant d'arriver en ville, il a proposé de lui offrir un café et il a appelé la police. Elle avait un couteau sur elle ; elle a essayé de se l'enfoncer dans le cœur, mais elle n'a pas réussi.

– Est-ce qu'il t'est déjà arrivé de souhaiter ma mort ?

Il était soulagé que sa contribution à la fuite de la jeune femme n'ait pas été divulguée, apparemment, parmi les collègues. Martinsson avait tenu parole.

– Bien sûr que oui, répondit-elle dans un éclat de rire. Plein de fois. La dernière remonte à tout à l'heure. J'espère que le vieux ne va pas vivre jusqu'à devenir complètement sénile, voilà ce que j'ai pensé. Tous les enfants souhaitent la mort de leurs parents de temps à autre. Et toi ? Combien de fois as-tu souhaité ma mort ?

– Jamais.

– Et tu veux que je te croie ?

– Oui.

– Si ça peut te consoler, j'ai eu plus souvent à l'esprit Mona que toi, dans cet ordre d'idées. En attendant, je redoute plus que tout le jour où vous ne serez plus là. D'ailleurs, Hans et moi avons réussi à persuader Mona d'entreprendre une cure de désintoxication.

Jussi, qui avait aperçu un lièvre dans un champ, se mit à aboyer dans le chenil. Ils observèrent en silence ses tentatives pour sauter hors de sa cage. Puis le lièvre disparut et Jussi se tut.

– Je suis venue pour une autre raison, dit-elle soudain.

– Quoi, il est arrivé quelque chose à Klara ?

– Klara va très bien. Hans est à la maison avec elle. Je l'oblige à prendre ses responsabilités, et je crois qu'il l'apprécie. Klara, c'est vraiment l'antidote, je veux dire l'antipode absolu de l'univers stressé de la finance.

– C'était quoi, alors ?

– Je suis allée à Copenhague hier soir. Avec deux amies. Pour écouter l'idole de ma jeunesse, Madonna. Le concert était fabuleux. Après, on a dîné. Et après j'ai dormi dans une belle chambre à l'hôtel d'Angleterre – ne fais pas cette tête, l'entreprise de Hans a un rabais chez eux. Comme j'étais de bonne humeur et que je n'avais pas sommeil, je me suis baladée un moment sur Ströget[1]. Il y avait beaucoup de monde, je me suis assise sur un banc, et c'est là que je l'ai vu.

1. Rue commerçante piétonnière du centre de Copenhague.

– Qui ?

– Håkan.

Wallander crut avoir mal entendu. Il la dévisagea fixement, mais c'était bien cela qu'elle avait dit, il le voyait bien, aucune hésitation.

– Raconte.

– J'ai vu son visage un instant à peine. Mais c'était sa démarche, sa façon d'avancer à petits pas rapides, la tête dans les épaules.

– Qu'as-tu vu, exactement ?

– Je m'étais assise sur un banc à l'un des carrefours de Ströget, une petite place, je ne me souviens plus de son nom. Lui arrivait de la direction du canal de Nyhavn et il remontait la rue. Il m'avait déjà dépassée quand je l'ai reconnu. D'abord sa nuque, puis sa démarche, enfin son pardessus.

– Quel pardessus ?

– Le sien.

– Il y a des milliers de pardessus qui se ressemblent.

– Pas celui que Håkan met au printemps. C'est un truc bleu marine, pas très épais, un genre d'imperméable pour marin, je ne peux pas te le décrire mieux que ça. Mais c'est bien Håkan que j'ai vu.

– Qu'as-tu fait ?

– Imagine ! Un concert de Madonna, les copines, le dîner, la soirée d'été, pas de bébé qui pleure, pas de mari. Et voilà soudain que je me retrouve face à Håkan. J'étais sous le choc. J'ai mis quelques secondes à identifier ce que je venais de voir et à me convaincre que j'avais bien vu. Quand je me suis précipitée, il était déjà trop tard. Il y avait plein de gens dehors, des rues transversales, des taxis, des restaurants. J'ai remonté Ströget jusqu'à Rådhuspladsen et retour. Mais je ne l'ai pas revu.

Wallander vida son verre d'eau. L'histoire paraissait invraisemblable, pourtant il savait que Linda avait un regard aigu et qu'elle se trompait rarement en identifiant quelqu'un.

– Revenons en arrière, dit-il. Si j'ai bien compris, il était déjà passé devant le banc où tu étais assise quand tu l'as repéré. Tu dis que tu as vu son visage l'espace d'un instant. Il s'est donc retourné ?

– Oui. Il a regardé par-dessus son épaule.

– Pourquoi ?

Elle fronça les sourcils.

– Comment veux-tu que je le sache ?

– C'est une question très simple. Guettait-il la présence de quelqu'un ? Était-il inquiet ? Avait-il entendu quelque chose ? Paraissait-il détendu au contraire ? Il y a une foule de réponses possibles.

– Je crois qu'il voulait s'assurer qu'il n'était pas suivi.

– Tu le crois ?

– Je ne peux pas en être certaine. Mais c'est l'impression que j'ai eue.

– Paraissait-il effrayé ?

– Je ne peux pas répondre à cela.

Wallander réfléchit.

– A-t-il pu te reconnaître ?

– Non.

– Comment le sais-tu ?

– Dans ce cas, il aurait regardé dans ma direction. Il ne l'a pas fait.

– Tu en as parlé à Hans ?

– Oui. Ça l'a mis dans tous ses états. Il était carrément en colère, il a dit que je me faisais des idées.

– Tu as pensé qu'il rencontrait peut-être son père en cachette ?

Elle hocha la tête.

Le soleil disparut derrière un nuage et ils entendirent un roulement de tonnerre. Ils allèrent à l'intérieur. Wallander aurait voulu qu'elle reste déjeuner, mais elle devait rentrer, dit-elle. Elle allait partir quand l'orage éclata. La cour, sous la pluie battante, ne tarda pas à se transformer en un champ de boue. Wallander résolut de commander quelques sacs de gravier. Il en avait assez de patauger dans la gadoue à la moindre averse.

– Je suis sûre de moi, répéta-t-elle. C'est lui que j'ai vu. En vie, à Copenhague.

– Ça change tout, dit Wallander.

Linda hocha la tête. Ils savaient l'un comme l'autre qu'on ne pouvait pas exclure que Håkan ait tué sa femme. Mais il s'agissait de ne pas aller trop vite en besogne. Pouvait-il avoir une autre raison de se cacher ? Craignait-il pour sa propre vie ? Ou était-ce autre chose ? Était-il en fuite ?

Ils attendirent la fin de l'orage en silence, chacun plongé dans ses pensées. Le déluge cessa aussi brusquement qu'il avait commencé.

– Que faisait-il à Copenhague ? demanda enfin Wallander. Il y a une réponse qui vient tout de suite à l'esprit.

– Oui. Qu'il venait voir son fils. Peut-être pour un problème d'argent ? Mais moi, je suis convaincue que Hans ne me ment pas.

– Je n'en doute pas. Mais qui te dit que leur rencontre a déjà eu lieu ? Si ça se trouve, il le verra demain.

– Dans ce cas, il me le dira.

– Peut-être, dit Wallander pensivement.

– Pourquoi non ?

– Conflit de loyauté, par exemple. Que se passera-t-il si son père lui demande de ne rien révéler de leur rencontre ? Même à toi ? Et s'il motive ça par un argument que Hans n'osera pas contester ?

– S'il me cache quelque chose, je m'en apercevrai.

– Et moi, j'ai appris qu'il ne faut pas croire qu'on sait ce que pensent ou imaginent les autres.

– Que dois-je faire ?

– Rien pour l'instant. Ne pose pas de questions à Hans. Je vais communiquer tes observations à Ytterberg.

Il la raccompagna jusqu'à sa voiture. Elle le tenait par le bras pour ne pas glisser.

– Tu devrais arranger un peu ta cour. Tu as pensé à mettre du gravier ?

– Eh oui, figure-toi.

Elle était prête à démarrer quand soudain elle baissa sa vitre et se mit à parler de Baiba.

– C'est vrai qu'elle va mourir ?

– Oui.

– Quand est-elle partie ?

– Ce matin de bonne heure.

– Ça t'a fait quoi de la revoir ?

– Elle était venue me dire adieu. L'effet que ça m'a fait, je crois que tu peux l'imaginer sans mon aide.

– Ça a dû être terrible.

Wallander lui tourna le dos et partit derrière la maison. Il ne voulait pas pleurer – non qu'il eût peur de se montrer faible devant elle, il ne s'agissait pas de cela. C'était vis-à-vis de lui-même. Il refusait de penser à sa propre mort, qui était au fond la seule chose qui l'effrayait vraiment. Il resta caché. Enfin il l'entendit démarrer. Elle avait compris qu'il préférait être seul.

En revenant dans la cuisine, il s'assit non pas à sa place habituelle, celle où il prenait ses repas, mais en face.

Il pensait à ce qu'elle lui avait raconté sur la réapparition de Håkan von Enke.

Retour à la case départ.

Comme s'il avait fait un tour complet avant d'en revenir, d'une certaine manière, là où tout avait commencé.

28

Wallander grimpa l'échelle instable qui menait au grenier. Une odeur de moisi le frappa aux narines. Il se rendait bien compte qu'il allait devoir refaire sa toiture d'ici un an. Deux, dans le meilleur des cas.

Il savait à peu près où il avait rangé la boîte qu'il cherchait. Mais son attention fut d'abord attirée par un carton qui portait le logo d'une entreprise de déménagement de Helsingborg et qui, il le savait, contenait sa collection de 33 tours. Pendant toutes les années passées à Mariagatan, il avait eu une platine tourne-disque. Mais celle-ci avait fini par se détraquer et il n'avait pas réussi à la faire réparer. La platine avait pris le chemin de la décharge lors du grand ménage précédant son déménagement ; mais les disques, il les avait gardés. Il s'assit à même le sol et feuilleta les vieux albums. Chaque pochette représentait un souvenir, parfois très vif, parfois réduit à un papillotement de visages, d'odeurs, d'émotions. Au cours de sa prime adolescence, il avait été un fan des Spotnicks. Il avait gardé leurs quatre premiers albums et il lui suffisait encore de lire les titres au dos pour se les rappeler tous sans exception. Les guitares électriques résonnaient à l'intérieur de lui. Il y avait aussi dans le carton un disque de Mahalia Jackson qu'il avait reçu un jour, contre toute attente, de l'un des Chevaliers de la Soie, ces colporteurs qui venaient chez eux, dans son enfance, acheter les toiles de son père. Non pas qu'ils se soient occupés de revendre des disques en plus des tableaux. C'était juste que Wallander avait ce jour-là porté les châssis jusqu'à la voiture, et le type lui avait offert l'album en remerciement. Le gospel lui avait fait forte impression. *Go down Moses*, pensa-t-il en revoyant intérieurement son premier électrophone, où le haut-parleur était incrusté dans le couvercle et grésillait avec un bruit de racloir.

Soudain il tomba sur un disque d'Édith Piaf. Il reconnut son visage photographié en noir et blanc sur la pochette. Celui-là était un cadeau de Mona. Mona détestait les Spotnicks, leur préférant les Streaplers et Sven-Ingvars[1] ; mais ce qu'elle aimait par-dessus tout, c'était cette petite chanteuse française. Pas plus que Wallander, elle ne comprenait un traître mot aux paroles ; mais sa voix les bouleversait l'un et l'autre.

Après Piaf, il y avait un disque de John Coltrane. D'où le tenait-il ? Il ne s'en souvenait pas. En le sortant de sa pochette, il vit qu'il était quasi neuf ; intérieurement il n'entendait pas une seule note du saxophone de Coltrane.

En dernier, il y avait deux opéras, *La Traviata* et *Rigoletto*. Contrairement au disque de John Coltrane, ceux-ci étaient presque hors d'usage à force d'avoir été joués.

Il s'attarda, hésitant à emporter le carton en bas et à acheter une nouvelle platine. Mais, à la fin, il le repoussa. La musique qu'il écoutait aujourd'hui existait sur cassette ou sur CD. Il n'avait plus besoin de ces disques vinyle qui gondolaient et crépitaient à qui mieux mieux. Ils appartenaient au passé ; mieux valait les laisser là où était leur vraie place, dans la pénombre du grenier.

Il trouva la boîte qu'il était venu chercher, l'emporta au rez-de-chaussée et la posa sur la table de la cuisine. Elle contenait tous les anciens Lego de Linda du temps où elle était petite. Il l'avait gagnée à une loterie.

L'idée lui venait de Rydberg. C'était un soir de printemps, tard, dans la cuisine de celui-ci, vers la fin de sa vie. Ystad et ses environs avaient été le théâtre d'une série de braquages commis par un homme masqué armé d'un fusil à canon scié. Dans l'idée de trier les événements et peut-être avec l'espoir de leur découvrir une structure, Rydberg était allé chercher un jeu de cartes pour symboliser l'itinéraire du braqueur. Le braqueur lui-même, Wallander s'en souvenait, était incarné par le valet de pique. Plus tard, quand il avait

1. Groupes de pop-rock suédois des années 1950, encore actifs au vingt et unième siècle.

essayé d'adapter à son propre usage la méthode rydbergienne, il avait choisi d'utiliser des briques de Lego. Il n'avait jamais avoué ce détail à Rydberg.

Il éparpilla une poignée de Lego sur la table. Puis il distribua les rôles, les dates, les lieux, les événements. Un pompier à casque rouge devint Håkan, une petite fille que Linda appelait autrefois Cendrillon devint Louise. Il disposa sur le côté une rangée de briques ordinaires, comme des soldats en ordre de marche, et qui représentaient autant de questions sans réponse. Qui s'était fait passer pour l'oncle de Signe von Enke ? Pourquoi son père était-il revenu d'entre les ombres ? Où était-il allé ? Pourquoi se cachait-il ?

Il se rappela qu'il devait contacter Niklasgården. Il attrapa le téléphone et composa le numéro ; on lui apprit que personne n'avait rendu visite récemment à Signe, pas plus son père qu'un hypothétique oncle.

Il resta assis, une brique au creux de la main. Quelqu'un ne dit pas la vérité, pensa-t-il. Parmi tous ceux avec qui j'ai parlé de Håkan et de Louise, il y en a un qui ment, ou qui ne dit pas tout.

Le téléphone sonna. Il se leva et l'emporta au jardin. Linda se lança sans préambule dans ce qu'elle avait à lui annoncer.

– J'ai interrogé Hans. Je l'ai presque menacé. Il n'était pas content. Tellement pas content qu'il est parti de la maison. Je lui demanderai pardon quand il reviendra.

– Mona n'a jamais fait ça.

– Quoi ? Partir de la maison ou demander pardon ?

– Oh, elle partait souvent. Peu importe la situation, c'était toujours l'argument suprême. La porte qui claque. Mais elle ne s'excusait jamais en rentrant.

Linda rit. Un rire tendu, pensa Wallander. Ils se sont disputés plus violemment qu'elle ne veut bien me le dire.

– Tu sais que d'après Mona c'était tout le contraire. Toi qui claquais la porte et qui ne t'excusais jamais.

– Je croyais que nous étions d'accord sur le fait que Mona raconte beaucoup de salades.

– Toi aussi, tu en racontes. Aucun de mes parents n'est vraiment sincère.

Wallander se mit en colère.

– Et toi ? Tu l'es peut-être ? Vraiment sincère ?

– Non. Je n'ai jamais dit ça.

– Alors viens-en au fait !

– Je te dérange ?

Wallander choisit aussitôt, non sans un certain plaisir, de mentir.

– Je suis en train de me préparer à manger.

– Dehors ? J'entends des oiseaux…

– Je fais un barbecue.

– Tu détestes les barbecues.

– Tu ne sais rien de ce que je déteste ou pas. Qu'est-ce que tu voulais me dire ?

– J'ai interrogé Hans. Il maintient qu'il n'a pas été en contact avec son père. D'autre part, il n'y a eu aucun mouvement récent sur les comptes en banque de la famille, excepté les retraits courants effectués par Louise avant sa disparition. Hans s'occupe de leur courrier. Il n'y a eu aucun retrait depuis lors.

Wallander comprit soudain que la question était très importante. Il enchaîna, développa l'idée.

– De quoi Håkan a-t-il vécu pendant tout ce temps ? Il surgit à Copenhague, mais ne retire pas d'argent et ne prend pas contact avec son fils. Il n'a pas besoin d'argent. Cela peut laisser entendre que quelqu'un l'aide. Ou alors, qu'il dispose d'un ou de plusieurs comptes en banque à l'insu de Hans.

– Hans a beaucoup de relations dans le monde de la banque. Il s'est renseigné. Il n'a rien trouvé. Cela dit, il y a de multiples façons de cacher de l'argent.

Ce point, pensa Wallander, méritait vraiment qu'on s'y attarde. Mais Klara, entendit-il, s'était mise à pleurer.

– Il faut que j'y aille, dit Linda.

– J'ai entendu. Nous pouvons donc oublier l'hypothèse de rencontres secrètes entre Hans et son père ?

– Oui.

Il posa le téléphone, s'assit sur la balancelle et se balança doucement en repoussant le sol du bout du pied. Intérieurement, il voyait Håkan von Enke à Copenhague : il marchait vite, s'arrêtant pour se retourner avant de reprendre sa marche. Puis il n'était plus là ; avalé par la foule, ou par une ruelle adjacente.

Wallander se réveilla en sursaut. Il pleuvait, son pied nu qui traînait dans l'herbe était couvert de gouttes. Il se leva et rentra dans la maison. Quand il eut refermé la porte derrière lui, il s'immobilisa. Il croyait soudain discerner un motif, encore très vague mais susceptible malgré tout de jeter une lumière sur l'endroit où se cachait Håkan von Enke depuis sa disparition. *Une planque*, pensa Wallander. *Au moment de disparaître, il savait déjà ce qu'il allait faire.* Au départ de sa promenade, dans Valhallavägen, il avait bifurqué et il avait gagné cet endroit où il était certain que nul ne le trouverait. Wallander avait aussi le sentiment que Louise n'avait pas été informée de quoi que ce soit, son angoisse à la disparition de son mari avait été authentique. Aucun indice nouveau ; juste cette intuition qui l'habitait.

Il alla à la cuisine. Le sol en pierre était froid sous ses pieds. Il se déplaçait lentement, comme s'il craignait que sa vision ne disparaisse s'il faisait un geste trop brusque. Les Lego étaient sur la table. Il s'assit. Une planque, pensa-t-il de nouveau. Un plan minutieux. Un commandant de sous-marin est quelqu'un qui a appris à organiser son existence et à faire preuve de discipline. Wallander essayait de se représenter sa cachette. Il avait curieusement le sentiment de pouvoir la deviner – et même d'avoir été à un moment, sans le savoir, tout près de cet endroit.

Se penchant sur la table, il aligna une nouvelle rangée de personnages. C'était l'entourage de Håkan et de Louise. Leur fille, Signe. Sten Nordlander. Steven Atkins, dans sa maison près de San Diego. Mais aussi ceux qui figuraient à la périphérie de leur cercle. Il aligna les bonshommes un à un, en réfléchissant à la question centrale : qui avait pu aider von Enke et lui procurer tout ce dont il pouvait avoir besoin et, en premier lieu, l'argent ?

C'est ça que je cherche, pensa-t-il. Ytterberg raisonne-t-il comme moi ? Joue-t-il avec des Lego d'un autre genre ? Il prit le téléphone et fit son numéro. Il pleuvait de plus en plus fort, les gouttes crépitaient contre les vitres. Ytterberg répondit. Il était dehors, dans la rue, la communication était mauvaise.

– Je suis à la terrasse d'un restaurant, en train de payer l'addition, je peux te rappeler ?

Il le rappela vingt minutes plus tard, depuis son bureau de Bergsgatan.

– Moi, dit-il en réponse à la question de Wallander, je fais plutôt partie de ceux qui aiment bien reprendre le travail après un congé.

– Moi, c'est le contraire. Revenir, ça veut dire retrouver un bureau surchargé de dossiers laissés par les collègues avec de joyeux petits Post-it m'annonçant que c'est leur tour d'être en vacances.

Il commença par rendre compte de son entrevue avec Hermann Eber. Ytterberg l'écouta et posa plusieurs questions. Puis il lui fit part de la réapparition de Håkan von Enke en répétant tout ce que lui avait dit Linda.

– Ta fille a-t-elle pu se tromper ?

– Non. Mais je comprends que tu t'interroges.

– Pas le moindre doute alors ? C'était lui ?

– Je connais ma fille. Si elle dit que c'était lui, c'était lui. Pas un avatar, pas un sosie, non. Håkan von Enke en personne.

– Que dit ton gendre ?

– Que son père n'était en tout cas pas venu à Copenhague pour le voir. Il n'y a pas de raison de douter de sa parole.

– C'est étrange qu'il n'ait pas cherché à voir son fils.

– Ça, je n'en sais rien. Mais je ne crois pas que Hans soit bête au point de raconter des bobards à Linda.

– Linda sa compagne ? Ou Linda ta fille ?

– Linda la mère de son enfant, je dirais. Si on peut compartimenter les choses comme ça.

Ils discutèrent un moment des implications possibles. Pour Ytterberg, cette réapparition signifiait surtout qu'il fallait envisager de quelle manière Håkan von Enke pouvait être lié à la mort de Louise.

– Je ne sais pas ce que tu as pensé jusqu'ici, dit Ytterberg. Mais pour ma part, je croyais bien au fond de moi qu'il était mort lui aussi. En tout cas depuis qu'on a retrouvé le corps de sa femme.

– J'ai hésité, dit Wallander. Mais si j'avais été chargé de l'enquête, j'aurais sans doute pensé comme toi.

Puis il rendit compte brièvement de ses réflexions autour d'une possible cachette de von Enke.

– On peut aussi supposer, si l'on se base sur ce qu'on a trouvé dans le sac à main de Louise, qu'ils ont pu travailler ensemble, dit Ytterberg. Ce ne serait pas la première fois, dans ce pays, qu'on aurait affaire à un couple d'espions, l'un des deux étant moins impliqué que l'autre, mais collaborant quand même avec lui.

– Tu penses à Stig Bergling et à sa femme ?

– Tu en connais d'autres ?

Wallander s'irrita du ton condescendant d'Ytterberg. Si quelqu'un, dans son propre commissariat, s'était autorisé une repartie ironique comme celle-là, il ne l'aurait pas supporté. Il aurait explosé de rage. En l'occurrence, il laissa tomber. Ytterberg ne se rendait sans doute pas compte de l'effet qu'il produisait parfois.

– Y a-t-il du nouveau concernant les microfilms ?

– Nos collègues secrets sont très inquiets. Ils ont demandé qu'on leur transmette le moindre petit papier de notre maigre dossier. Je suis convoqué demain matin chez un certain Holm, capitaine de vaisseau, qui joue apparemment un rôle important au sein du renseignement militaire. Il m'en dira peut-être plus.

– Je serai curieux de connaître les questions qu'il t'aura posées.

– Pour déduire ce qu'il sait à partir des questions qu'il ne *m'aura pas* posées ?

– C'est ça.

– Je te rappelle.

Wallander hésita un instant. Puis il versa de nouveau les Lego dans leur boîte et prit la décision de ne plus penser à Håkan von Enke ce jour-là. Il était en vacances, après tout. Il dressa une liste de courses et prit sa voiture jusqu'à Ystad, mais au moment de passer à la caisse du supermarché, il découvrit qu'il avait oublié son portefeuille. Il dut laisser ses sacs sur place, le temps de se rendre au commissariat et d'emprunter cinq cents couronnes à Nyberg, croisé dans le couloir. Nyberg avait un gros bandage autour de la tête.

– Qu'est-ce qui t'arrive ?

– Je suis tombé de vélo.

– Tu ne mets pas de casque ?

– Non, hélas.

Nyberg n'avait pas envie de parler. Wallander s'engagea à le rembourser dès le lendemain, retourna au supermarché et rentra chez lui. Le soir venu, il regarda un documentaire sur la montagne de détritus qui ne cessait de grandir dans le monde ; il se coucha de bonne heure, feuilleta un journal et s'endormit vers vingt-trois heures trente.

Plus tard, le cri d'un oiseau de nuit le réveilla, peut-être était-ce une chouette, mais il se rendormit bien vite.

À son réveil, il se rappela l'oiseau ; puis il se leva car il n'avait plus sommeil. Il était six heures, la brume recouvrait les champs. Par la fenêtre de sa chambre, il pouvait voir Jussi assis immobile derrière son grillage, le regard fixé au loin.

Jamais il n'aurait pu imaginer dans sa jeunesse que telle serait sa vie à l'âge de soixante ans. Debout au petit matin, à regarder par la fenêtre le brouillard se lever sur un paysage scanien, dans une maison à lui, avec un chien ; et avec une fille qui venait de donner naissance à sa première petite-fille. Cette pensée le rendit mélancolique. Il s'en débarrassa en allant prendre sa douche.

Après le petit déjeuner, il vérifia que les plaques de cuisson étaient bien éteintes avant de sortir avec Jussi, qui partit telle une fusée à travers les lambeaux de brume. Il se sentait en forme, rien ne lui paraissait spécialement difficile, sa vitalité était intacte. Il se mit soudain à courir sur le chemin, en défi à la paresse qui l'alourdissait depuis des mois. Il courut jusqu'à l'épuisement. Le soleil chauffait déjà ; il ôta sa chemise trempée, aperçut son gros ventre, en fut dégoûté et décida, comme tant de fois auparavant, de commencer un régime.

Tandis qu'il revenait vers la maison, le téléphone sonna dans sa poche. Une voix de femme, très lointaine, presque inaudible, s'exprimant dans une langue étrangère. La communication fut coupée après quelques secondes. Wallander pensa que ce pouvait être Baiba. Il avait cru reconnaître sa voix, malgré la mauvaise qualité de la transmission. Mais le téléphone resta silencieux, alors il se remit en marche, rentra chez lui, reprit une douche et s'installa ensuite au jardin avec un café.

La journée s'annonçait belle. Il décida de partir pour une excursion solitaire. Cela faisait partie de ses très bons moments, dans la vie, que de faire la sieste lové en rond au milieu des dunes après un pique-nique. Il alla chercher le panier, une relique de la maison de son enfance. Sa mère y rangeait ses pelotes de laine, ses aiguilles et ses chandails en cours. Wallander y fourra des tartines, une Thermos, deux pommes et quelques exemplaires du *Policier suédois* qu'il n'avait pas encore lus. Il était onze heures quand il vérifia une fois de plus que les plaques étaient éteintes avant de fermer sa porte à clé. Il prit la route de Sandhammaren et, une fois là-bas, dénicha au milieu des dunes et des arbustes un coin abrité du vent. Quand il eut mangé et feuilleté ses journaux, il s'enroula dans une couverture et s'endormit.

Ce fut la sensation du froid qui le réveilla. Le soleil avait disparu derrière les nuages, le fond de l'air était frais et il s'était débarrassé de la couverture pendant son sommeil. Il s'y enroula de nouveau, pliant sa veste en guise d'oreiller. Le soleil finit par revenir. Il se rappela soudain un rêve qui remontait à de longues années. Un rêve récurrent, mais fugitif, où une femme noire sans visage l'entraînait dans un jeu érotique. Mis à part un épisode épouvantable lors d'un voyage aux Caraïbes où, ivre mort, il avait ramené un soir une prostituée dans sa chambre d'hôtel, il n'avait jamais eu de relation avec une femme à la peau sombre. Et il n'en éprouvait pas non plus le désir. Et voilà que cette femme noire était apparue dans ses rêves, avant de disparaître quelques mois plus tard comme elle était venue.

Des nuages d'orage menaçaient à l'horizon. Wallander rassembla ses affaires et retourna à la voiture. Parvenu à Kåseberga, il fit un détour par le port pour acheter du poisson fumé. Il venait de rentrer chez lui quand son téléphone sonna. C'était la même voix qu'au matin, mais la réception était bien meilleure et il entendit tout de suite que ce n'était pas Baiba. La femme s'exprimait en anglais avec un fort accent étranger.

– Kurt Wallander ?

– C'est moi.

– Je m'appelle Lilja. Savez-vous qui je suis ?

– Non.

Il entendit soudain qu'elle pleurait.

– C'est Baiba, dit-elle.

– Qu'est-ce qu'il y a ? Oui, je connais Baiba.

– Elle est décédée.

Wallander était debout, tenant à la main le sac en plastique du port de Kåseberga.

– Baiba ? Mais elle était chez moi il y a deux jours.

– Je sais. C'était mon amie.

Wallander sentait son cœur battre à se rompre. Il s'assit, avec le téléphone, sur le tabouret à côté de la porte d'entrée. Elle continuait de lui parler, bouleversée, confuse, et il comprit petit à petit ce qui s'était passé. Baiba revenait de Suède, elle n'était plus qu'à quelques dizaines de kilomètres de Riga quand sa voiture avait quitté la route et était allée se fracasser contre un mur de pierre. Elle était morte sur le coup, son amie insistait sur ce point, elle le répéta plusieurs fois comme si c'était là une façon de ne pas précipiter Wallander dans un abîme de chagrin. En vain, bien sûr. Le désespoir qui l'envahit – il n'avait jamais rien éprouvé de tel auparavant.

Soudain, avant qu'il ait pu noter le numéro de téléphone de Lilja, la communication fut interrompue. Il resta assis sur le tabouret de l'entrée, attendant qu'elle le rappelle. Quand il comprit qu'elle ne parvenait pas à le joindre, il se leva et alla à la cuisine. Le sac contenant le poisson fumé était resté dans l'entrée. Il n'avait aucune idée de ce qu'il allait faire. Il alluma une bougie et la plaça sur la table. Baiba avait dû rouler sans s'arrêter, pensa-t-il, du terminal des ferries à travers la campagne polonaise, puis la Lituanie, ensuite la Lettonie jusqu'à Riga – enfin presque. S'était-elle endormie au volant ? Ou savait-elle ce qu'elle faisait ? Avait-elle choisi de mourir ? Wallander savait que les accidents de la route impliquant une seule personne pouvaient être, étaient même souvent, des suicides déguisés. Il se souvenait d'une ex-employée administrative du commissariat, divorcée, alcoolique, qui avait choisi cette issue quelques années plus tôt. Mais il ne croyait pas que Baiba fût du genre à commettre un acte pareil. Une femme qui décide de prendre sa voiture et de faire la tournée de ses amis et amants pour leur dire adieu ne va pas mettre en scène un accident. Baiba était fatiguée, elle s'était assoupie, elle avait perdu le contrôle, il n'y avait pas d'autre explication.

Il ramassa son téléphone pour appeler Linda, parce qu'il ne se sentait pas la force de rester seul avec ce qui venait de se produire. À certains instants, il était tout simplement obligé d'avoir quelqu'un auprès de lui. Il composa le numéro mais raccrocha avant la première sonnerie. C'était trop tôt, il n'avait encore rien à lui dire. Il jeta le téléphone sur le canapé et alla voir Jussi. Il le fit sortir du chenil, s'assit à même le sol de la cour et le caressa longtemps. En entendant le téléphone sonner, il se précipita à l'intérieur. Lilja. Elle était un peu calmée. En l'interrogeant, il eut une image plus claire des faits. Il y avait une autre question en suspens. Il la lui posa :

– Comment avez-vous eu mon numéro de téléphone ?

– Baiba me l'avait demandé.

– Que vous a-t-elle demandé ?

– Que je vous appelle après sa mort pour vous l'annoncer. Mais je ne pensais pas que ça irait aussi vite. Baiba était certaine de passer Noël.

– À moi, elle a dit qu'elle était certaine de ne pas vivre jusqu'à Noël.

– Elle ne disait pas tout à fait la même chose aux uns et aux autres. Je crois qu'elle voulait nous faire partager l'incertitude dans laquelle elle-même vivait chaque jour.

Lilja était une vieille amie et collègue de Baiba. Elles se connaissaient depuis l'adolescence, lui expliqua-t-elle.

– Baiba m'avait parlé de vous il y a longtemps. Un jour elle m'a appelée en disant : « Ça y est, mon ami suédois est arrivé. Je l'emmène au café de l'hôtel Latvija cet après-midi. Passe au café, tu le verras. » J'y suis allée, je vous ai vu.

Wallander n'en revenait pas.

– Baiba m'a parlé de vous, dit-il poliment. Si je comprends bien, nous ne nous sommes jamais rencontrés…

– Non. Mais je vous ai vu. Baiba a toujours eu beaucoup d'estime pour vous. À cette époque-là, elle vous aimait.

Elle refondit en larmes. Wallander attendit. Le tonnerre grondait au loin – c'était vraiment un été à orages. Il l'entendit tousser, puis se moucher.

– Et maintenant ? demanda-t-il quand elle se fut excusée.

– Je ne sais pas.

– Qui sont ses proches ?

– Sa mère, ses frères, ses sœurs.

– Sa mère doit être âgée… Je ne me souviens pas d'avoir jamais entendu Baiba parler de sa mère.

– Elle a quatre-vingt-quinze ans, mais toute sa tête. Elle a été informée de sa mort. Elles avaient une relation difficile, depuis toujours.

– Pourrez-vous me dire quand auront lieu les obsèques ?

– Je vous le promets.

– Vous a-t-elle parlé de sa dernière visite en Suède ?
– Oui.
– Que vous a-t-elle dit ?
– Presque rien.
– Elle a bien dû dire quelque chose sur moi ?
– Presque rien. Vous savez, nous avions beau être amies, Baiba ne laissait personne l'approcher vraiment.
– Je sais. Je la connaissais aussi. Pas de la même manière que vous, bien sûr.

Après cette conversation, il s'allongea sur son lit et regarda le plafond, où une tache d'humidité était apparue quelques mois auparavant. Il resta ainsi très longtemps avant de s'asseoir à la table de la cuisine.

Peu après vingt heures, il appela Linda et lui annonça la nouvelle. Il le fit avec la plus grande difficulté. Son désespoir était à peine supportable.

29

Les funérailles de Baiba Liepa furent célébrées dans une chapelle du centre de Riga le 14 juillet, à onze heures du matin. Wallander était arrivé la veille à bord d'un vol en provenance de Copenhague. Dès sa descente d'avion il trouva aux lieux un air familier, même si le terminal avait été reconstruit et que les appareils de l'armée soviétique qui s'alignaient en 1991 sur le tarmac n'étaient plus là. Par les vitres du taxi, il vit une ville très différente de celle dont il gardait le souvenir. Certes, dans les faubourgs, il y avait encore ici et là des fermes délabrées avec des porcs farfouillant dans les tas de fumier. Et dans la ville elle-même, les vieux bâtiments étaient toujours là. Mais les panneaux avaient été remplacés, les façades repeintes, les trottoirs réparés. La différence la plus saisissante, c'étaient les gens, leur allure, leurs vêtements, et les voitures qui patientaient aux feux rouges et à l'entrée des parkings du centre-ville.

Une pluie tiède tombait sur Riga le jour de l'arrivée de Wallander. Lilja – Blooms de son nom de famille – l'avait appelé comme promis pour lui communiquer la date, l'heure et le lieu de la cérémonie. Il n'avait posé qu'une question : sa présence ne risquerait-elle pas d'être jugée déplacée ?

– Et pourquoi ?

– Il y a peut-être des choses que j'ignore ?

– Tout le monde ici sait qui vous êtes. Baiba parlait de vous. Vous n'étiez pas un secret.

– Tout dépend de ce qu'elle disait de moi.

– Pourquoi êtes-vous si inquiet ? Je croyais que vous vous aimiez. Je croyais que vous alliez vous marier. Nous le croyions tous.

– Elle n'a pas voulu.

Il perçut sa surprise au téléphone.

– Ah bon ? Nous pensions que la rupture venait de vous. Baiba n'a rien dit, et nous avons mis un long moment à comprendre que c'était fini entre vous. Elle n'a jamais voulu en parler.

C'était Linda qui l'avait persuadé de se rendre à Riga. Quand il lui avait annoncé la mort de Baiba au téléphone, elle était aussitôt venue chez lui. Si émue qu'elle en avait les larmes aux yeux. Grâce à cela, il avait pu pleurer ouvertement, lui aussi. Il était resté longtemps à lui raconter ses souvenirs du temps où Baiba et lui étaient ensemble.

– Le mari de Baiba, Karlis, a été tué. Meurtre politique, à une époque où les tensions étaient très fortes entre les Russes et les Lettons. Je suis allé à Riga pour participer à l'enquête suite à cet assassinat. Mais je ne soupçonnais alors pas les fractures, pour ne pas dire les abîmes, qui existaient dans ce pays. C'est à ce moment-là que j'ai vu pour la première fois à quoi ressemblait le monde de la guerre froide en réalité. Cela fait dix-sept ans.

– Je me souviens de ce voyage, dit Linda. Je suivais des cours au lycée pour adultes à l'époque, je ne savais pas ce que j'allais devenir. Même si, au fond, j'aurais dû admettre déjà que je voulais faire partie de la police.

– Dans mon souvenir, tu parlais de tout sauf de ça.

– Ça aurait dû éveiller tes soupçons.

– Je n'ai rien soupçonné non plus au sujet de Baiba quand Karlis Liepa a débarqué au commissariat d'Ystad.

Wallander s'en souvenait comme si c'était hier. L'arrivée du collègue letton, sa manie de fumer des cigarettes à la chaîne, suscitant les véhémentes protestations de tous les policiers non fumeurs du commissariat. À part cela, Karlis Liepa était un homme taciturne, excessivement discret – Wallander s'était bien entendu avec lui. Un soir, alors qu'une tempête de neige faisait rage sur Ystad, il l'avait ramené chez lui, à Mariagatan, et lui avait offert un whisky. À sa grande joie, il avait découvert que le major Liepa était un amateur d'opéra presque aussi passionné que lui. Ils avaient écouté un enregistrement de *Turandot* avec Maria Callas pendant que la neige tourbillonnait, chassée par le vent le long des rues désertes de la ville.

Où était ce disque maintenant ? Il ne figurait pas parmi ceux qu'il avait retrouvés la veille au grenier.

Ce fut Linda qui lui fournit la réponse :

– Tu me l'as offert à l'époque où je rêvais de devenir comédienne. J'avais l'idée de faire un one woman show sur le destin tragique de Maria Callas. Tu t'imagines ? S'il y a quelqu'un à qui je ne ressemble pas, c'est bien à une petite Grecque.

– Aux nerfs fragiles, compléta Wallander.

– C'était quoi, au fait, le métier de Baiba ? Elle enseignait, il me semble, mais quoi ?

– Quand je l'ai rencontrée, elle traduisait des textes techniques de l'anglais. Mais elle était ingénieur au départ. Elle avait plusieurs cordes à son arc.

– Il faut que tu ailles là-bas et que tu assistes à son enterrement. Fais-le pour toi.

Ce ne fut pas facile, mais elle finit par le convaincre. Elle veilla aussi à ce qu'il s'achète un costume neuf, l'accompagnant jusqu'au magasin, à Malmö. Quand il sortit de la cabine en déclarant que le prix de ce costume qu'elle l'avait obligé à essayer le laissait sans voix, elle lui expliqua que c'était un vêtement de qualité qu'il conserverait le restant de ses jours.

– Les gens se marient de moins en moins, dit Linda. Par contre, à ton âge, le nombre d'enterrements augmente, alors il te faut un costume sombre, un point c'est tout.

Il marmonna une réponse inaudible et paya le costume. Linda ne lui demanda pas de répéter ce qu'il avait dit.

Après avoir payé le taxi, il porta sa petite valise jusqu'à la réception de l'hôtel Latvija. Le café où Lilja Blooms l'avait vu en compagnie de Baiba n'existait plus ; ce fut la première chose qu'il remarqua. On lui donna la chambre 1516. En sortant de l'ascenseur, il eut la sensation que c'était précisément celle qu'il avait occupée lors de sa première visite à Riga. Les chiffres 5 et 6 figuraient sur la porte, il en était certain. Il l'ouvrit et entra. La chambre ne ressemblait pas du tout à son souvenir. Mais la vue depuis la fenêtre était la même : une belle église dont il ne se rappelait pas le nom. Il défit ses bagages et suspendit son costume neuf à un cintre. La pensée que c'était dans cet hôtel, peut-être même dans cette chambre, qu'il avait rencontré Baiba pour la première fois lui causa une douleur quasi physique.

Il alla se rafraîchir le visage dans la salle de bains. Il n'était pas plus de midi et demi. Il n'avait aucun projet, à part peut-être se promener. Il voulait pleurer Baiba et se souvenir d'elle telle qu'elle était quand il l'avait connue.

Soudain il lui vint une pensée à laquelle il n'avait encore jamais osé se confronter. Son amour pour Baiba avait-il été plus fort que son amour pour Mona ? Malgré le fait que celle-ci fût la mère de Linda ? Il ne le savait pas. Il ne serait jamais certain de la réponse.

Il sortit, erra dans la ville, déjeuna au restaurant alors qu'il n'avait pas vraiment faim. Le soir venu, il s'assit dans l'un des bars de l'hôtel. Une fille d'une vingtaine d'années s'approcha et lui demanda s'il voulait de la compagnie. Il ne répondit même pas ; se contenta d'un signe négatif de la tête.

Juste avant que le restaurant de l'hôtel ne ferme, il dîna d'un plat de pâtes auquel il toucha à peine. Il but du vin rouge et constata au moment de se lever de table qu'il était ivre.

Il avait plu pendant qu'il dînait mais le ciel était à présent dégagé. Il alla chercher sa veste et sortit dans le soir d'été humide. Il se rendit sur la place de la Liberté où Baiba et lui s'étaient laissé photographier autrefois. Quelques jeunes munis de skate-boards occupaient la grande dalle au pied du monument. Il passa son chemin et revint à l'hôtel tard dans la soirée. Il s'endormit sur le lit après avoir juste ôté ses chaussures.

Au matin, un coup frappé à la porte l'arracha au sommeil et il pensa dans sa confusion que c'était Baiba. Mais, en allant ouvrir, il vit une jeune femme. Il sentit aussitôt monter la colère ; il détestait que de jeunes prostituées puissent surgir ainsi à n'importe quelle heure du jour ou de la nuit, ça le mettait terriblement mal à l'aise. Il allait lui claquer la porte au nez quand quelque chose dans le regard de la fille le fit hésiter.

– Kurt Wallander ? Vous connaissiez ma mère, je crois.

Wallander fronça les sourcils, encore hésitant, mais la laissa entrer. Baiba avait-elle eu une fille dont il ignorait l'existence ? Soudain, il se demanda, effaré, si elle pouvait être de lui. Mais non, c'était impossible. Baiba le lui aurait dit. Il se laissa tomber sur le bord du lit et fit signe à la fille de s'asseoir dans le fauteuil. Blonde, dix-huit ou dix-neuf ans, habillée avec simplicité, pas de maquillage.

– Je m'appelle Vera. Je suis la fille d'Inese.

Alors il comprit. Inese, l'amie de Baiba, qu'il avait rencontrée lors de sa première visite à Riga. Elle était passée le prendre plusieurs fois pour lui faire rencontrer un groupe clandestin de résistance qui sollicitait son aide. Elle était morte sous ses yeux lors de la fusillade qui avait suivi l'irruption des forces spéciales dans le local qui leur servait de QG. Il pouvait encore la voir. Écroulée, en sang, sur une chaise renversée.

– Oui, dit-il. J'ai rencontré ta mère. Nous ne nous connaissions pas bien. Elle était l'amie de Baiba.

– Lilja m'a dit que vous viendriez pour la cérémonie. Je ne veux pas vous déranger. J'avais simplement envie de vous voir, parce que vous avez connu ma mère et que moi, je n'ai pas de souvenirs d'elle. J'avais deux ans quand elle est morte.

– Je me souviens qu'elle était très belle, dit Wallander. Et aussi que c'était une femme courageuse et forte.

– Est-il vrai que vous étiez là quand ils l'ont tuée ?

Elle avait formulé sa question à toute vitesse. Wallander hocha la tête, mais ne répondit pas.

– J'interroge tous ceux qui ont pu la rencontrer. Il y a toujours un détail qui change, ou alors j'apprends des choses que je ne savais pas avant.

– Ça fait tellement longtemps. Je ne sais même plus faire la part entre ce que je me rappelle vraiment et ce que je crois seulement me rappeler.

Il s'efforça cependant de lui restituer de son mieux les fragments, les souvenirs isolés dont il croyait être certain, de la façon la plus honnête possible. Mais, au moment de décrire la fin d'Inese, il dit simplement qu'elle était morte sur le coup.

Elle posa d'autres questions, mais il lui avait tout dit, n'avait rien de plus à lui offrir. Vera se leva, lissa sa jupe blanche. Un instant, Wallander crut voir une ressemblance entre elle et sa mère. Mais sa mémoire pouvait le trahir.

– Qui est ton père ? demanda-t-il.

– Je ne sais pas. Maman avait dit à Baiba qu'elle me le dirait quand je serais plus grande. Mais Baiba n'était pas au courant. Inese ne l'avait dit à aucune de ses amies. Des fois, je m'imagine qu'il était soviétique.

– Pourquoi ?

– Parce que ma mère n'a jamais parlé de lui, à personne. Elle en avait peut-être honte.

Elle lui serra la main.

– Merci pour la conversation. J'ai vu que vous vouliez me claquer la porte au nez. Vous pensiez que je venais proposer mes services.

– Je ne sais pas ce que j'ai pensé.

– Lilja passera à dix heures. Elle m'a demandé de vous le dire. Elle vous accompagnera jusqu'à la chapelle.

Il lui ouvrit la porte et la regarda s'éloigner en direction des ascenseurs. Puis il enfila son costume de deuil et descendit prendre son petit déjeuner. Il n'avait absolument pas faim.

À l'aéroport de Kastrup, il avait acheté deux demi-bouteilles de vodka. Il en avait glissé une dans la poche intérieure de sa veste. Dans l'ascenseur, il dévissa la capsule et avala une rasade.

Wallander attendait à la réception quand Lilja Blooms franchit les portes vitrées. Elle l'identifia aussitôt et s'avança vers lui. Il s'en étonna, puis se rappela qu'elle l'avait déjà vu à son insu au café Latvija.

Lilja était petite, ronde, les cheveux très courts, presque ras. Il ne l'avait pas du tout imaginée ainsi. Pour lui, elle devait ressembler à Baiba. En la saluant, il s'aperçut qu'il était embarrassé sans savoir pourquoi.

– La chapelle n'est pas loin, dit-elle. Dix minutes à pied. J'ai le temps de fumer une cigarette dehors.

– Allons-y.

Ils étaient devant l'hôtel, au soleil, Lilja avec des lunettes noires et une cigarette allumée, quand elle lui dit soudain avec le plus grand sérieux :

– Elle était ivre.

Wallander mit un instant à comprendre de qui elle parlait.

– Baiba ?

– Oui. C'est ce qu'a montré l'autopsie. Un taux élevé d'alcool dans le sang quand elle a quitté la route.

– J'ai du mal à le croire.

– Moi aussi. Tous ses amis s'interrogent. Mais comment savoir ? Que savons-nous de la façon dont raisonne une personne condamnée ?

– Quoi, elle aurait foncé exprès dans ce mur ?

– On n'aura jamais la moindre certitude, alors ça ne sert à rien de ruminer là-dessus. Tout ce qu'on sait, c'est qu'elle n'a pas freiné. Il n'y a aucune trace de freinage. Et on a le témoignage d'un automobiliste qui roulait derrière elle à un moment donné et qui a reconnu sa voiture après l'accident. Elle ne roulait pas très vite, mais elle zigzaguait, a-t-il dit.

Wallander essayait d'imaginer la scène – les derniers instants de la vie de Baiba. Accident ou suicide ? Il ne pouvait être sûr de rien. Une autre pensée le traversa. La mort de Louise von Enke pouvait-elle aussi avoir été accidentelle, tout compte fait ?

Il ne poursuivit pas cette idée jusqu'à son terme. Lilja avait éteint sa cigarette et proposé qu'ils se mettent en route. Il s'excusa en disant qu'il devait déposer sa clé à la réception. Il en profita pour se rendre aux toilettes et boire un coup de vodka. Il se regarda dans le miroir. Un homme vieillissant, inquiet de ce qui l'attendait au cours de la petite portion de vie qu'il lui restait à vivre.

Ils arrivèrent à la chapelle et pénétrèrent dans la pénombre, rendue plus sombre encore par le soleil éclatant du dehors. Wallander mit un long moment à s'y accoutumer.

Soudain, il imagina que l'enterrement de Baiba Liepa était une répétition générale de son enterrement à lui. Cela lui fit si peur qu'il faillit sortir. Il n'aurait jamais dû venir à Riga. Il n'avait rien à faire en ce lieu.

Mais il resta assis et réussit, en grande partie grâce à l'alcool qu'il avait bu, à maîtriser ses larmes, même confronté au chagrin ouvert de Lilja Blooms assise à côté de lui. Le cercueil ressemblait à une île au milieu de la mer – un écrin secret contenant le corps d'une femme qu'il avait aimée.

Pour une raison insondable, l'image de Håkan von Enke lui apparut. Il la repoussa, exaspéré.

Il commençait à être ivre. C'était comme si la cérémonie ne le concernait pas du tout. Quand ce fut fini et que Lilja Blooms s'avança pour embrasser la mère de Baiba, il s'esquiva et quitta discrètement la chapelle. Il partit sans se retourner, se rendit tout droit à l'hôtel et demanda au réceptionniste de téléphoner pour changer son billet d'avion. Son vol était prévu pour le lendemain, mais il voulait rentrer le plus vite possible. Quand on lui apprit qu'il y avait une place sur un vol pour Copenhague en fin d'après-midi, il boucla sa valise et quitta l'hôtel en taxi, toujours dans son costume de deuil, inquiet à l'idée que Lilja Blooms ne se mette en tête de le rattraper et de le retenir. Il attendit près de trois heures, assis sur un banc derrière le terminal, jusqu'au moment de franchir les contrôles.

Dans l'avion, il continua de boire. En sortant du taxi devant chez lui, il faillit tomber. Jussi était chez le voisin comme d'habitude, et il résolut d'aller le chercher seulement le lendemain.

Il s'effondra sur son lit et dormit d'un sommeil très profond jusqu'au matin neuf heures. Il éprouvait un remords intense d'avoir fui ainsi sans même dire au revoir à Lilja. Il allait être obligé de l'appeler et de présenter une excuse valable. Mais que pourrait-il lui dire ?

Wallander avait la migraine. Pas le moindre antalgique dans la maison, il avait fouillé l'armoire à pharmacie et tous les tiroirs de la cuisine. Comme il ne se sentait pas la force d'aller jusqu'à Ystad, il profita de ce qu'il allait chercher Jussi pour demander à sa voisine si elle pouvait le dépanner. Elle lui donna un verre d'eau avec deux comprimés, plus quelques autres à rapporter chez lui.

Une fois rentré, il enferma Jussi dans le chenil. Le voyant rouge du répondeur clignotait. Sten Nordlander avait cherché à le joindre. Il le rappela sur son portable.

– Il y a trop de vent ! cria Nordlander. Je te rappelle. Il faut juste que je trouve un coin abrité.

– Je suis à la maison.

– Dans dix minutes, ça te va ?

– Oui.

– À tout à l'heure.

Il s'assit à la cuisine pour attendre. Jussi tournait dans sa cage, très occupé à détecter d'éventuelles visites de souris ou d'oiseaux en son absence. De temps à autre il levait la tête vers la fenêtre de la cuisine. Wallander agitait alors la main, mais Jussi ne réagissait pas, il ne pouvait pas voir aussi loin ; il savait juste que Wallander était là.

Celui-ci ouvrit la fenêtre. Jussi se dressa aussitôt contre la clôture en remuant la queue.

Le téléphone sonna. Cette fois, la transmission était bonne.

– Je suis sur une petite île, un rocher plutôt, près de Möja. Tu connais ?

– Non.

– C'est au bout du bout de l'archipel de Stockholm. Très beau.

– Tu as bien fait de chercher à me joindre, dit Wallander. J'aurais dû te prévenir avant. Il s'est passé quelque chose. Håkan s'est montré.

– Quoi ?

Il lui raconta l'incident en peu de mots.

– C'est extraordinaire, dit Sten Nordlander. Tu sais, au moment de débarquer sur ce rocher, je pensais à lui.

– Pour une raison particulière ?

– Il aimait les îles. Un jour, il m'a parlé d'un rêve qu'il avait, étant jeune, celui de visiter les îles de toutes les mers du monde.

– L'a-t-il réalisé ?

– Je ne le crois pas. Louise n'aimait pas trop ni l'avion ni le bateau.

– Ah bon ? Et ce n'était pas un problème entre eux ?

– Pas à ma connaissance. Il était très attaché à elle, et elle à lui. Les rêves ont une valeur en soi ; on n'est pas obligé de les convertir en pratique.

Ils convinrent que Nordlander le rappellerait quand il serait de retour sur le plancher des vaches.

Wallander posa doucement son téléphone sur la table. Puis il resta immobile. Il avait la sensation de savoir où était Håkan von Enke. Sten Nordlander lui avait montré dans quelle direction chercher.

Il n'avait pas la moindre preuve. Pas même un indice digne de ce nom. Pourtant il était sûr de lui.

Il pensa soudain à un livre qu'il avait vu sur l'étagère de Signe von Enke. *La Belle au bois dormant.* Ça fait longtemps que je sommeille, pensa-t-il. J'aurais dû me réveiller plus tôt.

Il se faisait vraiment vieux. Pour être à ce point aveugle qu'il ne voyait pas ce qui était sous son nez.

Jussi se mit à aboyer. Wallander alla lui porter son repas.

Il partit le lendemain de très bonne heure. La voisine parut surprise de le voir revenir avec Jussi.

Elle lui demanda combien de temps il comptait s'absenter cette fois. Il lui dit la vérité.

Il ne le savait pas. Il n'en avait pas la moindre idée.

30

Le bateau qu'il réussit à louer était un hors-bord en plastique de six mètres équipé d'un moteur Evinrude 7CV. Le loueur lui prêta aussi une carte marine. Wallander avait choisi le bateau pour sa taille, qui lui permettrait de le manœuvrer à la rame sans aide ; il pensait que ce serait nécessaire. Au moment de signer le contrat, il montra sa carte de police. Le loueur réagit vivement.

– Tout va bien, le rassura Wallander. Il me faudrait aussi une nourrice d'essence. Je serai peut-être de retour dès demain, ou alors dans un jour ou deux. Quoi qu'il arrive, tu as mon numéro de carte de crédit.

– Il s'est passé quelque chose ?

– Rien du tout, sinon que je vais faire une surprise à un ami qui fête ses cinquante ans.

Wallander n'avait pas préparé ce mensonge. Il était tellement habitué à inventer des prétextes que ceux-ci se présentaient désormais d'eux-mêmes.

Le hors-bord était coincé entre deux bateaux à moteur plus puissants, dont un Storö. Il n'y avait pas de bouton électrique, mais le moteur démarra dès que Wallander eut tiré la ficelle. Le loueur, qui avait l'accent finlandais, l'avait précédemment assuré de sa fiabilité.

– Je m'en sers moi-même pour aller pêcher. Le problème, c'est juste qu'il n'y a plus de poissons. Mais j'y vais quand même.

Il était seize heures. Wallander était arrivé à Valdemarsvik une heure plus tôt, et il avait déjeuné dans ce qui semblait être l'unique restaurant du bourg avant de partir à la recherche du loueur de bateaux qui était en fait situé tout à côté. Wallander avait préparé un sac à dos contenant, entre autres choses, deux lampes torches et un pique-nique. Il avait aussi emporté des vêtements chauds même si, là tout de suite, le soleil d'après-midi cognait fort.

En montant vers l'Östergötland, il avait essuyé plusieurs averses. L'une avait été si violente qu'il avait dû s'arrêter sur une aire de stationnement, juste avant Rönneby. Il écoutait la pluie tambouriner contre le toit et dégouliner sur le pare-brise en se demandant s'il avait vu juste. Son intuition l'avait-elle trahi ? Ou avait-il interprété correctement la situation ?

Il était resté là près d'une demi-heure, seul avec ses pensées. Puis, brusquement, la pluie avait cessé et il avait fini par arriver à Valdemarsvik. À présent, le ciel était dégagé et il n'y avait presque pas de vent. L'eau de la baie était à peine ridée par une brise légère.

Ça sentait la glaise, l'argile. Il s'en souvenait depuis sa précédente visite.

Wallander démarra. Le loueur resta longtemps à le regarder s'éloigner avant de retourner à son bureau. Wallander avait résolu de quitter la longue baie de Valdemarsvik en profitant de la lumière du jour. Puis il se mettrait au mouillage quelque part en attendant le crépuscule d'été. Il avait essayé, sans succès, de calculer dans quelle phase se trouvait la lune. Il aurait pu appeler Linda. Mais il ne voulait pas révéler où il allait, ni pourquoi. Une fois sorti de la baie, il appellerait Martinsson. À supposer qu'il appelle quelqu'un. La mission qu'il s'était pour ainsi dire confiée à lui-même ne dépendait pas du clair de lune. Mais il voulait savoir ce qui l'attendait.

Quand il commença à apercevoir la haute mer entre les îlots, il ralentit et étudia la carte plastifiée que lui avait passée le loueur. Il fit le point, puis choisit un endroit bien situé, à proximité de son but, où il pourrait attendre la nuit. Mais, en approchant, il découvrit qu'il était déjà pris. Plusieurs bateaux étaient au mouillage près des rochers. Il continua donc et trouva enfin un îlot, un simple rocher planté de quelques arbres, où il put accoster à la rame après avoir remonté le moteur. Il enfila sa veste, s'adossa à un arbre, sortit sa Thermos et se versa un café. Puis il appela Martinsson. Cette fois encore, ce fut une gamine qui répondit, peut-être la même que la dernière fois.

– Tu as de la chance, dit Martinsson, qui venait de prendre le combiné. Ma petite-fille devient ta secrétaire.

– La lune, dit Wallander.

– Qu'est-ce qu'elle a ?

– Laisse-moi finir avant de poser des questions.

– Excuse, mais je ne peux pas laisser les petits tout seuls trop longtemps.

– Je comprends. Je ne te dérangerais pas si ce n'était pas important. Tu as un calendrier ? Dans quelle phase est-elle ?

– Quoi, la lune ? Tu te lances dans des aventures astronomiques maintenant ?

– Peut-être. Alors ?

– Un instant.

Martinsson posa le téléphone. Il avait entendu à la voix de Wallander qu'il n'obtiendrait rien.

– C'est la nouvelle lune, dit-il en revenant. Un tout petit croissant de rien du tout. À moins que tu ne sois ailleurs qu'en Suède.

– Non. Merci. Je t'expliquerai.

– J'ai l'habitude d'attendre.

– Quoi ?

– Les explications. Celles de mes enfants en particulier. Mais c'était surtout quand ils étaient plus jeunes et qu'ils ne faisaient jamais ce que je leur disais de faire.

– Linda était pareille, dit Wallander en essayant de paraître intéressé.

Il le remercia encore une fois puis rangea son téléphone. Il mangea deux tartines et s'allongea ensuite, une pierre plate en guise d'oreiller.

Les douleurs arrivèrent de nulle part. Il était allongé et regardait le ciel où criaillaient quelques mouettes quand il sentit soudain un élancement aigu dans le bras gauche, se diffusant en direction de la poitrine et de l'estomac. Il crut d'abord que c'était un caillou pointu ou quelque chose de ce genre. Puis il comprit que ça venait de l'intérieur, et pensa que ce qu'il avait toujours redouté venait enfin de se produire. Un accident cardio-vasculaire.

Il resta absolument immobile, raide, terrifié, retenant son souffle, craignant qu'une nouvelle inspiration n'épuise la capacité de son cœur à battre.

Le souvenir de la mort de sa mère lui revint d'un coup. C'était comme si ses derniers instants se rejouaient là, devant lui. Elle n'avait que cinquante ans. Elle n'avait jamais travaillé hors du foyer. Elle avait lutté pour faire vivre la maisonnée avec un mari lunatique aux revenus toujours incertains et leurs deux enfants, Kurt et Kristina. Ils vivaient à Limhamn à l'époque ; ils avaient pour voisins une autre famille, que le père de Wallander ne supportait pas. Le père de l'autre famille était cheminot. Il n'avait jamais fait de mal à quiconque mais un jour, par pure amabilité, il avait demandé au père de Wallander si ça ne lui ferait pas du bien de peindre de temps en temps un autre motif que son éternel paysage de forêt, juste comme ça, pour changer. Wallander avait surpris la conversation. Le voisin cheminot, qui s'appelait Nils Persson, avait cité en exemple sa propre vie professionnelle. Après une longue période où il n'avait fait que l'aller-retour entre Malmö et Alvesta, il se réjouissait d'être mis sur l'express qui reliait Malmö à Göteborg et qui poussait même parfois jusqu'à Oslo. Le père de Wallander était naturellement entré dans une rage folle et avait coupé les ponts du jour au lendemain. Et la mère de Wallander, tout aussi naturellement, avait alors dû jouer les intermédiaires et arrondir les angles pour que les relations de voisinage restent à peu près supportables.

Sa mort était survenue brutalement un après-midi, au début de l'automne 1962. Elle était dehors dans leur petit jardin, en train d'étendre le linge. Wallander venait de rentrer de l'école et mangeait des tartines dans la cuisine. En se retournant il l'avait vue, par la fenêtre, les mains remplies de pinces à linge et de taies d'oreiller. Il avait fini sa tartine. Quand il s'était retourné la fois suivante, elle était à genoux, les mains crispées sur la poitrine. Il avait cru tout d'abord qu'elle avait perdu quelque chose, puis il l'avait vue tomber sur le côté, lentement, comme si elle résistait jusqu'au bout à sa propre chute. Il s'était précipité dehors en criant son nom, mais trop tard. Le médecin avait par la suite évoqué un AVC massif. Même à l'hôpital, avait-il dit, on n'aurait pas pu la sauver.

Il revoyait la scène à présent – une succession d'images papillotantes, frénétiques – tout en essayant de repousser les douleurs qui l'assaillaient. Il ne voulait pas finir sa vie prématurément comme sa mère. Surtout il ne voulait pas mourir là, tout seul, sur un îlot de la Baltique.

Il se mit à prier en silence, en colère. Ses prières ne s'adressaient pas à un Dieu, plutôt à lui-même. Résister, ne pas se laisser entraîner dans le silence. Et il remarqua pour finir que les douleurs n'augmentaient pas, et que son cœur battait toujours. Il s'obligea à rester calme, à agir raisonnablement, à ne pas céder à la panique. Prudemment, il se redressa en position assise. Puis il tâtonna au sol jusqu'à trouver le téléphone qu'il avait posé à côté du sac à dos. Il commença à composer le numéro de Linda, puis se ravisa. Que pourrait-elle faire ? S'il s'agissait réellement d'un AVC, il devait appeler le 112.

Mais quelque chose le retint. Peut-être la sensation que la douleur diminuait ? Il tâta son pouls et constata qu'il était régulier. Il fit prudemment pivoter son bras gauche et trouva une position où la douleur s'atténuait, une autre où elle était plus forte. Cela ne correspondait pas aux symptômes de l'infarctus aigu. Il décida de prendre son pouls. 74 battements par minute. Son pouls normal se situait entre 66 et 78 ; rien à signaler donc de ce côté-là. C'est le stress, pensa-t-il. Mon corps simule le danger qui me guette si je ne me calme pas, si je persiste à me croire irremplaçable et si je ne prends pas de sérieuses vacances.

Il se rallongea. La douleur continuait de décroître, même si elle restait présente en sourdine, comme une menace.

Une heure plus tard, il osa se dire qu'il n'avait pas eu d'AVC. Juste un avertissement. Peut-être devrait-il rentrer chez lui, appeler Ytterberg et lui faire part de ses conclusions. En définitive, il décida de rester. Il était venu jusque-là, alors il voulait savoir s'il avait eu raison ou pas. Quel que soit le résultat, il laisserait Ytterberg prendre la suite. Il n'aurait plus besoin de s'en occuper.

Un soulagement immense l'envahit. C'était comme une ivresse de vie, telle qu'il n'en avait pas éprouvé depuis des années. Il avait envie de se mettre debout et de hurler droit vers la mer. Mais il resta assis, contre le tronc, regarda les bateaux qui passaient, respira l'odeur marine. Il faisait encore chaud. Il se rallongea en se couvrant de sa veste et s'endormit. Il se réveilla après un petit quart d'heure.

La douleur avait presque entièrement disparu. Il se leva et fit le tour de l'îlot. Côté sud, la paroi rocheuse était presque verticale. Il dut faire effort pour la contourner, au ras de l'eau.

Soudain, il se ratatina. Une faille s'ouvrait dans le rocher à vingt mètres environ devant lui. Un bateau était au mouillage devant, et un youyou avait été tiré sur les galets. À l'abri de la faille, un homme et une femme faisaient l'amour. Il s'écrasa contre la paroi mais ne put résister à la tentation de regarder. Ils étaient jeunes, une vingtaine d'années tout au plus. Il resta comme hypnotisé par leurs corps nus jusqu'au moment où il réussit à s'arracher à sa vision et à retourner sans bruit par où il était venu. Quelques heures plus tard, alors que le crépuscule tombait enfin, il vit le bateau s'éloigner avec le youyou en remorque. Il se leva et agita la main. Le garçon et la fille lui rendirent son salut.

D'une certaine manière, il les enviait. Mais ce n'était pas une envie sombre. Il n'avait jamais éprouvé le désir de retrouver sa jeunesse. Ses premières expériences érotiques avaient été, comme celles de presque tout le monde sans doute, incertaines, mal assurées, déconfites, souvent à la limite de la gêne pure et simple. Il avait toujours écouté avec un certain scepticisme les récits de conquête de ses camarades. Mona était la première avec laquelle il avait accédé à une vraie jouissance. Les premières années, ils avaient partagé une sexualité qu'il n'aurait jamais crue possible. Avec quelques rares autres femmes, il avait connu des expériences intenses, mais pas autant qu'avec Mona au début de leur relation – la grande exception étant naturellement Baiba.

Il ne lui était cependant jamais arrivé de coucher avec quelqu'un sur un rocher en pleine mer. Son plus grand défi, dans ce style-là, avait été la fois où, légèrement ivre, il avait attiré Mona dans les toilettes du train… Mais ils avaient été interrompus par des coups rageurs frappés à la porte. Mona avait trouvé cela affreusement embarrassant. Très en colère, elle l'avait fait jurer de ne plus l'entraîner dans des aventures pareilles.

Il n'avait jamais réessayé. Vers la fin de leur longue vie conjugale, le désir avait presque disparu chez l'un comme chez l'autre, même s'il était réapparu chez lui avec une violence extraordinaire quand elle lui avait annoncé son intention de divorcer. Mais elle avait refusé de l'accueillir. Définitivement.

Soudain, il crut voir sa vie de façon très claire. Quatre décisions, pas plus, pensa-t-il. La première quand j'ai fait le choix de devenir policier en bravant l'opposition d'un père dominateur. La deuxième quand j'ai tué un homme et failli abandonner le métier que j'avais choisi. La troisième quand j'ai quitté Mariagatan, quand j'ai emménagé à la campagne et que j'ai eu Jussi. La quatrième, peut-être, quand j'ai enfin accepté que Mona et moi, nous ne vivrions plus jamais ensemble. Ça a sans doute été l'épreuve la plus difficile. Mais j'ai assumé mes choix. Je n'ai pas tergiversé jusqu'à découvrir un jour qu'il était trop tard. Ce que j'ai fait, je le dois à moi et à moi seul. Quand je vois l'amertume chez beaucoup de gens de mon entourage, je suis content de ne pas être à leur place. Malgré tout, j'ai essayé d'être responsable de ma vie, de ne pas la laisser dériver simplement au fil de l'eau.

Les moustiques arrivèrent en même temps que la nuit. Il avait heureusement pensé à prendre un stick de protection ; il se le passa sur la peau et se serra ensuite dans son anorak en relevant la capuche. On entendait de moins en moins de moteurs de bateau. Un voilier solitaire glissait en silence vers le large.

Peu après minuit il quitta son îlot, entouré par les moustiques qui lui bourdonnaient aux oreilles. Il suivait les silhouettes de plus en plus sombres des îles bordant la route qu'il s'était tracée avec l'aide de la carte. Il avançait lentement, vérifiant régulièrement qu'il n'avait pas dévié de son cap. En approchant du but, il ralentit encore, puis coupa les gaz. Le vent s'était levé mais n'était guère plus qu'une brise nocturne. Il releva le moteur, sortit les avirons et commença à ramer. Par intervalles il se reposait et scrutait la pénombre. Il ne distinguait pas la moindre lumière. Cela lui causait du souci ; ça ne correspondait pas à ses prévisions.

Il rama jusqu'au rivage. Le bateau racla les galets quand il le tira au sec. Puis il l'attacha à un bouquet d'aulnes qui poussaient au bord. Il avait préparé ses lampes torches. Il en avait une dans la poche, l'autre à la main.

Il cherchait à présent, parmi les restes de pique-nique et les vêtements de rechange, son arme de service. Il avait hésité jusqu'au bout, mais pour finir il l'avait emportée, avec un chargeur. Sans savoir vraiment pourquoi. Il ne pensait pas s'exposer à un danger physique.

Mais Louise est morte, pensa-t-il. Et Hermann Eber m'a convaincu qu'elle a été tuée. Je dois partir de l'hypothèse que Håkan peut être coupable, même si rien ne le confirme pour l'instant.

Il engagea le chargeur et vérifia qu'il avait mis le cran de sûreté. Il alluma sa lampe ; le filtre bleu dont il l'avait équipée était bien en place. Sa lumière serait difficile à déceler.

Il écouta dans l'obscurité. La rumeur de la mer dominait tous les autres sons. Il rangea le sac à dos, éclaira les aulnes et s'assura que le bateau était solidement amarré. Puis il se mit en route. Les fourrés poussaient très épais au bord de l'eau. Après quelques mètres, il marcha droit sur une toile d'araignée porte-croix ; l'énorme bestiole s'accrocha à son anorak et il se mit à gesticuler. Les serpents, il pouvait les supporter ; les araignées, non. Renonçant à se frayer un chemin par le sous-bois, il choisit de longer plutôt le rivage à la recherche d'un passage moins touffu. Après une cinquantaine de mètres, il arriva à un endroit où se dressaient les restes d'une vieille cale de radoub. Comme il n'était jamais encore venu sur l'île – l'ayant seulement aperçue de loin depuis un autre bateau –, il avait du mal à se repérer. Surtout qu'ils étaient passés à l'ouest, alors que lui l'abordait par le côté est, dans l'espoir qu'il serait désert.

Le téléphone sonna dans une de ses poches. Il fit tomber la lampe et chercha fébrilement l'appareil pour l'éteindre. Les sonneries se succédaient pendant qu'il fouillait ses vêtements en se maudissant à voix basse. Il compta au moins six sonneries avant de l'éteindre enfin. Sur l'écran, il vit que c'était Linda qui cherchait à le joindre. Il activa le mode silencieux, rangea le téléphone dans une poche équipée d'une fermeture Éclair. À ses oreilles, les sonneries avaient retenti comme un véritable signal d'alarme. Il prêta l'oreille. Mais rien ne se voyait ni ne s'entendait dans le noir. À part la mer.

Prudemment, il progressa jusqu'à distinguer les contours de la maison plongée dans l'obscurité. Posté derrière un chêne, il la scruta. Mais rien. Pas le moindre rai de lumière. Je me suis trompé, pensa-t-il. Il n'y a personne. Ma conclusion n'était tout simplement pas la bonne.

Puis, soudain, il crut distinguer une faible lueur entre le bord inférieur d'une fenêtre et le store baissé par-dessus. En approchant, il vit également une lueur aux autres fenêtres.

À pas de loup, il contourna la maison. Elle était équipée comme pour un couvre-feu. Comme en temps de guerre. Comme s'il fallait tromper la vigilance de l'ennemi. Et l'ennemi, pensa Wallander, c'est moi.

Il s'approcha, colla l'oreille contre le mur de planches et écouta. Il perçut un murmure de voix entrecoupé de notes de musique. Un téléviseur ou une radio.

Il se retira parmi les ombres et essaya de prendre une décision. Il ne s'était pas projeté au-delà de cet instant. Que faire à partir de là ? Attendre le matin et frapper à la porte pour voir qui lui ouvrirait ?

Il hésita. Sa propre indécision l'irritait. Que craignait-il exactement ?

Il n'eut pas le temps de répondre. Une main s'était posée sur son épaule. Il sursauta, fit volte-face. Il avait beau savoir pourquoi il était venu, il fut quand même surpris de reconnaître le visage de Håkan von Enke. Il était mal rasé ; ses cheveux avaient poussé ; il portait un jean et une veste de survêtement.

Ils se regardèrent en silence, Wallander avec sa torche électrique à la main, Håkan von Enke pieds nus sur la terre mouillée.

– J'imagine que tu as entendu sonner mon téléphone, dit enfin Wallander.

Håkan von Enke secoua la tête. Il paraissait effrayé, mais triste aussi.

– J'ai une alarme. Je viens de passer dix minutes à essayer de savoir qui avait accosté.

– Ce n'était que moi.

– Oui, dit Håkan von Enke. Ce n'était que toi.

Ils entrèrent dans la maison. Ce fut alors seulement, à la lumière, que Wallander découvrit que Håkan von Enke portait lui aussi une arme. Un pistolet passé dans la ceinture de son pantalon. L'autre fois, à Djursholm, il l'avait eu sous sa veste.

De qui a-t-il peur ? De qui se cache-t-il ?

La rumeur de la mer ne s'entendait plus. Wallander contemplait l'homme qui avait choisi de se rendre invisible pendant si longtemps. L'un et l'autre gardaient le silence.

Puis ils commencèrent à parler. Lentement, comme s'ils s'approchaient l'un de l'autre avec d'infinies précautions.

QUATRIÈME PARTIE

Le mirage

31

Ce fut une longue nuit. Au cours de cet échange tâtonnant avec le fuyard, Wallander eut plusieurs fois la sensation de vivre la suite de la conversation qu'ils avaient eue six mois plus tôt dans une pièce sans fenêtres près de Stockholm. Ce qui se dévoilait à présent le surprenait, mais expliquait l'inquiétude qu'il avait perçue ce soir-là chez Håkan von Enke.

Il ne se faisait pas du tout l'effet d'un Stanley qui aurait retrouvé son Livingstone. Il avait deviné juste, c'était tout. Son intuition lui avait une fois de plus montré la voie. Quant à von Enke, à supposer qu'il ait été pris de court par ce débarquement inattendu, il n'en laissait rien paraître. Le vieux commandant donnait là une preuve de son sang-froid, pensa-t-il. Peu importaient les circonstances, il n'était pas homme à se laisser démonter.

Le cabanon de chasse, qui semblait rudimentaire vu de l'extérieur, ne l'était pas du tout une fois le seuil franchi. Il n'y avait pas de cloisons : rien qu'un grand espace avec une cuisine ouverte. Un petit appentis y avait été ajouté pour abriter la salle de bains ; c'était la seule partie équipée d'une porte. Un lit était placé à un angle de la pièce. Spartiate, pensa Wallander. Il ressemblait moins à un lit qu'à une couchette, de celles dont tous se contentent à bord d'un sous-marin, y compris le capitaine. Le milieu de la pièce était occupé par une grande table couverte de livres, de dossiers, de papiers. Il y avait aussi une étagère avec une radio ; un fauteuil ancien tendu de rouge sombre et, à côté du fauteuil, une table plus petite supportant un téléviseur et un tourne-disque.

– Je ne croyais pas qu'il y aurait l'électricité sur l'île, dit Wallander.

– On a ouvert la roche à la dynamite et on a caché une génératrice au fond. On ne l'entend pas. Même par calme plat.

Håkan von Enke faisait chauffer le café, debout devant la cuisinière. Dans le silence, Wallander essaya de se préparer à la conversation qui allait suivre. Maintenant qu'il avait enfin retrouvé l'homme qu'il cherchait depuis si longtemps, il ne savait soudain plus quoi lui demander. Tout ce qu'il avait pensé auparavant lui faisait l'effet d'un fouillis de conclusions brouillonnes.

– Si je me souviens bien, dit von Enke, tu ne prends ni lait ni sucre ?

– C'est ça.

– Malheureusement, je n'ai pas de brioche à te proposer. Tu as faim ?

– Non.

Håkan von Enke dégagea une partie de la grande table. Wallander vit que la plupart des livres traitaient soit de stratégie militaire, soit de géopolitique. L'un d'eux, qui paraissait avoir été beaucoup feuilleté, s'intitulait ni plus ni moins *La Menace sous-marine*.

Il goûta son café ; il était très fort. Von Enke, lui, s'était préparé du thé. Wallander regretta son choix.

Il était une heure moins dix du matin. Håkan von Enke s'assit et soupira.

– Tu as beaucoup de questions, j'imagine. Il n'est pas certain que je puisse, ou que je veuille, répondre à toutes. Mais, avant cela, je dois moi aussi t'en poser quelques-unes. La première : es-tu venu seul ?

– Oui.

– Quelqu'un sait-il où tu es ?

– Personne.

Von Enke hésitait visiblement à le croire.

– Personne, répéta Wallander. C'était mon idée. Je n'en ai pas parlé à qui que ce soit.

– Pas même à Linda ?

– Pas même à Linda.

– Comment es-tu arrivé ?

– Avec un petit hors-bord. Si tu veux, je te donne le nom du loueur. Mais il ne savait pas où j'allais. J'ai dit que je voulais surprendre un vieil ami qui fêtait son anniversaire. Il n'a aucune raison de ne pas me croire.

– Où est ce bateau ?

Wallander indiqua une direction par-dessus son épaule.

– De l'autre côté de l'île. Au sec.

Håkan von Enke contemplait sa tasse de thé en silence. Wallander attendit.

– Je ne suis pas vraiment surpris qu'on me trouve. Mais j'avoue que je ne pensais pas que ce serait toi.

– Alors ? Qui t'attendais-tu à voir, tout à l'heure ?

Håkan von Enke secoua la tête, il ne voulait pas répondre. Wallander décida de laisser la question en suspens.

– Comment as-tu fait ?

Le visage et la voix de von Enke étaient marqués par une grande lassitude. Ce devait être éprouvant d'être en fuite, même si on n'était pas en mouvement d'un endroit à un autre. Wallander décida de lui dire la vérité.

– Quand j'ai rendu visite à Eskil Lundberg sur Bokö, on est passés devant l'île sur le chemin du retour, et il a dit que ce cabanon était l'endroit parfait pour qui souhaitait disparaître un moment. Tu es au courant que je suis allé chez lui. Cette réflexion de Lundberg s'est gravée en moi. Elle ne m'a pas quitté, et quand j'ai appris un peu plus tard que tu nourrissais un amour spécial pour les îles, j'ai compris que tu pouvais être ici.

– Qui a parlé de moi et de mes îles ?

Wallander résolut de laisser Sten Nordlander en dehors de l'affaire. Il existait une autre source qu'il ne serait pas possible de vérifier.

– Louise, dit-il.

Von Enke hocha la tête en silence. Puis il se redressa de toute sa hauteur, comme s'il se préparait à ce qui allait suivre.

– Nous pouvons procéder de deux manières, dit Wallander. Soit tu me racontes à ton rythme. Soit tu réponds à mes questions.

– Suis-je accusé de quoi que ce soit ?

– Non. Mais Louise est décédée, et tu fais partie des suspects. C'est automatique.

– Bien sûr, je comprends.

Suicide ou meurtre ? pensa Wallander très vite. Pour Håkan, apparemment, la réponse ne fait aucun doute. Il comprit qu'il devait avancer prudemment. L'homme qui lui faisait face était malgré tout quelqu'un dont il ne savait presque rien.

– Raconte, dit-il. Je t'interromprai si nécessaire pour te demander des éclaircissements. Tu peux commencer par Djursholm. Ton anniversaire.

Håkan von Enke secoua énergiquement la tête. Sa fatigue paraissait envolée. Il se leva, alla remplir sa tasse à la bouilloire et y ajouta un nouveau sachet de thé. Il resta debout, sa tasse à la main.

– Ce serait prendre les choses par le mauvais bout, dit-il enfin. Je dois remonter au commencement. Il n'y en a qu'un. Un seul point de départ, qui est simple, mais entièrement vrai. J'aimais ma femme Louise par-dessus tout au monde. Dieu me pardonne ce que je vais dire maintenant, mais je l'aimais plus que mon fils. Louise était la lumière de mes jours. La regarder approcher, voir son sourire, l'entendre bouger dans une pièce voisine…

Il se tut et regarda Wallander avec une expression à la fois intense et provocante. Il exigeait une réaction.

– Oui, dit Wallander. Je te crois. C'est sûrement vrai, ce que tu dis.

Ensuite seulement Håkan von Enke commença son récit :

– Nous devons remonter loin dans le passé. Je ne vais pas tout te raconter en détail. Cela prendrait trop de temps, et d'ailleurs ce n'est pas nécessaire pour que tu comprennes. Mais nous devons revenir aux années 60 et 70. J'étais un officier d'active et, entre autres missions, j'assumais par périodes le commandement de l'un de nos dragueurs de mines les plus performants. Louise, elle, enseignait l'allemand et, dans ses moments de loisir, elle s'occupait de jeunes plongeuses qui étaient à l'époque les espoirs de l'équipe de Suède dans cette discipline. C'est ainsi qu'elle a eu l'occasion, en qualité d'interprète, de se rendre en Europe de l'Est, principalement en RDA, qui était considérée comme une pépinière de talents. Nous savons aujourd'hui que les prouesses de ces athlètes tenaient à un entraînement enragé, quasi esclavagiste, et à un dopage intensif minutieusement orchestré. À la fin des années 70, j'ai intégré le commandement opérationnel suprême de la marine suédoise. Cette charge impliquait beaucoup de travail, y compris à la maison. Plusieurs soirs par semaine, je rapportais dans ma serviette des documents, dont certains étaient classés secret-défense. J'avais une armoire où je rangeais sous clé mon fusil et mes cartouches car j'aime chasser, surtout le chevreuil ; à l'occasion je participe aussi aux grandes chasses annuelles à l'élan. Je rangeais donc ma serviette dans cette armoire avant d'aller me coucher, ou alors avant de sortir quand Louise et moi allions au théâtre ou avions un dîner en ville.

Il s'interrompit, retira avec précaution le sachet de thé de sa tasse et le posa sur une soucoupe avant de reprendre :

– Quand remarque-t-on que quelque chose n'est pas tout à fait normal ? À quel moment les signes imperceptibles deviennent-ils perceptibles ? J'imagine qu'en tant que policier, tu es souvent confronté à des situations où tu perçois ces signaux diffus. Un matin, en ouvrant l'armoire, j'ai senti – je peux encore éprouver cette sensation : j'allais prendre ma serviette de cuir marron quand ma main a été arrêtée dans le geste de saisir la poignée… L'avais-je vraiment laissée dans cette position la veille au soir ? Ce n'était presque rien, je l'ai dit. Peut-être l'angle que formait la poignée par rapport au corps de la serviette… Mon hésitation a duré cinq secondes, pas plus. J'ai repoussé le soupçon. J'avais l'habitude de vérifier que les papiers étaient tous là avant de m'en aller. Ce matin-là n'a pas fait exception à la règle. Par la suite, je n'y ai plus pensé. J'estime être un bon observateur, doué d'une solide mémoire. Enfin, je devrais sans doute parler au passé. En vieillissant, toutes nos facultés se dégradent peu à peu. On ne peut qu'observer les dégâts, impuissant. Tu es bien plus jeune que moi, mais tu en as peut-être déjà fait l'expérience ?

– Les yeux, dit Wallander. Tous les deux ans, je suis obligé de m'acheter de nouvelles lunettes de lecture. Et il me semble que mon ouïe n'est plus ce qu'elle était.

– L'odorat, c'est encore le sens qui se défend le mieux, je trouve. Chez moi, c'est le seul qui soit intact. Le parfum des fleurs est aussi net à mes narines qu'il l'a toujours été.

Ils se turent. Wallander entendit comme un froissement dans le mur derrière lui et dressa l'oreille.

– Les souris, dit Håkan von Enke qui avait perçu sa réaction. Quand je suis arrivé sur l'île, il faisait encore froid et, par moments, le bruit était carrément infernal. Mais, comme nous le disions à l'instant, bientôt je ne les entendrai même plus.

– Je ne veux pas interrompre ton récit, dit Wallander. Mais le matin de ta disparition, es-tu venu ici directement ?

– On est venu me chercher.

– Qui ?

Von Enke secoua la tête, il ne voulait pas répondre. Wallander n'insista pas.

– Je reviens à mon armoire. Quelques mois plus tard, il m'a semblé de nouveau que la serviette avait été très légèrement déplacée. J'ai pensé une fois de plus que je me faisais des idées. Les papiers n'avaient pas été dérangés. Mais cela me causait du souci. Les clés de l'armoire se trouvaient sous un pèse-lettre, sur mon bureau. La seule personne à savoir où je rangeais les clés était Louise. J'ai fait ce qu'on doit faire quand on a un soupçon.

– Quoi ?

– Je l'ai interrogée. Elle prenait son petit déjeuner à la cuisine.

– Qu'a-t-elle répondu ?

– Elle a nié. Elle m'a demandé pourquoi diable elle s'intéresserait à l'armoire où je rangeais mon fusil. Je crois que cela ne lui plaisait pas, de savoir cette arme dans l'appartement, même si elle n'en avait jamais rien dit. Je me souviens que j'avais honte, ce matin-là, en descendant jusqu'à la voiture qui attendait dans la rue pour me conduire au quartier général de l'état-major. Mes fonctions de l'époque me donnaient droit à un chauffeur. Chez nous, c'était toujours un appelé.

– Qu'est-il arrivé ensuite ?

Wallander voyait bien que ses questions dérangeaient von Enke et que celui-ci préférait décider seul du tempo du récit. Il leva les mains en signe d'excuse. Il n'allait plus l'interrompre.

– J'étais convaincu que Louise m'avait dit la vérité. Mais la sensation persistait. Cette gêne, au moment de récupérer ma serviette le matin… Contre ma volonté, j'ai commencé à disséminer de petits pièges. Par exemple, je rangeais exprès un papier au mauvais endroit, ou je laissais un cheveu dans la serrure, ou une trace de gras sur la poignée. Le plus compliqué, dans l'histoire, c'était naturellement la question du motif. Pourquoi Louise s'intéresserait-elle à mes papiers ? Je ne pouvais pas imaginer que ce puisse être par curiosité, ou par jalousie. Elle savait qu'elle n'avait aucune raison d'être jalouse. Il m'a fallu au moins un an avant d'envisager pour la première fois l'impensable…

Von Enke fit une courte pause avant de poursuivre :

– Louise pouvait-elle avoir des contacts avec une puissance étrangère ? Cela me paraissait exclu pour une raison très simple. Les documents que je rapportais à la maison présentaient rarement un intérêt pour des services de renseignements. Mais mon inquiétude ne me lâchait pas pour autant. J'ai constaté que je ne faisais plus confiance à ma femme ; je la soupçonnais, sans autre indice que mes vagues suspicions et un cheveu qui ne se trouvait plus exactement dans la position où je l'avais placé la veille au soir. Pour finir – nous étions alors à la fin des années 70 –, j'ai résolu d'en avoir le cœur net une fois pour toutes.

Il se leva et chercha un moment dans un coin de la pièce où s'entassaient des rouleaux de cartes. Puis il revint, déroula sur la table une carte marine de la Baltique centrale, qu'il cala aux quatre coins avec des galets.

– Automne 1979, dit-il. Août et septembre, plus précisément. Nous allions nous livrer à nos habituels exercices d'automne, qui impliquaient quasiment toute la flotte. J'étais devenu entre-temps membre de l'état-major et, à ce titre, je devais être présent en tant qu'observateur. Un mois environ avant le début de la manœuvre, alors que tous les horaires avaient été calés, les routes de navigation établies et les différents bâtiments placés dans leurs diverses zones d'exercice, j'ai échafaudé mon plan. J'ai rédigé un document que j'ai marqué moi-même *secret-défense* et je l'ai fait signer par le chef d'état-major – à son insu. Par le biais de ce faux document, j'incorporais dans les exercices un élément top secret : l'un de nos sous-marins allait effectuer une délicate opération de ravitaillement combustible avec un bateau piloté par radar. C'était une pure invention de ma part, mais parfaitement plausible. Dans le document, je décrivais de façon précise la position des bâtiments et l'heure à laquelle l'exercice aurait lieu. Je savais que le chasseur *Småland*, à bord duquel devaient se trouver les observateurs, croiserait tout près de cette position à l'heure dite. Je rapportai le document à la maison, l'enfermai pendant la nuit et le cachai au matin très soigneusement dans mon bureau avant de repartir pour le QG. Je fis de même au cours des jours suivants. La semaine d'après, j'enfermai le document dans un coffre bancaire que j'avais loué exprès à cette fin. J'avais auparavant hésité à le déchirer ; mais je pourrais en avoir besoin à titre de preuve. Les deux dernières semaines avant le début de la manœuvre furent les pires de mon existence. Devant Louise, je devais me comporter comme si de rien n'était alors que je concoctais dans le même temps un piège à son intention, qui nous détruirait l'un et l'autre si ce que je redoutais devait par malheur se révéler exact.

Il pointa l'index vers la carte. Wallander se pencha et vit qu'il montrait un point au nord-est de l'île Gotska Sandön.

– Voilà où devait avoir lieu la rencontre imaginaire entre le sous-marin et le bateau de ravitaillement fantôme. Un peu à l'écart de la zone d'intervention proprement dite. Nous étions observés de loin par des bâtiments russes ; c'était normal, nous suivions les manœuvres des forces du pacte de Varsovie de la même manière, c'est-à-dire poliment, en respectant une distance convenable. J'avais choisi cet endroit car je savais à quelle heure le chef d'état-major allait être déposé à Berga. Ensuite, notre chasseur passerait nécessairement par là, en route vers la zone, à l'heure où devait avoir lieu mon opération de ravitaillement fictive.

– Je ne voudrais pas t'interrompre, dit Wallander, mais est-il vraiment possible de tenir des horaires aussi précis alors que tant de bâtiments sont en jeu ?

– C'était l'un des objectifs de l'exercice. En cas de guerre, la ponctualité est un élément clé presque au même titre que l'argent.

Wallander tressaillit en entendant un bruit sec contre le toit. Håkan von Enke, lui, ne réagit pas.

– Ce n'est qu'une branche, dit-il. Parfois elles tombent. C'est un chêne mort. Je le couperais bien, mais il n'y a pas de tronçonneuse sur l'île. Le tronc est très épais. Je devine que ce chêne a pris racine vers 1850.

Il se tut, puis reprit son récit sur les événements de la fin du mois d'août 1979.

– Notre manœuvre d'automne fut pimentée par un petit incident imprévu. La Baltique, au sud de Stockholm, fut balayée par une tempête de sud-ouest dont les météorologues n'avaient pas anticipé la violence. Un sous-marin commandé par l'un de nos jeunes capitaines parmi les plus doués, Hans-Olov Fredhäll, a subi une avarie de gouvernail et a dû être remorqué jusqu'à Bråviken, où il est resté à l'abri jusqu'à ce qu'on puisse le remonter vers Muskö. L'équipage n'a pas dû rigoler. Par grosse mer, ça peut tanguer assez violemment à bord des sous-marins. D'autre part, une corvette qui était au large de Hävringe a eu un problème de voie d'eau. L'équipage a dû être évacué sur un autre bâtiment, mais la corvette n'a pas sombré. À part ces deux incidents, l'exercice s'est déroulé normalement. Le jour de la phase finale de la manœuvre, le vent était un peu retombé. J'avoue que j'étais au plus mal et que je n'avais presque pas dormi les nuits précédentes, mais personne ne s'est apparemment inquiété de mon comportement. Comme prévu, nous avons déposé à Berga le chef d'état-major, qui était content de ce qu'il avait vu. Ensuite le commandant du *Småland* a soudain demandé de passer à la vitesse maximale pour vérifier que le bâtiment était en parfait état de marche. J'ai cru que nous passerions trop tôt l'endroit fatidique. Mais la houle a empêché le chasseur de dépasser la vitesse que j'avais anticipée. Je suis resté toute la matinée sur le pont. Personne n'a trouvé cela étrange dans la mesure où j'étais malgré tout membre de l'état-major. Le commandant avait passé le relais à son second, Jörgen Mattsson. Il était dix heures moins le quart quand celui-ci a brusquement baissé ses jumelles en m'indiquant une direction. Il pleuvait, et la brume réduisait la visibilité, mais je n'avais aucun doute quant à ce qu'il voulait me montrer. J'ai pris les jumelles qu'il me tendait. Deux chalutiers à bâbord, bardés d'antennes et de tout l'équipement que nous avions appris à reconnaître comme étant celui des bateaux de surveillance de la marine russe. Leur cale ne contenait sûrement pas le moindre poisson, mais des techniciens occupés à écouter nos communications radio. Je devrais peut-être préciser qu'on était en haute mer. Ils avaient le droit d'être là.

– Ils attendaient donc un sous-marin et un ravitailleur dernier cri ?

– Oui. Mais Mattsson ne pouvait évidemment pas le savoir. « Qu'est-ce qu'ils fabriquent ? Si loin de notre zone de manœuvre ? » Voilà ce qu'il m'a demandé, et je me souviens encore de ma réponse : « Ce sont peut-être de vrais pêcheurs. » Mais ça ne l'a pas fait rire. Il est allé chercher le commandant, qui nous a rejoints sur le pont. Le chasseur s'est mis à l'arrêt pendant que nous rapportions la présence des deux chalutiers. Un hélicoptère est venu et s'est arrêté un moment en vol stationnaire ; puis nous les avons laissés et avons poursuivi notre route. Moi, j'avais déjà quitté le pont et rejoint la cabine qui m'avait été attribuée pour la durée de l'exercice.

– Tu avais appris ce que tu ne voulais pas savoir ?

– J'en étais malade. Malade comme aucun roulis au monde n'aurait pu me rendre malade. J'ai vomi à peine entré dans la cabine. Puis je me suis allongé sur la couchette en pensant que rien ne serait plus jamais comme avant. Il n'y avait plus d'échappatoire. Le faux document était parvenu à leur connaissance par l'intermédiaire de ma femme Louise. Elle pouvait naturellement avoir un complice ; c'était même ce que j'espérais. Que Louise n'avait pas de lien direct avec la puissance étrangère. Qu'elle servait plutôt de petite main à un agent qui avait, lui, des contacts haut placés. Mais je n'osais plus vraiment y croire. J'avais examiné son emploi du temps sous toutes ses coutures. Il n'y avait personne qu'elle voyait de façon régulière. Je n'avais pas la moindre idée de la manière dont elle s'y prenait. Je ne savais même pas ce qu'elle avait fait de mon faux document. L'avait-elle photographié ? Recopié ? Ou simplement mémorisé ? Et comment avait-elle transmis l'information ? Et, question plus importante encore : où se procurait-elle les autres documents ? Le maigre contenu de mon armoire ne pouvait pas lui suffire. Avec qui collaborait-elle ? Je n'en savais rien, même après avoir consacré tout mon temps libre pendant plus d'un an à tenter de comprendre ce qui se passait. En tout cas, je ne pouvais plus nier l'évidence. J'étais là, allongé dans la cabine, le corps parcouru par la puissante vibration des machines. Coincé, acculé, contraint d'admettre que j'étais marié à quelqu'un que je ne connaissais pas. Ce qui signifiait que je ne me connaissais pas moi-même. Comment sinon aurais-je pu me tromper à ce point ?

Håkan von Enke se leva, ôta les galets des quatre coins de la carte marine et l'enroula sur elle-même. Après l'avoir rangée à sa place, il sortit du cabanon. Ce que Wallander venait d'entendre n'avait pas encore vraiment pénétré sa conscience. C'était trop grand. Il y avait aussi beaucoup trop de questions en suspens.

Von Enke revint et ferma la porte après avoir vérifié que la braguette de son jean était bien refermée.

– Tu me parles là d'événements vieux de trente ans, dit Wallander. C'est long. Quel rapport avec ce qui nous occupe ?

Håkan von Enke parut soudain réticent, irrité, presque en colère.

– Qu'est-ce que j'ai dit au début de cette conversation ? J'ai dit que j'aimais ma femme. Rien ne pouvait modifier cela, quoi qu'elle ait fait et quoi qu'elle fasse.

– Tu as dû la mettre au pied du mur.

– Ah bon ?

– Elle avait trahi. Elle *t'*avait trahi, toi. Elle avait volé tes secrets. Tu n'as pas pu continuer à vivre avec elle sans lui dire ce que tu savais.

– Ah bon ?

Wallander avait du mal à en croire ses oreilles. Mais l'homme qui roulait sa tasse vide entre ses mains était convaincant.

– Tu veux me dire que tu ne lui as rien dit ?

– Jamais.

– C'est invraisemblable.

– C'est pourtant la vérité. J'ai cessé de rapporter des documents à la maison. Pas du jour au lendemain, non. J'ai été muté peu de temps après, il était donc normal que ma serviette soit de nouveau vide.

– Elle a dû se douter de quelque chose.

– Je n'ai jamais rien remarqué. Elle était exactement comme d'habitude. Après quelques années, j'ai commencé à penser que c'était un mauvais rêve. Mais je peux me tromper. Elle peut avoir compris que je l'avais percée à jour. Dans tous les cas de figure, nous partagions un secret sans être certain de ce que l'autre savait ou ignorait. Voilà ce qu'il en était, jusqu'au jour où tout a changé, une fois de plus.

Wallander devina plus qu'il ne comprit à quoi il faisait allusion.

– Tu veux parler des sous-marins ?

– Oui. Des rumeurs s'étaient mises à courir selon lesquelles le chef d'état-major soupçonnait l'existence d'un espion au sein même de la défense suédoise. Les premiers avertissements étaient arrivés par l'intermédiaire d'un transfuge russe. Celui-ci s'était mis à table, à Londres, en évoquant un agent suédois que les Russes estimaient grandement, très habile à se procurer les informations les plus sensibles, bref : un agent hors du commun.

Wallander secoua lentement la tête.

– C'est difficile à imaginer, dit-il. Ta femme était professeur de lycée. Comment se serait-elle débrouillée pour se procurer quoi que ce soit si ce n'est par ton intermédiaire ?

– Le transfuge russe s'appelait Ragouline, je m'en souviens. Il y en avait beaucoup comme lui à cette époque, et nous avions parfois du mal à les distinguer. Il ne connaissait naturellement pas le nom, ni aucun détail au sujet de cet espion si apprécié des Russes. Sauf un. Et ce détail modifiait la donne de façon spectaculaire. Y compris pour moi.

– Alors ?

Von Enke reposa sa tasse. Comme s'il prenait son élan. En même temps, Wallander pensait à ce qu'avait dit Hermann Eber à propos d'un autre transfuge russe du nom de Kirov.

– C'était une femme, dit von Enke. Ragouline avait entendu dire que l'espion suédois était une femme.

Wallander garda le silence.

Les souris, elles, continuaient tranquillement de grignoter les murs du cabanon.

32

Il y avait, sur l'appui d'une fenêtre, un bateau en bouteille pas tout à fait terminé. Wallander remarqua l'objet après que Håkan von Enke fut sorti du cabanon pour la deuxième fois. Comme si l'aveu de la trahison de sa femme lui était insupportable, il s'était excusé avec brusquerie, les yeux brillants. Il avait laissé la porte ouverte. Dehors le jour se levait, éliminant le risque que quelqu'un découvre la lumière dans la maison. Lorsqu'il revint, Wallander admirait encore le minutieux ouvrage.

– C'est la *Santa Maria*, dit von Enke. Le bateau de Christophe Colomb. Ça m'aide à ne pas penser. L'art du bateau en bouteille m'a été enseigné par un chef mécanicien. Après, il s'est mis à boire, on n'a pas pu le garder à bord et il a commencé à faire le tour de la ville de Karlskrona en disant du mal de tout le monde. Ses mains ont beau trembler, le savoir-faire, curieusement, lui est resté. Pour ma part, je n'ai jamais eu le temps de me consacrer à ce loisir jusqu'à mon arrivée sur l'île.

– Une île sans nom, d'après ce que m'a dit Lundberg.

– Je l'appelle Blåskär. Il faut bien lui en donner un. Blåkulla et Blå Jungfrun sont déjà pris[1].

Ils se rassirent. Comme par un accord tacite, ils avaient décidé que le sommeil attendrait. Ils avaient entamé une conversation qu'il fallait mener à son terme. Wallander comprit que c'était à présent son tour et que Håkan von Enke attendait ses questions. Il commença par revenir à ce qui était pour lui le point de départ.

– Le soir de la fête de ton anniversaire, tu m'as parlé longuement. Pourquoi moi ? Je me le demande encore. Et tu n'es pas allé

1. Respectivement : l'îlot bleu, la colline bleue et la vierge bleue.

jusqu'au bout. Il y a beaucoup de choses que je n'ai pas comprises sur le moment, et que je ne comprends toujours pas.

– Il m'a semblé que tu devais être mis au courant. Mon fils et ta fille vont, avec un peu de chance, vivre le restant de leurs jours ensemble.

– Non. Ça ne suffit pas. Il y a une autre raison. Et le fait que tu ne m'aies pas dit toute la vérité m'a mis très en colère.

Von Enke le regardait sans comprendre.

– Ta fille, dit Wallander. Votre fille, à Louise et à toi. Signe, de Niklasgården. Tu vois, je sais même où elle est. Tu as caché son existence, y compris à son propre frère.

Håkan von Enke s'était raidi dans son fauteuil et le dévisageait d'un regard fixe. On ne le déstabilise pas facilement, pensa Wallander. Mais là, oui, c'est fait.

– Je suis allé là-bas, poursuivit-il. Je l'ai rencontrée. Je sais que tu lui rendais visite régulièrement. Tu y es même allé la veille de ta disparition. Tu peux évidemment choisir de ne pas dire la vérité, cette conversation peut accroître encore la confusion au lieu de la dissiper. Le choix dépend de toi. J'ai fait le mien.

Wallander observait von Enke. Pourquoi paraissait-il hésiter ?

– Tu as raison, dit celui-ci pour finir. C'est juste que j'ai tellement l'habitude de faire comme si Signe n'existait pas.

– Pourquoi ?

– À cause de Louise. Elle ressentait une étrange culpabilité vis-à-vis de sa fille. Alors que le problème n'était pas lié à l'accouchement, ni à quoi que ce soit que Louise aurait fait, ou négligé de faire au contraire, au cours de sa grossesse. Nous ne parlions jamais d'elle. Signe n'existait tout simplement pas pour Louise. Mais pour moi, oui. J'ai beaucoup souffert de ne pas pouvoir parler d'elle à Hans.

Wallander gardait le silence. Håkan von Enke comprit soudain pourquoi.

– Tu lui as dit ?

Silence.

– Était-ce vraiment nécessaire ?

– Pour moi, à partir du moment où je savais, c'était impensable de ne pas lui dire qu'il avait une sœur.

– Comment l'a-t-il pris ?

– Il était bouleversé. Ça se comprend. Et il s'est senti trahi.

Håkan von Enke secoua lentement la tête.

– J'avais promis à Louise. Je ne pouvais pas rompre ma promesse.

– Il faudra que tu en parles avec Hans. Ce qui me conduit à une tout autre question : que faisais-tu à Copenhague voici quelques jours ?

La surprise de Håkan von Enke était réelle. Wallander sentit qu'en cet instant il avait le dessus. Comment exploiter cet avantage pour obliger l'homme assis en face de lui à dire la vérité ? Il restait beaucoup d'interrogations en attente.

– Comment le sais-tu ?

– Je ne répondrai pas à cette question.

– Pourquoi ?

– Parce que ça n'a pas d'importance dans l'immédiat. Et parce que c'est moi qui pose les questions.

– Dois-je comprendre qu'il s'agit d'un interrogatoire ?

– Non. Mais n'oublie pas qu'en choisissant de disparaître de la sorte tu as exposé ton fils, et ma fille du même coup, à une angoisse extrême. Au fond, je suis hors de moi quand je pense à ce que tu as fait. Alors la seule attitude pour toi est de répondre à mes questions et de dire la vérité.

– Je vais essayer.

Wallander prit son élan.

– As-tu été en contact avec Hans ?

– Non.

– En avais-tu l'intention ?

– Non.

– Que faisais-tu à Copenhague ?

– J'allais chercher de l'argent.

– Mais tu viens de dire que tu n'avais pas été en contact avec Hans. J'ai cru comprendre que c'est lui qui gérait vos économies.

– Nous avions un compte à la Danske Bank. C'était juste entre Louise et moi, Hans n'était pas au courant. Après mon départ à la retraite, j'ai loué mes services de consultant à un fabricant de systèmes d'armement pour la marine. J'étais payé en dollars. Il s'agissait naturellement d'une forme d'évasion fiscale.

– De quelles sommes parlons-nous ?

– Je ne vois pas la pertinence de cette question. À moins que tu n'aies l'intention de me dénoncer au fisc ?

– Tu es soupçonné de choses plus graves. Mais réponds !

– Environ cinq cent mille couronnes suédoises.

– Pourquoi aviez-vous choisi une banque au Danemark ?

– La couronne danoise paraissait stable.

– Y avait-il une autre raison à ta visite à Copenhague ?

– Non.

– Comment y es-tu allé ?

– En train, à partir de Norrköping. Avant ça, un taxi. Eskil, que tu as rencontré, m'a conduit en bateau jusqu'à Fyrudden. Et il est venu me chercher à mon retour.

Wallander ne voyait pas de raison de mettre en doute ce qu'il venait d'entendre.

– Louise était donc informée de l'existence de cette caisse noire ?

– Elle y avait accès comme moi. Nous n'avions pas mauvaise conscience. À notre avis, la pression fiscale en Suède est scandaleuse.

– Pourquoi avais-tu besoin d'argent ?

– Parce que je n'en avais plus. L'argent file, même chez quelqu'un qui vit avec presque rien.

Wallander laissa provisoirement tomber le voyage à Copenhague et revint sur l'épisode de Djursholm :

– Quand nous étions dans la véranda, tu as découvert la présence de quelqu'un dehors. J'ai beaucoup ruminé cet instant. Qui était-ce ?

– Je ne sais pas.

– Mais sa vue t'a inquiété ?

– J'avais peur.

Von Enke avait élevé la voix. Wallander fut aussitôt sur ses gardes. Peut-être la longue cavale avait-elle malgré tout entamé le psychisme de Håkan von Enke bien au-delà de ce qu'il laissait apparaître. Il résolut d'avancer prudemment.

– Qui crois-tu que c'était ?

– J'ai déjà répondu, je ne le sais pas. D'ailleurs ça n'a aucune importance. Il était là. Sa simple présence était une mise en garde. C'est ce que je crois.

– Quelle mise en garde ? Essaie de ne pas m'obliger à te soutirer chaque réponse.

– D'une manière ou d'une autre, les contacts de Louise ont dû comprendre que je la soupçonnais. Elle le leur a peut-être confié elle-même. Il m'était déjà arrivé de me sentir surveillé. Mais jamais aussi nettement que ce soir-là à Djursholm.

– Tu veux dire que tu étais suivi ?

– Pas tout le temps. Mais ça m'est arrivé de le remarquer, oui.

– Depuis combien de temps ?

– Je l'ignore. Peut-être depuis très longtemps sans que j'en aie conscience. Depuis des années, si ça se trouve.

– Revenons à la pièce aveugle. Tu voulais que nous nous retirions là-bas, tu voulais me dire des choses. Je ne sais toujours pas pourquoi tu m'as choisi pour confesseur.

– Ce n'était pas prémédité. Ça m'est venu sur le moment. Je me surprends parfois à prendre des décisions impulsives. J'imagine que ça t'arrive aussi ? Cette soirée pour mes soixante-quinze ans était sinistre ; une fête dont je ne voulais pas, au fond. J'ai été pris de panique, j'imagine.

– Après coup, j'ai pensé qu'il y avait un message caché dans tout ce que tu m'as raconté ce soir-là. Est-ce le cas ?

– Non. Je voulais simplement te le dire. Peut-être pour me faire une idée de toi, voir si j'oserais plus tard, éventuellement, te confier mon secret.

– N'avais-tu personne d'autre à qui parler ? Par exemple, Sten Nordlander, ton meilleur ami ?

– J'avais honte à la seule idée de lui dévoiler ma misère.

– Steven Atkins ? Lui, au moins, tu lui avais révélé l'existence de ta fille.

– J'étais ivre. Nous avions bu beaucoup de whisky. Par la suite j'ai regretté de le lui avoir dit. Mais comme il était ivre, lui aussi, j'ai pensé qu'il l'avait oublié. Je me suis trompé.

– Il croyait que j'étais déjà au courant.

– Que disent mes amis de ma disparition ?

– Ils sont très inquiets. Bouleversés. Le jour où ils apprendront que tu t'es tenu caché volontairement, ils seront très en colère, crois-moi. Je soupçonne que tu les perdras. Ce qui me conduit à la question du pourquoi. Pourquoi te caches-tu ?

– Je me sentais menacé. Le type de l'autre côté de la clôture n'était qu'un avant-goût. Je commençais à voir des ombres partout, où que j'aille. Ce n'avait pas été le cas auparavant. Je recevais des appels téléphoniques bizarres. Comme s'ils savaient à chaque instant où je me trouvais. Un jour, alors que j'étais au musée de la Marine, un gardien est venu me dire que j'étais appelé au téléphone. J'ai pris l'appel. Un homme m'a mis en garde en mauvais suédois. Il n'a rien précisé, juste que je devais faire attention. Ça devenait insupportable. Et puis cette ombre, dehors, ce soir-là... Je n'ai jamais éprouvé une telle peur, de ma vie. Il s'en est fallu d'un cheveu que je ne dénonce Louise à la police. J'ai envisagé d'écrire une lettre anonyme. À la fin, je n'ai plus eu la force de poursuivre. J'ai demandé à emprunter le cabanon. Eskil est venu me chercher devant le stade olympique, au départ de ma promenade du matin. Depuis lors, j'ai passé tout mon temps ici, si l'on excepte le voyage à Copenhague.

– Il me paraît encore complètement incompréhensible que tu n'aies pas fait part de ton soupçon à Louise. Surtout à partir du moment où ce soupçon s'était transformé en certitude. Comment pouvais-tu continuer de vivre avec elle ?

– Ce n'est pas vrai. Je lui ai parlé. Deux fois. La première, l'année de la mort de Palme. Les deux choses n'avaient naturellement aucun rapport entre elles. Mais la période était troublée. Nous parlions souvent avec mes collègues, autour d'un café, de cette rumeur persistante évoquant l'existence d'un espion parmi nous. C'était épouvantable. Grignoter des brioches en discutant d'un possible espion qui pouvait fort bien être ma propre épouse.

Wallander eut soudain une crise d'éternuements. Håkan von Enke attendit.

– À l'été 1986, reprit-il, nous sommes partis sur la Côte d'Azur avec un couple d'amis, le capitaine de frégate Friis et sa femme, avec qui nous avions l'habitude de jouer au bridge. Nous logions dans un hôtel de Menton. Un soir, nous avons dîné en tête à tête, Louise et moi, car Friis et sa femme recevaient la visite de l'une de leurs filles. Ensuite, nous nous sommes promenés dans la ville. À un moment, je me suis arrêté net, en pleine rue, je lui ai fait face et je l'ai interrogée sans détour. Je ne m'y étais absolument pas préparé. La digue a lâché, pourrait-on dire. Je me suis planté devant elle et je lui ai posé la question. Était-elle un agent russe, oui ou non ? Elle a d'abord réagi par la colère. Elle a refusé de me répondre. Elle a même levé la main comme pour me frapper. Puis elle a retrouvé son sang-froid et m'a rétorqué avec calme que non, évidemment non. Comment pouvais-je penser une chose aussi absurde ? Et qu'aurait-elle donc eu à leur révéler ? Je me souviens qu'elle souriait en disant cela. Elle ne me prenait pas au sérieux et, du coup, je ne pouvais plus me prendre au sérieux moi-même. Je n'avais pas la force de croire qu'elle puisse avoir un tel don de dissimulation. Je lui ai demandé pardon, j'ai invoqué ma grande fatigue. Le reste de cet été-là, j'étais persuadé de m'être trompé. Mais, à l'automne, les soupçons sont revenus.

– Que s'était-il passé ?

– Toujours pareil. La sensation que quelqu'un avait manipulé ma serviette.

– As-tu remarqué un changement chez elle après votre échange à Menton ?

Il réfléchit.

– J'étais naturellement aux aguets. Parfois il me semblait que oui, parfois non. Je n'ai toujours pas de certitude.

– Et la deuxième fois ?

– C'était l'hiver 1996. Dix ans plus tard exactement. Nous étions chez nous, dans notre appartement de Stockholm, nous prenions le petit déjeuner, dehors il neigeait. Soudain elle m'a interrogé sur quelque chose que je lui aurais dit, crié plutôt, dans mon sommeil. Je l'aurais accusée d'être une espionne.

– C'est vrai ?

– Je ne sais pas. Ça m'arrive de parler dans mon sommeil, paraît-il, mais je n'en ai aucun souvenir, bien sûr.

– Qu'as-tu répondu ?

– Je lui ai retourné son affirmation. Je lui ai demandé si ce que j'avais rêvé était vrai.

– Qu'a-t-elle répondu ?

– Elle m'a jeté sa serviette de table à la tête et elle a quitté la cuisine. Elle a mis dix minutes à revenir. Je m'en souviens, je regardais l'horloge. Elle s'est excusée, elle était à nouveau comme d'habitude et m'a expliqué, *une fois pour toutes*, pour reprendre son expression, qu'elle ne voulait plus entendre parler de ces bêtises. C'était absurde. Si je recommençais même une seule fois, a-t-elle dit, elle serait forcée de conclure que j'étais dérangé ou que je devenais sénile.

– Qu'est-il arrivé ensuite ?

– Rien. Mais mes inquiétudes ne se sont pas arrêtées là. Les rumeurs quant à l'agent, ou à l'agente plutôt, qui sévissait au sein de la défense suédoise – ces rumeurs ont persisté. Deux ans plus tard, c'en est venu au point où j'ai sérieusement cru que je perdais la raison.

– Pourquoi ?

– Un jour, j'ai été convoqué pour interrogatoire par les services de sécurité de l'armée. Je n'ai pas été mis en cause directement. Mais j'ai fait partie, pendant une période, de ceux qui étaient soupçonnés. La situation était grotesque. Je me souviens d'avoir pensé que si Louise vendait effectivement des secrets militaires aux Russes, elle s'était trouvé une couverture absolument idéale.

– Toi ?

– Oui. Moi.

– Et ensuite ?

– Les rumeurs allaient et venaient, parfois plus fort, parfois moins. Nous avons été nombreux à subir ces interrogatoires, même après notre départ à la retraite. Et comme je te le disais, j'ai acquis peu à peu le sentiment d'avoir été placé sous surveillance.

Von Enke se leva, éteignit les lampes qui brillaient encore et remonta deux stores, révélant une aube grise et, derrière les arbres, une mer tout aussi grise. Wallander s'approcha d'une fenêtre. Le vent s'était levé ; il décida d'aller vérifier l'amarrage. Håkan von Enke l'accompagna. Quelques eiders se balançaient sur les vagues pendant que les rayons du soleil dissipaient lentement la brume matinale. Le bateau était toujours au même endroit. Ils s'entraidèrent pour le tirer plus haut sur les galets.

– Qui a tué Louise ? demanda Wallander quand ils eurent fini.

Håkan von Enke se retourna et le regarda. Wallander s'imagina qu'il avait dû dévisager Louise à peu près de la même manière, autrefois, dans les rues de Menton.

– Je sais seulement que ce n'est pas moi. Mais que pense la police ? Que penses-tu, toi ?

– Le responsable de l'enquête me fait l'effet d'être compétent. Il ne détient pas la réponse. Pas encore, devrais-je dire. Nous ne sommes pas du genre à nous avouer vaincus.

Ils retournèrent en silence au cabanon, s'assirent de nouveau à la grande table et reprirent la conversation là où ils l'avaient laissée.

– Revenons-en au début, dit Wallander. Pourquoi a-t-elle disparu ? L'hypothèse la plus plausible pour nous, à l'extérieur, c'était que vous étiez complices.

– Non. J'ai appris sa disparition par les journaux.

– Elle ne savait donc pas où tu étais ?

– Non.

– Combien de temps avais-tu pensé t'absenter ?

– J'avais besoin d'être tranquille et de réfléchir. J'avais été menacé de mort. Je devais trouver une issue. Je n'avais pas le choix.

– J'ai rencontré Louise à plusieurs reprises. Elle était sincèrement, profondément inquiète de ce qui avait pu t'arriver.

– Elle t'a mené en bateau comme elle l'a fait avec moi.

– Ce n'est pas certain. Ne crois-tu pas qu'elle t'aimait autant que tu l'aimais ?

Von Enke se contenta de secouer la tête.

– Et alors ? demanda Wallander. Tu as trouvé l'issue ?

– Non.

– Tu as dû réfléchir, ruminer tant et plus depuis que tu es ici. Je te crois quand tu dis que tu aimais Louise. Pourtant tu n'as pas quitté ta cachette après l'annonce de sa mort, alors que ta vie à toi n'était plus menacée. Pour moi, ça ne colle pas.

– J'ai perdu près de dix kilos depuis qu'elle est morte. J'ai du mal à manger, je ne dors presque plus. J'essaie de comprendre ce qui s'est passé mais je n'y arrive pas. C'est comme si Louise était devenue une étrangère pour moi. Je ne sais pas qui elle a rencontré, je ne sais pas ce qui a causé sa mort. Je n'ai pas de réponse.

– T'a-t-elle jamais donné l'impression qu'elle avait peur ?

– Jamais.

– Je peux te dire quelque chose qui n'est pas dans les journaux. Que la police n'a pas encore divulgué.

Wallander lui fit part du soupçon concernant la préparation autrefois utilisée en RDA et qui aurait tué Louise.

– Tu avais sans doute raison depuis le début, dit-il. À un moment donné de sa vie, ta femme est entrée au service des renseignements soviétiques. Elle était la femme de la rumeur.

Von Enke se leva avec brusquerie et quitta le cabanon. Wallander attendit. Après un moment, pris d'inquiétude, il sortit à son tour. Il trouva von Enke couché dans une faille rocheuse, du côté de l'île qui donnait sur la haute mer. Wallander s'assit près de lui sur une grosse pierre.

– Tu dois revenir, dit-il. Rien ne s'éclaircira si tu continues de te terrer ici.

– Le même poison m'attend peut-être, moi aussi. Et si je meurs ? Quel bénéfice ?

– Aucun. Mais la police a les moyens de te protéger.

– Je dois m'habituer à l'idée que j'avais raison, en fin de compte. Je dois comprendre pourquoi elle a fait ça. Ensuite seulement je pourrai revenir.

– Tu ne devrais pas trop attendre, dit Wallander en se levant.

Il retourna au cabanon. Ce fut son tour de préparer du café. Il avait la tête lourde après cette longue nuit. Quand Håkan von Enke revint, il en avait déjà bu deux tasses.

– Parlons de Signe, si tu veux bien, dit-il. Quand je lui ai rendu visite, j'ai trouvé un cahier que tu avais dissimulé au milieu de ses livres.

– J'adore ma fille. Mais j'allais la voir en cachette. Louise n'a jamais su que j'y allais.

– Tu étais donc seul à lui rendre visite ?

– Oui.

– Tu te trompes. Après ta disparition, un homme y est allé au moins une fois. Il s'est présenté comme étant ton frère.

Håkan von Enke se figea.

– Je n'ai pas de frère. J'ai un cousin éloigné qui habite en Angleterre, c'est tout.

– Je te crois. Nous ne savons donc pas qui c'est. Ce qui signifie peut-être que tout est plus compliqué que nous ne l'imaginons, toi ou moi.

Wallander vit soudain que Håkan von Enke n'était plus le même. Aucune information, au cours leur échange, ne l'avait autant inquiété que cette nouvelle : quelqu'un était passé voir Signe à Niklasgården.

Il était presque six heures du matin. La longue conversation nocturne était terminée. Ni l'un ni l'autre n'avait la force de la poursuivre.

– Je vais y aller, dit Wallander. Jusqu'à nouvel ordre, je suis seul à savoir où tu es. Mais tu ne pourras plus rester ici très longtemps. D'autre part, je vais continuer à t'importuner avec mes questions. Réfléchis à l'identité de la personne qui est passée à Niklasgården. Quelqu'un a dû te suivre. Qui ? Pourquoi ? Notre échange ne va pas s'arrêter là.

– Dis à Hans et à Linda que je vais bien. Je ne veux pas qu'ils s'inquiètent. Dis-leur que je t'ai écrit.

– Je leur dirai que tu m'as téléphoné. Si je parle d'une lettre, Linda voudra aussitôt la voir.

Håkan von Enke le raccompagna jusqu'au hors-bord et l'aida à le mettre à l'eau. Avant de quitter le cabanon, Wallander lui avait demandé son numéro de téléphone et von Enke le lui avait donné en précisant que le réseau était très capricieux à Blåskär. Le vent s'était levé. Wallander commençait à se faire du souci pour le retour. Il grimpa à bord et abaissa le moteur.

– Je dois apprendre ce qui est arrivé à Louise, dit von Enke. Je dois savoir qui l'a tuée. Je dois savoir pourquoi elle a choisi cette vie-là. Pourquoi elle m'a trahi.

Le bateau démarra dès le premier essai. Wallander leva la main en guise de salut et mit le cap vers la baie. Juste avant de contourner la pointe de Blåskär, il se retourna. Håkan von Enke était encore debout sur le rivage.

En cet instant, Wallander eut le pressentiment que quelque chose clochait. Quoi ? Il l'ignorait. Mais la sensation était puissante.

Il fit le trajet en sens inverse, rendit le bateau au loueur, récupéra sa voiture et prit la direction de la Scanie. Sur une aire de stationnement de Gamleby, il s'arrêta et dormit quelques heures.

Quand il se réveilla, les membres endoloris et la bouche pâteuse, la sensation était encore là.

Comme un avertissement. Un truc qui n'allait pas du tout, et qu'il n'avait pas réussi à voir.

En freinant dans la cour de sa maison quelques heures plus tard, il ignorait toujours ce qui avait pu échapper ainsi à son attention.

Il pensait seulement que rien dans cette histoire n'était conforme aux apparences.

33

Le lendemain, Wallander rédigea un résumé de sa rencontre avec Håkan von Enke. Puis il examina tout le matériau rassemblé jusque-là. Louise continuait d'apparaître comme un total mystère. S'il était vrai qu'elle avait vendu des informations aux Russes, elle s'était dissimulée de façon vraiment très habile sous ce masque de bienveillance discrète qui n'offrait pas la moindre prise. Qui était-elle ? Peut-être faisait-elle partie de ces gens qui ne se laissent approcher et comprendre qu'après leur mort, et encore…

Le vent et la pluie balayaient ce jour-là la Scanie. Wallander regardait par la fenêtre la météo désespérante en pensant que cet été promettait d'être l'un des plus pourris qu'il ait jamais connus. Il s'obligea à une longue promenade avec Jussi. Il avait besoin de s'oxygéner le sang et de se vider la tête. Il éprouvait un violent désir de journées ensoleillées et calmes où il pourrait s'allonger des heures d'affilée dans son jardin sans plus penser à tout ça.

En revenant, il ôta ses vêtements trempés, enfila son vieux peignoir, s'assit près du téléphone et entreprit de feuilleter son répertoire téléphonique illisible, plein de numéros biffés et de rajouts anarchiques. Dans la voiture, la veille, il s'était rappelé un vieux camarade d'école du nom de Sölve Hagberg, qui pourrait peut-être l'aider. C'était son numéro qu'il cherchait. Il l'avait noté le jour où ils s'étaient croisés, quelques années auparavant par un pur hasard, dans une rue de Malmö.

Enfant déjà, Sölve Hagberg était quelqu'un de spécial. Wallander se rappelait, avec un sentiment de honte, qu'il avait fait partie de ceux qui le harcelaient à cause de sa myopie et de son désir sincère de bien travailler à l'école. Mais toutes les tentatives pour déstabiliser le tâcheron avaient échoué. Les railleries, les bousculades, les coups de pied ne l'atteignaient pas.

À la fin de la scolarité, il n'avait plus eu de nouvelles de lui, jusqu'au jour où il avait découvert avec stupéfaction Sölve Hagberg parmi les candidats d'un jeu télévisé qui s'intitulait *Quitte ou double*. Plus étonnant encore, il concourait sur le thème de l'histoire de la marine suédoise. Sölve avait toujours été gros – ce qui n'était évidemment pas étranger au fait qu'ils aient jeté leur dévolu sur lui, à l'école. Mais entre-temps, constata Wallander en le voyant à la télé, il était devenu carrément obèse. On aurait dit qu'il entrait sur le plateau sur des roues invisibles. Il était chauve, portait des verres sans monture et parlait toujours le même dialecte scanien incompréhensible. Après un commentaire dégoûté sur son apparence, Mona était partie faire du café à la cuisine pendant que lui, Wallander, avait écouté Sölve répondre à toutes les questions de façon précise et circonstanciée, comme en se jouant. Il avait gagné. À aucun moment il n'avait eu même l'ombre d'une hésitation. L'histoire de la marine était un sujet qu'il maîtrisait réellement sur le bout des doigts. Son grand rêve avait été de faire son service militaire dans la marine et d'embrasser ensuite une carrière d'officier. Mais il avait été réformé d'entrée de jeu ; on l'avait renvoyé à sa chambre, à ses livres et à ses maquettes de bateaux. À présent il se voyait offrir, ou saisissait, plutôt, l'occasion d'une revanche.

Après l'émission, les journaux s'étaient brièvement intéressés à cet homme étrange, qui vivait encore à Limhamn, près de Malmö, et qui gagnait sa vie en donnant des conférences et en écrivant des articles pour des magazines, revues et annuaires relevant de telle ou telle institution militaire. Les articles avaient évoqué les impressionnantes archives qu'il stockait à son domicile, où l'on pouvait trouver des informations détaillées sur les officiers de la marine suédoise du dix-septième siècle à notre époque ; et ces informations étaient constamment mises à jour.

Wallander s'était soudain rappelé tout cela. Peut-être les archives de Sölve Hagberg contiendraient-elles des renseignements inédits sur Håkan von Enke ?

Il finit par dénicher le numéro, griffonné dans la marge, presque illisible, mais à la bonne page – celle de la lettre H. Ce fut une femme qui décrocha ; il se présenta, ajoutant qu'il désirait parler à Sölve.

– Sölve est mort.

Wallander en resta sans voix. Après un silence, la femme lui demanda s'il était toujours en ligne.

– Oui, oui. Je l'ignorais.

– C'était il y a deux ans. Une crise cardiaque. Il était à Rönneby, où il donnait une conférence devant un groupe d'anciens mécaniciens. Après il y a eu un déjeuner, et c'est là qu'il s'est effondré. « Entre le plat et le dessert », comme on me l'a expliqué ; drôle de façon de parler, non ?

– Je suppose que tu es sa femme…

– Asta Hagberg. Nous avons été mariés pendant vingt-six ans. Je lui disais qu'il devait perdre du poids et lui, tout ce qu'il trouvait à faire, c'était de mettre trois morceaux de sucre au lieu de quatre dans son café. Qui es-tu ?

Wallander s'expliqua, bien résolu à raccrocher le plus vite possible. Il était vraiment déçu.

– Je vois très bien qui tu es, dit-elle alors de manière inattendue. Je me souviens de toi. Tu faisais partie de ceux qui lui rendaient la vie impossible à l'école. Il avait noté tous vos noms, et il se tenait au courant de tout ce qui vous arrivait. Et quand c'étaient des malheurs, il jubilait, et il n'en avait pas honte. Pourquoi appelles-tu ? Que veux-tu ?

– J'espérais qu'il me donnerait accès à ses archives.

Silence.

– Je peux peut-être t'aider. Mais je ne sais pas si j'en ai envie. Au lieu de le laisser tranquille, vous n'avez jamais arrêté de vous acharner sur lui. Pourquoi ?

– Je crois qu'on n'était pas très au clair sur ce qu'on fabriquait. Les enfants peuvent être cruels. Je n'étais pas une exception.

– Est-ce que tu le regrettes ?

– Oui. Bien sûr.

– Viens, dans ce cas. Sölve se doutait qu'il risquait de ne pas faire de vieux os, alors il m'a tout appris sur l'organisation de ses archives. Après moi, je ne sais pas ce qui arrivera. Passe quand tu veux, je suis toujours à la maison. Sölve m'a laissé de l'argent pour que je n'aie pas besoin de travailler.

Elle rit.

– Sais-tu comment il l'a gagné ?

– Je suppose qu'il était un conférencier très sollicité.

– Oui, mais il ne se faisait jamais payer pour ça. Essaie encore !

– Je renonce.

– Il jouait au poker. Les cercles clandestins. Ça fait partie des choses dont tu t'occupes, non ?

– Je croyais que ça se passait plutôt sur Internet maintenant.

– Pas pour Sölve. Lui, il fréquentait les clubs. Parfois il disparaissait pendant des semaines. Il lui est arrivé de perdre de fortes sommes, mais en général il rentrait avec une valise pleine de billets ; il me disait de les compter et de les porter à la banque. Lui, pendant ce temps, il allait se coucher, il était capable de dormir plusieurs jours de suite. La police est venue chez nous deux ou trois fois. Il y a eu aussi quelques descentes dans des clubs. Il a été arrêté, mais jamais condamné. Je crois qu'il avait un contrat avec la police.

– Que veux-tu dire ?

– À ton avis ? Je pense qu'il leur refilait des tuyaux. Par exemple, sur des types recherchés, qui se pointaient pour jouer avec l'argent d'un braquage. Personne n'aurait pu imaginer que le gros Sölve, le gentil Sölve, était en fait une balance. Alors tu viens ?

En notant l'adresse, Wallander constata que Sölve Hagberg était resté toute sa vie dans la même rue de Limhamn. Ils convinrent qu'il passerait vers dix-sept heures. Après avoir raccroché, il appela Linda, mais elle avait branché le répondeur. Il laissa un message et rédigea ensuite une liste de courses, non sans avoir jeté quantité de denrées périmées qui traînaient dans le réfrigérateur. Quand il eut fini, le frigo était pratiquement vide. Il allait partir quand Linda le rappela.

– Je reviens de la pharmacie, dit-elle. Klara est malade.

– Qu'est-ce qu'elle a ? C'est grave ?

– Arrête ! Ce n'est pas la peine de prendre cette voix, elle ne va pas mourir. Elle a mal à la gorge et un peu de fièvre, c'est tout.

– Tu as fait venir le médecin ?

– Je suis allée au dispensaire. En fait, je crois que tout va bien, à condition que tu ne t'énerves pas, parce que ça risquerait de m'énerver à mon tour. Où étais-tu ?

– Je ne veux pas te le dire pour l'instant.

– Une femme, autrement dit. Parfait.

– Non, pas de femme. Par contre, un coup de fil important. De Håkan.

Tout d'abord, ce fut comme si elle ne comprenait pas. Puis elle se mit à crier dans le combiné :

– Quoi ? Håkan t'a appelé ? Qu'est-ce que tu racontes ? Où est-il ? Comment va-t-il ? Qu'est-ce qui se passe ?

– Arrête de hurler. Je ne sais pas où il est, il n'a pas voulu m'en informer. Il m'a juste chargé de vous dire qu'il allait bien. Et à sa voix, en effet, ça avait l'air d'aller.

Wallander l'entendait respirer à l'autre bout du fil. Mentir à Linda le mettait excessivement mal à l'aise. Il regrettait la promesse faite à Håkan avant de quitter l'île. Je vais lui dire la vérité, pensa-t-il. Je ne peux pas trahir la confiance de ma fille.

– C'est dingue. Il ne t'a rien dit de plus ?

– Si. Qu'il n'était pour rien dans la mort de Louise. Il est aussi choqué que tout le monde. Il n'a pas été en contact avec elle depuis qu'il est parti.

– Il est complètement fou ou quoi ?

– Nous devons quand même nous réjouir qu'il soit en vie et en bonne santé. Mais il ne sait pas encore quand il pourra quitter l'endroit où il se cache. Voilà ce qu'il m'a chargé de vous transmettre.

– C'est ce qu'il a dit ? Qu'il se cachait ?

Wallander se mordit la langue, trop tard.

– Je ne me souviens pas de ses paroles exactes. J'étais estomaqué, tu l'imagines bien.

– Il faut que je parle à Hans. Il est à Copenhague.

– Cet après-midi, je ne serai pas là mais rappelle-moi ce soir. Je veux connaître la réaction de Hans.

– Il va être content, je pense.

Wallander raccrocha en se maudissant. Le jour où la vérité éclaterait, il pouvait s'attendre à essuyer les foudres de Linda.

Très énervé, il quitta la maison et partit en voiture faire ses courses à Ystad. Il acheta une casserole neuve dont il n'avait pas besoin et pensa que les produits alimentaires atteignaient des prix de plus en plus ahurissants. Puis il fit un tour dans le centre-ville. Dans un magasin de vêtements pour homme, il acheta une paire de chaussettes dont il n'avait pas besoin non plus, puis il rentra chez lui. La pluie avait cessé, le ciel était dégagé, le temps se réchauffait. Il essuya la balancelle et s'y allongea. À son réveil, il était seize heures. Il reprit sa voiture et se rendit à Limhamn. Il ne savait pas ce qui l'attendait, mais, une fois là-bas, il éprouva le mélange habituel de malaise et de nostalgie qui le frappait chaque fois qu'il revenait dans le quartier de son enfance. Laissant sa voiture près de la villa d'Asta Hagberg, il se rendit à pied jusque devant la maison où il avait grandi. La façade avait été ravalée ; une nouvelle grille entourait le terrain ; le bac à sable où il jouait autrefois avait été agrandi, et les deux bouleaux qu'il avait l'habitude d'escalader n'étaient plus là. N'empêche, les lieux lui étaient parfaitement familiers. Il s'était arrêté sur le trottoir et regardait quelques enfants qui jouaient. Ils avaient la peau sombre ; ils devaient être originaires du Moyen-Orient, ou alors d'Afrique du Nord. Une femme au visage encadré par un foulard, assise près de la porte d'entrée, tricotait tout en les surveillant. De la musique arabe lui parvenait par une fenêtre ouverte. J'ai habité ici, pensa-t-il. Dans un autre monde, dans un autre temps.

Un homme sortit et s'avança jusqu'à la grille. Lui aussi avait la peau mate. Il sourit à Wallander.

– Tu cherches quelqu'un ? demanda-t-il dans un suédois hésitant.

– Non. J'ai habité ici autrefois, il y a très longtemps. On avait un voisin qui était cheminot.

Il indiqua la fenêtre qui avait été autrefois celle de leur salle de séjour.

– C'est une bonne maison, dit l'homme. On s'y plaît. Les enfants aussi s'y plaisent. On n'a pas besoin d'avoir peur.

– C'est bien, dit Wallander. Les gens ne doivent pas avoir peur.

Il s'éloigna. La sensation de devenir vieux lui pesait. Il accéléra le pas pour se fuir.

Le jardin qui entourait la villa d'Asta Hagberg était mal entretenu. Quant à la femme qui lui ouvrit, elle était aussi grosse que l'avait été Sölve, dans le souvenir qu'il gardait de l'émission télévisée. Ses cheveux étaient mal peignés, sa jupe beaucoup trop courte, et elle transpirait abondamment. Il crut tout d'abord que le parfum capiteux qu'il percevait émanait d'elle. Mais non : la maison tout entière était parfumée. Aspergeait-elle les meubles ?

Elle lui proposa un café mais il refusa ; l'odeur suffocante lui donnait la nausée. En pénétrant dans le séjour, il eut la sensation d'accéder à la passerelle de commandement d'un navire. Partout des roues de gouvernail, des compas au boîtier de cuivre brillant ; il vit même des bateaux votifs suspendus au plafond, ainsi qu'un ancien hamac de marin. Asta Hagberg se glissa non sans mal dans un fauteuil pivotant dont Wallander devina qu'il provenait lui aussi d'un navire. Pour sa part, il prit place sur ce qu'il croyait être un canapé ordinaire. Puis il aperçut la petite plaque de cuivre signalant qu'il avait autrefois orné le paquebot transatlantique *MS Kungsholm*.

– Que puis-je faire pour toi ? demanda-t-elle en enfonçant une cigarette dans un fume-cigarette et en l'allumant.

– Håkan von Enke, dit Wallander. Ancien capitaine de sous-marin, à présent à la retraite.

Asta Hagberg fut prise d'une violente quinte de toux, et Wallander forma le vœu qu'elle ne meure pas devant lui. Elle avait de quoi, fumeuse et obèse comme elle l'était. Il lui prêtait à peu près son âge, la soixantaine.

Elle toussa jusqu'à en avoir les larmes aux yeux, puis, quand ce fut fini, continua tranquillement de fumer sa cigarette.

– Håkan von Enke, le célèbre disparu et sa femme Louise qui est morte, c'est bien cela ?

Il ne broncha pas.

– Je sais que Sölve a constitué des archives extraordinaires, dit-il. Peut-être contiennent-elles une information qui pourra m'aider à comprendre…

– Ton von Enke est bien évidemment mort, lui aussi.

– Dans ce cas, c'est la cause de sa mort qui m'intéresse.

– Sa femme s'est suicidée. Cela laisse entendre que la famille avait de gros problèmes. N'est-ce pas ?

Elle s'approcha d'une table et souleva une nappe qui masquait un ordinateur. Wallander s'étonna de la facilité avec laquelle ses doigts boudinés pianotaient sur les touches. Après cinq minutes, elle recula sur son fauteuil en plissant les yeux vers l'écran.

– La carrière de Håkan von Enke a été normale à tout point de vue. Il est arrivé au niveau qu'on pouvait plus ou moins attendre de la part de quelqu'un comme lui. Si la Suède avait été en guerre, il aurait pu éventuellement gravir encore quelques échelons. Mais ce n'est pas sûr.

Wallander se leva et s'approcha. L'intensité capiteuse du parfum était telle qu'il s'efforçait de respirer par la bouche. Il regarda la photographie affichée sur l'écran, où von Enke paraissait avoir la quarantaine.

– C'est tout ?

– Du temps où il était élève officier, il a remporté certaines compétitions d'athlétisme à l'échelle de la Scandinavie. Bon tireur, bon athlète, bon coureur de cross…

– Et son épouse ?

Les doigts boudinés se remirent à danser, la toux revint, mais Asta Hagberg ne s'arrêta pas pour autant avant d'avoir fait surgir à l'écran une photo de Louise. Wallander devina qu'elle avait trente-cinq ans ou un peu plus. Elle souriait. Ses cheveux étaient permanentés, elle portait un collier de perles. Wallander lut le texte qui accompagnait le portrait. Rien de remarquable à première vue, là non plus. Asta Hagberg fit apparaître une autre page. Wallander découvrit alors que Louise était, par sa mère, originaire de Kiev. En 1905, Angela Stefanovitch avait épousé l'exportateur de charbon suédois Hjalmar Sundblad. Elle l'avait suivi en Suède et avait acquis la nationalité suédoise. Des quatre enfants d'Angela et Hjalmar, Louise était la dernière.

– Rien à signaler, dit Asta Hagberg.

– Sauf qu'elle est originaire de Russie.

– De nos jours, on parlerait plutôt de l'Ukraine. La plupart des Suédois ont une partie de leurs racines à l'étranger. Nous sommes un peuple de Finlandais, de Hollandais, d'Allemands, de Russes, de Français. L'arrière-grand-père paternel de Sölve était écossais, ma grand-mère avait du sang turc. Et toi ?

– Mes ancêtres étaient journaliers dans le Småland.

– Tu t'es renseigné sur ta généalogie ? De façon sérieuse ?

– Non.

– Le jour où tu le feras, tu auras toutes les chances de découvrir des choses inattendues et intéressantes, même si elles ne seront pas toujours agréables. J'ai un ami pasteur. À sa retraite, il est parti à la recherche de ses racines et il a vite découvert que deux personnes, dont il descendait en ligne directe, avaient été exécutées en l'espace de cinquante ans. Le premier a été décapité au début du dix-septième siècle pour une histoire de meurtre crapuleux. Le petit-fils de celui-là a été enrôlé dans l'une ou l'autre des innombrables armées allemandes qui écumaient l'Europe au milieu du dix-septième siècle et il a été pendu pour désertion. Après cette découverte, le bon pasteur a cessé de fouiller dans ses antécédents. On peut le comprendre.

Elle se leva au prix d'un grand effort et lui fit signe de la suivre dans une pièce voisine, où il découvrit une succession d'armoires à documents métalliques alignées le long des murs. Elle en déverrouilla une et en tira un compartiment rempli de dossiers.

– On ne sait jamais ce qu'on peut découvrir, dit-elle.

Elle finit par en prendre un et le déposa sur une table. Le dossier se révéla contenir un grand nombre de photographies. Wallander n'aurait su dire si elle cherchait quelque chose en particulier ou si elle piochait au hasard. Puis son attention s'arrêta sur un cliché en noir et blanc, qu'elle leva vers la lumière.

– Voilà… J'avais un vague souvenir d'avoir déjà vu cette photo. Elle n'est pas entièrement dénuée d'intérêt.

Elle la tendit à Wallander, qui fut sidéré en voyant ce qu'elle représentait. Le grand type maigre au nœud papillon impeccable et au grand sourire n'était autre que Stig Wennerström, cocktail à la main, en grande conversation avec un jeune officier du nom de Håkan von Enke.

– Quand a-t-elle été prise ?

– C'est noté au dos. Sölve était très pointilleux sur les indications de date et de lieu.

Wallander lut le texte dactylographié sur un bout de papier collé au dos de la photographie. *Octobre 1959, délégation de la marine suédoise en visite à Washington – réception chez l'attaché militaire Wennerström.* Il essaya de comprendre ce que cela signifiait. Si ç'avait été Louise, il aurait pu imaginer plus facilement le lien. Mais elle n'était pas là. À l'arrière-plan, il ne voyait que des hommes et une serveuse noire vêtue de blanc.

– Les épouses accompagnaient-elles leur mari lors de ces visites ?

– Seulement quand les huiles de l'état-major étaient en déplacement. Par exemple, la femme de Stig Wennerström l'accompagnait souvent. Mais, à cette époque, Håkan von Enke était très loin du sommet de la pyramide. Il voyageait probablement seul. Si Louise l'accompagnait, c'était lui qui payait son voyage. Et elle ne pouvait en aucun cas aller à une réception chez l'attaché militaire suédois.

– J'aurais bien aimé avoir plus de précisions là-dessus.

Asta Hagberg fut prise d'une nouvelle quinte de toux. Wallander s'approcha d'une fenêtre et l'entrouvrit. Le parfum l'incommodait terriblement.

– Ça va prendre un moment, dit-elle quand elle eut fini de tousser. Il faut que je fasse des recherches. Mais Sölve a tout gardé, sur ce voyage comme sur tous les autres qui ont pu être faits par des représentants de la marine suédoise.

Il retourna au canapé du *MS Kungsholm*. Il l'entendait fredonner quelque part dans la villa pendant qu'elle cherchait la liste de ceux qui avaient participé aux déplacements en Amérique à la fin des années 1950. Cela lui prit presque quarante minutes. Wallander attendit avec une impatience croissante. Puis elle revint, l'air triomphal, un papier à la main.

– Mme von Enke était bien là. Elle est soigneusement notée en tant qu'« accompagnatrice », et quelques abréviations qui signifient sans doute que ce n'est pas le ministère de la Défense qui a payé son voyage. Si c'est important, je peux vérifier ce dernier point.

Wallander avait pris le papier. La délégation se composait de huit personnes, sous la férule du capitaine de vaisseau Karlén. Parmi les « accompagnatrices » figuraient Louise von Enke et Märta Auren, épouse du lieutenant-colonel Karl-Axel Auren.

– Peut-on faire une copie de cette page ? demanda Wallander.

– Je ne sais pas ce qu'« on » peut faire. Mais j'ai une photocopieuse au sous-sol. Combien t'en faut-il ?

– Une.

– J'ai l'habitude de demander deux couronnes par copie.

Elle disparut. Wallander pensa que le couple von Enke avait passé huit jours à Washington. Cela signifiait que Louise avait pu être contactée par quelqu'un. Mais était-ce plausible ? Déjà à cette époque ? À la fin des années 1950, certes, la guerre froide était en pleine expansion et les Américains voyaient des espions russes à chaque coin de rue. Une rencontre s'était-elle produite au cours de ce voyage ? Était-ce là que tout avait commencé ?

Asta Hagberg revint avec la copie et Wallander posa sur la table deux pièces d'une couronne.

– Je n'ai peut-être pas pu t'aider comme tu l'espérais…

– Le travail sur les personnes disparues est en général très long et très difficile. On progresse pas à pas.

Elle le raccompagna jusqu'à la porte. Il inspira avec soulagement l'air du dehors.

– N'hésite pas à m'appeler si tu as besoin d'autre chose. Je suis là.

Wallander acquiesça, la remercia et franchit la grille du jardin. Il avait repris sa voiture et s'apprêtait à quitter Limhamn quand il résolut d'en profiter pour rendre une autre visite. Il avait souvent voulu vérifier si ce qu'il avait laissé à Limhamn près de cinquante ans plus tôt était encore là. Après s'être garé devant le cimetière, il longea le mur jusqu'à l'angle ouest et se pencha. Quel âge avait-il à l'époque ? Dix ans ? Onze ? Il n'en était pas sûr. L'âge, en tout cas, d'avoir découvert un des grands secrets de l'existence : il était celui qu'il était, non interchangeable, quelqu'un qui avait une identité rien qu'à lui. Cette certitude avait suscité une grande tentation, celle d'imprimer sa marque en un lieu d'où elle ne disparaîtrait jamais. Le mur bas du cimetière, surmonté d'un grillage : voilà le sanctuaire qu'il s'était choisi. Un soir d'automne, il y était allé en catimini, après avoir caché sous son manteau un marteau et un gros clou. Limhamn était désert. La pierre était particulièrement lisse à cet endroit du mur. Pendant qu'une pluie froide lui dégoulinait dans le cou, il avait gravé ses initiales, KW, dans le mur.

Il les découvrit presque aussitôt. Les deux lettres s'étaient estompées au fil des années et des intempéries. Mais il y était allé fort. Sa marque était encore là. Un jour j'amènerai Klara, pensa-t-il. Je lui raconterai le soir où j'ai changé le monde. Même si c'était juste en gravant mes initiales dans un mur.

Il entra dans le cimetière et s'assit sur un banc à l'ombre d'un arbre. Il ferma les yeux et crut entendre sa propre voix d'enfant résonner dans sa tête. Sa voix d'avant la mue, telle qu'elle était avant que la réalité des adultes ne lui tombe dessus. Peut-être est-ce ici que je devrais me faire enterrer. Revenir au point de départ et me coucher dans la terre d'ici. Mon épitaphe est déjà gravée dans la pierre.

Il retourna à sa voiture. Avant de mettre le contact, il déroula de nouveau dans sa tête la conversation avec Asta Hagberg. Que lui avait-elle apporté ?

La réponse était simple : rien du tout. Louise était toujours aussi anonyme. Une femme d'officier, discrète, en retrait.

Mais l'inquiétude qui le poursuivait depuis sa rencontre avec Håkan von Enke sur son île – cette inquiétude ne le lâchait pas.

Je ne vois pas, pensa-t-il. Je devrais voir, mais je ne vois pas. Et je ne sais pas ce qui pourrait m'aider à comprendre enfin ce qui se passe.

34

Wallander reprit la route de Löderup. Le chagrin de la mort de Baiba lui pesait terriblement. Ça lui venait par vagues, avec le souvenir de sa visite inattendue. C'était ainsi. À travers la mort de Baiba, il voyait aussi la sienne.

En arrivant, et après avoir lâché Jussi pour le laisser courir à sa guise, il se versa un grand verre de vodka et le vida d'un trait, debout devant l'évier. Il le remplit de nouveau et l'emporta dans sa chambre, baissa les stores, se déshabilla, s'allongea nu sur le lit, le verre en équilibre sur son ventre tremblotant. Je peux faire un pas de plus, pensa-t-il. S'il ne me conduit à rien, je lâche tout, je laisse tomber. J'informe Håkan que j'ai l'intention de révéler sa cachette à Linda et à Hans. Si cela doit le pousser à se chercher un nouveau terrier, libre à lui. Je vais parler à Ytterberg, à Nordlander et à Atkins. Ensuite ce ne sera plus mon affaire. D'ailleurs, ce ne l'a jamais été. Bientôt l'été sera fini, j'aurai eu des vacances catastrophiques et je me retrouverai de nouveau derrière mon bureau à me demander où le temps a bien pu s'enfuir.

Il but la vodka, sentit la chaleur et l'agréable ivresse descendre et prendre leurs quartiers en lui. *Un pas de plus. Mais lequel ?* Il posa le verre vide sur la table de chevet et s'endormit. À son réveil, une heure plus tard, la question était résolue. À la faveur du sommeil, son cerveau avait formulé la réponse. Il la voyait très clairement. Qui sait ? pensa-t-il. Si ça se trouve, Hans pourra me fournir les informations nécessaires. C'est un jeune homme intelligent, peut-être pas très sensible. Mais les gens savent toujours beaucoup plus que ce qu'ils croient savoir. Au sujet de choses qu'ils ont observées et enregistrées à leur insu.

Il rassembla son linge sale et mit en route la machine à laver. Puis il sortit et rappela son chien. Un aboiement lui répondit de très loin, au bout du champ récemment moissonné par l'un de ses voisins. Jussi arriva ventre à terre ; il s'était vautré dans une substance puante. Wallander l'enferma dans le chenil, alla chercher le tuyau d'arrosage et le nettoya au jet. Jussi, queue basse, ne bougeait pas mais levait vers lui un regard implorant.

– Tu sens la merde, lui dit Wallander. Je ne peux pas laisser entrer dans ma maison un chien qui pue.

Il retourna à l'intérieur et s'assit dans la cuisine. Il nota par écrit les questions les plus importantes qui lui venaient à l'esprit et chercha ensuite le numéro de la ligne directe de Hans à Copenhague. Quand son appel fut transféré et qu'on lui annonça que Hans était pris toute la journée par des rendez-vous importants, il eut un accès d'impatience et ordonna à la standardiste de dire à l'intéressé que le commissaire Kurt Wallander d'Ystad attendait son appel dans moins d'une heure. Hans s'exécuta. Wallander venait d'ouvrir la machine à laver et de constater qu'il avait oublié d'ajouter du détergent quand le téléphone sonna. Il décrocha sans prendre la peine de masquer son irritation.

– Qu'est-ce que tu fais demain ? demanda-t-il à Hans.

– Je travaille. Pourquoi me parles-tu sur ce ton ?

– Pour rien. Quand peux-tu me voir ?

– Le soir. Je ne peux pas faire mieux, j'ai des rendez-vous qui s'enchaînent toute la journée.

– Déplace-les. Je serai à Copenhague à quatorze heures. Il me faut une heure de ton temps, pas plus, mais pas moins.

– Que se passe-t-il ?

– Je veux juste des réponses à quelques questions.

– Je préférerais vraiment qu'on se voie le soir.

– Je serai là à quatorze heures, dit Wallander. Et je prendrai volontiers un café.

Il raccrocha et remit le lave-linge en route après avoir mis beaucoup trop de lessive. Il pensa qu'il était puéril de punir ainsi la machine de sa propre distraction.

Puis il tondit son gazon, passa le râteau sur le gravier, s'allongea sur la balancelle et lut un livre consacré à Verdi, le compositeur, qu'il s'était offert pour Noël. Au moment de vider la machine à laver, il constata qu'il y avait eu un mouchoir rouge caché dans le blanc, et que ce mouchoir avait déteint. Pour la troisième fois, il mit en route la charge de linge. Puis il alla dans sa chambre, s'assit sur le bord du lit, se piqua le bout du doigt et lut le résultat. Ça aussi, il le négligeait. Le taux de glycémie était cependant acceptable : 8,1.

Pendant que la machine tournait, il s'allongea sur le canapé et écouta un enregistrement de *Rigoletto* qu'il avait acheté récemment. Il pensa à Baiba, eut les larmes aux yeux, rêva qu'elle était encore vivante. Mais elle avait disparu et ne reviendrait pas. Quand le disque fut fini, il fit décongeler un gratin de poisson et le mangea en buvant de l'eau. Il avait bien jeté un regard à la bouteille de vin posée sur le plan de travail, mais résista à la tentation de l'ouvrir. Les deux verres de vodka bus un peu plus tôt étaient déjà largement suffisants. Ce soir-là on repassait à la télévision *Certains l'aiment chaud*, qui avait été l'un de leurs films préférés, à Mona et à lui. Il l'avait vu tant de fois, pourtant il se surprit à rire.

Curieusement, il dormit plutôt bien cette nuit-là.

Linda le rappela le lendemain alors qu'il prenait son petit déjeuner. La fenêtre était ouverte, la journée s'annonçait belle. Wallander était nu sur sa chaise de cuisine.

– Qu'a pensé Ytterberg du coup de fil de Håkan ?

– Je ne lui en ai pas encore parlé.

Elle n'en crut pas ses oreilles.

– S'il y a quelqu'un qui devrait être mis au courant c'est pourtant lui.

– Håkan m'a demandé de n'en parler à personne à part vous.

– Ah bon ? Tu ne m'as pas dit ça, hier.

– J'ai peut-être oublié.

Elle perçut aussitôt le côté vague et fuyant de la réponse.

– Y a-t-il autre chose que tu aurais oublié de me dire ?

– Non.

– Dans ce cas, je propose que tu appelles Ytterberg. Tout de suite.

Il connaissait bien les inflexions de sa voix. Elle était en colère. Puis elle parut changer de sujet :

– Si je te pose une question honnête, me feras-tu une réponse honnête ?

– Oui.

– Qu'est-ce qui se cache derrière tout ça ? Si je te connais bien, tu as une opinion.

– Pas dans ce cas. Je suis perdu.

– Louise agent secret, en tout cas, ça ne tient pas debout.

– Je ne sais pas ce qui tient debout. On ne peut se baser que sur les faits.

– Si tu penses aux documents qu'on a trouvés dans son sac, la seule explication que je vois, c'est que quelqu'un les y a mis. À son insu.

Elle se tut, attendant peut-être qu'il lui dise qu'il était d'accord avec elle. Soudain, il entendit que Klara pleurait à l'arrière-plan.

– Que fait-elle ?

– Elle est dans son lit. Et elle ne veut pas y rester.

– Normal.

– Et moi ? Est-ce que je pleurais beaucoup ? Est-ce que je t'ai déjà posé la question ?

– Toi, en plus, tu avais des coliques. On en a déjà parlé, tu ne te souviens pas ? Que c'était moi qui te portais la nuit, etc. Contrairement à ce que prétend Mona.

– Je me posais juste la question. Je crois qu'on se reconnaît dans ses enfants. Tu vas appeler Ytterberg ?

– Demain. Mais, dans l'ensemble, tu étais une enfant sage.

– Ça s'est gâté à l'adolescence.

– Oui. C'est peu de le dire.

Après avoir raccroché, il resta assis. C'était l'un de ses pires souvenirs. Un souvenir qu'il autorisait d'ailleurs très rarement à remonter à la surface. À l'âge de quinze ans, Linda avait fait une tentative de suicide. Sans doute le classique appel au secours, être vue, être entendue, être aidée. Mais ça aurait pu mal se finir si Wallander n'avait pas, par chance, ouvert la porte de sa chambre. Il l'avait trouvée inerte sur son lit, les poignets tailladés. La terreur qu'il avait éprouvée en cet instant n'avait jamais eu d'équivalent, ni avant, ni plus tard. C'était encore à ce jour sa plus grande défaite : ne pas avoir compris à quel point sa fille allait mal, au cours de ces difficiles années d'adolescence.

Il se secoua pour dissiper le malaise. Si elle n'avait pas survécu, cette fois-là, il savait qu'il aurait lui aussi mis fin à ses jours.

Il repensait à leur conversation. La conviction intime de Linda que Louise n'aurait jamais pu se livrer à des activités d'espionnage le rendait pensif. Il ne s'agissait pas de preuves ou d'absence de preuves, mais précisément d'une conviction. Ce n'est pas possible, un point c'est tout. Mais si ça l'est quand même, pensa-t-il – non seulement possible, mais vrai –, comment cela a-t-il fonctionné ? Louise et Håkan avaient-ils pu travailler ensemble malgré tout ? Ou bien Håkan von Enke était-il un homme si froid et si manipulateur qu'il n'hésitait pas à invoquer son grand amour pour Louise afin que personne n'imagine la vérité, à savoir qu'il était responsable de sa mort et qu'il cherchait à présent à semer de fausses pistes ?

Il nota une phrase dans son carnet : *Conviction de Linda que Louise est innocente.* Au fond de lui, il n'y croyait pas. Louise avait un lien avec le drame. Il ne pouvait en être autrement.

Quelques minutes avant quatorze heures, il sonna à la porte vitrée des élégants bureaux situés tout près de Rundetårn, dans le centre de Copenhague. Une jeune femme aux formes aérodynamiques le laissa entrer et prévint Hans, qui apparut presque aussitôt. Il était très pâle et donnait l'impression de ne pas avoir dormi depuis longtemps. Ils passèrent devant une salle de réunion où se déroulait un échange houleux entre un homme d'une cinquantaine d'années, qui s'exprimait en anglais, et deux hommes blonds, plus jeunes, qui parlaient islandais. Leur altercation progressait par le truchement d'une interprète toute de noir vêtue.

– Ça chauffe, observa Wallander. Je croyais que les as de la finance parlaient toujours d'une voix feutrée.

– Nous disons volontiers que nous bossons dans le secteur des abattoirs.

Devant la mine de Wallander, il se hâta d'enchaîner :

– Il ne faut pas prendre ça au tragique, mais quand on s'occupe d'argent, c'est clair qu'on a, du moins symboliquement, du sang sur les mains.

– Qu'est-ce qui les met dans cet état ?

Hans secoua la tête.

– Des affaires. Je ne peux pas en dire plus.

Wallander n'insista pas. Hans le fit entrer dans une petite salle entièrement vitrée, qui paraissait être accrochée à la façade de l'immeuble. Même le sol était en verre. Wallander eut la sensation de se trouver dans un aquarium. Une femme tout aussi jeune que la réceptionniste entra et posa sur la table une cafetière et une assiette de brioches. Wallander aligna son carnet et son crayon à côté de sa tasse pendant que Hans les servait. Wallander nota que sa main tremblait.

– Je croyais que le temps des prises de notes était fini, dit Hans en s'asseyant. Je croyais que les policiers de nos jours n'étaient plus équipés que de magnétophones ou de caméras vidéo.

– Les séries télé ne donnent pas toujours une image très correcte de notre travail. Ça peut m'arriver d'enregistrer, bien sûr. Mais ceci n'est pas un interrogatoire. C'est une conversation.

– Par où veux-tu commencer ? Laisse-moi te préciser d'emblée que je n'ai qu'une heure à te consacrer. On a eu un mal de chien à refaire le planning.

– Il s'agit de ta mère, dit Wallander fermement. Aucun travail ne peut être plus important que ça, je suppose que tu es d'accord ?

– Ce n'est pas ce que je voulais dire.

– Peu importe ce que tu voulais dire. Venons-en aux faits.

Hans soutint son regard.

– Dans ce cas, je tiens à affirmer qu'il est impossible à mes yeux que ma mère ait agi en tant qu'espionne pour quelque puissance que ce soit. Ça ne l'empêchait pas de se comporter de façon parfois, disons, énigmatique.

Wallander haussa les sourcils.

– Il ne me semble pas t'avoir déjà entendu dire cela à son sujet. *Énigmatique ?* C'est nouveau…

– J'ai réfléchi depuis notre dernière conversation. Ma mère m'apparaît de plus en plus comme un mystère. Pas à cause d'hypothétiques activités. Mais à cause de Signe. Peut-on exposer quelqu'un à pire trahison ? Quand on y réfléchit ? Cacher à son propre fils le fait qu'il a une sœur ? Je me plaignais parfois d'être enfant unique. Surtout quand j'étais vraiment petit, avant d'aller à l'école. Mais jamais je n'ai senti la moindre hésitation dans sa voix. Avec le recul, je me dis qu'elle a répondu à mon regret d'enfant avec une dureté absolument glaciale.

– Et ton père ?

– Il n'était que rarement à la maison au cours de ces années-là. Du moins dans mon souvenir, mon père était presque toujours absent. Et quand il revenait, je savais que ça ne durerait pas et qu'il repartirait très vite. Il m'apportait toujours des cadeaux. Mais je n'osais pas me laisser aller à mon bonheur. Dès qu'on sortait ses uniformes de l'armoire pour les aérer et les brosser, je savais ce qui se préparait. Et le lendemain matin, il n'était plus là.

– Peux-tu m'en dire plus sur le côté énigmatique de ta mère ?

– C'est difficile à cerner. Parfois elle paraissait absente, si plongée dans ses pensées qu'elle se mettait en colère si je la dérangeais. Presque comme si je lui causais une douleur, comme si je l'avais piquée – je ne sais pas si c'est très compréhensible, mais c'est le souvenir que j'en ai. Parfois elle refermait son carnet, ou cachait ce qu'elle était en train d'écrire quand j'entrais dans son bureau. C'est plus clair comme ça ?

– Y avait-il des choses que ta mère ne faisait que lorsque ton père était absent ? Des changements d'habitudes notables ?

– Non, je ne crois pas.

– Tu réponds trop vite. Réfléchis !

Hans se leva et s'approcha de la baie vitrée. Par le sol transparent de cet étrange bureau, Wallander apercevait un musicien de rue qui jouait de la guitare sur le trottoir, un chapeau retourné posé devant lui. Pas une note de musique ne traversait les parois de verre. Hans revint s'asseoir.

– Peut-être, dit-il avec hésitation. Ce que je vais dire maintenant, je ne pourrais pas en jurer. Si ça se trouve, ces souvenirs ne correspondent à rien de tangible, mais allons-y. Quand mon père n'était pas là, il me semble que ma mère était plus souvent au téléphone et qu'elle fermait la porte, ce qu'elle ne faisait pas quand il était présent.

– Parler au téléphone ou fermer la porte ?

– Les deux.

– Continue !

– Il y avait des papiers sur les tables. Elle travaillait. Quand mon père était là, les tables étaient nettes et à la place des papiers, il y avait des vases de fleurs.

– Quels papiers ?

– Je ne sais pas. Parfois il y avait aussi des dessins.

Wallander tressaillit.

– Des dessins de quoi ?

– De plongeuses. Ma mère avait la main sûre.

– Comment ça, de plongeuses ?

– Oui. Différents plongeons, différentes phases d'un même plongeon, *salto allemand avec vrille*, tu vois bien, tous ces termes techniques.

– As-tu le souvenir qu'elle dessinait autre chose ?

– Elle a fait mon portrait quelquefois. Je ne sais pas où se trouvent tous ces dessins maintenant. Mais ils étaient bons.

Wallander divisa une brioche et en trempa la moitié dans son café. Il regarda sa montre. Le musicien sous ses pieds continuait de jouer sa musique silencieuse.

– Je n'ai pas tout à fait fini, dit-il ensuite. Quelles étaient les opinions de ta mère ? Je veux dire, sur le plan politique, social, économique… Que pensait-elle de la Suède ?

– On ne parlait pas politique chez moi.

– Jamais ?

– Comment t'expliquer… L'un ou l'autre de mes parents était capable de dire par exemple : « L'armée suédoise ne défend plus rien. » L'autre pouvait alors répondre : « C'est la faute des communistes. » Ils n'avaient pas besoin d'en dire davantage. Et les répliques étaient interchangeables. Ils étaient conservateurs, naturellement, je crois que nous en avons déjà parlé. Il n'a jamais été question de voter pour autre chose que le parti modéré. Les impôts étaient trop élevés, la Suède accueillait trop d'immigrés, qui engendraient à leur tour trop de désordre. Je crois qu'on peut dire qu'ils avaient exactement les opinions qu'on pouvait attendre d'eux.

– Jamais une réplique inattendue ?

– Dans mon souvenir, jamais.

Wallander acquiesça en silence et mangea la seconde moitié de la brioche.

– Parlons un peu de la relation de tes parents entre eux. Comment la décrirais-tu ?

– Elle était bonne.

– Ils ne se disputaient jamais ?

– Non. Je crois qu'on peut dire qu'ils s'aimaient vraiment. Sur le moment je n'en avais pas conscience, mais rétrospectivement il est clair que je n'ai jamais eu, enfant, la crainte qu'ils se séparent. Cette possibilité-là n'existait tout simplement pas.

– Mais personne ne vit sans conflit ?

– Eux, oui. À moins qu'ils ne se soient disputés la nuit pendant que je dormais. Mais j'ai du mal à le croire.

Wallander n'avait pas d'autres questions ; il n'était pas prêt à capituler pour autant.

– Rien d'autre à ajouter concernant ta mère ? Pour être honnête, il me semble que tu sais étonnamment peu de choses sur elle.

– C'est vrai, répondit Hans avec ce que Wallander perçut comme une franchise douloureuse. Il n'y avait pas d'instants d'intimité entre nous. Aucune réelle proximité. Elle ne se départait jamais d'une certaine distance vis-à-vis de moi. Si je tombais et que je me faisais mal, elle me consolait, bien sûr. Mais je me rends compte que c'était – comment dire – presque gênant pour elle.

– Y avait-il un autre homme dans sa vie ?

Wallander n'avait pas prémédité cette question. Mais, une fois formulée, elle lui parut couler de source.

– Non. Je ne pense pas qu'il y ait eu la moindre infidélité d'un côté ni de l'autre.

– Et avant leur mariage ?

– Vu qu'ils se sont rencontrés très jeunes, je ne crois pas qu'il y ait jamais eu quelqu'un d'autre. Pas sérieusement. Mais je peux me tromper.

Wallander rangea son carnet dans la poche de sa veste. Il n'avait pas pris la moindre note. Et pour cause : il en savait aussi peu que lorsqu'il était arrivé une heure auparavant. Il se leva. Mais Hans resta assis.

– Mon père t'a donc appelé… Il est en vie, mais il ne veut pas se montrer. C'est ça ?

Wallander se rassit. Le joueur de guitare, en bas, avait disparu.

– C'était bien lui qui m'a parlé, là-dessus je n'ai aucun doute. Ce n'était pas quelqu'un qui imitait sa voix. Il ne m'a donné aucune explication. Il voulait juste que vous sachiez qu'il était en bonne santé.

– Il n'a vraiment rien dit de l'endroit où il était ?

– Rien.

– Quelle a été ton impression ? Était-il en Suède ? Appelait-il d'un téléphone fixe ou d'un portable ?

– Je ne peux pas répondre à cela.

– Parce que tu ne le peux pas ou parce que tu ne le veux pas ?

– Parce que je ne le peux pas.

Wallander se leva de nouveau. Ils quittèrent la cage vitrée. En repassant devant la salle de réunion, dont la porte était à présent fermée, Wallander entendit que la discussion se poursuivait de plus belle à l'intérieur. Ils se séparèrent dans le hall d'accueil.

– Est-ce que je t'ai aidé ? demanda Hans.

– Tu as fait preuve de franchise. C'est la seule chose que je peux exiger de toi.

– Réponse diplomatique. Je ne t'ai donc pas donné ce que tu espérais.

Wallander écarta les bras : un geste de résignation. Les portes coulissantes s'ouvrirent, il partit en agitant la main. L'ascenseur le ramena silencieusement au rez-de-chaussée. Il avait laissé sa voiture dans une rue latérale près de la place Kongens Nytorv. Comme il faisait très chaud, il ôta sa veste et déboutonna un peu plus le col de sa chemise.

Soudain, il eut la sensation d'être observé. Il se retourna. La rue était pleine de monde ; il n'identifia aucun visage connu. Cent mètres plus loin, il s'arrêta devant une vitrine et se plongea dans la contemplation de chaussures de luxe qu'elle contenait. Il jeta un regard discret vers la portion de rue qu'il venait de parcourir. Il vit un homme regarder sa montre, puis déplacer son imperméable de son bras droit à son bras gauche. Wallander crut l'avoir déjà aperçu la première fois. Il retourna à la contemplation de la vitrine. L'homme le dépassa ; il vit son reflet dans la vitre. Une méthode que lui avait enseignée Rydberg. *Il n'est pas nécessaire d'être derrière la personne qu'on file, on peut aussi bien marcher devant.* Wallander compta jusqu'à cent pas, puis s'immobilisa et se retourna. Personne ne se signala à son attention. L'homme à l'imperméable avait disparu. Arrivé à sa voiture, il regarda une dernière fois autour de lui, puis secoua la tête. Il avait dû se faire des idées.

Quittant le Danemark, il traversa l'interminable pont dans l'autre sens, s'arrêta pour manger au restaurant Fars Hatt[1] et prit ensuite le chemin de chez lui.

Il sortait de la voiture quand sa mémoire se déroba soudain ; il resta planté au milieu de la cour, complètement perdu, ses clés à la main. Le capot était chaud, il avait donc roulé. *Mais d'où venait-il ? Où était-il allé ?* La panique le submergea. Jussi aboyait et sautait derrière son grillage. Wallander regarda fixement son chien. Il regarda ses clés, puis sa voiture, comme si celle-ci pouvait lui fournir une explication. Il connut ainsi presque dix minutes d'épouvante avant que l'espèce de crampe mentale ne le lâche et qu'il se souvienne enfin de ce qu'il avait fait. *Hans. Copenhague.* Il était en nage. Ça ne s'arrange pas, pensa-t-il. Il faut que je sache ce qui m'arrive. Il faut que j'en aie le cœur net.

Il prit le courrier dans la boîte aux lettres et s'assit à la table du jardin, encore secoué par ce nouvel accès d'amnésie.

Ce fut bien plus tard, après avoir nourri Jussi, qu'il découvrit l'enveloppe cachée parmi les journaux et les publicités. Il n'y avait pas de nom d'expéditeur. Il ne reconnaissait pas l'écriture.

Quand il l'ouvrit, il vit que c'était une lettre manuscrite et qu'elle lui était adressée par Håkan von Enke.

1. Littéralement : « le chapeau de mon père ».

35

La lettre avait été expédiée de Norrköping :

Il y a à Berlin un homme dont le nom est George Talboth. C'est un Américain qui a longtemps travaillé à l'ambassade des États-Unis à Stockholm. Il parle couramment le suédois, c'est un expert des relations entre la Scandinavie et l'Union soviétique et, désormais, entre la Scandinavie et la Russie. Je l'ai connu à la fin des années 60, lors de sa première arrivée en Suède ; il accompagnait souvent l'attaché militaire américain de l'époque, Hotchinson, lors de diverses visites, à Berga entre autres. Nous nous entendions bien ; c'était un joueur de bridge, sa femme aussi, et nous avons commencé à nous fréquenter. Peu à peu, j'ai compris qu'il était lié à la CIA – bien qu'il n'ait jamais tenté, je le précise, de me soutirer la moindre information confidentielle. En 1974, ou peut-être était-ce en 1975, sa femme, Marilyn, est décédée d'un cancer. Pour George, ç'a été une catastrophe. Ils avaient une relation si possible encore plus proche que Louise et moi. Il nous rendait visite de plus en plus fréquemment. Il venait presque chaque dimanche, et souvent aussi pendant la semaine. En 1979 il a été muté à Bonn et, à sa retraite, il a choisi de rester en Allemagne, à Berlin en l'occurrence. Il continue peut-être à rendre divers services à son pays de façon disons « accessoire ». Je n'ai aucune information à ce sujet.

Je lui ai parlé au téléphone pour la dernière fois en décembre dernier. Il a soixante-douze ans, mais ses facultés intellectuelles sont intactes. Pour lui, il ne fait aucun doute que la guerre froide est encore une réalité. La révolution née de l'effondrement de l'empire soviétique a été à bien des égards aussi bouleversante que celle de 1917. Mais, selon George, elle n'a été qu'un épisode, un affaiblissement momentané. Aujourd'hui il lui semble voir son analyse confirmée, avec une Russie puissante dont les prétentions ne vont cesser de croître. Je me suis permis de lui écrire un mot en lui demandant de te contacter. Si quelqu'un peut t'aider à découvrir ce qui est arrivé à Louise, c'est lui. J'espère que tu ne te formaliseras pas du fait que j'essaie de te seconder dans ce qui m'apparaît comme ton effort sincère pour élucider ce drame.

Salutations respectueuses,

Håkan von Enke

Wallander posa la lettre sur la table de la cuisine. Que Håkan von Enke lui propose un contact, c'était plutôt positif. Pourtant la lettre ne lui plaisait pas. La sensation que quelque chose lui échappait revint, plus forte qu'auparavant. Il la relut, aussi lentement que s'il traversait un champ de mines. *Les lettres, il faut les décrypter*, disait Rydberg. Mais que pouvait lui apprendre celle-ci ? Wallander alla à son ordinateur et lança une recherche au nom de George Talboth. Il y en avait plusieurs, mais aucun ne pouvait être celui-là. Par jeu, il entra les trois lettres CIA et eut la surprise de tomber sur un institut culinaire. En plus de l'autre CIA, naturellement.

Quittant l'ordinateur, il alla vérifier son taux de glycémie et fut cette fois peu satisfait du résultat : 10,2. Trop élevé. Il n'avait pas été assez régulier, que ce soit pour la prise d'insuline ou pour celle des cachets de metformine. Une vérification dans le réfrigérateur montra d'ailleurs qu'il allait bientôt devoir renflouer son stock.

Il avalait chaque jour pas moins de sept comprimés différents pour son diabète, sa tension et son cholestérol. Cela ne lui plaisait guère ; il avait l'impression d'une défaite. À les en croire, plusieurs de ses collègues ne prenaient pas un seul médicament régulier. Rydberg, en son temps, avait méprisé avec superbe toutes les formes de préparations chimiques. Il ne prenait rien, même pour les migraines dont il souffrait de plus en plus. Wallander tomba dans une rumination morose. Chaque jour, pensa-t-il, je remplis mon corps d'une quantité de produits dont je ne sais rien du tout. Je fais confiance aux médecins et aux laboratoires sans jamais m'interroger sur ce qu'ils me prescrivent.

Même Linda n'était pas informée de l'existence de tous ces flacons. Elle ignorait carrément qu'il se faisait désormais des injections d'insuline. Il lui arrivait d'ouvrir le réfrigérateur quand elle était chez lui, mais il avait caché les paquets derrière quelques pots de chutney à la mangue, dont il savait qu'elle n'y touchait pas.

Il relut encore la lettre, n'y décelant que le contenu explicite. Håkan von Enke ne lui envoyait pas un message caché.

Vers dix-neuf heures, il reçut la visite imprévue d'Olofsson, son voisin le plus proche, celui qui gardait Jussi quand Wallander s'absentait. C'était un type grand, massif, qui n'avait plus une seule dent dans la bouche, à croire qu'il était en réalité un joueur de hockey et non un agriculteur scanien. Ce jour-là il dégageait une odeur de fourrage. Il venait se renseigner, dit-il, sur le petit bout de champ que possédait Wallander et qui était en friche ; pourrait-il envisager de le lui affermer ? Sa petite-fille allait recevoir un poney pour son anniversaire et il allait avoir besoin d'un pré pour l'année suivante. Wallander accepta tout de suite, et ne voulut pas entendre parler d'argent. L'aide qu'ils lui apportaient, sa femme et lui, en s'occupant si souvent de son chien était un dédommagement bien suffisant. Olofsson était un type bavard, et Wallander comprit qu'il ne partirait pas avant de s'être vu offrir un café. Ils parlèrent de la pluie et du beau temps et des taurillons qui avaient toujours tendance à s'échapper. Par curiosité, Olofsson l'interrogea sur différentes affaires criminelles dont avait parlé le journal *Ystads Allehanda*. Il était près de vingt-deux heures quand il souleva sa carcasse de la chaise et grimpa de nouveau sur son tracteur, après avoir scellé l'affaire du pré par une poignée de main. En retournant à l'intérieur, Wallander était épuisé. La lettre de Håkan von Enke était toujours dans la cuisine. Il commença à la relire encore une fois, puis laissa tomber. Il cherchait des choses qui n'existaient pas.

La nuit, il rêva de son père. Le vieux se tenait sur le bout de champ qu'il avait promis à Olofsson et tapotait son chevalet comme on caresse un cheval.

Il venait de se lever, peu après sept heures, quand le téléphone sonna. À cette heure-là ce ne pouvait être que Linda, surtout maintenant qu'il était en vacances. Il prit le combiné.

– Knut Wallander ?

C'était une voix d'homme. Son suédois était impeccable, mais Wallander décela malgré tout une pointe d'accent.

– Je suppose que vous êtes George Talboth. J'attendais votre coup de fil.

– On peut se tutoyer. Appelle-moi George, et je t'appelle Knut.

– Pas Knut. Kurt.

– Pardon. Kurt Wallander. Je m'emmêle facilement les pinceaux quand il s'agit des noms. Quand viens-tu me voir ?

Wallander fut surpris. Qu'avait dit exactement Håkan von Enke à ce Talboth ?

– Je n'avais pas l'intention de me rendre à Berlin, dit-il. À vrai dire, je n'ai appris ton existence qu'hier, par une lettre.

– Ah. Håkan m'a écrit que tu ferais sûrement le déplacement.

– Et toi ? Ne peux-tu pas venir en Scanie ?

– Je n'ai pas de permis de conduire et les avions et les trains m'ennuient.

Un Américain sans permis, pensa Wallander. Ce doit être un oiseau rare.

– Je peux peut-être t'aider, enchaîna George Talboth. Je connaissais Louise aussi bien que Håkan. Elle s'entendait bien avec ma femme Marilyn. Elles allaient souvent prendre le thé en ville. Marilyn me répétait leurs conversations.

– Et alors ?

– Louise parlait beaucoup de politique. Marilyn, elle, ne s'y intéressait pas tellement, mais elle écoutait.

Wallander fronça les sourcils. Hans n'avait-il pas dit l'exact contraire ? Que sa mère ne parlait jamais politique, sinon avec son mari, et que leur dialogue se réduisait alors à deux ou trois répliques interchangeables ?

Soudain l'idée de rendre visite à George Talboth à Berlin commença à lui plaire. Il n'était pas retourné à Berlin depuis la chute du Mur. Avant cela, il était allé deux fois à Berlin-Est avec Linda, dans les années 1980, à l'époque où Linda était folle de théâtre et l'avait persuadé qu'il fallait coûte que coûte aller voir le Berliner Ensemble. Il se rappelait encore les agents de la police des frontières est-allemande qui avaient ouvert à la volée la portière du wagon-lit en pleine nuit en exigeant de voir leurs passeports. Au cours de ces deux visites, ils avaient logé dans un hôtel de l'Alexanderplatz. Wallander s'était toujours senti mal à l'aise là-bas.

– D'accord, dit-il. Pourquoi pas ? Je peux prendre ma voiture…

– Tu logeras chez moi, dit George Talboth. J'habite le quartier de Schöneberg. Quand arrives-tu ?

– Quand puis-je venir ?

– Je suis veuf. Mes horaires seront les tiens.

– Après-demain ?

– Appelle-moi quand tu seras près de Berlin, je te guiderai à distance. Tu aimes la viande ou le poisson ?

– Les deux.

– Vin ?

– Rouge.

– Alors je sais tout ce que j'ai besoin de savoir. Tu as un crayon ?

Wallander nota le numéro de téléphone dans la marge de la lettre de Håkan von Enke.

– Sois le bienvenu, dit George Talboth. Si j'ai bien compris, ta fille est mariée au jeune Hans von Enke ?

– Pas tout à fait. Ils ont une fille ensemble. Klara.

– J'aimerais que tu apportes une photo de ta petite-fille.

Wallander raccrocha. Il avait des photos de Klara un peu partout dans la maison. Il en choisit deux qui étaient épinglées dans la cuisine et les posa sur la table, à côté de son passeport. Puis il prit son petit déjeuner tout en évaluant à l'aide de son atlas la distance qui séparait le port de Sassnitz de Berlin. Un coup de fil à la compagnie des ferries de Trelleborg lui précisa sur quels bateaux il restait de la place. Il choisit un horaire, le nota et se réjouit du voyage imminent. Je me souviendrai de cet été à cause des kilomètres parcourus, pensa-t-il. Comme quand Linda était petite et que nous profitions de mes congés pour aller au Danemark, mais aussi sur Gotland – et même une fois jusqu'à Hammerfest, dans le nord de la Norvège.

Le 23 juillet au matin, il prit la route de la côte en direction de Trelleborg, d'où partait le ferry vers le continent. À Linda, il avait seulement dit qu'il s'accordait quelques jours de vacances à Berlin. Elle n'avait pas posé de questions, ne s'était pas méfiée, lui avait simplement dit qu'elle l'enviait. À la télé, il avait vu que la canicule sévissait à Berlin comme dans toute l'Europe centrale.

Il avait aussi décidé de ne pas foncer tout droit par l'autoroute, mais plutôt de flâner un peu et de s'arrêter quelque part dans un petit hôtel. Il n'était pas pressé.

Il déjeuna à bord du ferry, à côté d'un routier bavard qui l'informa qu'il se rendait à Dresde avec quelques tonnes de nourriture pour chiens.

– Pourquoi les chiens allemands devraient-ils manger suédois ? voulut savoir Wallander.

– Bof. C'est ça, le libre marché, non ?

Wallander sortit sur le pont. Il comprenait que tant de gens choisissent de travailler sur des bateaux. Comme Håkan von Enke, même si celui-ci avait passé sa vie sous la surface et pas dessus. Pourquoi devenait-on capitaine de sous-marin ? D'un autre côté, raisonna-t-il, beaucoup de gens se demandent sûrement comment on peut travailler dans la police. En tout cas, c'est une question que se posait mon père.

À l'arrivée, une fois quittée la ville de Sassnitz, il s'arrêta, changea de chemise, enfila un bermuda et des sandales. Un court instant, il se sentit heureux à l'idée qu'il pouvait maintenant s'arrêter, dormir et manger à son gré. *C'est à ça que ressemble la liberté*, se dit-il, en souriant de cette pensée pathétique. Un flic vieillissant à la dérive. En cavale, évadé de lui-même.

Il poussa jusqu'à Oranienburg avant de commencer à chercher un hôtel qui pourrait lui convenir. Celui pour lequel il se décida enfin s'appelait Kronhof et se trouvait en bordure de la ville. Le réceptionniste était un homme âgé avec une moustache en brosse très fournie. Comprenant que Wallander était suédois, il lui dit qu'il avait souvent pensé acheter une petite maison de vacances quelque part dans les forêts suédoises. *Herr* Wallander aurait-il un bel endroit à lui conseiller ?

– Le Småland, dit Wallander. Là-bas il y a des quantités de forêts et de maisons vides, dans les forêts, qui n'attendent que ça : un nouveau propriétaire.

On lui donna une chambre d'angle au troisième. Elle était vaste et encombrée d'un mobilier lugubre, mais Wallander était content. Il était au dernier étage, personne ne se promènerait au-dessus de sa tête pendant la nuit. Il se changea de nouveau, enfila un pantalon blanc à la place du bermuda ; puis il flâna deux heures dans la ville, prit un café, entra chez un antiquaire et retourna ensuite au Kronhof. Il était dix-sept heures. Il était affamé, mais résolut d'attendre un peu avant de dîner. Il s'installa sur le lit avec des mots croisés et n'eut le temps de trouver que quelques mots avant de s'endormir. À son réveil, il était dix-neuf heures trente. Il descendit, entra dans le restaurant de l'hôtel et choisit une table d'angle. Les clients étaient encore peu nombreux à cette heure. Une serveuse, qui lui rappelait d'une certaine façon Fanny Klarström, lui donna la carte. Il choisit une escalope viennoise et du vin. Les clients commençaient à affluer, la plupart semblaient se connaître. Au dessert, Wallander prit une crème au chocolat, tout en sachant pertinemment qu'il ne devait pas manger quelque chose d'aussi sucré. Il but un autre verre de vin et constata qu'il était un peu éméché. Là, au moins, je ne risque pas d'oublier mon arme, pensa-t-il. Et je ne risque pas de me retrouver demain matin face à un Martinsson en colère.

À vingt et une heures il paya la note, remonta dans sa chambre, se déshabilla et se coucha. Mais impossible de s'endormir. Il se sentait agité sans raison, comme poursuivi. La sensation agréable du dîner en solitaire n'était plus qu'un souvenir. À la fin il renonça, se rhabilla et redescendit. Il y avait un bar à côté du restaurant de l'hôtel. Il s'y rendit et commanda un verre de vin. Quelques hommes plus âgés étaient accoudés au comptoir devant des bières. Les tables étaient vides, sauf une, non loin de la sienne, où une femme d'une quarantaine d'années buvait un verre de vin blanc tout en pianotant des messages sur son portable. Voyant qu'il la regardait, elle lui sourit. Il lui rendit son sourire. Ils levèrent leur verre en un toast muet. Puis elle continua de s'occuper de son téléphone. Wallander commanda un autre verre et en profita pour demander qu'on resserve aussi la dame. Elle le remercia de loin puis, rangeant son téléphone, se leva et vint le rejoindre en emportant son verre. Il lui expliqua dans son mauvais anglais qu'il était un Suédois en route vers Berlin. Ne sachant pas bien comment se prononçait Kurt en anglais, il lui dit qu'il s'appelait James.

– C'est un nom suédois ?

– Ma mère était irlandaise.

Il sourit de son propre mensonge et lui retourna la question. Isabel, dit-elle. La conversation s'engagea. Elle lui expliqua que d'ici quelques années Oranienburg serait entièrement avalé par l'agglomération de Berlin. Wallander contemplait son visage. Elle lui faisait l'effet d'une femme marquée par la vie, sous son maquillage appuyé. Il se demanda soudain si elle pouvait être une professionnelle et si ce bar était son terrain de chasse. Mais sa tenue vestimentaire était tout sauf provocante. Et moi, pensa-t-il, je ne chasse pas les prostituées et je ne me laisse pas chasser par elles.

Alors qui était-elle, cette Isabel à qui il continuait d'offrir du vin blanc ? À l'en croire, elle était fleuriste, séparée de son mari, mère d'enfants adultes et vivait dans un appartement *sehr schön*, très joli, près d'un parc dont elle essaya de lui expliquer la direction. Mais Wallander ne s'intéressait ni au parc ni aux directions en général car il commençait à se sentir excité par elle, il l'imaginait déjà nue dans sa chambre d'hôtel. Où il avait d'ailleurs présentement l'intention de l'emmener. Il voyait bien qu'elle était ivre, et que lui-même ferait bien d'arrêter de boire. Il était près de minuit, le bar se vidait peu à peu, le barman appela les dernières commandes. Wallander demanda l'addition et glissa en même temps à Isabel qu'il pouvait, si elle le désirait, l'inviter pour un dernier verre dans sa chambre. C'était sa première allusion au fait qu'il logeait dans cet hôtel. Elle ne parut guère surprise, peut-être le savait-elle déjà. Existait-il des canaux de communication invisibles entre le bar et la réception ? Peu importe. Il régla l'addition, laissa un pourboire trop généreux et, la prenant par le bras, traversa le hall désert et monta avec elle jusqu'à sa chambre. Il attendit d'avoir fermé la porte avant de lui annoncer la triste vérité, qui était qu'il n'avait rien à lui offrir. Il n'y avait pas de minibar ; l'hôtel ne possédait pas ce genre de raffinement, pas plus que de service en chambre. Mais, là encore, elle ne parut guère décontenancée. Elle savait manifestement ce qu'elle faisait en acceptant de le suivre, car elle se serra contre lui sans le laisser finir sa phrase, et lui, à ce contact, fut saisi d'une ardeur irrépressible. Sans savoir comment, il échoua sur le lit avec elle. Il ne se rappelait pas quand il avait couché pour la dernière fois avec une femme ; à travers le corps de cette Isabel, c'était comme s'il les retrouvait toutes, Baiba, Mona et d'autres pourtant oubliées depuis longtemps. Tout alla très vite, et elle dormait déjà quand il sentit l'envie le submerger de nouveau. Impossible de la réveiller cependant. Et faire l'amour à une femme endormie, qui ronflait en plus, c'était malgré tout au-dessus de ses forces. Il n'eut pas d'autre choix que de s'endormir, lui aussi ; ce qu'il fit, une main glissée entre les cuisses humides d'Isabel.

Sa main était au même endroit quand il se réveilla à l'aube, la tête endolorie et la langue collée au palais. Il décida aussitôt de fuir – tout ensemble, Oranienburg, la chambre et Isabel qui dormait encore. Il s'habilla en silence, en pensant qu'il ne devait pas prendre le volant dans l'état où il était. Mais rester lui paraissait impossible. Il attrapa sa valise et descendit à la réception, où un jeune homme dormait sur une banquette sous l'armoire vieillotte contenant les clés des chambres. Wallander le réveilla ; le jeune homme prépara l'addition, prit son argent et lui rendit sa monnaie. Wallander posa la clé sur le comptoir avec un billet de dix euros.

– Il y a une femme endormie dans ma chambre. Je suppose que ça ira ?

– *Alles klar*, dit le jeune homme en bâillant.

Wallander comprit que ça voulait dire « pas de problème ». Il démarra en vitesse, retrouva la route de Berlin, puis s'arrêta sur le premier parking venu et se lova sur la banquette arrière pour dormir. Son remords était grand. Il essaya de se persuader que ce n'était pas si grave. Malgré tout, elle ne lui avait pas demandé de la payer. Et elle ne pouvait pas non plus l'avoir trouvé totalement repoussant.

Il se réveilla à neuf heures et continua vers Berlin. Quand il fut près de la ville, il s'arrêta devant un motel au bord de l'autoroute et appela George Talboth comme convenu. Celui-ci avait une carte sous les yeux et ne mit pas longtemps à saisir où était Wallander.

– Je serai là d'ici une petite heure, dit-il. Assieds-toi dehors en attendant, profite du beau temps.

– Comment vas-tu faire ? Je croyais que tu n'avais pas le permis.

– Ne t'inquiète pas pour ça.

Wallander acheta un gobelet de café et alla s'asseoir à l'ombre devant le restaurant du motel. Il se demanda si Isabel était réveillée maintenant, et si elle s'interrogeait sur les raisons de son départ précipité. Il ne se rappelait presque aucun détail de leur étreinte maladroite. Avait-elle même eu lieu ? Il ne s'en souvenait que par bribes confuses, et celles-ci ne lui causaient que de l'embarras.

Il alla chercher un autre café et acheta par la même occasion un sandwich sous cellophane. Il avait l'impression de mâcher une éponge, mais s'obligea à en avaler au moins la moitié avant de jeter le reste aux pigeons.

L'heure s'écoula. Toujours personne. Aucun étranger à la recherche d'un commissaire suédois. Encore un quart d'heure. Une Mercedes noire munie de plaques diplomatiques freina alors devant la réception du motel, et Wallander comprit que George Talboth était arrivé. Un homme en sortit, costume blanc, lunettes noires. Il regarda autour de lui puis, ayant repéré Wallander, s'avança vers lui en ôtant ses lunettes.

– Kurt Wallander ?

– C'est moi.

George Talboth mesurait près de deux mètres, il était très costaud et s'il lui avait serré le cou au lieu de la main, il aurait sûrement pu l'étrangler.

– Plus de trafic que prévu, dit-il. Désolé pour le retard.

– J'ai suivi ton conseil : j'ai profité du beau temps, je ne pensais pas à l'heure.

Talboth fit signe à la Mercedes, dont le chauffeur restait invisible. La voiture démarra et disparut.

– On me fournit l'aide dont j'ai besoin, dit-il en guise d'explication. On y va ?

Ils prirent place dans la Peugeot de Wallander. Talboth se révéla être un GPS vivant, qui l'orienta sans hésitation dans la circulation de plus en plus dense à mesure qu'ils approchaient de la ville. Une heure plus tard, ils parvenaient à Schöneberg et s'arrêtaient devant un bel immeuble. L'un des rares sans doute, pensa Wallander, à avoir survécu à la fin de la Seconde Guerre mondiale, quand l'Armée rouge avait investi et conquis Berlin quartier par quartier. Talboth habitait au dernier étage un appartement de six pièces. La chambre qu'il proposa à Wallander était vaste et donnait sur un petit parc.

– Je te laisse, dit-il ensuite. J'ai quelques petites choses à faire, j'en ai environ pour deux heures.

– Je me débrouillerai.

– À mon retour, nous aurons tout le temps du monde. Il y a un excellent restaurant italien non loin d'ici. Nous pourrons bavarder. Jusqu'à quand restes-tu ?

– En fait, je pensais rentrer dès demain.

George Talboth secoua la tête avec énergie.

– Il n'en est pas question. On ne visite pas Berlin à la va-vite. Cette ville a vu tant d'épisodes de la tragique histoire de l'Europe…

– On en reparlera, éluda Wallander. Comme tu le disais à l'instant, même les vieux ont parfois de petites choses à faire.

George Talboth se satisfit de cette réponse, lui montra la salle de bains, la cuisine et l'imposant balcon, et quitta ensuite l'appartement. Wallander, posté derrière une fenêtre, le vit monter à l'arrière de la même Mercedes noire que tout à l'heure. Il alla à la cuisine, prit une bière dans le réfrigérateur et alla la boire sur le balcon. Sa manière à lui de dire adieu à la femme croisée la veille. Désormais elle n'existerait plus, sinon peut-être sous la forme d'une figure tenace qui hanterait ses rêves. Ça se passait comme ça en général. Il ne rêvait presque jamais des femmes qu'il avait aimées ; celles avec lesquelles il avait eu des expériences plus ou moins catastrophiques le visitaient souvent, en revanche.

Il pensa qu'il avait tendance à se souvenir de ce qu'il aurait préféré oublier et à oublier ce dont il aurait voulu se souvenir. Il y avait quelque chose de profondément tordu dans sa façon de vivre. Il ignorait si c'était pareil pour tout le monde. À quoi rêvait Linda ? À quoi rêvait Martinsson ? À quoi ressemblaient les rêves de son blanc-bec arrogant de chef, Lennart Mattson ?

Il but une deuxième bière et se fit couler un bain. Après, une fois rhabillé, il se sentit en meilleure forme.

George Talboth revint deux heures plus tard, comme promis. Ils s'assirent sur le balcon, qui avait entre-temps glissé du soleil à l'ombre, et commencèrent à parler.

À un moment, le regard de Wallander tomba sur un galet posé sur la table du balcon. Il lui sembla le reconnaître.

36

Une question ne cessa de poursuivre Wallander au cours du temps qu'il passa en compagnie de George Talboth. Celui-ci avait-il perçu sa réaction à la vue du galet ? Ou pas ? En reprenant la route le lendemain, Wallander n'avait aucune certitude. Mais il avait cru comprendre que George Talboth était un observateur subtil. Ça va pour lui, pensa-t-il avec envie, ce cerveau-là ne connaît pas de panne ni de baisse de régime. Son air nonchalant ne doit pas être pris pour un défaut de vigilance.

La seule chose dont il pouvait être sûr, c'était que le galet qui avait disparu du bureau de Håkan von Enke se trouvait à présent sur la table du balcon de George Talboth. Le même, ou alors son exacte copie.

L'idée de copie pouvait aussi s'appliquer à l'homme lui-même. Dès l'instant où il l'avait aperçu devant le motel, il avait eu l'impression que George Talboth lui rappelait quelqu'un. Il avait un double, un sosie – pas nécessairement parmi les gens que connaissait Wallander ; plutôt quelqu'un qu'il aurait vu en une certaine occasion. Le soir, juste avant de partir au restaurant, il comprit enfin. Talboth ressemblait à Humphrey Bogart, en plus grand et en plus baraqué, et sans la cigarette au bec. Mais ce n'était pas seulement une histoire de physionomie : quelque chose dans la voix de Talboth évoquait pour Wallander des films tels que *Le Trésor de la Sierra Madre* ou *L'Odyssée de l'African Queen*. Il se demanda si l'autre en était conscient, et devina que la réponse était oui. George Talboth paraissait conscient de tout ou presque.

Avant qu'ils ne s'installent sur le balcon, il se révéla aussi posséder plus d'un tour dans son sac. Ouvrant une porte de l'appartement, il montra à un Wallander ébahi un immense aquarium plein de poissons miroitants qui se déplaçaient par bancs entiers, sans bruit, derrière la vitre épaisse. Des bidons d'eau et des tuyaux de plastique occupaient le reste de la pièce. Mais ce qui étonna le plus Wallander, ce fut de distinguer, au fond de l'aquarium, un tunnel habilement construit où des trains électriques circulaient à toute vitesse en circuit fermé. Ce tunnel était transparent, comme du verre à l'intérieur du verre de l'aquarium. Pas une goutte d'eau ne pénétrait à l'intérieur. Les trains circulaient sans que les poissons semblent s'apercevoir de l'existence de cette mini-voie de chemin de fer sur le lit de leur océan artificiel.

– C'est une copie presque exacte du tunnel qui relie Douvres à Calais, lui expliqua Talboth. J'ai utilisé les dessins d'origine et emprunté certains détails de construction.

Wallander pensa soudain à Håkan von Enke, qui construisait des bateaux en bouteille sur son île. Il y a une parenté, pensa-t-il. Mais je ne sais pas ce qu'elle signifie.

– J'aime avoir les mains occupées, poursuivit Talboth. Ça ne vaut rien de faire fonctionner uniquement son cerveau, qu'en penses-tu ?

– Je ne sais pas. Mon père était doué de ses mains. Moi, je n'ai pas hérité de cette facilité.

– Que faisait ton père ?

– Il fabriquait des tableaux.

– Artiste peintre, alors. Pourquoi dis-tu qu'il les « fabriquait » ?

– Mon père était un peu spécial. Il n'a peint qu'un seul tableau, à l'infini, pendant toute sa vie. Il n'y a pas grand-chose à en dire.

Talboth perçut la réticence de Wallander et n'insista pas. Ils observaient les mouvements ondoyants des poissons et la course effrénée des trains dans le tunnel. Wallander nota qu'ils ne se croisaient pas, à chaque fois, exactement au même endroit. Il y avait un décalage imperceptible. Il vit aussi que, sur une portion du trajet, ils empruntaient les mêmes rails. Il hésita, puis posa la question. Talboth acquiesça.

– Bien vu. J'ai inclus un petit effet de retardement.

Il prit sur une étagère un sablier que Wallander n'avait pas remarqué en entrant dans la pièce.

– Ce sablier contient du sable d'Afrique de l'Ouest. Plus exactement, de l'île de Bubaque, dans le petit archipel des Bijagos, au large de la Guinée-Bissau, un pays que la plupart des gens connaissent seulement de nom. C'est un vieil amiral anglais qui a décidé tout seul, à l'époque où l'on mesurait le temps à l'aide de sabliers, que ce serait là le sable idéal pour la flotte anglaise. Si j'avais retourné ce sablier à l'instant d'actionner le commutateur du circuit, tu aurais pu voir que l'un des deux trains rattrape l'autre après cinquante-neuf minutes. Je le fais parfois, pour vérifier que la coulée du sable n'a pas ralenti depuis la dernière fois, ou que le transformateur n'a rien perdu en tension.

Enfant, Wallander avait rêvé d'avoir son propre train de la marque Maerklin. Mais son père n'avait jamais eu les moyens de le lui acheter. Le train qu'il avait sous les yeux représentait encore pour lui une sorte de rêve inaccessible.

Ils s'installèrent sur le balcon. L'après-midi était brûlant. Talboth avait apporté une carafe d'eau glacée et des verres. Wallander, lui, avait réfléchi et était parvenu à la conclusion qu'il n'avait aucune raison de ne pas aller droit au but. Sa première question coulait de source.

– Qu'as-tu pensé en apprenant la disparition de Louise ?

Le regard clair de Talboth fixait Wallander.

– Je n'ai peut-être pas été entièrement surpris, dit-il.

– Pourquoi ?

Talboth haussa les épaules.

– Je ne vais pas revenir sur ce que tu sais déjà. Les soupçons de Håkan, sa certitude plutôt, concernant sa femme et ses activités. Crime de trahison contre la sécurité extérieure de l'État – est-ce qu'on peut dire cela ? Mon suédois n'est pas toujours fiable.

– Mais oui, dit Wallander. L'espionnage, à un certain niveau, relève en effet du crime de trahison. À moins de s'occuper de choses plus spécifiques, comme l'espionnage industriel.

– Håkan est parti parce qu'il n'en pouvait plus. Il s'est caché parce qu'il avait besoin de gagner du temps, besoin de réfléchir. Au moment de la disparition de Louise, il avait pris sa décision. Il allait communiquer les éléments dont il disposait aux services de renseignements de l'armée. Tout se passerait dans les règles. Il ne chercherait pas à préserver sa propre réputation. Il comprenait que ces révélations affecteraient aussi son fils Hans. Mais il n'y pouvait rien. C'était en dernière instance une question d'honneur. La disparition de Louise a été un choc. Elle a décuplé sa peur. Je lui ai parlé deux ou trois fois au téléphone. J'ai commencé à m'inquiéter pour lui car il paraissait souffrir d'une maladie de la persécution. Sa seule explication à l'absence de Louise était qu'elle avait deviné ses intentions. Il avait peur qu'elle ne découvre sa cachette. Ou, sinon elle, son employeur, quel qu'il soit, au sein des renseignements russes. Håkan était persuadé que Louise avait été, et était encore, si précieuse à leurs yeux qu'ils n'hésiteraient pas à le tuer pour la garder. Même si elle était trop âgée pour être tout à fait opérationnelle, il ne fallait surtout pas qu'elle soit démasquée. Il ne fallait pas qu'on découvre ce qu'ils savaient. Ou ne savaient pas.

– Qu'as-tu pensé en apprenant son suicide ?

– Je n'y ai jamais cru. Pour moi il était évident qu'on l'avait tuée.

– Pourquoi ?

– Je réponds par une autre question. Pourquoi se serait-elle suicidée ?

– La culpabilité, par exemple. Peut-être avait-elle pris la mesure de ce à quoi elle avait exposé son mari pendant toutes ces années ? Il peut y avoir un tas de raisons. Au cours de ma carrière, j'ai vu beaucoup de cas de gens qui se suicidaient pour bien moins que cela – si l'on en juge d'après les motifs apparents.

Talboth médita un instant la réponse de Wallander.

– Oui, bien sûr. Je m'aperçois que je ne t'ai pas tout dit, concernant Louise. Elle avait beau dissimuler des pans entiers de sa personnalité, je la connaissais bien. Elle n'était pas du genre à se suicider.

– Qu'est-ce qui te fait dire cela ?

– Certaines personnes ne se suicident pas. C'est tout.

Wallander secoua la tête.

– Mon expérience affirme le contraire. Mon expérience me dit que toute personne est capable de se suicider, pour peu que certaines circonstances soient réunies.

– Je ne vais pas te contredire. Je suis persuadé que ton expérience est tout sauf négligeable. Mais l'expérience qu'on acquiert après une longue vie auprès des services de sécurité américains n'est peut-être pas négligeable non plus.

– Nous savons aujourd'hui qu'elle a été assassinée. Et nous avons découvert sur elle du matériel de renseignement.

Talboth, qui avait levé son verre, fronça les sourcils et le reposa sans avoir bu. Wallander crut soudain deviner une autre qualité de vigilance chez lui.

– Je l'ignorais, dit-il simplement.

– Tu n'étais pas censé le savoir. Je ne devrais pas te le dire. Mais je le fais pour Håkan. Je pars du principe que cela restera entre nous.

– Je ne dirai rien. Le jour où l'on cesse d'être actif, on doit se débarrasser de tout ce qu'on sait. On ne doit rien garder. On vide sa mémoire comme d'autres vident leurs armoires ou leur bureau.

– Et si je te disais que Louise a sans doute été empoisonnée avec des méthodes en usage du temps de la RDA – que me répondrais-tu ?

Talboth hocha lentement la tête, puis leva son verre. Cette fois, il but.

– Ça arrive aussi au sein de la CIA, dit-il. On liquide quelqu'un, et on fait passer ça pour un suicide.

Wallander avait décidé de pousser son avantage le plus loin possible. Il attendit la suite. Talboth reprit la parole :

– Est-ce que ça peut être le fait des services suédois ?

– Ça ne se passe pas comme ça en Suède. Et il n'y a aucune raison de penser qu'elle ait été démasquée. Autrement dit, il nous manque un auteur et un mobile.

Le soleil venait de réapparaître au coin de l'immeuble d'en face. Talboth déplaça son fauteuil en osier pour rester à l'ombre. Il demeura silencieux un moment, en se mordant la lèvre inférieure.

– On croirait presque un drame inter-agents, dit-il soudain.

– Explique-toi.

– Être en poste en Suède, à l'époque, ce n'était pas du tout la même chose qu'être en poste derrière le rideau de fer. Celui qui était démasqué là-bas était presque toujours exécuté, à moins d'être vraiment très important et donc échangeable contre un agent de même envergure. Troc et tractations. Les espions perdent parfois la tête quand ils sont depuis trop longtemps sur le terrain, sans cesse prêts à l'éventualité d'une dénonciation. La pression est trop forte. Il arrive que certains agents s'en prennent à d'autres agents. La violence se retourne vers l'intérieur. Les succès de l'un peuvent faire de l'ombre à l'autre. La jalousie monte, la concurrence remplace la collaboration, la loyauté n'est plus de mise. Dans le cas de Louise, c'est une réelle possibilité. Pour une raison bien précise.

Ce fut au tour de Wallander de déplacer son fauteuil. Il se pencha et attrapa son verre d'eau, où tous les glaçons avaient fondu. Talboth poursuivit :

– Comme te l'a dit Håkan, les rumeurs de l'existence d'un « super espion » suédois ne datent pas d'hier. La CIA en était informée depuis belle lurette. Du temps où je travaillais à notre consulat de Stockholm, nous y consacrions même d'importants moyens. C'était un problème pour nous, et pour l'OTAN, que quelqu'un s'emploie à vendre aux Soviétiques des renseignements militaires suédois. La Suède possédait une industrie d'armement très en pointe sur le plan de l'innovation technique. Nous nous réunissions régulièrement pour faire le point, avec nos collègues suédois, bien sûr, mais aussi avec nos collègues anglais, français, norvégiens, pour ne citer que ceux-là. Nous savions avoir affaire à un agent d'une habileté exceptionnelle. Nous comprenions qu'il devait exister un *fournisseur*, c'est-à-dire un intermédiaire côté suédois. Quelqu'un qui transmettait l'information à l'agent qui la transmettait à son tour aux Russes. Nous étions étonnés de ne pas réussir à mettre la main dessus. Les Suédois avaient une liste de vingt noms, tous exclusivement des officiers issus des trois armées. Mais ils ne parvenaient à aucun résultat. Et nous étions incapables de les aider. Nous avions la sensation de traquer un fantôme. Un petit malin a alors eu l'idée de baptiser l'agent mystère « Diana ». Comme Wonder Woman. Je trouvais cela idiot. Tout d'abord parce que rien n'indiquait que ce fût une femme. Par la suite, on a compris que l'idiot avait eu un éclair de génie sans le savoir. La situation était donc celle-là. Jusqu'en mars 1987. Le 8 mars, pour être tout à fait exact. Ce jour-là, il s'est produit un événement qui a brutalement modifié la donne, discréditant un certain nombre d'officiers des renseignements suédois et nous obligeant tous à raisonner autrement. Håkan ne t'en a pas parlé, je pense.

– Non.

– Ça a commencé à Schiphol, l'aéroport d'Amsterdam, tôt le matin. Un homme s'est présenté à la police des frontières. Costume chiffonné, chemise blanche, cravate, sa petite valise à la main, son chapeau dans l'autre, son imperméable sur le bras. Il devait donner l'impression de sortir d'un autre monde – ou alors d'une scène de film en noir et blanc avec une musique de fond sinistre. Il a été reçu par un fonctionnaire de police qui était beaucoup trop jeune pour faire face à une telle mission. Mais la grippe sévissait, il avait dû remplacer un collègue au pied levé, etc. Et voilà que se présente devant lui cet homme, qui baragouine l'anglais et déclare qu'il demande l'asile politique aux Pays-Bas, muni d'un passeport russe établi au nom d'Oleg Linde. Nom inhabituel, peut-être, pour un Russe, mais c'était le bon. Il avait une quarantaine d'années. Une cicatrice le long du nez. Le jeune fonctionnaire, qui n'avait jamais auparavant rencontré un réfugié de l'Est, est allé chercher un collègue plus âgé, qui a pris la relève. Ce policier, je crois que son prénom était Geert, n'a même pas eu le temps de poser sa première question qu'Oleg Linde s'est mis à parler. J'ai lu les rapports d'interrogatoire si souvent que je les connais presque par cœur. Oleg Linde était colonel dans l'unité spéciale du KGB en charge de l'espionnage à l'Ouest, et il demandait l'asile dans la mesure où il ne voulait plus, disait-il, participer à l'effort pour retarder l'effondrement de l'empire soviétique. Ce fut sa première déclaration. Puis vint l'appât qu'il avait préparé. Il connaissait bon nombre d'agents soviétiques en poste dans les pays occidentaux. En particulier certains, très recherchés, qui avaient leur base aux Pays-Bas. Après cette révélation, il a été pris en main par les gens de la sécurité, conduit dans un appartement de La Haye – ironiquement situé juste à côté des locaux du Tribunal international – et là, pour reprendre l'expression des collègues néerlandais, on l'a « démonté ». Il ne leur a pas fallu longtemps pour établir qu'Oleg Linde avait de quoi étayer chacun de ses propos. Son identité fut tenue secrète, mais on commença aussitôt à annoncer aux collègues du monde entier qu'il y avait sur la table une belle pièce, une véritable *antiquité*. Voulait-on venir la voir ? Examiner l'objet ? Des rapports arrivaient de Moscou, disant que le KGB était sens dessus dessous ; tous là-bas couraient comme des fourmis désorientées dans une fourmilière que quelqu'un aurait dérangée du bout d'un bâton. Oleg Linde était l'un de ceux qui ne pouvaient tout simplement pas être autorisés à passer de l'autre côté. Et pourtant il l'avait fait, il avait réussi, et on craignait le pire. Moscou a compris qu'il était aux Pays-Bas quand leur réseau d'agents a été démantelé dans ce pays. Linde venait de lancer la *grande braderie*, comme nous le disions dans notre langage. Et il était bon marché. Tout ce qu'il réclamait, c'était un nouveau nom et une nouvelle identité. D'après ce que je sais, il est parti vivre sur l'île Maurice, dans un endroit qui porte le nom merveilleux de Pamplemousse, et il a gagné sa vie là-bas en tant que menuisier. Apparemment, le brave Oleg avait été ébéniste avant de se retrouver à travailler pour le KGB. Mais je ne suis pas très sûr de cette partie précise de l'histoire.

– Que fait-il maintenant ?

– Il se repose. Le grand repos éternel. Il est mort en 2006, d'un cancer. Sur l'île Maurice, il a rencontré une jeune femme qu'il a épousée et avec laquelle il a eu quelques enfants. Mais je ne sais rien de leur vie. Son histoire me rappelle d'ailleurs celle d'un autre transfuge, qu'on appelait « Boris ».

– J'ai entendu parler de lui, dit Wallander. Les Russes devaient trahir en pagaille au cours de ces années-là.

Talboth se leva et disparut vers les profondeurs de l'appartement. Deux camions de pompiers passèrent dans la rue, sirènes hurlantes. Talboth revint avec la carafe remplie à ras bord.

– C'est lui qui nous a dit que l'espion que nous cherchions depuis si longtemps en Suède était en réalité une femme, dit-il quand il se fut rassis. Il ne connaissait pas son nom, c'était une autre unité qui s'occupait d'elle – des gens du KGB qui travaillaient indépendamment des autres officiers, ainsi que ça se pratiquait avec les agents réputés particulièrement précieux. Mais il était certain qu'il s'agissait d'une femme. Elle n'était pas professionnellement active au sein de la Défense ni de l'industrie de l'armement ; ce qui signifiait qu'elle possédait un ou peut-être plusieurs fournisseurs. On n'a jamais su si elle espionnait pour raisons idéologiques, ou simplement pour affaires. Les services de renseignements préfèrent toujours la deuxième catégorie. La conviction idéologique provoque des dérapages ou, comme nous avons l'habitude de le dire : les fanatiques ne sont pas des gens très fiables. Notre branche d'activité est cynique par nature, et elle doit l'être pour rester efficace. Nous ne contribuons peut-être pas à améliorer le monde, mais nous ne le rendons pas pire qu'il n'est. Telle est, grossièrement résumée, notre position de principe. Et nous la justifions en affirmant que nous maintenons un équilibre de la terreur, ce qui est sans doute la pure vérité.

Talboth remua les glaçons dans la carafe à l'aide d'une longue cuillère.

– Les guerres de l'avenir, dit-il pensivement, tourneront autour de produits de base tels que celui-ci. Nos soldats mourront pour des flaques d'eau.

Il remplit son verre, presque avec tristesse, en faisant bien attention de ne pas en verser à côté. Wallander attendait.

– Nous ne l'avons jamais trouvée, reprit Talboth. Nous avons aidé les Suédois de notre mieux, mais elle n'a jamais été identifiée. Nous avons commencé à jouer avec l'idée qu'elle n'avait jamais existé. Mais les Russes apprenaient sans cesse des choses qu'ils n'auraient pas dû savoir. Si, par exemple, l'entreprise Bofors créait un détail innovant destiné à tel système d'armement, les Russes en étaient rapidement informés. Nous avons disséminé un nombre incalculable de pièges, mais nous n'avons jamais rien capturé.

– Et Louise ?

– Elle était inaccessible. Qui aurait eu l'idée de la soupçonner ? Un professeur de langues qui aimait le plongeon sportif…

Talboth s'excusa : il était l'heure pour lui de s'occuper de son aquarium. Wallander resta assis sur le balcon et commença à prendre quelques notes sur ce qu'il venait d'entendre. Mais il s'arrêta bien vite, ce n'était pas nécessaire, il s'en souviendrait de toute façon. Il alla dans la chambre qui lui avait été attribuée et s'allongea sur le lit, les mains croisées sous la nuque. Au réveil, il découvrit qu'il avait dormi deux heures. Il se leva d'un bond, comme pris en flagrant délit. Talboth fumait une cigarette sur le balcon. Wallander reprit place dans le même fauteuil que précédemment.

– Je crois que tu as rêvé, dit Talboth. En tout cas, tu as crié dans ton sommeil.

– Je fais parfois des cauchemars. Ça marche par périodes.

– Je ne connais pas ça. Je ne me souviens jamais de mes rêves. Heureusement.

Ils se rendirent à pied à la trattoria dont avait parlé Talboth à son arrivée. *Il Trovatore*. Ils burent du vin rouge au repas et parlèrent de tout sauf de Louise von Enke. Ensuite Talboth insista pour essayer diverses marques de grappa avant de déclarer, d'autorité, que Wallander était son invité. Celui-ci se sentait un peu gris en sortant du restaurant. Talboth alluma une cigarette et détourna le visage pour souffler la fumée.

– C'était il y a très longtemps, dit Wallander, qu'Oleg Linde a parlé de cette femme suédoise. Il paraît peu probable qu'elle soit restée en activité jusqu'à nos jours.

– Ça dépend, dit Talboth.

– Si l'activité continuait, cela disculperait Louise.

– Pas nécessairement. Quelqu'un peut avoir pris le relais. Dans ce monde-là, il n'y a pas de modèle simple d'explication. Souvent la vérité se révèle être à l'inverse de ce que l'on croit.

Ils marchaient lentement le long du trottoir. Talboth alluma une autre cigarette.

– L'intermédiaire, dit Wallander. Celui que tu as appelé le *fournisseur*. Rien non plus à son sujet ?

– Il n'a jamais été démasqué.

– Ce qui signifie que ce pourrait être une femme, là encore ?

Talboth secoua la tête.

– Les femmes ont rarement une telle influence au sein de la Défense ou de l'industrie militaire. Je suis prêt à parier ma maigre retraite qu'il s'agit d'un homme.

La soirée était presque aussi suffocante que l'avait été toute cette journée-là. Wallander sentait poindre la migraine.

– Y a-t-il quelque chose dans ce que je t'ai raconté qui te surprend particulièrement ? demanda Talboth sur un ton distrait, comme pour entretenir la conversation.

– Non.

– Y a-t-il une conclusion que tu aurais tirée et qui ne collerait pas avec ce que je t'ai dit ?

– Non. Pas à première vue.

– Que pensent les enquêteurs qui travaillent sur la mort de Louise ?

– Ils manquent de pistes. Le seul élément tangible, c'est ce qu'on a trouvé sur elle, et les traces de poison dans son corps.

– Cela devrait suffire à prouver que c'était elle, non ? Peut-être y a-t-il eu un imprévu au moment où elle allait remettre le matériel à son contact ?

– Peut-être. Mais que s'est-il passé ? Qu'est-ce qui a mal tourné ? Qui est venu à sa rencontre ? Et pourquoi à ce moment précis ?

Talboth écrasa son mégot sous son talon.

– C'est quand même un grand progrès. On tient une preuve. On peut concentrer l'enquête sur Louise. Tôt ou tard on trouvera vraisemblablement aussi l'intermédiaire.

Ils poursuivirent jusqu'à l'immeuble de Talboth. Celui-ci composa le code de la porte.

– J'ai besoin d'air, dit soudain Wallander. Je ne te l'ai pas dit, mais je suis un promeneur nocturne invétéré. Je continue un moment encore.

Talboth acquiesça, lui indiqua le code et disparut dans le hall. Wallander regarda la porte se refermer sans bruit dans son dos. Puis il se remit en marche dans la rue déserte. Il était repris par le sentiment que ça n'allait pas du tout. Le même sentiment qu'il avait eu après la nuit passée en compagnie de Håkan von Enke sur son île. Il pensait aux paroles de Talboth : « La vérité est souvent à l'opposé de ce que l'on croit. » Parfois, la réalité devait être renversée pour apparaître à l'endroit.

Wallander se retourna. La rue était réellement très déserte. De la musique s'échappait par une fenêtre ouverte – de la variété allemande. Il perçut les mots *leben*, *eben* et *neben*. Il parvint à une petite place. Des jeunes s'embrassaient sur un banc. Je pourrais me planter là et crier dans la nuit : « Je ne comprends rien à ce qui se passe ! » La seule certitude que j'ai, c'est que quelque chose m'échappe. Est-ce que je m'en rapproche ou est-ce que je m'en éloigne ? Pas la moindre idée.

Il fit le tour de la place, de plus en plus fatigué. À son retour à l'appartement, il eut l'impression que Talboth était parti se coucher.

La porte du balcon était fermée. Wallander se déshabilla et s'endormit très vite.

Dans ses rêves, les chevaux couraient de nouveau. Mais à son réveil, le lendemain matin, il ne s'en souvenait plus.

37

En ouvrant les yeux, Wallander ne comprit pas tout d'abord où il était. Six heures à sa montre ; il s'attarda dans le lit. Il croyait entendre à travers la paroi le sifflement des machines qui réglaient l'oxygénation de l'eau du grand aquarium. Impossible de savoir en revanche si les trains roulaient ou non. Ils menaient une vie silencieuse dans leur tunnel étanche. Comme des taupes, pensa-t-il. Mais aussi comme ceux qui ont réussi à se faufiler dans les couloirs où se prennent les décisions secrètes, pour les voler et les transmettre à d'autres qui n'auraient pas dû en avoir connaissance.

Il se leva, pressé de partir. Sans prendre la peine de se doucher, il s'habilla et passa dans le grand séjour lumineux. La porte du balcon était ouverte ; une brise tranquille animait les fins rideaux. Talboth était là, dans son fauteuil, une cigarette à la main. Une tasse de café était posée devant lui. Il se tourna lentement vers Wallander. Comme s'il l'avait entendu venir bien avant que celui-ci n'approche de la porte du balcon. Il souriait. Wallander pensa soudain que ce sourire ne lui inspirait que méfiance.

– J'espère que tu as bien dormi ?

– Le lit était parfait, et la chambre bien sombre et silencieuse. Il est temps pour moi de prendre congé, à présent.

– Tu n'accorderas donc pas une seule journée à Berlin ? J'aurais beaucoup de choses à te montrer.

– Ç'aurait été avec plaisir. Mais je dois rentrer.

– Je suppose que ton chien ne peut pas rester seul trop longtemps ?

Comment sait-il que j'ai un chien ? pensa vivement Wallander. Je ne lui en ai pas parlé.

Il eut la sensation confuse que Talboth venait de s'apercevoir de son erreur.

– Oui, dit Wallander. Tu as raison. Il est chez les voisins, mais je ne peux pas abuser indéfiniment de leur gentillesse. Cet été a été rempli de voyages. Et puis j'ai ma petite-fille. Je n'aime pas m'éloigner d'elle.

– Je suis content que Louise ait eu le temps de la connaître un peu, dit Talboth. Les enfants, c'est une chose ; les petits-enfants, c'en est une autre. Les enfants donnent le début d'un sens à nos vies, mais les petits-enfants le confirment. Avec eux vient un sentiment d'accomplissement. Tu aurais une photo ?

Wallander lui montra les deux photographies qu'il avait emportées.

– Qu'elle est belle, dit Talboth en se levant. Tu prendras quand même un petit déjeuner avant de partir ?

– Un café, c'est tout. Je ne mange pas le matin.

Talboth secoua la tête d'un air réprobateur. Mais il revint sur le balcon avec un café. Noir, sans lait, tel que Wallander le prenait toujours.

– Tu as prononcé une phrase, hier, à laquelle j'ai repensé ensuite, dit-il en acceptant la tasse.

– Beaucoup de choses ont dû te paraître étranges dans ce que je t'ai raconté.

– Tu as dit que la vérité se révélait parfois être à l'inverse de ce qu'on croyait. Était-ce un principe général, ou pensais-tu à une vérité particulière ?

Talboth réfléchit.

– Je ne me souviens pas d'avoir dit cela. Mais si je l'ai fait, c'était dans un sens général.

Wallander acquiesça en silence. Il n'en croyait pas un mot. Ses paroles avaient eu un sens précis. Seulement lui, Wallander, n'avait pas réussi à s'en emparer.

Talboth paraissait agité, contrairement à la veille où il avait semblé calme et détendu.

– J'aimerais prendre une photo de nous deux ensemble, dit-il. Je vais chercher mon appareil. C'est une habitude ; je n'ai pas de livre d'or, mais je garde une photo pour commémorer les visites que je reçois.

Il revint avec un appareil photo, programma le dispositif à retardement, posa l'appareil sur la table et s'assit à côté de Wallander. Quand la photo fut prise, il récupéra l'appareil et photographia Wallander seul. Ils se quittèrent peu après. Wallander avait sa veste sur le bras, ses clés de voiture à la main.

– Tu réussiras à quitter la ville tout seul ?

– Je n'ai pas un sens de l'orientation très développé ; mais tôt ou tard j'y arriverai bien. Il faut dire que le réseau routier des villes allemandes est exceptionnellement logique.

Ils se serrèrent la main. Une fois dans la rue, Wallander aperçut Talboth, accoudé au garde-corps de son balcon. Avant de sortir de l'immeuble, il avait noté que son nom ne figurait pas sur la liste des occupants ; à la place, il y avait une plaque au nom de *USG Enterprises*. Wallander le mémorisa.

Comme prévu, il mit des heures à sortir de Berlin. Quand il fut sur l'autoroute il s'aperçut, trop tard, qu'il avait loupé la bonne sortie et se dirigeait tout droit vers la frontière polonaise. Non sans mal, il réussit à faire demi-tour et à retrouver enfin la route du Nord. En dépassant Oranienburg, il frémit à l'idée de ce qui s'y était produit.

Le voyage du retour se déroula sans encombre. Ce soir-là, Linda lui rendit visite. Klara était enrhumée, Hans la gardait ; il devait se rendre à New York le lendemain.

Ils s'étaient installés sur la balancelle, dans le jardin. La soirée était tiède, Linda buvait du thé.

– Comment vont ses affaires ? demanda Wallander alors qu'ils se balançaient côte à côte.

– Je ne sais pas, mais je me demande vraiment ce qui se passe. Avant, quand il rentrait le soir, il me parlait de toutes les brillantes affaires qu'il avait conclues dans la journée. Maintenant il ne dit plus rien.

Une formation d'oies passa au-dessus de leurs têtes. Ils contemplèrent en silence le grand V qui disparut à tire-d'aile dans le soir d'été, plein sud.

– Ce n'est pas un peu tôt ? demanda Linda.

– Peut-être qu'elles s'entraînent.

Linda éclata de rire.

– Ça, c'est un commentaire qu'aurait pu faire grand-père. Tu sais que tu lui ressembles de plus en plus ?

– Non. Il avait de l'humour, d'accord. Mais il pouvait être beaucoup plus méchant que ce que je m'autorise.

– Je ne crois pas qu'il ait été méchant. Je crois qu'il avait peur.

– De quoi ?

– Peut-être de devenir trop vieux. De mourir. Je crois que c'est ça qu'il cachait derrière cette espèce de colère, plutôt artificielle à mon avis.

Wallander ne répondit pas. Était-ce à cela qu'elle pensait en disant qu'ils se ressemblaient ? Commençait-il, lui aussi, à avoir tellement peur de mourir que ça se voyait sur sa figure ?

Elle changea brusquement de sujet :

– Demain nous allons rendre visite à Mona, toi et moi.

– Ah bon ? Pourquoi ?

– Parce qu'elle est ma mère et que nous sommes, toi et moi, sa famille.

– Et son psychopathe de mari ? Il ne peut pas s'occuper d'elle ?

– Tu n'as pas compris que c'était fini entre eux ?

– Non. Et je refuse d'y aller.

– Pourquoi ?

– Je ne veux plus avoir affaire à Mona. Je ne lui pardonne pas ce qu'elle a dit sur Baiba. Surtout maintenant que Baiba est morte.

– Quand on est jaloux, on dit des bêtises de jaloux. Mona m'a raconté ce que tu étais capable de dire, toi, dans la même situation.

– Elle ment.

– Pas toujours.

– Je n'irai pas. Je ne veux pas.

– Mais moi, je le veux. Et je crois surtout que Mona le veut. Tu ne peux pas juste la rayer comme ça.

Wallander n'en dit pas davantage. Il ne servait à rien d'argumenter. S'il ne lui obéissait pas, elle en garderait une rancune qui leur rendrait la vie impossible pendant longtemps. Et ça, il ne le voulait pas.

– Je ne sais même pas où se trouve ce centre de cure, dit-il à la fin.

– Tu verras demain. Ce sera une surprise.

Une dépression entra sur la Scanie au cours de la nuit. Quand ils prirent la route, peu après huit heures du matin, il pleuvait et le vent soufflait. Wallander se sentait frissonner de l'intérieur. Il avait mal dormi. Quand Linda était passée le prendre, elle l'avait trouvé fatigué et de mauvaise humeur et l'avait tout de suite envoyé changer de pantalon.

– Tu n'es pas obligé de mettre un costume pour aller la voir, mais ce n'est pas non plus la peine d'avoir l'air misérable.

Il était revenu avec un autre pantalon.

Elle se dirigea vers l'est. En approchant de la sortie vers le château médiéval de Glimmingehus, elle lui jeta un regard.

– Tu te souviens ?

– Bien sûr que je me souviens.

– On est en avance. On a le temps de s'arrêter.

Linda s'engagea sur le parking qui s'étendait devant l'imposant mur pignon. Empruntant le pont-levis, ils pénétrèrent dans la cour du château.

– Ça fait partie de mes premiers souvenirs, dit Linda. Quand on venait ici, toi et moi, et que tu me terrorisais avec tes histoires de fantômes. Quel âge j'avais ?

– La première fois, je crois que tu avais quatre ans. Mais ce jour-là je ne t'ai pas raconté d'histoires de fantômes. Ça, je crois que c'était quand tu en avais sept. Peut-être l'été avant que tu ne commences l'école ?

– Je m'en souviens. J'étais tellement fière de toi. Mon papa grand et fort qui en imposait à tout le monde. Je suis capable de repenser à ces moments et de retrouver cette époque où je me sentais complètement en sécurité et heureuse de vivre.

– J'éprouvais la même chose quand tu étais petite, répondit Wallander avec sincérité. C'étaient sans doute les meilleures années.

– Où passe-t-elle, la vie ? Ça t'arrive de penser à ça ? Maintenant que tu as soixante ans ?

– Oui. Il y a quelques années, je me suis aperçu que j'avais pris l'habitude de lire les annonces de décès dans *Ystads Allehanda*. Si je tombais sur un autre journal, je faisais pareil. Et je me demandais de plus en plus souvent ce qu'étaient devenus mes camarades de classe de Limhamn. Comment leur vie avait tourné, comparée à la mienne, tu vois ? J'ai commencé à me renseigner vaguement. Pour savoir.

Ils s'étaient assis sur l'escalier de pierre qui donnait accès au fort.

– Nous qui sommes entrés à l'école à l'automne 1955, nous avons eu des vies très différentes, c'est le moins qu'on puisse dire. Je crois savoir aujourd'hui ce qui est arrivé à la plupart d'entre eux. Pour beaucoup, ça ne s'est pas bien passé. Certains sont morts. Il y en a un qui s'est tiré une balle dans la tête après avoir émigré au Canada. Quelques-uns, rares, ont réussi à faire ce qu'ils voulaient. Comme Sölve Hagberg, qui a gagné le jeu télévisé *Quitte ou double*. La plupart ont juste mené une existence, comment dire, laborieuse et discrète. Leur vie, la mienne ne se sont pas déroulées de la même manière. Mais quand on a soixante ans, presque tout est derrière soi. Il n'y a qu'à l'accepter, même si c'est difficile. Il reste très peu de décisions importantes en perspective.

– Tu as l'impression que ta vie se termine ?

– Parfois, oui.

– À quoi penses-tu alors ?

Il hésita. Puis il lui dit la vérité.

– Je regrette que Baiba soit morte. Et que ça n'ait rien donné entre nous.

– Il existe d'autres femmes. Tu n'es pas obligé de rester seul.

Wallander se leva.

– Non. Il n'y a pas « d'autres femmes ». Baiba n'était pas remplaçable.

Ils retournèrent à la voiture et reprirent la route du centre de cure, situé quelques kilomètres plus loin. C'était une ancienne ferme à colombages, un grand quadrilatère dont la cour intérieure avait été conservée intacte, avec ses pavés ronds. À leur arrivée, ils aperçurent Mona qui fumait, assise sur un banc.

– Elle s'est mise à la cigarette ? murmura Wallander à Linda. Elle n'a jamais fumé, que je sache.

– Elle dit que ça la console. Qu'elle arrêtera quand elle sortira d'ici.

– Et quand sortira-t-elle d'ici ?

– Dans un mois.

– C'est Hans qui paie ?

Linda ne répondit pas. Ce n'était pas la peine. Mona venait de les apercevoir et se leva. Wallander nota avec malaise son teint grisâtre et les lourdes poches sous ses yeux. Il la trouvait laide. Il n'avait jamais pensé cela d'elle auparavant. Ils la rejoignirent.

– C'est gentil à toi d'être venu, dit-elle en lui serrant la main.

Il marmonna une réponse.

– Pardon ?

– Je voulais voir comment tu étais installée.

Ils s'assirent sur le banc tous les trois, Mona au milieu. Wallander n'avait qu'une envie, s'en aller, se tirer de là. Mona se débattait avec son angoisse et avec les douleurs du sevrage. Soit. Ce n'était pas une raison pour le faire venir. Pourquoi Linda avait-elle tenu à ce qu'il voie Mona dans cet état ? Était-ce pour lui faire admette sa culpabilité ? Et d'ailleurs, *quelle* culpabilité ? Il remarqua qu'il s'énervait tout seul, pendant que Linda et Mona discutaient à voix basse. Puis elle leur demanda s'ils voulaient voir sa chambre. Wallander déclina la proposition. Linda la suivit seule à l'intérieur du bâtiment.

Il fit le tour de la cour en attendant que Linda revienne. Le téléphone sonna dans la poche de sa veste. C'était Ytterberg, jovial, très en forme.

– Tu as repris le service ? Ou tu es toujours en vacances ?

– Toujours en vacances. Du moins, je fais semblant.

– Moi, je suis au bureau. Et devant moi j'ai un rapport de nos collègues secrets de la branche militaire. Veux-tu savoir ce qu'ils ont à nous dire ?

– Je te préviens que nous risquons d'être interrompus.

– Laisse-moi cinq minutes. C'est un rapport extraordinairement mince. Ce qui signifie que l'essentiel doit être protégé de nos regards de flics qui risqueraient de mal comprendre. Je cite : *Certaines parties du dossier sont classées secret-défense*. Je pense que ça concerne l'essentiel des infos. On nous distribue quelques grains de sable. Les perles, s'il y en a, ils se les gardent.

Ytterberg eut soudain une crise d'éternuements.

– Je fais de l'allergie, s'excusa-t-il. C'est une marque de désinfectant qu'ils utilisent au commissariat et que je ne supporte pas. Je crois que je vais commencer à nettoyer mon bureau moi-même.

– Ça me paraît une bonne idée, répondit Wallander, sans masquer son impatience.

– Voilà ce que dit le rapport, je cite : *Le matériau découvert dans le sac à main de Louise von Enke correspond à des informations militaires de type confidentiel.* Fin de citation. Aucun doute possible, autrement dit.

– Le « matériau » a donc été authentifié ?

– Oui. Et le rapport continue en affirmant qu'un matériau de même nature avait déjà été transmis aux Russes, vu qu'il a été prouvé par élimination, côté suédois, que ceux-ci détenaient des informations auxquelles ils n'auraient pas dû avoir accès. Tu comprends ? Le rapport est écrit en jargon militaire, ce n'est pas évident.

– Nos collègues secrets s'expriment toujours comme ça. Pourquoi en irait-il autrement dans la « branche militaire », comme tu dis ?

– C'est à peu près tout ce qu'ils veulent bien nous communiquer. Mais la conclusion s'impose : Louise von Enke avait bien les doigts dans le pot de confiture. Elle a vendu des informations ; Dieu seul sait comment elle se les est procurées.

– Il reste de nombreuses questions en suspens. Que s'est-il passé là-bas sur Värmdö ? Qui devait-elle rencontrer ? Pourquoi l'a-t-on tuée ? Et surtout : pourquoi a-t-on choisi de laisser les documents compromettants dans son sac ?

– Ces gens-là ne savaient peut-être pas qu'il fallait les prendre ?

– Ou alors, elle ne les avait pas sur elle en arrivant.

– Oui, on a pu les y avoir mis après coup. Nous n'écartons évidemment pas cette possibilité.

– Dans ce cas, il s'agissait de la faire accuser à tort.

– Oui.

– C'est un labyrinthe. Mais dis-moi : quelle priorité a ce meurtre chez vous en ce moment ?

– Très haute. D'après la rumeur, l'affaire va être citée dans une émission télé qui s'intéresse aux enquêtes criminelles en cours. Tu sais bien, les chefs commencent à transpirer dès que les médias approchent avec leurs caméras et leurs micros.

– Envoie-les-moi, dit Wallander. Je n'ai pas peur d'eux.

– Qui parle d'avoir peur ? Je crains juste de m'énerver si on me pose trop de questions idiotes.

Après avoir raccroché, Wallander s'assit sur le banc et réfléchit à ce que venait de lui apprendre Ytterberg. Sans succès.

Mona avait les yeux brillants quand elle revint avec Linda. Wallander comprit qu'elle avait pleuré. Il ne tenait pas du tout à savoir de quoi elles avaient parlé ensemble mais, à sa propre surprise, il éprouvait soudain de la compassion pour elle. Il aurait pu lui poser la question, à elle aussi. *Comment ta vie a-t-elle tourné, Mona ?* Il la voyait, debout devant lui, abattue et grise, tremblante, aux prises avec des forces qui la dépassaient.

– C'est l'heure de mon traitement, dit-elle. Je vous remercie d'être venus. C'est difficile, ce que je traverse ici.

– En quoi consiste le traitement ? demanda Wallander dans un effort héroïque pour se montrer intéressé.

– Là, tout de suite, je dois avoir une conversation avec un médecin qui s'appelle Torsten Rosén. Il a connu l'alcool, lui aussi. Il faut que j'y aille.

Ils se séparèrent dans la cour. Linda et Wallander abordèrent la route du retour en silence. Il pensa qu'elle était sûrement plus affectée que lui. Elle avait une relation de plus en plus forte avec sa mère, lui semblait-il. Après les années de galère de l'adolescence.

– Je suis contente que tu sois venu, dit Linda en le déposant devant chez lui.

– Tu ne m'as pas laissé le choix. Mais c'était important que je voie ce qu'elle vit, enfin ce qu'elle endure. Est-ce qu'elle va s'en sortir ? Voilà la question.

– Je ne sais pas. On peut l'espérer.

– Oui. À la fin, c'est tout ce qui reste. L'espoir.

Il passa la main par la vitre baissée et lui caressa rapidement les cheveux. Elle mit le contact et démarra. Wallander la suivit du regard.

Il se sentait oppressé. Il libéra Jussi et passa un moment à le gratter derrière les oreilles avant d'entrer dans la maison.

Il constata aussitôt que quelqu'un était venu. Sa minutie payait : dans l'embrasure de la fenêtre voisine de la porte, quelqu'un avait déplacé vers la gauche le petit bougeoir qu'il avait posé pile devant l'espagnolette. Il s'immobilisa, retenant son souffle. Pouvait-il s'être trompé ? Non, il n'y avait aucun doute possible. En examinant la fenêtre, il comprit qu'elle avait été ouverte de l'extérieur à l'aide d'un outil mince et pointu, du même type sans doute que celui que les voleurs de voitures utilisent pour forcer les portières.

Il souleva le bougeoir avec précaution et l'examina. Il était en bois cerclé de cuivre. Il le redéposa et parcourut ensuite méthodiquement la maison. Il ne trouva pas d'autre trace de celui, celle ou ceux qui s'étaient introduits chez lui. Ils sont prudents, pensa-t-il, prudents et habiles. La fenêtre a été leur seule négligence.

Il s'assit dans la cuisine et considéra le bougeoir. Il n'y avait qu'une seule explication plausible.

Quelqu'un était convaincu qu'il détenait quelque chose, alors que lui-même ignorait quoi. Ses notes ? Un objet qu'il avait en sa possession ?

Il était parfaitement immobile sur sa chaise. Je me rapproche, pensa-t-il. Ou bien on se rapproche de moi.

38

Le lendemain il fut chassé du sommeil par des rêves dont il ne gardait aucun souvenir. Peut-être les chevaux galopant, à nouveau ? La vue du bougeoir sur l'appui de la fenêtre lui rappela que quelqu'un était là, près de lui, très proche. Il sortit, nu, dans la cour pour uriner et lâcher Jussi. Un premier brouillard annonciateur de l'automne flottait sur les champs. Il frissonna et se dépêcha de rentrer. Après s'être habillé, il fit du café et s'attabla dans la cuisine, bien décidé à tenter de pénétrer une fois de plus le mystère de la mort de Louise von Enke. Il savait naturellement qu'il n'arriverait à rien, sinon peut-être à une hypothèse toute provisoire. Mais il avait besoin de le faire, ne serait-ce qu'en raison de cette sensation taraudante de passer sans cesse à côté d'un détail essentiel. Sensation renforcée par la visite reçue en son absence. En un mot : il ne voulait pas s'avouer vaincu.

Mais il eut du mal à se concentrer. Après deux heures d'efforts il renonça et, rassemblant ses papiers, partit pour le commissariat. Il entra par le sous-sol et gagna son bureau sans avoir été repéré. Une demi-heure plus tard, il abandonna ses papiers et, après un rapide regard au couloir désert, se rendit vivement jusqu'à la machine à café. Il allait saisir son gobelet plein quand Lennart Mattson surgit dans son dos. Wallander n'avait pas vu son chef depuis longtemps et n'était guère pressé de le revoir. En plus, il le trouva bronzé et aminci, ce qui éveilla aussitôt sa jalousie.

– Déjà de retour ? fit Lennart Mattson en haussant le sourcil. Tu ne peux pas te retenir, c'est ça ? Le travail t'attire comme un aimant ? C'est bien. Sans passion on ne peut jamais être un bon policier. Cela dit, je croyais que tu ne reprenais pas avant lundi.

– Je passais juste prendre quelques papiers.

– Tu as deux minutes ? J'ai une bonne nouvelle que j'aimerais partager avec quelqu'un.

– J'ai tout mon temps, répondit Wallander avec une ironie dont il était certain qu'elle échapperait entièrement à Mattson.

Une fois dans le bureau, Wallander prit place dans l'un des fauteuils réservés aux visiteurs. Lennart Mattson s'assit à son tour et ouvrit un dossier sur son bureau admirablement rangé.

– Une bonne nouvelle, comme je le disais. Nous avons, ici en Scanie, l'un des meilleurs taux d'élucidation de Suède. Nous résolvons plus d'affaires criminelles que n'importe quelle autre province du royaume. Et ce n'est pas fini : nous avons aussi la meilleure évolution par rapport à l'année dernière. Voilà exactement ce dont nous avions besoin pour nous galvaniser et redoubler d'efforts.

Wallander écoutait son chef. Il n'y avait aucune raison de croire que ce qu'il lui disait là ne correspondait pas au contenu du rapport. Mais il savait que l'interprétation des statistiques relevait de la haute voltige. Un chiffre pouvait toujours être véridique et mensonger à la fois. Le taux d'élucidation de la police suédoise était l'un des plus bas du monde occidental ; ce chiffre-là, pour le coup, Wallander et ses collègues en avaient une conscience aiguë et douloureuse. Et ils ne croyaient pas avoir encore atteint le fond ; l'évolution négative se poursuivrait, à cause de l'incessant remue-ménage bureaucratique qu'on leur imposait. On déstructurait ou supprimait des unités de police alors qu'elles étaient parfaitement valables. Dans ce nouvel univers administratif, il était plus important de satisfaire des objectifs statistiques que d'enquêter sur les crimes commis et de traduire leurs auteurs en justice. D'autre part, Wallander pensait comme ses collègues que l'ordre des priorités était rarement le bon. Et puis surtout : le jour où la direction centrale avait décidé qu'il fallait désormais tolérer les « petits délits », elle avait définitivement coupé l'herbe sous le pied d'une possible relation de confiance entre la police et le public. Pour un citoyen, quel qu'il soit, il n'était pas normal d'admettre qu'un cambriolage commis dans son garage, sa voiture ou sa résidence d'été soit considéré comme « tolérable » et donc, dans les faits, entériné. Les citoyens voulaient que ces délits soient élucidés, eux aussi. Ou au moins qu'ils donnent lieu à une enquête.

Mais ce n'était pas là un sujet qu'il avait envie d'aborder avec Lennart Mattson. Les occasions d'en reparler ne manqueraient pas, de toute façon, l'automne venu.

Lennart Mattson rangea le rapport et considéra son visiteur avec une mine soudain soucieuse. Wallander vit que la sueur perlait à la racine des cheveux.

– Comment vas-tu, Kurt ? Tu me parais pâle. Pourquoi n'es-tu pas dehors, au soleil ?

– Quel soleil ?

– L'été n'a tout de même pas été si pluvieux que ça. Pour ma part, c'est vrai, je suis allé en Crête pour être sûr d'avoir du beau temps. As-tu déjà visité le palais de Cnossos ? Il y a des dauphins extraordinaires sur les murs…

Wallander se leva.

– Vu qu'il y a un peu de soleil aujourd'hui, je vais suivre ton conseil et aller m'aérer un peu.

– Pas de nouvelle arme abandonnée sur une banquette quelque part ?

Wallander le dévisagea en silence. Il dut se retenir pour ne pas le frapper.

Il retourna à son bureau, s'assit dans son fauteuil, posa les pieds sur la table et ferma les yeux. Il pensait à Baiba. Et à Mona, qui tremblait de tout son corps dans son centre de désintoxication. Pendant que son chef se réjouissait de statistiques qui ne racontaient qu'une partie de la vérité.

Il reposa les pieds au sol. Je fais encore une tentative, pensa-t-il. Une dernière tentative pour comprendre ce qui me fait douter sans cesse de mes propres conclusions. J'aimerais bien avoir une meilleure connaissance de l'histoire et de la politique. Je serais moins perdu.

Soudain il se rappela un incident auquel il n'avait jamais repensé depuis qu'il était adulte. Ce devait être en 1962 ou en 1963, en tout cas c'était l'automne. Wallander travaillait le samedi en tant que livreur pour le compte d'un fleuriste de Malmö. Il venait de recevoir l'ordre de prendre son vélo et de filer à la vitesse de l'éclair jusqu'au parc dit du Peuple, avec un gros bouquet. Le Premier ministre, Tage Erlander, y prononçait au même moment un discours et, à la fin de ce discours, une petite fille devait lui remettre des fleurs – sauf que quelqu'un avait mal fait son travail et oublié de commander le bouquet. Il s'agissait donc de faire vite, vu ? Wallander pédala donc de toutes ses forces. Le fleuriste avait prévenu le service de sécurité de l'arrivée du livreur : on le fit entrer sans poser de questions, l'emballage fut arraché en vitesse et la petite fille chargée de l'offrir au grand homme s'empara du bouquet. Wallander, lui, se vit remettre un pourboire extraordinaire de cinq couronnes. Et une boisson gazeuse en prime. Il se tenait là, une paille dans la bouche, à écouter le grand type mince à la tribune qui parlait d'une voix étrangement nasale, avec des mots compliqués – des mots du moins que Wallander n'avait pas l'habitude d'entendre. Il parlait de détente, du droit des petites nations, de la neutralité principielle de la Suède, hors de tout pacte et de toute alliance. Wallander avait le sentiment d'avoir tout de même à peu près compris de quoi il retournait.

En rentrant à Limhamn, il était allé dans la pièce qui servait d'atelier à son père. Curieusement, il se rappelait que celui-ci était en train ce soir-là de badigeonner l'arrière-plan de son sempiternel motif de forêt. Wallander et son père s'entendaient bien à cette époque, celle de sa prime adolescence. Peut-être même avait-elle été la meilleure de leur longue relation ? Trois ou quatre ans les séparaient encore du jour où Wallander rentrerait un soir en disant qu'il avait fait son choix et qu'il voulait intégrer l'école de police. Son père l'avait alors presque flanqué dehors. En tout cas, il avait cessé de lui adresser la parole et son silence, ensuite, avait duré longtemps.

Le soir du discours d'Erlander, Wallander était donc entré dans l'atelier. Il s'était assis sur le tabouret qu'il utilisait d'habitude quand il venait voir son père, et il lui avait parlé de ce qu'il avait vu et entendu. Son père aimait bien, en général, grommeler qu'il ne s'intéressait pas à la politique. Or Wallander avait peu à peu compris que ce n'était pas du tout la vérité. Son père votait social-démocrate, entretenait une méfiance rageuse envers les communistes et accusait toujours les partis de droite de favoriser systématiquement ceux qui avaient déjà la belle vie.

Wallander se rappelait soudain presque mot pour mot leur échange. Son père avait toujours exprimé une admiration prudente envers Erlander, voyant en lui un homme sincère à qui on pouvait se fier, contrairement à d'autres politiciens.

– Il a dit que l'Union soviétique était notre ennemie.

– Ce n'est pas tout à fait vrai, avait répondu son père. Ça ne ferait peut-être pas de mal à nos dirigeants de réfléchir un peu au rôle joué aujourd'hui par les États-Unis.

Wallander avait été très surpris. Les États-Unis, c'était quand même le symbole du Bien. Les Américains avaient vaincu Hitler et les nazis. On leur devait les films, la musique, les vêtements, tout. Pour Wallander, personne au monde ne pouvait rivaliser avec Elvis Presley, et aucun air de musique ne valait *Blue Suede Shoes*. D'accord, il avait cessé de collectionner les images de vedettes, mais tant qu'il l'avait fait, son acteur préféré avait été Alan Ladd, ne serait-ce que pour l'élégance de son nom de famille. Et voilà que son père formulait comme une mise en garde discrète contre l'Amérique. Un détail lui aurait-il échappé ?

Wallander lui avait répété les propos du Premier ministre : *La Suède est libre de tout pacte et de toute alliance, la neutralité de la Suède est une évidence.* « Ah bon, avait rétorqué son père. Il a dit ça ? Sans préciser que les jets américains traversent chaque jour notre espace aérien ? La vérité, c'est que, sous couvert de neutralité, nous jouons main dans la main avec l'OTAN, et avec les États-Unis en particulier. »

Wallander avait essayé d'interroger son père pour en savoir davantage, mais il n'avait obtenu qu'un marmonnement, après quoi son père lui avait demandé de le laisser tranquille.

– Tu poses trop de questions.

– C'est toi qui as dit que je ne devais pas avoir peur de t'interroger si quelque chose me turlupinait.

– Il y a des limites.

– Lesquelles ?

– Celles qui passent là, ici, tout de suite. Je suis en train de peindre et je viens de me tromper de couleur.

– Comment est-ce possible ? Tu peins toujours la même chose.

– Va-t'en ! Fiche-moi la paix !

Wallander s'était retourné sur le seuil.

– On m'a donné cinq couronnes de pourboire pour être arrivé à l'heure avec les fleurs pour Elander.

– *Er*lander. Tu pourrais retenir le nom des gens, tout de même.

Et à cet instant, comme si ce souvenir avait brusquement ouvert une vanne en lui, Wallander eut pour la première fois le pressentiment qu'il s'était trompé du tout au tout. Il s'était laissé mener en bateau. Pourquoi ? Parce qu'il était tout disposé à suivre la pente de ses idées toutes faites. Immobile derrière son bureau, les mains jointes, il laissa ses réflexions s'assembler en une explication des faits neuve et inattendue. C'était si vertigineux qu'il refusa tout d'abord de croire que ce pût être vrai. Conscient que son instinct l'avait averti, malgré tout. Il avait réellement omis de voir quelque chose. Il avait mélangé vérité et mensonge, il avait pris les causes pour les effets et réciproquement.

Il se rendit aux toilettes et ôta sa chemise. Il était en nage. Quand il se fut rincé le haut du corps, il descendit au sous-sol récupérer une chemise propre dans son casier. Il se rappela distraitement qu'il l'avait reçue de Linda quelques années plus tôt, pour son anniversaire.

De retour dans son bureau, il fouilla ses papiers jusqu'à retrouver la copie de la photo que lui avait donnée Asta Hagberg. Celle du colonel Stig Wennerström, à Washington, en grande conversation avec le jeune Håkan von Enke. Il la posa sur la table et contempla le visage des deux hommes. Wennerström avec son sourire calme, un verre à la main. Face à lui, von Enke, la mine grave, écoutant ce que Wennerström avait à lui dire.

En pensée, il aligna une fois de plus ses briques de Lego. Ils étaient tous là : Louise et Håkan, Hans, Signe dans son lit, Sten Nordlander, Hermann Eber, l'ami Steven aux États-Unis, George Talboth à Berlin. Il ajouta Fanny Klarström et, pour finir, une pièce supplémentaire dont il ignorait qui elle représentait. Mentalement, il retira ensuite de son montage brique après brique jusqu'à ce qu'il n'en reste plus que deux : Håkan et Louise. Il lâcha le stylo-bille qu'il tenait à la main. C'était Louise qui tombait. Voilà comment elle avait fini sa vie, au bord d'un sentier sur l'île de Värmdö. Mais Håkan, son mari, était toujours là.

Wallander nota ses réflexions par écrit. Puis il rangea dans sa poche la copie de la photo prise à Washington et quitta le commissariat. Cette fois, il passa par l'entrée principale, salua la fille de l'accueil, échangea quelques mots avec deux agents de la circulation qui rentraient au commissariat et se dirigea ensuite à pied vers le centre-ville. Ceux qui avaient éventuellement reconnu le commissaire s'étonnèrent peut-être de sa démarche tantôt lente, tantôt rapide. À certains moments, il écartait les mains comme s'il discutait avec quelqu'un et éprouvait le besoin de souligner son propos par un geste.

Il s'arrêta devant le kiosque en face de l'hôpital et resta longtemps indécis. Pour finir, il s'éloigna sans avoir rien commandé.

Les mêmes pensées tournaient sans relâche dans son esprit. Ce qu'il voyait à présent pouvait-il être la vérité ? Avait-il réellement pu se méprendre à ce point ?

Il erra longtemps dans la ville avant de se rendre au port de plaisance, où il sortit sur la jetée et s'assit sur son banc fétiche. Il tira de sa poche la copie de la photo de Washington, la regarda, puis la rangea de nouveau.

Il savait à présent comment les choses s'étaient enchaînées. Baiba avait eu raison. Sa Baiba adorée qui lui manquait plus que jamais.

Derrière chaque individu, il y a quelqu'un d'autre. L'erreur qu'il avait commise était de confondre la personne à l'arrière-plan et celle qui se cachait encore derrière celle-là.

Tout devenait cohérent. Il apercevait enfin le motif qui lui avait jusque-là échappé. Il le voyait même très clairement.

Un bateau de pêche quittait le port. L'homme qui tenait la barre agita la main en direction de Wallander, qui lui rendit son salut. Il vit par la même occasion qu'un orage approchait par le sud. Au même instant, il eut soudain la nostalgie de son père. Ça n'arrivait pas souvent. Après sa mort, au tout début, Wallander avait ressenti un vide mêlé de soulagement. Il ne restait rien de tout cela – ni vide, ni soulagement. Maintenant, le vieil homme lui manquait, simplement, il avait une nostalgie intense des bons moments qu'ils avaient partagés malgré tout.

Il pensa à la visite qu'il avait rendue à l'unité de soins palliatifs et à la vieille femme qui lui avait parlé de son père si gentiment. Je ne l'ai peut-être jamais vraiment vu, pensa-t-il. Jamais vu qui était mon père, jamais vu ce qu'il représentait réellement pour moi, et pour d'autres. Rien compris. Comme pour la mort de Louise et le retrait de Håkan von Enke. Mais c'est fini. Je sens que j'approche enfin d'une solution au lieu de m'en éloigner.

Il comprit qu'il allait devoir faire encore un voyage. Ces vacances n'auraient décidément été qu'une suite d'allées et venues. Mais il n'avait pas le choix, il savait désormais ce qui lui restait à faire.

Il tira la photocopie de sa poche, la tint devant lui, la regarda. Puis, doucement, il la déchira. Il existait autrefois un monde qui unissait Stig Wennerström et Håkan von Enke. À présent, lui, Wallander, les avait séparés.

En était-il ainsi déjà à l'époque ? demanda-t-il à voix haute. Ou bien la chose a-t-elle commencé longtemps après ?

Il l'ignorait. Mais il avait bien l'intention de le découvrir.

Personne n'entendit le commissaire qui se parlait à lui-même là-bas, tout au bout de la jetée.

39

Par la suite, il ne devait conserver que de vagues souvenirs de la suite de cette journée. Il avait fini par quitter la jetée. De retour en ville, il s'arrêta devant un nouveau restaurant qui avait ouvert dans Hamngatan, entra et ressortit aussitôt. Il fit encore un petit tour avant de choisir le restaurant chinois de la place principale, où il avait ses habitudes. Il s'assit, les clients étaient peu nombreux à cette heure de l'après-midi, et il commanda distraitement.

Si quelqu'un lui avait demandé à sa sortie du restaurant ce qu'il venait de manger, il n'aurait sans doute pas su répondre. Ses pensées étaient totalement ailleurs, occupées à échafauder un plan. Il devait trouver le moyen de savoir avec certitude s'il s'était trompé ou non. Une nouvelle carte dans son jeu – et, en un instant, tout avait basculé. Tout ce qu'il avait cru jusqu'à ce jour gisait à présent abandonné dans une poubelle quelque part dans son cerveau.

Il resta longtemps à chipoter avec ses baguettes avant d'avaler le contenu du bol à toute vitesse, de payer et de sortir. Il retourna au commissariat. Sur le chemin de son bureau il fut arrêté par Kristina Magnusson, qui lui proposa un dîner en famille chez elle au cours du week-end, à lui de choisir le jour, samedi ou dimanche. N'ayant pas réussi à improviser une excuse, il accepta pour dimanche. Puis il accrocha à sa porte la pancarte de sa propre fabrication : « Ne pas déranger », débrancha le téléphone, s'enfonça dans son fauteuil et ferma les yeux. Après un moment il se redressa, griffonna quelques mots sur un bloc-notes et comprit que sa décision était prise. *Ça passe ou ça casse.* Il fallait en avoir le cœur net. Si ce qu'il pensait était vrai, il ne s'était pas seulement trompé ; il s'était laissé duper de fond en comble. Dans un brusque accès de rage, il jeta son stylo-bille contre le mur et poussa un juron. Un seul. Puis il appela Sten Nordlander. La communication était mauvaise, comme à chaque fois, décidément, mais Wallander insista et Nordlander s'engagea à le rappeler au plus vite. Wallander se demanda pourquoi donc il était si difficile d'appeler certaines zones de l'archipel. À moins que Sten Nordlander ne fût complètement ailleurs ?

Il attendit. Ses pensées tournaient en continu. Son cerveau était un réservoir rempli à ras bord ; il craignait le débordement.

Sten Nordlander le rappela quarante minutes plus tard. Wallander, qui avait posé sa montre sur la table, nota que les aiguilles indiquaient dix-huit heures dix. La transmission était cette fois excellente.

– Désolé de t'avoir fait attendre. Je suis au mouillage à Utö.

– Pas loin de Muskö, autrement dit ?

– C'est ça. On peut dire que je me trouve en eaux classiques. Pour un sous-marinier, s'entend.

– Il faut qu'on se voie.

– Il s'est passé quelque chose ?

– J'ai pensé à un truc.

– Rien de grave, alors ?

– Non. Mais je ne peux pas en parler au téléphone. J'aimerais te voir. Quel est ton programme pour les jours à venir ?

– Si tu es prêt à venir jusqu'ici, ce doit être important…

– J'ai un truc à faire à Stockholm, je ferai d'une pierre deux coups, mentit Wallander le plus calmement qu'il put.

– Quand pensais-tu venir ?

– Demain. Je sais que je te préviens tard.

Sten Nordlander réfléchit. Wallander l'entendait respirer dans le téléphone.

– Je suis sur la route du retour, dit-il enfin. On peut se voir en ville, si tu veux.

– Si tu m'indiques le chemin, j'y serai.

– Alors je te propose l'hôtel de la Navigation. À quelle heure ?

– Seize heures, dit Wallander. Dans le grand hall. Je te remercie.

– Pourquoi ? demanda Nordlander en riant. Tu ne m'as pas franchement laissé le choix.

– Je suis vraiment autoritaire à ce point ?

– Comme un vieil instit. Tu es sûr qu'il ne s'est rien passé ?

– Pas à ma connaissance, éluda Wallander. À demain.

Il alluma son ordinateur, réussit non sans mal à commander un billet de train et même à réserver une chambre à l'hôtel de la Navigation. Le train partait tôt le lendemain ; il rentra donc à Löderup et emmena Jussi chez les voisins. Olofsson, qui bricolait son tracteur dans la cour, plissa les yeux en les voyant arriver.

– Tu es sûr que tu ne veux pas le vendre, ton chien ?

– Certain. Mais je dois repartir pour Stockholm.

– Ce n'est pas toi qui me disais tout récemment, dans ma cuisine, que tu détestais les grandes villes ?

– C'est vrai. Mais je n'ai pas le choix. C'est pour le travail.

– Pourquoi, tu n'as pas assez de voyous à surveiller par ici ?

– Si, sûrement. Mais là, il faut que j'aille à Stockholm.

Wallander caressa Jussi et remit la laisse à Olofsson. Jussi était tellement habitué qu'il ne réagit même pas quand son maître repartit seul en sens inverse à travers champs.

Avant de s'en aller il avait posé une question – rituelle à cette époque de l'année. Impossible de l'esquiver.

– Comment sera la récolte ?

– Passable.

Excellente, autrement dit, pensa Wallander sur le chemin du retour. D'habitude, le pronostic est beaucoup plus sombre.

De retour chez lui, il appela Linda. Il ne voulait pas lui dire la véritable raison de son voyage et parla vaguement d'une réunion à laquelle on lui demandait de participer. Elle n'insista pas, voulut juste savoir combien de temps il comptait s'absenter.

– Deux jours, peut-être trois.

– Où logeras-tu ?

– À l'hôtel. Du moins la première nuit. Après, je serai peut-être chez Sten Nordlander.

Il était sept heures trente du matin quand il prit la valise où il avait fourré des vêtements de rechange, ferma la maison à clé et partit en voiture vers Malmö. Après une longue hésitation, il avait rangé son vieux fusil de chasse – ou plutôt le fusil de chasse de son père – dans la valise, en compagnie de quelques cartouches et de son arme de service. Il prenait le train ; il n'y aurait pas de contrôle. La présence des armes dans ses bagages le mettait mal à l'aise, mais il n'osait pas partir sans.

Il prit une chambre dans un hôtel bon marché de la banlieue de Malmö, dîna dans un restaurant de Jägersro et fit ensuite une longue promenade pour se fatiguer. Le lendemain, il était debout et habillé avant cinq heures. En payant sa chambre, il demanda s'il pouvait laisser sa voiture sur le parking ; pas de problème, lui dit-on. Il commanda un taxi. La journée s'annonçait chaude. L'été était peut-être enfin arrivé ?

Ses facultés mentales étaient à leur meilleur niveau le matin. Il en avait toujours été ainsi, du plus loin qu'il s'en souvienne. Debout sur le trottoir où il attendait son taxi, il sentit qu'il n'y avait pas de place en lui pour le doute. Il avait raison de faire ce qu'il faisait. La sensation de s'approcher d'une explication à tous les événements des derniers mois…

Dans l'express qui filait vers Stockholm, il dormit, feuilleta des journaux, résolut partiellement quelques grilles de mots croisés et laissa le reste du temps ses pensées vagabonder à leur guise. Il en revenait sans cesse à la soirée d'anniversaire à Djursholm. Il repensait à toutes les photographies qui étaient restées chez lui. À l'inquiétude de Håkan von Enke. Et à la seule image où Louise ne souriait pas. La seule où elle avait le visage grave.

Il acheta des sandwiches et du café dans la voiture-bar, fut sidéré par le prix qu'on lui annonça et resta ensuite, le menton dans la main, à regarder distraitement par la fenêtre le paysage qui se précipitait à sa rencontre.

Après Nässjö, la chose qu'il redoutait désormais en permanence se reproduisit. Soudain, il ne savait plus où il allait. Pour s'en souvenir, il dut déchiffrer ce qui était écrit sur son billet de train. Ce passage à vide le laissa en nage. Une fois de plus, il avait la sensation d'avoir été secoué de fond en comble.

À l'hôtel, où il arriva vers midi, on lui donna tout de suite sa chambre, après quoi il redescendit déjeuner au rez-de-chaussée. Un groupe d'anglophones occupait le restaurant, il entendit quelqu'un dire qu'ils étaient de Birmingham. Il mangea un steak haché, but une bière, puis alla au bar et s'affala dans un fauteuil bleu avec son café.

Il était treize heures quarante-cinq. Encore deux grandes heures à attendre.

Sten Nordlander entra dans le hall de l'hôtel quelques minutes après seize heures. Il était bronzé, s'était fait couper les cheveux, et apparemment il avait maigri, lui aussi. Son visage s'éclaira en apercevant Wallander.

– Tu me parais fatigué, Kurt. Comment as-tu passé tes vacances, si je peux me permettre ?

– Assez mal, je pense.

– Il fait beau dehors. Tu veux qu'on sorte ou tu préfères rester là ?

– On sort. Que dirais-tu des hauteurs de Mosebacke ? Il fait assez chaud pour s'asseoir en terrasse.

Au cours de la promenade, Wallander ne dit rien de la raison de sa présence à Stockholm et Sten Nordlander ne posa aucune question. La pente était raide et Wallander fut rapidement hors d'haleine ; Nordlander, lui, paraissait en pleine forme. Ils s'assirent à une terrasse où presque toutes les tables étaient occupées. L'automne serait bientôt là, avec ses soirées de plus en plus fraîches. Les habitants de la ville saisissaient la moindre occasion de profiter des terrasses tant qu'il en était encore temps.

Sten Nordlander commanda une bière et un sandwich. Wallander choisit un thé ; tout ce café lui avait donné mal à l'estomac. Il paya les consommations. Puis il prit son élan.

– Quand j'ai dit qu'il ne s'était rien passé, ce n'est pas tout à fait vrai. Mais je ne voulais pas en parler au téléphone.

Tout en parlant, il observait Nordlander avec attention. La surprise et l'intérêt de celui-ci paraissaient parfaitement sincères.

– Håkan ?

– C'est ça. C'est de lui qu'il s'agit. Je sais où il est.

Sten Nordlander ne le quittait pas du regard. Il ne sait rien, pensa Wallander avec soulagement. C'est ce qu'il me faut, là tout de suite. Quelqu'un en qui je peux avoir confiance.

Sten Nordlander attendait en silence. Un agréable brouhaha montait des tables voisines.

– Raconte. Où est-il ?

– Je vais te le dire. Mais d'abord je dois te poser quelques questions. Pour savoir si ma version des événements tient la route.

– Comment va-t-il ?

– Il va bien, j'y viendrai tout à l'heure. Mais parlons un peu politique tout d'abord, si tu le veux bien. Quelles étaient réellement les opinions de Håkan du temps où il était encore dans l'armée ? Un exemple : Olof Palme. Beaucoup de militaires le haïssaient et n'hésitaient pas à répandre des rumeurs délirantes sur son compte comme quoi il était fou, sous traitement dans un hôpital, ou alors un agent à la solde de l'Union soviétique. Comment se situait Håkan par rapport à cela ?

– Il ne se situait pas. Je te l'ai déjà dit. Håkan n'a jamais fait partie de ceux qui s'en prenaient avec virulence à Olof Palme et aux sociaux-démocrates. Si tu t'en souviens, je t'ai même dit qu'il avait rencontré Palme à une occasion. D'après lui, les critiques dirigées contre lui étaient déraisonnables, de même qu'il trouvait excessive l'obsession de certains concernant les capacités militaires de l'Union soviétique et sa volonté d'attaquer la Suède.

– As-tu jamais eu la moindre raison de douter de sa sincérité ?

– Et pourquoi en aurais-je douté ? Håkan est un patriote. Mais il a un esprit aigu, très... analytique. Je crois que l'ambiance dans laquelle il baignait, cette hostilité extrême, aveugle, à l'égard de la Russie le désolait.

– Quelle était sa vision des États-Unis ?

– Critique, à bien des égards. Je me rappelle l'avoir entendu dire un jour que les États-Unis étaient tout de même le seul pays au monde à avoir eu recours à l'arme nucléaire contre un autre pays. On peut invoquer les circonstances exceptionnelles qui régnaient à la fin de la Seconde Guerre mondiale. Mais le fait est que les Américains se sont servis de l'arme atomique contre des civils. Et ils sont les seuls à l'avoir fait. Jusqu'à présent.

Wallander n'avait pas d'autres questions. Rien, dans ce que lui avait dit Sten Nordlander, ne venait comme une surprise ; il avait obtenu les réponses qu'il attendait. Il se resservit de thé en pensant que le moment était venu.

– Nous avons évoqué un jour l'existence d'une taupe au sein de la défense suédoise. Un espion qui n'aurait jamais été démasqué.

– Ce genre de rumeur court toujours. Quand on n'a pas de meilleur sujet à se mettre sous la dent, on peut toujours se livrer à des spéculations sur les taupes et leurs tunnels.

– Si j'ai bien compris, ces rumeurs concernaient quelqu'un qui aurait été plus dangereux encore que Wennerström ?

– Ça, je n'en sais rien. Mais, espion pour espion, celui qu'on n'arrête pas est évidemment le plus menaçant, n'est-ce pas ?

Wallander acquiesça.

– Il existe aussi une autre rumeur. Cet espion inconnu aurait été une femme.

– Personne n'y a vraiment cru, je pense. Du moins pas dans les cercles que je fréquentais. Peu probable, compte tenu du faible nombre de femmes au sein de la Défense et plus généralement à tous les postes clés où l'on a accès aux documents classifiés.

– En as-tu jamais parlé avec Håkan ?

– D'un espion qui aurait été une femme ? Non, jamais.

– C'était Louise, dit Wallander doucement. Elle travaillait pour les Russes.

Sten Nordlander ne parut d'abord pas comprendre ce que venait de dire Wallander. Puis toutes les implications et conséquences de cette affirmation parurent le frapper d'un coup.

– Ce n'est pas possible.

– Si.

– Je n'y crois pas. Quelles preuves as-tu de ce que tu avances ?

– La police a trouvé sur elle des documents et un certain nombre de négatifs. Tout est parti de là. J'ai acquis la conviction, progressivement, que ce n'était pas un montage, et qu'elle se livrait réellement à des activités d'espionnage au profit de la Russie et, avant cela, de l'Union soviétique. Autrement dit, elle a été active longtemps.

Sten Nordlander le dévisageait, complètement interdit.

– Dois-je vraiment croire à ce que tu me racontes ?

– Oui.

– Ça me fait venir des dizaines de questions et d'arguments contraires.

– Mais peux-tu affirmer, en toute certitude, que je me trompe ?

Nordlander se figea, son verre de bière à la main.

– Håkan est-il impliqué ? Formaient-ils un couple ?

– Ce n'est pas l'hypothèse retenue pour l'instant.

Sten Nordlander reposa son verre avec brusquerie.

– Tu sais ou tu ne sais pas ? Pourquoi ne me dis-tu pas la vérité ?
– Rien n'indique que Håkan ait collaboré avec Louise.
– Alors pourquoi se cache-t-il ?
– Parce qu'il la soupçonnait. Il était sur sa trace, depuis des années. À la fin, il craignait pour sa propre vie. Il croyait que Louise avait deviné ses soupçons. Autrement dit, il risquait d'être tué.
– Mais c'est Louise qui est morte.
– N'oublie pas que, lorsqu'on l'a trouvée, Håkan avait déjà disparu de la circulation.

Comme dans un bain révélateur, Wallander voyait apparaître sous ses yeux un nouveau Sten Nordlander. En temps normal, c'était quelqu'un d'ouvert et d'énergique ; là, il se ratatinait à vue d'œil. La confusion le rendait méconnaissable.

Il y eut soudain du grabuge à une table voisine, où un homme ivre venait de tomber, entraînant verres et bouteilles. Un vigile intervint aussitôt et rétablit le calme. Wallander buvait son thé. Sten Nordlander s'était levé et approché du bord de la terrasse. Il resta un long moment à contempler la ville à ses pieds. Puis il revint s'asseoir et Wallander reprit la parole :

– J'ai besoin de ton aide pour faire revenir Håkan.
– Comment cela ?
– C'est ton meilleur ami. Je veux que tu m'accompagnes pour une excursion. Où, tu le sauras demain. C'est possible pour toi de laisser ton bateau un jour ou deux ?
– Pas de problème.
– On peut prendre ta voiture ?
– Bien sûr.

Wallander se leva.

– Alors passe me chercher demain à l'hôtel, à quinze heures, d'accord ? Prévois des vêtements de pluie.

Sans laisser l'occasion à Sten Nordlander de l'interroger davantage, il se leva et partit sans se retourner. Il n'était pas encore certain de pouvoir se fier à lui. Mais il avait fait un choix, il ne pouvait plus reculer.

Cette nuit-là, il resta longtemps à se tortiller entre les draps humides sans trouver le sommeil. Puis il fit un rêve où il voyait

Baiba planer à une certaine distance du sol ; son visage était transparent.

Le lendemain il quitta l'hôtel et prit un taxi jusqu'à Djurgården, où il fit la sieste au pied d'un arbre avec, en guise d'oreiller, la valise contenant le pistolet et le fusil de chasse. Puis il retourna en ville sans se presser. Quand Sten Nordlander freina devant l'entrée de l'hôtel, il était prêt. Il rangea sa valise sur la banquette arrière.

– Où allons-nous ?

– Vers le sud.

– Loin ?

– Deux cents kilomètres de route à peu près. Mais nous ne sommes pas pressés.

Nordlander quitta la ville et s'engagea sur l'autoroute E4.

– Qu'est-ce qui nous attend là-bas ?

– Tu vas écouter une conversation, c'est tout.

Sten Nordlander n'insista pas. Savait-il où ils allaient ? Feignait-il la surprise ? Wallander n'était sûr de rien. Et il existait une raison pour laquelle il avait emmené les armes. Il aurait peut-être à se défendre. Il ne pouvait qu'espérer que ce ne serait pas le cas.

Ils arrivèrent au port sur le coup de vingt-deux heures. Wallander leur avait entre-temps imposé un long arrêt dîner à Söderköping. En silence, ils avaient contemplé la rivière qui traversait la ville et qui s'envasait de plus en plus. Puis ils étaient repartis jusqu'au port, où les attendait le bateau réservé par les soins de Wallander.

Quand ils touchèrent enfin au but, il était vingt-trois heures passées. Wallander coupa les gaz, releva le moteur et laissa le bateau dériver jusqu'au rivage. Il prêta l'oreille. Tout était silencieux ; il distinguait à peine le visage de Sten Nordlander dans l'obscurité.

Puis ils débarquèrent sur l'île.

40

Ils avançaient avec précaution dans la nuit d'été. Wallander avait chuchoté à Sten Nordlander de rester tout près de lui, mais sans lui fournir la moindre explication. Dès leur arrivée sur l'île, Wallander avait acquis la certitude que Nordlander ignorait tout de la cachette de Håkan von Enke.

Il s'immobilisa en voyant de la lumière filtrer sous l'un des stores du cabanon. Malgré la rumeur de la mer, il perçut soudain de la musique et mit quelques secondes à comprendre qu'une fenêtre était entrouverte. Il se retourna vers Sten Nordlander et murmura :

– Håkan est ici.

– Pas possible !

– Écoute-moi. Ce que je t'ai dit hier…

– Oui ?

– Eh bien… C'est ce qu'on veut nous faire croire.

Sten Nordlander le dévisageait dans la pénombre.

– Je ne te suis plus.

– J'ai rencontré Håkan il y a peu, ici même. Il m'a raconté en détail les soupçons, étalés sur des années, qui l'avaient peu à peu conduit à établir la culpabilité de Louise. C'était très convaincant. C'est par la suite seulement que j'ai commencé à comprendre. J'ai pris un miroir, pourrait-on dire. Alors, d'un coup, j'ai tout vu dans une perspective inversée.

– Qu'as-tu vu ?

– La vérité. Elle est parfois à l'inverse de ce qu'on croyait. C'est ce qui m'est arrivé.

– Qu'essaies-tu de me dire au juste ? Louise était innocente ?

Wallander ne répondit pas.

– Je veux que tu t'avances jusqu'au mur de la maison. Reste là et écoute !

– Qu'est-ce que je dois écouter ?

– La conversation que je vais avoir avec Håkan von Enke.

– Pourquoi toutes ces manigances ?

– S'il sait que tu es là, il ne me dira rien.

Sten Nordlander n'était pas content, mais il cessa de protester et s'éloigna en direction de la maison. Wallander, lui, ne bougea pas. Grâce à son système d'alerte, il le savait, von Enke était déjà averti d'une présence sur l'île. Il fallait juste espérer qu'il n'ait pas compris qu'ils étaient deux.

Nordlander était parvenu au cabanon. S'il n'avait pas su qu'il était là, Wallander aurait été incapable de le distinguer dans le noir. Il attendit, immobile. Il ressentait un étrange mélange de calme et d'inquiétude. La fin de l'histoire, pensa-t-il. Ai-je raison ou ai-je commis la plus grosse bourde de ma vie ?

Il regretta de ne pas avoir averti Sten Nordlander que ça risquait de durer un certain temps.

Un oiseau de nuit passa près de lui dans un frôlement d'ailes et disparut. Wallander guettait dans le noir un son qui lui signalerait l'approche de Håkan von Enke. Sten Nordlander se confondait avec le mur du cabanon. La musique continuait de filtrer par la fenêtre ouverte.

Il tressaillit en sentant la main familière se poser sur son épaule. Il se retourna et fit face à Håkan von Enke.

– Encore toi, fit von Enke à voix basse. Nous n'avions rien convenu de tel. J'aurais pu te prendre pour un intrus. Que veux-tu ?

– Te parler.

– Il s'est passé quelque chose ?

– Beaucoup de choses. Comme tu l'as sûrement appris, je suis allé à Berlin. J'ai rencontré ton vieil ami George Talboth. Je dois dire qu'il s'est comporté exactement comme je l'aurais imaginé de la part d'un officier de la CIA.

Wallander s'était préparé de son mieux. Il savait qu'il devait faire attention : parler suffisamment fort pour que Sten Nordlander puisse suivre leur échange, mais sans éveiller les soupçons de von Enke.

– Tu l'as impressionné favorablement. C'est ce qu'il m'a dit.

– Je n'avais jamais vu un aquarium comme celui qu'il m'a montré.

– Oui, il est étonnant. Les trains surtout.

Il y eut un coup de vent. Puis le calme revint.

– Comment es-tu venu ? demanda von Enke.

– Avec le même bateau que la dernière fois.

– Seul ?

– Et pourquoi non ?

– Je me méfie des questions en réponse à une question.

Sans prévenir, Håkan von Enke alluma une torche électrique qu'il avait tenue cachée jusque-là et en dirigea le faisceau vers le visage de Wallander. Une lumière d'interrogatoire, pensa celui-ci. Pourvu qu'il ne la tourne pas vers la maison. Ce serait la fin de tout.

La lampe s'éteignit.

– On n'est pas obligés de rester dehors. Viens.

Wallander le suivit dans le cabanon. Sitôt entré, von Enke éteignit le poste radio. Rien n'avait changé dans la pièce depuis l'autre nuit.

Håkan von Enke était sur ses gardes. Impossible de savoir s'il flairait le danger d'instinct, ou si c'était juste la méfiance naturelle suscitée par ce retour inattendu de Wallander.

– Tu dois avoir une bonne raison d'être revenu, dit-il lentement.

– Je veux seulement te parler.

– De quoi ? De ton voyage à Berlin ?

– Non.

– Alors il va falloir que tu t'expliques.

Wallander ne pouvait qu'espérer que Sten Nordlander parvenait à suivre leur échange depuis son poste. Que se passerait-il si Håkan von Enke décidait brusquement de fermer la fenêtre ? Je n'ai pas beaucoup de temps, pensa-t-il. Il faut foncer, je ne peux pas attendre.

– Explique-toi, insista Håkan von Enke.

– Il s'agit de Louise. La vérité concernant Louise.

– Ne la connaissons-nous pas ? N'avons-nous pas parlé d'elle longuement, ici même ?

– Si. Mais tu ne m'as pas dit la vérité.

Håkan von Enke le considérait sans ciller, l'air inexpressif.

– Après ma visite ici, j'ai eu l'impression qu'un détail clochait, dit Wallander. Comme si je regardais en l'air alors que j'aurais dû examiner le sol à mes pieds. Puis, à Berlin, j'ai soudain remarqué que George Talboth ne se contentait pas de répondre à mes questions. Il me sondait, discrètement, adroitement, pour découvrir ce que je savais. Une fois que j'ai vu cela, j'ai vu aussi autre chose. Une trahison si totale, si effrayante, que j'ai d'abord refusé d'y ajouter le moindre crédit. Ce que j'avais cru jusque-là, ce qu'avait imaginé Ytterberg, ce que tu m'avais expliqué et que me confirmait George Talboth – ce n'était pas la vérité. J'avais été utilisé, manipulé. Tel l'idiot du village, je marchais droit dans les pièges qu'on plaçait sur mon chemin, l'un après l'autre, sans me méfier. Mais ça m'a aussi fait voir le visage de quelqu'un.

– Qui ?

– Celle que nous pourrions appeler la vraie Louise. Elle n'a jamais mené la moindre activité d'espionnage. Elle était aussi sincère qu'on peut l'être. Le premier soir où je l'ai rencontrée, j'ai été frappé par la beauté de son sourire. J'y ai repensé quand nous nous sommes revus à Djursholm. Par la suite, j'ai longtemps cru qu'il était destiné à cacher un secret. Puis j'ai compris qu'il ne cachait rien du tout. Il était ce qu'il était. Un vrai beau sourire.

– Tu es venu jusqu'ici pour me parler du sourire de ma femme ?

Wallander écarta les mains avec résignation. La situation entière lui répugnait tant, soudain, qu'il ne savait plus par quel bout la prendre. Il aurait dû être hors de lui. Mais il n'en avait pas la force.

– Je suis venu parce que j'ai enfin trouvé ce que je cherchais. J'aurais dû comprendre bien plus tôt. Mais je me suis fait avoir.

– Par qui ?

– Par moi. Par mes propres préjugés, que je partage avec tout un chacun ou presque. Mais celui qui m'a vraiment manipulé, c'est toi. Toi, la véritable taupe.

Toujours le même visage inexpressif. Pour combien de temps ? pensa Wallander.

– Moi ? Moi, je serais un espion ?

– Oui.

– Moi, un agent russe ? Tu dois être fou !

– Je n'ai rien dit de tel. Je ne connais pas tes mobiles, Håkan. En réalité, tu n'as jamais soupçonné Louise de quoi que ce soit. C'était elle qui avait compris. Que tu travaillais pour les Américains. C'est ce qui l'a conduite à sa mort.

– Je n'ai pas tué Louise !

La première faille, pensa Wallander. Sa voix monte dans les aigus. Il commence à se défendre.

– Je ne crois pas que tu aies tué Louise, en effet. D'autres s'en sont chargés. Peut-être avec la complicité de George Talboth ? Mais l'essentiel demeure. Elle est morte pour éviter que ta trahison à toi ne soit révélée.

– C'est absurde. Tu ne peux rien prouver.

– C'est vrai, dit Wallander. Je ne le peux pas. Mais d'autres le pourront. J'en sais assez pour permettre aux enquêteurs de la police et du renseignement d'envisager l'affaire sous une lumière nouvelle. L'espion au sein de l'armée dont on soupçonnait depuis si longtemps l'existence n'était pas une femme. C'était un homme. Qui n'a pas hésité à utiliser sa propre épouse comme bouclier. Elle était la couverture idéale. Tout le monde cherchait une espionne russe. Alors qu'il fallait chercher un agent américain. Personne n'a jamais même envisagé cette hypothèse. Car la menace, n'est-ce pas, vient toujours de l'Est. Tous, nous avons entendu répéter cela en boucle depuis notre naissance. Tous, nous en sommes persuadés, sans y avoir jamais sérieusement réfléchi. Que quelqu'un puisse avoir l'idée de trahir la Suède pour les États-Unis – personne ne serait prêt à admettre une absurdité pareille. Les rares individus qui cherchaient à nous mettre en garde prêchaient dans le désert. Bien sûr, on pouvait penser que les États-Unis avaient accès quand même à toutes les informations dont ils pouvaient avoir besoin concernant notre défense nationale. Mais tel n'était pas le cas. L'OTAN et les États-Unis en premier lieu avaient besoin d'informations qualifiées, en particulier pour découvrir ce que nous savions au sujet des dispositifs mis en place par la marine russe.

Wallander se tut. Håkan von Enke avait retrouvé son air froid et maître de lui.

– Tu as joué ton rôle à la perfection en te faisant mal voir par tes collègues de la marine, poursuivit Wallander. Tu ne comprenais pas, soi-disant, pourquoi on avait autorisé à l'époque les sous-marins russes à repartir. Tu posais tant de questions que tu as fini par être importun. On avait le sentiment, à t'écouter, que rien n'aurait été plus important que d'épingler les Russes à cette occasion. En même temps, tu étais capable de formuler des critiques vis-à-vis des États-

Unis. Mais tu savais pertinemment qu'à l'automne 1982, c'étaient en réalité des sous-marins de l'OTAN qui circulaient dans le saint des saints de nos eaux territoriales. Tu as joué et tu as gagné. Tu as manipulé tout le monde. Sauf ta femme, qui commençait à se douter de quelque chose. Je ne sais pas pourquoi tu es venu ici. Peut-être parce que tu en avais reçu l'ordre ? Était-ce un homme payé par tes employeurs qui fumait sa cigarette de l'autre côté de la clôture le soir de ton anniversaire ? Pour t'avertir, selon un code convenu ? Ce cabanon de chasse avait été choisi depuis longtemps comme un possible lieu de repli. Ce cabanon que tu connaissais par le père d'Eskil Lundberg, qui t'aidait plus que volontiers depuis que tu avais fait en sorte que son ponton arraché et ses filets troués lui soient remboursés avec une marge généreuse. L'homme qui n'a jamais dévoilé à quiconque que les Américains avaient échoué à fixer le système d'écoute sur le câble sous-marin russe dans la Baltique. Je suppose qu'un bateau serait passé te prendre s'il devenait nécessaire de te faire évacuer. On ne t'a sans doute jamais dit que Louise devait mourir. Mais ce sont tes amis qui l'ont fait. Et tu connaissais le prix à payer. Tu ne pouvais rien faire pour empêcher cela. N'est-ce pas ? La seule question que je me pose, c'est ce qui a bien pu te pousser à aller jusque-là. Jusqu'à accepter de sacrifier ta propre femme.

Håkan von Enke examinait ses ongles. Il paraissait curieusement indifférent aux paroles de Wallander. Peut-être à cause du chagrin, malgré tout ? Que la mort de Louise eût été le prix qu'il avait dû payer, en dernier recours, alors qu'il était bien trop tard pour faire machine arrière ?

– Il n'a jamais été question qu'elle meure, dit von Enke sans quitter ses mains du regard.

– Qu'as-tu pensé en apprenant sa mort ?

La réponse fut brève et sèche :

– J'ai failli en finir. La pensée de ma petite-fille m'a retenu. Maintenant, je ne sais plus.

Le silence retomba. Wallander pensa qu'il serait bien que Sten Nordlander ne tarde pas trop à entrer. Mais il restait une question :

– Comment cela a-t-il commencé ?

– Quoi donc ?

– Je ne veux pas connaître le détail de tes activités. Juste savoir comment tu en es arrivé là.

– C'est une longue histoire.

– Nous avons le temps. Et tu n'as pas besoin d'être exhaustif. Juste pour que je comprenne.

Håkan von Enke se carra dans le fauteuil et ferma les yeux. Wallander vit soudain que le personnage assis en face de lui était un très vieil homme.

– C'était il y a très longtemps, dit von Enke sans ouvrir les yeux. J'ai été contacté par les Américains dès le début des années 60. J'ai vite été convaincu de l'importance de leur donner accès à toutes les informations qu'ils jugeraient nécessaires. Ma conviction était que nous ne pourrions jamais nous défendre seuls. Sans l'OTAN, c'est-à-dire en définitive sans les États-Unis, nous étions perdus d'avance.

– Qui t'a contacté ?

– Tu dois te souvenir de ce qu'était le monde à cette époque. Des groupes de gens, jeunes en particulier, consacraient toute leur énergie à combattre la guerre du Vietnam. Mais nous, nous pensions que l'aide des États-Unis nous serait indispensable si nous voulions pouvoir résister le jour où ça barderait en Europe. Alors je supportais assez mal tous ces gauchistes naïfs et romantiques. Je voulais faire quelque chose. Et je l'ai fait. Je suis entré là-dedans en connaissance de cause. C'était de l'idéologie, on peut le dire. Ça l'est encore. Car le principe reste valable. Sans les États-Unis, le monde sera livré à des forces qui n'ont qu'une idée en tête, ravir à l'Europe tout son pouvoir. Quelles sont les ambitions de la Chine, à ton avis ? Que feront les Russes, le jour où ils auront tant soit peu réglé leurs problèmes internes ?

– Mais il devait aussi y avoir de l'argent en jeu. N'est-ce pas ?

Von Enke se détourna et parut s'absorber dans ses pensées. Wallander posa une autre question, puis une autre, mais n'obtint aucune réponse. Håkan von Enke avait tout simplement mis un terme à la discussion.

Soudain il se leva et se dirigea vers la partie cuisine. Il sortit une bière du réfrigérateur, puis il ouvrit un tiroir. Wallander suivait des yeux chacun de ses mouvements.

Quand il se retourna, il avait un pistolet à la main. Wallander se leva précipitamment. Le canon était pointé vers lui. Håkan von Enke posa lentement la bouteille de bière sur le plan de travail.

Puis il leva son arme et visa la tête de Wallander. Celui-ci hurla. Mais l'arme, vit-il ensuite, continuait de se déplacer en arc de cercle.

– Je ne peux plus, dit Håkan von Enke. Il n'y a pas d'avenir.

Le bout du canon était à présent sous son menton. Il appuya sur la détente. Le coup partit. Pendant que von Enke tombait dans une gerbe de sang, Sten Nordlander fit irruption dans la pièce.

– Tu es blessé ? Il t'a tiré dessus ?

– Non. Il s'est visé lui-même.

Ils s'approchèrent, yeux écarquillés. L'homme gisait au sol dans un angle peu naturel. Il y avait tellement de sang qu'on ne pouvait voir s'il avait les yeux ouverts ou fermés.

Puis Wallander s'aperçut, épouvanté, qu'il vivait encore. Il attrapa un gilet qui traînait sur un fauteuil et le pressa contre le menton ouvert, tout en criant à Sten Nordlander de rapporter des torchons. La balle était ressortie par la joue. Håkan von Enke n'avait pas réussi à expédier le coup mortel au cerveau.

– Il a tiré de travers, dit-il quand Sten Nordlander lui eut apporté un drap arraché au lit.

Les yeux de Håkan von Enke étaient ouverts, non révulsés.

– Appuie, dit Wallander en montrant le geste à Sten Nordlander.

Il attrapa son téléphone et appela le numéro d'urgence. Pas de réseau. Il sortit en courant et escalada le rocher derrière la maison. Toujours rien. Il retourna à l'intérieur.

– Il perd son sang, dit Nordlander.

– Tu dois appuyer fort. Ça ne passe pas, sur l'île, il faut que je parte chercher des secours.

– Je ne crois pas qu'il va s'en tirer.

– S'il meurt, nous ne connaîtrons jamais les détails.

Sten Nordlander, toujours agenouillé, leva vers Wallander un regard plein d'effroi.

– C'est vrai, ce qu'il a dit ?

– Tu nous as entendus. N'est-ce pas ?

– Chaque mot.

– Alors maintenant tu sais. Il a été un espion pendant près de quarante ans.

– C'est incompréhensible.

– Raison de plus pour le garder en vie. Il n'y a que lui qui puisse nous expliquer. Je vais chercher de l'aide. Si tu réussis à l'empêcher de se vider de son sang, on peut y arriver.

Wallander se dirigeait vers la porte quand la voix de Sten Nordlander s'éleva de nouveau derrière lui :

– Il n'y a absolument aucun doute ?

– Non.

– Ça veut dire qu'il m'a toujours menti.

– Il a menti à tout le monde.

Wallander trébucha en courant vers le bateau dans le noir, mais se releva et poursuivit sa course sans ralentir. Parvenu au rivage, il vit que le vent s'était sérieusement levé. Il défit l'amarre, imprima à l'embarcation une poussée vigoureuse et sauta à bord. Le moteur démarra à la première tentative. Il faisait si noir qu'il doutait d'être capable de retrouver le chemin du port.

Il venait de manœuvrer et s'apprêtait à accélérer quand il entendit, venant de l'île, le bruit sec d'une détonation. Aucun doute possible. C'était une arme à feu. Il coupa les gaz et écouta. Se serait-il trompé malgré tout ? Il mit de nouveau le cap vers le rivage ; en voulant sauter à terre, il sentit ses chaussures se remplir d'eau. Il était aux aguets, à l'affût du moindre bruit. Le vent continuait de forcir. Il prit son fusil et le chargea. Y avait-il eu, contre toute attente, d'autres personnes présentes sur l'île ? Il reprit le chemin du cabanon, le fusil dans les mains, en essayant de faire le moins de bruit possible. Il s'arrêta à la vue du rai de lumière dans la fente laissée par le store. Pas un son, à part le vent passant au sommet des arbres, et le bruit du ressac.

Il se dirigeait vers la porte quand il entendit un nouveau coup de feu. Le même bruit sec que tout à l'heure. En provenance du cabanon. Il se jeta à terre et pressa son visage contre la terre humide en se protégeant la tête avec les mains. Il avait lâché son fusil, prêt à ce que tout soit fini d'un instant à l'autre.

Mais personne ne vint. Pour finir, il osa se redresser en position assise. Il ramassa le fusil, vérifia que le double canon n'était pas obstrué de terre. Il s'accroupit et ce fut dans cette position qu'il s'approcha de la porte. Il frappa deux fois, fort, contre le montant.

Aucune réaction. Il cria. Aucune réaction. Deux coups de feu, pensa Wallander fébrilement. Qu'est-ce que ça signifie ?

Il ne pouvait pas savoir. Mais il s'en doutait. Il revoyait le visage de Sten Nordlander au moment où celui-ci l'avait interpellé, sur le seuil, avec sa question : *Il n'y a absolument aucun doute ?*

Wallander poussa la porte et entra.

Håkan von Enke était mort. Sten Nordlander lui avait tiré une balle dans le front avant de retourner l'arme contre lui. Il gisait au sol à côté de son ancien collègue et ami. Wallander, bouleversé, pensa qu'il aurait dû prévoir ce qui allait se produire. Dehors, dans le noir, Sten Nordlander avait entendu Håkan von Enke admettre calmement qu'il les avait tous trahis – en particulier ceux qui lui avaient fait confiance depuis toujours ; en particulier celui qui avait vu en lui son meilleur ami.

Wallander, évitant de poser les pieds dans le sang répandu, alla s'affaisser dans le fauteuil où il avait peu auparavant entendu la confession de Håkan von Enke. Il était épuisé. La vérité, pensa-t-il, lui devenait plus lourde à porter d'année en année. Pourtant il la recherchait toujours. Encore et encore.

Où en étaient les choses quand je suis allé à Djursholm ? Si sa conversation avec moi participait d'une stratégie destinée à me faire croire que sa femme avait trahi et ainsi éloigner mon attention de sa propre personne – alors les décisions les plus importantes étaient déjà prises. Peut-être est-ce Håkan von Enke lui-même qui a eu l'idée de se servir de moi ? D'exploiter la coïncidence qui faisait du père de la compagne de son propre fils un policier de province un peu ballot ?

Il y avait en lui à la fois du chagrin et de la colère tandis qu'il restait là, comme assommé, dans le fauteuil face aux deux corps baignant dans leur sang. Mais sa principale pensée sur le moment fut que, maintenant, Klara ne connaîtrait pas non plus son grand-père paternel. Il lui faudrait se contenter d'une seule grand-mère, qui luttait contre l'alcool, et d'un seul grand-père, qui était de plus en plus fragile.

Il resta ainsi peut-être une demi-heure ou davantage, avant de s'obliger à redevenir policier. Il échafauda un plan très simple : celui de tout laisser en l'état. Avant de partir, il prit juste la clé de voiture dans la poche de Sten Nordlander. Puis il quitta le cabanon de chasse et regagna le rivage dans l'obscurité.

Juste avant de pousser le bateau à l'eau pour la deuxième fois, il s'immobilisa et ferma les yeux. Le passé se précipitait à sa rencontre. Se précipitait aussi vers lui le monde qui l'entourait, ce monde dont il avait toujours presque tout ignoré – même quand il devenait, comme c'était le cas à présent, un personnage secondaire sur la grande scène. Que savait-il aujourd'hui qu'il n'avait pas su avant ? Pas grand-chose, au fond. Je suis toujours ce personnage en pleine confusion à la périphérie des événements. Maintenant comme alors. Pareil. Ce personnage inquiet et mal assuré dans la marge : c'est moi.

Malgré l'obscurité compacte, il réussit à retrouver le chemin du port. Il laissa le bateau à l'emplacement où il l'avait pris. Le port était désert, il était deux heures du matin. Il déverrouilla les portières et démarra. Avant d'abandonner la voiture de Sten Nordlander près de la gare de chemin de fer, il essuya soigneusement le volant, le levier de vitesses et la poignée de la portière. Puis il jeta les clés dans une bouche d'égout et n'eut plus qu'à attendre le premier train vers le sud. Il passa de la sorte plusieurs heures sur un banc, dans un parc. C'était une expérience étrange que de se trouver dans cette ville inconnue avec une valise contenant le vieux fusil de chasse de son père.

Il tombait une pluie fine quand, l'aube venue, il dénicha un café ouvert où il put boire du café en feuilletant de vieux journaux avant de retourner à la gare et monter dans le train. Il ne reviendrait jamais plus dans cette ville.

Par la vitre, il pouvait voir la voiture de Sten Nordlander sur le parking. Tôt ou tard, on s'y intéresserait, et une chose en amènerait une autre. Une énigme demeurerait : comment Nordlander s'était-il rendu jusque sur le port et ensuite jusque sur l'île ? Mais le loueur de bateaux ne ferait pas nécessairement le lien entre Wallander et la tragédie du cabanon de chasse isolé. De plus, tous les détails de cette histoire, sitôt connus, seraient aussitôt classés secret-défense.

Wallander arriva à Malmö peu après midi, récupéra sa propre voiture sur le parking de l'hôtel de Jägersro et prit la route d'Ystad.

Juste avant la dernière sortie, il tomba sur un contrôle de police. Il montra sa carte et souffla dans l'alcootest.

– Comment ça se passe ? demanda-t-il, soucieux de témoigner à son collègue un intérêt encourageant. Les gens sont sobres ?

– Jusqu'à présent, oui. Mais on vient juste de commencer. On finira bien par attraper quelqu'un. Et à Ystad ?

– C'est calme. Mais ça a tendance à se corser en août.

Wallander le salua d'un signe de tête, remonta sa vitre et redémarra. Il y a quelques heures j'avais deux cadavres devant moi, pensa-t-il. Mais les personnes que je croise ne peuvent pas le voir. Ce qu'imprime notre rétine ne se voit pas.

Il s'arrêta en route pour faire le plein de provisions et alla ensuite chercher Jussi. Enfin, il freina devant sa maison.

Quand il eut rangé les courses dans le réfrigérateur et le garde-manger, il s'assit sur une chaise dans la cuisine. Tout était silencieux.

Il essayait de parvenir à une décision sur ce qu'il dirait à Linda.

Mais il ne l'appela pas de la journée. Ni même le soir.

Il ne savait tout simplement pas quoi lui dire.

Épilogue

Une nuit de mai 2009, Wallander fut réveillé en plein rêve. Cela lui arrivait de plus en plus souvent et les souvenirs de la nuit persistaient, alors que dans le temps ça n'avait presque jamais été le cas. Jussi, qui avait été malade, dormait par terre à côté du lit. Le réveil sur la table de chevet indiquait quatre heures quinze. La fenêtre de la chambre était ouverte ; le cri d'une chouette s'était peut-être insinué dans sa conscience – ce ne serait pas la première fois.

Mais si chouette il y avait, elle n'était plus là. Il avait rêvé de Linda et de la conversation téléphonique qu'ils auraient dû avoir le jour où il était revenu de Blåskär. Dans son rêve, il l'appelait au téléphone et lui disait la vérité. Elle l'écoutait sans un mot. Et voilà tout. Le rêve s'arrêtait là ; cassé, comme une branche morte.

Mais son malaise était bien réel. Car en vrai, il n'avait jamais trouvé le courage de l'appeler. Sur le moment, il s'était inventé un pauvre prétexte : il n'était pour rien dans la tragédie. S'il devait raconter à Linda ce qui s'était passé sur l'île, cela n'aurait pour seul résultat que de lui rendre la vie impossible. Bientôt, le drame serait officiel, Hans et elle en seraient informés et lui, dans le meilleur des cas, resterait l'homme invisible.

En vérité, c'était une des pires scènes auxquelles il eût jamais été mêlé. Il ne pouvait la comparer qu'à l'épisode, bien des années plus tôt, où il avait tué un homme pour la première fois de sa vie ; il s'était alors sérieusement demandé s'il pouvait continuer à exercer ce métier. À l'époque, il avait été à deux doigts de la décision que Martinsson venait de prendre. Arrêter. Faire autre chose.

Wallander se pencha prudemment par-dessus le bord du lit et regarda son chien. Jussi dormait. Et rêvait, lui aussi : ses coussinets remuaient l'air.

Il se retourna sur le dos. L'air matinal entrant à flots par la fenêtre ouverte le rafraîchissait. Avec les pieds, il se débarrassa de sa couverture et ses pensées filèrent vers le tas de feuillets sur la table de sa cuisine. Dès le mois de septembre de l'année précédente, il avait commencé à rédiger une synthèse de tous les événements intervenus depuis la soirée de Djursholm jusqu'à sa conclusion dramatique dans le cabanon de chasse de l'archipel.

Ce fut Eskil Lundberg qui découvrit les corps. Ytterberg fut tout de suite appelé à la rescousse par la brigade criminelle de Norrköping et, dans la mesure où l'affaire concernait aussi la Sûreté et les services de renseignements de l'armée, le couvercle fut apposé aussitôt, comme prévu. Wallander en avait été réduit aux rares informations communiquées par Ytterberg en toute confidentialité. Il s'attendait à ce que sa propre présence au moment des faits soit révélée d'un instant à l'autre. Ce qui l'inquiétait le plus, c'était l'idée que Sten Nordlander ait pu évoquer devant sa femme le fait qu'il devait se rendre quelque part avec Wallander. Mais, apparemment, Nordlander n'avait rien dit. Le cœur serré, Wallander lut dans les journaux les déclarations désespérées de sa femme refusant de croire qu'il ait pu tuer son vieil ami et se suicider juste après.

Il arrivait à Ytterberg de se plaindre auprès de Wallander. Pas même lui, qui dirigeait pourtant l'enquête policière, ne savait ce qui se jouait en coulisse. Mais que Sten Nordlander eût abattu Håkan von Enke d'une balle dans le front avant de retourner l'arme contre lui-même – ce point crucial ne faisait aucun doute. L'énigme, c'était comment diable Sten Nordlander avait pu se rendre sur l'île. Cela signifiait, et Ytterberg revint là-dessus à plusieurs occasions, qu'un tiers était impliqué. Mais qui ? Et quel rôle avait-il joué ? Mystère. Tout comme le pourquoi de cette tragédie, qui demeurait impénétrable.

Les journaux s'étaient livrés à des spéculations insensées. Le drame sanglant du cabanon de chasse avait donné lieu à une véritable orgie médiatique, et Linda et Hans avaient presque dû quitter leur domicile avec Klara pour échapper aux journalistes. Les théoriciens du complot s'en donnaient à cœur joie, et les plus échevelés affirmaient même que Håkan von Enke et Sten Nordlander emportaient dans la tombe un secret lié au meurtre d'Olof Palme.

De temps à autre, au cours de ces échanges avec Ytterberg, Wallander avait demandé prudemment, sur un ton presque de politesse, où en étaient les soupçons concernant Louise. Ytterberg n'avait eu que de pauvres réponses à lui fournir.

– J'ai l'impression que c'est au point mort. Mais je ne pense pas que les services nous feront la bonté de nous dire quelle est la vérité qu'ils cherchent, ou qu'ils veulent à tout prix dissimuler au contraire. Il faudra sans doute attendre qu'un journaliste d'investigation s'empare de l'affaire.

Au cours de toute cette période, Wallander n'entendit jamais la moindre personne avancer l'hypothèse que Håkan von Enke ait été une taupe au service des États-Unis. Aucun soupçon, aucune rumeur, aucune idée même que cela ait pu être le cas. Un jour, il posa carrément la question à Ytterberg. Cette possibilité avait-elle été envisagée ? Ytterberg réagit par une perplexité totale.

– Pourquoi au nom du Ciel aurait-il fait ça ?

– J'essaie d'envisager toutes les hypothèses.

– Je crois que si les services ou les militaires avaient soupçonné un truc pareil, même moi j'aurais été au courant.

– Je réfléchissais juste à haute voix.

– Saurais-tu quelque chose que j'ignore ? demanda Ytterberg avec une sévérité inattendue.

– Non. Je ne sais rien que tu ignores.

Ce fut alors, après cette conversation avec Ytterberg, qu'il se mit à écrire. Il rassembla toutes ses notes, ses réflexions éparses, et imagina un système de Post-it dont il couvrit un mur entier du séjour. Chaque fois que Linda venait le voir, avec ou sans Klara, avec ou sans Hans, il les enlevait. Il voulait écrire son histoire sans y mêler qui que ce fût, et sans que qui que ce fût puisse même se douter de ce qu'il fabriquait.

Il commença par suivre jusqu'au bout les fils épars qu'il lui semblait encore avoir dans son panier. Certains pouvaient être mis de côté sans problème. *USG Enterprises*, le nom qu'il avait lu dans le hall de l'immeuble de George Talboth, était une société de consultants ; voilà par exemple un point facile à vérifier. Et une entreprise respectable, a priori. Mais qui donc s'était livré à de discrètes incursions chez lui ? À quelle fin ? Il n'obtint jamais de réponse à cette question, pas plus qu'à celle de savoir qui avait rendu visite à Signe à Niklasgården en se faisant passer pour son oncle. Il lui paraissait évident que c'étaient des individus agissant dans l'entourage de Håkan von Enke. Mais pourquoi ? Il n'en eut jamais le cœur net. Le plus probable était sans doute qu'on cherchait l'objet que Wallander lui-même avait appelé *le Livre de Signe*. Celui-ci était posé sur sa table pendant qu'il écrivait. Mais le reste du temps il retournait dans sa cachette, dans la niche de Jussi.

Il ne mit pas longtemps à comprendre ce qu'il fabriquait en réalité, avec ses notes. Il parlait de lui, de sa vie, au moins autant que de Håkan von Enke. En revenant sur tout ce qu'il avait lu et entendu au sujet de la guerre froide et des divisions des militaires suédois sur la politique de neutralité, par opposition à la nécessité de rejoindre l'OTAN, il voyait bien, une fois de plus, qu'il ne savait rien, au fond, du monde dans lequel il avait vécu. Impossible, naturellement, de rattraper la masse de connaissances qu'il n'avait jamais pris la peine d'acquérir. Tout ce qu'il pouvait encore apprendre, au sujet de ce monde, était coloré par la suite des événements. C'était un regard rétrospectif par définition. Il se demanda sombrement si on pouvait voir là une caractéristique de toute sa génération. Une réticence profonde à se préoccuper du monde dans lequel on vivait et de ses conditions politiques, qui se modifiaient sans cesse. À moins que sa génération n'ait été, elle aussi, divisée ? Entre ceux qui s'en souciaient et les indifférents ?

Son père avait été mieux informé que lui ; Wallander en prenait conscience seulement maintenant. Il y avait eu l'épisode avec Tage Erlander et son discours dans le parc municipal de Malmö, mais il se rappelait aussi une autre fois, alors qu'il était adulte depuis un certain temps déjà, au début des années 1970, quand son père l'avait copieusement engueulé parce qu'il avait omis de voter aux élections qui s'étaient tenues quelques jours plus tôt. Wallander se rappelait encore la colère noire de son père, la façon dont celui-ci l'avait traité de « feignant politique » avant de lui jeter un pinceau à la figure et de lui ordonner de disparaître. Ce qu'il s'était naturellement empressé de faire. En trouvant que son père était franchement bizarre. Pourquoi diable aurait-il dû se préoccuper des chamailleries des politiciens suédois ? Ce qui l'intéressait, lui, c'était tout au plus la question des impôts (trop élevés) et de son salaire (trop bas), point à la ligne.

Souvent, au cours de ses ruminations à la table de la cuisine, il se demanda si ses amis les plus proches avaient été, comme lui, indifférents à la vie collective, uniquement préoccupés par leurs histoires personnelles. Les rares fois où ils parlaient politique, cela ne dépassait jamais une sorte de litanie monocorde où l'on cassait du sucre sur le dos des politiciens, de leurs combines et de leurs initiatives imbéciles, sans prendre la peine de s'interroger sur ce qui pourrait être fait à la place.

Il n'y avait eu au fond qu'une courte période où il avait sérieusement réfléchi à la situation politique en Suède, en Europe et peut-être aussi dans le monde. Ça remontait à près de vingt ans et au meurtre sauvage d'un couple de vieux agriculteurs de Lenarp. Il était vite apparu qu'un faisceau d'indices désignait certains migrants clandestins. Wallander avait été obligé de s'interroger sur sa propre opinion quant à l'immigration – phénomène massif en Suède en ces années-là. Il avait découvert alors qu'il dissimulait sous une façade pacifique et tolérante des points de vue obscurs, peut-être même racistes. Cela l'avait surpris et effrayé. Par la suite, il avait fait le ménage dans sa tête. Cette confusion n'existait plus. Mais après cette enquête et son épilogue étrange sur le marché de Kivik, où les deux meurtriers avaient finalement été arrêtés, il s'était enfoncé une fois de plus dans son cocon de paresse politique.

Il se rendit plusieurs fois à la bibliothèque d'Ystad au cours de l'automne et emprunta des livres consacrés à l'histoire de l'après-guerre en Suède. Il se plongea dans les débats houleux qui avaient eu lieu sur des thèmes tels que la nécessité, ou non, pour la Suède de se procurer l'arme atomique ou d'intégrer l'OTAN. Lui, Wallander, était déjà un jeune adulte à l'époque de certains de ces débats, mais il n'avait aucun souvenir d'y avoir jamais réagi, ni même d'avoir eu la moindre opinion sur ces sujets. C'était comme s'il avait vécu dans une bulle de verre.

Un jour, il fit part à Linda de ces ruminations ; lui raconta de quelle manière il avait commencé à envisager sa vie. Il découvrit qu'elle avait un intérêt beaucoup plus développé que lui pour ces questions. Il en fut surpris, et le lui dit. Elle répondit simplement que la conscience politique de quelqu'un ne se voit pas sur sa figure.

– Et d'ailleurs, pourquoi en aurais-je parlé avec toi alors que je savais que ça ne t'intéressait pas ?

– Et Hans ?

– Hans possède de vastes connaissances sur ce qui se passe dans le monde. Mais nous ne sommes pas toujours d'accord.

Au cours de ce travail d'écriture, Wallander s'arrêta souvent sur la personne, précisément, de Hans. En 2008, à la mi-octobre, il avait reçu un appel de Linda qui lui avait annoncé, très secouée, que la police danoise venait d'effectuer une descente dans les bureaux de l'entreprise de Hans à Copenhague. Certains courtiers, dont deux Islandais, étaient à l'origine d'estimations gonflées de façon artificielle afin de sécuriser leurs propres primes et bonus. La bulle avait éclaté à la faveur de la crise financière. Pendant une période, tous les employés, Hans y compris, furent soupçonnés d'avoir été mêlés à l'escroquerie. Au mois de mars seulement, Hans avait été informé qu'il n'était plus en cause. Cette histoire avait été un lourd fardeau pour lui au moment où il devait faire face au chagrin du décès de son père, si peu de temps après celui de sa mère. Il avait plusieurs fois cherché à rencontrer Wallander, dans l'espoir d'obtenir des explications. Celui-ci avait dit ce qu'il croyait pouvoir lui communiquer, mais pas un mot sur ce qui était, en dernier ressort, la vérité des faits.

Wallander se demandait plus que tout ce qu'il allait bien pouvoir faire de ce rapport qu'il était en train d'écrire, et qui ressemblait de plus en plus à une véritable somme de données objectives et de réflexions. Peut-être devrait-il le confier aux autorités ? Sous couvert d'anonymat ? Mais le prendrait-on au sérieux ? Qui avait envie de troubler les bonnes relations entre la Suède et les États-Unis ? Le silence sur les activités de Håkan von Enke ne répondait-il pas au fond à un fort désir collectif ?

Il avait commencé à écrire début septembre ; cela faisait à présent plus de huit mois qu'il travaillait à ce texte. Il ne voulait pas que ces événements soient réduits au silence. C'était là, pour lui, une perspective inacceptable.

Tout en écrivant, il s'acquittait aussi comme d'habitude de son travail au commissariat. Deux enquêtes désespérantes remplirent ses journées au cours de cet automne et de cet hiver-là. Et au mois d'avril 2009, il commença à s'intéresser à une série d'incendies criminels signalés dans la région d'Ystad.

Ce qui inquiéta le plus Wallander, tout au long de cette période, ce fut la persistance de ses trous de mémoire à répétition. Le pire avait été un jour peu avant Noël. Il avait neigé pendant la nuit et au matin, Wallander s'était habillé et était sorti déblayer l'accès à la maison. Après avoir fini, il ne savait soudain plus où il était. Même la tête de Jussi ne lui disait plus rien. Il mit un long moment à reconnaître sa propre cour. Et il ne fit pas ce qu'il aurait dû faire. Il n'alla pas voir le médecin, Margareta Bengtsson, car il avait tout simplement trop peur d'entendre ce qu'elle serait susceptible de lui dire.

Il continua donc de se persuader qu'il travaillait trop, qu'il était surmené. Parfois il y réussissait. Mais la peur était toujours là. Que les oublis n'empirent. Il redoutait d'être atteint d'un Alzheimer précoce. Il ne voulait pas finir dément.

Wallander s'attardait dans son lit. Il était de congé. On était dimanche matin, Linda devait venir le voir en fin d'après-midi avec Klara. Hans les accompagnerait peut-être, s'il n'était pas trop fatigué.

À six heures il se leva, fit sortir Jussi et prépara un petit déjeuner. Le reste de la matinée fut consacré à écrire. Pour la première fois, ce matin précis, il devina qu'il rédigeait en réalité une sorte de testament. Voilà comment avait tourné sa vie. Même s'il avait encore dix ou quinze ans à vivre, rien n'allait plus réellement changer. En revanche, il se demandait, avec une sensation semblable à un écho vide, ce qu'il ferait une fois qu'on l'aurait mis à la retraite. Il se rappelait ses conversations avec Nyberg. Celui-ci n'allait pas tarder à déménager dans le Nord, au fond des forêts profondes.

Il n'avait qu'une réponse à cette question, et c'était Klara. Sa présence le rendait toujours joyeux. Klara serait encore là quand tout le reste serait fini.

Ce matin de mai, il mit le point final à son texte. Il lui semblait n'avoir plus rien à ajouter. Il avait tout relu et corrigé et une copie papier était à présent posée sur la table devant lui. Péniblement, phrase après phrase, il avait reconstitué l'itinéraire de l'homme qui avait tenté de lui faire accroire que sa femme était un espion. Et lui, Wallander, était un personnage de l'histoire ; pas seulement son chroniqueur.

Certains fils n'avaient pu être incorporés à la trame et pendouillaient toujours. Ce qu'il ruminait le plus, peut-être, c'était la question des chaussures de Louise. Pourquoi les avait-on rangées proprement à côté du corps ? Wallander pensait à la fin qu'elle avait été tuée ailleurs et qu'elle n'avait pas eu ses chaussures aux pieds à ce moment-là. Celui qui les avait posées près d'elle n'avait pas spécialement réfléchi à ce qu'il faisait. Où Louise avait-elle été détenue pendant le temps de sa disparition ? Il ne le savait pas davantage.

Une autre énigme était pour lui l'histoire des galets. Celui qu'il avait vu chez Håkan von Enke, celui qu'il avait reçu d'Atkins et celui qu'il avait découvert sur la table du balcon de George Talboth. Il avait cru comprendre qu'il s'agissait d'une sorte de souvenir ramassé dans l'archipel suédois, au milieu des îles et des rochers, par des gens qui n'auraient pas dû se trouver là. Mais pour quelle raison celui de von Enke avait disparu de son bureau, il n'en avait pas la moindre idée. Il pouvait juste envisager diverses hypothèses.

Il avait parlé quelques fois à Atkins au téléphone. Celui-ci avait pleuré en évoquant son ami perdu. *Ses* amis perdus, se corrigeait-il toujours ensuite. Il n'oubliait pas Louise. Il avait dit qu'il viendrait aux funérailles de Håkan. Mais quand celles-ci eurent lieu, à la mi-août, il ne vint pas. Et il ne reprit jamais contact avec Wallander par la suite. Celui-ci se demandait parfois de quoi avaient pu parler Atkins et von Enke quand ils se voyaient. Il ne le saurait jamais.

Il y avait aussi d'autres questions qu'il aurait aimé pouvoir poser à Håkan. Pourquoi ce dossier sur le Cambodge caché en haut de l'armoire à documents ? Avait-il envisagé de partir là-bas au cas où il serait contraint de fuir ? Et pourquoi Louise von Enke avait-elle retiré deux cent mille couronnes à l'insu de son mari ? Cet argent avait disparu sans explication. Et l'appartement de Grevgatan avait été vidé sans rien révéler de nouveau.

Les morts avaient emporté leurs secrets avec eux. Cela valait également pour Sten Nordlander. Sa décision de mettre fin à sa vie après avoir tué Håkan von Enke demeurerait toujours une énigme.

Parfois il croyait comprendre. Parfois non. Parfois c'était juste incompréhensible.

Fin novembre, alors que Wallander était à Stockholm pour quelques jours de formation, il loua une voiture et se rendit à Niklasgården. Hans, qui n'avait pas encore eu le courage de faire le voyage et de rendre visite à sa sœur inconnue, était avec lui. Ce fut pour Wallander un moment émouvant que de voir le frère et la sœur ensemble pour la première fois. Il pensait aussi souvent au fait que Håkan von Enke n'avait jamais cessé de rendre visite à sa fille. C'était à elle qu'il avait confié son journal. Elle était sans doute sa confidente. À elle seule il avait dévoilé ses préoccupations secrètes.

Longtemps il rumina la question de savoir s'il devait signer son œuvre. Pour finir il ne le fit pas. Le texte comptait en tout deux cent douze pages. Il les feuilleta une dernière fois, avec des sondages ici et là pour vérifier qu'il n'y avait pas de fautes. Il pensait s'être approché autant que possible, malgré tout, de la vérité.

Il décida d'adresser le document à Ytterberg, sans nom d'expéditeur. Il glisserait le paquet dans une enveloppe qu'il enverrait à sa sœur Kristina, en lui demandant de le réexpédier. Ytterberg devinerait bien sa provenance, mais ne serait jamais en mesure de la prouver.

Ytterberg est un homme sage, pensa Wallander. Il utilisera ce texte de la meilleure manière possible. Il comprendra aussi pourquoi j'ai préféré garder l'anonymat.

Mais Ytterberg lui-même risquait fort de se heurter à un mur. Les États-Unis étaient encore, pour beaucoup de Suédois, l'équivalent du Messie à peu de chose près. L'Europe sans les États-Unis était une Europe sans défense. Peut-être n'y aurait-il personne pour admettre la vérité qu'il prétendait dévoiler.

Wallander pensait aux soldats suédois envoyés en Afghanistan. Cela ne se serait jamais produit si les États-Unis ne l'avaient pas exigé. De façon tacite, bien sûr, jamais ouvertement – de la même manière que leurs sous-marins avaient circulé incognito dans les eaux nationales avec l'aval de l'état-major et de la classe politique suédoise au début des années 1980. De la même manière aussi que les hommes de la CIA avaient été autorisés à venir chercher sur le territoire suédois, le 19 décembre 2001, deux Égyptiens soupçonnés de terrorisme et à les reconduire dans des conditions dégradantes vers la prison et la torture dans leur pays d'origine. À supposer que ses activités soient révélées un jour, Wallander pouvait même imaginer que Håkan von Enke serait vu non pas comme un traître, mais comme un héros.

Il n'y a, pensa-t-il, aucune certitude absolue. Ni quant à la façon dont ces événements seront interprétés, ni quant à la suite de mon existence.

Il avait mis son point final. Provisoire ou non, peu importe.

Cette journée de mai était ensoleillée, mais très fraîche. À l'heure du déjeuner il fit une longue promenade avec Jussi, qui paraissait plus ou moins rétabli. Quand Linda arriva, sans Hans mais avec Klara, Wallander avait même eu le temps de faire le ménage et de vérifier qu'aucun papier compromettant ne traînait plus dans le séjour. Klara s'était endormie dans la voiture. Wallander la porta avec précaution jusqu'au canapé. La tenir dans ses bras lui donnait toujours la sensation que c'était Linda qui lui était revenue, sous une nouvelle forme.

Ils prirent le café dans la cuisine.

– Tu as fait le ménage ? demanda Linda en regardant autour d'elle.

– Toute la journée.

Elle éclata de rire, mais retrouva aussitôt son sérieux. Wallander savait que les épreuves traversées par Hans l'affectaient, elle aussi.

– Je veux retourner au boulot, dit-elle soudain. Je n'en peux plus d'être juste mère de famille.

– Tu reprends dans quatre mois, il me semble ?

– Quatre mois, c'est beaucoup. Je remarque que je deviens impatiente. Irritable. Énervée.

– Contre Klara ?

– Contre moi.

– Je crois malheureusement que tu tiens ça de moi.

– Quoi ?

– L'impatience.

– N'est-ce pas toi qui dis toujours que l'impatience est la première vertu d'un policier ?

– Oui. Ça ne veut pas dire qu'elle doive lui être naturelle.

Elle goûta pensivement son café.

– Je me sens vieux, dit Wallander. Je me réveille chaque jour avec l'impression que ça passe si vite, si terriblement vite. Et je ne sais même pas après quoi je cours, et si c'est pour le rattraper ou pour lui échapper au contraire. Je cours, c'est tout. Et si je dois être tout à fait sincère… La vieillesse me fait très peur.

– Pense à grand-père ! Il a vécu jusqu'au bout comme il l'avait toujours fait, sans une pensée pour son âge.

– Ce n'est pas vrai. Il avait peur aussi.

– Parfois peut-être. Mais pas toujours.

– C'était quelqu'un de singulier. Je crois que personne ne peut se comparer à lui.

– Moi, oui.

– Tu avais un contact avec lui que j'ai perdu quand j'étais encore très jeune. D'ailleurs il s'est toujours mieux entendu avec ma sœur Kristina. Peut-être avait-il plus d'affinités avec les femmes ? Je suis né avec le mauvais sexe. Il ne voulait pas de fils.

– Ça, ce sont des bêtises, et tu le sais.

– Bêtises ou pas, ce sont quand même des pensées qui me traversent. J'ai peur de devenir vieux.

Linda tendit la main par-dessus la table et lui effleura le bras.

– J'ai remarqué que tu t'inquiétais. Mais, au fond de toi, tu sais bien que ça n'a pas de sens, n'est-ce pas ? L'âge, on ne peut rien y faire.

– Je sais. Mais parfois j'ai l'impression que tout ce qui me reste, c'est de me plaindre.

Linda resta longtemps chez lui. Ils bavardèrent jusqu'à ce que Klara se réveille et, s'extirpant du canapé, se mette à courir vers lui avec un grand sourire heureux.

À cet instant, Wallander fut littéralement submergé d'épouvante. Sa mémoire se dérobait de nouveau. Il ne savait pas qui était cette fillette qui courait vers lui. Oui, il l'avait déjà vue. Mais qui était-elle ? Comment s'appelait-elle ? Que faisait-elle là ?

C'était comme si un grand silence venait de descendre sur lui. Comme si les couleurs s'étaient effacées en laissant derrière elles quelque chose, en noir et blanc, à son intention.

Les Morts de la Saint-Jean. La Muraille invisible. L'Homme inquiet

L'ombre s'était approfondie. Et, peu à peu, Kurt Wallander disparut alors dans une obscurité qui l'expédierait quelques années plus tard définitivement dans l'univers vide qui a pour nom Alzheimer.

Après il n'y a plus rien. Le récit sur Kurt Wallander s'arrête. Les années qu'il lui reste à vivre, peut-être une dizaine, peut-être davantage, n'appartiennent qu'à lui. À lui et à Linda, à lui et à Klara, et à personne d'autre.

Postface

Dans l'univers de la fiction, on peut s'autoriser de nombreuses libertés. Il m'arrive ainsi souvent de modifier un paysage pour que nul ne puisse dire : c'est là que ça s'est passé !

Je tiens à souligner la différence entre fiction et documentaire. Ce que j'écris *aurait pu* se passer tel que je le décris. Mais ce n'est pas nécessairement le cas.

Ce livre contient de nombreux glissements de ce type, entre faits réels et faits imaginables.

Comme beaucoup d'écrivains, j'écris pour rendre le monde plus compréhensible, d'une certaine manière. De ce point de vue, la fiction est parfois supérieure au réalisme documentaire.

Peu importe donc s'il existe ou non une institution du nom de Niklasgården dans le centre de la Suède, ou un établissement à Östermalm fréquentée par les officiers de marine, ou un café, près de Stockholm, ayant la même fonction et où un commandant de sous-marin du nom de Hans-Olov Fredhäll serait susceptible de surgir à l'improviste. Et Madonna n'a jamais donné de concert à Copenhague en 2008.

Mais l'essentiel de ce livre repose sur un socle de réalité tangible.

Nombre de personnes m'ont été d'une aide précieuse dans les recherches nécessaires à ce roman. Je les en remercie.

Le contenu définitif relève toutefois de ma seule et unique responsabilité.

Henning Mankell,
Göteborg, juin 2009

Postface

Table

Du même auteur

AUX ÉDITIONS DU SEUIL

Comédia infantil
roman, 2003
et coll. « Points », n° P1324

Le Fils du vent
roman, 2004
et coll. « Points », n° P1327

Tea-Bag
roman, 2007
et coll. « Points », n° P1887

Profondeurs
roman, 2008
et coll. « Points », n° P2068

Le Cerveau de Kennedy
roman, 2009
et coll. « Points », n° P2301

Les Chaussures italiennes
roman, 2009
et coll. « Points », n° P2559

À paraître

L'Œil du léopard

Daisy Sisters
(titre provisoire)

SEUIL POLICIERS

« Série Kurt Wallander »

1. Meurtriers sans visage
coll. « Points Policiers », n° P1122
(et Bourgois, 1994)

2. Les Chiens de Riga
2003
prix Trophée 813
et coll. « Points Policiers », n° P1187

3. La Lionne blanche
2004
et coll. « Points Policiers », n° P1306

4. L'Homme qui souriait
2005
et coll. « Points Policiers », n° P1451

5. Le Guerrier solitaire
1999
prix Mystère de la critique 2000
et coll. « Points Policiers », n° P792

6. La Cinquième Femme
2000
et coll. « Points Policiers », n° P877

7. Les Morts de la Saint-Jean
2001
et coll. « Points Policiers », n° P971

8. La Muraille invisible
2002
prix Calibre 38
et coll. « Points Policiers », n° P1081

9. L'Homme inquiet
2010

OPUS, vol. 1
Meurtriers sans visage,
Les Chiens de Riga, La Lionne blanche
2010

OPUS, vol. 2
L'Homme qui souriait,
Le Guerrier solitaire, La Cinquième Femme
2011

À paraître

Les Pyramides (nouvelles)
(titre provisoire)

« Série Linda Wallander »

Avant le gel
2005
et coll. « Points Policiers », n° P1539

Hors série

Le Retour du professeur de danse
2006
et coll. « Points Policiers », n° P1678

Le Chinois
2011